La littérature française de A à Z

Sous la direction de
Claude Eterstein

François Aguettaz

Stéphane Audeguy

Michelle Béguin

Laurence Campa

Marie-Hélène Dumeste

Claude Eterstein

Adeline Lesot

Laurence Martin

Christophe Reffait

Ariane Schréder

Catherine Weil

Avant-propos

Pourquoi *La littérature française de A à Z* ?

Destiné aux lycéens, aux étudiants et à tous ceux qui s'intéressent à la littérature française, l'ouvrage poursuit trois objectifs principaux :

● rassembler les éléments d'une culture littéraire souvent dispersés dans différents ouvrages, utiles pour la dissertation et concernant aussi bien les auteurs que les œuvres, les grands courants, les genres, les personnages, les mythes ;

● préciser des notions de rhétorique, de stylistique, de métrique et de prosodie indispensables pour l'explication et le commentaire de texte ;.

● inviter à la lecture des œuvres-phares à travers des résumés, des analyses, des citations, des extraits significatifs (préfaces, arts poétiques,...).

Comment est organisé l'ouvrage ?

● Le corps de l'ouvrage est composé de **596 articles** – classés dans l'ordre alphabétique – consacrés, selon le cas, à une notion littéraire, un auteur, une œuvre majeure ou un personnage célèbre (voir ci-dessous).

● En annexes figurent :
– un index général des auteurs (ceux auxquels sont consacrés des articles spécifiques et tous ceux simplement évoqués dans ceux-ci) ;
– un tableau chronologique des principaux écrivains et mouvements littéraires.

Les différents types d'entrées

Repérées chacune par une couleur différente, voici les quatre sortes d'entrées que vous trouverez dans ce dictionnaire :

● Les entrées « notions » (en bleu) : elles donnent la définition et l'analyse – en particulier historique – des mouvements, genres et registres littéraires, des figures de rhétorique, des procédés de métrique, de certaines notions de linguistique et de poétique.

● Les entrées « auteurs » (en rouge) : elles comportent toutes une chronologie des œuvres principales, une synthèse littéraire sur ces œuvres, une notice biographique, des citations et des liens avec d'autres articles.

● Les entrées « œuvres » (en violet) : elles précisent le contexte de création de l'œuvre étudiée, en proposent un résumé suivi d'une analyse.

● Les entrées « personnages » (en vert) : elles consacrent une synthèse à un personnage symbolique, à un mythe littéraire et renvoient aux œuvres où ils apparaissent.

Nous espérons que l'ouvrage vous rendra service et vous en souhaitons une bonne utilisation !

© Hatier, Paris 2011 – ISBN 978-2-218-94734-6

Sommaire

Voici la **liste des 596 articles** que contient l'ouvrage. Le numéro noté à gauche de l'intitulé indique la page où commence l'article.

Les couleurs des intitulés renvoient aux différents types d'entrées : les notions littéraires (mouvements, genres, procédés de style…) sont en **bleu** ; les auteurs, en **rouge** ; les œuvres, en **violet** ; les personnages, en **vert**.

a

9 absurde
9 abyme (mise en)
10 Académie française
11 accumulation
11 acrostiche
11 actantiel (schéma)
12 acte
13 action (dramatique)
14 Alain-Fournier
15 À la recherche du temps perdu, Proust
15 Alceste
16 Alcools, Apollinaire
17 alexandrin
18 allégorie
18 allitération
18 amplification
19 anacoluthe
19 anagramme
19 analogie
20 anaphore
20 ancien français
21 Anciens et Modernes (Querelle des)
22 Anouilh, Jean
23 Antigone
23 antihéros
24 antiphrase
24 antithèse
24 antonyme
25 aparté
25 aphorisme
25 apocryphe
26 Apollinaire, Guillaume
27 apologie
27 apologue
28 apostrophe
28 Aragon, Louis
30 argumentation
31 Arlequin
31 art poétique
32 art pour l'art (l')
33 Artaud, Antonin

34 Arthur (le roi)
35 assonance
35 Aubigné, Agrippa d'
36 auteur(e)
37 autobiographie
38 Aymé, Marcel

b

40 Bâ, Amadou Hampâté
41 ballade
42 Balzac
43 Barbey d'Aurevilly, Jules
44 Barbusse, Henri
45 Barjavel, René
46 baroque
47 Barthes, Roland
48 Bataille, Georges
49 Baudelaire, Charles-Pierre
50 Bayle, Pierre
51 Beaumarchais, Pierre-Augustin Caron de
53 Beauvoir, Simone de
54 Beckett, Samuel
55 Bel-Ami, Maupassant
56 Bellay, Joachim du
58 Ben Jelloun, Tahar
59 Bernanos, Georges
60 Bertrand, Aloysius
61 bibliothèque bleue
61 bienséances
62 Bildungsroman
62 biographie
63 Blanchot, Maurice
64 blason
64 bohème
65 Boileau-Despréaux, Nicolas
66 bon sauvage
67 Bonnefoy, Yves
67 Bossuet
69 Bouchet, André du
70 bouts-rimés
70 bovarysme
70 Breton, André

72 burlesque
72 Butor, Michel

c

74 cadavre exquis
74 calembour
75 calligramme
75 Camus, Albert
78 *Candide ou l'Optimisme,* Voltaire
78 caricature
79 Carmen
79 catharsis
81 Cazotte, Jacques
81 Céline, Louis-Ferdinand
83 Cendrars, Blaise
83 censure
84 Césaire, Aimé
85 césure
85 champ lexical
86 champ sémantique
86 chanson
86 chanson de geste
87 *Chanson de Roland* (La)
88 Char, René
89 Charles d'Orléans
90 Chateaubriand, François-René de
91 Chédid, Andrée
92 Chénier, André
93 chiasme
94 Chrétien de Troyes
95 chronique
95 chute
96 Cid (Le)
96 *Cid (Le),* Corneille
98 cinéma et littérature
99 classicisme
100 Claudel, Paul
101 cliché
101 Cocteau, Jean
102 Cohen, Albert
103 Colette
104 comédie
105 Comédie-Française
106 comique
107 commedia dell'arte
107 communication (schéma de la)
109 comparaison
109 *Comte de Monte-Cristo (Le),* Dumas
111 *Condition humaine (La),* Malraux
111 confession
112 *Confessions (Les),* Rousseau
113 confident
113 connotation
114 Constant, Benjamin
114 *Contemplations (Les),* Hugo
115 conte philosophique
116 conte populaire
117 Corbière, Tristan

117 Corneille, Pierre
119 correspondances
119 couleur locale
120 coup de théâtre
120 coupe
120 Courteline, Georges
121 courtoisie
122 critique
123 Cros, Charles
124 Cyrano de Bergerac, Savinien de
125 Cyrano de Bergerac

d

126 Dada ou dadaïsme
126 dandysme
127 Danton
128 Daudet, Alphonse
128 décadentisme
129 décasyllabe
129 dénotation
130 dénouement
130 description
131 Desnos, Robert
131 *deus ex machina*
132 dialogue
132 dictionnaire
133 didactique
134 didascalies
134 Diderot, Denis
136 diégèse
136 diérèse
137 dilemme
137 discours
138 distanciation
138 distique
139 Don Juan
140 Don Quichotte
140 dramatique
141 dramaturgie
141 drame
142 drame romantique
143 Dumas, Alexandre
144 Duras, Marguerite

e

146 Échenoz, Jean
147 écriture automatique
147 *Éducation sentimentale (L'),* Flaubert
149 Électre
149 élégie
150 ellipse
150 éloquence
151 Eluard, Paul
152 Emmanuel, Pierre
152 emphase
153 *En attendant Godot,* Beckett
154 *Encyclopédie*

155 *Enfance,* Sarraute
156 engagement, intellectuel engagé
157 énigme
157 enjambement
157 énonciation
158 épicurisme
158 épigramme
159 épilogue
159 épistolaire (genre)
160 épithalame
160 épître
161 épopée
162 Ernaux, Annie
163 essai
163 *Étranger (L'),* Camus
164 étymologie
164 euphémisme
165 exergue
165 existentialisme
166 exorde
166 exotisme
167 exposition

f

168 fable
169 fabliau
169 fantastique
170 farce
171 Faust
172 Fénelon
172 feuilleton
173 Feydeau, Georges
174 figures de style
175 Flaubert, Gustave
176 *Fleurs du mal (Les),* Baudelaire
177 focalisation (ou point de vue)
178 Fontenelle
179 formes fixes
179 France, Anatole
180 francophonie
181 Fromentin, Eugène
182 Furetière, Antoine

g

184 Gargantua et Pantagruel
185 Garnier, Robert
186 Gary, Romain
187 Gautier, Théophile
188 Gavroche
189 Genet, Jean
190 genre
190 *Germinal,* Zola
191 Gide, André
193 Giono, Jean
194 Giraudoux, Jean
195 Goncourt (Huot de), Edmond et Jules de

196 Gracq, Julien
197 gradation
197 Green, Julien
198 grotesque
198 Guillevic, Eugène
199 Guilloux, Louis

h

200 harangue
200 harmonie imitative
200 hémistiche
201 heptasyllabe
201 Heredia, José-Maria de
202 hermétisme
202 *Hernani,* Hugo
203 héroï-comique
204 héros
204 hiatus
204 Hugo, Victor
206 humanisme
207 humour
208 Huysmans, Joris-Karl
209 hymne
209 hyperbole
210 hypotypose

i

211 Idéologues
212 imitation (doctrine de l')
212 incipit
213 index (mise à l')
213 injonctif
214 inspiration
214 interrogation rhétorique
215 intertextualité
215 intrigue
215 Ionesco, Eugène
217 ironie

j, k

218 Jaccottet, Philippe
219 Jacob, Max
220 jansénisme
221 Jarry, Alfred
222 *Jeu de l'amour et du hasard (Le),* Marivaux
223 journal
223 Jouve, Pierre Jean
224 Koltès, Bernard-Marie

l

226 Labé, Louise
227 Labiche, Eugène
227 La Bruyère, Jean de
229 Laclos, Choderlos de

230 Lafayette, Madame de
231 La Fontaine, Jean de
234 Laforgue, Jules
234 Lagarce, Jean-Luc
235 Lamartine, Alphonse de
237 Lancelot
238 Larbaud, Valéry
239 La Rochefoucauld, François, duc de
241 Lautréamont, Isidore Ducasse
242 Le Clézio, Jean-Marie Gustave
243 Leconte de Lisle, Charles
244 Leiris, Michel
244 Lesage, Alain-René
245 *Lettres persanes (Les)*, Montesquieu
246 libelle
246 libertinage
247 linguistique
247 lipogramme
247 litote
248 littérarité
248 livret d'opéra
249 locuteur
249 *Lorenzaccio*, Musset
250 Loti, Pierre
251 Lumières
252 lyrisme

m

253 madrigal
253 Maeterlinck, Maurice
254 Malherbe, François de
256 Mallarmé, Stéphane
257 Malraux, André
258 manifeste
259 Marguerite de Navarre
260 *Mariage de Figaro (Le)*, Beaumarchais
260 Marie de France
261 marivaudage
262 Marivaux, Pierre Carlet de Chamblain de
263 Marot, Clément
264 Martin du Gard, Roger
265 Maupassant, Guy de
266 Mauriac, François
268 maxime
269 Médée
270 mélodrame
270 mémoires
271 *Mémoires d'outre-tombe (Les)*, Chateaubriand
272 Mercier, Louis Sébastien
273 Mérimée, Prosper
274 merveilleux
274 métalangage
275 métaphore
275 métonymie
275 mètre
275 métrique

276 Michaux, Henri
276 Michelet, Jules
277 *Mille et Une Nuits (Les)*
279 Mirabeau (comte de)
279 Mirbeau, Octave
280 *Misérables (Les)*, Hugo
282 modalisation
282 Modiano, Patrick
283 Molière
285 monologue
286 monologue intérieur
287 Montaigne, Michel de
289 Montesquieu
290 Montherlant, Henry de
291 moraliste
292 Morand, Paul
292 Musset, Alfred de
294 mythe

n

295 Narcisse
296 narrateur
296 narratif (schéma)
296 narration
298 naturalisme
298 Nerval, Gérard de
299 *Neveu de Rameau (Le)*, Diderot
300 Nimier, Roger
301 Nizan, Paul
302 Nodier, Charles
303 nœud dramatique
303 Nourritures terrestres (Les), Gide
304 Nouveau Roman
304 nouvelle
305 Nouvelle Critique
306 *NRF (Nouvelle Revue française)*

o

307 occultisme
307 octosyllabe
307 ode
308 Œdipe
308 opéra
309 oraison funèbre
310 oratoire (style)
310 Orphée
312 Oulipo
312 oxymore

p

313 Pagnol, Marcel
314 palimpseste
314 pamphlet
314 panégyrique
315 pantoum
315 parabole

316 paradoxe
316 paratexte
316 Parnasse
317 parodie
318 paronyme
318 Pascal, Blaise
320 pastiche
320 pastorale
321 pathétique
321 Péguy, Charles
322 Perceval
323 Perec, Georges
324 *Père Goriot (Le)*, Balzac
325 période
325 péripétie
325 périphrase
326 péroraison
326 Perrault, Charles
327 personnage
328 personnification
329 pétrarquisme
330 *Phèdre*, Racine
331 phonème
331 picaresque
331 Pieyre de Mandiargues, André
332 plagiat
333 plaidoyer
333 platonisme et néoplatonisme
334 Pléiade (la)
335 poème en prose
336 poésie
337 poétique
337 pointe
337 polémique
338 polysémie
339 Ponge, Francis
340 Port-Royal
340 portrait
341 positivisme
342 préciosité
343 préface
343 préromantisme
344 prétérition
344 Prévert, Jacques
345 Prévost, dit l'abbé
345 Prométhée
346 prose cadencée
347 prosodie
347 prosopopée
348 Proust, Marcel
348 proverbe

q

350 Quasimodo
351 quatrain
351 Queneau, Raymond
352 quintil
352 quiproquo

r

353 Rabelais, François
354 Racine, Jean
356 Radiguet, Raymond
357 Ramuz, Charles-Ferdinand
358 Rastignac
359 rationalisme
359 réalisme
360 réception de l'œuvre
361 récit
362 récit de voyage
363 registre
363 Régnard, Jean-François
364 rejet, contre-rejet
365 Renard, Jules
365 réplique
366 représentation théâtrale
367 réquisitoire
367 Restif de la Bretonne, Nicolas
368 Retz, cardinal de
369 Reverdy, Pierre
370 rhétorique
370 Rhétoriqueurs
371 Rimbaud, Arthur
372 rime
372 Robbe-Grillet, Alain
374 Robespierre
374 Robinson
375 Rolland, Romain
376 Romains, Jules
376 roman
378 *Roman de la Rose* (le), Guillaume
de Lorris et Jean de Meung
379 *Roman de Renart* (le)
380 roman policier
382 romantisme
383 rondeau
383 Ronsard, Pierre de
385 Rostand, Edmond
386 Rotrou, Jean de
387 *Rouge et le Noir (Le)*, Stendhal
388 Rousseau, Jean-Jacques
390 Rutebeuf
391 rythme

s

392 Sade, marquis de
393 Saint-Amant
394 Saint-Exupéry, Antoine de
395 Saint-John Perse
396 Saint-Pierre (Bernardin de)
397 Saint-Simon
398 salons littéraires
398 Sand, George
399 Sarraute, Nathalie
400 Sartre, Jean-Paul
402 satire

403 saynète
403 Scarron, Paul
404 scénario
404 scène
404 scénographie
405 scepticisme
405 Scève, Maurice
406 science-fiction
407 scolastique
407 Scudéry, Madeleine de
408 sémantique
408 sémiologie
409 Semprun, Jorge
410 Sénancour
411 Senghor, Léopold Sédar
412 sens propre et sens figuré
413 sentence
413 sermon
413 Sévigné, Madame de
415 signe
415 signifiant et signifié
415 Simenon, Georges
416 Simon, Claude
417 sonnet
418 sonorités
418 Sorel, Charles
419 *Soulier de satin (Le)*, Claudel
420 Soupault, Philippe
421 sources
421 Staël, Germaine de
422 stances
423 Stendhal
424 stichomythie
425 stoïcisme
425 strophe
425 structuralisme
426 style
427 stylistique
427 sublime
427 Sue, Eugène
428 Supervielle, Jules
429 surréalisme
430 symbole
431 symbolisme
432 synecdoque
432 synérèse
432 synesthésies
433 synonyme
433 syntaxe

t

434 Table ronde (romans de la)
435 Tardieu, Jean
436 *Tartuffe ou l'Imposteur*, Molière
437 *Tel Quel*
438 Tendre (carte de)

438 tercet
439 théâtre
440 *theatrum mundi*
440 tirade
440 Tournier, Michel
441 tragédie
442 tragicomédie
443 tragique
444 traité
444 Tristan et Iseult
445 Tristan l'Hermite
446 troubadour
446 Tzara, Tristan

u

448 Ubu
449 Ulysse
449 unités (règles des trois)
450 Urfé, Honoré d'
451 utopie

v

452 Valéry, Paul
453 Vallès, Jules
454 vaudeville
455 Vercors
455 Verhaeren, Émile
456 Verlaine, Paul
458 Verne, Jules
459 vers
459 verset
459 versification
460 Vian, Boris
461 Viau, Théophile de
461 Vigny, Alfred de
463 Villiers de L'Isle Adam
463 Villon, François
464 Vinaver, Michel
466 Voltaire
468 *Voyage au bout de la nuit*, Céline
469 vraisemblance (et vérité)

y, z

470 Yacine, Kateb
471 Yourcenar, Marguerite
473 zeugme
473 Zola, Émile

476 **Tableau chronologique
des principaux auteurs
et mouvements littéraires**

absurde

adj. et n. m. Du latin *absurdus*, « discordant », dérivé de *surdus*, « sourd ». Désigne ce qui n'a pas de sens, ce qui est contraire à la raison. On parle de philosophie de l'absurde pour évoquer la thèse de l'existentialisme*, selon laquelle le monde n'a pas de sens. On parle aussi de littérature et notamment de théâtre de l'absurde pour qualifier les œuvres du XXᵉ siècle qui abordent ce thème.

La philosophie de l'absurde

D'abord exprimée par l'Allemand **Schopenhauer** (1788-1860), l'idée selon laquelle la vie (comme « vouloir-vivre » aveugle et sans but) n'a pas de sens est reprise par la **philosophie existentialiste**. Cependant, pour **Camus***, si l'homme doit prendre conscience de l'absurde, il ne doit pas renoncer pour autant à l'action (*Le Mythe de Sisyphe*, 1942 ; *L'Homme révolté*, 1951). Il doit au contraire puiser dans le sentiment de l'absurde le courage de la **révolte** qui refuse à la fois le nihilisme autodestructeur et l'illusion religieuse. Les héros de *La Peste* (1947) illustrent cette révolte.

Pour **Sartre***, l'angoisse liée à l'absurde découle du constat de l'existence des choses dans leur contingence, leur « gratuité » (*La Nausée*, 1938) mais aussi de la prise de conscience par l'homme de sa **responsabilité** : à lui de donner sens, par une action libre mais souvent difficile à accomplir, à un monde qui, en soi, n'en a pas. C'est ainsi qu'Oreste, le héros des *Mouches* (1943), finit par s'identifier à l'acte qui fonde sa liberté.

Le théâtre de l'absurde

Apparu après la Seconde Guerre mondiale, le théâtre de l'absurde résonne des préoccupations existentialistes ; il s'interroge, après Auschwitz et Hiroshima, sur la mort de l'homme et tend à marquer un « **retour du tragique*** » (J.-M. Domenach).

Par leur contestation de la logique rationnelle et des règles dramaturgiques traditionnelles, Samuel **Beckett***, Eugène **Ionesco*** ou Jean **Genet*** s'inscrivent dans la lignée des provocations théâtrales d'Alfred **Jarry*** et mettent en œuvre le principe brechtien de la distanciation*. Pour souligner l'absurdité de l'existence et des discours qui s'efforcent de lui donner un sens, ils brisent la continuité dramatique, **mettent en cause les notions mêmes de personnage*** et d'action*, et **dévoilent les impasses de la communication**. Dans cet univers théâtral, le « comique de l'absurde » est une forme de dérision destructrice : le jeu avec les mots est le dernier plaisir d'êtres renvoyés en permanence à l'inanité de leur condition.

→ **Beckett, Camus, distanciation, Genet, Ionesco, Sartre**

abyme (mise en)

n. f. D'*abyme* (abîme), terme d'héraldique désignant le point central d'un écu lorsque ce point figure lui-même un écu. Procédé qui consiste à inscrire dans l'œuvre un motif narratif ou dramatique qui est une image de l'œuvre elle-même ; la représentation devient ainsi un système gigogne. On pourrait encore parler d'« enchâssement »,

mais ce terme désigne chez les stylisticiens un cas particulier de mise en abyme. *Ex.* :
1. À l'intérieur des pièces de Shakespeare *Hamlet* ou *Le Songe d'une nuit d'été*, on voit les personnages jouer une pièce de théâtre.
2. Dans son roman *La Peste*, Camus* montre le personnage de Grand occupé à écrire un roman dont le début est cité.

La mise en abyme concentre l'attention du lecteur ou du spectateur sur le motif inscrit au second degré dans le récit ou dans la pièce.

Mais ce procédé permet aussi et surtout une **réflexion du genre sur lui-même** : la pièce jouée par les comédiens dans *Hamlet*, les mensonges racontés par le Renard dans les *Fables* de La Fontaine* sont ainsi des célébrations du théâtre* et de l'apologue*.

→ **narration, récit, *theatrum mundi***

Académie française

n. f. Du grec *akadêmia* (nom de l'école philosophique de Platon dans l'Antiquité grecque). Société de gens de lettres, d'artistes ou de savants. Quelques académiciens : La Fontaine, La Bruyère, Boileau (Molière, qui aurait dû pour cela renoncer à sa carrière de comédien, ne l'a pas été), Voltaire, Diderot. La première femme élue à l'Académie française est Marguerite Yourcenar en 1980.

Naissance de l'Académie française
Des académies existaient en Europe depuis la Renaissance. De caractère privé, elles réunissaient des hommes de lettres, des savants ou des artistes, qui se retrouvaient régulièrement dans un même lieu pour échanger des idées. En France, une première « académie française » avait été créée par Baïf, et placée sous la protection du roi, en 1570.
Mais c'est à **Richelieu** que revient l'idée de fonder une **institution officielle**. En 1634, il propose au cénacle d'écrivains que Valentin Conrart avait pris l'habitude de réunir chez lui, de se constituer en académie « sous une autorité publique » et sous sa protection personnelle. Officialisée par Louis XIII en 1635, elle prend le nom d'Académie française. Composée de neuf membres au départ, elle en compte quarante dès 1639, tous élus. Son objectif est de « nettoyer la langue des ordures qu'elle a contractées ou dans la bouche du peuple ou dans la foule du Palais […] ». Elle se propose

donc de rédiger un dictionnaire*, une grammaire, une rhétorique et une poétique. Le *Dictionnaire* ne paraît qu'en 1694, après celui de Furetière* (1690), académicien lui-même, à qui cette concurrence « déloyale » vaut d'être exclu de l'Académie. L'unique *Grammaire* de l'Académie date de 1932. Les deux autres ouvrages n'ont jamais vu le jour.
Quatre autres académies officielles sont créées dans son sillage, dont l'Académie royale de peinture et de sculpture (1648). Supprimée à la Révolution, l'Académie française est remplacée par l'Institut (créé en 1795, il réunit les cinq académies officielles). En 1816, elle reprend son nom original. Elle a perduré jusqu'à aujourd'hui et siège dans le bâtiment de l'Institut de France.

L'Académie et la vie littéraire
Le *Dictionnaire* de l'Académie de 1794 est plus normatif et moins complet que celui de Furetière. Garant du « bon usage », il ne retient que la langue des « honnêtes gens ». Il contribue cependant à **fixer et à homogénéiser la langue** (encore très marquée à l'époque par les régionalismes). Le *Dictionnaire* de l'Académie a connu plusieurs nouvelles éditions (8ᵉ éd. 1932), et continue d'être édité et mis à jour.
L'Académie française participe aussi à la vie littéraire en prenant position dans les débats de l'époque. Lors de la querelle du *Cid*, elle rédige à la demande de Richelieu, des *Sentiments de l'Académie française sur la tragi-comédie du Cid* (1638). Elle intervient également lors de la Querelle des Anciens et des Modernes*.

L'académisme
Dès sa création, l'Académie a été critiquée et moquée par des écrivains qui voyaient en elle un outil sclérosant pour la création littéraire. Au XIXᵉ siècle apparaît le terme *académisme* : péjoratif, il désigne un **style traditionnel et conformiste**, particulièrement en peinture. L'Académie française s'est occupée surtout de préserver une certaine idée de la langue, et s'est distinguée par son conservatisme plus que par ses innovations. Mais elle a beaucoup moins régenté la création littéraire qu'a fait l'Académie de peinture pour les arts par exemple (en donnant des cours, elle imposait un certain style). Si elle a contribué au développement du classicisme*, son influence a été moindre que celle des salons*.

→ **Anciens et Modernes (Querelle), classicisme, dictionnaire, Furetière**

accumulation

n. f. Du latin *accumulare*, « ajouter les uns aux autres ». Figure de style consistant à accumuler minutieusement un grand nombre de détails, de faits ou de mots, pour développer l'idée et la rendre plus frappante.

Principaux effets
Les effets de l'accumulation sont très variés : ils expriment le pittoresque, l'accélération ou le ralentissement, l'ordre ou le désordre. L'accumulation aboutit souvent au **comique***.

Ainsi, pour décrire un combat, Rabelais* mélange des mots familiers ou patoisants avec des termes médicaux savants : « Aux uns écrabouillait la cervelle, aux autres rompait bras et jambes, aux autres délochait les spondyles du cou, aux autres démoulait les reins, avalait le nez, pochait les yeux, fendait les mandibules, enfonçait les dents en la gueule, décroulait les omoplates, sphacelait les grèves, dégondait les ischies, débesillait les faucilles » (*Gargantua*, chap. 27).

Chez les écrivains réalistes, l'accumulation vise une exploration presque photographique du réel ou une analyse psychologique fouillée.

→ amplification, anaphore, couleur locale, gradation, Rabelais, réalisme, Zola

acrostiche

n. m. Du grec *akros*, « extrême » et *stikhos*, « vers ». Jeu littéraire très ancien qui consiste à inscrire verticalement, dans les initiales de chaque vers d'un poème, le nom de l'auteur ou du dédicataire du poème, ou encore le sujet de celui-ci.

Une tradition ancienne
On trouve des exemples d'acrostiches aussi bien dans la Bible que chez des auteurs latins comme Plaute. Les premiers chrétiens prennent pour signe de reconnaissance le poisson parce qu'en grec les lettres du mot *ichtus*, « poisson », correspondent aux initiales de la formule : *Iêsous Christos Theou Uos Sôter* (Jésus-Christ, Fils de Dieu, [notre] Sauveur).

L'acrostiche dans la littérature
Au Moyen Âge, l'acrostiche est pratiqué par les Grands Rhétoriqueurs*. Villon* signe certaines ballades* (« Pour prier Notre Dame », par exemple), en composant l'envoi en forme

d'acrostiche. Aux XVIe et XVIIe siècles, ce jeu est très prisé des poètes de cour.

Les poèmes d'amour en fournissent maints exemples à travers les siècles, tel ce madrigal* précieux tiré de *La Guirlande de Julie* (1641) : « *Je* ne saurais nommer celle qui sait me plaire/ *Un* fat peut se vanter, un amant doit se taire/ *La* pudeur qu'alarmait l'impétueux désir/*Inventa* sagement le voile du mystère/ *Et* l'amour étonné connut le vrai plaisir. » (Anonyme.)

→ préciosité, Rhétoriqueurs, Villon

actantiel (schéma)

n. m. Du latin *agere*, « agir ». Le mot « actant » a été formé par le linguiste Tesnière (*Éléments de syntaxe structurale*, 1965). Les recherches linguistiques et sémiologiques ont mis en avant la notion d'actant, qui permet de sortir de la seule analyse psychologique des personnages et d'éclairer les rapports de force qui structurent l'action. Est un actant tout élément structural, animé ou abstrait, qui occupe une fonction dans une narration. L'actant est une force qui agit. Au théâtre, un actant peut être un personnage individuel ou collectif (le chœur antique), ou encore une abstraction (par exemple, l'amour, le destin). Par ailleurs, un actant peut n'apparaître que dans le discours des autres personnages et ne pas exister scéniquement comme sujet d'énonciation. Il en est ainsi du personnage de Tartuffe dans les deux premiers actes de la pièce de Molière, ou d'Hector et d'Astyanax dans *Andromaque* de Racine.

La fonction des actants
S'appuyant sur les travaux de Souriau (*Les Deux Cent Mille Situations dramatiques*, 1950) et ceux de Propp (*Morphologie du conte*, 1965), Greimas établit le schéma actantiel suivant, **valable pour tout récit et toute pièce de théâtre.**

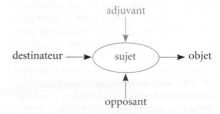

Le **destinateur** (être vivant et/ou force psychologique, morale, sociale, politique…) est ce qui pousse un **sujet** à entreprendre une **quête** pour obtenir un **objet** (qui peut être une personne). La conquête de l'objet profite au **destinataire** : ce peut être le sujet mais aussi autrui.

L'**adjuvant** (du latin *adjuvare*, « aider ») est un actant qui a pour fonction d'**aider le sujet** à obtenir l'objet de sa quête. L'adjuvant fait progresser l'action en aidant le sujet à déjouer les obstacles qui le séparent de l'objet de sa quête. Ainsi, dans *Tartuffe* de Molière, lorsque Damis, le fils d'Orgon, dénonce à son père l'amour de Tartuffe pour sa femme, loin de châtier l'imposteur, Orgon lui donne la main de sa fille et met Damis à la porte. Dans cette pièce, Mme Pernelle et Orgon aident Tartuffe par leur crédulité.

L'**opposant** (du latin *opponere*, « opposer ») est un actant qui a pour fonction de tout mettre en œuvre pour **empêcher le sujet de réussir**. L'opposant fait rebondir l'action en multipliant les obstacles affrontés par le sujet : ainsi, l'amour de Tartuffe pour l'épouse d'Orgon est dévoilé à celui-ci par Damis, son fils.

Les différents axes narratifs

Idéologique, puisqu'il met en lumière les désirs et les valeurs des personnages, l'**axe destinateur-destinataire** révèle les enjeux de savoir et/ou de pouvoir à l'œuvre dans le texte. L'**axe sujet-objet** détermine l'axe du récit. L'**axe adjuvant-opposant** indique les chances de succès du sujet dans sa quête.

Ainsi, toujours dans *Tartuffe*, cupidité et sensualité (destinateurs) incitent Tartuffe (sujet) à convoiter pour lui-même (destinataire) la fortune et l'épouse d'Orgon (objets), mettant en danger la structure socioéconomique fondée sur la famille.

Le schéma actantiel au théâtre

Le schéma actantiel est combinatoire. Aussi se doit-il d'être souple. L'une de ses difficultés réside dans l'identification du sujet. Dans un récit, le sujet se confond souvent avec le héros. Mais tel n'est pas toujours le cas, en particulier au théâtre : ainsi, il semble impossible de faire d'Andromaque, héroïne et personnage éponyme de la pièce de Racine, le sujet d'un schéma actantiel : elle ne désire que conserver ce qu'elle a, son fils. Effectuer plusieurs schémas avec plusieurs sujets peut s'avérer utile et permettre de « rendre clairs aux yeux du spectateur, les macro-structures [d'une pièce], leur fonctionnement, leur sens » (Anne Ubersfeld, *Lire le théâtre I*, éd. Belin, 1996).

Chaque case est susceptible d'être vide et toute **vacuité** est **signifiante**. *Ex.* : chez Molière, dans le schéma actantiel de *Dom Juan*, la case du destinateur est vide : qu'est-ce qui fait courir Don Juan ? Chez Sophocle, Antigone n'a aucun adjuvant, ce qui renseigne sur sa solitude. Parfois, **un adjuvant est aussi opposant**, comme Sganarelle dans *Dom Juan*, ce qui souligne l'ambiguïté du personnage. Un opposant peut devenir adjuvant, et réciproquement, sans que cela relève de la volonté propre de l'actant : « La mutation de fonction dépend de la complexité inhérente à l'action même, c'est-à-dire au couple fondamental sujet-objet. » (Anne Ubersfeld, *Lire le théâtre I, op. cit.*)

Le schéma actantiel est particulièrement utile dans l'étude et la pratique du théâtre pour avoir une **vision globale** de la situation dramatique, de la progression de l'action, des situations, des relations entre les personnages, du commencement et du dénouement des conflits. Il aide au travail dramaturgique nécessaire à toute mise en scène et donne une nouvelle image du personnage. Celui-ci n'est plus tant un « être » psychologique qu'un actant pris dans le système global des actions. Tous actants du schéma sont interdépendants. Ils constituent un **ensemble signifiant** dont aucun élément ne peut être pris isolément.

→ action (dramatique), personnage, théâtre

acte

n. m. Du latin *actus*, « représentation scénique ». Division d'une pièce de théâtre comprenant un certain nombre de scènes* ou de tableaux. L'acte d'une pièce classique comme la *Phèdre* de Racine est généralement divisé en scènes. En revanche, l'acte d'une pièce contemporaine comme *Rhinocéros* de Ionesco peut être divisé en tableaux, chaque tableau ayant un décor propre.

Signification de la division en actes

Dans le théâtre classique français, les tragédies de Corneille et de Racine, les grandes comédies de Molière (*Tartuffe*, *Dom Juan*, *Le Misanthrope*), la **division en cinq actes** est la règle. La fiction théâtrale, l'histoire racontée dans la pièce – ce que Brecht appelle la « fable » – est effectivement distribuée en un ou plusieurs actes, séquences temporelles plus ou moins longues correspondant à des actions*, à un ensemble de situations. D'acte en acte, en effet, l'action progresse : le premier est celui de l'**exposition***, les actes suivants introduisent des **rebondissements**, des retournements de situation, conduisant dans le cas de la tragédie à une « catastrophe », jusqu'à la résolution du dernier acte, le **dénouement***.

Chaque acte comporte des parties dynamiques et des parties statiques, des temps forts et des temps faibles. Dans cette logique dramatique, la **fin d'un acte** présente souvent un **instant de crise**, des éléments de suspense, « une question violemment posée dont on attend la réponse » (A. Ubersfeld), comme l'ultimatum lancé par Pyrrhus à Andromaque dans la pièce éponyme de Racine à la fin de l'acte I. Certains actes sont traités de manière relativement autonome, se présentant comme une pièce à l'intérieur de la pièce, tel l'acte II du *Mariage de Figaro* de Beaumarchais, appelé « acte des femmes » puisque ce sont elles qui mènent l'action.

Enfin, le **choix du nombre d'actes** est très significatif. Sartre concentre en un acte l'enfermement et l'affrontement violent des personnages de *Huis clos*. Il faut à Musset, dans *Les Caprices de Marianne*, deux actes pour montrer la transformation d'une jeune femme soumise en une héroïne révoltée. Beaumarchais réécrit en une nuit *Le Barbier de Séville* de cinq en quatre actes : il se « met en quatre » pour donner à sa pièce plus de rapidité et de vivacité.

Dramaturgie en actes et dramaturgie en tableaux

Anne Ubersfeld propose de distinguer la « **dramaturgie en actes** » et la « **dramaturgie en tableaux** ». La dramaturgie* en actes suppose une relative unité dans le temps et l'espace et le développement de données toutes présentes dès le début de la pièce et qui ne seront pas affectées substantiellement par le changement d'acte. La dramaturgie en actes est caractéristique du théâtre classique français, fidèle aux principes d'**unité*** et de **concentration**. Elle est plus « serrée » que la dramaturgie en tableaux qui suppose, quant à elle, des pauses temporelles.

De Shakespeare à Brecht en passant par les auteurs français du drame romantique*, Hugo et Musset notamment, la dramaturgie en tableaux marque l'**irruption de l'Histoire traitée sur un mode épique*** sur la scène du théâtre.

→ action dramatique, dénouement, dramaturgie, drame romantique, exposition, scène, tragédie, unités (règle des trois)

action (dramatique)

n. f. Du latin *agere*, « agir ». Au théâtre, succession d'événements scéniques qui transforment progressivement une situation initiale en une autre situation. Aristote fait de l'action le ressort indispensable de toute représentation dramatique : « Sans action il ne saurait y avoir de tragédie, tandis qu'il pourrait y en avoir sans caractères. [...] Les caractères viennent en second » (*Poétique*, chap. 6), et ils sont déterminés par l'action et non l'inverse.

La dynamique de l'action

La dynamique de l'action repose sur la nécessaire résolution d'un **conflit** entre des personnages aux visées divergentes. L'**exposition*** présente aux spectateurs la situation initiale. Puis l'action se **noue** : les événements qui rendent inévitable l'explosion de la crise s'accumulent. Quand la **crise** parvient à son point culminant, elle éclate. Quelques **péripéties*** accompagnent alors l'action jusqu'à la résolution finale du conflit.

L'unité d'action

L'époque classique impose l'**unité d'action*** : il existe une **action principale** autour de laquelle toutes les autres, dites secondaires, doivent converger. Au XIXᵉ siècle, dans le drame romantique*, les **actions secondaires**, plus nombreuses, sollicitent davantage le spectateur, contribuant ainsi à donner l'impression d'une vie foisonnante : ainsi, dans *Lorenzaccio* (1834), de Musset*, l'action principale concerne l'assassinat du duc par Lorenzo ; la liaison entre la marquise et le duc, les complots politiques sont des actions secondaires.

La verbalisation de l'action

Toute action implique aussi des relations à autrui renvoyant aux actants du schéma actantiel*. Mais l'action n'est pas seulement composée de faits (complot, duel…), elle peut aussi être **discours** car, au théâtre, toute parole est acte : ainsi, dans le théâtre de Beckett* (*En attendant Godot*, *Fin de partie*), dire se confond avec agir.

→ actanciel (schéma), acte, dénouement, exposition, intrigue, nœud dramatique, péripétie, unités (règle des)

Alain-Fournier,
1886-1914

ŒUVRES
- **Roman**: *Le Grand Meaulnes* (1913).
- **Correspondance**: *Correspondance* avec Jacques Rivière (publ. 1926 et 1928).

Réalisme* et féerie

Le Grand Meaulnes est un roman* poétique où se mêlent la **description*** **réaliste et** le **merveilleux***. Les paysages de la Sologne, le décor d'un village et ses scènes familières, la vie quotidienne des écoliers sont en effet rendus dans leurs détails et leur pittoresque, avec la précision des souvenirs nostalgiques du narrateur*. Mais ce **cadre réaliste** est **inséré dans une atmosphère mystérieuse** où s'inscrivent la féerie, l'incertitude et l'enchantement des contes et légendes de l'enfance. L'apparition de Meaulnes sous le préau de l'école, la rencontre d'Yvonne de Galais au cours de l'étrange fête, l'arrivée et la disparition de bohémiens énigmatiques, font sortir le roman de l'espace et du temps et le nimbent d'un éclat magique.

L'aventure et la quête

L'intrigue du *Grand Meaulnes* s'apparente d'assez près à celle des **romans d'aventures** : évasions, rencontres, disparitions, serments, poursuites constituent les étapes du récit. Les jeunes héros partent à l'aventure, explorent des itinéraires mystérieux, voyagent, se lancent sur les traces de ceux qu'ils ont perdus. Mais ces péripéties sont transfigurées par le sens symbolique qui s'attache à l'aventure. Car la **quête** des personnages est **avant tout spirituelle**. La mystérieuse rencontre, la recherche du domaine perdu, la fuite devant un bonheur imparfait, le remords, la fidélité aux promesses de l'adolescence sont autant de représentations de la recherche intransigeante d'un absolu qui se dérobe et d'évocations du paradis perdu de l'enfance.

CITATION

- **Un amour entrevu**

« Il se trouva près d'elle sans avoir eu le temps de réfléchir. « Vous êtes belle », dit-il simplement. Mais elle hâta le pas et, sans répondre, prit une allée transversale. D'autres promeneurs couraient, jouaient à travers les avenues, chacun errant à sa guise, conduit seulement par sa libre fantaisie. [...] Il errait au hasard, persuadé qu'il ne reverrait plus cette gracieuse créature, lorsqu'il l'aperçut soudain venant à sa rencontre et forcée de passer près de lui dans l'étroit sentier. Elle écartait de ses deux mains nues les plis de son grand manteau. Elle avait des souliers noirs très découverts. Ses chevilles étaient si fines qu'elles pliaient par instants et qu'on craignait de les voir se briser. »

REPÈRES BIOGRAPHIQUES

➜ Fils d'instituteurs, Alain-Fournier (pseudonyme d'Henri Alban Fournier) passe son enfance dans le Berry et en Sologne, parmi les petits paysans qu'il décrira dans *Le Grand Meaulnes*, son unique roman.

➜ Étudiant, il se lie d'amitié avec Jacques Rivière, le futur directeur de la *Nouvelle Revue française***, avec lequel il échangera pendant dix ans une riche *Correspondance*, qui permet de suivre les recherches littéraires et artistiques du début du XXᵉ siècle et l'évolution d'une amitié incomparable.

➜ En 1905, alors qu'il a dix-neuf ans, le sentiment qu'il éprouve pour une jeune fille à peine rencontrée et aussitôt perdue, marque une étape décisive dans la vie de l'écrivain qui s'efforcera de donner une forme littéraire à cet « amour entrevu ». Diverses ébauches d'inspiration symboliste aboutiront, sous l'influence du roman d'aventures, au *Grand Meaulnes*, qui paraît en 1913.

➜ Alain-Fournier est tué au tout début de la Grande Guerre, le 22 septembre 1914, aux Éparges, près de Verdun.

➔ **merveilleux, narrateur, roman**

À la recherche du temps perdu,
Marcel Proust, 1913-1927

RÉSUMÉ
Composée de sept volumes, alors qu'au départ il n'en était prévu que trois, l'œuvre peut paraître manquer d'unité. Proust, cependant, la compare souvent à une cathédrale et il n'a cessé de réclamer qu'on en reconnaisse la construction, une «construction rigoureuse, et à quoi [il] a tout sacrifié». Dans l'univers touffu mais subtilement architecturé de La Recherche, les digressions ne sont qu'apparentes et toutes prennent sens à travers un vaste réseau d'échos et de correspondances*. Le fil directeur est d'une absolue simplicité et pourrait se résumer, selon Gérard Genette (*Figures III*), en une phrase: «Marcel devient écrivain.»

Le renoncement au monde
Insatisfait de ses premières tentatives littéraires (*Jean Santeuil*) et profondément affecté par la mort de ses parents, Marcel Proust renonce à la vie mondaine. C'est dans une retraite presque monacale qu'il se consacre à l'élaboration de son œuvre, réussissant pratiquement à la terminer – malgré une santé de plus en plus fragile – avant sa mort prématurée en 1922. À la recherche du temps perdu rassemble : Du côté de chez Swann (1913), À l'ombre des jeunes filles en fleurs (1918), Le Côté de Guermantes (1920-1921), Sodome et Gomorrhe (1921-1922), La Prisonnière (1923), Albertine disparue (ou La Fugitive, 1925), Le Temps retrouvé (1927).

La quête initiatique
C'est seulement à la fin de l'œuvre, dans Le Temps retrouvé, après une longue quête marquée par les échecs et le sentiment d'impuissance, que le narrateur* découvre qu'il va enfin pouvoir donner libre cours à la puissance créatrice qui l'habite. **Par la création, il échappe au chaos et accède à une sorte de vie éternelle.** Le chemin aura été long et complexe. Le narrateur donne d'abord dans tous les leurres de la vie mondaine et de la passion, mais il en découvre rapidement la frivolité et le vide. C'est dans les pouvoirs de l'écriture qu'il trouve le salut et découvre, avec un intense sentiment de délivrance et de renaissance intérieure, le secret de la «vraie vie».

Le déroulement de l'œuvre ne suit donc pas le fil d'une intrigue comme dans le roman traditionnel mais épouse les hasards et les incertitudes de cet itinéraire initiatique qui est jalonné par la rencontre d'autres artistes (Bergotte, Vinteuil, Elstir) et débouche sur une véritable illumination, au moment même où le narrateur est en proie aux doutes les plus graves sur ses capacités créatrices.

L'alchimie de l'écriture
Chez Proust, l'écriture n'est pas un simple instrument au service de la narration*. Sa fonction est d'opérer la **transfiguration du réel** : utilisant les humbles matériaux de sa propre vie, si piètres qu'ils puissent paraître, l'écrivain est un alchimiste qui doit inventer la langue unique par laquelle il pourra déployer sa vision singulière du monde.
La **phrase** de Proust est **ample, minutieuse et sinueuse**, capable en ses méandres d'épouser la complexité du réel et de tisser dans une dynamique d'expansion, d'amplification et de déploiement, l'immense **réseau d'images et d'analogies*** à travers lequel se révèle la vérité profonde d'une existence. Le «temps retrouvé» apparaît alors comme tout autre chose que la résurrection nostalgique d'un passé englouti par le temps : c'est l'accès aux sources vives de l'être définitivement soustrait au temps destructeur.
Œuvre exemplaire, La Recherche du temps perdu domine toute la littérature du xxᵉ siècle.

→ **analogie, métaphore, narrateur, Proust**

Alceste

Alceste est le héros de la comédie de Molière* Le Misanthrope (1666). Il y est amoureux de Célimène, jeune veuve légère qu'il querelle pour sa coquetterie et sa tendance à prodiguer ses faveurs à tout un chacun. Il est d'un caractère opposé à celui du sociable Philinte, auquel il reproche de participer à l'hypocrisie générale en galvaudant l'idée d'amitié.

«Fuir dans un désert»
Dans la première scène de la pièce, Alceste exprime à Philinte sa haine du genre humain dans des termes violents et dit vouloir se retirer du monde. L'arrivée d'Oronte (I, 2) qui veut l'avis d'Alceste sur un poème de sa composition, donne lieu à la scène célèbre où le Misanthrope assassine les prétentions litté-

raires d'Oronte. Accaparé par les procès que lui vaut semblable attitude, Alceste n'a de cesse d'obtenir de Célimène qu'elle change de mœurs et n'accepte pour amant que lui-même. C'est cette faiblesse (IV, 3) pour une femme qui semble son envers moral, qui fait qu'Alceste échappe à la caricature.

Dans la dernière scène, il réaffirme sa décision de se retirer du monde. La fin de la pièce est ouverte et paraît peu différente de la situation initiale : la peinture du caractère d'Alceste semble d'autant plus importante.

Un personnage comique ?

Les ridicules d'Alceste tiennent à ses réactions exagérées et à son ton bourru. Il peut faire rire parce qu'il refuse de participer à la société telle qu'elle est. Mais le personnage n'est pas un Harpagon ou un Sganarelle : tout comme Philinte, Alceste est noble, jeune et riche, ce que leurs tempéraments respectifs pourraient faire oublier, tant l'un est flegmatique et l'autre aigri. Alceste n'est donc pas un barbon de farce*, comme l'a noté Jean Donneau de Visé qui, préfaçant le *Misanthrope* lors de sa parution au début de l'année 1667, explique que cette pièce fait continuellement « **rire dans l'âme** » : « […] le héros en est le plaisant sans être trop ridicule, […] il fait rire les honnêtes gens sans dire des plaisanteries fades et basses […] ».

Les mœurs du siècle

Alceste, cousin du Timon d'Athènes de Shakespeare, est un **atrabilaire**, un **bilieux** caractérisé par ses emportements. Comme le fait remarquer Donneau de Visé, ce personnage permet à Molière de « parler contre les mœurs du siècle ». Alceste est un **moraliste*** qui porte sur la cour, hypocrite, médisante et vaine, un regard auquel ressemblera celui de La Bruyère*, mais c'est un moraliste outré, qui devient lui-même objet de jugement. Son ami Philinte est probablement tout aussi pessimiste que lui quant à la nature humaine, mais il compose et commerce avec ses semblables, il les paye de mines tout en restant lucide. Face à l'intransigeant Alceste, c'est **Philinte** qui, en définitive, pour le public du XVIIe siècle, représente l'**honnête homme**.

Rousseau*, au contraire, considérera Philinte comme un « fripon » et reprochera à Molière d'avoir rendu ridicule le « véritable homme de bien », celui qui incarne la vertu et qui ne mérite pas le nom de misanthrope car ce n'est pas ses semblables qu'il hait, mais « les maux

qu'ils se font réciproquement et les vices dont ces maux sont l'ouvrage ».

→ **classicisme, La Bruyère, Molière, moraliste**

Alcools,
Guillaume Apollinaire, 1913

RÉSUMÉ
Publié en 1913 au terme d'une longue maturation, *Alcools* rassemble des poèmes écrits depuis 1898 et apparaît comme l'une des manifestations les plus éclatantes de « l'esprit nouveau » qui, en peinture – avec le cubisme – comme en littérature, veut explorer, au début du XXe siècle, le champ de la modernité. L'ouvrage, bien que remarqué dès sa parution, suscite des réactions partagées et parfois hostiles. Son importance sera cependant très vite reconnue : avec *Alcools*, Apollinaire ouvrait des voies fécondes à la poésie. De nombreux poètes, à commencer par les surréalistes – c'est à Apollinaire qu'ils ont emprunté le mot même de *surréalisme* – ont reconnu leur dette à l'égard de l'auteur d'*Alcools*.

Une expérience personnelle

L'apparent désordre de la composition ne doit pas masquer l'**unité profonde** du recueil. Celle-ci repose d'abord sur la **part d'autobiographie*** qui peut s'y lire en filigrane : le drame du « Mal-Aimé », qui n'a réussi à se faire aimer durablement ni d'Annie Playden ni de Marie Laurencin et dont la quête d'amour reste insatisfaite, éclate en des poèmes au **lyrisme*** élégiaque comme « La Chanson du Mal-Aimé » ou « Le Pont Mirabeau », dans lesquels se conjuguent les thèmes de l'amour malheureux et de la fuite du temps ou des saisons. Le séjour de 1901-1902 en Rhénanie, où le poète a trouvé un paysage s'accordant à sa sensibilité, colore le recueil d'une touche « d'exotisme allemand » (« Rhénanes »).

Une expérience poétique

En plaçant au dernier moment le poème « Zone » en tête du recueil, Apollinaire manifeste une ambition plus vaste, celle de célébrer « les noces magiques du monde et de la poésie », d'affirmer sa « prise de possession du monde par le lyrisme » (Ph. Renaud, *Lecture d'Apollinaire*). Avec *Alcools* c'est tout le monde moderne et son décor urbain, ses paysages industriels et ses inventions mécaniques, qui entrent de plein droit dans le poème. L'**éloge de la modernité** se traduit par une **esthétique nouvelle** qui joue de la discontinuité, du morcellement, du découpage et du collage pour créer des effets d'ubiquité (dans l'espace) et de simultanéité (dans le temps). À l'unicité de la perspective classique se substitue une multiplicité de points de vue, caractéristique de « l'esprit nouveau ». Par le choc de rencontres inattendues se fonde une **esthétique de la surprise**, et les jeux de la fantaisie viennent faire contrepoids à la veine mélancolique du recueil. Sur le plan de la forme, cette esthétique est renforcée par les partis pris du poète : juxtaposition, mélange des registres*, prédilection de plus en plus affirmée pour le **vers libre**, suppression de la ponctuation, goûts des calembours* et des homophonies*.

Le nouveau statut du poète

Mais *Alcools* n'est pas réductible à un assemblage d'expériences personnelles et poétiques. Ce qui confère à l'œuvre sa cohérence secrète, sa dynamique interne, c'est sa thématique profonde. L'univers d'Apollinaire est structuré par un **principe d'antithèse*** qui oppose apparence et réalité, ombre et lumière, thèmes nocturnes et thèmes solaires, principe masculin et principe féminin, mort et renaissance. Aux images de l'eau mortelle qui accompagnent le thème de la fuite du temps et du souvenir, aux figures de la mutilation et de la décapitation : « Soleil cou coupé » (« Zone »), répondent les images du feu purificateur. Devenu corps astral, comète, étoile, soleil, il atteint cet état d'**ivresse poétique** qui justifie le titre de l'œuvre et s'exprime avec éclat dans « Vendémiaire », le dernier poème du recueil : « Je suis ivre d'avoir bu tout l'univers ». Malgré ses échecs, le poète a trouvé, grâce à l'alchimie du verbe poétique, le secret de sa régénération : la poésie est véritablement devenue *eau de vie*.

→ **Apollinaire, lyrisme, vers**

alexandrin

n. m. Du nom *Alexandre*. Vers français de douze syllabes dont le nom vient du *Roman d'Alexandre* (fin du XIIᵉ - début du XIIIᵉ siècle), poème composé non en octosyllabes* mais en dodécasyllabes (du grec *dodéka*, « douze »). Redécouvert par les poètes de la Pléiade*, l'alexandrin est l'un des vers les plus employés dans la poésie du XVIᵉ au XIXᵉ siècle. C'est également le vers de la tragédie* et de la comédie*.

L'alexandrin classique

L'alexandrin classique est un vers à **césure*** fixe (//), qui sépare deux **hémistiches*** de six syllabes chacun. Il comporte **un accent majeur**, de place fixe, sur la syllabe finale de chaque hémistiche, auquel s'ajoutent **deux accents secondaires**, de place variable. Par sa longueur, l'alexandrin permet des coupes (/) variées : « Ayez/pour la cadence// une oreille/ sévère [2/4//4/2] : Que toujours, dans vos vers,// le sens,/ coupant les mots [3/3//2/4], Suspen/de l'hémistiche,// en mar/que le repos » [2/4//2/4] (Boileau*, *Art poétique*). L'**alexandrin ternaire**, dont la césure centrale est remplacée par deux coupes situées après la quatrième et la huitième syllabe, est relativement rare à l'époque classique : « Toujours aimer,/ toujours souffrir,/ toujours mourir » [4/4/4] (Corneille*, *Suréna*).

L'alexandrin romantique et moderne

Les **romantiques** restent fidèles à l'alexandrin classique mais, soucieux d'animer la métrique*, veulent en rompre la raideur et la monotonie. L'alexandrin ternaire, ou **trimètre romantique**, est fréquemment employé : « J'ai disloqué/ce grand niais/d'alexandrin » [4/4/4] (Hugo*, *Les Contemplations*, I, 7). Les **poètes modernes** se sont également employés à assouplir la rigueur de l'alexandrin classique, notamment par la pratique de l'enjambement* ou du rejet* interne : « Je me mire/ et me vois// ange !/et je meurs,/ et j'aime » [7/5] (Mallarmé*, *Les Fenêtres*).

→ **césure, classicisme, coupe, enjambement, hémistiche, mètre, poésie, rejet, romantisme**

allégorie

n. f. Du grec *allos*, « autre », et *agoreuein*, « parler » : littéralement, *parler par allégorie* signifie « parler avec d'autres mots ». Figure consistant à exprimer une abstraction (thème, idée) par une forme concrète (initialement un personnage). L'allégorie présente donc deux niveaux de sens : un **sens littéral** (lié à la présence du référent concret), qui est utilisé pour faire comprendre un autre sens, le **sens symbolique**, lié au premier par un rapport d'analogie*.

Exemples

1. Dans le roman médiéval, on représente souvent une qualité morale par une personne porteuse d'un vêtement ou d'un objet symbolique : la justice et sa balance. **2.** À l'époque classique, ce sont des personnages divins qui symbolisent tel ou tel thème : le dieu Mars est l'allégorie de la guerre. **3.** Au XIXᵉ siècle, avec le symbolisme*, l'allégorie consiste à représenter une réalité abstraite par une image concrète : dans les vers de Victor Hugo* : « Je vis cette *faucheuse*. Elle était dans son champ./Elle allait à grands pas *moissonnant* et *fauchant* » (*Les Contemplations**, IV, 16), la faucheuse est l'allégorie de la mort.

Principaux effets

L'allégorie permet d'abord de **visualiser une abstraction** par une figure signifiante ; elle rend donc plus perceptibles et plus accessibles des éléments d'ordre moral et social. Ce rôle pédagogique explique le succès de l'allégorie au Moyen Âge. En outre, c'est une figure proprement poétique, au sens où elle opère des rapprochements créatifs entre le concret et l'abstrait.

→ **analogie, courtoisie, métaphore, personnification, symbolisme**

allitération

n. f. Du latin *ad*, « près de », et *littera*, « lettre » : reprise d'une même lettre dans des mots voisins. Jeu sur les sonorités* créé par la répétition d'un même son consonantique dans une suite de mots rapprochés.

Principaux effets

L'allitération permet le développement d'une **harmonie imitative*** lorsque les sonorités suggèrent des réalités exprimées par les mots du texte. Ainsi, dans l'exemple suivant : « Pour qui *sont ces serpents* qui *sifflent* sur vos têtes » (Racine*, *Andromaque*, V, 5), l'allitération en [s] imite le sifflement des serpents, expressément désigné.

Ces jeux d'écho permettent aussi de mettre l'accent sur les termes dans lesquels ils figurent et d'attirer l'attention sur leur signification.

Enfin, ils établissent des rapprochements entre différents termes, construisant de la sorte un réseau de signification complémentaire. Ainsi, dans ces vers de Hugo* : « […] je mettrai sur ta *tombe* / Un *bouquet* de houx vert et de *bruyère* en fleur » (*Les Contemplations*, IV, 14), l'allitération en [b], par le rapprochement qu'elle effectue entre les mots *tombe*, *bouquet* et *bruyère*, insiste sur l'offrande à la jeune morte d'une plante persistante et évoque ainsi la victoire de la mémoire sur la mort.

→ **assonance, harmonie imitative, signifiant, sonorités**

amplification

n. f. Du latin *amplificatio*, « agrandissement ». Procédé littéraire consistant à développer une idée pour lui donner plus d'éclat, de force ou de portée. Ainsi le Chêne de La Fontaine* (*Fables*, I, 22), dont on dirait platement qu'il est enraciné dans le sol et tendu vers le ciel, prend-il une dimension bien plus saisissante tel qu'il est décrit par le fabuliste : « Celui de qui la tête au ciel était voisine/Et dont les pieds touchaient à l'empire des morts ». Opposée à la condensation qui vise à tout dire en peu de mots, l'amplification utilise souvent des procédés comme l'accumulation* ou l'hyperbole* et se prête à l'emphase* et au style épique*.

Principaux effets

Dans la rhétorique*, l'amplification est l'**art de traiter un lieu commun en l'étoffant**, de manière aussi originale que possible, **d'exemples, de citations, de souvenirs personnels**, selon une progression calculée, pour expliquer, convaincre ou émouvoir.

L'amplification oratoire, par ses excès, peut facilement dégénérer en verbiage ou en grandiloquence. Le fameux discours des comices agricoles, dans *Madame Bovary* de Flaubert[*] (IIe partie, chap. 8), en est un bon exemple : « Qui donc pourvoit à nos besoins ? […] N'est-ce pas l'agriculteur ? L'agriculteur, messieurs, qui, ensemençant d'une main laborieuse les sillons féconds des campagnes, fait naître le blé, lequel broyé et mis en poudre au moyen d'ingénieux appareils, en sort sous le nom de farine, et, de là, transporté dans les cités, est bientôt rendu chez le boulanger qui en confectionne un aliment pour le pauvre comme pour le riche. N'est-ce pas l'agriculteur encore qui […] ? »

→ **cliché, épique, gradation, oratoire (style), rhétorique**

anacoluthe

n. f. Du grec *anacolouthos*, « qui ne suit pas » (de *an* privatif et *acoulouthos*, « qui suit »). Rupture de construction, écart par rapport à la syntaxe[*] courante, à la construction grammaticale d'une phrase. *Ex.* : « La noblesse de Rennes et de Vitré l'ont élu malgré lui » (Mme de Sévigné[*], *Lettres* : un verbe au pluriel après un sujet au singulier).

Principaux effets
Faute de syntaxe considérée comme grossière, l'anacoluthe devient un **effet de style** quand elle privilégie le sens par rapport à la grammaire, ou qu'elle exprime l'émotion, l'importance d'un fait, la violence… « Le nez de Cléopâtre, s'il eût été plus court, toute la face de la terre aurait été changée » : dans cette *Pensée* de Pascal[*], on attendrait un verbe dont « le nez » serait le sujet ; l'ordre des mots est bouleversé, comme l'Histoire l'a été par le nez de Cléopâtre.

→ **ellipse, syntaxe**

anagramme

n. f. Du grec *ana*, « en arrière », et *gramma*, « lettre ». Mot obtenu à partir de la transposition des lettres d'un autre mot : l'anagramme du mot *arme* est *rame*. L'anagramme qui consiste à inverser un mot ou une phrase est un *palindrome* : « Léon, émir cornu d'un roc, rime Noël » (Ch. Cros[*]).

Principaux usages
L'anagramme est surtout utilisée pour **former des pseudonymes** : « Pauvre Lélian » pour « Paul Verlaine », « Bison ravi » pour « Boris Vian ». Déjà connue dans le monde grec, l'anagramme connaît une grande vogue à la Renaissance, lorsque l'on redécouvre les textes légués par l'Antiquité. Au xxe siècle, elle est aussi utilisée par les surréalistes ou l'Oulipo[*] pour **créer des jeux littéraires**, qui peuvent être signifiants : c'est ainsi qu'André Breton[*] appelle Salvador Dali « Avida Dollars ».

→ **Calembour, Oulipo, surréalisme**

analogie

n. f. Du grec *analogia*, « ressemblance ». Relation fondée sur la ressemblance. Établir une analogie, c'est rapprocher deux éléments appartenant à des domaines distincts. Alors que, dans une comparaison[*], la ressemblance porte sur un point donné, dans l'analogie elle porte sur des rapports. Pour les mystiques ou les occultistes, l'analogie est un lien de ressemblance entre notre univers et le monde invisible, entre le microcosme et le macrocosme. C'est par la recherche d'analogies entre le Visible et l'Invisible que l'Initié peut accéder à la connaissance et découvrir l'unité secrète de l'Univers. **Au sens strict** du terme, une analogie est une similitude de rapports qui met en jeu quatre termes selon la formule : A est à B ce que C est à D. « Chaque cellule [du corps humain] est une étonnante usine qui fabrique tel ou tel produit suivant un ordre donné par un gène contenu dans son noyau, écrit le professeur Lwoff. Le gène est en quelque sorte [...] un contremaître-robot. » Cette analogie peut être schématisée ainsi : le gène est à la cellule ce que le contremaître est à l'usine.

Principaux effets
L'analogie est à la base de nombreuses métaphores[*]. « La jeunesse est fièvre continuelle, écrit La Rochefoucauld[*], c'est la fièvre de la raison » : en somme, la jeunesse est à la raison ce que la fièvre est au corps. Le raisonnement analogique est un **outil précieux pour l'explication et l'argumentation**[*]. Il permet de faire comprendre des réalités complexes à un public qui ne les maîtrise pas

encore. Faisant intervenir l'imagination dans les processus de découverte (littéraire, scientifique, technique, artistique…), l'analogie se révèle d'une grande valeur heuristique.

→ **comparaison, correspondances, métaphore, occultisme, synesthésies**

anaphore

n. f. Du grec *ana*, «à nouveau», et *phorein*, «porter». Répétition, en tête de vers, de phrase ou de membres de phrase, d'un mot ou d'un groupe de mots.

Principaux effets
Figure d'insistance, l'anaphore a d'abord une **valeur rythmique**. Elle peut être incantatoire dans un discours ou une prière. Elle permet de produire des accumulations* qui mettent en évidence l'identité ou la diversité des éléments de la chose évoquée. Prévert*, dans *Paroles*, évoque ainsi la variété des caractères d'un oiseau : «*L'oiseau* qui vole si doucement/*L'oiseau* rouge et tiède comme le sang/*L'oiseau* si tendre *l'oiseau* moqueur/*L'oiseau* qui soudain prend peur […]».
Par ses effets d'écho, l'anaphore permet également une **expression plus forte de la passion**. Ainsi, chez Corneille* (*Horace*, IV, 5), l'anaphore exprime la rancœur de Camille contre Rome : «*Rome*, l'unique objet de mon ressentiment !/*Rome*, à qui vient ton bras d'immoler mon amant !/*Rome* qui t'a vu naître, et que ton cœur adore !/*Rome* enfin que je hais parce qu'elle t'honore !»

→ **accumulation**

ancien français

n. m. «Français» vient de *France*, du bas latin *Francia*, qui désignait le pays des Francs (région située au nord de la Loire). On appelle «ancien français» les différents dialectes parlés dans la moitié nord de la France du Xe au XIIIe siècle. Pour les XIVe et XVe siècles, on parle de «moyen français». *Ex.*: «Aprés mangier ne se remut [Après le repas le roi ne bougea pas]/Li rois d'antre ses conpaignons [d'entre ses compagnons];/Molt ot an la sale barons [il y avait dans la salle quantité de nobles];/Et s'i fu la reïne ansanble [la reine y était présente],/Si ot avoec aus, ce

me sanble [et avec elle je le crois bien],/Mainte bele dame cortoise [maintes belles dames courtoises]/Bien parlant an lengue françoise [habiles à parler en langue française] […]» (Chrétien de Troyes*, *Le Chevalier de la charrette*, fin XIIe siècle, trad. Charles Méla).

Du latin au roman
Le français est issu du latin populaire (latin parlé), importé en Gaule lors de la conquête romaine. C'est une **langue romane**. À côté du latin savant (celui des clercs) se développe en effet un latin populaire (le gallo-roman) qui, sous l'influence des invasions germaniques, évolue en se différenciant de plus en plus de sa forme originelle. Les *Serments de Strasbourg*, texte juridique rédigé en 842, constituent la première trace écrite de cette langue romane qui deviendra l'ancien français.
Cependant, la France de l'époque est linguistiquement divisée en deux : le groupe des **dialectes d'oïl**, parlés dans la moitié nord (le picard, le champenois, le francien… qui se différencient surtout par la prononciation), constitue ce que l'on appelle l'ancien français et se distingue radicalement de celui des **dialectes d'oc**, parlés dans la moitié sud (*oc* et *oïl* signifient «oui»). La cour royale se tenant principalement à Paris, capitale du royaume, c'est pour des raisons politiques et historiques que le **francien**, la langue écrite de l'Île-de-France, va peu à peu s'imposer et donner le français.

La littérature en «langue vulgaire»
Les premières traces de littérature en langue romane sont un fragment de poésie religieuse, la *Séquence de sainte Eulalie* (vers 880). La littérature profane en «langue vulgaire» (par opposition au latin, langue savante) ne naît qu'à la fin du XIe siècle, avec la **chanson de geste**** dans la France du Nord, et la **poésie des troubadours** dans la France du Sud (poésie occitane). Au XIIIe siècle, la croisade contre l'hérésie cathare des Albigeois porte un coup de frein à la brillante civilisation d'oc et, par là même, à la diffusion littéraire de sa langue.
Le mot *roman* désigne la langue française avant de désigner un genre littéraire : les premiers romans sont en effet des traductions très libres (du latin en français) de récits antiques.

Quelques caractéristiques de l'ancien français
L'ancien français réduit les six déclinaisons latines à deux cas, le cas sujet et le cas régime.

L'**évolution de l'ancien vers le moyen français** va dans le sens d'une disparition de ces cas (réalisée vers le milieu du XIIIe siècle), d'une fixation de l'ordre des mots dans la phrase (sujet-verbe-complément), d'un développement des articles et des prépositions (qui remplacent ce qui, en latin, s'exprimait par les déclinaisons). La principale évolution concerne la **prononciation**. La phonétique historique permet de reconstituer les différentes étapes qui ont permis à un mot latin comme *caballum* de devenir *cheval* : le *c* devient *ch*, le premier *a* devient *e*, la dernière syllabe disparaît après la chute du *m* final, le *b* devient *v*.

Le lexique français provient essentiellement du latin, déformé par l'évolution de la prononciation, auquel s'ajoutent des mots d'origine germanique (particulièrement dans le domaine de la guerre) et des emprunts à des langues étrangères (dont le latin savant). Plus de la moitié de notre vocabulaire actuel date du moyen français. L'orthographe conserve la trace de ces évolutions phonétiques. Elle ne sera définitivement fixée qu'au XIXe siècle.

→ *Chanson de Roland*, **Chrétien de Troyes**, **roman**, *Roman de la rose*, *Table ronde* **(Romans de la)**

Anciens et Modernes
(Querelle des)

Au sens strict, la Querelle des Anciens et des Modernes désigne le débat littéraire sur les mérites respectifs des auteurs antiques (les Anciens) et contemporains (les Modernes), qui a marqué la fin du XVIIe siècle et le début du XVIIIe siècle français.

La première Querelle
On retient généralement comme point de départ « officiel » de la Querelle le 27 janvier 1687, date à laquelle Perrault[*] lit son poème *Le Siècle de Louis le Grand* à l'Académie française[*]. Les **Modernes** (Fontenelle[*], le journal *Le Mercure galant*, le public mondain), emmenés par **Perrault** qui rassemble ses arguments dans son *Parallèle des Anciens et des Modernes* (1688-1697), affirment la **supériorité des auteurs modernes sur ceux de l'Antiquité**.

Cette supériorité est pensée comme la conséquence naturelle du progrès de l'esprit humain au cours des siècles. Pour défendre leur thèse, les Modernes, sous l'influence du cartésianisme, utilisent à la fois l'argument de la raison et celui du goût : la raison permet de juger les œuvres objectivement, sans prévention en faveur des Anciens ; le goût confirme le jugement de la raison : les œuvres des Anciens ne conviennent plus au goût raffiné et éclairé du siècle de Louis XIV. L'**enjeu** est de taille : il s'agit de s'affranchir du jugement des doctes et des érudits, incarnation de « l'autorité », pour légitimer le goût d'un public mondain (ces « beaux esprits » dont La Bruyère[*] fait la satire[*] dans son portrait de Cydias-Fontenelle) incluant, en particulier, le public féminin (qui n'a pas fréquenté les collèges).

Les **partisans des Anciens** (Racine[*], La Fontaine[*], Bossuet[*], La Bruyère[*]) et leur chef de file **Boileau**[*] pensent au contraire que la perfection dans les arts et les lettres a été atteinte dans l'Antiquité. **Les Anciens doivent donc être imités**, ce à quoi s'emploient leurs partisans – nos classiques – en s'inscrivant dans la filiation de modèles antiques : les *Caractères* de Théophraste pour La Bruyère, les *Satires* d'Horace et de Juvénal pour Boileau, les *Fables* d'Ésope pour La Fontaine, etc. La principale réponse théorique de Boileau à Perrault se trouve dans ses *Réflexions critiques sur Longin* (1694), où il affirme que la beauté des Anciens, qui ont passé l'épreuve des siècles, ne saurait par là même être contestée et qu'elle touche nécessairement la sensibilité des lecteurs.

La seconde Querelle
Le second acte de la Querelle se joue dans les années 1713-1715, avec la **querelle** dite « **d'Homère** ». Le poète Houdar de La Motte, nouveau chef de file des Modernes, scandalise les partisans des Anciens par son *Iliade* en vers français (1713), version qui adapte le poème grec au goût du jour en l'expurgeant de ses « défauts ». Mme Dacier, helléniste érudite passionnée d'Homère (elle avait traduit l'*Iliade* en 1699) riposte par un traité cinglant : *Des causes de la corruption du goût* (1714), auquel La Motte répond par des *Réflexions sur la critique* (1715). C'est Fénelon[*] qui apaisera les esprits avec sa *Lettre sur les occupations de l'Académie* (publiée en 1716).

Portée de la Querelle
Les règles de l'esthétique classique étaient fondées sur l'imitation des auteurs de l'Antiquité classique. Les Modernes, en contestant leur

supériorité, consacrent la **victoire de l'idée de progrès**, qui, issue du rationalisme* cartésien, sera l'une des idées fondamentales de la philosophie du XVIII° siècle.

Plus généralement, l'expression « querelle des Anciens et des Modernes » sert à désigner, dans les lettres et les arts, l'éternelle opposition qui se joue entre les anciennes et les nouvelles générations.

→ **Boileau, classicisme, Fénelon, Fontenelle, imitation, La Bruyère, Perrault, Racine**

Anouilh
(Jean), 1910-1987

ŒUVRES PRINCIPALES
• **Théâtre**: Le Voyageur sans bagages (1937), Le Bal des voleurs (1938), Eurydice (1941), Antigone (1944), L'Alouette (1953), Becket ou l'Honneur de Dieu (1959), Le Nombril (1981).

Un théâtre brillant et varié
Jean Anouilh s'inscrit dans la tradition théâtrale puisqu'il reprend certaines « recettes » à succès de la comédie* d'intrigue, du vaudeville* ou du mélodrame*, dote ses personnages d'un langage simple qui les rapproche des spectateurs, et conserve généralement dans ses pièces l'organisation en actes et en scènes. Cependant il sait **varier avec brio les tonalités** et rassemble son œuvre en « pièces roses » (Le Bal des Voleurs, comédie-ballet avec pantomime et musique), « pièces noires » (Antigone, reprise modernisée de la tragédie de Sophocle), « pièces brillantes » (L'Invitation au château, 1947), « pièces costumées » (L'Alouette, 1953), « pièces grinçantes » (Pauvre Bitos ou le Dîner de têtes, 1956), « pièces secrètes » (L'Arrestation, 1975), « pièces farceuses » (Le Nombril). Le **mélange des tons** caractérise non seulement l'ensemble de son théâtre mais chaque pièce en particulier. Ainsi, dans Antigone, le tragique* de l'affrontement entre le roi Créon et sa nièce est parfois désamorcé par l'intrusion d'un personnage burlesque comme le garde.
Le théâtre d'Anouilh se caractérise par la vivacité du dialogue* (répliques brèves), et des intrigues* habilement agencées ménageant quiproquos* et rebondissements. Cette **légèreté** n'exclut pas pour autant des **réflexions plus graves** qui visent une dimension universelle lorsqu'il reprend, comme Sartre* ou Giraudoux, des mythes* antiques (Eurydice, Antigone, Médée [1953]).

Une misanthropie teintée d'humour
La **vision du monde** d'Anouilh est fondamentalement **pessimiste**. Ses pièces soulignent la médiocrité d'une humanité menacée par le stéréotype, les comportements mécaniques, la corruption. Face à des personnages caricaturaux, des « fantoches » prêts à des compromis douteux, Anouilh place des êtres jeunes, purs, idéalistes, voués à la révolte comme Antigone* mais aussi à l'humiliation et à l'échec.
Le dénouement* de ses pièces est ambigu : les idéaux de bonheur cèdent souvent la place à la résignation et à l'amertume, à un désenchantement que tempèrent ou masquent cependant l'humour* et l'ironie* du dialogue.

CITATIONS
• **Une lucidité désenchantée**
« Il n'y a que pour ceux qui l'ont joué avec toute leur jeunesse que la comédie est réussie, et encore c'est parce qu'ils jouaient leur jeunesse, ce qui réussit toujours. Ils ne se sont même pas aperçus de la comédie ! » (Le Bal des voleurs)
« Je le comprends seulement maintenant combien c'était simple de vivre... » (Antigone)

REPÈRES BIOGRAPHIQUES
→ Bordelais d'origine modeste, Anouilh a très tôt la passion du théâtre. Après avoir travaillé dans la publicité, il devient secrétaire de Louis Jouvet et découvre l'œuvre de Giraudoux*. Il connaît ses premiers succès avec Le Voyageur sans bagages, monté par Georges Pitoëff, et Le Bal des voleurs, créé par André Barsacq. La vie et l'œuvre d'Anouilh sont désormais vouées à la scène, où il triomphe en 1944 avec Antigone.
→ Même si certains lui reprochent une attitude ambiguë face à la Collaboration, Anouilh demeure, après guerre, un auteur de théâtre à succès. Il se consacre à la mise en scène à partir de 1959. Il meurt le 3 octobre 1987 à Lausanne.

→ **Antigone, comédie, Giraudoux, mythe**

Antigone

L'héroïne de la tragédie* éponyme de Sophocle (441 av. J.-C.), par la force de sa foi, de son action, de sa parole et par son destin tragique, n'a cessé de nourrir la réflexion sur le sens des relations que les hommes entretiennent avec leur famille, leur cité et leurs dieux.

La tragédie d'Antigone

Fille des amours incestueuses d'Œdipe et de sa mère Jocaste, Antigone est **placée** par cette ascendance **sous le signe de la fatalité**. Après la mort de son père (voir Sophocle, *Œdipe à Colone*), elle ne peut empêcher ses frères Étéocle et Polynice de se disputer le trône de Thèbes mais elle veut du moins, après qu'ils se sont entretués, donner à chacun une sépulture. Son oncle Créon, qui prend alors le pouvoir, accuse Polynice de traîtrise et interdit, sous peine de mort, qu'il soit enseveli. Antigone passe outre et Créon la condamne à être enterrée vivante. Hémon, fils de Créon et fiancé d'Antigone, suit la jeune fille dans la mort.

Un conflit entre le droit et la loi

Le conflit entre Antigone et Créon met aux prises **deux conceptions du droit** : aux yeux de Créon, Antigone est coupable de ne pas respecter les lois de la cité ; pour Antigone, ces lois sont sans fondement si elles ne respectent pas un droit supérieur, une justice divine qui impose le respect naturel des devoirs familiaux. Antigone a pu apparaître aux modernes comme l'incarnation des droits individuels face à l'autorité politique. **Figure de la révolte**, elle a inspiré les philosophes (Aristote, Hegel, Kierkegaard) et les écrivains (l'Allemand

Bertold Brecht [*Antigone*, 1948], le Français Jean Anouilh* qui lui consacre une pièce, *Antigone*, en 1944 et le Belge Henry Bauchau qui en fait l'héroïne d'un roman, *Antigone*, en 1997).

→ Anouilh, mythe, Œdipe, tragédie

antihéros

n. m. Mot apparu en 1966, à l'époque où la figure du héros* traditionnel est remise en question par le Nouveau Roman*, pour qualifier un personnage de fiction, qui peut être le personnage principal d'un roman, d'une pièce de théâtre ou d'un film, mais dont les caractéristiques s'opposent à celles du héros traditionnel.

Une réaction aux valeurs héroïques

Les personnages d'antihéros apparaissent dans la fiction – et en particulier dans le roman* – au moment où les valeurs héroïques, souvent associées à un système de valeurs aristocratiques, sont remises en cause. **L'antihéros s'oppose au héros** dont il ne possède pas le caractère exceptionnel (au plan du courage, de la force, de la vertu, de la beauté…). Il représente souvent l'humanité moyenne.

Exemples aux xixe et xxe siècles

Dès le xixe siècle, les personnages principaux des romans réalistes **perdent leur héroïsme**. La passivité des personnages de Flaubert* (Emma Bovary, Frédéric Moreau dans *L'Éducation sentimentale*), la médiocrité de ceux de Maupassant* (Georges Duroy dans *Bel-Ami*) en font presque des antihéros.

a

Le xxᵉ siècle **multiplie** ces figures emblématiques d'une société de masse : K. dans *Le Procès* de Kafka (publ. 1922) n'a plus d'identité ; Musil écrit *L'Homme sans qualités* (publ. 1930 et 1933) ; dans *L'Étranger**, Camus* fait de Meursault l'antithèse du héros classique ; Roquentin, le personnage de *La Nausée* de Sartre*, est submergé par l'absurdité de l'existence.

→ *Éducation sentimentale (L')*, héros, Nouveau Roman, réalisme

antiphrase

n. f. Du préfixe grec *anti-*, « contre », et *phrase*. Procédé consistant à laisser entendre le contraire de ce qu'on dit ou écrit. *Ex.* : *Voilà du beau travail!* (pour constater un désastre).

Principaux effets
L'antiphrase, qui peut être un procédé d'atténuation, est surtout l'**une des figures de l'ironie***. Elle relève d'un jeu sur l'implicite, compris par le lecteur ou l'auditeur malgré les termes de l'énoncé. Dans l'exemple suivant : « Messieurs, dit Cacambo, vous comptez donc manger aujourd'hui un Jésuite : c'est très bien fait ; rien n'est plus juste que de traiter ainsi ses ennemis. En effet le droit naturel nous enseigne à tuer notre prochain, et c'est ainsi qu'on en agit dans toute la terre » (Voltaire*, *Candide**), l'antiphrase est facile à isoler : il s'agit de la proposition « c'est très bien fait ». Dans cet autre exemple : « Allez donc, je vous prie, voir ces bons Pères, et je m'assure que vous remarquerez aisément, dans le relâchement de leur morale, la cause de leur doctrine touchant la grâce » (Pascal*, *Cinquième Provinciale*), c'est au contraire la connaissance du contexte qui permet de comprendre que « ces bons Pères » est antiphrastique. Une complète méconnaissance du contexte pourrait aussi bien laisser croire que « relâchement » est à comprendre par antiphrase.

→ antithèse, antonyme, ironie

antithèse

n. f. Du grec *anti*, « contre » et *thêsis*, « thèse ». Figure de rhétorique appelée aussi *alliance d'idées*, qui consiste à rapprocher deux propositions contraires, de

façon à mettre leur opposition en valeur par un double effet de symétrie et de contraste. *Ex.* : « Borné dans sa nature, infini dans ses vœux,/L'homme est un dieu tombé qui se souvient des cieux. » (Lamartine*, *Méditations poétiques.*)

Principaux effets
La **structure binaire** de l'antithèse, par sa simplicité et sa vigueur, se prête bien au **style oratoire*** (c'est un instrument privilégié des polémistes) ainsi qu'au style **épique***. L'antithèse peut aussi, en soulignant un écart irrémédiable, prendre une coloration **tragique***, comme dans ces autres vers de Lamartine : « Que me font ces vallons, ces palais, ces chaumières,/Vains objets dont pour moi le charme est envolé ?/Fleuves, rochers, forêts, solitudes si chères,/Un seul être vous manque, et tout est dépeuplé. » (« L'isolement », *Méditations poétiques.*)
On ne confondra pas l'antithèse avec l'oxymore* (ou alliance de mots contradictoires) : l'antithèse oppose deux éléments distincts, alors que dans l'oxymore l'opposition porte sur deux qualités d'un même élément (*ex.* : *une tendre brute*), lequel est *à la fois* une chose et son contraire.

→ antonyme, épique, oratoire (style), oxymore, polémique, tragique

antonyme

n. m. Du grec *anti-*, « contre » et *onoma*, « nom ». Mot qui, par le sens, s'oppose directement à un autre mot.

Emploi de l'antonymie
L'antonymie est une **relation binaire entre deux mots appartenant à la même catégorie grammaticale** (deux verbes, deux adjectifs, deux noms, deux adverbes). Elle peut exprimer, soit un écart maximal de quantité ou de qualité entre termes contraires (*beau/laid, bon/mauvais, riche/pauvre*), soit un rapport d'exclusion entre termes contradictoires (*mâle* ou *femelle, ouvrir* ou *fermer*). Cette relation ne s'établit que si le contexte et la situation de communication sont décisifs : ainsi, opposer *école maternelle* à *école fraternelle* serait dénué de sens. Par ailleurs, la polysémie* d'un mot appelle autant d'antonymes que ce mot a de significations. Il est donc vain de dresser dans l'absolu des listes d'antonymes.

Forme des antonymes

L'antonymie se réalise au **plan lexical** lorsque les deux mots n'ont pas de points communs (*beau/laid*). Elle se réalise aussi au **plan morphologique**, parfois grâce à des suffixes (*-phile/-philie, -phobe/-phobie*), plus généralement par des préfixes : *in-* (mobile/*im*mobile), *non-* (agression/*non*-agression), *dé-* (brancher/*dé*brancher), *anti-* (raciste/*anti*raciste), *mé-* (estimer/*més*estimer).

→ **antithèse, oxymore, polysémie, synonyme**

aparté

n. m. De l'italien *a parte*, « à l'écart, à part ». Au théâtre, mot ou parole brève qu'un personnage dit à part soi, en présence d'autres personnages, et que seul le spectateur est censé entendre. Les indications de mise en scène (*« à part »*, *« seul »*, *« parlant bas »*...) permettent en général de le repérer.

Fonctions de l'aparté

L'aparté dévoile souvent des sentiments secrets (horreur, révolte, joie, surprise...). C'est un **cri de l'âme** que le héros s'adresse à lui-même : « Sylvia, *à part*. – Mais en vérité, voilà un garçon qui me surprend malgré que j'en aie... » (Marivaux*, *Le Jeu de l'amour et du hasard**, I, 7.)

Adressé directement au public, l'aparté souligne un élément qui pourrait lui échapper, indique qu'il s'agit d'un moment important de l'action, ou crée une complicité visant à rendre le locuteur sympathique : « Que d'affectation et de forfanterie ! » (Dorine à propos de Tartuffe et en sa présence, Molière*, *Le Tartuffe**, III, 2).

Accumulés, contredits par les paroles dites à voix haute, les apartés sont un **procédé** habituel **pour provoquer le comique*** : ainsi de la série d'apartés exaspérés d'Alceste*, alternés avec les compliments de Philinte, sur l'inepte sonnet d'Oronte dans *Le Misanthrope* de Molière (I, 2).

Fréquent dans les comédies classiques, l'aparté fut jugé par certains auteurs (Corneille* notamment), dès le XVIIᵉ siècle, comme une convention théâtrale manquant de naturel et de vraisemblance*, et tendit à disparaître.

→ **dialogue, dramaturgie, interruption, monologue intérieur, quiproquo, réplique, vérité, vraisemblance**

aphorisme

n. m. Du grec *aphorismos*, « définition ». Formulation brève et frappante d'une théorie, d'une observation ou bien d'un précepte moral. *Ex.* : « Tel père, tel fils ».

Principaux effets

L'aphorisme est un procédé qu'utilisent souvent les moralistes* pour exprimer une règle morale, politique ou psychologique. Accumulés, les aphorismes peuvent donner l'impression d'un discours sentencieux et banal (d'où l'expression *parler par aphorismes*), **source de comique***. Ainsi, dans le *Dom Juan* de Molière*, la série d'apophtegmes, de dictons et de proverbes* prononcés sans suite logique par Sganarelle pour dénoncer l'hypocrisie de Dom Juan*, fait rire car ils montrent que le valet est incapable d'élaborer un discours construit et sensé : « [...] les richesses font les riches ; les riches ne sont pas pauvres ; les pauvres ont de la nécessité ; nécessité n'a point de loi [...] » (V, 2).

→ **maxime, moraliste, proverbe, sentence, truisme**

apocryphe

n. m. Du grec *apocruphos*, « tenu secret ». **1.** Au pluriel, le mot désigne les livres bibliques dont l'authenticité n'est pas établie et qui ont été rejetés par les Églises chrétiennes. **2.** Écrit, parole, tableau... dont l'origine ou l'authenticité ne sont pas établies.

Usages de l'apocryphe

Au XVIIIᵉ siècle, pour **déjouer la censure***, de nombreux écrivains attribuent leurs œuvres polémiques ou satiriques à d'autres auteurs, réels ou fictifs. Le procédé sert aussi à donner l'impression qu'un ouvrage est ancien, ou qu'il a valeur de témoignage historique. L'apocryphe ne va pas sans ironie* lorsque, par exemple, une œuvre libertine ou audacieuse est attribuée à un écrivain connu pour sa rigueur morale et religieuse : ainsi, Voltaire* joue sur tous ces tableaux en attribuant son conte philosophique* *L'Ingénu* au Père Quesnel, janséniste aux idées et aux mœurs sévères, contemporain des personnages du récit.

→ **censure, Voltaire**

Apollinaire
(Guillaume), 1880-1918

ŒUVRES PRINCIPALES
- **Poésie**: *Alcools* (1913), *Calligrammes* (1918), *Poèmes à Lou* (posth. 1956; publié d'abord sous le titre «Ombre de mon amour», en 1947).
- **Contes**: *L'Hérésiarque et Cie* (1902), *L'Enchanteur pourrissant* (1904).
- **Théâtre**: *Les Mamelles de Tirésias* (drame surréaliste, 1917).

Des thèmes intemporels
L'œuvre d'Apollinaire se caractérise par une grande variété d'inspiration. **Deux thèmes dominent cependant son univers poétique : l'amour**, lié à la guerre à partir de 1914, et **la fuite du temps**.

Le **thème de l'amour** est très nettement marqué par la vie sentimentale du poète et s'exprime dans des textes à tonalité lyrique* et élégiaque*. Ainsi, le souvenir d'Annie Playden parcourt les trois quatrains* de « La Tzigane » et peut-être aussi « La Chanson du Mal-Aimé » (*Alcools*). La rupture avec Marie Laurencin inspire « Le Pont Mirabeau » (*ibid.*), de même que la figure de Louise est présente dans les *Poèmes à Lou*. L'inspiration amoureuse d'Apollinaire prend un tour franchement érotique dans certains poèmes.

Au **thème** de l'amour s'associe souvent celui de **la fuite du temps** (par exemple dans « Le Pont Mirabeau », à travers le motif de l'eau). Apollinaire évoque la fuite du temps à travers les images de l'automne – « saison mentale » (« Signe », *Alcools*) –, de l'eau du fleuve, de l'ombre, de l'errance, auxquelles il oppose la persistance du souvenir.

La modernité de l'inspiration
Cependant, à côté de ces thèmes lyriques, d'inspiration classique, la poésie d'Apollinaire se caractérise par ses **références au monde moderne**. Ainsi trouve-t-on dans « Zone », le poème liminaire d'*Alcools*, l'évocation du monde industriel avec la tour Eiffel et les « hangars de Port-Aviation », celle de l'actualité avec l'allusion au « Pape Pie X », et une notation aussi quotidienne que celle des « livraisons à 25 centimes».

Elle entretient aussi des liens étroits avec le **monde de l'art contemporain** : ce sont des bois de Raoul Dufy qui illustrent les poèmes du *Bestiaire ou Cortège d'Orphée*, et il n'est pas difficile d'établir des rapprochements entre les « Saltimbanques » ou l'Arlequin d'*Alcools* (« Crépuscule ») et les tableaux éponymes de Picasso.

La modernité de la forme
Deux mois après la publication d'*Alcools*, le manifeste de *L'Antitradition futuriste* (juin 1913) fera d'Apollinaire le chantre de la modernité. La place de « Zone » au début d'*Alcools* avec l'apostrophe de son vers d'ouverture (« À la fin tu es las de ce monde ancien ») traduit cette volonté de modernité, qui apparaît aussi bien dans la thématique que dans la forme de l'œuvre.

L'absence de tout classement des poèmes d'*Alcools*, la variété de leur thématique (le fleuve, la ville, le corps féminin, les saisons…) constituent des éléments de modernité. Cette **volonté de fragmentation s'apparente** en effet **aux principes de composition des peintres cubistes** qui, dans leurs tableaux, décomposent le monde pour mieux le recréer. L'**abandon de la ponctuation**, décidé au moment de la publication d'*Alcools*, souligne l'importance du rythme* et de la coupe* des vers. Les recueils d'Apollinaire sont également marqués par la forme variée des poèmes, l'inégalité des vers, la disparition fréquente de la rime*, souvent remplacée par des assonances*.

L'écriture est caractérisée par des successions d'**images insolites**, parfois liées à des jeux de mots comme dans « La Tzigane » : « Nous lui dîmes adieu et puis/De ce puits sortit l'Espérance ». Enfin, Apollinaire reprend l'art ancien du **calligramme***, qui joue à la fois sur l'expression poétique et le symbolique du dessin. Le lyrisme* d'Apollinaire se caractérise donc par la variété, la liberté, la fantaisie, même lorsque s'exprime le mal de vivre, comme dans « La Chanson du Mal-Aimé ».

CITATION
- **La poésie de la ville**
« J'ai vu ce matin une jolie rue dont j'ai oublié le nom/Neuve et propre du soleil elle était le clairon/Les directeurs les ouvriers et les belles sténo-dactylographes/Du lundi matin au samedi soir quatre fois par jour y passent/Le matin par trois fois la sirène y gémit/Une cloche rageuse y aboie vers midi/Les inscriptions des enseignes et des murailles/Les plaques les avis à la façon des perroquets criaillent/J'aime la grâce de cette rue industrielle/Située à Paris entre la rue Aumont-Thiéville et l'avenue des Ternes » (« Zone », *Alcools*).

REPÈRES BIOGRAPHIQUES

→ Né à Rome d'une mère polonaise et d'un officier italien (qui ne le reconnaîtra jamais), le petit Guillaume suit sa mère dans ses nombreux déplacements et n'apprend le français qu'à l'âge de sept ans. En 1901, il est engagé comme précepteur dans une famille allemande et s'éprend de la gouvernante de la maison, Annie Playden, qui lui inspire plusieurs poèmes.

→ En 1902, de retour à Paris, Apollinaire collabore à divers journaux. Il se met à fréquenter les milieux artistiques et se lie avec des écrivains comme Max Jacob* et Alfred Jarry*, des peintres comme Picasso et Braque dont, dans ses critiques d'art, il défendra les innovations. En 1907 il rencontre le peintre Marie Laurencin, avec qui il aura une liaison jusqu'en 1912. En avril 1913 paraît le recueil Alcools*, qui rassemble les poèmes écrits depuis 1898.

→ À la déclaration de guerre (août 1914), Apollinaire s'engage dans l'armée française et, en septembre de la même année, s'éprend de Louise de Coligny-Châtillon qu'il chantera dans les Poèmes à Lou. Grièvement blessé à la tête en septembre 1916, il est réformé. Le recueil Calligrammes paraît en avril 1918.

→ Victime de la grippe espagnole qui ravage Paris, Apollinaire meurt le 9 novembre 1918 à l'âge de trente-huit ans.

→ Alcools, calligramme, lyrisme, vers, versification

apologie

n. f. Du grec *apologia*, « défense ». Ouvrage qui fait l'éloge et prend la défense d'une personne, d'une idée ou d'une action. *Ex.*: dans son *Apologie de Socrate*, Platon, vise à réhabiliter la mémoire du philosophe injustement condamné.

Ambitions de l'apologie

Prisé dans l'Antiquité, adopté par les premiers auteurs chrétiens pour défendre leur foi contre leurs persécuteurs, le genre recouvre depuis des **ambitions diverses** : apologies dictées par l'admiration ou apologies à visée plus didactique, voire polémique (les *Pensées*, de Pascal*, sont l'ébauche d'une *Apologie de la religion chrétienne* destinée à convaincre les libertins). Parfois, l'apologie est le prétexte à développer une réflexion personnelle, comme le fait Montaigne* dans l'*Apologie de Raimond Sebond* (*Essais*, 11, 12).

Procédés rhétoriques

Sans qu'ils portent le nom d'apologies, de nombreux ouvrages répondent au projet apologétique de **défense et** de **justification** : Voltaire* fait l'apologie du luxe dans *Le Mondain* ; *Les Nourritures terrestres*, de Gide*, sont une apologie du plaisir.

Quel que soit son sujet, l'apologiste met en œuvre une **rhétorique de la persuasion** : plaidoyer* et justification, réfutation ou dévalorisation des thèses adverses, séduction, ironie*, métaphores*, style oratoire*.

→ oratoire (style), panégyrique

apologue

n. m. Du grec *apologos*, « récit ». Récit en prose ou en vers à vocation didactique et morale, mettant en scène des animaux, voire des végétaux ou des objets, éventuellement aux côtés de personnages humains.

Genre des origines, origines du genre

La naissance de l'apologue est aussi impossible à dater que l'utilisation de l'allégorie* animale dans la tradition orale puis écrite du conte*.

Pour preuve de l'**ancienneté du genre**, les fonds occidental et oriental de l'apologue se mêlent : ainsi, les fables* grecques attribuées au poète légendaire Ésope, retravaillées par Phèdre à Rome au Ier siècle et constituant le **fonds occidental**, se nourriraient d'une part d'un fonds araméen et auraient d'autre part inspiré l'Arabe Locman.

La strate la plus ancienne du **fonds oriental** serait le *Panchatantra* sanskrit, dont s'inspirent les fables de l'Indien Pilpay. Dans l'Avertissement de son second recueil de *Fables* (1678), La Fontaine* ira d'ailleurs jusqu'à faire d'Ésope, de Pilpay et de Locman un seul et même poète. Les fonds occidental et oriental étaient tous deux connus en Occident à la fin du Moyen Âge.

L'apologue, corps et âme

Le terme d'apologue est **synonyme de** celui de **fable***, mais il semble qu'il lui soit préféré lorsqu'on veut souligner la **nature pédagogique** du récit, c'est-à-dire lorsque celui-ci est suivi d'une **moralité clairement exprimée**.

Les spécialistes font observer que l'apologue oriental adjoint à un récit assez long une moralité à valeur collective, tandis que l'apologue occidental, obéissant sans doute à l'idéal de brièveté défendu par Phèdre, fait d'un court récit l'illustration d'une moralité plus volontiers individuelle.

La **finalité didactique** de l'apologue apparaît nettement dans les genres connexes de l'*exemplum*, conte animalier illustrant les prêches du Moyen Âge, et de l'**emblème**, forme qui s'épanouit à partir de la Renaissance et qui rassemble un titre, une gravure, une fable et une glose moralisante : les précepteurs humanistes en faisaient usage. Au contraire de l'*exemplum* et de l'emblème, les formes courtes que sont les ysopets, les lais et les fabliaux*, et l'œuvre développée qu'est Le Roman de Renart, constituent un état du conte animalier où l'effet narratif prend le pas sur l'intention didactique.

Un genre éteint ?

C'est précisément en faisant la **part belle au récit** que **La Fontaine** pousse le genre de l'apologue à ses limites : le conte, compris par opposition à la moralité, atteint une puissance évocatrice qui affadit toute illustration et rabaisse l'emblème au rang d'indigne cousin des *Fables*. L'incertitude qui régit l'économie interne de l'apologue expliquerait-elle l'absence de ce genre parmi ceux que recense Boileau* dans l'*Art poétique* (1674) ? Cela n'a certes pas empêché Furetière*, Perrault* et Fénelon*, puis Houdar de la Motte, Florian et le XVIIIe siècle d'adopter ou de perpétuer le genre, grâce à l'Italien Passeroni, l'Espagnol Tomas de Yriarte, l'Anglais John Gay, l'Allemand Lessing ou le Russe Krylov.

→ allégorie, conte populaire, fable, fabliau, parabole, symbole

apostrophe

n. f. Du grec *apostrophê*, « fait de se retourner [vers celui qu'on interpelle] ou de se détourner ». Figure de rhétorique par laquelle on s'adresse à une divinité ou à une personne présente ou absente, ou bien à une chose que l'on personnifie.

Principaux effets

Souvent accompagnée d'interjections et d'exclamations, très utilisée au théâtre et dans les textes déclamatoires ou pathétiques, l'apostrophe exprime une **forte émotion** (regret, nostalgie, véhémence, admiration, dégoût…). Ainsi, dans ce vers de Lamartine* : « Ô temps, suspends ton vol ! » (« Le Lac », *Méditations poétiques*), l'apostrophe lyrique au temps rend plus sensible son pouvoir sur les humains. L'**accumulation*** des apostrophes accentue l'effet produit et peut aboutir au **comique***, comme dans ce plaisant échange d'injures entre mauvais poètes : « TRISSOTIN. – Allez, petit grimaud, barbouilleur de papier. VADIUS. – Allez, rimeur de balle, opprobre du métier. TRISSOTIN. – Allez, fripier d'écrits, impudent plagiaire. VADIUS. – Allez, cuistre… » (Molière*, *Les Femmes savantes*, III, 3).

→ **emphase, personnification**

Aragon
(Louis), 1897-1982

ŒUVRES PRINCIPALES
• **Poésie :** Feu de joie (1920), Le Mouvement perpétuel (1926), Le Crève-Cœur (1941), Les Yeux d'Elsa (1942), Le Musée Grévin (1943), La Diane française (1945), Le Roman inachevé (1956).
• **Proses et romans :** Anicet (1920), La Défense de l'infini (1923-1927, détruit fin 1927), Le Paysan de Paris (1926), La Semaine sainte (1958), La Mise à mort (1965), Blanche ou l'Oubli (1967) ; cycle du Monde réel : Les Cloches de Bâle (1934), Les Beaux Quartiers (1936), Les Voyageurs de l'impériale (1942), Aurélien (1944), Les Communistes (1949-1951).

La poésie et le roman surréalistes

Dans *Anicet*, dans *Le Paysan de Paris*, dans le roman *La Défense de l'infini* (récemment reconstitué), aussi bien que dans ses recueils poétiques, Aragon met en scène un **monde à la fois spectaculaire, allègre et triste**. L'influence d'Apollinaire*, de Nerval* et des symbolistes nourrit le **lyrisme*** de *Feu de joie* ou du *Mouvement perpétuel*, où la réalité est évoquée « comme en carnaval ». Dans les déambulations du *Paysan de Paris* ou de *La Défense de l'infini*, c'est la même flânerie, le même émerveillement devant le panorama multicolore et incongru de la ville.

Écrire des romans n'est pas bien vu par les surréalistes, mais Aragon est d'emblée romancier et poète. Il voit dans ses romans féeriques le moyen d'atteindre une représentation dialogique et non univoque de la réalité, ce qui s'inscrit bel et bien dans le manifeste surréaliste : chez lui, le roman est issu de « l'impuissance acquise d'abstraire », comme il l'écrit dans sa préface à l'édition de 1924 de *Libertinage*.

Le retour au « monde réel »

Il n'en reste pas moins que lorsqu'il prend sa carte au Parti communiste (1927) et s'interroge, à partir de ses voyages en URSS au début des années 1930, sur la possibilité pour le romancier de se **mettre au service de la révolution prolétarienne**, Aragon envisage un cycle romanesque dont le titre général – *Le Monde réel* – montre bien la volonté de **clore la période surréaliste**.

Le premier volume de ce cycle, *Les Cloches de Bâle*, est contemporain du texte où Aragon expose les modalités de son **esthétique engagée** (*Pour un réalisme socialiste*, 1935). En vertu du principe selon lequel « tout roman fait appel en la croyance du monde tel qu'il est, même pour s'y opposer » (préface de 1965), Aragon s'emploie à montrer que **la vie individuelle est toujours prise dans le cours de l'Histoire**. Dans *Les Beaux Quartiers*, il évoque l'impossible entraide de deux frères, Edmond et Armand Barbentane, le premier tôt venu à Paris et bientôt enrichi, le second (le « crapaud ») ouvrier en rupture avec sa famille. Dans *Les Voyageurs de l'impériale*, la critique de l'individualisme de Pierre Mercadier prend la forme d'une étude historique, tout comme dans *Aurélien*, sans doute le roman le plus lu d'Aragon, qui dessine la trajectoire intime et idéologique d'un jeune homme soumis à un triple déterminisme : il est rentier, ancien de 14-18, et fils d'un ménage malheureux.

Une littérature à thèse ?

Pendant la Seconde Guerre mondiale, Aragon reprend à son compte le programme de Virgile dans le premier vers de l'*Énéide* (« *Arma virumque cano…* », « Je chante les armes et l'homme… ») et il écrit des **recueils poétiques** (du *Crève-cœur* à *La Diane française* en passant par *Les Yeux d'Elsa*) qui se veulent **riches de « tout l'héritage français des siècles »**. Une poésie qui fait coïncider célébration de la femme aimée et consolation de la patrie martyrisée, tout en réfléchissant aux formes anciennes, à la syntaxe, à « la rime* en 1940 », à la strophe*, etc.

Après la fin du stalinisme, Aragon ne renie pas le communisme en littérature. Il le définit non comme la recherche d'un naturalisme* social mais comme l'expression du sentiment, éprouvé par exemple par le personnage du peintre

Géricault dans *La Semaine sainte*, qu'**il existe un sens de l'Histoire**.

Patriotisme poétique et roman réaliste socialiste : faut-il en conclure que l'œuvre d'Aragon relève de la littérature à thèse, comprise dans le sens péjoratif du terme ? Rien n'est moins sûr. Pour ce qui est du roman, Aragon, depuis son époque dadaïste et surréaliste jusqu'à ses derniers romans (*La Mise à mort, Blanche ou l'Oubli*, traversés de réflexions métaromanesques), l'a toujours conçu comme un **genre inconciliable avec la volonté a priori d'établir une doctrine**. Dans plusieurs de ses préfaces, ainsi que dans *Je n'ai jamais appris à écrire ou les Incipit* (1969), il prétend que ses textes, par exemple la première partie des *Cloches de Bâle*, sont nés phrase par phrase, parfois à partir d'une formule apparue « au réveil ». Enfin, Aragon affiche souvent le caractère de fiction de ses œuvres (au nom de l'idée que la littérature est un « **mentir vrai** » – d'après le titre d'une nouvelle de 1964), ce qui n'est pas forcément compatible avec les partis pris du roman à thèse.

Diffraction de l'être et jeux de voix

L'une des raisons pour lesquelles le roman d'Aragon se distingue du pur et simple roman à thèse est la **complexité qu'y revêtent les personnages et**, de manière corollaire, **la narration**. Déjà *Le Paysan de Paris* et surtout *La Défense de l'infini* prenaient une forme romanesque inédite et s'interrogeaient sur les conditions de leur propre écriture. Dans *Les Beaux Quartiers*, les deux frères peuvent apparaître comme la projection diffractée d'un même être. Ajoutons que le personnage de l'aventurière Carlotta, maîtresse d'Edmond, est décrit d'une manière si positive que cela contredit quelque peu la ligne communiste du roman.

Enfin, des romans comme *La Mise à mort* (1965), *Blanche ou l'Oubli* (1967) et *Théâtre-roman* (1974) portent à l'extrême le dédoublement du personnage*, la réflexion sur l'écriture en marche via la démultiplication du narrateur*, interrogeant la psychologie aussi bien que la capacité de la fiction à retrouver le passé ou à dire le vrai.

Pour conclure sur *Aurélien*, il faut souligner combien ce roman du « monde réel », loin de nous faire haïr le jeune héros bourgeois derrière lequel se profile, écrit Aragon, un « paysage atroce » (idéologiquement parlant), nous fait épouser les mouvements de cette conscience et se caractérise par la proximité entre la voix narrative et la pensée du personnage.

a

REPÈRES BIOGRAPHIQUES

➜ C'est en 1917, pendant ses études de médecine, que Louis Aragon rencontre André Breton*, avec qui il crée la revue *Littérature*. Il accompagne le mouvement Dada* et les surréalistes jusqu'à l'époque du *Paysan de Paris* (1926), mais, comme l'indique son *Traité du style* (1928), il semble attendre du jeu avec les mots un renouveau de soi qui dépasse la foi en une quelconque écriture automatique*. Du reste, la rupture avec les surréalistes est consommée peu après son adhésion au Parti communiste (1927), la rencontre d'Elsa Triolet (1928) et la découverte du réalisme socialiste en littérature. C'est ce qui explique le caractère plus militant et engagé de l'œuvre en prose des années 1930, qui inaugure le cycle romanesque du *Monde réel*.

➜ Cette inspiration, entretenue par les voyages en URSS de Louis et Elsa, à présent célèbres, trouvera son prolongement dans l'action politique menée pendant la guerre d'Espagne, puis dans l'épreuve de la Seconde Guerre mondiale : Aragon est alors combattant, journaliste, fédérateur de la résistance intellectuelle, auteur prolixe de recueils amoureux et patriotiques, enfin homme d'action et poète.

➜ La révélation des crimes du stalinisme au début des années 1950 a des effets sur l'œuvre. Aragon interrompt l'écriture des *Communistes* (1949-1951) mais, refusant de comprendre le communisme en littérature dans un sens trop restreint, il continue de s'en réclamer. Tandis que sa poésie renoue avec l'inspiration des années surréalistes, ses derniers romans jouent sur la démultiplication de la personne de l'auteur.

➔ **Apollinaire, Breton, Dada, engagement, surréalisme, symbolisme**

argumentation

n. f. Du latin *argumentatio*. **1.** Action, art de présenter des arguments. **2.** Discours, textes argumentatifs.

Définition et nature des textes argumentatifs

Une argumentation suppose une **thèse à défendre** ou à contester (de la critique à la réfutation pure et simple) et la **présentation** plus ou moins organisée **d'arguments**, c'est-à-dire d'éléments de raisonnement utilisés comme preuves et souvent illustrés d'exemples.

On trouve une grande variété de textes ou de discours à caractère argumentatif : le **plaidoyer*** d'un avocat, le **sermon*** d'un prédicateur, un **essai** politique ou philosophique, mais aussi un **poème** ou une **tirade*** **de théâtre** peuvent contenir une argumentation. Ainsi, les personnages des *Fables* de La Fontaine* ou des pièces de Molière* opposent souvent des arguments sur des sujets variés.

Énonciation et stratégies argumentatives

L'**énonciation** du texte argumentatif se caractérise souvent par la présence explicite du locuteur* qui s'engage pour ou contre une thèse, mais les indices de la personne peuvent être volontairement effacés pour donner au jugement un caractère d'universalité.

Parmi les **stratégies argumentatives**, certaines relèvent de la **logique** : on distingue le *raisonnement inductif*, qui part de faits particuliers pour aboutir à une conclusion générale et le *raisonnement déductif*, qui part d'une hypothèse ou idée générale pour déduire une proposition particulière.

D'autres **stratégies** sont **plus rhétoriques*** : ainsi, le *raisonnement concessif* semble admettre un argument opposé à la thèse soutenue qui est ensuite réaffirmée ; l'*argument d'autorité* fait référence (souvent par des citations) à un auteur ou à une personnalité reconnus pour étayer la thèse ; le *raisonnement par l'absurde* imagine les conséquences absurdes d'une proposition pour la réfuter.

L'*éloquence* oratoire*, les tonalités polémique* ou satirique permettent au discours argumentatif de persuader par les moyens de la rhétorique*, lesquels s'ajoutent aux moyens logiques propres à convaincre, sans qu'il soit toujours aisé de distinguer ces deux ensembles.

➔ **modalisation, oratoire (style), pamphlet, plaidoyer, polémique, réquisitoire**

Arlequin

De tous les bouffons, Arlequin est le plus universellement connu. Originaire, comme son compère Brighella, de la ville de Bergame (Italie), il est l'un des *zanni* (bouffons) spécifiques de la commedia dell'arte*. Pourtant, son nom lui viendrait du célèbre diable français Hellequin, qui conduisait la troupe des esprits malins dans les mystères médiévaux. De cette ascendance diabolique, Arlequin conserve d'abord le visage barbouillé de suie qui, quand la figure se répand en Europe au xviie siècle, est remplacée par un masque noir. De ses racines bergamasques, il garde le costume traditionnel : outre le masque, un chapeau gris, une batte blanche aux multiples usages, un habit composé de losanges bigarrés. Toujours sautant, cabriolant, il accomplit avec son corps des prouesses d'agilité. Mais sa psychologie évolue au fil des siècles et selon les auteurs.

Un rustre
Primitivement, dans le théâtre italien, Arlequin se caractérise par son ingénuité, sa balourdise, sa **gloutonnerie**, sa paillardise. Il apparaît ainsi dans les improvisations et les **farces*** jouées au théâtre de la Foire sous Louis XIV. Au xviiie siècle, dans les comédies de Lesage* (*Arlequin invisible*, 1713 ; *Arlequin Endymion*, 1721), il conserve ses traits traditionnels. De même, dans l'*Arlequin serviteur de deux maîtres* (1748), de Goldoni, il ne se soucie que de faire

bonne chère. Cependant, dans la pièce de Marivaux*, *Arlequin poli par l'amour* (1720), il devient spirituel et galant grâce à l'amour. Ces traits contrastés se retrouvent dans d'autres pièces de Marivaux, sous la plume duquel le personnage acquiert une certaine complexité.

Un valet de comédie
C'est sous l'influence du comédien Thomassin – Arlequin assez leste pour exécuter une pirouette sans rien renverser du verre d'eau qu'il transporte – que **Marivaux affine la peinture du personnage**. S'il reste encore un bon vivant vaguement niais dans certaines pièces comme *Les Fausses Confidences* (1737) ou *La Surprise de l'amour* (1722), le personnage prend de la grâce – ce que marque son costume qui s'affine, la culotte remplaçant le grossier pantalon court –, fait preuve d'astuce et, depuis *Le Jeu de l'amour et du hasard** (1730), sert habilement les intrigues de son maître qu'il n'hésite pas à contredire et dont il imite les amours.

D'Arlequin aux arlequinades
Après la Révolution, malgré son évocation par Verlaine* dans les *Fêtes galantes* (1869), Arlequin est délaissé par les écrivains. Mais auparavant, il a été le héros éponyme d'un très grand nombre de comédies*, de pantomimes, d'opéras-comiques*. Il a également enrichi la langue française de plusieurs expressions comme l'« habit d'Arlequin », qui désigne une œuvre composée de divers morceaux, ou « être comme Arlequin », qui qualifie une manière plaisante de dire la vérité.
Si le terme d'**arlequinade** désigne, péjorativement, une œuvre ridicule, on l'emploie également pour désigner toute bouffonnerie, toute pantomime, tout geste digne du personnage de la commedia dell'arte.

→ **commedia dell'arte, Marivaux, Verlaine**

art poétique

n. m. Du latin *ars poetica*. Ouvrage didactique, généralement en vers, concernant l'art de composer des vers.

Une tradition ancienne
L'art poétique est un **genre** essentiellement **prescriptif** : il énonce les règles qui doivent présider à la composition des vers*, qu'il s'agisse de la *matière* (genre, sujet) ou de la *manière* (principes généraux ou règles précises de versification*). Dans la culture occidentale, la

tradition de l'art poétique remonte à **Aristote** (*Poétique*) et à **Horace** (*Épître aux Pisons*, dite *Art poétique*). Ces deux auteurs joueront le rôle d'autorités de référence pour les arts poétiques ultérieurs : si, au Moyen Âge, les traités qui codifient les règles de l'art poétique s'inspirent surtout d'Horace, Aristote revient en force à partir de la Renaissance, lors de sa redécouverte par l'intermédiaire de traductions. En réalité, la *Poétique* d'Aristote n'est pas à proprement parler un recueil de préceptes. Son objet est d'édifier une **théorie de l'imitation**[*] **poétique** à partir des œuvres existantes : Homère, pour le poème épique et Sophocle, pour le poème dramatique. Ses commentateurs de la Renaissance italienne (Scaliger et Castelvetro en particulier) affirmeront y avoir trouvé les règles des trois unités[*] (action, temps, lieu), alors que seule la règle de l'unité d'action se trouve explicitement chez Aristote. Quant à l'*Art poétique* d'Horace, qui reformule pour une part les principes d'Aristote (on retrouve le principe de l'imitation dans la célèbre comparaison de la poésie et de la peinture : *Ut pictura poesis*), elle contient certes des conseils à de jeunes poètes, mais dans le style de la conversation (*sermo*). La tradition en a retenu principalement que le poète devait toucher le cœur du lecteur et qu'il lui fallait joindre l'utile à l'agréable.

Un code esthétique

L'*Art poétique* d'Horace doit néanmoins être considéré comme fondateur du genre, dans la mesure où il présente les caractéristiques majeures des traités ultérieurs : il s'agit d'un **ouvrage didactique**[*] (conseils à de jeunes poètes pour faire des vers) **qui fait la part belle aux goûts personnels de son auteur**, présents dans des jugements sur les œuvres contemporaines. Les arts poétiques sont en effet des œuvres de circonstance : qu'il s'agisse de ceux de la Renaissance (Thomas Sébillet, Peletier du Mans) ou du fameux *Art poétique* de Boileau[*] (publié en 1674), l'art poétique énonce, en fin de compte, des partis pris idéologiques, et donc esthétiques.

Comme c'était déjà le cas pour Horace, les arts poétiques de la Renaissance et du classicisme[*] sont des **œuvres de combat**, qui s'inscrivent dans l'éternelle querelle des Anciens et des Modernes[*]. En ce sens, les arts poétiques modernes, depuis Verlaine[*] (« De la musique avant toute chose,/Et pour cela préfère l'Impair », *Jadis et Naguère*), révèlent sans doute la véritable essence de tout art poétique : au-delà de la forme – trompeuse – de la généralité, c'est

toujours une conception personnelle de la poésie qui s'y exprime.

→ **Anciens et Modernes (Querelle des), Boileau, classicisme, poétique, unités (règle des trois), Verlaine**

art pour l'art (l')

n. m. Doctrine littéraire issue du romantisme, mais élaborée en réaction aux excès de ce dernier, et dont les principes ont été formulés par Théophile Gautier.

Une réaction antiromantique

Plutôt que d'une école, il s'agit d'une tendance, attestée très tôt au sein même du mouvement romantique et qu'on peut repérer dans les *Odes et Ballades* (1826) ou dans *Les Orientales* (1829) de Victor Hugo[*]. Elle se caractérise par le **goût du pittoresque**, de la couleur locale[*] et des descriptions minutieuses, mais aussi par une **exigence** impérieuse **de perfection formelle**.

Liée au romantisme[*], cette tendance s'est développée en réaction aux outrances d'un lyrisme[*] verbeux et bavard. Rejetant l'image fumeuse du poète prophète ou mage, on préfère revenir à celle du poète artisan du vers.

Une doctrine exigeante

C'est le poète et romancier **Théophile Gautier**[*] qui élabore les grandes lignes de la doctrine de l'art pour l'art. En 1835, dans la Préface de *Mademoiselle de Maupin* (qui fait figure de manifeste[*]), Gautier déclare : « Il n'y a de vraiment beau que ce qui ne peut servir à rien. Tout ce qui est utile est laid ». Il rejette ainsi toute subordination de l'art à une visée idéologique ou moralisatrice : **l'œuvre d'art ne sert pas à délivrer un message**. Refusant d'autre part l'épanchement du cœur et la prolixité qui trop souvent l'accompagne (comme chez Musset[*]), Gautier réhabilite le travail poétique. La quête de la perfection conduit à se **méfier de l'inspiration**[*] **et de l'émotion**, et constitue un défi perpétuel : le poète ne peut se complaire dans les facilités, il ne trouve son chemin vers la beauté formelle que dans la difficulté d'exécution, quand il est aux prises avec une matière résistante et rebelle. D'où les fréquentes comparaisons avec le travail du sculpteur, comme dans le poème-manifeste d'*Émaux et Camées*, intitulé « L'Art » : « Oui, l'œuvre sort plus belle/ D'une forme au travail/ Rebelle,/ Vers, marbre, onyx, émail. / […] /

Sculpte, lime, cisèle ; / Que ton rêve flottant / Se scelle / Dans le bloc résistant ! »

Ainsi est née une **esthétique de l'impassibilité et de l'impersonnalité**, laquelle n'exclut pas la fantaisie ni l'humour* comme on le voit dans les *Odes funambulesques* (1857) de Théodore de Banville, premier disciple de Gautier. Tandis que Baudelaire* lui manifeste son admiration en lui dédiant *Les Fleurs du mal*, les poètes parnassiens reconnaîtront leur dette à l'égard de l'auteur d'*Émaux et Camées* en reprenant à leur compte le culte de l'art pour l'art.

→ **inspiration, Gautier, Parnasse**

Artaud
(Antonin), 1896-1948

ŒUVRES PRINCIPALES
- **Œuvres surréalistes**: *L'Ombilic des limbes* (1925), *Le Pèse-nerfs* (1927).
- **Pièce de théâtre**: *Les Cenci* (1935).
- **Recueil d'essais**: *Le Théâtre et son double* (1938).
- **Poèmes et récits Initiatiques**: *Artaud le Mômo, Van Gogh ou le Suicidé de la société* (1947), *Les Tarahumaras* (posth. 1955).
- **Émission pour la radio**: *Pour en finir avec le jugement de Dieu* (1948).

Le rejet du théâtre de texte
Remettant en cause la dramaturgie* occidentale qui, en assujettissant le théâtre au texte, l'a détourné de son origine sacrée, Artaud veut **inventer un langage spécifiquement théâtral**, indépendant de la parole : le théâtre doit « créer une métaphysique de la parole, du geste, de l'expression en vue de [s]'arracher à son piétinement psychologique et humain » (*Le Théâtre et son double*).

Il voit dans le **théâtre balinais** un modèle qui élimine l'auteur au profit du metteur en scène, « sorte d'ordonnance magique, maître de cérémonies sacrées ». La scène est le lieu où doit s'exprimer un langage qui, mettant en branle « musique, danse, plastique, pantomime, mimique, gesticulation, intonation, architecture, éclairage et décor » (*ibid.*), permet de rendre au théâtre la dimension religieuse et mystique qu'il a perdue.

Le « théâtre de la cruauté »
Artaud conçoit donc le théâtre comme un **spectacle total**, capable d'ébranler le cœur, le corps et les nerfs du spectateur, et de le faire entrer en contact avec les forces primitives du monde : c'est le « théâtre de la cruauté ». Deux conceptions de la cruauté coexistent dans la pensée d'Artaud : il y a certes la cruauté physique, celle qui blesse les corps et fait couler le sang, mais aussi et surtout la **cruauté métaphysique**, celle qui blesse les âmes et laisse en elles une trace profonde.

Les théories d'Artaud ont joué un **rôle déterminant dans la réflexion moderne sur la mise en scène**. De Roger Blin à Ariane Mnouchkine, en passant par les improvisations du Living Theatre et de Jerzy Grotowski dans les années 1970, nombreux sont les metteurs en scène dont le travail a été influencé par le « théâtre de la cruauté ».

CITATION
- **Sur la cruauté**
[...] sur le plan de cette cruauté que nous pouvons exercer les uns contre les autres en nous dépeçant mutuellement les corps, en sciant nos anatomies personnelles, ou tels des empereurs assyriens, en nous adressant par la poste des sacs pleins d'oreilles humaines, de nez ou de narines bien découpées, mais de celle, beaucoup plus terrible et nécessaire, que les choses peuvent exercer contre nous. Nous ne sommes pas libres. Et le ciel peut encore nous tomber sur la tête. Et le théâtre est fait d'abord pour nous apprendre cela. » (*Le Théâtre et son double*)

REPÈRES BIOGRAPHIQUES
→ Marseillais d'origine et atteint dès l'enfance de troubles nerveux qu'il combat par l'opium, Artaud arrive à Paris en 1920. Il est engagé comme comédien par Lugné-Poe, puis par Dullin au théâtre de l'Atelier, et interprète quelques rôles au cinéma (Marat dans le *Napoléon* d'Abel Gance en 1925, et le rôle du moine Massieu dans *La Passion de Jeanne d'Arc* de Dreyer en 1928). C'est à la suite du refus de Jacques Rivière de publier certains de ses poèmes dans la *Nouvelle Revue française*, que s'engage entre les deux hommes une *Correspondance* qui sera publiée en 1927.

→ Artaud adhère un moment au groupe surréaliste d'où il est bientôt exclu, en même temps que Roger Vitrac, avec lequel il fonde en 1926 le Théâtre Alfred-Jarry. De cette expérience et de sa rencontre avec le théâtre balinais, en 1931, naissent des écrits théoriques et les manifestes du « théâtre de la cruauté » (1932-1933), rassemblés dans *Le Théâtre et son double.*

➜ Après l'échec de la représentation des *Cenci* en 1935, il part au Mexique où il séjourne chez les Indiens Tarahumaras, auprès desquels il fait l'expérience d'une plante hallucinogène, le peyotl. Mais ses troubles s'aggravent. Après un voyage catastrophique en Irlande, il est interné à l'hôpital psychiatrique de Rodez, où il séjournera de 1939 à 1946. Il meurt d'un cancer le 4 mars 1948.

→ **Breton, Eluard, surréalisme, théâtre**

Arthur (le roi)

On sait très peu de choses sur les origines de celui qui est devenu l'un des rois les plus célèbres de la littérature. Un texte du IXe siècle mentionne un certain Arthur, chef de guerre qui, au début du VIe siècle, aurait combattu les envahisseurs saxons en Grande-Bretagne. Mais c'est grâce au génie de quelques écrivains du XIIe siècle qu'Arthur est devenu le souverain d'un vaste royaume romanesque, qui va dominer toute la littérature du Moyen Âge.

Un roi conquérant
Le véritable créateur de la légende arthurienne est un clerc gallois, **Geoffroi de Monmouth**, qui, vers 1137, rédige **en latin** l'*Histoire des rois de Bretagne* (c'est-à-dire de Grande-Bretagne) à partir de légendes d'origine celtique. La chronique de Geoffroi retrace la généalogie prestigieuse et légendaire des rois bretons depuis l'arrivée sur l'île d'un descendant des Troyens, Brutus, jusqu'à la prise du pouvoir par les Saxons (VIIe siècle), en passant par le roi Arthur.

Dans la chronique de Geoffroi, Arthur est essentiellement un **roi conquérant**, en lutte contre les païens. Il se distingue par son sens de l'**honneur et** sa **générosité**. Doté de son épée Caliburn et de sa lance Ron, c'est aussi un formidable guerrier, capable de vaincre des géants. C'est au moment où Arthur est sur le point de conquérir Rome que la trahison de son neveu Mordred l'oblige à rebrousser chemin pour défendre son royaume. Dans un combat qui anéantit l'essentiel de la chevalerie, Arthur tue Mordred mais il est blessé à mort. Il est emporté par la fée Morgain, sa sœur, dans l'île d'Avalon, dont la légende prétend qu'il reviendra un jour.

À la demande de Henri II Plantagenêt, devenu roi d'Angleterre, un autre clerc, **Wace**, adapte le texte de Geoffroi **en langue française** dans le *Roman de Brut* (Brutus) en 1155. En rivalité avec la France, Henri II cherche à asseoir sa royauté sur un personnage légendaire capable de concurrencer la figure mythique de Charlemagne. Wace développe la « **courtoisie*** » de la cour d'Arthur et le rôle de l'amour, et il invente la « **Table ronde*** », à laquelle s'assoient les plus prestigieux chevaliers d'Arthur, sans ordre de préséance. Si Wace consacre surtout son récit à la vie et aux conquêtes d'Arthur, il mentionne douze années de paix durant lesquelles les chevaliers du roi auraient connu des aventures extraordinaires. Chrétien de Troyes* est le premier à utiliser le formidable potentiel romanesque de cet héritage merveilleux*.

Un roi courtois
Dans les romans de **Chrétien de Troyes*** et de ses continuateurs, Arthur n'est plus un roi conquérant. À la tête du royaume de Logres, il tient une **cour raffinée et courtoise**, accueillant les chevaliers qui parcourent son royaume en quête d'aventures. Les plus prestigieux sont Gauvain, son neveu, Lancelot*, et Perceval*. Mais s'il se présente comme le roi le plus courtois du monde, Arthur se montre parfois coupable d'une certaine indolence. Il est aussi un mari trompé : *Le Chevalier de la charrette* de Chrétien de Troyes est centré sur l'amour adultère de Guenièvre, la femme d'Arthur, et de Lancelot, le meilleur chevalier de la cour.

Les romans arthuriens
Le cycle en prose du *Lancelot-Graal*, au début du XIIIe siècle, retrace l'histoire du royaume arthurien, de ses origines à sa destruction, en passant par la quête du Graal, et se termine par la *Mort du roi Arthur*. Cette fois, la ruine du royaume de Logres est en partie causée par la découverte de l'infidélité de la reine Guenièvre. Si Arthur, dans tous les romans dits « arthuriens », est la clé de voûte d'un univers romanesque extrêmement riche, il n'est cependant plus qu'un personnage secondaire. Souvent passif, il fournit surtout un cadre spatiotemporel dans lequel peuvent s'insérer les innombrables aventures des chevaliers de la Table ronde.

→ **Chrétien de Troyes, courtoisie, Lancelot, Perceval, Table ronde (romans de la)**

assonance

n. f. Du latin *assonare*, « faire écho ». **1. Sens strict** : il y a assonance quand la dernière voyelle accentuée de deux ou plusieurs vers est identique, procédé fréquemment employé dans la poésie médiévale (chansons de geste*). Elle est reprise en ce sens au XIXe siècle, lorsque la poésie se détache des règles : « Aurore d'une ville un beau matin de *mai* [...]/Aurore en moi dix-sept années toujours plus *claires* » (Eluard*, « Le Temps déborde »). **2. Sens élargi** : l'assonance est la répétition d'un même son vocalique, de même que l'allitération* est la répétition d'un même son consonantique.

Principaux effets

La répétition des mêmes voyelles établit un **écho sonore** entre des mots qui se font parfois écho par le sens : « Je le *vis*, je rougis, je pâlis à sa vue » (Racine*, *Phèdre*, I, 3) : ainsi Phèdre décrit-elle l'effet de première vue lors de sa rencontre avec Hippolyte.

Par ailleurs, le jeu entre différentes assonances permet de créer une sorte de **ligne mélodique** constituée de voyelles disposées plus ou moins régulièrement à l'intérieur d'un vers, d'un membre de phrase : « Aboli *bibelot* d'inanité sonore » (Mallarmé*, *Ses purs ongles très haut…*).

→ **allitération, harmonie imitative, rime, signifiant, sonorités**

Aubigné
(Agrippa d'), 1552-1630

ŒUVRES PRINCIPALES
- **Poésie** : *Le Printemps* (1568-1575), *Les Tragiques* (entrepris en 1577, publ. 1616).
- **Pamphlet** : *Les Aventures du baron de Faeneste* (publ. 1617-1620).
- **Chronique** : *Histoire universelle depuis 1550 jusqu'à 1610* (publ. 1618-1620).

Un poète engagé

Toute l'œuvre d'Agrippa d'Aubigné est marquée par les luttes religieuses de l'époque et par son **engagement passionné dans la cause protestante**. L'*Histoire universelle* (1618-1620) est une chronique des guerres de religion. Dans *Les Aventures du baron de Faeneste* (1617-1630), ouvrage polémique et burlesque, s'opposent un catholique et un protestant.

Les Tragiques, long poème épique en **VII chants**, s'en prennent violemment à la folie criminelle de l'homme. Le livre I (« Misères »), « d'un style bas et tragique, n'excédant que fort peu les lois de la narration », comme le dit lui-même d'Aubigné dans l'avertissement « Aux lecteurs », décrit avec un **réalisme cru** les campagnes ravagées et les malheurs des paysans. Responsables de ces malheurs, les rois et les grands sont dépeints comme des tyrans, d'Aubigné s'en prenant tout particulièrement à Catherine de Médicis et au cardinal de Lorraine. Le livre II (« Princes »), écrit « en style moyen mais satirique », est en effet une **violente satire** de la cour des Valois, épinglant les flatteurs, les courtisans, Charles IX, Henri III et ses mignons. Ce tableau de mœurs est complété, au livre III (« La Chambre dorée »), par la critique des magistrats corrompus et des juges « mangeurs d'hommes ». L'actualité de l'époque et les partis pris de l'auteur sont plus nets encore dans le livre IV (« Les Feux »), écrit en style « tragique moyen », qui est une longue énumération des bûchers où les protestants périrent en martyrs. Le livre V (« Les Fers »), de style « tragique élevé », montre les massacres de réformés et en particulier ceux de la Saint-Barthélemy (24 août 1572). Le livre VI (« Vengeance »), où d'Aubigné en appelle à la colère et à la vengeance divines, introduit au livre VII (« Jugement ») où il nous peint, après la destruction du monde, la résurrection de la chair et le Jugement dernier.

Une inspiration diverse

La formation humaniste de d'Aubigné se traduit dans son œuvre par de fréquentes références à la mythologie, à l'Histoire ancienne et à la Bible.

On retrouve la **mythologie** dans des allusions à Achille et à l'*Iliade* (« Princes »). De l'**histoire ancienne** il retient particulièrement la Rome de Néron auquel il assimile les rois de France, Henri III en particulier ; le style lui-même est influencé par la sécheresse de Tacite, l'historien du règne de Néron. Lorsqu'il peint les grands de la cour (« Princes »), d'Aubigné est aussi virulent que le Juvénal des *Satires*. Cependant, c'est l'**inspiration biblique** qui **domine** chez l'auteur des *Tragiques*. Dieu y est invoqué comme témoin et juge des malheurs des hommes. L'œuvre est peuplée de figures bibliques qui, parfois, masquent des personnages réels : ainsi Catherine de Médicis est-elle désignée par le nom de Jézabel. De plus, la composition même des *Tragiques* (sept chants comme les sept sceaux de l'Apocalypse), tout entière orientée vers le tableau final du Jugement dernier (chant VII), témoigne de la prégnance de l'inspiration biblique.

Le souffle épique et baroque

Épiques, *Les Tragiques* le sont par leur **longueur** (9 000 vers), par la **fureur biblique** qui les anime, par l'omniprésence du **thème de la guerre**. Comme dans l'épopée*, on y trouve des mythes* (celui de la Justice par exemple) et la personnification* de la nature : la terre prend les humbles en pitié et les éléments se révoltent contre les hommes. Au centre de cet univers, la France apparaît comme une figure héroïque et surhumaine. Les références aux mythes anciens, la présence d'un surnaturel visionnaire contribuent à l'amplification de l'histoire humaine. Sur le plan stylistique, il faut noter l'emploi constant de pluriels, de verbes d'action, de termes exprimant la grandeur. Les emprunts au style biblique – superlatifs, constructions hébraïques, répétitions, images comparatives à valeur symbolique – créent des hyperboles*. Ce grossissement est un des indices du goût **baroque***, qui s'exprime également dans le foisonnement des images et la diversité des tableaux qui se succèdent tout au long du poème, dans les thèmes de l'instabilité et de la fragilité, dans les visions fantastiques.

Les antithèses*, les images et les jeux sur les sonorités* trouvent un cadre dans l'alexandrin*, dont la longueur se prête bien à l'épopée et dont les coupes* variées permettent de traduire la violence des combats.

Le Hugo* des *Châtiments* au XIXe siècle et Aragon* au siècle suivant s'inspireront de la **poésie militante** des *Tragiques*.

CITATION

• Sur le dessein des *Tragiques*

« Je veux peindre la France une mère affligée,/ Qui est, entre ses bras, de deux enfants chargée./ Le plus fort, orgueilleux, empoigne les deux bouts/ Des tétins nourriciers ; puis, à force de coups/ D'ongles, de poings, de pieds, il brise le partage/ Dont nature donnait à son besson [*jumeau*] l'usage ;/ Ce voleur acharné, cet Ésaü malheureux,/ Fait dégât du doux lait qui doit nourrir les deux,/ [...] / Mais son Jacob, pressé d'avoir jeûné meshui [*aujourd'hui*],/ Ayant dompté longtemps en son cœur son ennui,/ À la fin se défend, et sa juste colère,/ Rend à l'autre un combat dont le champ est la mère. » (« Misères », *Les Tragiques*)

REPÈRES BIOGRAPHIQUES

➔ Né en 1552 dans une famille d'un calvinisme intransigeant, Agrippa d'Aubigné passe ses premières années dans la famille d'Henri de Navarre, le futur Henri IV. Il suit de bonnes études classiques (latin, grec, hébreu). Son enfance est aussi marquée par la guerre : à huit ans, devant les corps décapités des conjurés d'Amboise, son père lui fait jurer fidélité à la cause protestante.

➔ Vers 1570, il rencontre Diane Salviati, nièce de la Cassandre de Ronsard*, et compose pour elle les poèmes lyriques du *Printemps* – ils ne seront publiés qu'au XIXe siècle. Mais la différence de religion – elle est catholique – sépare les deux jeunes gens.

➔ En 1573, il s'engage aux côtés d'Henri de Navarre qu'il rejoint à Paris, où celui-ci est retenu prisonnier. Jusqu'en 1576, d'Aubigné partage la vie de la cour des Valois (dont il dénoncera la corruption avec verve et violence dans « Princes », le livre II des *Tragiques*). Grièvement blessé en 1577, il se retire de la vie politique et compose les premiers vers des *Tragiques*. En 1579, il reprend la lutte auprès d'Henri de Navarre mais, scandalisé par son abjuration (1593), il se retire dans ses terres de Vendée. En 1616 paraissent *Les Tragiques* puis, entre 1618 et 1620, les trois tomes de l'*Histoire universelle*, condamnés au bûcher par le Parlement de Paris.

➔ Agrippa d'Aubigné meurt en 1630, à Genève, où il s'était réfugié dix ans plus tôt.

➔ **Aragon, baroque, engagement, épopée, Hugo**

---

auteur(e)

n. m. (l'usage du féminin « auteure » est récent). Du latin *auctor*, dérivé de *augere*, « faire croître » : « celui qui augmente la confiance », d'où « autorité », « modèle », et « celui qui pousse à agir », d'où « instigateur », « créateur ». **1.** Personne physique, réelle, qui écrit un ouvrage, écrivain : on parle d'auteurs classiques, d'auteurs romantiques. *Auteur dramatique* : celui qui écrit des pièces de théâtre. Dans une acception plus restreinte, Barthes à la fin du XXe siècle distingue l'*auteur*, utilisateur du langage écrit avec une visée pratique, de l'*écrivain* qui fait du langage un usage artistique. **2.** Par métonymie, production d'un auteur : étudier les auteurs grecs.

De l'*auctor* à l'auteur moderne

Dans la haute Antiquité, la notion d'auteur n'existe pas : l'aède interprète la Muse ; le *je* désignant l'auteur réel apparaît chez les historiens grecs. Le manuscrit médiéval rassemble souvent des textes de différentes mains ou est anonyme ; l'*auctor* désigne alors essentiellement l'écrivain ancien, lu et respecté, qui fait autorité. À la fin du Moyen Âge, l'unité se fait entre l'objet-livre, le texte, et l'auteur dont la figure est en cours de construction. Montaigne*, le premier, s'intéresse à l'auteur comme homme et pense à la manière dont l'œuvre peut être reçue par le lecteur.

La **notion moderne d'auteur** se met dès lors en place : l'auteur exerce un métier de création ; celui qui écrit bien est un « écrivain », nom valorisé à partir du XVIIᵉ siècle ; son œuvre est exposée au public. La censure* affecte l'auteur autant que l'œuvre.

Le **statut de l'auteur** évolue aussi : sous l'Ancien régime, les auteurs – parfois protégés, pensionnés par des mécènes – n'ont aucun droit sur leur œuvre. Au XVIIIᵉ siècle, la **propriété intellectuelle** est reconnue : l'œuvre transmet les idées et aussi l'écriture singulière de l'auteur. Beaumarchais* crée la « Société des auteurs » : ceux-ci acquerront sur leur œuvre à la fois des droits moraux – droits de divulgation, de repentir, de retrait – et des droits patrimoniaux, en particulier le droit de reproduction, lié à un éventuel profit.

L'**importance de l'auteur dans son œuvre** sera cependant mise à mal par certaines conceptions modernes de la littérature, déjà en germe chez Mallarmé* ou Proust*. **Deux thèses s'opposent** en effet : celle qui voit dans l'œuvre le produit des intentions de son auteur et celle pour qui l'œuvre existe indépendamment de lui. Dans cette perspective, Barthes* proclame « la mort de l'Auteur » en 1968. Actuellement, un dépassement de ces deux théories se fait jour : l'accent est mis sur le rôle de la réception autant que sur la création.

Auteur et vision du monde

L'auteur transmet sa vision du monde, soit directement à travers préfaces*, avant-propos, arts poétiques*…, soit par l'intermédiaire de ses personnages.

Si le mécénat oblige l'auteur à louer son protecteur et limite son autonomie, il peut cependant conserver un **regard critique** sur les mœurs

et les caractères : Molière* célèbre Louis XIV dans *Tartuffe*, mais il y critique aussi les faux dévots. Indépendant du pouvoir, l'auteur se pose en **observateur de la société** : c'est le cas de Hugo* dans *Les Misérables*. Il peut aussi **s'engager** dans les combats de son époque, comme d'Aubigné*, Voltaire*, les poètes de la Résistance. L'auteur, comme autorité intellectuelle, entre parfois en conflit ouvert avec l'autorité politique. La censure montre que les auteurs engagés représentent une menace pour le pouvoir.

L'auteur peut aussi **tourner le dos à la société** (les poètes maudits : Cros*, Corbière*…) ou privilégier l'expression des sentiments et des émotions (lyrisme* de Louise Labbé*, de Lamartine* et de Vigny*, ceux-ci donnant aussi un caractère philosophique et politique à leurs méditations poétiques).

La vision des auteurs peut **passer par les personnages** : la princesse de Clèves correspond à l'idéal aristocratique de Mme de La Fayette* ; Julien Sorel exprime l'ambition déçue de la génération de Stendhal*, marquée par la chute de l'Empire et la Restauration ; les héros des *Rougon-Macquart* de Zola* sont subordonnés à leur hérédité, objet d'une science nouvelle à l'époque.

→ **censure, engagement, narrateur, personnage, réception de l'œuvre**

autobiographie

n. f. Du grec *auto*, « soi-même », *bios*, « vie », et *graphein*, « écrire ». Genre littéraire dans lequel l'auteur fait le récit de sa propre vie.

Spécificités de l'autobiographie

L'autobiographie, au sens strict, est un **genre littéraire moderne**, inauguré par **Rousseau*** dans ses *Confessions** (rédigées entre 1764 et 1770, et publiées après sa mort en 1782-1789), dans l'incipit* desquelles l'auteur souligne le caractère novateur de son projet : « Je forme une entreprise qui n'eut jamais d'exemple et dont l'exécution n'aura point d'imitateur. Je veux montrer à mes semblables un homme dans toute la vérité de sa nature ; et cet homme ce sera moi. » Le terme lui-même est d'origine moderne (créé en Allemagne à la fin du XVIIIᵉ siècle, il apparaît en France vers 1830), qui sert à désigner un nouveau type de mémoires* mettant l'accent, non sur l'histoire collective, mais sur l'histoire individuelle du mémorialiste.

Dans *Le Pacte autobiographique* (1975), Philippe Lejeune définit l'autobiographie comme un « **récit rétrospectif en prose qu'une personne réelle fait de sa propre existence, lorsqu'elle met l'accent sur sa vie individuelle, en particulier sur l'histoire de sa personnalité** ». Elle se distingue donc des genres voisins que sont les mémoires*, le journal*, l'autoportrait et l'autofiction (terme forgé par Serge Doubrovsky pour présenter son livre *Fils* en 1977), et qu'on appelle, au sens large, « autobiographiques », dans la mesure où ils relèvent de l'écriture du moi.

Les mémoires, qui n'ont pas pour objet l'histoire individuelle – d'où le cas particulier des *Mémoires d'outre-tombe** (1848-1850) de Chateaubriand*, mêlant vie intime et fresque historique –, le journal intime et l'autoportrait (tels les *Essais* de Montaigne*) ne sont pas des récits rétrospectifs. Quant à l'autofiction, elle repose sur un pacte fictionnel (ceci est un roman) tout en intégrant, de manière ambiguë, des indices autobiographiques (telle l'identité de l'auteur et du narrateur*). La particularité du **pacte autobiographique**, par opposition au pacte fictionnel, est en effet d'être un **pacte de vérité** : l'auteur – qui est en même temps narrateur et protagoniste de son récit – s'engage à dire (toute) la vérité sur soi et son passé. Qu'il s'agisse de choses jugées généralement dénuées d'intérêt (Rousseau inaugure ce qui deviendra un passage obligé de toute autobiographie : le récit des souvenirs d'enfance) ou devant être tues (que l'on songe au même Rousseau avouant l'abandon de ses enfants ou à Gide* révélant son homosexualité dans *Si le grain ne meurt* [1920]).

L'autobiographie au xxᵉ siècle

Genre vivant, l'autobiographie, au xxᵉ siècle, a pris des **formes multiples**, qu'il s'agisse de la forme **fragmentaire** avec *L'Âge d'homme* (1939) de Michel Leiris*, de la forme **parodique** avec *Les Mots* (1964) de Sartre* ou de la forme du **double récit** avec *W ou le souvenir d'enfance* (1970-1974) de Georges Perec*.

→ **Chateaubriand, confession, *Confessions* (Les), Enfance, Gide, journal, Leiris, mémoires, *Mémoires d'outre-tombe*, Perec, Rousseau, Sarraute, Sartre**

Aymé
(Marcel), 1902-1967

ŒUVRES PRINCIPALES
- **Romans**: *La Jument verte* (1933), *Travelingue* (1941), *La Vouivre, Le Chemin des écoliers* (1946), *Uranus* (1948).
- **Nouvelles**: *Les Contes du chat perché* (1934, augmentés en 1950 et 1958), *Le Passe-muraille* (1943).
- **Essai**: *Le Confort intellectuel* (1949).
- **Théâtre**: *Clérambard* (1950), *La Tête des autres* (1952).

Satire et anticonformisme

Marcel Aymé ironise sur tous les travers de ses contemporains. Certains de ses livres se concentrent sur des cibles précises, auxquelles il n'épargne aucun sarcasme en révélant tous leurs vices : prétentions des intellectuels (explication érudite et comique d'un poème de Baudelaire* dans *Le Confort intellectuel*), attitude veule et ambiguë des Français durant l'Occupation (*Le Chemin des écoliers*), mélange de générosité et de lâcheté de ces mêmes Français lors de l'épuration à la Libération (*Uranus*).

La **satire***, chez lui, passe par l'observation du moindre détail, habits, paroles, intonations, petites ruses et stratégies honteuses, marques de snobisme, dont il s'empare et qu'il décrit avec des métaphores* suggestives et un esprit incisif. Cependant elle n'exclut pas l'**humour***, et le charme de Marcel Aymé est de créer des personnages sympathiques malgré leurs travers, comme Léopold, le cafetier d'*Uranus*, géant ignare, batailleur, et truculent.

Réalisme et fantaisie

Marcel Aymé s'attache à **peindre la vie quotidienne** de ses contemporains, en particulier ceux qu'il connaît bien, paysans, ouvriers, employés, boutiquiers, fonctionnaires... Sa double connaissance de la campagne et de Paris lui permet une large gamme de personnages. Un détail lui suffit pour recréer un lieu, une époque et traduire un drame intime, entre émotion et dérision.

Cependant, ce **réalisme*** se double souvent d'un recours subtil au **merveilleux*** et au **fantastique***, qui interviennent dans la vie quotidienne de personnages humbles et banals, rendant tout à la fois les situations comiques et le ton léger. Dans *Le Passe-Muraille*, un obscur fonctionnaire parisien, quadragénaire, découvre un jour qu'il possède le pouvoir de traverser les murs. Dans *Les Contes du chat perché*, les animaux de la ferme parlent et partagent les jeux de Delphine et Marinette. Dans le conte « Les Sabines » (*Le Passe-muraille*), une jeune femme, grâce à son don d'ubiquité, rend son époux heureux autant que son jeune amant. Dans la pièce *Les Oiseaux de lune* (1955), une belle-mère acariâtre est transformée en volatile. Comme Rabelais*, La Fontaine* ou Charles Perrault*, Marcel Aymé utilise la fantaisie et la cocasserie pour suggérer une morale.

CITATION

• Sur l'anticonformisme

« Le scandale est la fontaine de jouvence où l'humanité va rincer la crasse de ses habitudes, le miroir où la société, la famille, l'individu découvrent l'image violente de leur vie. Si ces enseignements venaient à manquer, ce serait l'asphyxie de toute morale et le monde entrerait dans un état de somnolence et d'abrutissement. » (*Le Confort intellectuel*)

REPÈRES BIOGRAPHIQUES

➜ Né dans une famille pauvre, Marcel Aymé passe toute sa jeunesse à la campagne, à une époque où les conflits entre libres penseurs anticléricaux et partisans de la religion enflamment la France entière. Arrivé à Paris en 1923 pour étudier la médecine, il l'abandonne rapidement et s'essaie à de multiples métiers (courtier d'assurance, balayeur, journaliste, comptable, figurant…).

➜ Après un premier roman (*Brûlebois*, 1926), il connaît le succès en 1929 (prix Renaudot pour *La Table aux crevés*). À partir de *La Jument verte* (1933), il se décide à vivre de sa plume. Il produit ensuite un livre par an (romans, contes, essais), puis se consacre uniquement au théâtre, avec des comédies comme *Clérambart* ou *La Tête des autres*d. Certaines de ses œuvres ont inspiré des films à succès, comme *La Traversée de Paris* (Claude Autant-Lara, 1956) ou *Uranus* (Claude Berri, 1990).

➜ **conte populaire, humour, ironic, Molière, nouvelle, Rabelais, satire, Voltaire**

Bâ (Amadou Hampâté), 1900-1992

ŒUVRES PRINCIPALES
- **Essai**: *L'Empire peul du Macina* (1955).
- **Récit**: *L'Étrange Destin de Wangrin* (1973).
- **Mémoires**: *Amkoullel l'enfant peul* (prix Tropiques 1991), *Oui mon commandant!* (posth. 1994).

Une des grandes voix de l'Afrique

L'œuvre d'Hampâté Bâ s'inscrit dans le grand mouvement d'émergence d'une **littérature africaine d'expression française** qui voit le jour au début du XXe siècle. De jeunes écrivains, à qui l'école française est imposée pour les besoins de l'administration coloniale, trouvent peu à peu dans la langue française le moyen d'expression qui leur permettra de reconquérir leur identité noire et de combattre l'idéologie colonialiste. Dès les années 1930, cette prise de conscience devait conduire à l'élaboration par Césaire*, Damas et Senghor* du concept de négritude. La génération qui publie dans les années 1950 adopte le roman* pour attaquer le système colonial mais aussi, bientôt, pour exprimer son désenchantement après la décolonisation. L'œuvre d'Hampâté Bâ, quant à elle, **plaide pour une réhabilitation du passé précolonial de l'Afrique et revalorise les pratiques de la littérature orale des griots**, ces « maîtres de la Parole ».

La force de la parole

Ethnographe et écrivain, Hampâté Bâ a consacré sa vie à la **défense des cultures africaines, peule** en particulier, dont sont dépositaires les griots et leur fascinante mémoire. Le défi était, en donnant une transcription écrite de l'immense tradition orale africaine, de préserver dans toutes ses dimensions une création où le conteur, jouant aussi bien du registre épique* que du registre humoristique, entre dans un jeu subtil avec son public pour faire passer le grand souffle des mythes*.

Chargée de la mémoire vivante d'un peuple, la parole est bien autre chose qu'un moyen de communication : elle exige un **rituel** par lequel le conteur doit retrouver l'harmonie entre le monde et lui-même. Verbe poétique autant que prophétique, elle requiert solennité et respect. C'est tout l'enjeu aujourd'hui de la littérature africaine que de réussir à donner un avenir fécond à la tradition orale tout en entrant dans l'univers de l'écrit.

Un récit picaresque à l'africaine

L'Étrange Destin de Wangrin raconte la vie d'un interprète africain qui a réellement existé. Placé au carrefour de deux univers, celui des Africains et celui des colons, il en maîtrise parfaitement les codes. Porté par les prophéties dont il a été l'objet, le héros connaît une ascension sociale fulgurante grâce à la ruse et à de multiples malversations. Trompant allègrement riches et puissants, il accumule une fortune prodigieuse. Avec sa truculente jovialité et sa capacité à se tirer des mauvais pas, Wangrin est à sa façon un **héros picaresque***. Malheureusement, pour ne pas avoir respecté certaines prescriptions rituelles, il sombre dans la misère mais accède alors à une sagesse qui force le respect. **Témoignage** remarquable **sur la société coloniale**, ce livre a reçu le Grand Prix littéraire de l'Afrique noire en 1974.

CITATIONS

• « C'était bien là, effectivement, ce qu'avec les meilleures intentions du monde on voulait faire de nous : nous vider de nous-mêmes pour nous emplir des manières d'être, d'agir et de penser du colonisateur. » (*Amkoullel, l'enfant peul*)

• « Une force mystérieuse émanait de cet homme. [Danfo Siné, le grand maître de la Parole] possédait toutes les connaissances de son temps touchant à l'histoire, aux sciences humaines, religieuses, symboliques et initiatiques, aux sciences de la nature (botanique, pharmacopée), sans parler des mythes, contes, légendes, proverbes, etc. C'était aussi un merveilleux conteur. » (*Ibid.*)

REPÈRES BIOGRAPHIQUES

➜ Né en 1900 (ou 1901) au Mali, Amadou Hampaté Bâ fréquente l'école coranique (il gardera pour toujours la profonde empreinte de la sagesse soufie), avant d'être inscrit d'office à l'école française. De 1922 à 1942, il occupe différents postes dans l'administration coloniale.

➜ La rencontre de Théodore Monod en 1941 l'amène à entreprendre de vastes enquêtes ethnographiques dans le cadre de l'Institut français d'Afrique noire de Dakar. Conscient du fait que « dans l'Afrique d'aujourd'hui, chaque vieillard qui meurt, c'est une bibliothèque qui brûle », il s'attache à recueillir la tradition orale transmise jusque-là par les griots et menacée de disparition.

➜ Lorsque le Mali devient indépendant, en 1960, il crée l'Institut des sciences humaines de Bamako. De 1962 à 1970, il siège au Conseil exécutif de l'Unesco. Les dernières années du « sage de Bamako » seront consacrées à la recherche et à l'écriture.

→ **conte, francophonie, mémoires, mythe**

ballade

n. f. Du latin *ballare*, « danser ». À l'origine chanson à danser accompagnée de musique, la ballade est une forme fixe* de la poésie médiévale. Les difficultés techniques de la ballade correspondent au goût du temps pour les prouesses rhétoriques. La forme sera librement adaptée par les romantiques et les symbolistes.

Caractéristiques de la ballade
La ballade comprend **trois strophes* semblables et une demi-strophe appelée envoi**, qui comporte au début du premier vers une apostrophe* au dédicataire de la ballade (dame ou prince). Chaque strophe est composée d'autant de vers que le vers compte de syllabes : ainsi, les huitains sont composés d'octosyllabes*, et les dizains de décasyllabes* (on parle alors de « grande ballade »). Le même vers revient comme **refrain à la fin de chaque strophe**, y compris à l'envoi. Le schéma et la disposition des rimes* sont les mêmes dans toutes les strophes : pour les huitains, abab bcbc dans les strophes, et bcbc dans l'envoi ; pour les dizains, ababb ccdcd dans les strophes, ccdcd dans l'envoi.

Ces contraintes imposent un traitement particulier des thèmes, abordés plutôt avec **légèreté** dans les **octosyllabes** et plutôt avec **gravité** dans les **décasyllabes**. Les trois strophes suivent souvent une progression logique, voire dialectique. À l'intérieur d'une strophe, le cinquième vers peut marquer, après l'exposition du thème, une rupture, le passage à une nouvelle idée. Le petit nombre de rimes exige une grande richesse lexicale.

La ballade médiévale et son évolution
La structure de la ballade, poème souvent **didactique***, se prête particulièrement bien au débat intérieur, qu'il s'agisse d'une réflexion amoureuse ou d'une réflexion morale. Déjà connue au xiiie siècle, la formule de la ballade se développe au xive siècle avec les 400 ballades de Guillaume de Machaut (dont 42 sont mises en musique), et se fixe au xve siècle avec Charles d'Orléans* et François Villon*. Le xvie siècle condamne la ballade comme les autres formes poétiques médiévales qui, pour Du Bellay*, sont « épiceries qui corrompent le goût de notre langue » (*Défense et Illustration de la langue française*). Devenue un genre mineur, la ballade se retrouve au xviie siècle dans la poésie mondaine. Au xixe siècle, les romantiques, attirés par le Moyen Âge, font de la ballade des adaptations très libres : celles de Hugo* (*Odes et ballades*, 1828), narratives, ne sont plus soumises aux contraintes techniques de la forme fixe*, pas plus que celles, plus proches de nous, de Paul Fort (*Ballades françaises*, 1894).

→ **Charles d'Orléans, décasyllabe, formes fixes, heptasyllabe, Hugo, octosyllabe**

Balzac
(Honoré de), 1799-1850

ŒUVRES PRINCIPALES
- Les **91 romans** de *La Comédie humaine* (1829-1847), qui se décompose en trois parties : *Études de mœurs au* XIXe *siècle*, subdivisées en « Scènes de la vie privée », « Scènes de la vie parisienne », « Scènes de la vie de province », « Scènes de la vie politique », « Scènes de la vie militaire », « Scènes de la vie de campagne » ; *Études philosophiques* ; *Études analytiques*.
- **Récits** : *Contes drolatiques* (1832, 1833, 1837).
- **Théâtre** : *Mercadet* (1838).

Une fresque de deux mille cinq cents personnages

L'œuvre de Balzac saisit par son gigantisme. Outre les 91 romans dont il reconnaît la paternité, il a écrit 30 contes, 5 pièces de théâtre, sans compter les articles de revues et de critique littéraire.

La Comédie humaine qui propose un tableau des mœurs sous la Restauration et la monarchie de Juillet et dont le projet, de l'aveu même de l'auteur, est de faire « **concurrence à l'état civil** », compte environ 2 500 personnages qui forment un microcosme social. Lieux, milieux, âges, conditions, sexes, passions, rêves et destins condensent les acquis d'une observation puissamment réfléchie de la réalité sociale et historique contemporaine.

En multipliant les relations et les intrigues à l'intérieur de cet univers, le procédé du **retour des personnages** accroît l'intérêt romanesque, participe à la cohérence de l'univers de *La Comédie humaine* et permet l'analyse des causes historiques et psychologiques du dynamisme ou de la stagnation à l'intérieur d'une société. Analyse qui met en évidence le jeu des forces sociales – en accordant notamment une place primordiale à l'argent – et la contradiction entre l'individualisme énergique de la Révolution et les obstacles créés, tant par la survivance d'un ordre archaïque, que par la difficile mise en place d'une organisation moderne.

Des types modernes

Parmi les nombreux types qui peuplent *La Comédie humaine*, quelques-uns prévalent. Ainsi, la **figure du jeune homme** développe la thématique récurrente de l'**ambition**. Deux modèles se présentent : celui d'**Eugène de Rastignac**[*] (*Le Père Goriot*[*]) qui, venu à Paris faire son droit, perd tout scrupule, renie tout sentimentalisme, épouse la fille de son ancienne maîtresse dans *Le Député d'Arcy*, et finit ministre et pair de France ; celui de **Lucien de Rubempré** (*Illusions perdues*), poète qui, pour avoir refusé d'appliquer les règles de la jungle sociale qu'est Paris, se suicide à trente ans, faussement accusé d'assassinat.

La **femme**, elle, soumise aux lois de la nature et au Code civil, diffère selon les âges, éclatante à trente ans, condamnée le plus souvent à l'adultère et à ses conséquences dramatiques (*La Femme de trente ans*), vouée à l'amour maternel ou au sacrifice sublime (*Le Lys dans la vallée*).

D'**autres figures** inquiètent davantage, telles celle du forçat **Vautrin** (*Le Père Goriot*), du policier **Corentin** (*Une ténébreuse affaire*), ou de **Maxime de Trailles**, le « Chevalier errant des salons, le corsaire aux gants jaunes ». Ce sont ces personnages qui jettent le regard le plus lucide sur la société ou qui, se mouvant dans les méandres obscurs du pouvoir, sont souvent liés à la **thématique du complot** (*Histoire des Treize*).

Enfin, les **monomaniaques** comme **Grandet** (*Eugénie Grandet*), ou **Gobseck** (*Gobseck*) sont destinés à se perdre car, chez Balzac, la **passion** détruit toujours l'être qu'elle possède.

Le réalisme balzacien

Dans *La Comédie Humaine*, le choix d'un **narrateur**[*] **omniscient** et les interventions de l'auteur imposent le savoir et le sens du texte. Les **nombreuses descriptions**[*], à l'image de celle de la pension Vauquer (*Le Père Goriot*), soulignent l'interaction entre le milieu présenté et les personnages qui y évoluent. Ne voulant pas photographier, mais rendre intelligible, pour les portraits Balzac utilise la **physiognomonie** : il suffit d'examiner le physique d'un individu pour percer à jour son intériorité.

Si le « sceptre du rythme » a échappé à Balzac, il n'en demeure pas moins que, **fasciné par la poésie**, il a cherché à en imprégner ses romans. Toute réalité étant pour lui poétique, user de ce terme pour un roman réaliste ne lui semble pas contradictoire et il compare son œuvre à *La Divine Comédie* de Dante. De plus, la nécessaire transformation du réel par le romancier permet, selon lui, de « pénétrer dans les hautes sphères de l'idéal ». Ses romans dépeignant le théâtre du monde, il les qualifie souvent de « poèmes » ou de « drames », retrouvant ainsi l'un des sens du mot *comédie*[*].

CITATIONS

• Comment faire fortune
« Savez-vous comment on fait son chemin ici ? par l'éclat du génie ou par l'adresse de la corruption. Il faut entrer dans cette masse d'hommes comme un boulet de canon, ou s'y glisser comme une peste. L'honnêteté ne sert à rien. L'on plie sous le pouvoir du génie, on le hait, on tâche de le calomnier, parce qu'il prend sans partager ; mais on plie s'il persiste ; en un mot, on l'adore à genoux quand on n'a pas pu l'enterrer sous la boue. La corruption est en force, le talent est rare. » *(Le Père Goriot)*

• Sur l'œuvre de Balzac
« Tous ses livres ne forment qu'un livre, livre vivant, lumineux, profond, où l'on voit aller et venir, et marcher et se mouvoir, avec je ne sais quoi d'effaré et de terrible mêlé au réel, toute notre civilisation contemporaine, livre merveilleux que le poète a intitulé "Comédie" et qu'il aurait pu intituler "Histoire" ; qui prend toutes les formes et tous les styles, qui dépasse Tacite et qui va jusqu'à Suétone, qui traverse Beaumarchais et qui va jusqu'à Rabelais [...] qui prodigue le vrai, l'ultime, le bourgeois, le trivial, le matériel et qui, par moments [...], laisse tout d'un coup entrevoir le plus sombre et le plus tragique idéal. » (Hugo, Oraison funèbre de Balzac)

REPÈRES BIOGRAPHIQUES

→ Né à Tours en 1799, Balzac poursuit ses études chez les oratoriens, dans la solitude d'un pensionnat. À vingt ans, il décide de faire fortune et d'acquérir la gloire par la littérature. Ses premiers échecs ne le découragent pas. Il apprend son métier de romancier en écrivant quantité de romans sous un pseudonyme. Il signe enfin de son nom *Le Dernier Chouan*, en 1829.

→ Sa tentative de devenir imprimeur le laisse surendetté, ce qui ne l'empêche pas de multiplier projets extravagants et aventures financières désastreuses. Il s'essaie au journalisme, à la politique. Aimant le luxe, il dépense sans compter, travaille comme un forcené, fréquente assidûment les milieux littéraires et mondains, multiplie les voyages et les liaisons amoureuses.

→ Ses romans empruntent à ses fantasmes ou à sa vie. Sa vie, elle, ressemble à ses romans. Quelques femmes y ont joué un grand rôle : Mme de Berny, la « Dilecta », l'initiatrice ; la marquise de Castries, modèle de l'héroïne de *La Duchesse de Langeais* ; et surtout Mme Hanska, l'« Étrangère », qu'il épousera trois mois avant de mourir, épuisé, en 1850.

→ **comédie, drame, Hugo, réalisme, romantisme, Stendhal, Zola**

Barbey d'Aurevilly
(Jules Amédée), 1808-1889

ŒUVRES PRINCIPALES

• Romans : *Une vieille maîtresse* (1851), *L'Ensorcelée* (1854), *Le Chevalier des Touches* (1864), *Un prêtre marié* (1865).
• Nouvelles : *Les Diaboliques* (1874).
• Critiques littéraires : réunies dans *Les Œuvres et les Hommes* (1860-1909).

Le « sublime de l'enfer »

À contre-courant de l'école naturaliste et du positivisme* de son temps, Barbey est convaincu que le **surnaturel** n'a pas disparu du monde moderne. Il en dévoile les manifestations dans des récits au **climat** presque **fantastique*** où l'envoûtement, la possession engendrent le mystère et une tension inquiétante. Le surnaturel est à l'œuvre aussi dans le satanisme et la fascination pour le mal. Les scènes de sacrilège, de sadisme, les passions inavouables, le scabreux hantent l'œuvre de Barbey, soulignés par son constant désir d'étonner. Dans le recueil de nouvelles des *Diaboliques*, l'« horrible » couve sous les dehors policés des mondanités de la vie de province.

Une écriture brillante

Une grande part de l'originalité de Barbey tient à son **écriture**, volontairement **surprenante**, qui ne dédaigne ni l'**outrance** ni la **préciosité***. Le goût de l'écrivain pour l'insolite lui fait rechercher les tournures rares, les alliances de termes originales et surtout contradictoires (oxymores*), inventer des mots nouveaux, malmener la syntaxe*.
Ses excès, l'inattendu et le brillant dans son style peuvent parfois passer pour des artifices mais ils se révèlent aussi d'une grande efficacité pour installer la tension ou faire surgir la violence.

CITATION

• Sur le satanisme
« L'auteur de ceci, qui croit au diable et à ses influences dans le monde, n'en rit pas et il ne les raconte aux âmes pures que pour mieux les épouvanter. » (Préface des *Diaboliques*)

➜ Né en Normandie dans un milieu monarchiste, Barbey rompt avec le conformisme de sa famille en allant vivre à Paris où il se fera connaître comme critique. Affichant des opinions ultra-royalistes dans ses articles, il adopte dans sa mise élégante et ses manières raffinées les principes du dandysme* qu'il avait lui-même définis dès 1845 dans *Du dandysme et de George Brummell.*

➜ Son goût de la provocation et son univers d'écrivain se révèlent pleinement à partir de 1851 dans ses romans et ses nouvelles aux titres sulfureux : *Une vieille maîtresse, Un prêtre marié, L'Ensorcelée, Les Diaboliques...* Catholique intransigeant, Barbey suscite le scandale par son œuvre « satanique ». Ce n'est pas le seul paradoxe de cet esprit contradictoire, à la fois rétrograde et excentrique. Il déteste son époque et les écrivains modernes, ce qui ne l'empêche pas de défendre Baudelaire* dans le procès des *Fleurs du mal* et lui-même, malgré ses audaces, se plie sans difficulté à la décision de justice qui frappe *Les Diaboliques.* Jusqu'à un âge avancé, Barbey restera un polémiste redoutable, éblouissant causeur, aussi détesté qu'adulé.

➔ dandysme, décadentisme, fantastique, polémique

Barbusse
(Henri), 1873-1935

• **Poésie**: *Les Pleureuses* (1895).
• **Romans**: *L'Enfer* (1908), *Le Feu* (prix Goncourt 1916), *Clarté* (1919), *Les Enchaînements* (1925).

Le romancier de la Grande Guerre
Ni les vers conventionnels de *Pleureuses*, ni le pessimisme libertaire de *L'Enfer*, roman qui choqua par la crudité de ses scènes amoureuses, n'ont atteint le succès du *Feu*. Certes, avec *Les Enchaînements* (1925), Barbusse a peint une fresque étonnante chantant la fraternité et les tribulations de l'humanité, de la préhistoire à 1914. Mais c'est dans la tragique confrontation avec le premier conflit mondial que Barbusse donne toute sa mesure : *Le Feu* est, avec *Les Croix de bois* de Dorgelès, le **grand roman de la Grande Guerre**. Les qualités du roman tiennent en un mot : fidélité. Barbusse se fait dans *Le Feu*, qu'il sous-titre « Journal d'une escouade », le témoin de la guerre au quotidien : il transcrit fidèlement les propos des soldats, sans les édulcorer ; il peint avec minutie la vie des tranchées, l'horreur des assauts ; il va jusqu'à refuser les artifices d'une intrigue trop savante : *Le Feu* est une **succession de tableaux** plus qu'un roman.

Un idéal de justice sociale
C'est encore la guerre qui inspire *Clarté* (1919). Dans ce roman non moins réaliste, mais plus lyrique que *Le Feu*, un Français conformiste revient du front convaincu de la nécessité de la révolution, et ne se reconnaît plus qu'une patrie : l'humanité souffrante.
Barbusse peut être considéré comme l'**héritier de Zola*** à qui il consacre un essai en 1932, aussi bien par son **éthique réaliste** que par son **idéal de justice sociale**.

• **Sur l'horreur de la guerre**
« Je vous aiderai à garder en vous l'enfer que vous avez hanté : les cycles sinistres où se creuse la guerre, les champs de bataille où, voisinant avec des peuples sans cesse nouveaux de morts, vous avez enterré vos existences et semé votre sang [...]. Je vous empêcherai d'oublier de quel rayon de beauté morale et de parfait holocauste s'éclaira là-bas, en vous, la monstrueuse et dégoûtante horreur de la guerre. » (Préface à une édition spéciale du *Feu*, 1917)
• **Sur l'importance du témoin**
« Je crois, malgré tout, à la victoire de la vérité. Je crois à l'importance désormais tangible de ces quelques hommes vraiment fraternels qui, dans tous les pays du monde, dans le va-et-vient des égoïsmes nationaux déchaînés, se dressent, fixes comme les statues magnifiques du droit et du devoir. Ce soir, je crois, jusqu'à la certitude, que la société nouvelle s'édifiera sur cet archipel d'hommes. » (*Clarté*)

➜ Fils d'un dramaturge, Henri Barbusse grandit à Paris où il s'intègre très vite au monde littéraire, publiant un recueil de poèmes dès 1895 (*Les Pleureuses*). Devenu journaliste, il donne au public en 1908 *L'Enfer*, roman qui frappe par son pessimisme et son hostilité envers la religion. Mais c'est *Le Feu*, évocation réaliste de la vie des Poilus, qui lui assure la notoriété en

obtenant le prix Goncourt en 1916. Il crée
la même année l'association républicaine
des Anciens Combattants et fonde, en 1918,
avec Romain Rolland*, le mouvement pacifiste *Clarté*.

➜ Appelant à une fraternisation des
peuples par-delà les frontières, Barbusse
se rapproche toujours davantage du bol-
chevisme et adhère au Parti communiste
en 1923. Il effectue plusieurs voyages en
URSS et soutient activement Staline, dont
il rédigera l'apologie (*Staline*, 1935). Mais
une étonnante réhabilitation de Jésus (*Les
Judas de Jésus*, 1927) et son action au sein de
Monde, revue qu'il crée en 1928, lui attirent
des critiques de la part des communistes.
Il s'associe alors à la lutte des intellectuels
antifascistes.

➜ Cette figure de proue du pacifisme
s'éteint en 1935, au cours d'un voyage à
Moscou : toute la gauche et la foule des
anciens combattants lui rendent un dernier
hommage lors de son enterrement à Paris.

➜ **réalisme, Zola**

Barjavel
(René), 1911-1985

ŒUVRES PRINCIPALES
• **Romans** : *Ravages* (1943), *Le Voyageur
imprudent* (1944), *La Nuit des temps* (1968),
Les Chemins de Katmandou (1969).
• **Essai** : *Si j'étais Dieu* (1979).

Le spectre de l'Apocalypse
Barjavel a créé un univers de **science-fiction***
bien particulier. Il ne cherche pas à impressionner son lecteur en le plongeant dans un
univers technologique époustouflant : ce qui
prime pour lui, c'est la **réflexion que suscitent
les problèmes posés à l'humanité par les
progrès de la science**, dans un contexte lourd
de menaces, celui la Guerre froide. L'appétit
de pouvoir ou la bêtise peuvent déclencher
une folie meurtrière conduisant l'humanité à s'autodétruire. Le risque en est d'autant
plus grand que l'homme s'est désormais doté,
grâce à la technologie, d'armes monstrueuses.
Toute l'œuvre est hantée par les menaces de
destruction totale qui pèsent sur l'humanité.
Dans *Ravages*, c'est une panne d'électricité
planétaire qui provoque l'arrêt de toutes les
machines, entraînant l'effondrement de la civilisation dans le feu et le sang.

Il se dégage de l'œuvre de Barjavel une **vision**
plutôt **pessimiste** : le Mal l'emporte presque
toujours sur le Bien. Il reste cependant un espoir, mince mais réel, qu'une seconde chance
soit accordée à l'humanité grâce à un couple
rescapé du désastre.

Des voyages dans le temps
Les romans de Barjavel font la part belle au
thème du voyage dans le temps. Dans *Le
Voyageur imprudent*, le héros, projeté dans le
passé, tente de supprimer le jeune Bonaparte
en qui il voit le futur tyran. Il tue en réalité un
simple soldat qui n'est autre que son propre
grand-père, se condamnant ainsi à disparaître
lui-même. C'est l'illustration typique du « paradoxe du grand-père ».
Le scénario de *La Nuit des temps*, en ramenant
à la vie un couple « endormi » sous la calotte
glaciaire depuis 900 000 ans, télescope le présent et le passé pour le meilleur (la chance de
recréer une civilisation idéale) et pour le pire
(la découverte d'une arme terrifiante).

La reviviscence des mythes
L'univers imaginaire de Barjavel repose sur un
réseau de mythes* et de légendes qui le structurent en profondeur. On y repère des références à **Platon** (mythes de la caverne et de
l'Atlantide), à l'**Apocalypse** de Jean (*Ravages*),
à la **Bible** (recréation d'un paradis terrestre,
thème du déluge et de l'arche de Noé), à l'histoire de *Tristan et Iseult**, au conte de *La Belle
au bois dormant* (dans la *Nuit des temps*), ou
même à l'**épopée de Gilgamesh** avec le thème
de l'immortalité dans *Le Grand Secret*.
Pétrie des grands mythes de l'humanité,
l'œuvre de Barjavel invite le lecteur à s'interroger sur les chances de survie de l'espèce humaine en un temps où le progrès montre de
plus en plus ses limites.

CITATION
« Mes bons amis, je ne peux rien vous dire,
je ne sais rien. On n'a jamais vu ça. Notre
science est une science expérimentale. Or,
le phénomène qui vient de se produire ne
correspond à rien de ce que nous savons.
C'est en violant toutes les lois de la Nature
et de la logique que l'électricité a disparu. Et,
l'électricité morte, il est encore plus invraisemblable que nous soyons vivants. Tout
cela est fou. C'est un cauchemar antiscien-
tifique, antirationnel. Toutes nos théories,
toutes nos lois sont renversées. » (*Ravages*,
1943)

➜ René Barjavel, né en 1911, exerce divers métiers avant de se lancer dans une carrière d'écrivain et de journaliste. Il publie *Ravages* en 1943.

Soupçonné après la guerre de sympathies pétainistes pour sa collaboration au journal *Je suis partout*, il poursuit son activité de journaliste (spécialisé dans la critique de théâtre et de cinéma), écrivant aussi des scénarios et des dialogues de films.

➜ Romancier, il se fait un nom comme auteur de science-fiction mais il écrit aussi des romans plus classiques qui ont pour cadre le monde contemporain : dans *Les Chemins de Katmandou* (1969), il radiographie les illusions de la mouvance hippie. Marqué par le courant pessimiste de son époque, il se signale par le regard critique qu'il porte sur la société moderne. Il meurt en 1985.

→ **roman, science-fiction**

baroque

n. m. et adj. Du portugais *barroco*, qui désigne une perle irrégulière. Synonyme de « bizarre », « excentrique », le mot a un sens péjoratif jusqu'au xixe siècle. À notre époque, le terme est employé en histoire de l'art et par la critique* littéraire pour qualifier l'esthétique qui, à partir des années 1560, s'écarte des règles de la Renaissance classique.

Une notion double

D'abord appliqué à l'art (architecture, arts plastiques, musique) avant d'être utilisé en littérature, le mot « baroque » recouvre en fait deux sens. Un **sens large** présente le baroque comme une tendance de l'esprit humain, perceptible à différentes époques, et qui se caractériserait par l'exubérance des formes et le rejet des contraintes. Au **sens restreint**, le baroque correspond à une période déterminée, qui s'étend en France des années 1570 aux années 1650, et qui s'exprime à travers des figures et des thèmes récurrents.

La passion du mouvement

L'**instabilité** fondamentale, la perte des certitudes, l'**inquiétude** qui caractérisent la sensibilité baroque sont les fruits d'une période troublée qui a connu les guerres de Religion et la Fronde. Le baroque **privilégie** avant tout

le mouvement, qui s'exprime dans le goût de l'action (dont témoignent les héros de romans ou de tragicomédies*), mais aussi dans les formes : **volutes et arabesques** s'opposent à la ligne droite en architecture comme en littérature (où les intrigues* extrêmement complexes des romans héroïques et des tragicomédies semblent n'être constituées que de digressions, tandis que se perd tout fil directeur autre que le hasard). L'emploi de la **périphrase*** reflète cette attirance pour le détour. L'**eau**, toujours mouvante et aux reflets trompeurs, est une image récurrente dans la poésie baroque.

Le sentiment d'instabilité

Le sentiment d'instabilité s'exprime à travers les **thèmes de la Fortune et du hasard, de l'inconstance en amour, de l'illusion** (le trompe-l'œil et la mise en abyme* sont des procédés fréquents) ; la folie, les songes sont régulièrement convoqués. Le baroque fait un usage abondant de la métamorphose (souvent spectaculaire) et du travestissement. Cherchant avant tout à provoquer l'étonnement et à séduire, il privilégie les images frappantes, les métaphores* inattendues, les hyperboles*, les antithèses* et les pointes*.

Le goût pour l'irrégularité

Le baroque revendique l'**irrégularité**, le **rejet des règles**, la **liberté**. Au théâtre* prédominent les genres mixtes que sont la **tragicomédie et la pastorale*** : les unités* ne sont pas respectées, les tonalités sont mêlées. Au début du xviie siècle la tragédie* et la tragi-comédie abondent en scènes violentes et atroces, représentées sur scène (comme dans le théâtre d'Alexandre Hardy) ; les personnages se caractérisent par leur démesure (la *Médée* de Corneille*). Plus profondément, le théâtre manifeste en lui-même l'esprit baroque, par le jeu qu'il permet entre les apparences et la réalité. Les dramaturges baroques se plaisent à mettre en scène du **théâtre dans le théâtre**, le plus bel exemple en étant *L'Illusion comique* de Corneille.

Baroque et classicisme

Il ne faudrait pas opposer de manière trop schématique baroque et classicisme*. De nombreux auteurs ont été baroques (Corneille, Malherbe*) avant d'être classiques, et l'on ne saurait proposer une délimitation chronologique précise entre baroque et classicisme (les règles qui fondent l'esthétique classique sont élaborées à partir des années 1630). Baroque et classicisme sont **deux tendances** qui dominent chacune une moitié du siècle, le premier correspondant au règne de Louis XIII et le second au règne de Louis XIV.

→ **Agrippa d'Aubigné, antithèse, classicisme, Corneille, hyperbole, pointe, Rotrou, Saint-Amant, Scarron, Tristan l'Hermite, Viau**

Barthes
(Roland), 1915-1980

ŒUVRES PRINCIPALES

- **Essais:** *Le Degré zéro de l'écriture* (1953), *Mythologies* (1957), *Sur Racine* (1963), *Essais critiques* (1964), *Critique et vérité* (1966), *S/Z* (1970), *Sade, Fourier, Loyola* (1971), *Le Plaisir du texte* (1973), *Roland Barthes par Roland Barthes* (1975), *Fragments d'un discours amoureux* (1977).

L'analyse structurale

La critique barthésienne envisage l'œuvre littéraire avant tout comme une **structure**, un **système fermé** dont les éléments interagissent et ont une fonction déterminée. Cela est vrai d'un point de vue formel : Barthes s'appuie sur les travaux de Propp et des formalistes pour expliquer, jusqu'à *Sade, Fourier, Loyola*, qu'il existe des structures intemporelles et universelles non seulement dans le récit, mais aussi dans toute représentation.

Dans ces conditions, l'imaginaire humain relève de l'**anthropologie** et l'œuvre littéraire, qui expose la confrontation de l'homme avec cet imaginaire, est le légitime objet d'étude de la **psychanalyse**.

Barthes complète cette affirmation en expliquant, d'après les travaux des linguistes sur la capacité de langage de l'homme, qu'il existe une véritable faculté de produire de la littérature, de produire du sens littéraire, et que c'est là l'objet d'étude de la recherche structurale.

Le moment de l'écriture

Suivant une telle théorie, on peut alors envisager l'idée d'une écriture à son « degré zéro », qui manifesterait l'être intemporel de la littérature car elle serait détachée de l'Histoire et de la société.

Pourtant, lorsqu'on écrit, on choisit de recourir, pour un même signifié*, à tel signifiant* ou à tel autre, comme le suggère la linguistique de Ferdinand de Saussure, et ce choix est bien lié à un moment, à une situation voire à une idéo-

logie : ainsi, Barthes reconnaît à la littérature un inévitable **ancrage dans l'Histoire**. C'est dans cette perspective qu'il étudie le conte* voltairien ou le roman* au XIXe siècle (*Essais critiques*) et démonte les mythes* contemporains comme des falsifications du réel historique (*Mythologies*).

Barthes aboutit alors à une autre définition de l'écriture, considérée cette fois comme un **usage idéologique du langage**, alors qu'elle était, selon la thèse précédente, une libération.

Il lui faut donc réconcilier son structuralisme* et sa vision historiciste : il reprend pour ce faire une distinction des linguistes en faisant porter l'**analyse structurale** sur la « **langue** » et l'**analyse sociologique** sur la « **parole** », c'est-à-dire la mise en jeu par chacun du code de la langue.

Texte et plaisir

La littérature met en jeu le langage : le texte doit donc être perçu comme une production, une dynamique, une pratique qui fait sens.

Dans cette dynamique, **le lecteur a toute sa place** : le voilà entré dans un texte aux multiples perspectives, et qui n'a d'autre raison d'être que de l'accueillir ; le voilà plongé avec plaisir dans un langage tout-puissant, sans lequel le contenu du texte ne vaudrait rien, et qui a pour qualité d'entretenir l'ambiguïté, la pluralité des sens (voir *Essais critiques, Sade, Fourier, Loyola* et *Le Plaisir du texte*). Cette foi dans la **prééminence de l'aspect formel** du texte littéraire est du reste un invariant dans la pensée de Barthes.

CITATION

- **Sur l'éternité de l'œuvre**
« Une œuvre est "éternelle", non parce qu'elle impose un sens unique à des hommes différents, mais parce qu'elle suggère des sens différents à un homme unique, qui parle toujours la même langue symbolique à travers des temps multiples : l'œuvre propose, l'homme dispose. » (*Critique et vérité*)

REPÈRES BIOGRAPHIQUES

→ C'est avec la publication du *Degré zéro de l'écriture* et la controverse l'opposant à Raymond Picard sur Racine en 1965-1966, que Barthes s'affirme comme une figure essentielle de la Nouvelle Critique*. Après une thèse – non soutenue mais publiée en 1967 – sur *Système de la mode*, il devient en 1962 directeur d'études à l'École pratique des hautes études puis, à partir de 1976, professeur à la chaire de sémiologie littéraire créée pour lui au Collège de France.

➡ Des années 1960 jusqu'à sa mort accidentelle en 1980, Barthes s'est interrogé sur les conditions dans lesquelles le texte littéraire, considéré comme objet, peut faire sens pour le lecteur ; l'intérêt de sa pensée est qu'elle a constamment évolué autour de cette interrogation.

→ **actanciel (schéma), Nouvelle Critique, structuralisme, *Tel Quel***

Bataille
(Georges), 1897-1962

ŒUVRES PRINCIPALES
• **Récits**: *Histoire de l'œil* (1928), *Madame Edwarda* (1re éd. 1941 sous pseudonyme), *Le Bleu du ciel* (1957), *Ma mère* (1966).
• **Essais**: *L'Expérience intérieure* (1943), *La Part maudite* (1949), *L'Érotisme* (1957), *Les Larmes d'Éros* (1961).

L'interdit et sa transgression

La **transgression des interdits sexuels** constitue le ressort des récits de Bataille et le fondement de sa thèse sur l'érotisme. Mais dire que son œuvre prône la jouissance sans entrave serait un contresens : comme le rappelle en effet la préface de *Madame Edwarda*, l'interdit sexuel n'est pas « un préjugé, dont il est temps de se défaire ». Car « la honte, la pudeur » ne seraient que « des preuves d'inintelligence » alors qu'il est évident qu'elles « accompagnent le sentiment fort du plaisir ».
Bataille refuse donc « l'animalité ». Par suite, il **refuse la normalisation de l'érotisme**, qui est un renoncement à sa pureté et à l'excès : d'où le fait que le narrateur de l'*Histoire de l'œil* n'aime pas « ce qu'on nomme "les plaisirs de la chair", en effet parce qu'ils sont fades », et qu'il aime « ce que l'on tient pour « sale » » : « Je n'étais nullement satisfait [...] par la débauche habituelle, parce qu'elle salit seulement la débauche et, de toute façon, laisse intacte une essence élevée et parfaitement pure. »
Bataille **refuse** le principal mode de conjuration de la jouissance qu'est **le rire**, car celui-ci est « un refus de prendre au sérieux – j'entends : au tragique – la vérité de l'érotisme ».

Mort, horreur, extase

La préface de *Madame Edwarda* est « l'appel pathétique » dans lequel Bataille rappelle une vérité masquée par l'interdit : l'**identité** « du plaisir extrême et de l'extrême douleur », c'est-à-dire **de l'extase et de la mort**. Car la même horreur que suscite la mort peut allumer la jouissance : « Il n'est pas de forme de répugnance dont je ne discerne l'affinité avec le désir. »
Ce qui se révèle dans la mort comme dans la jouissance, et dans l'horreur commune qui les nourrit, c'est « l'être ». La jouissance permet d'en faire l'expérience, comme la font les mystiques, dans l'**excès** : Marie dans *Le Mort* ou bien Simone dans *Histoire de l'œil* traversent des états de mort ; alors, le personnage voit ou devient Dieu, comme Madame Edwarda ou comme le narrateur de *Ma mère*, « semblable à Dieu » lorsqu'il a étreint sa mère.
L'**excès qui mène au sacré** explique que les récits de Bataille semblent se dérouler selon une fatalité, une nécessité qui est celle d'un dévoilement, d'une **quête**, comme l'indique nettement la fin de l'*Histoire de l'œil* : « Je trouvais alors en face de ce que – j'imagine – j'attendais depuis toujours… »

Bataille lecteur

Après l'écriture, la lecture des grands auteurs permet à Bataille de **reformuler sa définition de la transgression**. Dans *La Littérature et le mal*, l'étude de Proust*, par exemple, sera l'occasion d'énoncer que « nous vénérons, dans l'excès érotique, la règle que nous violons », ou encore que « le bonheur seul n'est pas en lui-même désirable, et que l'ennui en découlerait si l'épreuve du malheur, ou du mal, ne nous en donnait pas l'avidité. La réciproque est vraie… »
Ces diverses études, de Sade* à Genet*, montrent combien Bataille peut armer la critique littéraire autant qu'il a marqué, dans une inspiration rassemblant Leiris*, Blanchot*, Genet, Klossowski ou Jouve* et Combet, la littérature du siècle.

CITATION
▌• **Sur l'expérience**
« J'appelle expérience un voyage au bout du possible de l'homme. Chacun peut ne pas faire ce voyage, mais, s'il le fait, cela suppose niées les autorités, les valeurs existantes, qui limitent le possible ; [...] l'expérience [...] devient elle-même positivement la valeur et l'autorité. » (*L'Expérience intérieure*)

REPÈRES BIOGRAPHIQUES

➜ Catholique de 1914 à 1920, puis marxiste – il adhère au Cercle communiste démocratique –, Georges Bataille, durant les années 1930, écrit dans plusieurs revues, se lance dans la lutte contre le fascisme, fonde *Acéphale*, société secrète nietzschéenne et antichrétienne, et participe à la formation du Collège de sociologie.

➜ Il est très peu connu avant la publication de *L'Expérience intérieure* (1943). En 1946, il fonde la revue *Critique* et poursuit sa réflexion sur la transgression en écrivant des récits qui s'apparentent à des romans, et en abordant des sujets aussi divers que l'art, l'économie, l'ethnologie, l'érotisme.

➜ **Blanchot, Genet, Jouve, Leiris**

Baudelaire
(Charles-Pierre), 1821-1867

ŒUVRES PRINCIPALES

• **Critique artistique**: *Salon de 1845, Salon de 1846, Salon de 1859, Curiosités esthétiques* (posth. 1869; rassemble tous les textes de critique d'art).

• **Traductions des œuvres de Poe**: *Contes extraordinaires* (1854); *Histoires extraordinaires* (1856); *Nouvelles Histoires extraordinaires* (1857), accompagnées d'un texte de présentation: *Notes nouvelles sur Edgar Allan Poe* (1857).

• **Poésie**: *Les Fleurs du mal* (1857), *Le Spleen de Paris ou Petits Poèmes en prose* (posth. 1869).

• **Essai**: *Les Paradis artificiels* (1860).

• **Journaux intimes**: *Fusées, Mon cœur mis à nu* (posth. 1887).

Les influences: romantisme et formalisme

Marqué par les romantiques, Baudelaire admire Chateaubriand*, Balzac*, Sainte-Beuve, sans adhérer au lyrisme de Musset*. Sa **conception de l'art le rapproche du romantisme*** : l'artiste doit pénétrer le sens caché des choses et aspirer à un infini d'ordre métaphysique et esthétique, la beauté. Pour Baudelaire, Delacroix et Wagner expriment cet idéal. Cependant, méfiant envers les négligences d'écriture du romantisme, Baudelaire est **attiré par le formalisme* de Gautier***, « poète impeccable » auquel il dédie *Les Fleurs du mal*. Mais s'il apprend auprès de lui la rigueur, il se

détachera du maître de l'art pour l'art*, dont il refuse l'absence d'émotion. Il **rejette** également **le naturalisme***, coupable à ses yeux de négliger le style.

La modernité et le surnaturalisme

Si la modernité accepte le quotidien – fugitif par définition – dans lequel est inscrite l'œuvre, elle impose le travail poétique qui en fait ressortir l'éternité : « La modernité, c'est le transitoire, [...] la moitié de l'art, dont l'autre moitié est l'éternel et l'immuable » (*Le Peintre de la vie moderne*). Les maîtres de Baudelaire sont les peintres Constantin Guys, Honoré Daumier, Gustave Courbet, et l'écrivain Edgar Poe. Chez le premier, il salue un « solitaire doué d'une imagination active ».

L'**imagination**, « reine des facultés », est en effet **au cœur de l'esthétique baudelairienne**, qui refuse le réalisme*, esclave de l'objet. L'imagination, elle, n'est pas liée à la fiction, c'est un regard particulier sur le réel, capable de trouver dans la nature ce qu'elle porte de dissimulé, d'appréhender une « **surnature** ». Le surnaturalisme est donc fondateur de l'art. Chez le récepteur, l'imagination est également présente : l'œuvre transporte vers des horizons nouveaux.

Audace et classicisme* de la poétique baudelairienne

À cette primauté de l'imagination, omniprésente dans l'œuvre critique, est associée la **théorie des correspondances*** : des accords existent entre les différentes sensations d'une part, et entre le monde sensible et le monde spirituel d'autre part. Ces correspondances permettent à l'âme d'entrevoir un monde supérieur. La poésie de Baudelaire est donc marquée par l'**importance des images**, qui permettent au poète d'être « un traducteur, un déchiffreur ». Par là, Baudelaire est l'un des précurseurs du symbolisme*. Si le poète utilise surtout des **formes classiques** dans *Les Fleurs du mal* (alexandrins* et vers pairs, coupes à la césure*, quatrains* à rimes plates et sonnets*), il donne dans *Le Spleen de Paris* ses lettres de noblesse au **poème en prose***.

Le dualisme du monde

L'univers de Baudelaire est dominé par « deux postulations simultanées, l'une vers Dieu, l'autre vers Satan » (*Mon cœur mis à nu*). Ces **tensions opposées entre idéal et spleen** se retrouvent dans les différents éléments de sa poésie (la femme, la ville, etc.). La beauté, qui échappe au temps mais qui participe du mal, et la mort, espoir et chute, réalisent particulièrement cette opposition. Le **spleen**, lié au temps destructeur, se manifeste par des **images de l'angoisse** et du dégoût associées à un paysage sinistre ; l'esprit est alors englué dans son impuissance. L'**idéal** est le **monde supérieur**, caractérisé par un vaste « ailleurs » harmonieux dans lequel s'épanouit le moi.

CITATION

• **Sur l'idéal et le spleen**
« Il y a dans tout homme, à toute heure, deux postulations simultanées, l'une vers Dieu, l'autre vers Satan. L'invocation à Dieu, ou spiritualité, est un désir de monter en grade ; celle de Satan, ou animalité, est une joie de descendre. » (*Mon cœur mis à nu*)

REPÈRES BIOGRAPHIQUES

➜ Né en 1821, Baudelaire est le fils d'un amateur d'art. Il a six ans quand son père meurt. Sa mère se remarie avec le commandant Aupick, avec lequel le poète ne s'entendra jamais. Pensionnaire à Lyon puis à Paris, le jeune homme, après le baccalauréat, fréquente la bohème littéraire du Quartier latin. Pour l'en éloigner, sa famille le fait embarquer sur un navire en partance pour Calcutta, mais Baudelaire ne dépasse pas l'île Maurice où il s'éveille à l'exotisme*.

➜ Rentré rapidement à Paris, il mène une vie de dandy avec l'héritage de son père. En 1842, il s'éprend de la mûlatresse Jeanne Duval, la « Vénus noire ». Mais, effrayée de le voir dilapider son patrimoine, sa famille lui impose un conseil judiciaire : il n'a plus qu'une faible rente mensuelle, et le travail littéraire devient pour lui une nécessité. Ses critiques d'art (*Salons de 1845* et *de 1846*) lui apportent la notoriété. Il découvre Edgar Poe, dont il traduira et publiera l'œuvre, et sur lequel il écrira plusieurs articles. Il fait paraître plusieurs poèmes. Baudelaire fera aussi une brève apparition en politique lors des événements révolutionnaires de 1848. Sa vie sentimentale est marquée par son attachement orageux pour Jeanne Duval, mais aussi par sa liaison avec la fragile Marie Daubrun et par la rencontre de Mme Sabatier à laquelle il voue un amour idéal (1852-1857).

➜ Publiées en 1857, *Les Fleurs du mal** sont condamnées pour immoralité. L'activité littéraire de Baudelaire reste intense : poèmes, articles, notes de journal intime (*Fusées, Mon cœur mis à nu*), analyse des effets de la drogue (*Les Paradis artificiels*, 1860). Les séquelles d'une syphilis contractée vingt ans auparavant s'aggravent. Baudelaire écrit quelques-uns des *Petits Poèmes en prose* (*Spleen de Paris*).

➜ En 1864, Baudelaire quitte Paris pour Bruxelles, où il donne des conférences. Mais, en 1866, il est victime d'une attaque et ramené aphasique et hémiplégique à Paris, où il meurt en août 1867.

→ **art pour l'art, comparaison, correspondances, *Fleurs du mal* (Les), métaphore, oxymore, pantoum, Parnasse, poème en prose, romantisme**

Bayle
(Pierre), 1647-1706

ŒUVRES PRINCIPALES
Pensées diverses sur la comète (1682), *Dictionnaire historique et critique* (1695-1697).

La recherche de la vérité
On doit à Bayle d'avoir adopté dans son œuvre une **méthode critique fondée sur l'érudition et la recherche historique**, qui ouvre la voie au rationalisme* des Lumières*. Sa grande entreprise fut de révéler les erreurs contenues dans les ouvrages historiques et les dictionnaires de son temps. Contrairement à Bossuet* qui lisait dans l'histoire l'intervention de la Providence, Bayle n'y voit que des affabulations transmises par la tradition et compilées par des générations de pseudo-savants. La critique des superstitions, du merveilleux*, des faits non avérés, conduira Bayle à soumettre aussi à l'examen critique les dogmes de la religion. Malgré sa foi sincère, il en viendra à admettre, par souci de relativisme et respect de la vérité, qu'il y a dans la religion autant de raisons de croire que de raisons de ne pas croire.

L'esprit de tolérance
Citoyen du « refuge » (asile que les protestants persécutés trouvaient à l'étranger), mais se disant aussi « habitant du monde », Bayle plaide pour la tolérance. Sa **défense du pluralisme d'opinions et de religions** se fonde sur deux principes. Le premier est la **liberté de conscience**, le « droit de la conscience errante » qui veut que tout homme ait le droit de « se tromper » (d'« errer ») en cherchant sa vérité en dehors du dogme. Le second prin-

cipe consiste à **dissocier la morale et la religion.** Constatant que la connaissance du bien n'est pas nécessairement liée à la connaissance de Dieu puisque des athées peuvent vivre plus vertueusement que des chrétiens, Bayle en tire la leçon qu'un athéisme vertueux est préférable à une religion intolérante et sclérosée.

CITATION

• **Sur le libre examen**
« Je vous l'ai déjà dit, et je le répète encore : un sentiment ne peut devenir probable [...] qu'autant qu'il a paru vrai [...] par la seule force d'un examen judicieux, accompagné d'exactitude, et d'une grande intelligence des choses [...]. » (*Pensées diverses sur la comète*)

REPÈRES BIOGRAPHIQUES

➜ Né dans une famille protestante du comté de Foix, près de Toulouse, fils de pasteur, Bayle se convertit au catholicisme en 1668 mais abjure l'année suivante. Son retour au protestantisme l'oblige à se réfugier à Genève, foyer du calvinisme, où il entreprend des études de théologie. Il enseigne dès lors la philosophie et l'histoire dans les académies protestantes d'Europe, principalement à Rotterdam, en Hollande, où il compose ses principaux ouvrages.

➜ Les *Pensées diverses sur la comète* (1683), son périodique *Les Nouvelles de la République des lettres* qu'il rédige seul de 1684 à 1687, et surtout son *Dictionnaire historique et critique* (1697) qui connut un grand succès et sera très vite interdit, répandent dans les esprits l'idéal de raison et de tolérance qui sera celui des Lumières. C'est après la révocation de l'édit de Nantes en 1685, quand sont déclenchées les persécutions contre les protestants, que son combat en faveur de la liberté de conscience se fait le plus pressant.

➜ Bayle meurt à Rotterdam en 1706, après avoir été contraint par ses alliés protestants eux-mêmes d'abandonner sa chaire de philosophie à cause de ses idées trop audacieuses. Il reste le plus brillant témoin de la crise de la conscience européenne entre le XVIIe et le XVIIIe siècle.

→ **Lumières, rationalisme**

Beaumarchais
(Pierre-Augustin Caron de), 1732-1799

ŒUVRES PRINCIPALES

• **Drames :** *Eugénie* (1767), *Les Deux Amis* (1770), *L'Autre Tartuffe ou la Mère coupable* (1792).
• **Essai :** *Essai sur le genre dramatique sérieux* (1767).
• **Comédies :** *Le Barbier de Séville* (1775), *Le Mariage de Figaro* (1784).
• **Opéra :** *Tarare* (1787).

La recherche d'un théâtre total

Beaumarchais a profondément renouvelé le langage du théâtre, notamment dans le registre de la comédie* avec *Le Barbier de Séville* et *Le Mariage de Figaro*, en recherchant une **synthèse entre différents genres.**

Tout d'abord, il ne néglige aucune ressource de la **farce*** la plus divertissante et parfois la plus grivoise lorsqu'il compose des « parades », inspirées du populaire théâtre de la Foire. Il retient ensuite la leçon de Diderot*, théoricien du **drame*** bourgeois, et il expérimente, dans *Eugénie*, *Les Deux Amis*, puis dans *L'Autre Tartuffe ou La Mère coupable* (dernier volet de la trilogie de *Figaro*), le « genre dramatique sérieux », réaliste dans la peinture sociale, attendrissant et moralisateur dans le tableau de mœurs. Il s'essaie enfin au **théâtre lyrique** avec la création de *Tarare*, un opéra sur une musique de Salieri.

Ces différentes expériences nourrissent la trilogie de *Figaro* dans laquelle se mêlent le **comique*** et le **sérieux**, la **fantaisie et le réalisme***, le verbe, la musique et le geste, en un **spectacle total** qui efface en partie les frontières et les règles posées par la tradition.

Le vertige du mouvement et de la création verbale

Beaumarchais est avant tout un génial **inventeur de situations.** Dans un mouvement perpétuel, l'intrigue* de ses pièces emporte ses personnages de surprises en affrontements, de quiproquos* en révélations, de tête-à-tête intimes en scènes publiques. Le jeu des masques, l'échange des rôles entre maîtres et valets permettent d'étourdissants imbroglios.

La **parole** elle-même est un instrument puissant de cette fantaisie dramatique : elle cache autant qu'elle démasque, trahit autant qu'elle traduit les sentiments et appartient en définitive à celui qui, comme Figaro, sait maîtriser les mots avec esprit. Elle offre alors toutes les ressources d'un **comique verbal** exploité avec brio. Quand la parole ne suffit pas, elle est relayée par d'autres moyens d'expression dans un théâtre où tout fait signe : gestes, chansons, décors, costumes et déguisements, objets en permanente circulation (rubans, épingles, billets doux, autant d'aiguillons du désir amoureux).

Ainsi, par l'irruption permanente du **mouvement**, du **jeu**, la réalité révèle son caractère instable et ambigu : la vie des personnages apparaît livrée au hasard plus qu'aux certitudes des déterminations sociales. À l'optimisme de celui pour qui « l'esprit seul peut tout changer » se mêle l'inquiétude de l'homme face à sa destinée.

La complexité des caractères

Si les **personnages** de Beaumarchais apparaissent d'une exceptionnelle richesse, c'est précisément par leur **ambiguïté**. Dans son théâtre, la remise en question perpétuelle des forces en présence, de leur identité (par le déguisement), de leur discours (par la prolifération du secret), de leurs sentiments (par l'imaginaire du désir) empêche que les caractères n'apparaissent figés. Les figures principales de la trilogie de *Figaro* (le comte Almaviva, Rosine, Figaro lui-même) gagnent en complexité et en individualité d'une pièce à l'autre. Telle est la principale nouveauté introduite par Beaumarchais : **faire évoluer ses personnages** dans le temps, les déplacer sur l'échiquier des conflits, leur donner une vie plus pleine comme dans un roman. Ainsi, Figaro, simple adjuvant du comte dans *Le Barbier de Séville*, devient son adversaire dans *Le Mariage de Figaro*, et donne à son maître une leçon morale et politique tout en énonçant une réflexion sur sa destinée et sur l'ordre social tout entier.

La critique sociale

Beaumarchais a voulu faire entrer dans ses pièces « la **critique d'une foule d'abus qui désolent la société** » (Préface du *Mariage de Figaro*). Au nom du droit naturel au bonheur et à la liberté, il fustige les privilèges de la naissance, les abus d'une justice « indulgente aux grands, dure aux petits », l'inégalité dont les femmes sont victimes, le règne des tyrans, des censeurs ou des calomniateurs. En offrant le spectacle de l'affrontement entre Figaro et son maître, spectacle du mouvement et du changement, Beaumarchais affirme dans l'ordre social

la possibilité de ce changement et la nécessité de reconnaître le mérite individuel.

Beauvoir
(Simone de), 1908-1986

ŒUVRES PRINCIPALES
- **Romans**: *L'Invitée* (1943), *Le Sang des autres* (1944), *Tous les hommes sont mortels* (1947), *Les Mandarins* (prix Goncourt 1954).
- **Essais**: *Pour une morale de l'ambiguïté* (1947), *Le Deuxième Sexe* (1949).
- **Récits**: *Mémoires d'une jeune fille rangée* (1958), *La Force de l'âge* (1960), *La Force des choses* (1963), *Une mort très douce* (1964), *La Vieillesse* (1970), *Tout compte fait* (1972), *La Cérémonie des adieux* suivi des *Entretiens avec Jean-Paul Sartre* (1981), *Lettres à Sartre* (1983).

Un écrivain engagé

Dans les années 1950-1970, Simone de Beauvoir est l'une de ces grandes figures d'intellectuels qui, par leur **engagement* moral, philosophique et politique**, ont influencé la jeunesse. Son œuvre en reste très marquée, qu'il s'agisse d'exposer directement des théories ou de les incarner dans des personnages. *Le Sang des autres*, par exemple, raconte l'histoire du chef d'un réseau de la Résistance, qui, s'apercevant que ses décisions ont provoqué la mort d'autrui – y compris de la femme qu'il aime –, décide d'assumer pleinement ce destin. De même, le roman *Les Mandarins* met en scène, à travers des héros fictifs, les interrogations de l'auteur sur le rôle social des intellectuels. Malgré leur didactisme, on peut reconnaître à ces œuvres un style précis, concis qui, allié à une analyse psychologique sans concession, témoigne de l'influence du journalisme sur le genre romanesque.

C'est dans *Le Deuxième Sexe*, un essai de mille pages, que la pensée féministe de Simone de Beauvoir donne sa pleine mesure par l'**analyse**, directe et énergique, **des préjugés relatifs à la condition féminine**. Si, à l'époque, l'ouvrage fait scandale, il devait connaître un retentissement énorme à partir des années 1970 et influencer durablement le mouvement des femmes.

Les mémoires d'une femme

On retient surtout, des œuvres de Simone de Beauvoir, celles qui laissent la plus large part à une **autobiographie* directe et sincère**. Lorsqu'elle se tourne vers le genre des mémoires*, c'est l'histoire intime d'une personnalité réelle qu'elle livre, depuis les difficiles luttes de l'adolescence contre un milieu familial et social hostile à ses aspirations anticonformistes (*Mémoires d'une jeune fille rangée*), jusqu'à sa vie quotidienne de femme engagée dans le combat philosophique et dans le combat politique, et à l'affirmation, dans le respect du choix des autres, d'une féminité dégagée de la famille et des enfants, et épanouie.

Les mémoires de Simone de Beauvoir révèlent aussi son **émerveillement** toujours renouvelé **pour la lecture** (*Tout compte fait*), et la **découverte** progressive **de la vieillesse** – perte du corps, pression sociale – qu'elle accepte avec sérénité, mais non sans se révolter contre des préjugés qui ont toujours cours. Ces œuvres disent également la familiarisation avec la mort, la sienne et celle de ses proches (*Une mort très douce*).

CITATIONS
- **Sur la condition féminine**

« Ce n'est pas la nature qui définit la femme, c'est elle qui la définit en la reprenant à son compte dans son affectivité [...]. On ne naît pas femme, on le devient. » (*Le Deuxième Sexe*)

- **Sur la lecture**

« Enfant, adolescente, la lecture était non seulement mon divertissement favori, mais la clé qui m'ouvrait le monde. Elle m'annonçait mon avenir : m'identifiant à des héroïnes de roman, je pressentais à travers elles mon destin. Dans les moments ingrats de ma jeunesse, elle m'a sauvée de la solitude. Plus tard, elle m'a servi à étendre mes connaissances, à multiplier mes expériences, à mieux comprendre ma condition d'être humain et le sens de mon travail d'écrivain. » (*Tout compte fait*, chap. 3)

REPÈRES BIOGRAPHIQUES
→ Simone de Beauvoir rompt rapidement avec les croyances religieuses et le conformisme de sa famille bourgeoise. Devenue agrégée de philosophie, elle se lie – pour toute la vie – avec Jean-Paul Sartre*, dont elle partage la vie d'écrivain engagé, les nombreux voyages, les idées philosophiques (l'existentialisme*), une conception très libre de l'amour, et le goût d'écrire. À partir de 1943, elle quitte ses fonctions de professeur pour se consacrer à son œuvre : journalisme, essais et romans.
→ Célèbre pour ses positions féministes (exprimées dans *Le Deuxième Sexe*), elle connaît également la reconnaissance littéraire lorsque son roman *Les Mandarins* reçoit le prix Goncourt. À partir de 1958, elle

se consacre essentiellement à ses mémoires[*], qui décrivent son évolution intellectuelle, sa vie de femme, son cheminement personnel vers la vieillesse, ou la mort de sa mère.

→ autobiographie, Colette, engagement, existentialisme, mémoires, Sartre

Beckett
(Samuel), 1906-1989

ŒUVRES PRINCIPALES
- **Romans anglais**: *Murphy* (1938, trad. fr. 1947), *Watt* (1942, trad. fr. 1969).
- **Romans français**: *Molloy* (1948, publ. 1951), *Malone meurt* (1948, publ. 1951), *L'Innommable* (1949, publ. 1953).
- **Nouvelles**: *Textes pour rien* (1945-1946).
- **Théâtre**: *En attendant Godot* (1953), *Fin de partie* (1957), *La Dernière Bande* (1960), *Comment c'est* (1961), *Oh les beaux jours* et *Cascando* (1963), *Dis Joe* (1965), *Pour en finir encore et autres foirades* (1976), *Pas* (1978), *Mal vu mal dit* (1980), *Catastrophe et autres dramaticules* (1982).
- **Essais**: *Dante..., Bruno..., Vico..., Joyce...* (1929), *Proust* (1931).

L'incommunicabilité existentielle

Tous les personnages de Beckett se heurtent au mur de l'**incommunicabilité**. Le héros de son premier roman, *Murphy*, cherche déjà à se retirer du monde pour mieux réfléchir sur lui-même. Autrui envahit l'espace, agresse, dérange, empêche la conscience de sentir son existence. Au mieux, la présence ou l'écoute d'autrui permet d'éprouver le manque ou la réalité de son identité. Aussi les dialogues[*] beckettiens sont-ils souvent des **monologues[*] parallèles**, sans véritable échange. L'**impossibilité d'un dialogue fructueux et réciproque** hante l'univers romanesque et théâtral de Beckett. L'amour féminin s'avère particulièrement dangereux : il génère la perpétuation de l'espèce, la naissance haïssable qui condamne l'homme à l'exil, à l'errance sans but, puisque toute conscience attend vainement une forme qui n'est qu'un leurre. Aussi peu de femmes peuplent-elles les écrits de Beckett. Le seul espoir consiste donc à se replier sur soi-même dans une quête de la solitude et du néant.

La faillite du langage

Si *Watt*, le second des romans anglais de Beckett, manifestait déjà de la méfiance à l'égard du langage, dans *Molloy*, la parole seule garantit l'existence du personnage : se dire constitue l'unique manière d'être possible. *L'Innommable*, lui, s'achève sur un constat d'échec : se dire, pour exister, est une illusion qui aboutit à la néantisation de l'être.

Le **langage théâtral** connaît la même évolution : les dialogues[*] soulignent surtout la solitude des personnages et l'incompréhension de l'autre. On parle pour passer le temps, pour se sentir exister ; la **parole** n'est que **pur ressassement** d'une histoire éternellement répétée, dans laquelle l'autre devient nécessaire pour témoigner de la réalité de l'existence du parleur. D'où ces **couples inséparables** que forment Vladimir et Estragon (*En attendant Godot[*]*), Hamm et Clov (*Fin de partie*), Winnie et Willie (*Oh les beaux jours*).

Peu à peu, cependant, Beckett **appauvrit le langage théâtral** : il ne joue sur aucune possibilité rhétorique ou stylistique. Le lexique se déstructure et halète, comme dans *Fin de partie*. On aboutit à *Acte sans parole*, pièce muette accompagnée de musique. Reste la voix, surgie des profondeurs, renvoyée à son propre écho, qui s'accroche bientôt à son seul souffle (*Cendres, Tous ceux qui tombent, Comment c'est*).

L'éternelle répétition

Dans l'univers beckettien les mêmes événements se répètent jour après jour. Dès lors, **on ne peut plus distinguer le présent du passé**. Les lois ordinaires de la temporalité n'existent plus : « Le temps s'est arrêté », affirme Vladimir dans *En attendant Godot*, pièce où Beckett réunit spectateurs et personnages dans la même attente en superposant temps de la fiction et temps de la représentation, et renforce l'effet produit par l'absence quasi totale de repères historiques ou chronologiques. Sans passé ni avenir les personnages ne vivent qu'au présent, ce qui souligne le **cycle répétitif de l'attente**, mode de révélation privilégié de l'existence, et marque l'ennui, la passivité, la souffrance dans laquelle chacun est enfermé. Les personnages n'existent que le temps de la représentation, dans l'énoncé répétitif de leurs paroles et de leurs gestes.

Le comique de l'absurde[*]

Beckett vise toujours à **rendre cocasses les situations les plus tragiques**. « Rien n'est plus drôle que le malheur », affirme-t-il dans *Fin* *de partie.* La tragédie* prend l'apparence de la farce*. Les effets parodiques, la gestuelle répétitive des personnages beckettiens – qui revêt un aspect si souvent **clownesque** qu'Anouilh a pu dire d'*En attendant Godot* que c'était « les *Pensées* de Pascal* jouées par les Fratellini » –, les jeux du langage, le non-sens du dialogue, les quiproquos* comiques renvoyant à l'inanité de la communication, déclenchent chez le spectateur un **rire mêlé d'inquiétude**. Noir, le théâtre de Beckett est animé par l'humour* du désespoir.

CITATIONS

• Sur l'homme et la vie

« On ne peut échapper aux heures ni au jour ni à demain ni à hier. » (*Proust*)

« [*La vie est*] un incessant processus purgatorial : ni récompense ni châtiment, rien qu'une série de stimulants qui permettent au chaton de s'attraper la queue. » (*Joyce...*)

REPÈRES BIOGRAPHIQUES

➔ Issu d'une famille protestante de Dublin, Beckett entre comme lecteur d'anglais à l'École normale supérieure en 1928. Il travaille sur Descartes, rédige un essai critique sur Proust* et se lie d'amitié avec Joyce dont les écrits l'influenceront toute sa vie. Après un retour à Dublin en 1931, il erre, d'exil en exil, entre Londres et Paris. Entré dans la Résistance pendant la Seconde Guerre mondiale, il fuit dans le Vaucluse pour échapper à la Gestapo et y compose son second roman en anglais, *Watt*. Dans les années d'après-guerre, il décide d'écrire en français et publie en deux ans une trilogie romanesque : *Molloy* (1951), *Malone meurt* (1951) et *L'Innommable* (1953).

➔ Mais c'est au théâtre qu'il va se révéler avec une succession de pièces dont les plus connues sont : *En attendant Godot*, son plus grand succès traduit en dix-huit langues, *Fin de partie*, *Oh les beaux jours*. Entre 1961 et 1969 il multiplie traductions, poèmes, pièces, romans et tourne même *Film* avec Buster Keaton (1964).

➔ Son œuvre est couronnée en 1969 par le prix Nobel de littérature. À partir de cette date, ses textes deviennent de plus en plus brefs, certains comme *Pour en finir encore et autres foirades* ne durant que quelques minutes. Malgré son succès, Beckett reste un étranger, solitaire et secret.

➔ **absurde, calembour, Camus, *En attendant Godot*, humour, Ionesco, Proust, Sartre, tragique**

Bel-Ami,
Guy de Maupassant, 1885

RÉSUMÉ
Tableau d'une époque, et aussi portrait d'un homme, *Bel-Ami* raconte l'ascension sociale fulgurante d'un fils de cabaretiers normands, Georges Duroy, qui, en trois ans, après avoir pris le nom de baron du Roy de Cantel, devient rédacteur en chef du journal *La Vie française* et l'époux de la fille de son directeur. Il séduit toutes les femmes, qui le surnomment Bel-Ami et vont l'aider à forcer les « portes du monde ». Sa première conquête, Clotilde de Marelle, restera pour lui une « gentille maîtresse ». Madeleine Forestier, la femme d'un camarade de régiment devenu journaliste, rédige le premier article de Georges et, à la mort de son mari, accepte de devenir sa femme. Mais Bel-Ami s'en détache vite ; il divorce non sans avoir assis sa position au journal, capté la moitié de l'héritage de Madeleine, et garanti son avenir en devenant l'amant de Mme Walter, la femme du directeur du journal. Cependant, ce que Bel-Ami convoite, c'est le journal et la fortune de son patron qui vient de réussir un fabuleux coup de Bourse au Maroc. Il séduit donc la fille de Walter, Suzanne, qu'il épouse en grande pompe dans le chapitre final du roman. Ce sont désormais les hautes sphères de la politique qu'il vise, tandis qu'il songe à « reprendre » Mme de Marelle.

Un roman parisien

Bel-Ami est le second roman de Maupassant, écrit deux ans après *Une vie*. L'auteur a changé d'inspiration : il ne s'agit plus d'une histoire paysanne et provinciale mais d'un **roman parisien**, fortement **ancré dans l'actualité**, où l'auteur s'attache à peindre un « **monde interlope** », celui-là même qu'il a pu approcher quand il était journaliste au *Gaulois* ou au *Gil Blas*.

Un séducteur sans scrupule

Pour Bel-Ami, les **femmes** sont un **pur moyen d'ascension sociale**. Encore les **figures** en sont-elles extrêmement **différentes**. Clotilde de Marelle, battue par Georges dans l'avant-dernier chapitre, demeure la femme la plus proche de lui : ils sont liés par une véritable dépendance charnelle. Madeleine Forestier est en revanche ce que Maupassant appelait une « politicienne » : elle a un véritable talent

d'écrivain et se fait le Pygmalion de jeunes arrivistes qu'elle s'attache en donnant une patte à leur signature. Le lecteur apprendra que Duroy n'est d'ailleurs pas le dernier. Quant à Mme Walter, elle est à peine moins puérile en amour que ne le sera sa propre fille, Suzanne, lorsqu'elle acceptera avec enthousiasme de se laisser enlever par Duroy.

Une vision pessimiste de la société et de l'homme

Lors de sa publication en 1885, certains lecteurs ont voulu voir dans *Bel-Ami* un **roman à clés**, reconnaissant dans *La Vie française* des journaux connus, dans Duroy ou ses collègues, Jacques Rival et Norbert de Varenne, des journalistes de l'époque. Il est évident que la connaissance qu'il avait de la presse a nourri l'inspiration de Maupassant et lui a permis des transpositions, jusque dans l'évocation du coup de Bourse, inspiré des affaires, non pas marocaines, mais tunisiennes de l'époque. Cependant Maupassant refusait que *Bel-Ami* fût lu comme une satire du journalisme, ou du moins comme autre chose qu'une satire du « journalisme interlope » : il présente Duroy comme « une crapule », « un aventurier », d'abord reporter, puis échotier, rédacteur politique et enfin rédacteur en chef, monté dans le journalisme comme il serait monté ailleurs, telle « une graine de gredin, qui va pousser dans le terrain où elle tombera ».

Au-delà de la **satire de la presse**, dont on trouvera un écho dans *L'Argent* de Zola*, il y a donc dans *Bel-Ami* une **vision très pessimiste de la nature humaine**, que gouvernent le plaisir, l'argent et le pouvoir, et du monde, où triomphent les « malins » en exploitant les « niais ».

→ **Maupassant, Rastignac, réalisme, satire**

Bellay
(Joachim du), 1522-1560

> **ŒUVRES PRINCIPALES**
> • **Manifeste**: *Défense et Illustration de la langue française* (1549).
> • **Poésie**: *L'Olive* (1549), *Les Regrets, Les Antiquités de Rome, Divers jeux rustiques* (1558), *Discours au Roi, Le Poète courtisan* (1559).

Imitation et renouvellement

Le programme du manifeste* *Défense et Illustration de la langue française* se retrouve dans une œuvre inventive où du Bellay pratique l'imitation* et l'enrichissement de la langue et du style. L'**imitation** : condamnant les formes médiévales, il privilégie le **sonnet*** illustré par Pétrarque et les poètes pétrarquisants. L'**enrichissement de la langue** passe par la substantivation d'adjectifs (« l'obscur »), l'invention de mots nouveaux (« seigneuriser » dans *Les Regrets*, « perlette » dans *L'Olive*), l'utilisation de termes techniques appartenant au langage des métiers (« vanner », dans *Jeux* *rustiques*), la création de mots ou de tournures imités du latin et du grec (« Heureux qui… » est calqué sur *Felix qui…*).

Avec les 115 sonnets de ***L'Olive*** (1550), Du Bellay compose le **premier recueil de sonnets amoureux**, à l'imitation du *Canzionere* de Pétrarque, où il chante sa dame à grand renfort d'images, d'allégories* et d'hyperboles* (la femme plus brillante que l'aurore dans le sonnet 83).

Cependant, en écho au néoplatonisme* de l'époque, l'amour pour la beauté terrestre traduit l'aspiration de l'âme, enfermée dans les limites corporelles, vers une beauté idéale et absolue hors de la prison terrestre (« Là, ô mon âme, au plus haut ciel guidée/Tu y pourras reconnaître l'Idée/De la beauté qu'en ce monde j'adore », *L'Olive*, sonnet 113).

Dans certains sonnets, le **mysticisme chrétien** – qu'on retrouvera dans les *Hymnes chrétiens* (1552 et 1559) – vient se mêler à l'**idéalisme platonicien**. Dès *L'Olive* (sonnet 84 par exemple), Du Bellay ouvre le sonnet, spécialisé jusqu'alors dans la thématique amoureuse, à d'autres sujets : la **mélancolie**, la **nostalgie**, la **satire**. C'est une **poésie plus personnelle**, un ton plus familier et plus naturel qui dominent dans l'œuvre ultérieure même si des influences diverses y sont perceptibles, notamment celles de la poésie virgilienne et des mythes antiques dans *Les Antiquités de Rome*.

Une poésie personnelle

Dans *Les Antiquités de Rome*, le poète exprime sa fascination pour la Ville éternelle dont il célèbre les « poudreuses reliques », mais l'évocation de la décadence romaine lui permet surtout de développer une réflexion plus générale sur le destin de l'humanité.

Même si l'on décèle dans *Les Regrets* l'influence des auteurs anciens, notamment celle d'Ovide dans le thème de l'exil, le poète y exprime des sentiments personnels, et le **lyrisme*** est lié à l'expérience malheureuse du voyage à Rome. Refusant les codes et les modèles littéraires, Du Bellay insiste sur le caractère personnel de sa poésie (« Je me plains à mes vers si j'ai quelque regret », sonnet 1). Le titre du recueil, *Les Regrets*, relève de l'**élégie***, et la France, idéalisée, y est pleurée comme une femme aimée dans des sonnets à la première personne (sonnet 9). Le **thème du mal-être et du bonheur perdu** est dominant, comme dans le sonnet 34 où le poète, dans de constants systèmes d'oppositions, met en regard ses rêves et la réalité. La nostalgie est également sensible dans la musicalité de l'écriture, marquée par exemple par des systèmes de répétitions comme l'ana-

phore* de « Plus… » dans le célèbre sonnet 31 (« Heureux qui comme Ulysse… »).

Cependant, la **satire*** vient moduler et contrecarrer le constat douloureux de l'élégie*. Du Bellay force le trait pour évoquer la corruption de la société romaine, dénoncer les vices de la cour pontificale et l'hypocrisie des courtisans. Il utilise volontiers des infinitifs intemporels pour caricaturer les agissements des « vieux Singes de cour » en une galerie de portraits qui soulignent la fausseté d'un lieu où il convient de « cacher sa pauvreté d'une brave apparence ».

CITATIONS

• **Sur l'exil**
« Quand reverrai-je, hélas ! de mon petit village/ Fumer la cheminée, et en quelle saison,/ Reverrai-je le clos de ma pauvre maison,/ Qui m'est une province, et beaucoup davantage ? » (*Les Regrets*, 31)

• **La satire**
« Marcher d'un grave pas, et d'un grave sourci [sourcil], / Et d'un grave souris à chacun faire fête / Balancer tous ses mots, répondre de la tête, / Avec un Messer non ou bien un Messer si […]. » (*Les Regrets*, 56)

REPÈRES BIOGRAPHIQUES

➜ Né en Anjou dans une famille illustre comptant des hommes de guerre et des diplomates, Joachim du Bellay, orphelin de père et de mère, est élevé par son frère aîné dans le domaine familial. Ses études de droit à Poitiers l'amènent à fréquenter les humanistes, et en particulier Peletier du Mans et Ronsard*. Du Bellay retrouve Ronsard à Paris, où ils suivent ensemble les cours du grand helléniste Dorat au collège de Coqueret. Il parfait sa connaissance des Anciens et découvre les auteurs italiens (Pétrarque, Boccace, l'Arioste…). Participant actif de la « Brigade », future Pléiade*, il fait paraître en 1549 le manifeste *Défense et Illustration de la langue française*, ainsi que les sonnets de *L'Olive*. Mais, surmené et en butte à diverses tracasseries judiciaires et financières, il tombe gravement malade.

➜ En 1553, son oncle, le cardinal Jean du Bellay, lui propose de l'accompagner à Rome en qualité de secrétaire. Le poète, tenté par la carrière diplomatique et nourri du mythe de la Rome antique, accepte. Mais, une fois sur place, il constate que la valeurs de la cité ancienne n'ont plus cours dans la société contemporaine. Sa déception ne l'empêche pas de travailler : il écrit une grande partie des *Regrets**, les *Divers jeux rustiques*, *Les Antiquités de Rome* et les *Pœmata*, qui seront publiés à son retour (1558).

➜ Les derniers mois de sa vie sont marqués par les difficultés familiales et la maladie. Il écrit encore divers textes lyriques, une satire*, le *Poète courtisan*, et plusieurs *Discours au Roi*. Il meurt subitement à Paris le 1er janvier 1560, à l'âge de trente-sept ans.

➜ **élégie, humanisme, imitation, lyrisme, pétrarquisme, Pléiade, Ronsard, satire, sonnet**

Ben Jelloun
(Tahar), né en 1944

ŒUVRES PRINCIPALES

• **Romans**: *L'Enfant de sable* (1985), *La Nuit sacrée* (prix Goncourt 1987), *Les Raisins de la galère* (1996), *La Nuit de l'erreur* (1997), *L'Auberge des pauvres* (1999), *Partir*, 2006.
• **Essais**: *Le Racisme expliqué à ma fille* (1988), *L'Islam expliqué aux enfants* (2002).

D'une rive à l'autre de la Méditerranée
L'œuvre de Tahar Ben Jelloun est née d'une expérience à la fois riche et douloureuse, celle qui l'a amené à quitter le Maroc pour s'exiler en France, et donc à vivre au **confluent de deux cultures** qu'il observe avec passion. S'il dénonce le sort fait à la femme dans son pays d'origine (*L'Enfant de sable*) ou la corruption, il condamne le traitement souvent humiliant dont sont l'objet les travailleurs immigrés (*Les Raisins de la galère*, *Partir*) dans une société occidentale rongée par les excès de l'individualisme et la course à l'argent. Le **thème de l'exil**, avec sa charge de mirages et d'espoir, devient peu à peu une métaphore* de l'existence : « Nous sommes tous appelés à partir de chez nous » (*Partir*). Fès, Tanger ou Naples sont les villes phares de cet univers brûlant et bigarré. Lucide sur les tares des deux sociétés, Ben Jelloun en connaît aussi les richesses respectives : solidarité communautaire, respect des anciens dans la société musulmane ; liberté et émancipation de l'individu dans la société européenne.

La femme, le couple, l'amour
La **condition féminine en pays d'islam** est **au cœur des préoccupations de l'écrivain**. Il ne cesse de dénoncer la violence faite aux femmes dans une société patriarcale qui ac-

corde tout à l'homme mais très peu à la femme, et qui pousse parfois les familles au pire pour s'assurer une descendance mâle (*L'Enfant de sable*). Les traditions pesant de tout leur poids, les relations dans le couple sont presque toujours sources de conflit. Les femmes semblent condamnées, soit à la détresse de la femme soumise, soit à la vie de misère des prostituées. Hymne à l'amour, l'œuvre de Tahar Ben Jelloun est riche en **personnages féminins remarquables**, telles Ahmed-Zarha, la fille-garçon de *L'Enfant de Sable*, la sensuelle Wahida de *La Nuit de l'erreur*, ou la Vieille, l'excessive et somptueuse matrone napolitaine de *L'Auberge des pauvres*.

Une œuvre au carrefour de deux traditions littéraires
Pour les romanciers du Maghreb de la génération précédente, le français restait la langue du colonisateur. Écrivain de la deuxième génération, Tahar Ben Jelloun a dépassé le dilemme linguistique mal vécu par ses prédécesseurs. Il assume le choix d'une langue qui lui permet d'être lu au Maroc, en France et dans toute la francophonie*.

Son œuvre, qui donne régulièrement à réfléchir sur le pouvoir des mots face à tous les archaïsmes, porte une **double empreinte** : celle du **roman occidental et** celle de la **littérature orale marocaine**. Retrouvant la verve souvent onirique du conteur de place publique, Ben Jelloun a su conjuguer la part d'oralité liée à la pratique orientale du conte* (derrière laquelle se profile l'archétype des *Mille et Une Nuits**), et les hardiesses du roman contemporain, avec une prédilection pour le monologue intérieur* et la polyphonie des voix, en écho aux œuvres – entre autres – de Joyce ou de Salman Rushdie.

CITATION

« Notre patrie est un livre, un rêve bleu dans une mer d'histoires, une fiction déroulée dans plusieurs langues. Notre patrie est une solitude que nous déposons chaque matin au seuil d'une grande maison où nous n'habiterons jamais, car notre lieu n'est fixé nulle part, notre territoire est en nous. » (*La Nuit de l'erreur*)

REPÈRES BIOGRAPHIQUES

➜ Écrivain franco-marocain né à Fès en 1944, Tahar Ben Jelloun se destine d'abord à l'enseignement de la philosophie mais ses activités politiques le conduisent dans un camp disciplinaire. Il y découvre *Ulysse*, le roman de James Joyce, qui décide de sa vocation littéraire. Il part en 1971 pour la France, où il étudie la psychiatrie sociale et où il commence une collaboration au quotidien *Le Monde* et à divers journaux européens.

➔ En 1973, il inaugure sa carrière littéraire avec un roman, *Harrouda*, et devient bientôt une figure marquante de la littérature maghrébine d'expression française. Prix Goncourt en 1987 pour *La Nuit sacrée*, écrivain francophone le plus traduit dans le monde, il appartient à une génération d'auteurs qui, moins marquée que la précédente par les convulsions de la décolonisation, a été plus sensible aux problèmes de l'exil et du déracinement. Essayiste, il combat le racisme (*Le Racisme expliqué à ma fille*) et s'efforce de faire comprendre l'islam au-delà des préjugés et des idées reçues (*L'Islam expliqué aux enfants*).

➔ conte, francophonie, *Mille et Une Nuits*

Bernanos
(Georges), 1888-1948

ŒUVRES PRINCIPALES
- **Romans :** *Sous le soleil de Satan* (1926), *Journal d'un curé de campagne* (1936), *La Nouvelle Histoire de Mouchette* (1937), *Monsieur Ouine* (1946).
- **Essai :** *Les Enfants humiliés* (1949).
- **Théâtre :** *Dialogue des Carmélites* (posth. 1949).

Les écrits de combat
L'œuvre de l'écrivain témoigne avec force des **engagements** de l'homme Bernanos. Fidèle aux valeurs de l'ancienne France qu'il a d'abord cru incarnées par Charles Maurras, Bernanos se détournera de l'Action française au moment de la montée du fascisme en Europe et singulièrement en Espagne. **Polémiste**, il dénonce, dans *Les Grands Cimetières sous la lune* (1938), les violences de la guerre civile espagnole et lui, le monarchiste, soutient les républicains humiliés. Son **combat pour les humbles**, contre les élites fourvoyées dans la Collaboration, le conduit à préférer de Gaulle à Pétain et, dans son essai *Les Enfants humiliés* (sous-titré *Journal 1939-1940*), il exprime une « solidarité fraternelle » avec l'« Église universelle des combattants, vivants ou morts ». Ses romans manifestent également sa condamnation d'une société marquée par l'injustice et l'égoïsme où des êtres purs luttent contre la dégradation morale.

Entre Satan et le Christ
L'**univers romanesque** de Bernanos est d'abord **marqué par de violents contrastes** entre, d'une part, les péchés de l'humanité, l'égoïsme, le malentendu, la lâcheté des puissants, l'aliénation des faibles et, d'autre part, l'aspiration à la sainteté, à la toute-puissance de la grâce. Y accéder n'est pas, aux yeux du chrétien Bernanos, un chemin de roses mais un parcours jalonné de souffrances, de tentations et parfois de renoncements. Pour l'abbé Donissan qui essaye de sauver une fille perdue, Mouchette (*Sous le soleil de Satan*), le combat contre le mal est vécu dans le tourment et parfois le désespoir ; la rencontre nocturne avec Satan lui-même est l'expression surnaturelle de cette opposition.

Le *Journal d'un curé de campagne* traduit encore, dans des pages à la fois sobres et pathétiques, les doutes d'un prêtre qui ne réussit plus à prier. La forme même du journal permet au narrateur et personnage principal une **introspection** sans complaisance et accueille tous les aspects du **lyrisme**[*] : l'expression de la solitude, de la douleur morale et physique mais aussi l'exaltation du chrétien, les joies d'un « esprit d'enfance » qui se rapproche du Christ. D'autres pages rapportent le dialogue du prêtre et de ses paroissiens, dialogue des âmes et des consciences marqué par la compassion : « J'ai aimé naïvement les âmes (je crois d'ailleurs que je ne puis aimer autrement) ».

La poésie de Bernanos se manifeste enfin dans un réseau d'images contrastées qui condensent les tensions de son univers moral et romanesque : « J'ai dit mon chapelet, la fenêtre ouverte sur une cour qui ressemble à un puits noir. Mais il me semble qu'au-dessus de moi l'angle de la muraille tournée vers l'est commence à blanchir. » (*Journal d'un curé de campagne*.)

CITATION
- **Sur le combat entre le bien et le mal**
« Chacun de nous, dit l'abbé Menou-Segrais à l'abbé Donissan, [...] chacun de nous est tour à tour, de quelque manière, un criminel ou un saint, tantôt porté vers le bien, non par une judicieuse approximation de ses avantages, mais clairement et singulièrement par un élan de tout l'être, une effusion d'amour qui fait de la souffrance et du renoncement l'objet même du désir, tantôt tourmenté du goût mystérieux de l'avilisse-

ment, de la délectation au goût de cendre, le vertige de l'animalité, son incompréhensible nostalgie. » (*Sous le soleil de Satan*)

REPÈRES BIOGRAPHIQUES

➜ Catholique fervent, nationaliste et maurrassien dans sa jeunesse, Georges Bernanos est engagé volontaire en 1914. Après la guerre, il abandonne son travail dans une compagnie d'assurances pour se consacrer à l'écriture de romans et d'essais où s'exprime sa nostalgie d'une France chrétienne et monarchique. Il obtient le succès avec *Sous le soleil de Satan* et *Journal d'un curé de campagne*, roman couronné par l'Académie française.

➜ Cependant, handicapé par un accident, il connaît des difficultés matérielles et des doutes sur son travail d'écrivain. Installé aux Baléares de 1934 à 1937, il prend position contre le franquisme puis, du Brésil où il est parti en 1938, il soutient, par ses articles dans la presse, la résistance au nazisme et le général de Gaulle.

➜ Après la Libération, il s'éloigne de la politique et signe le scénario du film *Le Dialogue des Carmélites* en 1948. Plusieurs de ses romans seront adaptés au cinéma (Robert Bresson, *Journal d'un curé de campagne*, 1951 ; Maurice Pialat, *Sous le soleil de Satan*, 1987, palme d'or au festival de Cannes).

➜ **Mauriac**

Bertrand
(Aloysius), 1807-1841

ŒUVRE
Gaspard de la nuit, fantaisies à la manière de Rembrandt et de Callot (posth. 1842).

Une forme nouvelle : le poème en prose
Bien que d'autres auteurs (Hugo*, Chateaubriand*) aient avant lui introduit dans des passages de leur œuvre en prose certaines caractéristiques de la poésie (rythme*, sonorités*…), Bertrand est le premier qui procède à des recherches systématiques en ce domaine, avec des **textes brefs**, composés de courts paragraphes ou de versets*, caractérisés par des **images étonnantes**, le mélange des temps et des époques, et de fréquents contrastes entre l'ombre et la lumière.

Cet art complexe et condensé s'inspire fortement des techniques de la peinture, de la gravure et de la miniature, comme l'indique d'ailleurs, dans le sous-titre de *Gaspard de la Nuit*, la référence à Rembrandt et Callot. Les courts poèmes de *Gaspard de la nuit* forment de **petits tableaux** renfermant un épisode historique (« La Citadelle de Wolgast »), un conte (« Ondine »), une scène de comédie (« La Sérénade »), ou tout un monde d'histoires et de sensations réunies dans un objet banal (« Les Cinq Doigts de la main »).

Féerie et tristesse
Le charme des poèmes en prose d'Aloysius Bertrand vient aussi d'un **mélange subtil de féerie, de fantastique***, d'amour simple et sensuel de la vie, **et d'angoisse maîtrisée**, à la fois tragique et humoristique, devant l'impossibilité d'aimer ou le caractère inexorable de la mort. Bertrand annonce l'esthétique éclatante du verbe ciselé par Rimbaud* ou Mallarmé*, la folie désespérée de Nerval*, l'humour* angoissé et émouvant de Laforgue*. Voici, par exemple, l'amour impossible d'une salamandre pour un grillon déjà mort, qui s'achève dans un **burlesque*** **désenchanté** : « « Il est mort ! Et puisqu'il est mort, je veux mourir ! » – Les branches de sarment étaient consumées, la flamme se traîna sur la braise en jetant son adieu à la crémaillère, et la salamancre mourut d'inanition. » (« La Salamandre », *Gaspard de la nuit.*)

CITATION
• **Sur le mélange de sérieux et de comique dans l'art**
« L'art a toujours deux faces antithétiques, médaille dont, par exemple, un côté accuserait la ressemblance de Paul Rembrandt, et le revers, celle de Jacques Callot. » (Préface de *Gaspard de la nuit*)

REPÈRES BIOGRAPHIQUES
➜ Né à Dijon dans une famille pauvre, Louis Bertrand, qui transformera son prénom en Aloysius (forme moyenâgeuse de Louis), tentera en vain, dans sa ville natale comme à Paris, de vivre de sa plume. Il fréquente pourtant les salons* littéraires de la capitale, fait du journalisme, dépose un manuscrit chez Sainte-Beuve… mais il meurt précocement, de tuberculose, sans avoir pu publier son œuvre unique, *Gaspard de la nuit.*
➜ Elle paraît cependant un an après sa mort, grâce à son ami David d'Angers,

mais ne rencontre aucun succès, bien que Hugo, Nodier*, Nerval et Sainte-Beuve aient reconnu son originalité. Plus tard, Baudelaire* et Mallarmé salueront en Bertrand le créateur d'un genre nouveau, le poème en prose, et s'en inspireront. C'est le XXe siècle qui va assurer à cet auteur une gloire discrète mais réelle, due à la fois à la qualité de son art et à sa place de précurseur.

→ **Baudelaire, burlesque, Laforgue, Mallarmé, Nerval, poème en prose, Rimbaud**

bibliothèque bleue

n. et adj. f. L'expression désigne un ensemble d'ouvrages de petit format, bon marché et à fort tirage, qui, du début du XVIIe siècle au milieu du XIXe siècle, ont constitué l'essentiel de la littérature de colportage.

Un format original
La bibliothèque bleue doit son nom à la couverture en papier bleu qui recouvrait de petits livres de moins de cinquante pages, imprimés sur du mauvais papier, dans une typographie rudimentaire. L'idée revient aux ateliers d'une imprimerie de Troyes d'avoir imposé, dès 1602, ces **livrets sans titre ni nom d'auteur**, dont le **coût très modique** allait permettre des tirages – exceptionnels pour l'Ancien Régime – de 100 000 exemplaires par titre.

Des titres divers
Pendant deux siècles et demi, 1 200 titres furent édités dans la bibliothèque bleue. Ils forment un ensemble hétéroclite dans lequel on distingue néanmoins certaines tendances : **le merveilleux*** et **le religieux** (romans de chevalerie, contes de fées, vies de saints), **le comique*** et **le facétieux** (histoires de Gargantua* par exemple), l'**utilitaire** (almanachs, livres de médecine populaire), l'**édifiant** (recueils de morale).

Un public étendu
La **diffusion par colportage** permet de toucher un vaste public : les petits artisans des villes et surtout les populations rurales, qui accèdent peu à peu à la lecture. Plus que par son contenu qui reste assez conventionnel, c'est par son mode de présentation que la bibliothèque bleue peut être qualifiée de **littérature populaire**. Les phrases, simples, disposées en chapitres courts destinés à être lus à haute voix,

satisfont les lecteurs encore peu experts ; et surtout le format et le faible prix favorisent la circulation et le prêt.

Jusqu'à la fin du XIXe siècle, qui connaît le développement de l'instruction, la bibliothèque bleue aura été, pour toute une catégorie sociale, le seul accès au savoir livresque.

→ **conte populaire, merveilleux**

bienséances

n. f. pl. De *bien* et *séant* (du verbe *seoir*, « convenir »). **Sens général** : conduite qui respecte les usages, les conventions morales. **Sens historique** : notion empruntée à l'*Art poétique* d'Horace, théorisée dans les années 1630, et qui a contribué, avec la notion de vraisemblance* et la règle des trois unités*, à fonder l'esthétique du théâtre classique.

Une exigence morale et esthétique
Le **principe** du respect des bienséances au théâtre est à la fois **moral et esthétique**.
La **bienséance externe** répond à une exigence de convenance morale, qui vise à **ne pas choquer le public** : elle interdit de représenter et de mentionner certains actes sur scène. Ainsi, tout ce qui concerne le corps (même dans ses actes les plus quotidiens) et la sexualité est banni de la scène aussi bien que du discours. Les combats et la mort violente ne sont pas représentés sur scène mais sont rapportés par des récits*. La bienséance externe peut conduire le dramaturge à modifier la vérité pour la rendre plus acceptable : Corneille* réécrit ainsi la fin du *Cid*.
La **bienséance interne** répond à une exigence de **cohérence** : l'intrigue doit former un tout cohérent (harmonie entre les détails et l'ensemble) et les personnages doivent se développer conformément au caractère qui leur est donné au départ (un prince ne parle pas comme un bourgeois, un guerrier ne doit pas être lâche…).

Revaloriser le théâtre
Les bienséances comme la vraisemblance reposent sur la volonté de respecter la raison. L'**impératif premier** est de **plaire**, et pour cela il ne faut choquer ni le bon sens, ni les sentiments du public. L'instauration des bienséances a permis la **moralisation du théâtre** (brutal et grossier dans le premier tiers du XVIIe siècle), **et sa revalorisation**. Les femmes

peuvent désormais aller au théâtre, qui devient l'occupation favorite de la noblesse et de la cour au XVIIe siècle.

→ **classicisme, tragédie, unités (règle des trois), vraisemblance**

Bildungsroman

n. m. De l'allemand *Bildung*, « éducation, apprentissage », et *roman*. Le roman d'apprentissage est un type de roman spécifique de l'époque romantique, dans lequel un jeune héros mûrit au fil des épreuves que lui réservent la société et l'amour. Le recours au terme allemand s'explique par le fait que le roman d'apprentissage français des années 1830 a un important devancier : *Les Années d'apprentissage de Wilhelm Meister* (1795-1796) de Goethe.

L'apprenti

Le **héros** du *Bildungsroman* ne peut commencer son apprentissage s'il n'est pas **arraché à son milieu d'origine** : chez Balzac[*], Rastignac[*] dans *Le Père Goriot*[*] (1835), Lucien de Rubempré dans *Illusions perdues* (1840-1846), ainsi que Julien Sorel et Fabrice del Dongo respectivement dans *Le Rouge et le Noir*[*] (1830) et *La Chartreuse de Parme* (1839) de Stendhal[*], quittent leur famille ou leur province, comme le fait Frédéric Moreau dans *L'Éducation sentimentale*[*] (1869) de Flaubert[*].

Ce **déracinement** est **important** car il fait du héros un observateur de la société dont le roman utilisera le point de vue. Toutefois, il ne serait pas impossible de faire entrer *Madame Bovary* (1857) dans la catégorie du roman d'apprentissage : si le personnage d'Emma est sédentaire, le roman explore toutes les étapes de son évolution psychologique jusqu'à son suicide, en menant une étude précise des mœurs de province.

La leçon

Le déracinement participe déjà de l'ascension sociale et le **héros** du roman d'apprentissage est un **ambitieux**. Il est d'abord ébloui par le spectacle du monde : en découvrant le luxe de Paris, le personnage balzacien, animé d'un sentiment de supériorité, sensible aux humiliations, voit dans les fastes de la haute société et dans le pouvoir des hommes politiques une récompense légitime de ses mérites. Mais il faut un initiateur pour comprendre et conqué-rir ce monde : Vautrin jouera ce rôle auprès de Lucien et de Rastignac, mais ce dernier profitera aussi des leçons de cynisme et de stoïcisme[*] de la vicomtesse de Beauséant.

Le **héros** du roman d'apprentissage est surtout un **amoureux**, quoique cette caractéristique ne soit pas indépendante de l'ambition : Rastignac aime Delphine de Nucingen pour la société qu'elle représente ; la conquête de Mathilde de La Mole est pour Julien Sorel un défi de nature sociale. En revanche, l'amour de Frédéric Moreau pour Mme Arnoux finit par apparaître pur, et n'est pas mêlé à l'intrigue politique du roman, ce qui illustre la variété des ressorts du *Bildungsroman*.

Si *Bel-Ami*[*] (1885), de Maupassant[*], qui lie les deux thématiques sociale et amoureuse, ne peut être considéré comme un roman d'apprentissage, c'est qu'aucune altération intime du personnage de Duroy ne se produit entre le début et la fin du livre.

Le roman de la désillusion ?

En effet, le roman d'apprentissage semble avoir pour objectif de montrer la **transformation du personnage**. Cela explique la longue période sur laquelle s'étend habituellement l'intrigue, *L'Éducation sentimentale* étant à cet égard exemplaire. Le devenir des personnages est toutefois inégal : Rastignac réussit, Frédéric végète, Lucien de Rubempré se suicide à la fin de *Splendeurs et Misères des courtisanes*. Entretemps, dans la majorité des romans, **l'apprentissage a été négatif** : le héros constate que la société est corrompue et que l'amour est cruel ; surtout, ses propres faiblesses se sont révélées à ses yeux. Le ressort du *Bildungsroman* tiendra en définitive dans l'ambiguïté du personnage dans son état final : il a dû composer dans le monde avec la morale et avec sa conscience, mais il conserve une part de pureté – l'amour de Julien pour Mme de Rênal ou de Frédéric pour Mme Arnoux, l'indignation de Rastignac devant la mort de Goriot – qui lui fait ressentir cruellement sa situation nouvelle.

→ **Balzac, *Éducation sentimentale* (L'), Flaubert, *Père Goriot* (Le), Rastignac, *Rouge et le Noir* (Le), Stendhal**

biographie

n.f. Du grec *bios*, « vie », et *graphein*, « écrire ». Récit d'une vie ; par extension, ouvrage relatant la vie d'une personne et genre littéraire ainsi constitué.

Petite histoire du genre

La biographie existe dès l'**Antiquité** et concerne alors de **grandes figures historiques** : c'est le cas dans la *Vie des hommes illustres* de Plutarque ou les *Vies des Douze Césars* de Suétone (Ier siècle apr. J.-C.). Au **Moyen Âge**, la biographie s'intéresse surtout aux saints et devient **hagiographie** : elle relate leur vie et célèbre leurs vertus à des fins d'édification morale et religieuse. Les siècles suivants verront naître l'intérêt pour les héros chevaleresques, puis pour les grands hommes utiles à la société. Au XXe siècle, l'Histoire s'intéresse davantage aux structures qu'aux hommes. Mais, à la fin du siècle, la perspective change et se centre sur des **personnes obscures** mais **représentatives d'une activité ou d'un moment historique**. Ainsi, dans *Le Monde retrouvé de Louis-François Pinagot* (Flammarion, 1998), l'historien Alain Corbin fait la biographie d'un homme dont il ne connaît que les dates de naissance et de mort (1798-1876), le métier (sabotier), le lieu de vie (Origny-le-Butin), la situation familiale (marié et père de huit enfants). Entre réalité historique (le monde rural) et fiction littéraire, l'écrivain *recrée* la vie de ce personnage dans son environnement.

Formes et fonctions de la biographie

Le genre **procède en partie de l'Histoire** : toute biographie déploie une importante information, vise souvent l'impartialité et cherche à saisir la personne dans son milieu et son temps. La biographie peut aussi participer au devoir de mémoire : des ouvrages sont consacrés à des résistants comme Desnos*, Aragon*, Primo Levi.

Le genre **relève aussi de l'étude et de la critique littéraires**. Les biographies d'écrivains, qui se développent au XIXe siècle, cherchent à analyser, dans la vie d'un auteur, les faits mais aussi les caractères psychologiques et moraux permettant de proposer une explication de son œuvre. Ainsi, Sainte-Beuve ou Gustave Lanson se fondent sur la biographie des écrivains pour étudier leur œuvre.

Biographie et fiction

Sur le plan littéraire, certaines biographies mettent en jeu des **techniques de composition et d'écriture proches du roman**. Ainsi, dans sa biographie de Hugo* (t. 1 : *Je suis une force qui va* ! t. 2 : *Je serai celui-là* ! Xo Éditions, 2002), Max Gallo réinvente la vie du jeune Victor au pensionnat : il met en scène des dialogues entre les protagonistes, imagine les

pensées de son héros : la personne devient un personnage, ce que l'on retrouve dans *Balzac, le roman de sa vie* de Stefan Zweig (trad. fr. 1950) et *Le Roman de monsieur de Molière* de Boulgakov (1933).

Dans les deux cas, le biographe se heurte à la difficulté de reconstruire la réalité ; il peut s'appuyer sur des œuvres, des témoignages, des écrits intimes pour mener son enquête mais il devra choisir de reconstituer ou non les zones d'ombre ; là se dessine une tension entre la visée historique et la tentation de la fiction.

À l'inverse, le **roman** présente souvent la **biographie fictive** d'un ou de plusieurs personnages. C'est sur cette ligne de partage entre fiction et biographie que se tient Pierre Michon dans ses *Vies Minuscules* (1984) ou dans *Les Onze* (2009).

→ **autobiographie, critique, mémoires, roman**

Blanchot
(Maurice), 1907-2003

ŒUVRES PRINCIPALES
- **Romans** : *Thomas l'Obscur* (1941), *L'Arrêt de mort* (1948), *L'Attente, l'Oubli* (1962).
- **Essais** : *La Part du feu* (1949), *L'Espace littéraire* (1955), *Le Livre à venir* (1959), *L'Entretien infini* (1969), *Le Pas au-delà* (1973), *L'Écriture du désastre* (1980).

Le romancier du silence et de l'absence

De *Thomas l'Obscur* à *L'Attente, l'Oubli*, les romans de Maurice Blanchot sont autant d'expériences où le romancier s'interroge sur les fondements mêmes de son entreprise d'écriture. Le langage n'est pas l'instrument d'une maîtrise sur les choses et le monde : tout récit est en fait miné par les germes de décomposition et il se détruit au fur et à mesure qu'il s'élabore. L'**écriture** apparaît essentiellement comme l'**expérience de la perte**, de l'égarement, de l'errance et de l'échec.

Comment dire d'indicible ?

Interrogeant les œuvres de poètes et d'écrivains qui ont poussé très loin l'exigence littéraire (tels Mallarmé*, Proust*, Char*, Kafka, Dostoïevski), Maurice Blanchot explore les **rapports de l'art et de la mort**. Pour lui, le poète est semblable à Orphée* qui tient presque Eurydice dans ses bras et d'un regard trop impatient la renvoie au néant : ce qu'il croit tenir au bout de sa plume ne cesse en fait de lui échapper, de se dissoudre, de se détruire. Écrire est alors bien autre chose qu'une confortable activité esthétique : c'est une aventure tragique où le poète, insoucieux de soi, se perd en affrontant le vide, la mort et l'inconnu, et où la poésie même lui échappe.

CITATION

• **Sur l'expérience de la poésie**
« La poésie n'est pas donnée au poète comme une vérité et une certitude dont il pourrait se rapprocher ; il ne sait pas s'il est poète, mais il ne sait pas non plus ce qu'est la poésie, ni même si elle est ; elle dépend de lui, de sa recherche, dépendance qui toutefois ne le rend pas maître de ce qu'il cherche, mais le rend incertain de lui-même et comme inexistant. » (*L'Espace littéraire*)

REPÈRES BIOGRAPHIQUES

➜ Né en 1907 à Quain, en Saône-et-Loire, Maurice Blanchot a mené une existence très retirée. Au début des années 1940, il publie des romans extrêmement dépouillés et volontairement énigmatiques – « romans de l'absence, du vide, de l'impossible communication » –, selon Gaëtan Picon
➜ Il se consacre ensuite à une œuvre d'essayiste où se développe une réflexion sur l'écriture car si, pour lui, « l'écrivain n'a rien à dire », il doit « dire ce rien ».

→ **existentialisme, Nouvelle Critique, structuralisme**

blason

n. m. D'origine obscure, le mot *blason* signifie à l'origine « bouclier ». Le blason est un genre poétique inspiré par l'héraldique.

Un jeu poétique subtil
Le blason est un **poème de longueur variable** où, par un jeu subtil d'allusions et de symboles*, sont prononcés l'**éloge** ou le **blâme** d'une personne (et parfois d'un objet ou d'une notion) qui est décrite à l'aide de **longues énumérations**, sous forme de listes ou de litanies. À la fin du XVe siècle, abondent les blasons d'animaux, de métiers, de couleurs, de villes…, où perce une intention satirique.

La célébration du corps féminin
Très vite, l'art du blason trouve un objet de prédilection dans le **corps féminin** dont on célèbre chaque partie avec un grand luxe de détails. Fleurissent alors les *Blasons des dames*, pour lesquels **Clément Marot*** provoque un véritable engouement : avec les poètes de son temps, il rivalise dans l'art d'évoquer, avec impertinence mais sans vulgarité, le corps de la femme, chaque blason étant consacré à un détail anatomique (le nez, la larme, les cheveux, la joue…). Tous ces blasons, écrits entre 1535 et 1550, seront réunis en un recueil : *Les Blasons anatomiques du corps féminin*.

Le contre-blason
Très vite, le genre du blason fournit **matière à parodie*** et l'on passe du blason au contre-blason, le *Blason du laid tétin* répondant au *Blason du beau tétin*. Par la suite, le genre a parfois dégénéré, glissant dans la grivoiserie et l'obscénité de cabaret.

L'art du blason témoigne du grand intérêt pour le corps des hommes de la Renaissance (la médecine découvrait alors l'anatomie), mais aussi de la vitalité d'une époque qui élargit très librement le champ des curiosités érotiques. Les grands illustrateurs du genre sont, outre Clément Marot, Maurice Scève* et Jean Rus pour le XVIe siècle, et Bensérade pour le XVIIe siècle.

→ **Marot, préciosité, Scève**

bohème

n. m. ou *f.* De *Bohème*, région occidentale de la République tchèque. Présent dans le *Dictionnaire de l'Académie française* dès sa première édition, le mot qualifie d'abord un « homme qui mène une vie sans règle ». Au XIXe siècle, le terme désigne les artistes qui ont adopté un mode de vie marginal et antibourgeois.

La bohème dorée
C'est la vie que mènent les jeunes bourgeois qui, vers 1835, se réunissent autour de Théophile Gautier* dans l'impasse du Doyenné. On y retrouve des poètes et des peintres comme Nerval* ou Delacroix. Il s'agit d'une **jeunesse aisée, libre, insouciante**, qui mène une vie joyeuse et riche d'échanges : « Quels temps heureux ! écrit Gérard de Nerval dans *Les Petits Châteaux de Bohème* (1859). On donnait des bals, des soupers, des fêtes costumées. Nous étions jeunes, toujours gais, souvent riches. »

La bohème tragique

Très différente est la bohème subie que décrit Henri Murger (1822-1861) dans *Scènes de la vie de bohème* (1848). Là, la vie des artistes désargentés, c'est tout simplement la **misère**. Confronté à des conditions d'existence sordides, vivant au jour le jour, l'artiste se veut l'antithèse du bourgeois gras et stupide. Il trouve la force de survivre dans une **gaieté amère et ironique** qui ne prend rien au sérieux et masque d'un voile d'insouciance une condition tragique. Dans le cercle de Murger, on rencontre parfois Charles Baudelaire*.

La bohème artiste

Pour d'autres, la vie de bohème résulte d'un choix. C'est un mode de vie insoucieux de la sécurité matérielle ; on l'adopte parce qu'il garantit une liberté et une indépendance totales. La bohème est d'abord un **état d'esprit**, une **attitude devant l'existence** : elle permet à l'artiste de s'affirmer face à l'esprit bourgeois qui s'impose de plus en plus lourdement. C'est cette bohème que décrit Balzac* dans *Un prince de la Bohème* (1840) : « Tous ces jeunes gens sont plus grands que leur malheur, au-dessous de la fortune, mais au-dessus de leur destin. » La vie de bohème sera souvent le lot de ceux que Verlaine*, plus tard, appellera les « **poètes maudits** » et qui tous auront connu une existence tragique : il pourra ainsi placer côte à côte Nerval, Baudelaire, Corbière*, Rimbaud* ou Lautréamont*.

→ **décadentisme, symbolisme**

Boileau-Despréaux
(Nicolas), 1636-1711

ŒUVRES PRINCIPALES

● **Œuvres poétiques**: *Satires I-VII* (1666), *VIII* et *IX* (1668), *Épîtres* (1669-1695), *Art poétique* (1674), *Le Lutrin* (1674 : chants I-IV ; 1683 : chants V et VI), *Ode sur la prise de Namur* (1693), *Satire X* (1694), *Satire XI* (1701), *Satire XII* (posth. 1716).
● **Textes théoriques**: *Traité du sublime* (trad. de Longin, 1674), *Réflexions critiques sur Longin* (1693).

Une œuvre multiple

Œuvres diverses : c'est le titre sous lequel paraît, en 1674, la première édition des œuvres de Boileau. Pourtant, on a pendant longtemps négligé cette diversité, pour ne retenir qu'un

des visages de Boileau : celui du « **régent du Parnasse** » qui, dès ses premières *Satires* et surtout avec son *Art poétique*, se serait attribué l'autorité de légiférer sur la République des lettres. S'il y a du vrai dans cette légende (à laquelle Boileau lui-même a contribué), il convient néanmoins de redécouvrir les **multiples facettes** d'une œuvre qui s'étend sur un demi-siècle et d'en saisir la profonde unité.

Le poète

Boileau a pratiqué une **large palette de genres poétiques**. Dans ses *Satires* et ses *Épîtres* en vers, il mêle des registres divers, qui vont du réalisme* pittoresque (*Satire VI*, dite « Embarras de Paris ») à la controverse religieuse (*Épître XII*, « Sur l'amour de Dieu »). Cette diversité de registres se retrouve dans la pratique de genres aussi opposés que ceux du **poème héroï-comique*** avec *Le Lutrin*, de l'**ode*** avec l'*Ode sur la prise de Namur* et de l'**épigramme***, genre à la mode dans les salons de l'époque.

On a souvent reproché à Boileau de n'être qu'un versificateur, mais son souci de la perfection formelle, qui se traduit par un polissage constant de ses œuvres au cours de leurs éditions successives, doit bien plutôt lui valoir la qualité de **styliste**. La poésie de Boileau d'ailleurs très souvent comme objet l'écriture elle-même (*Satire II*, « À M. de Molière »).

Le critique

Boileau est en effet **autant un théoricien qu'un écrivain**. On peut en juger par les nombreux textes préfaciels qui accompagnent ses œuvres (*Discours sur la satire, Discours sur l'ode*). Avec son *Art poétique*, Boileau rassemble en quatre chants les **éléments de la doctrine du classicisme***, élaborée en grande partie par Chapelain et La Mesnardière, et postérieure aux principales œuvres des grands écrivains contemporains (Corneille*, Racine*, Molière*, La Fontaine*). On a longtemps vu dans cet *Art poétique* l'éloge de la seule raison, mais c'est oublier l'importance que Boileau reconnaît au génie, irréductible aux règles. Il publie d'ailleurs la même année la traduction du *Traité du sublime*, qui propose une conception de la poésie comme « ravissement », c'est-à-dire ce qui transporte et élève l'âme. Cette activité théorique est le plus souvent suscitée par le contexte polémique dans lequel s'inscrit la parution de ses œuvres. Ainsi, ses *Réflexions critiques sur Longin* sont une réponse au troisième dialogue du *Parallèle des Anciens et des Modernes* de Perrault*.

Le partisan des Anciens

Comme poète aussi bien que comme critique, Boileau est avant tout un **partisan des Anciens**. En pratiquant le genre de la satire[*], il revendique la filiation qui le rattache à ses modèles antiques, Horace et Juvénal, de même qu'avec son *Ode sur la prise de Namur* il se propose d'imiter Pindare pour le réhabiliter contre les attaques de Perrault. Son admiration pour les auteurs antiques explique également ses charges satiriques contre des auteurs contemporains qu'il juge médiocres (Chapelain, Cotin, Quinault).

Le moraliste

Boileau ne s'est pas contenté d'emprunter à Horace le genre de l'*art poétique*[*], il lui aussi emprunté sa conception de la littérature : celle-ci doit **plaire et instruire.** C'est la raison pour laquelle la figure du poète est inséparable de celle du moraliste[*]. La pratique de **la satire,** qui constitue le fil rouge de l'ensemble de son œuvre, s'éclaire en fonction de ce **projet moral** : le satirique est un prédicateur laïque, qui dénonce les vices de ses contemporains.

CITATIONS

• **Éloge de la satire**
« La satire, en leçons, en nouveauté fertile,/ Sait seule assaisonner le plaisant et l'utile,/ Et, d'un vers qu'elle épure aux rayons du bon sens,/Détrompe les esprits des erreurs de leur temps. » (*Satire IX*, v. 267-270)
• **Sur le métier de poète**
« Hâtez-vous lentement, et, sans perdre courage,/Vingt fois sur le métier remettez votre ouvrage :/Polissez-le sans cesse et le repolissez ;/Ajoutez quelquefois, et souvent effacez. » (*Art poétique*, I, v. 171-174)

REPÈRES BIOGRAPHIQUES

➔ Né à Paris dans une famille de la bourgeoisie parlementaire, Nicolas Boileau connaît une enfance triste, marquée par la mort de sa mère (1638) et par la maladie. Il est reçu avocat en 1656 mais, après avoir hérité de son père (1657), il renonce à cette profession pour se tourner vers les lettres.
➔ Despréaux – c'est ainsi que le nomment ses contemporains pour le distinguer de ses frères Gilles (académicien depuis 1659) et Jacques (abbé) – est bientôt un poète consacré : il est nommé historiographe du roi, avec son ami Racine[*] en 1677, puis est élu à l'Académie française[*] en 1684. C'est là, à partir de 1687, qu'il s'engage, contre Perrault[*], dans la Querelle des Anciens et des Modernes[*], qui constitue l'un des combats de sa vieillesse, qu'il passe retiré dans son « jardin d'Auteuil », avant de revenir à Paris et d'y mourir en 1711.

→ **Anciens et Modernes (Querelle des), art poétique, classicisme, Perrault**

bon sauvage

Le mythe[*] du « bon sauvage », idéalisation de l'homme à l'état de nature, apparaît au XVIe siècle, au moment où la civilisation occidentale est confrontée, à la faveur des Grandes Découvertes, aux peuples indigènes du Nouveau Monde.

La découverte d'un nouveau monde

Le primitivisme, né d'un émerveillement devant une humanité radicalement différente dans son apparence et ses mœurs, **associe l'homme sauvage aux idées de liberté, d'innocence,** de santé et de bonheur. Montaigne[*] dans les *Essais* (« Des cannibales », I, 31 et « Des coches », III, 6) en célèbre les vertus, inaugurant le **relativisme culturel** : « Il n'y a rien de barbare et de sauvage en cette nation, à ce qu'on m'en a rapporté sinon que chacun appelle barbarie ce qui n'est pas de son usage. »

Le « bon sauvage » au siècle des Lumières

Au XVIIIe siècle, la volonté de refonder les valeurs morales, politiques, religieuses conduit les philosophes à placer l'homme à l'état de nature au cœur du débat philosophique des Lumières[*]. Le « bon sauvage » est une **arme critique. Rousseau**[*] l'utilise pour dénoncer l'aliénation, la corruption de la société occidentale et le principe de propriété (*Discours sur l'origine et les fondements de l'inégalité parmi les hommes*, 1755) ; **Diderot**[*] se sert des Tahitiens pour exposer sa « morale naturelle » (*Supplément au Voyage de Bougainville*,1772) ; **Voltaire**[*] suggère, dans *L'Ingénu* (1767), que l'on peut concilier la liberté naturelle et le perfectionnement social.

La nostalgie d'un paradis perdu

Le *Robinson Crusoé* de Daniel Defoe (1719), apologie du civilisateur d'un milieu sauvage, annonce le **déclin du mythe.** Le mépris de l'Européen colonisateur pour les peuples étrangers à sa civilisation en marque également les limites.

Cependant, le rêve exotique, la **nostalgie d'un âge d'or naturel** affleurent toujours dans les œuvres de Baudelaire*, de Ségalen (1878-1919), les tableaux de Gauguin ou de Matisse et jusque dans les études ethnographiques (Claude Lévi-Strauss, *Tristes tropiques*, 1955).

→ **Bernardin de Saint-Pierre, Diderot, Lumières, Montaigne, Robinson, Rousseau, Voltaire**

Bonnefoy
(Yves), né en 1923

ŒUVRES PRINCIPALES
• **Poésie:** *Du mouvement et de l'immobilité de Douve* (1953), *Hier régnant désert* (1958), *Dans le leurre du seuil* (1975), *Ce qui fut sans lumière* (1987), *Les Planches courbes* (2001).
• **Essais:** *L'Improbable* (1959), *L'Arrière-pays* (1972), *La Vérité de parole* (1988), *Entretiens sur la poésie* (1990), *Lieux et destins de l'image poétique* (1999), *L'Inachevable* (2010).

Une poétique de l'incarnation et de la présence
Marqué d'abord par le surréalisme*, Bonnefoy s'en écarte dès 1947 : il lui fait grief de « ne pas avoir foi dans les formes simples de la vie, préférant le déploiement de l'imaginaire au resserrement de l'évidence, la roue du paon aux pierres du seuil » (*Entretiens sur la poésie*). Bonnefoy **refuse la tentation du surréel**, et se méfie également du concept qui, oubliant la terre, corrode le réel. Il tend vers ce qu'il appelle un « réalisme profond » : l'aventure poétique, loin de chercher à tracer la « vaine carte d'un autre monde », est la **quête d'un sentiment de présence au monde**. Mais si elle peut « célébrer la présence, nous préparer à sa rencontre », la parole poétique est trop imparfaite pour « nous permettre de l'accomplir » (*ibid.*).

Aux lisières du « vrai lieu »
La poésie est donc un cheminement obstiné vers ce « vrai lieu » dont on se sent exilé et qu'on peut seulement entrapercevoir. Elle ouvre sur l'absolu mais ne permet pas de l'atteindre. Lucide mais plein d'espoir, le poète poursuit une quête inachevable. Et c'est dans la beauté même du monde sensible que peut être étanchée la soif de l'absolu. Bonnefoy choisit de se confronter à l'opacité des choses, à leur rugosité, à leur confusion, en un cheminement

toujours inquiet vers la présence : « Le paradis est épars, je le sais, / C'est la tâche terrestre d'en reconnaître / Les fleurs disséminées dans l'herbe pauvre. » (*Ce qui fut sans lumière*)

CITATION
• **Sur la présence de l'ailleurs**
« J'aime la terre, ce que je vois me comble, et il m'arrive même de croire que la ligne pure des cimes, la majesté des arbres, la vivacité du mouvement de l'eau au fond d'un ravin, la grâce d'une façade d'église, puisqu'elles sont si intenses, en des régions, à des heures, ne peuvent qu'avoir été voulues, et pour notre bien. [...]. Ici, dans cette promesse, est donc le lieu. » (*L'Arrière-pays*)

REPÈRES BIOGRAPHIQUES
→ Yves Bonnefoy voit le jour en 1923 dans la ville de Tours où il fera ses études secondaires. Les vacances d'été le ramènent chaque année à Toirac, dans le Lot : il y découvre une sorte de paradis originel qui préfigure le « vrai lieu » que le poète ne cessera jamais de chercher. Passionné de sciences exactes, il passe une licence de mathématiques. Cependant, son intérêt pour la poésie prend rapidement le dessus. Il fréquente le mouvement surréaliste mais, dès 1947, il s'en écartera. Son premier recueil *Du mouvement et de l'immobilité de Douve* paraît en 1953. Il fait alors un voyage en Italie qui le marque profondément.
→ Élu à la chaire de poétique comparée au Collège de France en 1981, Yves Bonnefoy a également une œuvre de traducteur (Shakespeare), de critique d'art et de théoricien de la poésie. Son œuvre a été couronnée de nombreux prix, dont le prix Kafka en 2007.

→ **Du Bouchet, Jaccottet, surréalisme**

Bossuet,
1627-1704

ŒUVRES PRINCIPALES
• **Discours:** *Sermon sur l'éminente dignité des pauvres dans l'Église* (1659), *Sermon sur la mort, Sermon du mauvais riche* (1662), *Oraison funèbre d'Henriette d'Angleterre* (1670), *Oraison funèbre de Michel Le Tellier* (1686), *Oraison funèbre du prince de Condé* (1687).

b

• **Œuvres théoriques** : *Discours sur l'histoire universelle* (1681), *Maximes et Réflexions sur la comédie* (1694), *Politique tirée des propres paroles de l'Écriture sainte* (posth. 1709).

L'orateur

La production oratoire* de Bossuet (destinée à être prononcée devant un public) est la plus célèbre de son œuvre, mais non la plus abondante. Bossuet lui-même n'a publié que six oraisons funèbres et un sermon. La plupart de ses écrits ont été édités à titre posthume à la fin du XVIIIᵉ siècle. Mais aucune de ces publications ne peut restituer exactement ce que fut la prédication de Bossuet, **improvisateur de génie** qui ne s'attachait jamais à son texte, même lorsque celui-ci était intégralement rédigé.

Les *Sermons* comme les *Oraisons funèbres* relèvent d'un genre précis, extrêmement construit. Le succès des discours de Bossuet tient à la **clarté de son éloquence*** qui privilégie les images parlantes et le rythme*, à la **simplicité de la syntaxe*** et à la **logique du raisonnement**, mais aussi au fait que le prédicateur laisse s'exprimer son émotion personnelle, comme dans l'*Oraison funèbre d'Henriette d'Angleterre* (1670) : « Ô nuit désastreuse ! ô nuit effroyable, où retentit tout à coup comme un éclat de tonnerre cette étonnante nouvelle : Madame se meurt ! Madame est morte ! » Un **thème** les domine : celui **de la mort et de la vanité de l'existence**, qu'il ne faut pas mépriser pour autant : « Encore une fois, tout est vain en l'homme, si nous regardons le cours de sa vie mortelle ; mais tout est précieux, tout est important, si nous contemplons le terme où elle aboutit, et le compte qu'il en faut rendre. » (*Ibid.*)

Adoptant un **style tantôt sublime, tantôt familier**, Bossuet n'hésite pas, dans ses sermons, à se faire **accusateur**, rappelant devant les grands de la cour la **misère des pauvres** : « Oui, Messieurs, ils meurent de faim dans vos terres, dans vos châteaux, dans les villes, dans les campagnes, à la porte et aux environs de vos hôtels : nul ne court à leur aide », allant jusqu'à attribuer aux riches les crimes de ceux qu'ils laissent mourir de faim, par manque de charité : « [...] tous les théologiens nous enseignent, d'un commun accord, que, si l'on n'aide le prochain selon son pouvoir, on est coupable de sa mort, on rendra compte à Dieu de son sang, de son âme, de tous les excès où la fureur de la faim et le désespoir le précipitent » (*Sermon du mauvais riche*).

L'historien et le polémiste

La majeure partie de la production de Bossuet – qui est immense – est constituée d'**œuvres théoriques, pédagogiques ou polémiques**. Son *Discours sur l'histoire universelle* propose une lecture de l'histoire de l'humanité entièrement fondée sur la Providence divine. Dans la *Politique tirée des propres paroles de l'Écriture sainte*, ouvrage destiné au Dauphin, Bossuet défend l'absolutisme royal.

De nombreuses œuvres sont consacrées à la **polémique**, contre les protestants (*Histoire des variations des Églises protestantes*, 1688), contre Fénelon et le quiétisme (*Instructions sur les états d'oraison*, 1697 ; *Relation sur le quiétisme*, 1698), ou encore contre le rationalisme* cartésien du Père Malebranche. Bossuet rejoint les jansénistes dans leur condamnation du théâtre, accusé de favoriser la concupiscence (*Maximes et Réflexions sur la comédie*). Ses *Méditations sur l'Évangile* sont un morceau de poésie biblique.

L'éloquence de Bossuet

Par son éloquence Bossuet est l'un des plus grands prosateurs du XVIIᵉ siècle. Alliant **majesté du style et simplicité**, il est lyrique et passionné. Si son goût des images frappantes, souvent tirées de l'Écriture sainte, relève de l'esthétique baroque, il le tempère par l'ampleur et l'équilibre de la période* qu'il emprunte à l'esthétique classique. L'un des exemples les plus frappants de ce grand style du prédicateur est le *Sermon sur la mort* (cf. citation).

Cette grandeur et cette simplicité se retrouveront, à notre époque, chez des écrivains catholiques comme Péguy* et Claudel*.

CITATION

• **Sur le néant de l'homme**
« Qu'est-ce que cent ans ? qu'est-ce que mille ans, puisqu'un seul moment les efface ? Multipliez vos jours, comme les cerfs que la fable ou l'histoire de la nature fait vivre durant tant de siècles ; durez autant que ces grands chênes sous lesquels nos ancêtres se sont reposés et qui donneront encore de l'ombre à notre postérité ; entassez, dans cet espace qui paraît immense, honneurs, richesses, plaisirs : que vous profitera cet amas, puisque le dernier souffle de la mort, tout faible, tout languissant, abattra tout à coup cette vaine pompe avec la même facilité qu'un château de cartes, vain amusement des enfants ? » (*Sermon sur la mort*, premier point)

REPÈRES BIOGRAPHIQUES
➜ Issu d'une famille de la vieille bourgeoisie bourguignonne, Jacques-Bénigne Bossuet fait de brillantes études chez les jésuites, à Dijon puis au collège de Navarre à Paris. Il rencontre saint Vincent de Paul, le défenseur des pauvres, qui deviendra son maître et son ami.

➜ Ordonné prêtre en 1652 et installé à Metz, il séjourne régulièrement à Paris à partir de 1656, où son talent de prédicateur l'a fait remarquer. En 1662, il prêche le sermon de carême au Louvre devant Louis XIV, qui fait de lui le précepteur du Dauphin de 1670 à 1680. Bossuet tente péniblement d'éveiller l'esprit de cet élève médiocre et rédige pour lui plusieurs ouvrages, dont le *Discours sur l'histoire universelle*. En 1681, il est nommé évêque de Meaux (on le surnommera l'« Aigle de Meaux ») et le restera jusqu'à sa mort.

➜ Célèbre pour ses sermons* et ses oraisons funèbres*, il s'engage aussi dans les débats de son époque. Ferme partisan du gallicanisme, il défend le pouvoir de l'Église de France contre la papauté. Il tente d'opérer une réconciliation avec le protestantisme – il correspond notamment avec Leibniz –, qui échoue. Il s'illustre aussi dans la polémique contre Fénelon* et le quiétisme. Conciliateur dans l'âme, celui que La Bruyère* appelait le « Père de l'Église » n'a pas joué le rôle politique majeur auquel il aurait pu prétendre.

→ exorde, Fénelon, oraison funèbre, oratoire (style), période, péroraison, sermon

Bouchet
(André du), 1924-2001

ŒUVRES PRINCIPALES
• **Poésie**: *Air* (1960), *Dans la chaleur vacante* (1961), *Ou le soleil* (1968), *Laisses* (1979), *L'Incohérence* (1979), *Ici en deux* (1986), *L'Ajour* (1998).
• **Prose**: *Sur un tableau de Poussin* (1959), *Carnets* (1952-1956, publ. 1990).

L'espace de la page
Face à l'énigme du monde, à son impénétrable étrangeté, l'écriture d'André du Bouchet, âpre et contractée, fragmentaire, est une écriture de la rareté et de la densité, qui occupe avec minutie l'espace de la page. Il ne s'agit pas d'orner le réel avec de riches et splendides images, mais de **sculpter sur le blanc du papier**, à coups d'ellipses* et avec toutes les ressources de la typographie, **une parole sèche et incisive**. Du Bouchet prolonge ainsi la tentative du *Coup de dés* mallarméen, mais aussi les recherches de Pierre Reverdy* dont il se sent très proche : « Les blancs, à intervalles inégaux, non contents de cerner le poème, le forent, le criblent, le transpercent de part en part. » Il revient au poète d'être exigeant et de « peser de tout son poids sur le mot le plus faible pour qu'il éclate et livre son ciel » (*Air*).

L'homme qui marche
L'expérience poétique de du Bouchet est d'abord une **expérience de l'espace**. Comme l'homme de Giacometti, le poète, marcheur altéré, arpente l'espace aride, un espace irrémédiablement tendu entre un ici et un là-bas inaccessible, qui alimente son désir de départ, d'arrachement.
Mais l'espace, loin de s'offrir et de se donner, résiste par sa dureté, son aridité, son opacité. La matière apparaît d'abord dans ce qu'elle a de brut et d'abrupt, comme un mur. L'air même, « l'air blanc », s'oppose par sa densité à la progression du marcheur et suscite en lui une volonté de fendre le réel, de le déchirer, de le labourer. Comme Orion aveugle, le poète est « ce fabuleux passant qui se crée un chemin dans l'air, aussi tangible et indistinct que le sol de la terre qu'il foule et qui échappe presque totalement à nos regards lorsque nous le traversons » (*Orion aveugle à la recherche du soleil levant*). L'âpre lutte avec l'élémentaire donne l'impression que le poète bute sur un univers qui obstinément se refuse. Pourtant, c'est « de l'impossibilité même que nous éprouvons à imaginer [l'*essentiel*] que nous tirons une force positive » (*Baudelaire irrémédiable*).

REPÈRES BIOGRAPHIQUES
➜ La vie d'André du Bouchet a été très secrète. Retiré en Ardèche, il a consacré son temps à la poésie et à la traduction (Hölderlin, Celan, Joyce, Shakespeare…), ainsi qu'à une réflexion sur la peinture et la sculpture (Poussin, Giacometti).
➜ Il appartient, comme Bonnefoy*, Jaccottet* et Dupin, à cette génération de poètes qui, ayant commencé à publier au début des années 1950, ont pris leurs distances avec le surréalisme*, dont l'ambition de surmonter le « divorce irréparable de l'action et du rêve » (Breton*) leur paraissait excessive.

→ Bonnefoy, Jaccottet, Reverdy

bouts-rimés

n. m. pl. Jeu littéraire qui consiste à composer un poème à partir de rimes* imposées (et parfois empruntées à un poème célèbre).

Au xviie siècle

L'inventeur de ce jeu littéraire serait Louis de Neufgermain qui, en 1630 et 1637, publie deux recueils de bouts-rimés. La mode s'en répand et Molière* y sacrifie tout comme La Fontaine*. On corse la difficulté en choisissant pour la rime des mots qui, lus verticalement, formeront une phrase, procédé appelé **amphigouri** : « Veux-tu savoir les lois du sonnet ? Les *voilà* : / Il célèbre un héros ou bien une *Isabelle*. / Deux quatrains, deux tercets ; qu'on se repose *là* ; / Que le sujet soit un, que la rime soit *belle*. » (Anonyme, xviiie siècle.)

À notre époque

Ce jeu trouve encore aujourd'hui des adeptes chez les chansonniers ou les paroliers. Par exemple, **Serge Gainsbourg** se donne des rimes difficiles en -*erce* (P*erce*, popp*ers*, ses-t*erce*, Artax*erce*...) puis écrit : « Des british aux niakouées, jusqu'aux filles de Perse / J'ai tiré les plus belles filles de la terre / Hélas, l'amour est délétère / Comme l'éther et les poppers [...]. » (Cité par Duchesne et Leguay in *Petite Fabrique de littérature*, Magnard, 1985.)

→ **chanson, préciosité**

bovarysme

n. m. Du nom du personnage d'Emma Bovary dans le roman de Flaubert* (1857). Le mot est défini pour la première fois en 1911, par le critique Jules de Gaultier, comme « le pouvoir départi à l'homme de se concevoir autre qu'il n'est ».

De Mme Bovary au bovarysme

Le bovarysme est d'abord la **relation au monde d'Emma Bovary** dont Flaubert place la destinée sous le triple signe du **rêve**, de l'**ennui** et de l'**échec**. Échec de son éducation qui peuple son esprit de chimères sans lui apprendre à vivre, échec de son mariage avec Charles, médiocre officier de santé, échec de ses ambitions d'ascension sociale, échec de ses amours adultères. Le bovarysme d'Emma, insatisfaction pathologique, rêverie aussi vague qu'obsessionnelle, ne peut combler le vide de son existence : cet « insaisissable malaise, qui change d'aspect comme les nuées » (*Madame Bovary*), mène au suicide et non à la conscience.

Un symptôme de la modernité

Baudelaire* voit chez Emma un caractère hystérique et les Goncourt* donneront du bovarysme une description clinique dans *Germinie Lacerteux*. Le bovarysme est un mal est essentiellement moderne. Il manifeste tout d'abord la **faillite des idéaux romantiques** : vivre de grandes passions, plier le monde à sa volonté. Il témoigne ensuite de la **condition de la femme au xixe siècle** : dominée, frustrée, condamnée au paraître et à la désillusion. Le bovarysme révèle enfin un **processus de déshumanisation** dans un monde petit-bourgeois pétri d'égoïsme et de bêtise que l'héroïne de Flaubert tente en vain de fuir.

Forme d'aliénation qui étouffe l'être sous le poids des objets, des clichés, de la répétition, le bovarysme a trouvé dans le roman de Georges Perec*, *Les Choses* (1965), l'une de ses illustrations contemporaines les plus frappantes.

→ **Flaubert, Perec, réalisme**

Breton
(André), 1896-1966

ŒUVRES PRINCIPALES

• **Poésie** : *Les Champs magnétiques* (textes automatiques écrits avec Soupault, 1920), *Clair de terre* (1923).

• **Essais** : *Manifeste du surréalisme* (1924), *Second Manifeste du surréalisme* (1930), *Les Vases communicants* (1932), *Ode à Charles Fourier* (1947).

• **Récits** : *Nadja* (1928), *L'Amour fou* (1937), *Arcane 17* (1945).

L'inventeur du surréalisme

Inaugurée au cœur d'une catastrophe historique, la **démarche poétique** d'André Breton est **radicale** : rejetant violemment le rationalisme* et l'humanisme*, piliers d'une civilisation en faillite, c'est dans un pur esprit de dérision qu'il intitule sa revue *Littérature*. Son entreprise se situe au-delà de la littérature, au-delà de cette littérature bourgeoise convenue, produite par de « grandes têtes molles », qui se sont déconsidérées en contribuant aux folies du patriotisme.

L'écriture automatique[*], qui fait éclater les garde-fous de la raison et qui permet d'écrire « comme sous la dictée de l'inconscient », devient le moyen d'explorer les possibilités jusque-là méconnues et négligées de l'esprit humain. La libération des forces vives de l'individu par l'imagination a très précisément pour but de « **changer la vie** », selon le mot d'ordre de Rimbaud[*], que Breton reprend à son compte. Car telle est la « mission prométhéenne de la poésie » : « une émancipation totale de l'homme qui puiserait sa force dans le langage mais serait tôt ou tard réversible à la vie » (*La Clé des champs*).

La quête du surréel

Adversaire de tout naturalisme[*] et de tout réalisme[*] (irrémédiablement compromis avec l'ordre établi), André Breton retient de la psychanalyse, non le projet de réintégrer les individus dans une normalité, mais les moyens qu'elle offre pour pénétrer dans le **territoire de l'inconscient : analyse des rêves, associations libres, lapsus**. Le poète doit être attentif à tous les indices apparemment insignifiants qui, dans la vie quotidienne, dans les rêves, dans le langage, témoignent d'une **autre réalité**, et qui en fait fournissent la « clé hiéroglyphique du monde ». Il guette ces coïncidences exceptionnelles, ces « faits-précipices », fruits du « hasard objectif », qui sont comme l'affleurement, au cœur même du quotidien, d'une réalité plus vaste et plus riche. Ce sont des images, les métaphores[*] qui la traduiront, en rapprochant des réalités radicalement étrangères, avec le plus grand degré possible d'arbitraire.

Le surréalisme, tel que le conçoit Breton, est un **mode de connaissance totale** qui, en libérant l'imagination, la pensée analogique et symbolique, permet un élargissement de la conscience.

L'amour fou

L'amour est, avec le rêve, l'**autre grande force de libération et de création**. Hostile à toute idée de libertinage, André Breton fait des rencontres « bouleversantes » : Nadja (*Nadja*), Jacqueline Lamba qui lui inspire *L'Amour fou*, Élisa (*Arcane 17*). Placée sous le signe de la fée Mélusine par ses dons de voyance, la femme-enfant « dissipe autour d'elle les systèmes les mieux organisés parce que rien n'a pu faire qu'elle y soit assujettie ou comprise » (*Arcane 17*). Elle est la médiatrice qui, par l'extase amoureuse, initie le poète à cet état de sur-conscience caractérisant l'accès au surréel, dans une plénitude que seul l'amour peut donner.

• Vers le surréel

« Le merveilleux est toujours beau, n'importe quel merveilleux est beau, il n'y a même que le merveilleux qui soit beau. » (*Manifeste du surréalisme*)

« La beauté sera convulsive ou ne sera pas. » (*Nadja*)

« Tout porte à croire qu'il existe un certain point de l'esprit d'où la vie et la mort, le réel et l'imaginaire, le passé et le futur, le communicable et l'incommunicable, le haut et le bas cessent d'être perçus contradictoirement. » (*Second Manifeste*)

REPÈRES BIOGRAPHIQUES

➜ Étudiant en médecine au moment où éclate la Grande Guerre, André Breton est affecté au service de neuropsychiatrie de l'armée où il met en pratique les toutes nouvelles techniques de la psychanalyse freudienne. En 1915, il fait la connaissance d'Apollinaire[*] et, en 1917, celle d'un autre étudiant en médecine, Louis Aragon[*]. En 1919, il fonde avec Aragon et Soupault[*] la revue *Littérature*, et publie en 1920 le premier texte surréaliste, *Les Champs magnétiques* (qu'il signe avec Soupault). Amateur d'art, il commence une carrière de collectionneur dont il tirera l'essentiel de ses revenus.

➜ Séduit dans un premier temps par Tristan Tzara[*] et le mouvement Dada[*], Breton prend ses distances dès 1921, lassé par les bouffonneries dans lesquelles se complaisent les dadaïstes. Désormais, Breton va apparaître comme la figure de proue du mouvement surréaliste : en 1924, il publie le *Manifeste du surréalisme* puis, en 1930, le *Second Manifeste*. C'est lui qui, passagèrement, oriente le surréalisme[*] vers l'engagement politique, en adhérant en 1927 au Parti communiste. Son intransigeance vis-à-vis de ses compagnons – il prononce des exclusions à l'égard de Leiris[*] et de Desnos[*], puis plus tard d'Aragon – entraîne des crises profondes dans le mouvement.

➜ Inquiété en 1940 par le régime de Vichy, Breton s'exile aux États-Unis. À son retour, de plus en plus fasciné par l'occultisme[*] et l'alchimie, il s'efforcera de maintenir en vie le mouvement surréaliste mais sans pouvoir lui rendre son éclat d'avant-guerre.

➜ **analogie, Aragon, cadavres exquis, dadaïsme, écriture automatique, occultisme, Soupault, surréalisme**

burlesque

n. m. De l'italien *burlesco,* de *burla,*
«plaisanterie». Procédé et genre littéraire
lié au mouvement baroque* et introduit
en France par Scarron* au xviie siècle,
consistant à traiter un sujet ou à faire parler
des personnages sérieux, héroïques ou
tragiques, avec un style bas ou vulgaire. Le
burlesque est **proche de l'héroï-comique***,
genre qui, à l'inverse, donne à des
personnages de basse condition (bourgeois,
petit peuple) des idées et un style nobles.
Les deux notions sont souvent confondues.

Caractéristiques du burlesque
Le burlesque apparaît en **réaction à la préciosité*** dont il est le contemporain. Touchant
tous les genres (roman, théâtre, poésie), il
constitue la **veine réaliste du courant baroque** et s'oppose à l'idéalisme précieux. Le
comique du burlesque repose sur le contraste
entre la noblesse du sujet ou des personnages
et la trivialité du style. C'est un jeu savant qui
trouve à s'épanouir dans la **réécriture parodique** des œuvres célèbres de l'Antiquité, où
les héros et les dieux se mettent à parler et à
agir comme des « harengères et des crocheteurs » (Boileau*).

Dérision, mélange des tons, descriptions pittoresques, vocabulaire empruntant à l'argot
comme à la rhétorique*, satire* des événements politiques du temps, l'ensemble de ces
caractéristiques se retrouve dans le *Virgile travesti* (1648-1652) de **Paul Scarron***, qui parodie l'épopée* antique de l'*Énéide,* ou dans
son *Roman comique* (1651-1657), qui raconte
l'histoire de deux jeunes gens de bonne famille qui s'enrôlent dans une troupe d'acteurs
ambulants et partagent leur vie prosaïque et
fantasque.

Cyrano de Bergerac*, quant à lui, exploite
la cocasserie du burlesque mais l'utilise aussi
pour exprimer sa conception matérialiste de
l'univers (*Histoire comique des États et Empires
de la Lune et du Soleil,* posth. 1657 et 1662).

Postérité du burlesque
Après une éclipse due au triomphe du classicisme*, le burlesque réapparaît dans les *Contes*
de **Voltaire*** qui y puise les procédés de l'ironie* et de la satire, puis chez les **romantiques**
et chez certains **auteurs modernes**, qui apprécient dans ce genre, comme dans le grotesque*,

la prise en compte des contradictions de l'âme
humaine.

→ caricature, comique, Cyrano de Bergerac,
fabliau, grotesque, héros, parodie, satire,
Scarron

Butor
(Michel), né en 1926

ŒUVRES PRINCIPALES
- **Romans:** *Passage de Milan* (1954),
L'Emploi du temps (1956), *La Modification*
(prix Renaudot 1957).
- **Poésie:** *Travaux d'approche* (1972).
- **Essais:** *Essais sur les modernes* (1960-
1964), *Improvisations sur Balzac* (1998),
Neuf leçons de littérature (2007).
- **Textes expérimentaux:** *Génie du lieu*
(1958-1996), *Mobile* (1962), *6 810 000 litres
d'eau par seconde* (1965), *Illustrations,
II, III, IV* (1969-1975), *Boomerang* (1978),
Vanité (1980).

Une brève carrière de romancier
Michel Butor s'est d'abord fait connaître
comme romancier en publiant aux Éditions
de Minuit des romans qui explorent les **jeux de
l'espace et du temps.** Rebelles à la linéarité du
roman traditionnel et aux codes de l'écriture
réaliste, ils ont valu à leur auteur d'être rattaché
à l'école du Nouveau Roman*.

L'Emploi du temps égare le lecteur dans une
ville-labyrinthe, à travers un récit où la chronologie se diffracte en plans variables. Dans
La Modification, roman écrit à la deuxième
personne du pluriel et qui s'adresse au lecteur,
le trajet linéaire Paris-Rome se conjugue avec
d'incessants retours en arrière ou des anticipations qui doublent la géographie réelle d'une
géographie mentale et ajoutent au temps des
horloges l'épaisseur de la durée psychique.
Malgré ces deux réussites remarquables, qui
lui ont valu d'être considéré comme une figure
de proue du Nouveau Roman, Michel Butor
abandonne l'écriture romanesque après *Degrés*
(1960).

Une écriture poétique expérimentale
La liberté totale que Michel Butor s'octroie à
partir de 1960, lui permet de poursuivre son
exploration par la mise en œuvre d'une **poétique fondée sur de multiples principes
combinatoires:** citations détournées, discours
discontinu, variations sur un motif, récurrence

des images, jeu avec le signifiant* qui génère des signifiés* en cascade. Il met concrètement en scène le « génie du lieu » grâce à ces fabuleux kaléidoscopes que sont, par exemple, *Mobile* et *Boomerang*.

Remarquable **inventeur de formes**, Michel Butor aura contribué à renouveler profondément les procédés littéraires. Usant de toutes les ressources de la typographie, du collage ou du mixage, il a produit une œuvre apparemment hétéroclite et cependant unifiée en profondeur par l'ambition démesurée d'enfermer le monde moderne dans ses livres, malgré son hétérogénéité et la diversité de ses codes. Fasciné par les arts, il a collaboré avec de nombreux plasticiens pour produire près de 1 500 livres d'artistes, où son écriture joue en toute liberté avec le dessin ou la peinture.

CITATION

« Ainsi, chaque jour, éveillant de nouveaux jours harmoniques, transforme l'apparence du passé, et cette accession de certaines régions à la lumière généralement s'accompagne de l'obscurcissement d'autres jadis éclairées qui deviennent étrangères et muettes jusqu'à ce que, le temps ayant passé, d'autres échos viennent les réveiller. » (*L'Emploi du temps*)

REPÈRES BIOGRAPHIQUES

➜ Né en 1926 à Mons-en-Barœul, Michel Butor vit d'abord à Paris, où il est l'élève de Gaston Bachelard à la Sorbonne. Devenu professeur de lettres, il commence une carrière internationale qui lui permet d'assouvir ses deux passions : écrire et voyager. Romancier, il accède à la notoriété avec *L'Emploi du temps* et surtout avec *La Modification*, prix Renaudot 1957. On associe alors son œuvre au Nouveau Roman.

➜ Mais, échappant à toute école et délaissant le roman, Butor explore depuis 1960 les voies d'une écriture expérimentale et produit des œuvres inclassables où son inspiration, nourrie de son expérience de voyageur et de son inlassable curiosité, se coule en des formes inédites, dans un foisonnement exceptionnel. De *Mobile* à *Boomerang*, il multiplie les expériences, menant parallèlement une activité d'essayiste avec la série des *Répertoires* et la publication de nombreux entretiens.

➜ Il a reçu le prix Mallarmé en 2006 et le Grand Prix des poètes en 2007.

➔ **Nouveau Roman**

cadavre exquis

n. m. Jeu verbal pratiqué par les surréalistes ;
l'expression même reproduit les deux
premiers mots obtenus lors de la première
expérience de ce genre : « Le *cadavre
exquis* boira le vin nouveau ». Jeu poétique
consistant à composer collectivement une
phrase dont la structure syntaxique a été
préalablement fixée.

Les « règles » du jeu

Le jeu du cadavre exquis était **déjà pratiqué**,
sous le nom de « jeu des petits papiers », **par
les précieuses au XVIIᵉ siècle**. Les poètes surréalistes se l'approprient à partir de 1925. Le
premier joueur écrit le premier élément d'une
phrase sur une feuille qu'il plie et passe au
joueur suivant. Lequel propose le deuxième
élément (sans connaître, bien sûr, le premier).
Il plie alors la feuille, qui tourne de joueur en
joueur jusqu'à ce que la phrase soit complète.
Le dernier joueur déplie la feuille, procède à
« la toilette du mort » (règle les accords grammaticaux) et lit la phrase à haute voix. Cette
technique peut également être utilisée pour
réaliser un dessin. **Grammaticale sur le plan
syntaxique**, la phrase obtenue réserve des **surprises sur le plan sémantique**.

Un jeu très sérieux

Le but poursuivi par les surréalistes était, d'une
part, de soustraire le texte produit aux investis-
sements subjectifs individuels et, d'autre part,
de faire échec à la logique rationnelle pour obtenir, par la surprise, l'**irruption d'une réalité inconsciente** qui, sans cette provocation,
n'aurait pu se faire jour. Ce jeu permet en effet

de transgresser le principe de réalité au profit
du principe de plaisir, de libérer l'esprit de la
tyrannie du bon sens et des normes morales ou
sociales : le **hasard** établit des **liens inédits** et la
puissance métaphorique du langage ouvre au
désir et à l'imaginaire des horizons insoupçon-
nés. L'influence de la psychanalyse est manifeste : le jeu de mots, comme le lapsus, permet
l'affleurement des fantasmes et libère le refoulé.

→ **préciosité, surréalisme**

calembour

n. m. Peut-être du flamand *kaller*, « parler »
et *bourder*, « dire des blagues » (selon
une conjecture de Pierre Guiraud).
Jeu de mots à intention plaisante reposant
sur une équivoque entre des termes
qui se ressemblent par le son et diffèrent
par le sens.

Une équivoque phonétique

Pierre Guiraud (*Les Jeux de mots*) distingue
le **calembour polysémique** et le **calembour
phonique**. Le premier joue sur la polysémie*
des mots, en particulier sur les distinctions
entre sens propre et sens figuré*, sens concret
et sens abstrait : « Le cœur a ses raisons que
la raison ne connaît pas » (Pascal*). Souvent,
il suffit de prendre une expression au pied
de la lettre pour faire un calembour : « Tu es
Pierre, et sur cette pierre je bâtirai mon Église »
(Évangiles). La plupart du temps, c'est l'homonymie qui permet le calembour : « Entre deux
mots, il faut choisir le moindre » (Valéry*).
Poussé à l'extrême, ce jeu donne les vers holo-

rimes (qui riment entièrement) : « Ô fragiles Hébreux ! Allez, Rébecca tombe/ Offre à Gilles zèbre, œufs ; à l'Erèbe, hécatombe » (Hugo*).

Fortune du calembour

Le mot date du xviiie siècle, mais le genre remonte à la plus haute antiquité. On trouve des calembours chez les auteurs anciens (Homère, Cicéron…) et ils firent rage en France au siècle des Lumières*. Voltaire*, quant à lui, les maudissait. En effet, le calembour peut produire les effets les plus subtils ou tomber dans la plus plate facilité. D'où la méfiance qu'il suscite souvent : « Le calembour est la fiente de l'esprit qui vole », disait Victor Hugo*.

→ cliché, Oulipo, rime

calligramme

n. m. Du grec *kallos*, « beau » et *gramma*, « écriture ». Mot inventé par Guillaume Apollinaire* pour désigner des poèmes dont le texte est disposé en forme de dessin.

Spécificité du calligramme

Des expériences similaires de **mise en dessin du texte** avaient déjà été faites par les Grands Rhétoriqueurs* au Moyen Âge, puis au xvie siècle, par Rabelais* qui, à la fin du *Cinquième Livre*, décrit la « Dive Bouteille » en un texte qui a lui-même la forme d'une bouteille.

Le *Coup de dés* de Mallarmé* a plus directement inspiré Apollinaire, pour qui le calligramme doit naître d'un **double mouvement créateur qui produit simultanément le texte et l'image**, libérant ainsi un véritable « lyrisme visuel ». On ne confondra donc pas le calligramme avec le poème-affiche qui nécessite la collaboration de deux créateurs : un poète et un peintre, ou encore avec la mise en espace typographique d'un texte écrit au préalable dans une présentation conventionnelle. Apollinaire a pris aussi ses distances vis-à-vis de la technique des « mots en liberté » de Marinetti et des futuristes, technique purement descriptive et selon lui antilyrique (technique dont on trouvera un prolongement dans la mise en page éclatée des poèmes dadaïstes).

Des « idéogrammes lyriques »

Les *Calligrammes* d'Apollinaire, dont les plus célèbres sont « La colombe poignardée » et « Le jet d'eau », ont été publiés en 1918. En redoublant le message textuel par le message figuratif, Apollinaire vise à **combler l'écart entre le langage et les choses qu'il évoque**, dans une démarche créatrice qui, par un usage neuf des mots, restitue sa virginité au regard du poète sur le monde. Le calligramme n'est donc pas un simple procédé formel par lequel le dessin viendrait illustrer, artificiellement et inutilement, le contenu. La pratique du calligramme cherche, en réalité, à ouvrir une **voie nouvelle** vers la connaissance poétique du monde.

L'écueil du genre – on s'en aperçoit chez des imitateurs d'Apollinaire comme Louise de Vilmorin ou Pierre-Albert Birot – est précisément une pratique purement décorative et ornementale : le texte risque de s'épuiser à vouloir reproduire la forme dans une vaine course poursuite, alors qu'Apollinaire transforme sa page en un espace cosmique où se nouent des rapports inédits. La poésie spatialiste et visuelle (dont l'un des représentants est Pierre Garnier) constitue sans doute l'une des plus intéressantes continuations de la tentative d'Apollinaire.

On peut voir dans le calligramme une **résurgence de l'antique ambition des poètes d'égaler les peintres** (*Ut pictura poiesis* : « La poésie est comme la peinture », disait le poète latin Horace). « Et moi aussi je suis peintre », s'écrie Apollinaire qui avait d'abord appelé ses calligrammes « idéogrammes lyriques coloriés ». Le poème perd alors sa traditionnelle dimension orale au profit d'une ambition picturale. En fait, Apollinaire cherchait à « consommer la synthèse des arts de la musique, de la peinture et de la littérature » dans une perspective **simultanéiste**.

→ Apollinaire, Dada, Mallarmé

Camus
Albert (1913-1960)

ŒUVRES PRINCIPALES
- **Romans et récits :** *L'Étranger* (1942), *La Peste* (1947), *La Chute* (1956), *Le Premier Homme* (posth., 1994).
- **Essais :** *L'Envers et l'Endroit* (1937), *Noces* (1939), *Le Mythe de Sisyphe* (1942), *L'Homme révolté* (1951).
- **Nouvelles :** *L'Exil et le Royaume* (1957).
- **Théâtre :** *Caligula* (1944), *Le Malentendu* (1944), *Les Justes* (1949).

Philosophie et littérature

L'œuvre de Camus est **variée** : composée de romans*, de nouvelles*, de pièces de théâtre et d'essais*, elle s'alimente à divers genres tout en développant un propos philosophique de manière assez linéaire. Sur les **rapports entre littérature et philosophie, Sartre***, contemporain et contradicteur de Camus, déclarait en 1970 : « J'aurais rêvé de n'exprimer mes idées que sous une forme belle – je veux dire dans l'œuvre d'art, roman ou nouvelle. Mais je me suis aperçu que c'était impossible. Il y a des choses trop techniques, qui exigent un vocabulaire purement philosophique. » **Camus**, au contraire, **insiste** dans *Le Mythe de Sisyphe* sur « **l'arbitraire de l'ancienne opposition entre art et philosophie** ». Pour lui, on philosophe pleinement dans l'art. Il précise que « l'œuvre d'art naît du renoncement de l'intelligence à raisonner le concret » : « Elle marque le triomphe du charnel. C'est la pensée lucide qui la provoque, mais dans cet acte même elle se renonce. [...] L'œuvre d'art incarne un drame de l'intelligence ; mais elle n'en fait la preuve qu'indirectement. » Camus souligne par là que l'œuvre d'art ne doit pas être une œuvre à thèse : elle ne doit pas être du côté de l'« explication » mais de l'« expérience » ; elle n'est pas faite de « raisonnements » mais d'« images ». Elle est est le lieu où « la pensée abstraite rejoint enfin son support de chair ».

L'absurde

Les œuvres de Camus écrites vers 1942 composent un **cycle de l'absurde**. Le mot n'est pas péjoratif : dans *Le Mythe de Sisyphe*, l'écrivain parle d'« œuvre absurde » pour désigner l'œuvre d'art qui sait **réfléchir à la condition de l'homme en renonçant aux « prestiges » de la pensée**. C'est peut-être dans ses écrits de jeunesse (1936-1937) que l'on trouvera la définition la plus claire de l'absurde : « Ici même, je sais que jamais je ne m'approcherai assez du monde », écrit-il en décrivant les environs d'Alger (« Noces à Tipasa », *Noces*). « Tout ici respire l'horreur de mourir dans un pays qui invite à la vie », ajoute-t-il dans « L'Été à Alger » (*Noces*) : « Ce qui me nie dans cette vie, c'est d'abord ce qui me tue. Tout ce qui exalte la vie, accroît en même temps son absurdité. » On comprend mieux l'oxymore* final de *L'Étranger*, lorsque Meursault, qui va mourir, s'ouvre du fond de son cachot « à la tendre indifférence du monde ». On comprend mieux aussi les passages sur le plaisir des bains de mer avec Marie à Alger, ou bien les moments où le Meursault de *L'Étranger*, tout

comme le tyran de *Caligula*, médite sur le soir, ressenti « comme une trêve mélancolique » et comme l'une des seules « vérités » connues. Le monde apparaît alors, au seuil de la mort, dans sa beauté sensible. Or il n'existe pas d'autre monde. Le seul bonheur accessible à l'homme est de communier avec cette terre.

La mort et le « silence du monde » confrontent l'homme à l'**absurdité de sa condition**. Mais si l'homme n'accède pas à la **conscience de l'absurde**, il ne pourra le surmonter ; il sera tel « un homme [*qui*] parle au téléphone, derrière une cloison vitrée ; on ne l'entend pas, mais on voit sa mimique sans portée : on se demande pourquoi il vit » (*Le Mythe de Sisyphe*). Si la narration de *L'Étranger*, jusqu'alors impersonnelle bien qu'il s'agisse d'un roman en *je*, devient lyrique dans les dernières pages, c'est parce que Meursault touche à cette conscience de l'absurde. Quant à l'empereur Caligula, sa cruauté n'est que la manifestation noire d'une aspiration à l'absolu ; par sa tyrannie, il n'exprime pas seulement l'absurdité de sa condition, il révèle aussi la lâcheté et l'enfermement des autres.

La révolte

Le cycle de l'absurde laisse place, après la guerre, à une **réflexion sur l'engagement**. À travers les personnages de *La Peste* se poursuit la recherche, initiée dans *L'Étranger*, d'une morale. Celle-ci prend comme valeur fondamentale le **sentiment chez l'homme de sa propre humanité et de la nécessité de la lutte**. Les personnages du roman répondent à ce sentiment de diverses manières. Le docteur Rieux, représentant pudique de l'auteur, est le narrateur oblique de la mise en quarantaine d'Oran, ville atteinte par une peste bubonique qui est aussi bien morale. Rieux veut être un homme en combattant la maladie des autres. Le personnage de Tarrou, moins ambitieux, veut être un « saint sans Dieu » (IVᵉ partie) et il se voue aussi à l'action. Mais c'est le modeste Grand qui sera peut-être ce saint. Enfin, le Père Paneloux accède à un doute que n'avait pas l'aumônier de *L'Étranger* : il doit concilier le spectacle des souffrances qu'il tente de soulager, et sa confiance en la bonté de Dieu.

La Peste est ainsi la chronique minutieuse des réactions de plusieurs hommes à l'enfermement et à la proximité de la mort. C'est la retranscription de leurs dépositions et de leurs confidences, c'est l'examen moral de la fraternisation de ces « concitoyens ». Les personnages agissent, mus par un même humanisme. C'est **le sentiment de leur humanité**

commune et irréductible qui **permet la révolte**, comme le formule Camus dans *L'Homme révolté*. « Je me révolte, donc nous sommes », écrit-il, en expliquant : « L'analyse de la révolte conduit au moins au soupçon qu'il y a une nature humaine, comme le pensaient les Grecs, et contrairement aux postulats de la pensée contemporaine. Pourquoi se révolter s'il n'y a, en soi, rien de permanent à préserver ? » C'est **contre l'existentialisme** de Sartre[*] que Camus déploie cette proposition, c'est-à-dire contre les philosophies qui définissent l'engagement comme construction de soi dans la seule action.

Le doute

Dans *La Chute*, toutefois, le personnage de Clamence, « juge-pénitent », **déjoue les certitudes sur la nature humaine ainsi que la bonne conscience** qui risque de les accompagner. Clamence, dont le propos est une longue adresse à un allocutaire qui tient la place du lecteur, est un personnage à travers lequel Camus refuse l'habit de grand incorruptible dont on a voulu l'affubler. Clamence s'oblige à considérer la déchéance de l'humanité : « J'habite sur les lieux d'un des plus grands crimes de l'histoire », dit-il en évoquant le massacre des Juifs d'Amsterdam : « Je peux lutter ainsi contre cette pente de nature qui me porte irrésistiblement à la sympathie. » Avec ce personnage, qui manie l'humour[*] et l'ironie[*], **Camus** échappe à toute complaisance idéaliste et **donne à son humanisme une dimension critique**.

Absurde, révolte, puis refus de la bonne conscience : la philosophie de Camus semble donc se déployer de manière linéaire et dialectique. Mais il faut se garder de la simplifier.

• Sur la condition absurde de l'homme

« Un seul thème […], celui de l'exil, y [dans ce recueil] est traité de six façons différentes, depuis le monologue intérieur jusqu'au récit réaliste. […] Quant au royaume dont il est question aussi, dans le titre, il coïncide avec une certaine vie libre et nue que nous avons à retrouver, pour renaître enfin. L'exil, à sa manière, nous en montre les chemins, à la seule condition que nous sachions y refuser en même temps la servitude et la possession. » (prière d'insérer [1957] de *L'Exil et le Royaume*).

• L'humanisme camusien

« Si l'individu, en effet, accepte de mourir, et meurt à l'occasion, dans le mouvement de sa révolte, il montre par là qu'il se sacrifie au bénéfice d'un bien dont il estime qu'il déborde sa propre destinée. […] Il agit donc au nom d'une valeur, encore confuse, mais dont il a le sentiment, au moins, qu'elle lui est commune avec tous les hommes. […] Mais il importe de remarquer déjà que cette valeur qui préexiste à toute action contredit les philosophies purement historiques, dans lesquelles la valeur est conquise (si elle se conquiert) au bout de l'action. » (*L'Homme révolté*)

REPÈRES BIOGRAPHIQUES

→ Né en Algérie dans une famille modeste, Albert Camus, après la mort de son père en 1914, passe toute son enfance avec sa mère – cette femme « qui se taisait toujours » – dans un quartier populaire d'Alger, « à mi-distance de la misère et du soleil ». Il suit des études de philosophie tout en pratiquant passionnément le théâtre. Atteint de tuberculose, il ne peut se présenter à l'agrégation, mais la publication de *L'Envers et l'Endroit* et la préparation d'un roman, *La Mort heureuse* – qui ne sera pas publié – marquent son entrée en littérature.

→ Journaliste pour l'*Alger républicain* à partir de 1938, il part pour Paris en 1940. Là, il travaille à *Paris Soir* et achève *L'Étranger*[*], publié en 1942 avec *Le Mythe de Sisyphe*. Ses pièces *Le Malentendu* et *Caligula*, qui explorent comme les deux ouvrages précédents le thème de l'absurde[*], sont créées respectivement en 1944 et en 1945. À partir de 1942, Camus participe à la Résistance et publie des articles dans le journal clandestin *Combat*, dont il prend la direction après la libération de Paris en août 1944.

→ Les œuvres d'après-guerre, parmi lesquelles *La Peste* et *L'Homme révolté*, attachent le nom de Camus à la réflexion sur l'engagement[*], dans laquelle il s'oppose à Sartre[*] et à l'existentialisme[*], car la révolte qu'il prône marque un refus de l'Histoire comme fatalité et se fonde sur la foi en la nature humaine. En 1956, *La Chute* remet en question cette morale. L'année suivante, Camus reçoit le prix Nobel. Il meurt trois ans après dans un accident de voiture.

→ **absurde, engagement, *Étranger* (L'), existentialisme, Sartre**

C

Candide ou l'Optimisme,

Voltaire, 1759

RÉSUMÉ
Jeune et naïf, bâtard d'un gentilhomme, et admirateur des théories de l'optimiste Pangloss pour qui «tout est au mieux», Candide grandit heureux dans le château westphalien du baron Thunder-ten-Tronckh jusqu'au moment où, en raison de son amour pour Cunégonde, la fille du baron, il est chassé de son paradis. Désormais plongé dans les horreurs du monde (guerre, cataclysmes, esclavage, intolérance), Candide découvre, en Europe comme en Amérique, que la réalité contredit les enseignements optimistes de son maître, mais aussi les thèses trop pessimistes de son ami Martin. Désenchanté mais toujours attaché à la vie et aux valeurs morales, il bâtit en Propontide, avec Cunégonde et quelques amis, une petite société fondée sur l'égalité et le travail : il cultive son jardin, et abandonne toute discussion sur la métaphysique.

Candide dans l'œuvre de Voltaire

La publication de *Candide* correspond à la pleine maturité psychologique et littéraire de Voltaire (il a plus de soixante ans) mais aussi à une période de désillusion – remise en cause de son optimisme philosophique après l'échec de son séjour auprès du roi de Prusse, séisme de Lisbonne en 1755, déclenchement de la guerre de Sept Ans en 1756 – et d'intense débat public (bataille autour de l'*Encyclopédie*). L'émotion, l'ardeur combative de Voltaire s'allient, dans ce conte, au **déploiement inégalé de toutes les ressources de l'ironie***.

Candide, porte-parole de Voltaire

Chef-d'œuvre du **conte philosophique**, *Candide* emprunte à toutes les traditions du conte, du roman et du théâtre – paillardise issue des fabliaux* du Moyen Âge, utopie* pour l'El-doraldo, picaresque* pour les personnages de la Vieille et de Cacambo, amours romanesques et récits dans le récit des œuvres baroques, roman d'apprentissage*... –, pour mettre en scène les idées philosophiques chères à Voltaire : **refus de la métaphysique**, notamment de la notion de Providence, et de l'optimisme de Leibniz ; **critique religieuse, sociale, politique, satire de la guerre et condamnation de l'esclavage**.

Sa réussite tient à la variété des tons, à la rapidité du rythme, à une construction narrative complexe, et surtout à l'omniprésence de l'**ironie et de la parodie***.

Une sagesse positive

Candide offre aussi une morale désenchantée mais pleine de pragmatisme : face à la domination du mal et à l'impossibilité de percer les secrets du monde, Voltaire propose un art de vivre et une sagesse reposant sur des valeurs universelles : l'amitié, le travail, les plaisirs simples, symbolisés par la célèbre phrase finale : « Il faut cultiver notre jardin. »

→ *Bildungsroman*, **burlesque, conte philosophique, ironie, parodie, Voltaire**

caricature

n. f. De l'italien *caricatura*, d'après *caricare*, «charger». Présentation défavorable d'une personne, d'un objet ou d'une idée, par le recours à l'exagération et à la déformation.

L'exagération

On caricature une idée ou un personnage en leur ôtant toute nuance, en **outrant** leurs traits dominants. Dans le portrait*, on tentera de **distinguer la caricature du type ou du caractère** : les portraits de La Bruyère* ont moins pour objectif de caricaturer – ce qui pourrait nuire à l'intention morale de l'ouvrage – que de définir des types par accumulation de traits. De même, un personnage comme le misanthrope Alceste* n'est pas outré comme Harpagon, ce qui permet d'opposer le comique farcesque de la caricature au comique affiné du caractère. On verra toutefois apparaître chez La Bruyère des portraits caricaturaux, comme celui du riche Giton et du pauvre Phédon, l'une des marques de la caricature étant l'**hyperbole*** : « [*Giton*] déploie un ample mouchoir et se mouche avec grand bruit ; il crache fort loin, et il éternue fort haut. » (*Les Caractères*, VI, 83.)

Révélation et dénonciation

On distinguera toute la variété des notations péjoratives requises par la caricature en parcourant les propos tenus par Vautrin à Rastignac* dans *Le Père Goriot* de Balzac*. Il s'agit cette fois de la **caricature d'une idée**, celle de la vertueuse vie de labeur : « Admettons que vous soyez sage, que vous *buviez du lait* et que vous *fassiez des élégies* ; il faudra, généreux comme vous l'êtes, commencer, après bien des ennuis et des privations *à rendre un chien enragé*, par devenir le substitut de *quelque drôle*, dans un *trou* de ville où le gouvernement vous *jettera* mille francs d'appointements. »

Métaphores[*] réductrices, syntagmes qualifiants, adjectifs indéfinis, dénominations familières, tout concourt à donner une vision insupportable de la vie laborieuse et l'accumulation même de ces procédés permet d'étendre la couleur péjorative et l'effet de caricature à d'autres termes : on comprend, par exemple, que la somme de mille francs est exagérément réduite.

Mais la caricature n'est pas sans vertu et **peut révéler le vrai** – Rastignac sera frappé de la justesse du tableau de Vautrin. Cet exemple montre assez qu'elle a une **valeur argumentative**. Son équivalent dessiné, qui se développe au XIXe siècle (Gavarni, Daumier…), a d'ailleurs une fonction polémique[*] voire politique. Comme le dessin, la caricature écrite peut être un véritable argument *ad hominem*, ou bien la dénonciation des limites et des ridicules d'une pensée ou d'un idéal.

→ description, hyperbole, La Bruyère, parodie, portrait, satire, Scarron

Carmen

Cette figure féminine devenue mythique a été créée en 1845 par Prosper Mérimée[*] dans la nouvelle du même nom, à partir d'anecdotes qui lui avaient été racontées, de personnages réels rencontrés durant ses voyages en Espagne, et de son intérêt pour les Bohémiens. Carmen, la Bohémienne insolente, sensuelle et mystérieuse, séduit un brigadier sans histoire, Don José, lequel, par amour, supportera ses brimades, ses infidélités, deviendra un brigand célèbre, et finira par la tuer.

Réalisme[*] et ethnologie
Mérimée raconte une histoire d'amour, passionnée certes, mais ancrée dans une réalité historique, géographique et sociologique précise. Carmen incarne les Gitans, et plus précisément ceux d'Espagne. Mérimée joue de façon novatrice sur **plusieurs regards** : celui du **narrateur-voyageur**, qui observe avec curiosité les mentalités, les passions caractéristiques de ce pays et des Bohémiens ; celui de l'**amoureux**, que Carmen transporte dans un univers de sensualité, de violence et d'anticonformisme ; celui de l'**écrivain** « **ethnologue** »

qui, à la fin de la nouvelle, explique l'action par des considérations sur la langue et la culture des Bohémiens.

Une figure mythique : la femme fatale
Le succès du personnage de Carmen tient certes au pittoresque espagnol, mais surtout à ce qu'elle **symbolise** : une femme d'une « beauté étrange et sauvage », à la fois maléfique et envoûtante, rejetée par la société mais toute-puissante sur l'âme masculine, qu'elle entraîne dans la déchéance et dans la mort.

La fascination pour cette figure transparait dans les **multiples adaptations** de son histoire en littérature (Théophile Gautier[*] en fait une allégorie[*] de l'amour dans un poème d'*Émaux et Camées*), à l'opéra[*] (*Carmen*, de Georges Bizet, en 1875), au cinéma (*Carmen* d'Ernst Lubitsch en 1918, de Jacques Feyder en 1926, de Carlos Saura en 1983, de Francesco Rosi en 1984, et *Carmen Jones* d'Otto Preminger en 1954, qui transpose l'action dans le sud des États-Unis avec une Carmen noire et non plus gitane).

→ couleur locale, exotisme, livret d'opéra, Mérimée, point de vue, réalisme

catharsis

n. f. Du grec *katharsis*, signifiant « purgation » ou « purification » des passions.

De l'Antiquité au XVIIIe siècle
La catharsis est une notion complexe qui a fait l'objet de nombreuses interprétations depuis la Renaissance.

Elle est héritée d'Aristote qui l'utilise à propos de la tragédie[*] dans la *Poétique* (chap. 6) et à propos de la musique dans la *Politique* (chap. 8). Aristote définit la tragédie comme « une imitation […] qui, par l'entremise de la pitié et de la crainte, accomplit la purgation (*catharsis*) des émotions de ce genre ». La difficulté que pose cette définition est évidemment de comprendre en quoi consiste cette « purgation » de la crainte et de la pitié, en somme d'interpréter la métaphore médicale.

De la Renaissance jusqu'à Lessing, au XVIIIe siècle, a prévalu une **interprétation morale de la catharsis** : la représentation des malheurs que provoquent les excès des passions aurait comme effet de « tempérer » ces passions chez le spectateur en suscitant chez lui crainte et pitié pour les héros. L'effet ca-

thartique – disons dissuasif – de la tragédie constitue, à ce titre, un argument pour ceux qui voient dans le théâtre une école de vertu.

Les interprétations contemporaines
Les commentateurs contemporains optent, eux, pour une **interprétation esthétique** de la notion de catharsis : l'effet cathartique de la tragédie consiste à « épurer » les émotions pénibles que sont la crainte et la pitié en les transformant en émotions agréables. En ce sens, la catharsis – effet hédoniste – est insé-

parable du plaisir que procure, selon Aristote, toute mimésis (« imitation* »).

Enfin, en **psychanalyse**, la notion de catharsis renoue, en quelque sorte, avec son sens médical originel : elle y désigne l'apaisement que provoque la libération d'affects refoulés.

→ **tragédie**

Cazotte
(Jacques), 1719-1792

ŒUVRES PRINCIPALES
● **Contes et récits**: *La Patte du chat* (1741), *Les Mille et Une Fadaises* (1742), *Le Diable amoureux* (1772), *Suite des Mille et Une Nuits* (1788-1789).

Un mystique, ennemi des philosophes

Par son évolution vers le mysticisme, Cazotte prend le **contre-pied du rationalisme*** des **Lumières***. Pour lui, les philosophes et la Révolution qu'ils ont préparée représentent les forces du mal en ce qu'ils veulent détruire l'ordre monarchique et religieux. Écrivain visionnaire, il croit reconnaître dans l'Histoire l'affrontement de Satan et du Christ et dans les Écritures saintes le « seul contrepoison de toutes les rêveries philosophiques ». C'est encore le pouvoir du Malin qu'il met en scène dans sa nouvelle, *Le Diable amoureux*.

Un récit d'inspiration fantastique

Dans ce récit, le diable se manifeste au héros, Don Alvare, un jeune seigneur espagnol, sous la figure d'une jeune femme séduisante, Biondetta. Les **ambiguïtés** caractéristiques **du fantastique** sont omniprésentes : le décor réel de l'action, qui se déplace d'Italie en Espagne, prend soudain des apparences surnaturelles (comme dans les ruines d'Herculanum où une tête de chameau apparaît au héros) ; le sexe de Biondetta qui se présente d'abord comme un jeune page est également mystérieux ; le héros (et le lecteur) se demande (nt) enfin si toute l'aventure a été rêvée ou vécue.

Les thèmes mêlés de l'amour et de la mort ne sont pas sans rapport avec l'univers du **roman noir anglais**. L'atmosphère magique relève du goût de l'écrivain pour l'**occultisme*** et annonce le fantastique* d'E. T. A. Hoffmann et d'Edgar Poe. Toutes caractéristiques qui séduiront Nerval*, Nodier*, Gautier* et Baudelaire*.

CITATION
> « Laisse couler dans tes veines un peu de cette flamme délicieuse par qui les miennes sont embrasées ; adoucis, si tu le peux, le son de cette voix si propre à inspirer l'amour [...] : dis-moi, enfin, s'il t'est possible, mais aussi tendrement que je l'éprouve pour toi : "Mon cher Bélzébuth, je t'adore..." » (*Le Diable amoureux*)

REPÈRES BIOGRAPHIQUES

➜ Né à Dijon, élève des jésuites, Cazotte manifeste dans ses premiers contes, *Les Mille et Une Fadaises*, sur un mode satirique sa distance à l'égard des philosophes des Lumières (1741). Rentré en métropole après un séjour comme administrateur à la Martinique, il est initié au « martinisme » (une forme d'illuminisme* fondé par Martinès de Pasqually). Il est guillotiné comme contre-révolutionnaire en 1792.

➜ Son œuvre majeure, *Le Diable amoureux*, est considérée comme un des premiers textes de la littérature fantastique*.

➜ **fantastique, illuminisme, occultisme**

Céline
(Louis-Ferdinand), 1894-1961

ŒUVRES PRINCIPALES
● **Théâtre**: *L'Église* (1926, créée en 1933).
● **Romans**: *Voyage au bout de la nuit* (prix Renaudot 1932), *Mort à Crédit* (1936), *Guignol's Band I* (1944), *Casse-pipe* (1948), *Féerie pour une autre fois* (1952), *D'un château l'autre* (1957), *Rigodon* (posth. 1961), *Guignol's Band II: Le Pont de Londres* (posth. 1964).
● **Pamphlets**: *Mea culpa* (1936), *Bagatelles pour un massacre* (1937), *L'École des cadavres* (1938), *Les Beaux Draps* (1941).

Une autobiographie* romanesque à l'idéologie contestée

Les romans de Céline tiennent du récit autobiographique. Le prénom du héros-narrateur de plusieurs de ses romans, Ferdinand, est le second prénom de l'auteur. À partir de *Féerie*, l'évocation du contexte historique, la mention des deux noms Destouches et Céline soulignent aussi l'**identification narrateur***-**auteur**. Cependant, l'écrivain prend ses distances par rapport à ses souvenirs, transpose l'expérience vécue, invente, « noircit et se noircit ». Ses personnages vont au bout d'eux-mêmes, et les situations sont poussées à l'extrême. Il se livre à une vraie **reconstruction** romanesque, rompt la chronologie par des anticipations ou des retours en arrière.

On peut reprocher aux romans de Céline les prises de position racistes de l'homme, s'indigner des propos antisémites qui fourmillent dans les pamphlets. Toujours teintés de la volonté de provoquer, ils relèveraient d'une idéologie anarchisante.

Une nouvelle langue littéraire : le parler populaire

La grande originalité de Céline réside dans le langage : « antibourgeois » – de l'aveu même de l'auteur –, le style célinien refuse les normes de la prose écrite traditionnelle et **fait entrer en littérature** une langue qui jusqu'alors en était exclue : **le parler populaire**. Cependant, loin d'être une simple imitation du langage parlé, l'écriture célinienne est le résultat d'un **énorme travail d'élaboration**. Systématiquement, Céline gauchit les constructions syntaxiques, modifie l'ordre des mots, additionne les ellipses* et les distorsions morphologiques ou sémantiques. Néologismes, familiarités, argot, grossièretés, obscénités, côtoient archaïsmes, vocabulaire soutenu, particularismes médicaux ou philosophiques. Il emploie fréquemment les procédés de reprise et d'anticipation, et préfère l'asyndète et la juxtaposition à la subordination ou à la coordination. Il multiplie pléonasmes, redondances, interjections, interpellations, exclamations, jurons, et remplace souvent les signes usuels de ponctuation par des **points de suspension**. Ces procédés fragmentent le récit, en cassent la continuité, et confèrent au texte un **rythme syncopé** rappelant implicitement la présence du locuteur : la ponctuation mime ses inflexions de voix et ses émotions. De cette « petite musique » à l'aspect dentelé jaillit une poésie fondée sur « **l'émotion dans la langue écrite** » qui définit une nouvelle esthétique.

Une vision pessimiste du monde

La **violence et la crudité verbales** de Céline traduisent sa **révolte** contre la société, dévoilant l'absurdité et la férocité du monde. Les deux conflits mondiaux circonscrivent ses romans : le premier s'ouvre sur la guerre de 1914, le huitième et dernier s'achève sur la débâcle allemande en 1945. Seul *Mort à Crédit* se déroule avant cette période. Céline y présente au lecteur l'envers de la Belle Époque. À l'héroïsme triomphant, il substitue la peur et les atrocités de la guerre, le profit économique qu'elle représente ; à l'apologie du progrès industriel, il préfère la dénonciation du colonialisme, de l'exploitation ouvrière, de la disparition des artisans. Son héros Ferdinand est un raté et la plupart des personnages qu'il croise sont mûs par l'égoïsme et la mesquinerie. Non seulement Céline **dépeint la misère humaine**, mais il **hurle sa colère** devant un tel

spectacle. Destructions, cataclysmes, hantent son imaginaire : il croque toutes les formes de décrépitude, de désintégration, de décomposition. La mort l'obsède et peuple son œuvre : seul le contact avec elle fait qu'on se sent vivre. À ses yeux, la matière, incarnée dans la terre, symbolise la mort. Aussi, pour lutter contre elle, faut-il montrer la fange, la pourriture. Quelques éléments, cependant, contre-balancent ce sentiment tragique. Des personnages comme Molly ou Alcide (*Voyage au bout de la nuit*) « offrent assez de tendresse pour refaire un monde entier ». À l'opposé de la terre, le monde animal, la mer, l'air, représentent le mouvement et la vie. Mais surtout, Céline utilise dans son écriture tous les **ressorts du comique***. Et de la noirceur de cet univers si désespéré, le rire surgit comme une forme de dérision et de revanche sur le malheur.

CITATIONS

▪ **Sur l'importance de la mort**
« La vérité, c'est une agonie qui n'en finit pas. La vérité de ce monde c'est la mort. » (*Voyage au bout de la nuit*)
▪ **Sur la haine de la matière**
« Ils suçaient tous dans la boue, le limon, les vers, la vase... Ils avaient tout labouré, tout éventré tout autour, tout crevassé profondément. Il restait plus un brin d'herbage sur toute l'étendue des Tuileries... C'était plus qu'un énorme délire, un cratère tout dépecé sur quatre kilomètres de tour, tout grondant d'abîmes et d'ivrognes... » (*Mort à crédit*)

REPÈRES BIOGRAPHIQUES

➔ Né à Courbevoie dans une famille de la petite bourgeoisie, Louis-Ferdinand Destouches quitte l'école après le certificat d'études, occupe divers emplois, et s'engage en 1914 dans les cuirassiers. Blessé, décoré, il est affecté à Londres puis il part au Cameroun d'où il revient malade. Il fait sa médecine à Rennes et consacre sa thèse au médecin hongrois Semmelweis en 1924. Il travaille un temps pour la Société des nations et voyage beaucoup, en Europe, en Afrique, en Amérique. Il rédige ses premières pièces tout en exerçant la médecine à Clichy.
➔ Voyages, médecine et littérature occupent la décennie 1930-1940. Pour protéger sa carrière médicale, le docteur Destouches prend le pseudonyme de Céline. En 1933, le *Voyage au bout de la nuit** obtient le prix Renaudot. Mais bientôt ses pamphlets antisémites valent à Céline des ennuis. En

1944, il quitte la France, traverse l'Allemagne et cherche refuge au Danemark. Il y connaît la prison et la misère. Condamné pour trahison à la Libération, mais amnistié en 1951, il rentre à Paris. Il passe les dix dernières années de sa vie dans sa propriété de Meudon, d'où il sort peu.

➜ Auteur maudit, souvent haï pour ses positions idéologiques et l'âpre brutalité de son style, Céline est néanmoins l'un des écrivains majeurs du XXᵉ siècle.

→ absurde, Sartre, *Voyage au bout de la nuit*

Cendrars
(Blaise), 1887-1961

ŒUVRES PRINCIPALES
• **Poésie**: *Du monde entier* (1919), *Dix-neuf poèmes élastiques* (1919), *Au cœur du monde* (1919-1922), *Kodak* (1924).
• **Romans**: *L'Or* (1925), *Moravagine* (1926), *Rhum* (1930).
• **Récits**: *L'Homme foudroyé* (1945), *La Main coupée* (1946), *Bourlinguer* (1948).

Le chantre du monde moderne
Toute l'œuvre de Cendrars est traversée par une **passion** profonde **pour la civilisation mécanique** qui émerge sous ses yeux. Mieux que tout autre, il sait trouver un puissant souffle lyrique pour célébrer les grands espaces ouverts par le bateau, le train, puis l'avion, pour exprimer son goût de la vitesse et des rythmes nouveaux imposés par la modernité, et pour s'émerveiller devant l'espace urbain, la publicité ou le cinéma.
À cette fin, il invente une **poésie libérée de toute contrainte** – il aurait songé le premier, avant Apollinaire*, à supprimer la ponctuation –, à la syntaxe souvent désarticulée, et dont le rythme* est particulièrement apte à épouser le dynamisme frénétique du monde moderne. Cendrars cherchait, en multipliant les coïncidences et en jouant de la juxtaposition, à produire un flux d'images, de souvenirs et d'impressions, mettant ainsi en pratique les principes du **simultanéisme**.

Une inquiétude secrète
L'amour dionysiaque de la vie qu'exprime Cendrars dans son œuvre, son ivresse du voyage et de la vitesse sont cependant traversés par une **interrogation** insistante **sur les dérives** d'une société cyniquement matéria-

liste : « D'où me vient, dit-il, ce grand amour des simples, des humbles, des innocents, des fadas et des déclassés ? » Plus profondément encore, il s'interroge **sur le vide spirituel** de la civilisation mécanique dont la violence absurde est illustrée par la ruée vers l'or (*L'Or*) et culmine dans les atrocités de la guerre.

CITATION
• **Une poésie libérée**
« Passion/Feu/Roman-feuilleton/Journal/ On a beau ne pas vouloir parler de soimême/Il faut parfois crier » (« Journal », *Dix-neuf poèmes élastiques*)

REPÈRES BIOGRAPHIQUES
➜ Suisse d'origine, Blaise Cendrars quitte sa famille à l'âge de quinze ans pour voyager. Après l'Extrême-Orient et la Sibérie, il gagne New York avant de rentrer à Bâle, sa ville natale. Sa vocation littéraire s'affirme en même temps que son goût pour les voyages, comme en témoigne son poème *Pâques à New York* (1912). Il s'installe à Paris en 1913. Engagé dans la Légion étrangère, il est grièvement blessé et doit être amputé du bras droit en 1915. Une fois la paix revenue, il poursuit sa carrière d'écrivain tout en multipliant les voyages, en particulier sur le continent africain.
➜ Après son recueil *Du monde entier*, Cendrars se tourne de plus en plus vers la prose et publie des romans (*L'Or, Moravagine, Rhum*) et des écrits divers où se manifeste sa passion pour l'Afrique (son *Anthologie nègre*, en 1921, marque le début de l'intérêt européen pour les cultures africaines). Il meurt à Paris en 1961.

→ Apollinaire, vers, versification

censure

n. f. Du latin *censura*, « charge de censeur » (elle consistait notamment à surveiller les mœurs des citoyens romains). Contrôle exercé par les pouvoirs religieux ou politique sur le contenu des œuvres, afin d'interdire partiellement ou complètement leur diffusion.

Histoire de la censure
À la **censure religieuse** de l'Université de Paris, exercée au nom du pape, se superpose puis succède la **censure politique**, destinée à asseoir le pouvoir royal absolu : Richelieu

instaure en 1629 le « privilège du roi », qui, seul, donne l'autorisation de faire paraître un ouvrage. La prison, l'exil (et même, jusqu'au XVIIe siècle, la condamnation à être brûlé vif) pouvaient s'y ajouter. De nombreux écrivains furent ainsi persécutés (Viau*, les libertins, les philosophes des Lumières*…). La Révolution subordonne la censure à une décision de justice et la restreint à des domaines figurant dans une loi. La censure préalable est supprimée en 1830, la censure théâtrale en 1901, mais les juges du XIXe siècle ont été pointilleux sur la morale (ils acquittent finalement Flaubert* pour *Madame Bovary*, mais condamnent *Les Fleurs du mal* de Baudelaire*). Au XXe siècle, la censure sévit durant les deux guerres mondiales et sous les régimes totalitaires (pendant l'Occupation, Claudel*, Mauriac*, Jules Verne*… sont interdits).

Une atteinte à la liberté d'expression

C'est surtout au XVIIIe siècle que les écrivains s'élèvent contre la censure. Voltaire* s'en moque dans ses *Contes* (*Zadig, Micromégas*), dénonce ses sources : l'intolérance religieuse et l'arbitraire du pouvoir absolu. Le long monologue* du *Mariage de Figaro* de Beaumarchais* (V, 3) aborde le même sujet. Mais la censure ne vise pas seulement l'expression directe d'idées dangereuses pour le pouvoir. **Elle s'exerce aussi sur les formes artistiques nouvelles**, qui commencent souvent par choquer le goût officiel. Elle s'oppose, en fait, à l'essence même de l'art. C'est pourquoi Théophile Gautier*, dans la *Préface* de *Mademoiselle de Maupin*, raille la censure morale et revendique l'inutilité sociale de l'art. Les surréalistes pratiquent la provocation systématique et font de l'art une révolte contre toute forme d'ordre.

Une source de création littéraire

Si la censure a pu durablement empêcher l'accès à certaines œuvres (Sade*, les ouvrages de l'« Enfer » de la Bibliothèque nationale…), souvent aussi les écrivains la déjouent par la **conception** même **de leurs livres**. Ainsi, l'*Encyclopédie* masque ses idées les plus audacieuses par un système de renvois entre les articles, et ce sont les sujets les plus anodins en apparence qui contiennent les critiques les plus fortes. Le libertinage, la critique politique et sociale se travestissent sous des habits antiques ou exotiques (*Contes* de Voltaire), utilisent l'utopie*, usent de l'ironie*, de l'antiphrase*. Durant l'Occupation, ce sont les mythes* et légendes du Moyen Âge français que sollicite

Aragon* pour affirmer la résistance de son pays (*La Diane française*).

→ **auteur, Encyclopédie, Index (mise à l'), ironie, Laclos, libertinage, réception de l'œuvre, utopie, Voltaire**

Césaire
(Aimé), 1913-2008

ŒUVRES PRINCIPALES
- **Poésie** : *Cahier d'un retour au pays natal* (1939), *Les Armes miraculeuses* (1946), *Moi laminaire* (1982), *La Poésie* (1994).
- **Essais** : *Discours sur le colonialisme* (1951), *Toussaint Louverture* (1960).
- **Théâtre** : *La Tragédie du roi Christophe* (1963).

Le porte-drapeau de la négritude

La poésie d'Aimé Césaire est tout entière marquée par le drame de la **colonisation** tel qu'il a été vécu dans les Antilles françaises depuis plus de trois siècles. Mais c'est un traumatisme pire que celui de la colonisation qui hante son œuvre : celui de l'**esclavage**. Plus encore que de recouvrer le pouvoir politique, l'ancien esclave a besoin de retrouver son identité et sa dignité, en s'arrachant à l'image dégradée et avilie de lui-même que, en bon nègre, il a parfaitement assimilée. Si d'autres rêvent, tel Senghor*, de métissage, Césaire objecte que l'urgence pour les Noirs est de reconquérir leur personnalité, d'affirmer avec fierté leur **négritude**. À travers ses poèmes, ses essais ou ses discours, il se livre à une critique virulente, non seulement du colonialisme mais aussi des valeurs humanistes européennes, infidèles à elles-mêmes. Il a ainsi ouvert la voie à des pensées plus radicales, telle celle du poète martiniquais Édouard Glissant.

La reconquête de la parole

Une telle démarche implique la création d'un **langage neuf** soustrait à la mainmise culturelle du colonisateur. La parole de Césaire se distingue par son **extrême violence verbale** : il s'agit de faire **éclater la culture acquise** pour libérer « l'impulsion démentielle de l'imagination ». Usant de l'écriture automatique*, recherchant des images véhémentes et des rythmes* où s'exprime la violence explosive de la révolte, Césaire crée une **poésie ample et musicale** où s'entend l'obsession rythmique du tam-tam, une poésie qui lui permette de retrouver la culture antillaise, par le lexique, par le paysage tropical, mais aussi par la redécouverte d'un symbolisme* spécifique.

CITATION

« J'entends de la cale monter les malédictions enchaînées, les hoquettements des mourants, le bruit d'un qu'on jette à la mer... les abois d'une femme en gésine... des raclements d'ongles cherchant des gorges... des ricanements de fouet... des farfouillis de vermine parmi des lassitudes... » (*Cahier d'un retour au pays natal*)

REPÈRES BIOGRAPHIQUES

➔ Fils d'un petit fonctionnaire, Aimé Césaire naît en 1913 à la Martinique, dans une île engourdie par la misère. Excellent élève, il obtient une bourse qui lui permet de poursuivre ses études de lettres à Paris (Louis-Le-Grand, École normale supérieure). Avec Léon Damas et Léopold Sédar Senghor, il fonde la revue *L'Étudiant noir*. La rencontre de Senghor est déterminante : Césaire qui avait vécu comme une infériorité sa condition de Noir se découvre africain et entreprend de réhabiliter ce qu'il nomme la « négritude ».

➔ De retour aux Antilles en 1945, il poursuit une triple carrière de professeur de lettres, d'écrivain et d'homme politique. Il milite un temps au Parti communiste avant de fonder son propre parti. Élu maire de Fort-de-France puis député, il se bat pour l'autonomie des Antilles, refusant les mirages de l'indépendance comme le piège de l'assimilation. Infatigable défenseur des opprimés, le chantre de la négritude est décédé en 2008.

→ francophonie, Senghor

césure

n. f. Du latin *cæsura*, « coupure », dérivé de *cædere*, « couper ». Forte pause à l'intérieur d'un vers, marquée ou non d'une ponctuation. La césure a une **fonction métrique**, et non pas syntaxique ou sémantique : dans un vers long, elle permet de compter des sous-ensembles de syllabes.

Quelques exemples

Dans l'**alexandrin*** **classique** (12 syllabes), la césure se fait généralement après la sixième syllabe accentuée, divisant le vers en **deux hé-**mistiches*** : « Seul le silence est grand,// tout le reste est faiblesse » (Vigny*, *Les Destinées*, « La Mort du loup »).

Les **romantiques** assouplissent l'alexandrin en préférant un rythme fait de trois mesures égales (4/4/4) : « Le siècle ingrat,/le siècle affreux,/le siècle immonde » (Hugo*, « La Vision », *La Légende des siècles*). Le décasyllabe* est coupé habituellement 4/6.

Principaux effets de la césure

La césure à l'hémistiche de l'alexandrin classique permet souvent des **jeux d'oppositions** entre les deux parties du vers. Ainsi chez Corneille* : « Ce jour nous fut propice// et funeste à la fois » (*Horace*, I, 2). De façon générale, la syllabe qui précède la césure est accentuée et le mot qui la contient en est mis en valeur : « Oubliez Curiace// et recevez Valère » (*ibid.*).

Dans la **poésie contemporaine**, l'absence de ponctuation et de forme fixe* du vers rend difficile le repérage de la césure et génère des hésitations sur le sens ; ainsi chez Apollinaire* : « Je les ai vus souvent// le soir ils prennent l'air dans la rue » ; ou bien : « Je les ai vus souvent le soir// ils prennent l'air dans la rue » ; ou encore : « Je les ai vus// souvent le soir ils prennent l'air dans la rue » (« Zone », *Alcools*).

→ alexandrin, coupe, hémistiche

champ lexical

n. m. De *champ* et du grec *lexikon* (de *lexis*, « mot »). Ensemble des mots qui, dans un texte, se rapportent à une même réalité.

L'étude des champs lexicaux permet de **dégager les thèmes d'une œuvre**, sa cohésion lexicale : on pourra recenser, par exemple, le champ lexical de la guerre dans la tirade de Don Juan dans la pièce éponyme de Molière* (I, 2) : réduire, combattre, rendre les armes, forcer pied à pied, opposer résistance, vaincre, triompher de la résistance, conquérants, voler de victoire en victoire ; ou encore le thème du vieillissement dans *Le Temps retrouvé* de Proust*.

Dans un texte argumentatif, l'étude des champs lexicaux antithétiques révèle souvent des valeurs universelles opposées : le beau/le laid ; le bien/le mal ; le juste/l'injuste...

→ champ sémantique

champ sémantique

n. m. De *champ* et du grec *sêmantikê*, « qui indique » (*sêmainein*, « signifier »). Ensemble des différentes significations d'un mot, telles qu'on les trouve dans un dictionnaire*.

Voici, par exemple, le champ sémantique du verbe *perdre* : perdre de l'argent, perdre du poids, perdre quelqu'un, perdre la raison, perdre connaissance, perdre un objet, perdre de vue, perdre son chemin, perdre le fil, perdre une bataille, perdre du terrain.

→ **champ lexical, polysémie, sémantique**

chanson

n. f. Du latin *cantionem* (accusatif de *cantio*), dérivé de *cantus*, « chant ». Genre apparenté à la poésie, qui repose sur l'union d'une musique, d'un texte et de la voix humaine. Une chanson comporte généralement plusieurs strophes séparées par un refrain.

La chanson médiévale
Au Moyen Âge coexistent une chanson populaire, pleine de verdeur (chansons à boire et à manger, complaintes…), et une chanson savante et raffinée, liée au lyrisme* de cour et répandue par les **troubadours*** (en langue d'oc) ou les **trouvères** (en langue d'oïl). Le **lyrisme courtois** revêt des formes très variées, comme la chanson d'histoire, la chanson de toile (pour les dames occupées à tisser ou à broder), la chanson d'amour, la chanson de croisade, la rotrouenge, le jeu parti (poème dialogué en forme de débat), l'aube ou chanson de séparation (qui évoque le réveil de deux amants), la pastourelle (un chevalier courtise une bergère). Au milieu du XIVe siècle, Guillaume de Machaut ouvre des voies nouvelles au lyrisme en formalisant le rondeau*, la ballade*, le chant royal, le lai et le virelai, mais il est le dernier poète à associer musique et poésie. Son disciple immédiat, Eustache Deschamps, va séparer la musique des sons et la musique des mots.

La chanson populaire
Au cours des siècles, la chanson populaire s'illustrera aussi bien dans la **romance** (*Plaisir d'amour*, 1760, Florian ; *Il pleut, il pleut, bergère*, 1780, Fabre d'Églantine) que dans la **satire***. On retiendra, au XVIIe siècle, les mazarinades, liées à la Fronde ; au XVIIIe siècle, la chanson révolutionnaire (*La Marseillaise*, *La Carmagnole*, *Ça ira*) ; au XIXe siècle, les chansons politiques d'Eugène Pottier (*L'Internationale*), de Béranger ou de Jean-Baptiste Clément (*Le Temps des cerises*). Cette **veine satirique et politique** aboutira d'une part à la « chanson de chansonnier », qui délaisse l'intention poétique pour le comique et la mélodie pour le contenu idéologique ; et d'autre part, à la chanson contestataire (Boris Vian*, Léo Ferré) ou engagée (Jean Ferrat).

La chanson littéraire
Au XXe siècle, alors que le phénomène du vedettariat consacre le triomphe de l'interprète et relègue généralement au second plan le parolier et le musicien, de nombreux **écrivains et poètes composent des textes de chansons**, tels Francis Carco, Pierre Mac Orlan, Jacques Prévert* mais aussi Boris Vian*, Raymond Queneau* (*Si tu t'imagines*, chanté par Juliette Gréco) ou Jean-Paul Sartre* (*Dans la rue des Blancs-Manteaux*) qui attestent de l'intérêt de tout un courant de la chanson française pour la qualité littéraire des paroles.
C'est le cas aussi de nombreux compositeurs-interprètes, et en particulier de Georges Brassens, de Jacques Brel ou encore de Boby Lapointe, auteur de véritables fatrasies modernes, dont les textes sont assez solides pour être lus séparément de la musique.
Synthèse de plusieurs arts (poésie, musique, danse, théâtre), liée à une **tradition orale** qui perdure à travers les siècles, la chanson, tout au long de l'histoire, reste un miroir exceptionnel de la société.

→ **ballade, bouts-rimés, ode, Prévert, rondeau, vaudeville, Vian**

chanson de geste

n. f. Du latin *gesta* (neutre pluriel), « actions », « exploits ». La *geste* désigne, dès le XIe siècle, un récit de hauts faits ; c'est un poème relatant les exploits d'un héros*. Le terme a ensuite été employé, au sens de « cycle », pour les récits se rapportant à la famille d'un héros. Les chansons de geste sont des poèmes épiques* du Moyen Âge.

Caractéristiques de la chanson de geste
La chanson de geste est un **long poème épique**, **chanté** par un jongleur et accompagné de musique, qui raconte les exploits de

guerriers légendaires, autour de l'époque de Charlemagne. C'est le **premier grand genre littéraire en langue vulgaire**.

La chanson de geste est composée de strophes de longueur inégale, appelées **laisses**, construites chacune sur une assonance*, ou parfois sur une rime*. Les vers sont généralement des décasyllabes*, parfois des octosyllabes* ou des alexandrins*. Destinée à être psalmodiée, la chanson de geste se caractérise par la **répétition de formules et de motifs stéréotypés** qui créent un effet incantatoire, et qui avaient sans doute aussi pour fonction de faciliter le travail de mémorisation ou d'improvisation du jongleur. La **thématique** est essentiellement **politique et guerrière**. La chanson de geste célèbre la prouesse au combat, et particulièrement celle du guerrier chrétien contre les Sarrasins (les musulmans), incitant ainsi son public à la croisade. Certaines chansons élaborent une réflexion sur le droit féodal et sur les devoirs des grands barons à l'égard du roi. L'action du héros, caractérisée par la démesure, est peinte de manière hyperbolique. L'amour, en revanche, occupe une place secondaire.

Les chansons de geste s'organisent principalement en **trois cycles** (appelés « gestes ») : la geste du roi (Charlemagne), celle de Garin de Monglane (ancêtre de Guillaume d'Orange), celle de Doon de Mayence (ou geste des barons révoltés).

Histoire de la chanson de geste

L'**origine** de ce genre littéraire reste **mystérieuse**, en raison de la distance qui sépare les premières chansons de geste (fin du XIᵉ siècle) de l'époque qu'elles évoquent (VIIIᵉ-IXᵉ siècle). Ont-elles existé sous forme orale avant d'être rédigées ? Ont-elles une origine collective et populaire, ou sont-elles l'œuvre de poètes ? Comment la mémoire d'événements historiques fortement teintés de légende s'est-elle transmise ?

La première chanson de geste qui nous soit parvenue date de la fin du XIᵉ siècle : il s'agit de la *Chanson de Roland*. L'âge d'or de la chanson de geste se situe dans les années 1150-1250, même si des chansons de geste ont continué à être écrites jusqu'au XIVᵉ siècle. Avec le temps, la chanson de geste tend à **se rapprocher du roman***, par la présence de l'amour ou du merveilleux* (dans *Huon de Bordeaux* par exemple, au XIIIᵉ siècle), par l'influence de la courtoisie*, qui modère la sauvagerie de certaines chansons

où le combat est gratuit, ou par le remplacement de l'assonance par la rime.

→ ancien français, chanson, épopée, roman, *Chanson de Roland (La)*

Chanson de Roland (La),
fin du XIᵉ siècle

RÉSUMÉ
Charlemagne est en Espagne. La guerre contre les Sarrasins dure depuis sept ans. Une seule ville résiste encore : Saragosse, tenue par le roi Marsile, qui feint d'accepter de se convertir au christianisme contre le retrait des troupes de l'empereur. Ganelon, le beau-frère de Charlemagne, est désigné, sur proposition de Roland, son beau-fils, pour mener la négociation. Mais, pour se venger de Roland, Ganelon ourdit une trahison avec Marsile : celui-ci attaquera l'arrière-garde de l'armée – que Ganelon fera commander par Roland – lors du passage des Pyrénées. Lorsqu'il voit arriver les troupes ennemies, Roland refuse, au nom de l'honneur et malgré les exhortations de son ami Olivier, de sonner du cor pour avertir Charlemagne, s'en remettant à la vaillance de ses hommes et Durendal, son épée. Dans un combat grandiose, les douze pairs de l'empereur et toute l'arrière-garde sont anéantis. Roland accepte enfin de sonner du cor, jusqu'à en mourir. Charlemagne fait demi-tour, et vainc l'armée sarrasine. À l'annonce de la mort de Roland, la Belle Aude, qui lui était promise, meurt de chagrin. La dernière partie de l'œuvre évoque le jugement et le châtiment du traître Ganelon, qui marquent l'affirmation de l'honneur féodal : « Quiconque trahit se perd, et les autres avec lui. »

De l'histoire à la légende

Première chanson de geste*, et première œuvre de la littérature française en langue d'oïl (ancien français*) qui nous soit parvenue, *La Chanson de Roland* en est également le premier chef-d'œuvre. Selon les manuscrits, les versions diffèrent. La version la plus connue et la plus ancienne, celle du manuscrit d'Oxford, daterait de la fin du XIᵉ siècle (1080 ?) et comporte 4 000 décasyllabes* assonancés*, réunis en strophes* (appelées « laisses »).

L'origine de *La Chanson de Roland* est mystérieuse. Elle **se fonde sur un fait historique** (le massacre à Roncevaux [Pyrénées], par des Basques ou des Gascons le 15 août 778, de l'arrière-garde de l'armée de Charlemagne à son retour d'Espagne [musulmane]) **mais elle le modifie** radicalement, transformant la défaite en victoire. On ignore comment s'est transmise la mémoire des faits, et si *La Chanson de Roland* est l'aboutissement de traditions orales ou l'œuvre d'un poète de génie. Un certain Turold se nomme à la fin du manuscrit d'Oxford, sans que l'on sache s'il s'agit de l'auteur ou d'un copiste.

Alliance de la psychologie et de l'épopée

D'un point de vue formel, *La Chanson de Roland* est d'emblée un modèle du genre. Le retour des motifs et des formules scande la chanson, tandis que les laisses **alternent moments narratifs et moments lyriques** qui suspendent l'action.

L'œuvre se caractérise également par sa **finesse psychologique**. Charlemagne apparaît parfois en proie au doute ou à la tristesse, le « preux » Roland n'est pas seulement l'incarnation de l'orgueil féodal, il devient, par sa démesure héroïque et par son martyre, l'outil providentiel qui oblige l'empereur à revenir vaincre les païens. Face à lui, le « sage » Olivier, qui défend une autre conception de l'honneur vassalique, n'est pas moins preux. Le personnage de la Belle Aude, sobrement esquissé, est l'une des rares figures féminines de l'épopée médiévale.

Conformément au genre, **le combat** sont au cœur du récit, où s'imbriquent conflit familial, problématique féodale des rapports entre seigneur et vassal, et lutte entre la chrétienté et les infidèles, élargie à la dimension d'une **lutte entre le nien et le mal**. Dieu intervient auprès de Charlemagne par l'entremise de l'ange Gabriel ou par des miracles, retardant le coucher du soleil pour que le combat contre les païens s'achève victorieusement.

Sans doute est-ce la nostalgie d'une chrétienté unie sous la figure de l'empereur qui s'exprime dans cette chanson, alors que s'élabore l'esprit des croisades (la première est lancée en 1096).

Postérité de l'œuvre

La Chanson de Roland a connu un immense succès au Moyen Âge. Dès le milieu du XIIe siècle, des versions étrangères sont attestées. Le personnage éponyme réapparaîtra notamment dans le *Roland amoureux* de l'Italien Boiardo au XVe siècle et dans le *Roland*

furieux de l'Arioste (1532). Ces œuvres n'ont plus grand-chose à voir avec le mythe épique. Celui-ci continuera cependant d'inspirer des poètes jusqu'au XIXe siècle (Vigny dans « Le Cor », Hugo dans *La Légende des siècles*).

→ ancien français, chanson de geste, épopée, héros, roman

Char
(René), 1907-1988

« Les chants matinaux de la rébellion »

La poésie de René Char, en raison de sa densité, passe pour difficile d'accès. L'exigence du poète, son souci de se maintenir toujours à une certaine hauteur, son intransigeance sur le plan éthique, confèrent à sa poésie une **grandeur austère et** un certain **hermétisme**[*]. Sa vision du monde est fondamentalement tragique[*] mais elle n'en débouche pas moins sur l'action : l'ambition du poète est, dans un monde absurde[*], au tumulte menaçant, d'élever une protestation radicale. La poésie de René Char est un **acte de révolte**, elle est, au sens profond du terme, une **poésie de résistance** face à un monde couvert de sang et de charniers : « Je n'écrirai pas de poème d'acquiescement », dit-il dans *Feuillets d'Hypnos*.

« L'énergie disloquante de la poésie »

Toutefois, loin d'être une simple réaction épidermique, la **révolte** est **méditée** dans la fréquentation continue des philosophes, d'Héraclite d'Éphèse à Martin Heidegger. Du premier, René Char retient l'**image du flux**, du devenir : ce qui s'immobilise est mort, seul le flux permet une régénération continuelle, dans une allégresse matinale. L'urgence est d'éviter toute pétrification du réel. L'expérience du temps se fonde non pas sur la durée, exécrée, mais sur la fulgurance de l'instant : « Ne regardez qu'une fois la vague jeter l'ancre dans la mer » (*La Parole en archipel*). D'où une **prédilection pour le fragment**, pour **le discontinu et** pour **l'ellipse***, qui se concrétise en une **poésie aphoristique*** : « Dans l'éclatement de l'univers que nous éprouvons, prodige ! les morceaux sont vivants. » (*Ibid.*) Dans cet univers pulvérisé, chaque fragment brûle et illumine. Le chaos permet des rencontres inouïes qui effectuent « l'exaltante alliance des contraires » et le poète peut écrire : « L'éclair me dure » (*ibid.*).

Dans le prisme du poème pulvérisé

Cette poésie de fragments s'incarne en **images** d'une rare densité qui composent un paysage immédiatement reconnaissable, où d'abord se remarque la **fraîcheur des « matinaux »**, moment d'éveil, d'ouverture et d'élan, où l'être s'allège et communie avec le vent et l'oiseau (telle l'alouette, « extrême braise du ciel et première ardeur du jour », qui « reste sertie dans l'aurore et chante la terre agitée », *ibid.*). À l'autre extrémité, flamboie une **fureur d'orage** où alternent la tension d'une contraction extrême et l'explosion fulgurante. Cette violence, toujours prête à sourdre, n'exclut pas une inspiration plus tempérée, ouverte à la tendresse et à l'émerveillement.

CITATIONS

• **Aphorismes**
« J'aime qui m'éblouit puis accentue l'obscur à l'intérieur de moi. » (*Les Matinaux*)
« Épouse et n'épouse pas ta maison. » (*Fureur et Mystère*)
« De toutes les eaux claires, la poésie est celle qui s'attarde le moins au reflet de ses ponts. » (*Ibid.*)
« Le poème est l'amour réalisé du désir demeuré désir. » (*Ibid.*)
« Comment vivre sans inconnu devant soi ? » (*Ibid.*)

REPÈRES BIOGRAPHIQUES

➜ Né à l'Isle-sur-Sorgue, près d'Avignon, René Char délaisse rapidement les études de commerce qu'il suit à Marseille au profit de la littérature. En 1926, la lecture de Paul Éluard* (qui vient le voir à l'Isle-sur-Sorgue) lui fait découvrir la poésie surréaliste et il se met à écrire. La rencontre de Breton* et d'Aragon* en 1929 l'amène à se joindre au mouvement surréaliste.
➜ Pour Char, la poésie va de pair avec l'engagement politique : il milite contre les

mouvements d'extrême droite et soutient les républicains espagnols. Il s'éloigne des surréalistes en 1934, année où il publie son premier recueil *Le Marteau sans maître*. Homme d'action, il participe à la Résistance, dont il est l'un des grands poètes avec son recueil *Feuillets d'Hypnos* (1946).
➜ Après la guerre, dans la solitude de l'Isle-sur-Sorgue, il se consacre entièrement à la poésie, tout en s'intéressant à la peinture (il est l'ami de nombreux artistes, tels Miro, Giacometti et Nicolas de Staël). Il milite en 1965 contre l'arme nucléaire.

➜ aphorisme, hermétisme, surréalisme

Charles d'Orléans,
1394-1465

ŒUVRES PRINCIPALES
• **Recueils poétiques** : *Ballades, Rondeaux, Chansons, Complaintes*

Les poèmes de la captivité

Durant sa captivité en Angleterre, Charles d'Orléans compose essentiellement des **ballades*** (poèmes dont chaque strophe se termine par un refrain). S'inspirant de la **thématique courtoise** et de la poésie des troubadours*, il chante l'« amour de loin », pour une dame absente (sa femme, Bonne d'Armagnac, restée en France, ou sa patrie ?). Sa poésie, **allégorique**, peuple son univers d'exilé de figures imaginaires (Danger, Confort, Espoir, Plaisance, Mélancolie…). La **nostalgie** domine ses poèmes : « En regardant vers le pays de France,/ Un jour m'advint, à Douvres sur la mer,/ Qu'il me souvint de la douce plaisance/ Que souloye [*que j'avais l'habitude de*] au dit pays trouver./ Si commençai de cœur à soupirer,/ Combien certes que grand bien me faisoit,/ De voir France que mon cœur aimer doit [*refrain*]. »

Les poèmes de Blois

Rentré en France, Charles d'Orléans se tourne vers le **rondeau***, poème concis à la forme circulaire, encadré par un vers refrain. Il y célèbre la poésie des choses quotidiennes, comme dans ce célèbre rondeau : « Le temps a laissé son manteau/ De vent de froidure et de pluie,/ Et s'est vêtu de broderie,/ De soleil luisant, clair et beau. […]. »
Mais l'inspiration de sa poésie se modifie, laissant une part de plus en plus grande à la tris-

tesse. Le poète se dédouble et dialogue avec sa Pensée ou avec son cœur. Les **figures allégoriques** de Nonchaloir, Déplaisance ou Souci, et surtout de Mélancolie se font de plus en plus insistantes : « Allez vous-en, allez, allez,/Souci, Soin et Merencolie [*Mélancolie*],/Me cuidez-vous [*croyez-vous*], toute ma vie,/Gouverner, comme fait avez ? »

CITATION

• **Sur la souffrance de l'écriture**

« Dedans mon Livre de Pensée/J'ai trouvé écrivant mon cœur [*j'ai trouvé mon cœur qui écrivait*] / La vraie histoire de douleur, / De larmes toute enluminée, // En deffassant [*effaçant*] la très-aimée / Image de plaisante douceur, / Dedans mon Livre de Pensée. // Hélas ! où l'a mon cœur trouvée ? / Les grosses gouttes de sueur / Lui saillent, de peine et labeur / Qu'il y prend [*qu'il se donne*], et nuit et journée, / eDedans mon Livre de Pensée ! » (*Dedans mon Livre de Pensée*, rondeau)

REPÈRES BIOGRAPHIQUES

➜ Neveu du roi Charles VI et père du futur roi Louis XII, Charles d'Orléans voit sa carrière politique s'interrompre brutalement en 1415 : fait prisonnier à la bataille d'Azincourt, il va passer vingt-cinq ans de captivité en Angleterre. Il se consacre à la poésie, et exprime dans ses *Ballades* la nostalgie de son pays.

➜ Libéré en 1440, il rentre en France. Mis à l'écart de la vie politique, il s'installe à Blois à partir de 1450. Il y tient une cour brillante qui accueille des poètes, parmi lesquels François Villon[*].

➜ La poésie de Charles d'Orléans, assez peu novatrice sur le plan de la forme ou de la thématique, se caractérise surtout par l'expression d'un lyrisme[*] personnel.

➜ **ballade, courtoisie, rondeau, troubadour, Villon**

Chateaubriand
(François-René, vicomte de), 1768-1848

ŒUVRES PRINCIPALES

• **Essais** : *Essai sur les révolutions* (1797), *Le Génie du christianisme* (1802-1803, avec à l'origine *Atala* et *René*), *De Buonaparte et des Bourbons* (1814).

• **Romans** : *Atala* (1801), *René* (1802, publ. séparée 1805), *Les Martyrs* (1809-1810), *Les Natchez* (1826), *Les Aventures du dernier Abencérage* (1826).

• **Récit de voyage** : *Itinéraire de Paris à Jérusalem* (1811).

• **Autobiographie** : *Mémoires d'outre-tombe* (1809-1841, publ. posth. à partir de 1899).

Un écrivain romantique

Chez Chateaubriand, qui a vécu la chute du monde ancien, le romantisme[*] se caractérise par une inquiétude fondamentale. Liée aux incertitudes de l'époque ainsi qu'à l'obsession du temps qui passe, illustrée par le goût pour les ruines, motif fréquent dans son œuvre, cette inquiétude s'exprime dans le « **mal du siècle** » qu'éprouve René, ennui métaphysique et mélancolie.

Mais romantique aussi est le « **vague des passions** » qui se manifeste par la force des sentiments et de l'imagination, par l'importance de la sensibilité, qui se heurte à l'étroitesse du monde. Romantique enfin, l'évocation d'une **nature sauvage** en harmonie avec la sensibilité de l'auteur de *René*, associée aux thèmes du voyage, du temps et de la mort.

À la fois exil et échappée, le **voyage** est constamment présent dans l'œuvre : ainsi l'Amérique est-elle évoquée dans le *Voyage en Amérique*, dans *Atala* ou dans *Les Natchez*, l'Orient dans l'*Itinéraire de Paris à Jérusalem* et dans *Les Martyrs*. Chateaubriand réalise par le voyage que la perception de la réalité telle qu'elle est diffusée en France est mensongère ; le constat d'un monde qui s'écroule remplace ainsi le mythe[*] du Nouveau Monde, permettant une réflexion sur le devenir des civilisations.

Une œuvre autobiographique

L'autobiographie[*] se manifeste dès les premiers romans : ainsi, on peut considérer que, déjà, **René** est le **double romanesque** de Chateaubriand. Comme son personnage, Chateaubriand connaît le mal de vivre au contact de la nature en automne, la jeunesse solitaire avec une sœur mélancolique. L'écriture à la première personne, le **lyrisme**[*] débordant mettent en évidence la filiation avec la vie de l'auteur.

Dans les œuvres autobiographiques proprement dites, et en particulier dans les *Mémoires d'outre-tombe*, Chateaubriand cherche à s'expliquer sur lui-même, et aussi à s'expliquer le monde dans lequel il a vécu. L'œuvre littéraire lui permet de parvenir à trouver une certaine unité, dans la mesure aussi où le **passé** n'est pas transcrit tel quel, mais **largement recréé**.

L'historien et le témoin de l'histoire

L'intérêt de Chateaubriand pour l'histoire – ancienne ou contemporaine – se manifeste d'abord dans le cadre de certaines œuvres : ainsi, *Les Martyrs*, qui se déroule sous le règne de Dioclétien (fin du IIIe siècle apr. J.-C.), évoque la dimension historique du christianisme.

Participant directement à l'histoire en marche, Chateaubriand a d'autre part rendu compte d'événements majeurs, comme la prise de la Bastille, dont il sait exprimer l'essentiel. Mais ses engagements personnels, dans l'armée des émigrés puis comme ambassadeur et comme ministre, lui ont donné conscience, **non seulement qu'il observait l'histoire, mais aussi qu'il la faisait**. À partir de là s'élabore une pensée selon laquelle l'histoire des civilisations est semblable à l'histoire humaine, de la naissance à la mort. À ce titre, l'écrivain est nécessairement historien.

➜ Après des débuts diplomatiques comme secrétaire de légation à Rome, il démissionne lors de l'assassinat du duc d'Enghien (1804) et entreprend un long voyage en Orient. Il se retire ensuite dans sa propriété de la Vallée-aux-Loups, où il commence les *Mémoires d'outre-tombe** et d'où, en partisan de la Restauration, il critique le régime napoléonien. Déçu par Louis XVIII, il rejoint l'opposition de droite, devient diplomate puis ministre, avant de revenir à un monarchisme modéré. En 1826-1827, diverses publications (*Le Dernier Abencérage*, *Les Natchez*, le *Voyage en Amérique*) lui permettent de faire face à des difficultés financières. Légitimiste intransigeant, il s'oppose à Louis-Philippe en 1830, ce qui met fin à sa carrière politique.

➜ Les dix-huit dernières années de sa vie sont essentiellement consacrées à la littérature avec divers essais (*Études historiques*, 1831 ; *La Vie de Rancé*, 1844) et surtout avec les *Mémoires d'outre-tombe*.

➜ autobiographie, confession, mémoires, *Mémoires d'outre-tombe*, romantisme

Chédid
(Andrée), 1920-2011

Une œuvre au carrefour des civilisations

Fascinée par l'Orient qui l'a vu naître, Andrée Chédid observe avec passion le **monde méditerranéen** où voisinent des communautés diverses. Elle en connaît la richesse humaine, elle sait aussi quelles explosions de haine peut engendrer la confrontation des cultures. En filigrane, ce sont les guerres du Liban ou de l'ex-Yougoslavie qui hantent les livres. L'œuvre poétique d'Andrée Chédid, au lyrisme* véhément mais contenu, est une **protestation** vigoureuse **contre la guerre et la violence**, protestation qu'on retrouve avec une incontestable dimension tragique, dans son œuvre romanesque. Mais c'est aussi un appel vibrant à la tolérance, au dépassement des clivages ethniques, religieux ou sociaux. Viscéralement attachée au monde oriental, Andrée Chédid se méfie cependant des racines « dévorantes, oppressantes, poussant à l'exclusion » et assume son **multiculturalisme**.

Cités fertiles

Ses lieux de prédilection sont ceux où se côtoient des communautés multiples, comme Beyrouth au Liban ou Alexandrie en Égypte. Le point de rencontre par excellence, c'est **la ville**, où se réalise l'universalité de l'homme et qui devient la « cité fertile » grâce à des personnes comme Aléfa (*La Cité fertile*) dont la générosité fait surgir partout la vie, l'amour, la poésie. Les contraires s'affrontent, la vie et la mort, l'amour et la solitude, l'espoir et la tragédie, sans que jamais ne s'impose une vision du monde manichéenne. C'est précisément son **refus de tout manichéisme**, fauteur de conflits et de guerres, qui a valu à la romancière le prix Louis-Guilloux en 2001.

Enfants bohémiens et vieilles femmes saltimbanques

Dans des romans au rythme enlevé, où parfois l'écriture devient poétique et où l'auteur emprunte au cinéma la technique de la juxtaposition et du montage rapide des plans, Andrée Chédid met en scène des êtres attachants qui font éclater le carcan des conventions et des interdits. Les **personnages de femmes** prennent un relief tout particulier avec leur capacité à tenir tête à un régime patriarcal étouffant. Dans un monde rendu tragique par les accidents, les catastrophes et les guerres, l'**espoir est porté par des êtres en marge de la société**, enfants bohémiens, vieux solitaires ou vieilles femmes saltimbanques, qui, jouant le rôle du bouffon, font triompher la vie dans des sociétés mortifères. Leur vitalité têtue, leur générosité, mettant à nu les scléroses mentales ou sociales, donnent libre cours au chant, à la danse et au rire, et libèrent des forces de création, d'amour et de bonheur. C'est aussi, à sa manière, le rôle qu'assume l'écrivain ou le poète.

CITATION

« Et puis crac ! Du cheveu à l'orteil, je m'incarne. Je fonce sur l'assistance. Je me précipite goulûment sur les mots. Je me délecte de chaque voyelle, de chaque consonne. Je prends racine dans l'événement. J'entre, avec appétit, dans le remue-ménage de l'existence. J'achète en vrac des journaux, des victuailles, du vin. Je gloutonne. Je m'infiltre dans ma peau et m'y trouve bien. Une femme-bouffon. Une femme-pitre. Une femme-guignol. Pourquoi pas ? » (*La Cité fertile*)

REPÈRES BIOGRAPHIQUES

➜ Andrée Chédid naît au Caire en 1920 dans une famille d'origine libanaise. Après des études en France puis à l'université américaine du Caire, elle s'installe définitivement à Paris en 1946. Elle se consacre alors à l'écriture, cultivant tous les genres, la poésie, le roman, la nouvelle ou le théâtre.
➜ Son œuvre obtient une large audience et sera couronnée entre autres par le prix Goncourt de la nouvelle (1979), le prix Louise Labé et le Goncourt de la poésie (2003). Traduite dans le monde entier, cette œuvre a fait l'objet de deux adaptations cinématographiques, par Youssef Chahine pour *Le Sixième Jour* (1986) et par Bernard Giraudeau pour *L'Autre* (1991). Pour son petit-fils Matthieu, le chanteur « M. », elle s'est faite parolière, en particulier pour la chanson *Je dis aime*.
➜ Andrée Chédid est décédée à Paris en 2011.

➜ **francophonie**

Chénier
(André), 1762-1794

ŒUVRES PRINCIPALES
• **Poésie** : *Élégies* (1781-1787), *Idylles ou Bucoliques* (1785-1787), *L'Invention* (1788), *L'Amérique* (1788-1790), *Iambes* (1794).

Le poète et sa légende

André Chénier est à peu près le seul poète du XVIIIe siècle dont la postérité a retenu le nom. Il le doit sans doute à son image de poète mort jeune, victime innocente de l'Histoire et laissant une œuvre prématurément interrompue. Sa **mémoire** a été **honorée** tout au long du XIXe siècle **par les romantiques**, qui admirent le courage de l'homme et la violence satirique du pamphlétaire des *Iambes*. Victor Hugo* voit en lui un « romantique parmi les classiques » et salue l'émergence d'une sensibilité nouvelle. Admirateur de l'Antiquité, Chénier ne cesse en effet d'opposer la perfection des Anciens à la décadence des Modernes. Mais, en même temps, le lecteur des philosophes, le chantre de l'Amérique passionné par la naissance d'une jeune république, est un homme ouvert aux idées nouvelles : « **Sur des pensers nouveaux faisons des vers antiques** », proclame-t-il. Écrivain de transition, peut-être n'a-t-il pas su choisir d'une façon plus décisive entre l'ancien et le nouveau.

Une sensibilité préromantique

S'il a eu la faveur des romantiques, Chénier le doit aussi à sa conception du travail poétique. Il a **réhabilité l'inspiration**[*] contre le formalisme[*] laborieux des fabricants de poèmes : « L'art ne fait que des vers, le cœur seul est poète », s'écrie-t-il. Mais, malgré cette déclaration d'intention, Chénier a sans doute trop sacrifié à la rhétorique[*] et à la versification[*] : on ne retient aujourd'hui de son œuvre que quelques rares réussites, telles ses élégies[*] *Néère* ou *La Jeune Tarentine*.

CITATION

• Sur l'inspiration antique

« Pleurez, doux alcyons, ô vous, oiseaux sacrés,/Oiseaux chers à Thétis, doux alcyons, pleurez./Elle a vécu, Myrto, la jeune Tarentine./Un vaisseau la portait aux bords de Camarine. » (*La Jeune Tarentine*)

REPÈRES BIOGRAPHIQUES

→ André Chénier naît à Constantinople. Il est élevé par sa mère à Paris, où elle a ouvert un salon « grec », lieu de rencontre pour les écrivains, les hellénistes et les voyageurs. Après des études brillantes, il partage la vie mondaine de la jeunesse dorée et voyage en Suisse et en Italie. Il commence à écrire et noue des liens avec le philosophe Condorcet et le peintre David. Contraint de prendre un emploi après la ruine de sa famille, Chénier continue à écrire et approfondit, dans *L'Invention*, sa réflexion sur la création poétique et l'engagement du poète.

→ Rentré à Paris en 1790, il s'oppose aux Jacobins mais aussi à Robespierre et doit entrer dans la clandestinité. Arrêté le 7 mars 1794, il est condamné à mort et guillotiné le 25 juillet 1794. Ses œuvres ne seront publiées qu'en 1819.

-) **distique, élégiaque, élégie, pamphlet, préromantisme**

chiasme

n. m. Du grec *khiazein*, « disposer en forme de X (*khi*) ». Figure consistant à disposer en miroir un minimum de quatre éléments du discours qui se correspondent deux à deux (structure AB/BA).

Couplage grammatical, sémantique ou phonique

1. Chiasme grammatical (disposition symétrique de mots de même nature grammaticale) : « Joyeux [*adjectif*] la nuit [*substantif*], le jour [*substantif*] triste [*adjectif*] je suis ;/J'ai [*verbe*] en dormant [*gérondif*] ce qu'en veillant [*gérondif*] poursuis [*verbe*] » (Du Bellay[*], *L'Olive*, XXVIII).

2. Chiasme sémantique (portant sur des idées) : « *Ce que je sens, la langue ne refuse/Vous découvrir, quand suis de vous absent,/Mais tout soudain que près de moi vous sent,/Elle devient et muette et confuse* » (*ibid.*).

3. Chiasme phonique (auquel se superpose un chiasme grammatical) : « Fais donc, Amour, pour m'être charitable,/Brève [è] ma vie [i] ou ma nuit [i] éternelle [è] » (*ibid.*). Le chiasme est souvent – mais pas nécessairement – associé à des jeux d'oppositions, comme c'est le cas dans les trois exemples précités.

Fonctions du chiasme

Le chiasme **resserre** la trame du texte. Il tend à souligner la césure[*] même qui le constitue et aura donc une **fonction rythmique** importante, comme on peut le voir dans les décasyllabes[*] donnés en exemple ci-dessus. Il accentue l'opposition entre l'inflexion ascendante de la phrase (protase) et son inflexion descendante (apodose).

Du **point de vue du sens**, il permet des entrelacs logiques : s'il s'agit d'une argumentation[*], elle paraîtra plus stricte ; dans les exemples ci-dessus, l'alliance du chiasme et de l'antithèse[*] accentue les paradoxes[*] liés au trouble du poète devant la Dame.

→ **antithèse, assonance, coupe, paradoxe, rythme, syntaxe**

Chrétien de Troyes,
XIIe siècle

ŒUVRES PRINCIPALES
• **Romans en vers** : *Érec et Énide* (vers 1170), *Cligès* (vers 1176), *Lancelot ou le Chevalier de la charrette*, *Yvain ou le Chevalier au lion* (vers 1177-1181), *Perceval ou le Conte du Graal* (inachevé, commencé vers 1181).

La création d'un univers romanesque : le monde arthurien

Les premiers romans* en français, le *Roman de Thèbes*, le *Roman d'Énéas* et le *Roman de Troie*, sont, comme l'indique leur titre, des « traductions » très libres d'œuvres antiques. Chrétien de Troyes est le premier à situer ses romans à l'époque du roi Arthur*, inaugurant ainsi ce que l'on a appelé le « **roman arthurien** », dont la postérité fut aussi riche que longue.

Chrétien n'a pas inventé le roi Arthur, ni la plupart des personnages qu'il met en scène. Ceux-ci sont empruntés à la chronique de Wace, le *Roman de Brut* (1155), adaptation de l'*Histoire des rois de Bretagne*, rédigée en latin par Geoffroy de Monmouth, qui retraçait la généalogie légendaire des rois d'Angleterre depuis l'arrivée sur l'île d'un descendant d'Énée. Chrétien s'est sans doute aussi inspiré de récits oraux (la « matière de Bretagne »). Mais tandis que Wace racontait la vie et les conquêtes du roi Arthur, Chrétien inscrit ses récits dans les années de paix du règne. Le roi n'est plus qu'une figure secondaire du récit, désormais consacré aux **prouesses d'un chevalier nouveau**, venu d'ailleurs. Dès lors s'ouvre un univers romanesque infini, que chaque roman prolonge grâce au procédé littéraire du **retour des personnages**, que Chrétien est le premier à pratiquer.

Cet espace romanesque est composé de plusieurs lieux : la cour du roi Arthur et son royaume de Logres (en Grande-Bretagne), la forêt « aventureuse », et l'autre monde, le monde merveilleux. Wace avait le premier parlé de la Table ronde ; Chrétien invente le **personnage du « chevalier errant »**, qui sillonne cet espace **en quête d'aventures** destinées à éprouver sa valeur. Ce sont autant de causes à défendre par les armes, de demoiselles à protéger, de coutumes à maintenir ou à abolir. Mais, chez Chrétien, ces aventures ne sont pas gratuites : elles s'inscrivent dans une **quête de l'amour** (quête de la reine dans *Le Chevalier de la charrette*) et, plus profondément, amènent le héros à la découverte de soi. Dans

le *Conte du Graal*, cette quête s'oriente dans un sens nettement religieux.

Source de toutes les vertus selon l'idéologie courtoise, l'amour ne doit pas couper le chevalier de la société. Refusant aussi bien la passion involontaire et mortelle de Tristan et Yseult* que l'idée d'une incompatibilité entre l'amour et la société, tous les romans de Chrétien tentent d'**accorder l'amour et la prouesse, le service de la dame et celui de la société**. Modifiant la doctrine de la *fin'amor*, chantée par les troubadours* et exposée dans *Le Chevalier de la charrette*, Chrétien est ainsi le premier à valoriser l'amour conjugal.

La « conjointure »

Chrétien revendique, sous le nom de « conjointure », le soin extrême qu'il porte à l'écriture de ses romans. Explorant les possibilités structurelles du récit, il affine et enrichit leur composition. *Le Chevalier de la charrette* ébauche ainsi le schéma d'une quête parallèle (celle de Gauvain et celle de Lancelot*) qui se retrouve dans le *Conte du Graal* (Gauvain et Perceval*). Ce **souci de la composition** est encore approfondi par l'insertion du déroulement du *Chevalier de la charrette* dans *Le Chevalier au lion*, romans que Chrétien semble avoir travaillés en même temps.

Refusant d'encombrer son texte d'éléments superflus, il évite les longues descriptions, et préfère présenter ses personnages par petites touches, qui se fondent dans le récit et laissent parfois paraître une subtile ironie*. Mais la conjointure concerne aussi le **travail du vers**, que Chrétien s'applique à **assouplir** par la brisure du couplet (la phrase « déborde » le couple de rimes), rendant ainsi sa narration plus fluide et plus variée.

Mêlant le merveilleux* à des éléments plus réalistes, il dose savamment ses explications afin de laisser à son texte une ombre de mystère, que les critiques n'ont pas fini d'interroger.

L'héritage romanesque de Chrétien de Troyes

De même que Chrétien avait installé ses récits dans les interstices de la chronique de Wace, de même ses successeurs vont profiter des silences, des lacunes et des ambiguïtés de ses romans. Dans le cycle du *Lancelot-Graal* notamment, ils reconstituent l'enfance de certains personnages (tel Lancelot dont l'éducation par une fée n'était que suggérée), ou poursuivent la quête du Graal (inaboutie dans le *Conte du Graal*). Réutilisant les personnages, les lieux et les coutumes, mais aussi des scènes, des motifs et des techniques d'écriture, ils vont prolonger durant plusieurs siècles l'héritage de Chrétien de Troyes.

• **Sur la merveille du Graal**

« Une demoiselle tenait un graal entre ses deux mains et passait avec les valets, belle, mince, et bien parée. Quand elle fut entrée avec le graal, une si grande clarté en vint que les chandelles en perdirent leur éclat comme les étoiles quand se lève le soleil ou la lune. » (*Perceval*, trad. des vers 3208-3217)

REPÈRES BIOGRAPHIQUES

➜ On sait très peu de choses sur celui qui fut le plus grand romancier du Moyen Âge. Clerc, Chrétien de Troyes exerce son activité littéraire entre 1160 et 1190 environ. Les dédicaces de ses romans suggèrent qu'il a travaillé à la cour de Marie de Champagne. Fille d'Aliénor d'Aquitaine et du roi de France Louis VII, Marie tenait une cour brillante, principal relais de l'idéologie courtoise qui s'était développée dans le Sud de la France grâce aux troubadours*. Chrétien de Troyes a peut-être aussi travaillé à la cour de Philippe d'Alsace, comte de Flandre, à qui il dédie son dernier roman, *Perceval ou le Conte du Graal*, inachevé. Le prologue de *Cligès* nous donne un catalogue de ses œuvres antérieures, notamment des traductions d'Ovide, perdues, et un roman du *Roi Marc et d'Yseut la blonde*, perdu lui aussi. Enfin, deux chansons courtoises font de Chrétien le premier trouvère connu.

➜ Les cinq romans que nous connaissons (*Érec et Énide, Cligès, Lancelot ou le Chevalier de la charrette, Yvain ou le Chevalier au lion, Perceval ou le Conte de Graal*) ont suffi à assurer la fortune d'un genre, le roman arthurien. En revanche, *Guillaume d'Angleterre*, roman non arthurien signé d'un auteur se nommant Chrétien, n'est sans doute pas de Chrétien de Troyes.

➜ **Arthur, courtoisie, Lancelot, Perceval, roman, Table ronde (romans de la), Tristan et Iseult**

chronique

n. f. Du grec *khronos*, le « temps ». **Sens premier** : recueil de faits historiques rapportés selon leur déroulement chronologique. C'est la forme que prend l'histoire au Moyen Âge (chroniques de Villehardouin, Joinville ou Froissart aux XIIe et XIIIe siècles) avant que n'apparaissent aux XVe et XVIe siècles des mémoires* (qui supposent un témoignage et parfois un commentaire critique sur les événements rapportés). **Sens élargi** : ensemble des nouvelles en circulation. **Journalisme** : article paraissant régulièrement dans la rubrique (chronique artistique, littéraire...) d'un journal ; ex. : le *Bloc-notes* de François Mauriac*.

➜ **mémoires**

chute

n. f. Du latin *cadecta*. Trait final d'une phrase ou d'un discours consistant en une idée surprenante ou remarquable, voire en une figure comme le paradoxe*, la métaphore*, la répétition...

Chute et clausule

La notion de chute est en langue française très proche de celle de clausule (*n. f.*, du latin *claudere*, « clore »). On réserve toutefois le terme de **chute** à un **effet de sens**, tandis qu'on utilisera spécifiquement le terme de **clausule** en **rhétorique*** pour désigner, à la fin d'une période*, l'effet sonore tenant au nombre de syllabes du dernier membre de la phrase. On distinguera alors la **cadence majeure** (nombre de syllabes du dernier membre de phrase supérieur à celui du [des] précédent [s]) de la **cadence mineure** (membre de phrase final plus court).

Quelques exemples

1. Cadence mineure : « [...] Vous le prendrez, ce cœur, je le vous livre,/L'emporterez pour le rendre délivre [*pour le soulager*]/Du deuil qu'aurait loin de vous en ce lieu ;/Et pour autant qu'on ne peut sans cœur vivre,/ Me laisserez le vôtre, et puis adieu. » (Marot*, épigramme* « Du partement d'Anne ».)

2. Cadence majeure : « Il ne me reste qu'à m'asseoir au bord de ma fosse ; après quoi je descendrai hardiment, le crucifix à la main, dans l'éternité. » (Chateaubriand*, fin des *Mémoires d'outre-tombe*.)

Principaux effets

La chute a un **effet conclusif ou** fortement **suspensif.** Certaines formes appellent une chute forte, comme l'épigramme de Marot donnée en exemple ci-dessus, qui s'achève sur une teinte d'impertinence. Mais on aurait aussi bien pu citer l'aimable chute qui conclut l'*Épître au Roi pour le délivrer de prison* en jouant du paradoxe* : Marot s'excuse de ne pas demander sa libération de vive voix.

La forme romanesque, qui implique ordinairement une fin assez étendue, ne dédaigne pas non plus de ramasser l'effet en une chute, comme dans la dernière page du *Père Goriot* de Balzac*.

→ **épigramme, période, pointe**

Cid (le)

> Personnage légendaire de l'épopée espagnole, rendu célèbre en France par la tragicomédie* de Corneille*, le Cid est un personnage historique réel.

Le héros de la Reconquista

Rodrigue Díaz naît vers 1040 près de Burgos. D'abord au service du roi de Castille Sanche II, il s'attache ensuite à son frère et rival, Alphonse VI, dont il épouse une nièce, Chimène Díaz, en 1074. Entretenant des rapports houleux avec son roi, il combat auprès d'autres princes, chrétiens ou musulmans. En 1094, il arrache aux Maures le royaume de Valence, dont il sera roi jusqu'à sa mort, en 1099. **Figure essentielle de la Reconquista** (terme espagnol désignant la « reconquête » menée en Espagne par les chrétiens contre les musulmans aux XIIe et XIIIe siècles), le Cid a donné lieu dès 1140 à de **nombreuses légendes**, assez diverses, le présentant tantôt comme un loyal serviteur victime de son roi, tantôt comme un guerrier révolté.

Un héros épique

La célébration du Cid commence avant sa mort. Les textes des historiographes arabes insistent sur sa prouesse et son habileté, mais aussi sur son orgueil et même sur sa cruauté. Les premiers textes espagnols datent du début du XIIe siècle, mais c'est le *Poème du Cid* (qui lui

donne son surnom de *Cid campeador*, de *Sidi*, « seigneur » en arabe, et *campeador*, « qui se tient dans son camp » en espagnol), composé à la fin du XIIe siècle, qui lance véritablement le **mythe du guerrier fidèle**, maltraité puis finalement récompensé par son roi.

À la fin du XIIIe siècle, les *Enfances du Cid* orientent le mythe dans un **sens plus chevaleresque**. Au cours d'un duel judiciaire, le jeune Rodrigue tue le comte de Gormaz. La fille de celui-ci réclame vengeance ; leur mariage vaudra réparation, mais Rodrigue s'engage à vaincre dans cinq combats avant d'épouser Chimène. À partir du XIVe siècle, une nouvelle forme poétique, la *romance*, court poème chanté, relate certains épisodes de la légende qui, grâce à des compilateurs, donnent naissance aux *Romanceros*, au début du XVIIe siècle. Mais c'est surtout la *comedia* de Guillén de Castro (vers 1618) qui, en insistant sur le **conflit entre l'amour et l'honneur**, donne au mythe l'aspect qu'il aura en France.

Le héros de Corneille

Le Cid doit sa célébrité en France à la tragicomédie éponyme de Corneille (1637). Reprenant largement la pièce de Guillén de Castro, *Le Cid* fait de Rodrigue le **type même du héros généreux**, sûr de lui et de la justesse de sa cause. Plaçant sa gloire (son honneur) plus haut que son amour, que sa vie même, Rodrigue se réalise dans le dépassement héroïque. Ne craignant pas la mort, il n'hésite pas, lui qui n'a encore jamais combattu, à défier en duel le héros de l'Espagne, le père de Chimène : « LE COMTE. – Sais-tu bien qui je suis ? RODRIGUE. – Oui, tout autre que moi/ Au seul bruit de ton nom pourrait trembler d'effroi […] » (II, 2, v. 413-414). Après Corneille, de nombreux auteurs s'intéresseront au Cid, sans qu'aucun de leurs ouvrages ne réussisse à surpasser l'œuvre du dramaturge.

→ **Corneille, Le Cid, tragédie, tragicomédie**

Cid (Le),
Pierre Corneille, 1637

RÉSUMÉ

La pièce se passe à Séville, sous le règne de Don Fernand (au XIe siècle). Chimène et Rodrigue, fille et fils des plus grandes familles du royaume, s'aiment et doivent s'épouser. Mais la rivalité de leurs pères

amène le Comte, père de Chimène, à souffleter don Diègue, son aîné et père de Rodrigue. Trop vieux pour se défendre, don Diègue demande à son fils de le venger. Le Comte trouve la mort au cours du duel qui l'oppose à Rodrigue. Chimène réclame vengeance au roi, sans pour autant cesser d'aimer Rodrigue. Une attaque surprise des Maures permet à celui-ci de sauver le royaume : Rodrigue devient un héros national, surnommé le Cid. Un deuxième duel, dont le prix est la main de Chimène, voit une nouvelle victoire de Rodrigue. Le roi, soucieux d'apaiser le désir de vengeance de Chimène, invite Rodrigue à aller combattre les Maures chez eux et à se couvrir de gloire afin de laisser le temps à la jeune fille d'accepter le mariage.

La querelle du *Cid*

Joué en 1637, *Le Cid* obtient d'emblée un grand succès mais suscite aussi une formidable controverse, la « querelle du *Cid* », qui prend rapidement l'aspect d'un conflit de doctrines. Les adversaires de Corneille lui reprochent de plagier le dramaturge espagnol Guillén de Castro ; ils dénoncent les « irrégularités » de sa pièce, et notamment le **non-respect de la vraisemblance et des bienséances** (par le mariage de Chimène avec le meurtrier de son père). Corneille se défend en revendiquant la vérité de l'Histoire contre la vraisemblance. La querelle prend une telle ampleur que Richelieu fait intervenir la toute jeune Académie française* pour juger la pièce. Dans son édition de 1660, Corneille fait subir à la pièce d'importantes modifications qui vont dans le sens d'un **plus grand respect des**

règles. La fin laisse désormais le mariage de Chimène et de Rodrigue en suspens.

Le dilemme tragique

Le **conflit de l'amour et de l'honneur** domine la pièce. Un honneur que tous reconnaissent au même titre, et qui fonde l'éthique du héros « généreux » : Rodrigue *ne peut pas* ne pas venger son père, Chimène et le Comte mêmes en conviennent. Cette unanimité à l'égard du devoir crée la tension dramatique : Rodrigue est paradoxalement plus digne de l'amour de Chimène pour avoir fait passer son souci de l'honneur avant sa passion. Face à cette situation inextricable – car les devoirs de Chimène sont les mêmes que ceux de Rodrigue – la solution ne peut venir que du roi, seul habilité à imposer une nouvelle conception de l'honneur et de la justice. Une **nouvelle idéologie du pouvoir** se dessine, au détriment du pouvoir particulier de la noblesse. Le thème du duel (interdit par le roi), celui de la menace d'une invasion (que la France a connue en 1636, pendant la guerre contre l'Espagne), et l'exaltation de l'unité nationale, trouvent un écho certain à l'époque de Richelieu.

Tragicomédie ou tragédie ?

Lorsqu'il la réédite en 1648, Corneille intitule désormais sa pièce « tragédie ». *Le Cid* est en effet **au carrefour de deux genres**. Les unités ne sont qu'imparfaitement respectées : la pièce se passe dans une seule ville mais dans des appartements différents, l'amour de l'Infante pour Rodrigue nuit à l'unité d'action. Par les rebondissements de l'intrigue (deux duels et un combat contre les Maures), par le caractère romanesque du sujet et par sa fin heureuse, *Le Cid* s'apparente à la tragicomédie. Mais l'importance de l'Histoire et de la politique, l'ampleur du conflit intérieur vécu par les héros, et la relégation des combats dans le hors-scène, rapprochent la pièce de la **tragédie**, genre qui est alors en train de renaître.

→ **bienséances, Corneille, Cid (le), tragédie, tragicomédie, unités (règle des trois), vraisemblance**

cinéma et littérature

Né bien après la littérature, le cinéma, comme l'opéra avant lui, la télévision et la bande dessinée ensuite, y puise largement – et avec succès. La littérature se révèle une source inépuisable pour le cinéma, et le phénomène est mondial. Succès quantitatif de reprises de best-sellers comme l'indiquent les records d'entrées, destinés aux adultes (*Autant en emporte le vent, Da Vinci Code*...) ou bien aux enfants (films de Walt Disney, trilogie du *Seigneur des anneaux*, saga de *Harry Potter*). Succès qualitatif aussi, quand l'adaptation, quitte à prendre des libertés avec l'original, se révèle réussie. En retour, le «grand écran» vivifie l'écriture, et des écrivains majeurs de notre époque vont de l'un à l'autre.

La reprise d'œuvres littéraires au cinéma

Instrument de mémoire et d'archives visuelles, le cinéma immortalise des représentations théâtrales, des lectures de textes par leur auteur. Mais il va plus loin. Il **adapte des intrigues de roman, de théâtre**, aux contraintes et aux avantages propres à l'expression cinématographique : prédominance de l'image sur la description*, simplification des caractères, progression séquentielle, etc. Parmi les œuvres ainsi portées à l'écran, et pour ne retenir que les principaux exemples tirés de la littérature en langue française : *Les Liaisons dangereuses* de Laclos* (Roger Vadim en 1960, Stephen Frears en 1988), *Madame Bovary* de Flaubert* (Jean Renoir en 1933, Vincente Minnelli en 1949, Claude Chabrol en 1990), *La Recherche* de Proust (projet avorté de Visconti, *Le Temps retrouvé* de Raoul Ruiz en 1999, *Un amour de Swann* de Volker Schlöndorff en 1984), romans de Dumas* (*La Reine Margot* de Patrice Chéreau en 1994, de nombreux *Mousquetaires*), Hugo* (plus d'une quarantaine de films pour les seuls *Misérables*), Zola* (*Nana, La Bête humaine* par Jean Renoir).

Il arrive aussi que les films se saisissent de la **biographie d'un écrivain célèbre** (*Molière* d'Ariane Mnouchkine en 1978, de Laurent Tirard en 2007 ; *Sagan* de Diane Kurys en 2008), ou fictif (*Angel* de François Ozon en 2007).

Des influences réciproques, complexes et créatives

L'écriture d'un scénario et d'un livre recourt souvent à des **moyens stylistiques communs**, ou très proches : retours en arrière, dialogues*, ellipses*, narrateur (ou voix off). Les progrès de la technique cinématographique depuis les frères Lumière (effets spéciaux notamment) permettent, en outre, de reconstituer en images, en mouvements et en bruits, des mondes imaginaires, oniriques, merveilleux ou fantastiques. Il n'est donc pas étonnant que de nombreux écrivains passent derrière la caméra, et que des cinéastes publient.

Ainsi, les surréalistes reconnaissent dans les films de Luis Buñuel (*L'Âge d'or*, 1930, en collaboration avec Dali) leur propre inspiration novatrice et provocatrice. **Des écrivains** auteurs-réalisateurs **adaptent d'autres écrivains** (dans *La Femme du Boulanger*, Marcel Pagnol* adapte un roman de Giono*), leur propre œuvre (Pagnol pour *Marius, Fanny, César*), ou bien **écrivent** directement **des scénarios**, proposant parfois deux versions d'une même œuvre, synopsis et roman (Pagnol*, Duras*, Malraux*, Robbe-Grillet*), ou bien, enfin, **collaborent** aux adaptations par d'autres de leur œuvre.

Inversement, **des cinéastes construisent leurs films en s'inspirant de genres ou de procédés littéraires**. Ainsi, les films d'Éric Rohmer proposent des contes* et proverbes*, peignant avec humour* des personnages très concrets dans une langue recherchée. Jean-Luc Godard déclarait, en décembre 1962, dans les *Cahiers du cinéma* : « Je fais des essais en forme de romans ou des romans en forme d'essais : simplement, je les filme au lieu de les écrire. » Chez Marguerite Duras, jusqu'en 1972 le livre précède le film, adapté par d'autres qu'elles, ou par elle, puis le film précède le livre, mais cette écriture filmique, quasi expérimentale, emprunte au livre : voix off avec vue sur des espaces plus ou moins vides et accompagnement musical dans *India Song*, par exemple (1974).

Enfin, derniers exemples de ces échanges entre les deux arts : dans la production contemporaine, des **films évoquent l'effet d'œuvres littéraires classiques** (Molière, Marivaux) **sur des lycéens d'aujourd'hui** : *L'Esquive* d'Abdellatif Kechiche (2004) ou *La Journée de la jupe* de Jean-Paul Lilienfeld (2009).

Il arrive également que des livres **prennent pour sujet le grand écran** : par exemple, *Ballaciné* de Le Clézio (2007) ou les romans de Raymond Queneau* qui évoquent fréquemment (*Loin de Rueil*, 1944) la passion d'un personnage pour le cinéma.

→ **Duras, Malraux, *Mille et Une Nuits*, Nouveau Roman, Queneau, surréalisme**

classicisme

n. m. De l'adjectif *classique*, emprunté au latin *classicus*, « première classe, « excellent ». Au xviie siècle, le terme *classique* désigne les écrivains dignes d'être étudiés dans les classes (les auteurs de l'Antiquité, auxquels s'ajoutent, au xviiie siècle, les auteurs du xviie siècle). Le mot *classicisme* n'apparaît qu'au xixe siècle et désigne le style des œuvres de l'Antiquité et du xviie siècle. **Sens large**: l'adjectif *classique* qualifie aujourd'hui un style sobre et harmonieux. **Sens restreint**: le classicisme désigne l'époque comprise entre 1660 et 1685 environ et s'oppose au baroque* (qui le précède) et au romantisme* (postérieur). Mais les règles qui fondent l'esthétique classique sont élaborées dès les années 1630, et dominent encore, au théâtre par exemple, le xviiie siècle.

Les règles et la raison
Le classicisme **revendique** avant tout **la raison**, dont la philosophie de Descartes* a montré l'universalité. C'est au nom de la raison que sont établies des **règles** (celles de la vraisemblance* et des unités* au théâtre) qui, par leur souci de la mesure et de l'équilibre, doivent permettre d'atteindre la beauté des œuvres antiques. Le classicisme emprunte à la *Poétique* d'Aristote un effort constant de classification, de hiérarchisation des styles – noble, moyen, bas – et des genres*.
Le respect de la raison impose que l'on recherche toujours la **clarté***, le **mot juste**, mais aussi que l'on préfère le général (qui est toujours vrai) au particulier (qui varie). Les classiques prétendent « peindre d'après nature », mais il s'agit de **la nature humaine**, intemporelle et immuable, dont la raison a retrouvé les lois : ainsi, dans ses *Maximes*, La Rochefoucauld* fait un « portrait du cœur de

l'homme ». Ce souci de clarté rejoint une exigence de **pureté de la langue** (c'est l'œuvre de l'Académie française*) **et des genres** (la tragi-comédie*, genre mixte, est abandonnée au profit de la comédie* et de la tragédie*).

Honnêteté et politesse
Le public qui fréquente les académies et les salons* se reconnaît dans le modèle de l'« honnête homme ». Cet idéal est avant tout social : l'honnête homme cherche à plaire, mais avec modestie. Cultivé, sans pédanterie ni affectation, modéré – il maîtrise l'art de la litote* –, il sait s'adapter à son interlocuteur grâce à sa « politesse » et à son « goût ». C'est à lui que s'adresse la règle des bienséances*, qui prétend ne pas choquer les sentiments des « honnêtes gens ».

Diversité du classicisme
Contemporain de l'absolutisme royal et de sa volonté d'unification, le classicisme participe à la gloire du roi. Mais l'omniprésence des règles n'implique pas la raideur : **le classicisme est aussi riche que divers**. Au souci du mot juste s'oppose le flou du je ne sais quoi, à l'exigence de pureté s'opposent le maintien de la farce* dans la grande comédie moliéresque et les contes* licencieux de La Fontaine*. Il n'y a pas non plus de rupture irréductible entre le baroque et le classicisme ; trente ans ont servi de transition (1630-1660). Un Corneille* a été baroque avant de devenir « régulier ». L'époque baroque s'inspirait des œuvres italiennes et espagnoles. Le classicisme se tourne vers les Anciens, considérés comme un modèle de perfection qu'il convient d'imiter. À la fin du siècle, la **Querelle des Anciens et des Modernes*** remet en question la suprématie des Anciens, et le caractère indépassable de leurs œuvres. Il reste que le classicisme est né de la volonté moderne de donner à la langue et à la littérature françaises une grandeur et une dignité inégalées.

→ **Académie française, Anciens et des Modernes (Querelle des), baroque, bienséances, Corneille, imitation, Molière, Racine, romantisme, unités, vraisemblance**

Claudel
(Paul), 1868-1955

ŒUVRES PRINCIPALES

• **Poésie** : *Connaissance de l'Est* (1900),
Cinq Grandes Odes (1910),
Cantate à trois voix (1912, publ. 1931),
Cent Phrases pour éventail (1927).
• **Théâtre** : *Tête d'or* (1890), *L'Échange*
(1894), *Partage de midi* (1905), *L'Otage*
(1911), *L'Annonce faite à Marie* (1912),
Le Soulier de satin (publ. 1929, créé 1943).

Le poëte et la création

Claudel écrivait le mot *poëte* avec un tréma
pour rappeler son sens étymologique (du grec
poiein, « faire ») et donc les rapports analogiques qu'il entretient avec la création. Le poëte
est en effet créateur, à l'image de Dieu qui a
fait en la nommant la Création, laquelle est
poème au sens propre du terme. Selon l'art poétique* claudélien, l'univers s'offre au poëte à
qui la parole a été donnée pour qu'il en prenne
possession et le restitue dans sa plénitude. **Le
poëte recrée le monde par une « co-nais-
sance »** : tout homme, par son existence, mais
plus encore le poëte par sa parole poétique,
« naît avec » et fait naître par lui tout ce dont
il a connaissance.

L'« inspiration » claudélienne

Chez Claudel, le mot **inspiration*** est à
prendre dans son **sens le plus concret**. C'est
le mouvement respiratoire par lequel l'extérieur pénètre vers l'intérieur. C'est faire le
vide, créer l'« appel d'air » capable ensuite de
se libérer dans le souffle du langage rythmé.
La poésie de Claudel – y compris son théâtre
– est **respiration et souffle**. Le corps, considéré comme l'instrument de l'âme, dicte son
rythme, lequel épouse le mouvement même
de l'idée. Si Claudel choisit la forme du **verset***, qu'il emprunte à la Bible, c'est parce que
cette unité souple, de longueur variable, libérée de la rime, lui paraît s'adapter naturellement à la tension, à la respiration, à la cadence
de la parole humaine. L'inspiration est l'état
fondamental de l'être. Le mouvement d'inspiration qui comprend aspiration et restitution (du souffle vital) répond, pour Claudel,
à la vocation profonde de l'homme : recevoir,
s'approprier et donner en retour.

Atteindre l'unité

C'est l'être total que l'œuvre de Claudel se
donne pour mission de réaliser. Sa **vision re-**
ligieuse de l'être (*religare*, « relier ») postule
que la terre et le ciel, le corps et l'esprit sont liés
et nécessaires l'un à l'autre. L'**arbre**, dont il utilise souvent l'image, symbolise cette unité : ses
racines plongent dans la terre et ses branches
se tendent vers le ciel en deux mouvements
opposés mais l'un et l'autre indispensables à sa
vie. Les grands drames* de Claudel, en particulier *Partage de midi* et *Le Soulier de satin**, sont
fondés sur le thème de la rencontre de l'autre
et leur complémentarité nécessaire. L'amour
de la femme est nécessaire à l'homme en ce
qu'il l'oblige, non sans déchirements, à sortir
de lui-même. Le péché même est vu comme
nécessaire à l'accomplissement du salut.
Cette **aspiration à la totalité, à l'unité**, explique l'**exubérance** de l'œuvre claudélienne,
qui s'exprime surtout dans son théâtre, offrant à la fois poésie*, drame, farce*, tragique*
et grotesque*, ainsi que dans son écriture foisonnante, mélange de prosaïsme et de lyrisme*.

Dieu comme destin

Le théâtre de Claudel est imprégné par le
théâtre antique. La relation de l'homme avec
l'univers d'une part et avec son propre destin
d'autre part est le thème par lequel son œuvre
se rattache le plus profondément aux tragiques
grecs. Mais il **remplace le destin des Anciens
par Dieu**, dont la volonté, difficile à déchiffrer, est toujours à l'œuvre dans le monde et au
plus intime de l'être. C'est à ce « destin » que
ses personnages s'affrontent obscurément dans
tous ses drames. L'exigence de Dieu n'est pas
moins forte que la rigueur du destin imposé
par les oracles antiques. Cependant, Dieu ne
cherche pas à perdre l'homme, il veut le sauver. Le tragique prend un **nouveau visage** :
résister ou consentir au salut devient le nœud
de ce conflit dont l'univers et l'homme sont le
« théâtre ».

CITATION

• **Sur la fonction du poëte**
« Ainsi, quand tu parles, ô poëte, dans
une énumération délectable/Proférant de
chaque chose le nom/Comme un père tu
l'appelles mystérieusement dans son principe,/et selon que jadis,/Tu participas à sa
création, tu coopères à son existence ! »
(*Cinq Grandes Odes*)

REPÈRES BIOGRAPHIQUES

→ Claudel naît dans le Tardenois, région
austère de la Champagne, où se déroule
son enfance de « jeune sauvage », avant les
années d'adolescence rebelle passées à Paris.

Alors que le matérialisme et le positivisme* triomphent dans l'enseignement, la découverte de la poésie de Rimbaud* lui procure l'«impression vivante et physique du surnaturel». Sa conversion au catholicisme, le 25 décembre 1886 près d'un pilier de Notre-Dame de Paris, déclenche en lui une crise profonde et des années de lutte contre cette foi qu'il croit incompatible avec sa vocation d'écrivain et les exigences de l'amour humain qu'une passion adultère, transposée dans *Partage de midi*, lui fait éprouver douloureusement en 1901.

➜ L'activité littéraire de Claudel se développera parallèlement à sa carrière de diplomate, qui le conduit en Chine pendant quatorze ans (1895-1909). Ministre plénipotentiaire à Rio de Janeiro, il est ensuite nommé ambassadeur de France à Tokyo, à Washington et à Bruxelles, où il achève sa carrière.

➜ L'écrivain consacre les dernières années de sa vie au commentaire des textes bibliques. Il remanie quelques-uns de ses drames* pour les adapter à des mises en scène de plus en plus nombreuses. Quand il meurt, à 87 ans, il laisse de lui l'image d'un grand poète catholique, rôle qu'il reconnaissait, avec un orgueil teinté d'humour, être sa véritable vocation.

→ baroque, drame, Maeterlinck, *Soulier de satin* (Le), tragédie, verset

cliché

n. m. Onomatopée correspondant au bruit de la matrice tombant sur le métal en fusion. Utilisé à l'origine en typographie, le mot désigne des expressions ou des images banales, trop souvent utilisées (*ex.: une liaison tapageuse, le blanc manteau de la neige, des cheveux d'or*). «Le premier qui a comparé la femme à une rose est un génie, dit Nerval*, le deuxième est un imbécile.» En effet, les clichés sont souvent des métaphores* passées dans l'usage courant. On rapprochera le cliché du **stéréotype**, phrase ou expression toute faite qui semble sortir d'un moule. En revanche, on le distinguera du **poncif**, thème littéraire ou artistique conventionnel qui, à force d'avoir été rebattu, a perdu toute originalité (la mélancolie de l'automne); des **idées reçues**: là, la banalité est celle de l'idée plutôt que celle de l'expression

– une idée reçue est une idée toute faite, communément admise, non remise en question et qui s'apparente au préjugé; et du **lieu commun**: ce mot a pris le sens péjoratif d'idée reçue.

Les topiques
Dans la rhétorique* classique, le **lieu commun** (appelé aussi *topos*) est un thème éprouvé qui, repris à travers les siècles par les meilleures plumes, a acquis ses lettres de noblesse. Une idée ne prend sa valeur universelle que lorsqu'elle est devenue un lieu commun. L'art d'écrire devient alors l'art de développer les lieux communs. Toute l'invention de celui qui écrit réside dans l'originalité et la variété des exemples qu'il trouve pour les illustrer.

Au XXe siècle
En littérature, le recours au cliché résulte souvent d'une **intention parodique**, comme on peut le voir dans la pièce de Ionesco*, *La Cantatrice chauve*. On dit que le cliché est «dénudé» lorsqu'il est exhibé dans le texte comme cliché: «C'est un pas en avant de l'esprit humain, à supposer que l'esprit de l'homme soit bipède [...] et susceptible de réaliser des pas» (Queneau*).
Dans d'autres cas, le travail d'écriture vise à **revitaliser le cliché**. Voici, par exemple, comment Ponge* régénère le cliché des «fleurs de rhétorique» (qui sert à qualifier un style trop orné) en prenant l'expression au pied de la lettre dans un poème qui s'intitule justement *Promenade dans nos serres*: «Ô draperies des mots, assemblages de l'art littéraire, ô massifs, ô pluriels, parterres de voyelles colorées, décors de lignes, ombres de la muette, boucles superbes des consonnes, architectures, fioritures des points et des signes brefs, à mon secours!»

→ amplification, Ionesco, paradoxe, Ponge

Cocteau
(Jean), 1889-1963

ŒUVRES PRINCIPALES
• **Romans**: *Thomas l'Imposteur* (1923), *Les Enfants terribles* (1929).
• **Poésie**: *Plain-chant* (1923), *Opéra* (1927), *Clair-obscur* (1954).
• **Théâtre**: *Les Mariés de la tour Eiffel* (1921), *Orphée* (1926), *La Machine infernale* (1933), *Les Parents terribles* (1938).

• **Films**: *La Belle et la Bête* (1945), *L'Aigle à deux têtes* (1946), *Orphée* (1949), *Le Testament d'Orphée* (1959).

L'expression du mystère poétique

Cocteau n'hésite pas à recourir à la **tradition littéraire** pour nourrir son œuvre : Sophocle pour *La Machine infernale*, Stendhal* pour *Thomas l'Imposteur*, la légende du Graal pour *Les Chevaliers de la Table ronde* (1937). Mais il intègre ces références à sa mythologie personnelle, riche et cohérente : Œdipe* et Orphée*, comme l'ange Heurtebise, incarnent les pouvoirs du poète, messager (ange) qui passe sans cesse d'un monde à l'autre, du visible à l'invisible et de la vie à la mort.

Cocteau a lui-même classé son œuvre en **poésie, poésie de roman, poésie critique, poésie de théâtre**. Il considère en effet qu'elle est entièrement placée sous le signe de l'exploration et de l'expression de l'insaisissable mystère poétique. Sa propre vie est elle-même dominée par les préoccupations esthétiques : souvenirs, notes personnelles et réflexions sur la création se mêlent toujours intimement dans les écrits critiques et autobiographiques (*Le Rappel à l'ordre*, 1926 ; *La Difficulté d'être*, 1947).

Les voix de la parole poétique

Son aisance quelque peu ostentatoire et sa prédilection pour les mondanités ont fait beaucoup de tort à la réputation de l'écrivain. Mais le goût de la formule, la légèreté et l'humour* ne sont chez lui que les autres dimensions d'une **parole poétique profondément liée à la mort et à la renaissance**. Pour Cocteau, la poésie est avant tout passage et métamorphose. C'est pourquoi elle s'incarne chez lui dans tous les genres, tous les registres et tous les tons. Les fabulations de l'imaginaire sont autant de « mensonges » qui disent la « vérité ».

CITATION

• **Sur le rôle du poète**
« Puisque ces mystères m'échappent, feignons d'en être l'organisateur. » (*Les Mariés de la tour Eiffel*)

REPÈRES BIOGRAPHIQUES

→ Né dans une famille de la grande bourgeoisie parisienne, Cocteau se révèle un poète précoce et brillant (*La Lampe d'Aladin*, 1909). Fréquentant les milieux mondains, artistiques et littéraires, il se lie avec Picasso, Stravinsky, Gide* et Colette*. En 1919, il rencontre Raymond Radiguet* et contribue à le lancer dans le monde littéraire. Après la mort de son ami, il cherche une consolation dans l'opium et la religion. Son œuvre s'enrichit néanmoins : poésie, roman, théâtre, mais aussi dessin et cinéma – il réalise son premier film, *Le Sang d'un poète*, en 1932.

→ En 1937, il rencontre Jean Marais, qui deviendra son acteur fétiche. Après la guerre, son œuvre cinématographique se développe (*L'Éternel retour*, *La Belle et la Bête*, *Orphée*). En 1953, il est président du festival de Cannes et, en 1955, il est élu à l'Académie française*.

→ À la fin de sa vie, il décore la chapelle de Villefranche-sur-Mer, puis celle de Milly-la-Forêt, dans laquelle il sera enterré.

→ **Colette, Gide, mythe, Orphée, Radiguet**

Cohen
(Albert), 1895-1981

ŒUVRES PRINCIPALES

• **Romans**: *Solal* (1930), *Mangeclous* (1938), *Belle du Seigneur* (1968), *Les Valeureux* (1969).
• **Souvenirs et réflexions autobiographiques**: *Le Livre de ma mère* (1954), *Ô vous frères humains* (1972), *Carnets* (1978-1979).

Un univers truculent et fragile

Alors même que grandit la menace nazie, Albert Cohen témoigne, dans ses œuvres, de la joie de vivre et de l'innocence gouailleuse et inventive des **juifs du ghetto de Céphalonie**, île grecque proche de sa Corfou natale. À travers plusieurs romans, *Mangeclous*, *Les Valeureux*, *Belle du Seigneur*, réapparaissent cinq cousins, Mangeclous, Saltiel, Salomon, Michaël, Mattathias, dits les « Valeureux », dans une **épopée* comique du quotidien**, digne de Rabelais*, mélangeant lyrisme* et grotesque*, humour* et gravité, épopée immémoriale (elle trouve ses origines dans la longue histoire du peuple juif) et tragiquement fragile (la Solution finale visera leur destruction pure et simple au nom de la supériorité aryenne).

La satire des milieux internationaux

Ancré dans ses origines juives, dans cette culture unique et féconde, Albert Cohen, par sa profession de diplomate, vit aussi dans une **autre société**, à la fois cosmopolite, idéaliste et profondément repliée sur ses petits intérêts, celle des **fonctionnaires internationaux** confinés dans leurs bureaux de Genève. Il la peint dans *Belle du Seigneur* avec une **verve satirique** impitoyable, raillant ces modernes « ronds de cuir », impuissants devant la montée des intolérances et les assassinats perpétrés par les nazis, préoccupés de leur ascension dans la hiérarchie (ainsi le personnage veule et falot d'Adrien Deume, l'époux d'Ariane).

L'amour, rêve d'absolu et tragédie

Belle du Seigneur est aussi l'**épopée**, la **comédie** et la **tragédie de l'amour impossible**. Solal, jeune et beau sous-directeur de la Société des nations, entreprend de séduire Ariane, aryenne et noble, selon une stratégie consommée et misogyne, qui n'empêche pas le lyrisme du véritable amour. Partagé entre le désir d'absolu et le désespoir dû à la conscience que l'amour n'est qu'une illusion reposant uniquement sur l'attirance de la beauté, et non de la véritable personne, Solal entraîne Ariane vers un double suicide.

Le Livre de ma mère peint l'échec d'une autre forme d'amour, celle qui lie l'enfant et sa mère, le premier abandonnant lâchement la seconde, et restant torturé pour le reste de sa vie par le remords.

CITATION

• **Sur l'amour**

« Honte de devoir leur amour à ma beauté, mon écœurante beauté qui fait battre les paupières des chéries [...]. Ma beauté, c'est-à-dire une certaine longueur de viande, un certain poids de viande, et des osselets de bouche au complet, trente-deux. [...] Juliette aurait-elle aimé Roméo si Roméo avait eu quatre incisives manquantes, un grand trou noir au milieu ? Non ! Et pourtant il aurait eu exactement la même âme, les mêmes qualités morales ! Alors pourquoi me serinent-elles que ce qui importe c'est l'âme et les qualités morales ? » (*Belle du Seigneur*)

REPÈRES BIOGRAPHIQUES

➜ Né en 1895 à Corfou, dans une famille de commerçants juifs, Albert Cohen vit d'abord à Marseille, où sont installés ses parents, puis poursuit des études de droit à Genève. Il va mener toute sa vie une double carrière de diplomate dans des organisations internationales (Société des nations, Bureau international du travail, Nations unies) et d'écrivain (poèmes, théâtre, romans, souvenirs, journalisme).

➜ Ces deux vocations s'unissent sous le signe de l'engagement politique (défense du sionisme, lutte contre le nazisme, protection des réfugiés et des apatrides) et de l'illustration littéraire de la culture juive méditerranéenne. En 1946, il rédige le texte relatif à la délivrance d'un passeport pour les réfugiés dont il dira qu'il est son « plus beau livre », mais il est aussi l'auteur inoubliable de l'une des plus belles histoires d'amour du XXᵉ siècle, *Belle du Seigneur*.

→ **burlesque, lyrisme, Rabelais, satire**

Colette,
1873-1954

ŒUVRES PRINCIPALES

• **Romans** : la série des *Claudine* (1900-1903), *L'Ingénue libertine* (1909), *La Vagabonde* (1911), *L'Envers du music-hall* (1913), *Chéri* (1920), *Le Blé en herbe* (1923), *La Naissance du jour* (1928), *La Seconde* (1929), *Julie de Carneilhan* (1941), *Gigi* (1944), *L'Étoile Vesper* (1946), *Le Fanal Bleu* (1949).

• **Nouvelles** : *Dialogues de bêtes* (1904-1905), *Les Vrilles de la vigne* (1908).

L'amour de la nature et de la vie

Colette est **un grand peintre de la nature**, qu'elle célèbre à travers les paysages de Bourgogne et de Provence. Hérité de sa mère Sido, le lien étroit de l'écrivain avec les saisons, les arbres, les fleurs, les fruits, les animaux, les nuances les plus fugitives, s'exprime par une grande richesse de vocabulaire, des métaphores* originales et un appel à tous les sens, qui font de ses textes de véritables **poèmes en prose***. Colette sait également ressusciter dans leurs moindres détails les perceptions du passé (relation privilégiée entre la nature et l'enfance) ou le lien entre une relation amoureuse et une saison (*Le Blé en herbe*, par exemple).

La peinture de l'amour

Bien qu'il arrive à Colette de dévoiler les ressorts psychologiques d'une grande variété de personnages, son thème préféré est l'**évocation de l'amour, sous toutes ses formes** : éveil des adolescents à la sensualité (*Le Blé en herbe*), homosexualité (*Ces Plaisirs…*, 1932), jalousie (*La Chatte*, 1933 ; *Duo*, 1934), relation entre un jeune homme et une femme vieillissante (*La*

Naissance du jour), désenchantement, apaisement, déchirements.

Elle est l'une des premières et des rares femmes à aborder ces thèmes avec **liberté et sensualité**, et dépasse la chronique facile d'un érotisme vaguement scandaleux par son acuité dans l'analyse des sentiments et les qualités subtiles de son style. À sa recherche de toutes les facettes de l'amour s'ajoute la profondeur acquise par l'expérience d'une femme qui a elle-même beaucoup aimé, avec autant de bonheur que de souffrance.

La sagesse

L'observation lucide et sans concession des mœurs est toujours accompagnée, chez Colette, d'une **grande indulgence pour ses personnages.** Durant les dernières années de sa vie, loin de tomber dans l'aigreur, cette femme qui avait connu la beauté, le succès de la rampe, de nombreux amants, donne – notamment dans *La Naissance du jour* – une **leçon de sérénité, d'équilibre, d'acceptation joyeuse** de tous les aspects de la vie et de la vieillesse : plaisirs des souvenirs et de la nostalgie, de l'amitié et de la tendresse, persistance de l'éveil de tous ses sens et de son goût pour l'écriture.

CITATION

• **Sur l'identité**
« Je n'ai jamais changé. Je me souviens de moi avec une netteté, une mélancolie qui ne m'abusent point. Le même cœur obscur et pudique, le même goût passionné pour tout ce qui respire à l'air libre et loin de l'homme – arbre, fleur, animal peureux et doux, eau furtive des sources inutiles –, la même gravité vite muée en exaltation sans cause... Tout cela, c'est moi enfant et moi à présent. » (*Les Vrilles de la vigne*)

REPÈRES BIOGRAPHIQUES

➜ Née dans l'Yonne en 1873 d'un père, ancien militaire qui lui laisse libre accès à sa bibliothèque et d'une mère, Sido, qui lui transmet son amour de la nature et sa sagesse, Gabrielle Sidonie Colette commence à écrire sous l'influence de son premier mari, un mondain parisien. À la série des quatre *Claudine* (1900-1903), signée par Willy, son époux, mais écrite par elle, Colette devait plus tard reprocher « une souplesse à réaliser ce qu'on attendait d'elle » : l'histoire coquine et complaisante de l'apprentissage sentimental d'une adolescente. Dès 1904, avec les *Dialogues de bêtes*, elle trouve sa propre voie en dehors de toutes

les tendances littéraires du siècle et, jusqu'à la fin de sa vie, va signer une œuvre à succès.

➜ Après son divorce (1906), elle devient mime dans le music-hall, dont la population bigarrée et non conformiste inspire plusieurs de ses livres (*La Vagabonde*, *L'Envers du music-hall*), puis journaliste. Malgré son anticonformisme, qui en fait une préfiguratrice de la libération des femmes, et sa sensualité, Colette connaît à la fin de sa vie tous les honneurs (décorations, appartenance à des académies, funérailles nationales) et ses ouvrages sont adaptés au cinéma (*Gigi*, Jacqueline Audry, 1949 ; *Le Blé en herbe*, Claude Autant-Lara, 1954 ; *Chéri*, Stephen Frears, 2009, par exemple).

➜ **poème en prose**

comédie

n. f. Du latin *comœdia* (emprunté au grec *kômôdia*), « pièce de théâtre ». Entré dans l'usage au milieu du xviᵉ siècle, le terme possède le sens général de « pièce de théâtre », sans distinction de genre, et le sens restreint de « pièce divertissante représentant des personnages de moyenne et basse condition », comédie s'opposant là à tragédie*.

La comédie humaniste

Contrairement à la tragédie, la comédie a suscité très peu de traités de la part des théoriciens. C'est un genre qui existait dans l'Antiquité et qui est redécouvert par la Renaissance. Le Moyen Âge a connu des formes de spectacle comique (farces*, soties) qui n'étaient pas des comédies. La **comédie humaniste** héritée de l'Antiquité latine est une pièce relativement longue, divisée en actes et en scènes, construite autour d'une intrigue amoureuse (des jeunes gens cherchent à réaliser leur amour malgré l'opposition des pères et avec l'aide de valets fanfarons), et qui respecte les règles des unités* et de la vraisemblance*. Elle se donne une visée morale : elle se veut « miroir » de la vie quotidienne, imitation des mœurs, et se fixe pour but d'**instruire et** de **plaire**. Elle cherche avant tout à se **différencier de la farce**.

La comédie classique

En France, la comédie ne se développe vraiment qu'à partir des années 1630, grâce à Corneille* notamment. Elle se définit par opposition à la tragédie et à la farce : c'est une pièce de **ton**

moyen, ni élevé (tragédie), ni bas et grossier (farce), **en cinq actes et en vers**, qui met en scène des **personnages ordinaires** de la bourgeoisie ou de la petite noblesse. Son décor est une place publique, ou une maison. L'intrigue* repose sur une contrariété amoureuse dont le **dénouement** est **nécessairement heureux**. Ni le comique* ni le rire n'entrent dans la définition de la comédie. Chez Corneille, elle se présente comme une conversation d'« honnêtes gens », qui cherche à faire sourire plus que rire, et qui évite le ridicule.

C'est à **Molière*** qu'il revient d'avoir revendiqué la dignité du comique et du rire. Il n'hésite pas à intégrer des éléments de farce dans la « **grande comédie** ». Chez Molière, plus qu'un simple instrument de plaisir, le rire devient une **arme critique au service d'une satire* sociale** : il sanctionne le ridicule d'un « caractère ». Parallèlement à la réhabilitation du rire, Molière réaffirme la **fonction morale de la comédie**, qui doit « peindre les hommes d'après nature » et les corriger par la représentation de leurs vices.

La comédie après Molière

Grâce à Molière se développe une comédie de mœurs et de caractère qui connaîtra un extraordinaire développement au cours du siècle qui suit sa mort. Dancourt, Régnard*, Lesage*, prolongent son héritage. Nivelle de la Chaussée, au XVIIIe siècle, oriente la comédie vers le larmoyant, annonçant l'esthétique nouvelle du drame* bourgeois de Diderot*. S'inspirant du jeu des Comédiens-Italiens, **Marivaux*** se distingue beaucoup plus nettement de la tradition moliéresque et fonde ses comédies sur l'analyse de la naissance du sentiment amoureux. À maints égards, **Beaumarchais*** peut être considéré comme l'un des derniers représentants de la comédie dite classique. Les romantiques, **Musset*** excepté, écriront peu de comédies. Au XIXe siècle, la veine populaire et comique se prolonge dans le **vaudeville* et le théâtre de boulevard**, avec Labiche*, Feydeau* et Courteline*. À la critique des mœurs se mêle une invention débridée et fantaisiste.

Avec la disparition de la notion de genre* dramatique au XXe siècle, le terme de « pièce » tend à se substituer à celui de comédie. Chez Beckett* et Ionesco*, le comique naît de l'absurde* et ne se distingue plus guère du tragique.

→ **absurde, Beaumarchais, comique, commedia dell'arte, Courteline, drame, Feydeau, Jeu de l'amour et du hasard (Le), Labiche, Marivaux, Molière, Musset, tragédie, vaudeville**

Comédie-Française

n. f. Du latin *comœdia*, « pièce de théâtre » (emprunté au grec *kômôdia*). Société de théâtre créée au XVIIe siècle et institution de la vie culturelle française.

Naissance de la Comédie-Française

À la mort de Molière* (1673), sa troupe, dirigée par La Grange, s'installe à l'Hôtel Guénégaud. En 1680, Louis XIV ordonne la **fusion de la troupe de Molière avec la troupe rivale de l'Hôtel de Bourgogne**. Cette nouvelle troupe, constituée en « **société** », détient le **monopole du répertoire français**, au détriment des Comédiens-Italiens mais aussi des théâtres de la Foire, dont elle obtient la fermeture en 1719 (ceux-ci deviennent l'Opéra-Comique en 1724, et fusionnent avec la Comédie-Italienne en 1762). À la Révolution, la société est dissoute et son monopole est aboli. Les Comédiens-Français se réunissent de nouveau à partir de 1799. Réorganisée en 1812, son monopole est partiellement rétabli par Napoléon. La Comédie-Française a changé plusieurs fois de salle, avant de s'installer en 1812 au Théâtre-Français (salle Richelieu), où elle se trouve toujours. La société exploite actuellement deux autres salles : le Théâtre du Vieux-Colombier, réouvert en 1993, et le Studio-Théâtre, inauguré en 1996.

Une organisation unique

La Comédie-Française est une société, à l'image de l'Illustre-Théâtre, la société constituée par Molière en 1643. C'est à la fois une **entreprise privée**, gérée par des artistes « sociétaires » (qui vivent des recettes qu'ils se partagent), **et un service public**, l'État participant au budget de manière de plus en plus importante (80 % aujourd'hui), et ayant donc un droit de regard non négligeable sur ses activités. Aux « **sociétaires** » s'ajoutent des acteurs « **pensionnaires** », dont le contrat est renouvelé chaque année.

Le répertoire et les acteurs

La Comédie-Française a été créée pour **perpétuer le répertoire français**, dont elle a détenu le monopole jusqu'à la Révolution ; à ce titre, elle a pu faire figure de théâtre conservateur. C'est là qu'a lieu, en 1830, la « bataille d'*Hernani* ». Elle s'est ouverte depuis quelques années à des influences étrangères et à des metteurs en scènes plus novateurs.

Parmi les acteurs célèbres qui ont fait la gloire de la Comédie-Française, on peut citer Baron (le protégé de Molière), Adrienne Lecouvreur, Talma, Rachel, Sarah Bernhardt, Jean-Louis Barrault, Madeleine Renaud…

→ **classicisme, commedia dell'arte, Molière**

comique

n. m. Du grec *kômos*, « fête avec chants et danses dans les rues », initialement en l'honneur de Dionysos. Le comique désigne l'ensemble des éléments qui provoquent le rire. Les auteurs utilisent à cette fin des moyens et des procédés différents, qui conduisent à des comiques de forme diversifiée. On distingue habituellement le comique de geste, le comique de situation, le comique de caractère, le comique de mœurs, le comique verbal.

Moyens et procédés du comique

Les procédés comiques jouent essentiellement sur la **déformation**, la **répétition** et les **effets de décalage**.

La **déformation** s'exprime dans la **caricature***, qui ridiculise des traits physiques et psychologiques, des situations, en les exagérant. Le comique verbal (jeux sur le langage) recourt également à la déformation. Michaux* invente purement et simplement des mots, Tardieu* s'amuse à employer « un mot pour un autre ».

La **répétition** est, pour Bergson notamment, un **ressort essentiel du comique**, qu'il définit comme « du mécanique plaqué sur du vivant » (*Le Rire*). Ce procédé s'applique aussi bien à des situations (dans le vaudeville*, par exemple) qu'à des mots ou à des phrases (ainsi, chez Molière*, la répétition de la célèbre question de Géronte : « Qu'allait-il faire dans cette galère ? » dans *Les Fourberies de Scapin*, II, 7).

Les **techniques de décalage**, plus subtiles, permettent des rapprochements incongrus qui prêtent à rire. Ainsi, Voltaire* se joue de la logique : « Monsieur le baron était un des plus puissants seigneurs de Westphalie, car

son château avait une porte et des fenêtres » (*Candide**, chap. 1). De cette technique relève aussi le **jeu sur le double sens des mots**, souvent exploité dans un but critique : Zadig, par exemple, feint de louer chez ses juges « l'éclat du diamant », alors qu'il dénonce en réalité leur avidité. La **description*** qui, en ne nommant pas tout de suite, permet de souligner l'étrangeté de ce dont on veut faire rire, est également très utilisée par Voltaire : « […] à ces propos si vagues, si rompus, si tumultueux, à ces médisances téméraires, à ces décisions ignorantes, à ces turlupinades grossières, à ce vain bruit de paroles, qu'on appelait *conversation* dans Babylone » (*Zadig*, chap. 1), ou encore : « Un jour, Cunégonde […] vit entre des broussailles le docteur Pangloss qui donnait une leçon de physique expérimentale à la femme de chambre […] » (*Candide*, chap. 1).

Formes littéraires du comique

La **satire***, qui se moque de personnes et de milieux, la **parodie***, qui se moque plutôt de genres et de styles littéraires, utilisent des procédés d'exagération. Le **burlesque*** est souvent parodique.

L'**ironie*** et l'**humour*** jouent davantage sur le sens des termes. L'ironie est une forme de moquerie qui laisse entendre le contraire de ce qui est dit ; en cela, elle utilise les procédés de décalage. L'humour, qui évoque avec un sérieux apparent un personnage ou une situation, cherche en réalité, sous ce couvert, à faire apparaître leur ridicule ; il suppose une compréhension très aiguë de la part du récepteur.

Fonctions du comique en littérature

Le comique a d'abord une **fonction ludique**, mais souvent il joue aussi un **rôle critique** dans la mesure où il discrédite les cibles qu'il attaque : les *Contes* de Voltaire, les *Lettres persanes** de Montesquieu* sont des armes contre une société viciée. Rire, enfin, permet à l'homme de surmonter ses angoisses en voyant ridiculisés les sujets qui en sont les causes : l'amour, la maladie, la mort (voir le **comique de l'absurde*** dans le théâtre de Beckett* ou de Ionesco*).

→ **absurde, burlesque, caricature, comédie, commedia dell'arte, Feydeau, ironie, Labiche, Molière, parodie, satire, vaudeville**

commedia dell'arte

n. f. De l'italien *commedia*, «théâtre» et *arte*, «métier», d'où: «théâtre des gens de métier». Cette appellation apparaît tardivement, au milieu du XVIIIe siècle, et désigne un genre théâtral italien, fondé sur l'improvisation et sur le jeu des masques, qui a connu un immense succès en Europe du milieu du XVIe siècle à la fin du XVIIIe siècle. La commedia dell'arte s'oppose à la *commedia sostenuta* («comédie soutenue», érudite) italienne, écrite et à vocation littéraire.

Caractéristiques de la commedia dell'arte

La commedia dell'arte naît en Italie au milieu du XVIe siècle, lorsque des acteurs revendiquant leur savoir-faire dans cet art dramatique se constituent en troupe professionnelle. L'essentiel de leur répertoire est composé de **canevas comiques**, à partir desquels les acteurs **improvisent** des dialogues en les accompagnant de plaisanteries bouffonnes (lazzi) et de **pantomimes**. L'**intrigue**[*], souvent empruntée aux comédies latines ou aux comédies érudites italiennes, tourne autour d'un conflit amoureux et de la tromperie d'un personnage. N'étant pas écrit, ce genre théâtral n'a aucune prétention littéraire. Tout repose sur le jeu des acteurs, qui privilégie la virtuosité gestuelle. Des **personnages types** se retrouvent dans toutes les pièces : deux vieillards (*Pantalon*, bourgeois avare, et le *Docteur*, pédant ridicule), deux amoureux, deux valets (les *zanni*). S'y ajoutent deux amoureuses – avec elles, le personnage de la jeune fille fait son apparition au théâtre –, des soubrettes, des bouffons, ainsi que des chanteurs, des danseurs et des acrobates.

Ces personnages types sont identifiables grâce à leur **masque** et à leur **costume** (Arlequin[*] porte un costume bariolé et une batte), et par leur **dialecte** (chaque type parle un dialecte italien différent, et cela même en France). Ces types sont susceptibles de nombreuses variations. Pantalon ouvre la voie à tous les Géronte du répertoire, et les *zanni* ont une descendance particulièrement riche : leurs héritiers sont Scapin, Sganarelle, Trivelin… que l'on retrouve chez Molière[*] ou chez Marivaux[*].

La Comédie-Italienne

Les troupes itinérantes italiennes connaissent rapidement un énorme succès en France. Au milieu du XVIIe siècle, une troupe s'installe à Paris de façon permanente. En 1684, les Comédiens-Italiens reçoivent l'autorisation de jouer en français, ce qui en fait les rivaux de la Comédie-Française. Ils font appel à des dramaturges (Régnard[*], Dufresny) pour composer des scénarios plus conformes aux goûts nouveaux du public, et donnent à leurs pièces un tour satirique qui leur vaut d'être chassés en 1697 par un Louis XIV vieillissant. En 1716, le Régent les rappelle. La troupe de Riccoboni fait de plus en plus appel à des textes écrits. Marivaux écrit pour les Comédiens-Italiens ses premières comédies. En 1792, la Comédie-Italienne qui, depuis le début, avait mis à son répertoire des « féeries » à effets spectaculaires, des spectacles chantés et dansés, devient l'**Opéra-Comique**, abandonnant définitivement son répertoire de canevas comiques.

Influence et postérité de la commedia dell'arte

La commedia dell'arte a eu une influence très importante sur le théâtre français. Par sa revendication de la théâtralité pure et de la fantaisie, par la virtuosité de sa gestuelle, par la rapidité de ses dialogues et de ses jeux de scènes, par la création de types aussi, elle a inspiré **Molière**, **Marivaux**, **Beaumarchais**[*]. Ses jeux de scènes, ses acrobaties, ses jeux de masques ont été repris par les théâtres de la Foire au XVIIIe siècle, par le mime Deburau au siècle suivant et continuent, au XXe siècle, d'inspirer des metteurs en scène comme Giorgio Strehler et Ariane Mnouchkine.

→ **Arlequin, Beaumarchais, comédie, Régnard, Marivaux, Molière**

communication (schéma de la)

n. f. Du latin *communicatio*, «action de communiquer, d'échanger».

Le schéma de la communication

Il existe mille manières de communiquer : parole, geste, lettre, téléphone, texto, affiche, médias… La communication peut être **orale ou écrite**. Quelle que soit la forme utilisée, le but de toute communication est la **transmission d'un message à autrui**. Toute communication, indépendamment du mode choisi, comprend ces **six facteurs** constitutifs :

1. L'**émetteur ou destinateur** est celui qui émet le message. Ce peut être un individu singulier ou un groupe d'individus (entreprise, collectivité).

2. Le **récepteur ou destinataire** est celui qui reçoit et décode le message. Ce peut être un individu, un groupe d'individus, un animal ou même une machine.

3. Le **message** est la finalité de la communication. Constitué au moyen de signes (images, gestes, mots, attitudes, etc.), il est le contenu des informations transmises. Il est donc une représentation du réel et non le réel lui-même. Il suppose une distance entre le sujet et l'autre car personne ne se trouve dans l'esprit d'autrui. Pour une bonne réception, il faut qu'émetteur et récepteur maîtrisent un code commun, et qu'aucun parasitage n'affecte la transmission du message (exemples de parasitage : bruit, orthographe défectueuse).

4. Le **canal de communication** est le support physique qui transmet l'information (voix humaine, cri d'animal, rayon lumineux, lettre, livre imprimé, ondes hertziennes…). Le canal essentiel du langage humain est la voix.

5. Le **code** est un ensemble conventionnel de signes et de symboles combinés entre eux selon un certain nombre de règles. La compréhension du message nécessite une même connaissance du code par l'émetteur et par le récepteur. Selon le degré de maîtrise d'un code commun, la communication sera plus ou moins réussie : cela peut aller d'une incompréhension totale à une compréhension excellente. Il est possible d'utiliser simultanément plusieurs canaux de communication et plusieurs codes : ainsi, la publicité joue sur les codes de l'image, de la langue écrite et orale…

6. Le **référent** (ou **contexte**) est constitué de tous les éléments du réel auquel renvoie le message, que ce soit la situation ou les objets. Il appartient à la réalité objective et non au langage. Il existe deux types de référents :

– le **référent situationnel**, en rapport avec la situation d'énonciation*. *Ex.* : lors d'un incendie, l'injonction d'un père à son enfant « *Ne t'approche pas du feu* » renvoie à une situation spatiale, temporelle, et à un « objet » précis ;

– le **référent textuel**, composé de l'ensemble des signes linguistiques. Dans un roman, tous les référents sont textuels car ils renvoient à d'autres éléments du texte et non à la situation d'énonciation du romancier lors de l'écriture du roman. Tout terme désignant un objet ou un événement renvoie au réel ou installe du réel dans le texte, ce qu'on appelle l'illusion référentielle. Ainsi, dans *La Bête Humaine* (Zola), la Lison renvoie à une locomotive imaginaire conduite par un personnage imaginaire appelé Lantier et non pas à une locomotive réelle appelée Lison par un mécanicien réel appelé Lantier.

Les six fonctions de la communication

Selon Roman Jacobson, on peut distinguer, dans tout acte de communication, six fonctions, liées chacune à l'un des éléments du schéma de communication.

1. La **fonction référentielle** renvoie aux **référents** du message et produit un effet de réalité ; *ex.* : *Le magasin est ouvert à 9 h 30.* Dans un texte de fiction, l'utilisation des référents permet d'accumuler les effets de réalité et, ainsi, de procurer au lecteur une illusion réaliste.

2. La **fonction expressive** : elle concerne l'**émetteur**, qui l'utilise pour exprimer ses sentiments à l'égard du contenu du message et/ou de la situation de communication ; *ex.* : *Si vous saviez ce qu'ils ont fait de ma maison !*

3. La **fonction conative** : elle concerne le **destinataire**. L'émetteur l'utilise pour agir sur le récepteur, l'influencer ; *ex.* : « *Bon appétit, messieurs ! […] voilà votre façon de servir, serviteurs qui pillez la maison !* » (Hugo, *Ruy Blas*, III, 2). L'emploi de l'apostrophe « messieurs » et de la deuxième personne place d'emblée les ministres au rang de criminels accusés de malhonnêteté. Elle souligne le contraste entre ceux-ci et Ruy Blas, et rehausse le prestige de ce dernier.

4. La **fonction phatique** : elle sert à établir, à maintenir ou à couper le **contact avec le récepteur** ; *ex.* : *Allô, tu m'entends ? Bon, je raccroche.*

5. La **fonction métalinguistique** : elle fournit des précisions ou des explications sur le **code**, et consiste donc à utiliser un langage pour préciser ou expliquer le langage (d'où l'omniprésence de cette fonction dans les dictionnaires). *Ex.* : *Cet animal vécut à la fin de l'ère primaire, c'est-à-dire au carbonifère* : *c'est-à-dire au carbonifère* précise ce qu'est la fin de l'ère primaire.

6. La **fonction poétique :** elle vise à faire du message un **objet esthétique** par le jeu de sa structure, de son rythme, de ses sonorités, par le niveau de langue ; *ex.* : *la menthe forte qui réconforte.*

Selon la situation de communication, la situation d'énonciation et la visée du message, telle ou telle fonction prime sur les autres, mais plusieurs fonctions sont souvent à l'œuvre dans un même texte.

→ **énonciation, linguistique**

comparaison

n. f. Du latin *comparare*, «apparier».
Figure de style consistant à rapprocher deux termes différents (le comparé et le comparant) mais ayant une caractéristique commune (exprimée ou non), au moyen d'une conjonction (*comme, ainsi que...*), d'un adjectif comparatif (*tel que, pareil à...*), d'un verbe comparatif (*ressembler à, avoir l'air de...*), appelés «outils de comparaison».
Exemple: dans la comparaison: «Le ciel est triste et beau comme un grand reposoir» (Baudelaire*, «Harmonie du soir», *Les Fleurs du mal*), le comparé est «Le ciel», le comparant «un grand reposoir», la caractéristique commune «triste et beau», et l'outil «comme».

Principales fonctions de la comparaison

La comparaison, forme d'image littéraire, insiste sur une **qualité particulière du comparé**, signalée par le comparant : « [...] elle est blonde/Comme les blés » (Musset*, « Le Chandelier »).
Elle permet aussi d'**élargir le sens du comparé**, de le nuancer, de le renouveler.
Enfin, elle joue un **rôle dans le discours explicatif** : en développant le comparé, elle peut le rendre plus compréhensible. Dans ce cas, le comparé est souvent une abstraction, et le comparant un terme concret, familier. Ainsi en va-t-il du rapprochement entre la grandeur et une fontaine chez Bossuet* : « La bonté devait [eût dû] donc faire comme le fond de notre cœur [...]. La grandeur qui vient par-dessus, loin d'affaiblir la bonté, n'est faite que pour l'aider à se communiquer davantage, comme une fontaine publique qu'on élève pour la répandre. » (*Oraison funèbre du prince de Condé*.)

→ **allégorie, analogie, figures de style, métaphore**

Comte de Monte-Cristo (Le), Alexandre Dumas, 1844

RÉSUMÉ
Edmond Dantès, second officier de marine, rentre à Marseille à bord du *Pharaon* sur lequel il a remplacé le capitaine, décédé en mer. Le soir des fiançailles de Dantès avec Mercédès, une belle Catalane, Danglars, agent comptable chez l'armateur Morrel, rédige avec l'aide du tailleur Caderousse et du pêcheur Fernand Mondego, amoureux de Mercédès, une dénonciation accusant le jeune homme d'être bonapartiste, qu'il envoie à l'ambitieux et royaliste procureur Villefort. Pour des raisons personnelles liées au bonapartisme de son père, Villefort fait enfermer le malheureux innocent au château d'If où il reste quatorze ans. Dantès y fait la connaissance de l'abbé Faria, qui lui transmet son savoir et son secret: l'existence d'un fabuleux trésor enfoui dans l'île de Monte-Cristo, qu'il lui lègue. Après la mort de Faria, Dantès parvient à s'évader et trouve le trésor. Sous le nom de «comte de Monte-Cristo», il revient à Paris pour assouvir sa vengeance. Il retrouve les trois compères, et, implacable, mène à bien son projet: Mondego se suicide, Caderousse est assassiné par le fils adultérin de Villefort, qui devient fou, et Danglars est ruiné. Le comte de Monte-Cristo fait le bonheur du fils de Morrel avant de reprendre la mer, sa mission achevée.

Genèse de l'œuvre

Dumas relate lui-même dans les *Causeries* (1860) la genèse du *Comte de Monte-Cristo*. Lors d'un voyage à l'île d'Elbe avec le fils de Jérôme Bonaparte, il part avec dernier faire une partie de chasse à l'île de la Pianosa et, depuis la mer, découvre l'île déserte de Monte-Cristo, dont il fait le tour pour relever sa position géographique. Il souhaite, dit-il, « donner en mémoire de ce voyage [...] le titre de l'île de Monte-Cristo à quelque roman qu'[il] écrir[a] un jour ». La lecture d'un fait divers relatant l'implacable vengeance d'un innocent injustement condamné après avoir été dénoncé par un ami jaloux, lui fournit la matière du livre qu'il publie en feuilleton dans le *Journal des débats* du 28 août 1844 au 15 janvier 1846.

L'assouvissement d'une vengeance

Le roman de Dumas raconte avant tout l'**histoire d'une vengeance**. Non la seule loi du talion, que pratiquent les bandits romains et qui fait d'eux des hors-la-loi, mais une vengeance qui revêt une **dimension métaphysique**. Le nom pris par Dantès, Monte-Cristo, et l'âge auquel il le prend : 33 ans, ne sont pas sans évoquer le Christ. Le serment que le héros se fait à lui-même de se venger découle de l'illumination quasi mystique qui le saisit lorsque, grâce à l'abbé Faria, il comprend les raisons de son emprisonnement. De fait, le comte voit dans sa vengeance la main de Dieu, à laquelle il s'identifie. À plusieurs reprises, l'agencement des événements le conforte dans cette certitude. Impitoyable, poussé par sa seule haine, il organise savamment la perte de ses trois ennemis et les frappe pareillement, sans distinguer, pour chacun d'eux, un degré différent de culpabilité. Cependant, il s'abstient de les châtier lui-même : c'est le **destin** qui, à chaque fois, paraît décider de leur sort effroyable. La mort tragique du jeune Édouard et de sa mère, la seconde Mme de Villefort, le fait douter, pour la première fois, de la légitimité divine de sa vengeance et ouvre son cœur au pardon : il épargne la vie de Danglars et connaît le remords, comme en témoignent ses dernières paroles. Parvenu au terme de ce **parcours initiatique**, le héros peut désormais transcender sa haine, se réconcilier avec lui-même et donc avec le monde : désormais, il peut accepter de vivre.

Un roman d'aventures

Le Comte de Monte-Cristo revêt nombre de caractéristiques du roman d'aventures, combinant les attraits du roman historique de cape et d'épée et du roman-feuilleton. L'**intérêt dramatique** est **fondé sur le suspense et la multiplication des actions**. Changements d'identité (Dantès/Comte/abbé Busoni/lord Wilmore ; Benedetto/Andrea Cavalcanti…) et port du masque, épreuves qualifiantes pour le héros (emprisonnement, fuite, piraterie, sauvetages…), enlèvements (*ex.* : Franz et Danglars enlevés par Vampa), dramatisation des scènes de reconnaissance (*ex.* : le Comte ne révèle sa véritable identité au fils de Morrel que pour empêcher le suicide de celui-ci), prédilection pour les lieux secrets, à double fond (*ex.* : grotte de Monte-Cristo ; catacombes de Saint-Sébastien) comme l'âme des personnages, parfum d'orientalisme cher au XIXe siècle (*ex.* : description des intérieurs des habitations du Comte, Haydée), personnages nombreux, voyages, tout concourt à tenir le lecteur en haleine.

Un roman réaliste

Roman de Dumas le plus proche de l'univers balzacien, *Le Comte de Monte-Cristo* **inscrit l'histoire individuelle du héros dans un cadre historique** allant de l'Empire à la seconde Restauration. À l'aube du capitalisme naissant, il en **dénonce** toutes les perversions à travers Villefort, Danglars, et Mondego/Morcerf, trois criminels représentants de la haute société corrompue et symboles de trois piliers de l'État : la justice, la finance et l'armée. Dans une société régie par l'argent et l'opinion, nourrie par la rumeur, et ne récompensant que l'apparence et les faux-semblants, les sentiments humains n'existent qu'à l'extérieur du corps social (bandits ou contrebandiers…) ou dans le secret d'une vie en retrait (les Morrel). Le **fourmillement de personnages de second**

(domestiques, matelots…) et **troisième plan** (figures anonymes des concierges, des cochers, des fossoyeurs…) accentue le **réalisme*** **d'une peinture sociale** où les mœurs ne dépendent plus d'une hiérarchie de classes désormais marquée par l'uniformisation, mais sont déterminées par l'argent et la position sociale qu'il permet d'acquérir.

→ **Balzac, Dumas, réalisme, roman, romantisme**

Condition humaine (La), André Malraux, 1933

RÉSUMÉ
Le roman s'ouvre sur les préparatifs de l'insurrection communiste à Shangai contre le gouvernement féodal: le chef du soulèvement, Kyo, négocie un achat d'armes avec Clappique, un noceur ruiné. L'insurrection réussit. Néanmoins, les révolutionnaires s'inquiètent de la stratégie à adopter devant leur allié nationaliste Tchang Kaï Chek (**parties I et II**).
Kyo part pour Han-Kéou, siège du comité central du Parti communiste. Celui-ci refuse la lutte ouverte contre le Kuomintang de Tchang Kaï Chek et semble s'opposer à l'assassinat de ce dernier proposé par un autre révolutionnaire, Tchen (**partie III**).
Tchen et Kyo rentrent séparément à Shangai. Après un premier attentat manqué contre Tchang Kaï Chek, Tchen en commet un autre où il laisse sa vie, tandis qu'arrive l'ordre d'enterrer les armes et que le Kuomintang, appuyé par les Occidentaux, décide de liquider la permanence du PC. Kyo et Katow, faits prisonniers (**parties IV et V**) sont torturés puis tués (**partie VI**).
L'épilogue évoque le sort des survivants et la décision de May, compagne de Kyo, de reprendre le combat.
Tout au long du roman, des réflexions sur l'action politique, l'amour, le destin et la dignité humaine, des discussions sur l'art et la philosophie en Orient, ponctuent l'action.

Un roman d'aventures politiques
En 1927, Malraux écrit sous forme de roman épistolaire un essai, *La Tentation de L'Occident*, qui comporte déjà des thèmes constitutifs de *La Condition humaine*. Ce roman, le dernier que Malraux consacre à l'Extrême-Orient, après *Les Conquérants* (1928) et *La Voie royale* (1930), reçoit le prix Goncourt en 1933.
S'il y relate le **soulèvement révolutionnaire de mars 1927 à Shangai**, épisode historique de la révolution chinoise, Malraux ne s'est pas inspiré pour ce faire de son bref passage en Chine mais de son expérience approfondie de l'Indochine où il a longuement séjourné et milité dans les milieux anticolonialistes.

Une technique cinématographique
Malraux emprunte la structure de son roman au **cinéma**. Il en reproduit la technique du montage et procède par séquences constituées de plans successifs unifiés par le choix quasi systématique de la **focalisation interne**: toutes les scènes sont perçues à travers la voix et le regard d'un personnage. Il crée ainsi un **roman polyphonique** au style multiforme et au rythme varié.

Un roman métaphysique et une épopée fraternelle
Inscrit dans le titre, le mot « condition » a certes une résonance **métaphysique** mais il touche aussi aux conditions de vie matérielles des hommes. Confrontés à la question du sens de leur vie, les héros tentent de trouver une réponse dans l'Histoire. L'**expérience de la fraternité, de la dignité** permet à ces personnages issus de Nietzsche et de Dostoïevski de dépasser la solitude et l'angoisse existentielles. D'absurde, la souffrance se transforme en épreuve à valeur rédemptrice.
Quant à Clappique, le bouffon, l'antihéros*, l'intermédiaire entre tous les mondes, il est le vecteur d'un anti-récit: indissolublement liées au tragique*, ses histoires servent de contrepoint farfelu aux grands épisodes du roman.

→ **focalisation, Malraux, roman, tragique**

confession
n. f. Du latin *confessio*. La confession, au singulier, désigne l'aveu de ses péchés à un prêtre pour en obtenir le pardon. Au pluriel, le terme désigne un genre littéraire inauguré par saint Augustin (*Confessions*, 397-401), qui peut être défini comme une autobiographie* religieuse ayant une visée apologétique: elle s'adresse à Dieu (destinataire omniprésent dans le récit) et célèbre sa gloire (le premier chapitre des *Confessions* de saint Augustin s'intitule précisément « L'homme veut louer et invoquer Dieu »).

La confession spirituelle

S'inscrivent dans cette tradition de l'autobiographie spirituelle l'*Histoire de mes malheurs* d'Abélard (*Historia calamitatum*, vers 1132) – qui relate comment son amour coupable pour Héloïse, puni par une castration, s'est sublimé en amour spirituel –, la *Vie* de sainte Thérèse d'Avila (1561-1565), les autobiographies de puritains dans l'Angleterre du XVIIe siècle et celles de piétistes allemands au XIXe siècle.

Ces récits, qui retracent les étapes d'un **itinéraire spirituel menant à la conversion** (voir les *Confessions* de saint Augustin, livre VII, chap. 10, « Augustin découvre Dieu »), se présentent comme des **récits de vie exemplaires** : leur visée est d'amener le lecteur à suivre le même itinéraire, c'est-à-dire à se connaître comme pécheur et à se convertir.

La confession rousseauiste

L'autobiographie moderne, inaugurée par Rousseau* avec ses *Confessions**, rompt avec ce modèle en le **laïcisant** : l'**accent** est **mis** désormais sur la **formation d'une personnalité** et non plus sur l'itinéraire spirituel. Néanmoins, elle conserve de son modèle religieux le projet d'une prise de conscience (mais qui n'est plus la seule conscience de ses péchés), la recherche d'un sens (mais qui ne coïncide plus forcément avec la découverte de Dieu) et la forme de l'aveu, au centre de tout projet autobiographique, dans la mesure où il rend public ce qui relève ordinairement de la sphère privée.

→ **autobiographie, *Confessions* (Les), Rousseau**

Confessions (Les),
Jean-Jacques Rousseau,
1765-1770

> **RÉSUMÉ**
> *Les Confessions* se composent de deux parties, de six livres chacune. Les **six premiers livres** (de 1712 à 1740) évoquent l'enfance et la jeunesse de Jean-Jacques dans sa famille, à Genève, la rencontre de Mme de Warens à Annecy, ses aventures à Turin, ses voyages en Suisse et en France, puis son installation aux Charmettes auprès de Mme de Warens, dont la figure de mère-amante domine cette première partie. Dans cette existence vagabonde pleine de rebondissements, le jeune Jean-Jacques devient apprenti graveur, domestique,

secrétaire au cadastre, maître de chant, précepteur ; il acquiert en autodidacte une culture variée et fait son éducation sentimentale.

Les **six livres suivants** (de 1741 à 1765) soulignent les déceptions de l'adulte. Après des débuts difficiles à Paris – il ne parvient pas à faire reconnaître son système de notation musicale – il devient secrétaire d'ambassade à Venise. S'étant brouillé avec l'ambassadeur, Jean-Jacques rentre à Paris et se met en ménage avec Thérèse Levasseur, une lingère. Il connaît la gloire avec son *Premier Discours* mais refuse une pension royale, défend la musique italienne dans la querelle des Bouffons (1752-1753), s'isole volontairement pour vivre selon la nature, s'adonne à la littérature et voit plusieurs de ses écrits condamnés et brûlés. Les pérégrinations reprennent, sa solitude s'accroît, accentuée par sa brouille avec ses anciens amis philosophes qu'il accuse d'ourdir un complot contre lui. De cette errance, le livre XII, inachevé, ne retrace que la première étape : la Suisse.

La genèse des *Confessions*

Fin 1761, Rey, l'éditeur de Rousseau, lui demande d'écrire l'histoire de sa vie en introduction à la réimpression de ses *Œuvres diverses*. Dès 1762, Rousseau envoie au président Malesherbes quatre lettres, considérées comme l'ébauche des *Confessions*. Mais il ne commence son autobiographie* qu'après la parution à Genève d'un libelle* anonyme (rédigé en fait par Voltaire), *Le Sentiment des citoyens*, qui attaque violemment Rousseau, lui reprochant notamment d'avoir abandonné ses cinq enfants aux Enfants-Trouvés. Dès leur genèse, les *Confessions* prennent donc l'allure d'un **plaidoyer***. Elles ne seront publiées qu'après la mort de Rousseau.

Une autobiographie laïque

Initialement conçues en trois parties, *Les Confessions* n'en comportent que deux. Pour Philippe Lejeune, dans *Le Pacte autobiographique*, la structure du livre reproduit le mythe des quatre âges du monde décrits par Hésiode dans *Les Travaux et les Jours*. Le titre, lui, place l'œuvre de Rousseau sous la double autorité de la pratique religieuse et de saint Augustin. Mais, à l'opposé de celui-ci, l'amour divin renforce Rousseau dans ses attaches terrestres. Il **laïcise l'autobiographie**, Dieu ne devenant sous sa plume que le garant de la vérité de ses propos. C'est au lecteur qu'il fait jouer le rôle de juge et d'arbitre : à lui de reconstituer le puzzle d'un moi complexe.

Le projet apologétique

Les Confessions marquent en effet la **volonté d'instruire et de se défendre** des graves accusations dont Jean-Jacques est l'objet, en rendant son âme transparente à autrui. Ainsi, le travail de l'écriture permet à l'auteur de rendre le mouvement de sa vie, tout en mettant en scène son innocence : l'étalage de ses fautes souligne l'opposition entre la pureté de ses intentions et un destin contraire.

Dans un style grave ou enjoué, *Les Confessions* superposent à l'autobiographie un **roman qui mythifie le moi**, sans trahir la vérité du cœur. Instrument de la recherche de soi par la reconstitution littéraire des souvenirs, elles ouvrent la voie à l'autobiographie moderne.

→ **autobiographie, confession, mémoires, Rousseau**

confident

n. m. De l'italien *confidente*, «personne qui reçoit les confidences d'une autre». Inventé par le théâtre classique, le confident est un personnage secondaire qui accompagne le héros* tragique et qui a pour principale fonction de l'écouter.

Le confident dans la tragédie

Le confident a une utilité dramaturgique précise : il permet d'**informer le spectateur sur la situation** (dans la scène d'exposition*) **ou sur les pensées du héros**. Ce procédé permet d'éviter que le héros parle trop souvent seul, le monologue* tendant à mettre en évidence l'artifice théâtral que les classiques veulent masquer pour renforcer l'illusion. Les confidents sont surtout les faire-valoir du héros, mais leur rôle gagne parfois en complexité, en particulier chez Racine*. Généralement présentés comme «confidents» dans la liste des personnages, ils peuvent avoir un statut plus précis : Elvire est la «gouvernante» de Chimène dans *Le Cid*; Œnone est «la confidente et la nourrice» de Phèdre, et c'est elle qui porte la responsabilité du drame final.

Échos du malheur des héros, les confidents permettent d'accentuer le pathétique* de la pièce, et remplissent alors le **rôle du chœur antique**.

Les valets dans la comédie

Dans la comédie*, le personnage du confident en tant que tel n'existe pas mais sa **fonction** est **assumée par les valets et les suivantes**, dont le rôle dans l'action est beaucoup plus important que celui du confident dans la tragédie : plus autonomes et plus dynamiques, les valets mènent souvent le jeu (voir Scapin chez Molière*).

→ **comédie, exposition, monologue, tragédie**

connotation

n. f. Du latin *cum*, «avec» et *notatio*, «désignation». La signification première d'un mot, non susceptible de variation, s'appelle la «dénotation*». *Ex.* : les termes *voiture, automobile, bagnole* ont un contenu dénotatif commun : ils désignent tous le même type de véhicule. Sur cette signification première peuvent se greffer ou se superposer, *a posteriori*, une ou plusieurs significations implicites, qu'on appelle «connotations» : ainsi, le mot *bagnole* est enrichi d'une connotation argotique.

La connotation varie selon les contextes

Les connotations sont souvent **partagées** par un ensemble de locuteurs (l'adjectif *rouge*, par exemple, est associé, selon les situations, à la colère, à l'interdiction, à la révolution, au sang de la vie ou au sang de la mort).

Elles peuvent aussi être **personnelles** et renvoyer à la subjectivité d'un individu ou d'un auteur. Ainsi, pour Jean-Paul Sartre*, le mot *Florence* qui, au plan dénotatif, désigne une ville d'Italie du Nord, est riche de tout un halo de connotations : il renvoie au prénom féminin, comme à l'idée de fleur (radical *flor-*, voir *efflorescence*) : «Florence est ville et fleur et femme et ville-fleur, et ville-femme, et fille-fleur tout à la fois. Et l'étrange objet qui apparaît ainsi possède la liquidité du *Fleuve*, la douce ardeur fauve de l'or, et pour finir s'abandonne avec *décence* et prolonge indéfiniment par l'affaissement continu de l'*e* muet son épanouissement plein de réserve» (*Qu'est-ce que la littérature ?*).

La connotation, **produit d'un contexte individuel ou socioculturel donné** – et en tant que telle susceptible de varier selon les individus, les milieux ou les époques – se prête difficilement à une approche scientifique. D'où la méfiance que ce concept a pu susciter.

C'est le propre du texte littéraire que de **jouer** avec prédilection **sur ces sens seconds**, au point qu'on a pu dire que tout véritable auteur élabore son propre langage. Ainsi le mot *azur* ne se chargera pas des même valeurs dans la poésie de Baudelaire* que dans celle de Mallarmé*.

→ dénotation, sémantique, sémiologie

Constant
(Benjamin), 1767-1830

ŒUVRES PRINCIPALES

• **Romans** : *Adolphe* (1816), *Le Cahier rouge* (posth. 1907).
• **Pamphlet** : *De l'esprit de conquête et de l'usurpation* (1813).
• **Essais** : *De la religion considérée dans sa source, ses formes et ses développements* (1824-1825), *Cours de politique constitutionnelle* (posth. 1861).

Un idéal de liberté individuelle

Être complexe et contradictoire, de caractère faible – il se laissait facilement enchaîner – Benjamin Constant a cherché durant toute sa vie à préserver sa liberté individuelle. En littérature, ce désir de liberté personnelle et d'espace privé s'exprime par la place qu'il accorde aux **ouvrages d'introspection** : *Journaux intimes* (1804-1816), récit* de sa jeunesse (*Le Cahier rouge*), romans* autobiographiques. *Adolphe* lui-même est bien aussi l'histoire d'un désir d'indépendance : le jeune héros cherche à rompre une liaison qui selon lui l'aliène, mais son désir de liberté se heurte à la crainte de la rupture.

Les **idées politiques** de l'auteur d'*Adolphe* suivent d'assez près cette contradiction. Tout en mesurant la menace que fait peser tout gouvernement sur les libertés individuelles, il s'agit d'éviter le conflit avec le pouvoir en laissant faire le temps, en limitant les contraintes et en préservant son indépendance.

Entre classicisme et romantisme

Le caractère singulier d'*Adolphe*, histoire d'un jeune homme qui se lasse de l'amour d'une femme, vient surtout de ce qu'en lui s'opère la **rencontre du classicisme* et du romantisme***. En effet, le malaise et l'incertitude d'un être épris de liberté mais craignant de faire souffrir, les élans lyriques, les thèmes de la solitude, de l'ennui, de l'amour malheureux,

appartiennent déjà au romantisme. Mais l'héritage classique se retrouve dans le **dépouillement du style**, l'absence de descriptions, dans des **pensées de moraliste*** exprimées sous forme de maximes*, dans l'importance donnée à l'**analyse psychologique**. *Adolphe* est le roman de la transition, le roman des confluences.

CITATION

• **Sur les dangers de l'introspection**
« Je hais cette vanité qui s'occupe d'elle-même en racontant le mal qu'elle a fait, qui a la prétention de se faire plaindre en se décrivant, et qui [...] s'analyse au lieu de se repentir. » (*Adolphe*)

REPÈRES BIOGRAPHIQUES

→ Benjamin Constant naît à Lausanne, dans une famille de protestants français émigrés en Suisse au XVIIe siècle. Orphelin de mère, il est livré à des précepteurs et parcourt l'Europe. Devenu citoyen français en 1798, il entre dans l'opposition à l'Empire en 1802, rejoignant en Suisse le groupe d'exilés réuni autour de Mme de Staël*, avec laquelle il a une liaison agitée depuis 1794. En 1815, son subit ralliement à l'Empereur, qui l'a nommé conseiller d'État pendant les Cent-Jours, contribue à lui forger une réputation d'opportunisme politique.

→ Auteur de nombreuses brochures, de pamphlets*, de traités de philosophie politique, Constant, devenu député de Paris en 1824, est le principal orateur de l'opposition libérale sous la Restauration.

→ Considéré par ses contemporains comme un homme politique important, il demeure surtout pour la postérité l'auteur d'un précieux roman autobiographique, *Adolphe*, publié en 1816.

→ autobiographie, préromantisme, roman, romantisme, Staël (Mme de)

Contemplations
(Les), Victor Hugo, 1856

RÉSUMÉ

Le recueil des *Contemplations* – six livres et 158 poèmes – est structuré en deux parties, « Autrefois » et « Aujourd'hui », de trois livres chacune, s'articulant nettement autour de la mort de Léopoldine. **« Autrefois »**, la première partie, comporte 77 poèmes, supposés avoir été écrits avant

1843. Ils évoquent le bonheur passé, comme le suggère le titre des deux premiers livres («Aurore», «L'âme en fleur»), mais aussi les combats politiques de Hugo, comme l'indique le titre du troisième livre: «Les luttes et les rêves». **«Aujourd'hui»**, la seconde partie, rassemble 59 poèmes écrits, d'après Hugo lui-même, après la mort de Léopoldine. Les textes de «Pauca meae» («Quelques vers pour ma fille»), le livre IV, sont tous consacrés à la mémoire de la fille du poète. Dans les livres V («En marche») et VI («Au bord de l'infini»), l'inspiration, dépassant le lyrisme* personnel, s'épanouit en une vision de dimension cosmique. Cependant, les poèmes qui ouvrent («À ma fille») et ferment le recueil («À celle qui est restée en France») le placent entièrement sous le signe de la mort de Léopoldine.

Situation du recueil

L'écriture des poèmes des *Contemplations* s'étend de 1834 à 1855. Ils contiennent «une destinée [...] écrite là jour à jour» et les «Mémoires d'une âme» (Préface). L'œuvre paraît treize ans après la mort accidentelle de Léopoldine, la fille aînée du poète.

Un itinéraire moral et spirituel

Comme le dit Hugo dans sa Préface, *Les Contemplations* évoquent «l'existence humaine sortant de l'énigme du berceau et aboutissant à l'énigme du cercueil». C'est une **existence en marche** qui y est retracée, et l'expression des sentiments personnels s'inscrit dans le **courant romantique*** : ainsi, les deux premiers livres d'«Autrefois» évoquent, l'un, l'enfance et la jeunesse associées au printemps («Aurore»), l'autre l'amour du poète pour Juliette Drouet («L'âme en fleur»). L'expérience du deuil est retracée dans les poèmes à la mémoire de Léopoldine («Pauca meae»).

La **mort** est inscrite au centre des *Contemplations* : mort de Léopoldine, mais aussi mort évoquée dans le pacte que le poète propose à son lecteur dans la Préface du recueil : «Ce livre doit être lu comme on lirait le livre d'un mort». Dans cette perspective, l'œuvre, dont le titre même souligne la dimension spirituelle, acquiert une **signification philosophique et métaphysique**. Lorsqu'il médite sur le mystère de l'homme et de Dieu, la vision de Hugo se fait **cosmique** (livre V) **et visionnaire** («Ce que dit la bouche d'ombre», livre VI). L'**expérience personnelle** est **élargie à une vision et une conscience universelles** : «Quand je vous parle de moi, je vous parle de

vous» (Préface). Si cette volonté de dépassement s'exprime notamment dans le livre III, «Les luttes et les rêves», elle traverse tout le recueil dans un élan de communion avec la souffrance humaine.

La libération de la littérature

L'écriture des *Contemplations* réalise pleinement le projet de **libération poétique** prônée par Hugo depuis la *Préface de Cromwell*. Dans le célèbre poème «Réponse à un acte d'accusation» (I, 7), se proclamant le «Danton», le «Robespierre» (v. 141) de la révolution poétique, Hugo fait le bilan de son travail de libération du vers, du mot, de la langue, et par conséquent des idées, car «Qui délivre le mot délivre la pensée» (v. 154).

→ **alexandrin, Hugo, lyrisme, romantisme**

conte philosophique

n. m. Du latin *computare*, «compter», et *philosophie*. Genre hybride, apparu au XVIIIe siècle, qui met les qualités du conte traditionnel (récit fictif, court et plaisant, dont le but, selon l'article de l'*Encyclopédie*** consacré au conte, «est moins d'instruire que d'amuser») au service des problématiques philosophiques.

Caractéristiques

Il fait appel à la fois à l'**imagination** et à la **raison**. Instrument de plaisir et arme de combat intellectuel, le conte philosophique **utilise tous les ressorts du conte et du roman*** (héros simplistes mais fortement symboliques, schéma actantiel*, théâtralisation, réalisme*, exotisme*, merveilleux*, utopie*, picaresque*...) pour **incarner une doctrine**, la vulgariser, entraîner l'adhésion d'un large public. «Petit morceau de philosophie allégorique» (Voltaire*, *Correspondance*, à propos de *Zadig*, 1751), le conte philosophique, sous des apparences anodines, procède de façon subtile à la parodie* et à la satire* des structures et des valeurs qui fondent le conte ou le roman traditionnel. L'**ironie***, l'**humour***, la caricature*, l'audace incisive et masquée pour échapper à la censure*, sont également sa principale force.

L'âge d'or du conte philosophique : le XVIIIe siècle

Le conte philosophique trouve sa source dans des œuvres datant d'avant le XVIIIe siècle : quelques auteurs antiques (Lucien), Rabelais*,

Fénelon* (*Télémaque*) et Cyrano de Bergerac* (*Histoire comique des États et Empires de la Lune*). La traduction en français par Galland, en 1704, des contes orientaux des *Mille et Une Nuits**, qui délivrent la sagesse orientale à travers de plaisantes historiettes, mit les contes à la mode, et donna à Montesquieu* l'idée de ses *Lettres persanes**.

L'**apogée** du genre se situe **au xviii**ᵉ **siècle**, sous l'impulsion de l'**esprit des Lumières**, qui trouve dans cette forme d'expression un moyen de vulgariser des idées neuves, religieuses, scientifiques, politiques ou sociales. On peut citer les libertins, Diderot*, Sade*, mais le maître incontesté du conte philosophique est **Voltaire**, et le chef-d'œuvre en est *Candide**.

Une postérité réelle mais diffuse

Voltaire, contrairement à ce que l'on pourrait croire, n'a pas définitivement épuisé toutes les ressources du genre. Le conte philosophique est en effet un **genre** éminemment **moderne** dont on retrouve la trace dans nombre d'œuvres, pour peu que l'on accepte de rechercher l'esprit et les moyens qui le caractérisent, et non des règles formelles du type de celles qui régissent les grands genres littéraires figés par les théoriciens classiques. **Stendhal** a été fortement influencé par le style bref et efficace de Voltaire, dont on trouve également des échos dans les contes ou romans de **Marcel Aymé**, d'**Anatole France**, parfois de Sartre* (*Le Mur*), et d'auteurs étrangers comme **Kafka**, **Buzzati** et **Calvino**.

L'esprit et les mécanismes propres au conte philosophique se retrouvent également au **théâtre** (Ionesco*), dans la **science-fiction** (Barjavel*, Wells) ou au **cinéma** (*Brazil* [1985] du Britannique Terry Gilliam en étant un exemple).

→ **apologue, Aymé, *Candide*, conte populaire, engagement, humour, ironie, libertinage, Lumières, parodie, satire, Voltaire**

conte populaire

n. m. Du latin *computare*, « compter », et *populaire*. Dans l'acception actuelle du terme, le conte populaire se distingue aussi bien du mythe*, de la légende que du conte littéraire ou du conte fantastique* : « C'est un récit oral, à structure archétypale particulièrement contraignante, d'éléments fictifs et donnés pour tels, et qui remplit une fonction précise dans une communauté donnée, principalement rurale » (M. Simonsen, article « Conte » in *Dictionnaire des littératures de langue française*). **Oral**, le conte populaire implique la présence physique du narrateur* face à son auditoire. **Fictif**, il refuse « l'illusion réaliste » : l'action est toujours située dans un temps hors du temps, alors que la légende prétend reposer sur des faits avérés. **Irréaliste**, il se distingue du mythe et de la légende, en ce que les éléments surnaturels ne font pas l'objet d'une croyance religieuse.

Typologie des contes populaires

On classe les contes populaires selon une typologie particulière : les **contes d'animaux**, qui reposent sur un anthropomorphisme naïf et une opposition caractéristique : infériorité physique + supériorité intellectuelle/supériorité physique + infériorité intellectuelle ; les **contes facétieux**, qui cherchent à faire rire aux dépens des sots de tout poil, de la jeune fille niaise (et non pas du cocu, comme dans le conte littéraire), ou d'un personnage socialement supérieur dupé par un personnage socialement inférieur ; le **conte merveilleux**, où le conteur comme ses auditeurs jouent avec les forces magiques d'un monde féerique, peuplé d'entités auxquelles on fait semblant de croire (fées, génies, ogres, lutins).

Acceptant l'ordre du monde, rarement subversif, le conte populaire vise à **renforcer la cohésion d'une communauté** face à ce qui peut la menacer : le marginal, le monstrueux, l'innommable, le chaotique. Il instaure des médiations entre le culturel et la sauvagerie de la nature.

Approches du conte populaire

Les contes populaires, par leur structure très codifiée, se sont particulièrement bien prêtés à l'**analyse structurale** qui a permis d'attribuer des fonctions précises à chaque personnage (héros, adjuvant, objet, opposant), lequel ne peut que suivre des étapes bien codifiées.

Par ailleurs, les **psychanalystes**, tels Bruno Bettelheim (*Psychanalyse des contes de fées*, 1976) et Marc Soriano (*Les Contes de Perrault, culture savante et culture populaire*, 1977), se sont interrogés sur les réseaux de **fantasmes inconscients** présents dans les contes populaires – tels ceux de l'avalement ou de la métamorphose –, qui leur conféreraient un rôle thérapeutique dans la construction du moi.

→ **actanciel (schéma), fable, fantastique, merveilleux, mythe, Perrault**

Corbière
(Tristan), 1845-1875

ŒUVRE
• **Recueil poétique**: *Les Amours jaunes* (1873).

Une poésie autobiographique

Le titre même d'*Amours jaunes*, qui évoque la dérision du rire jaune, renvoie à la vie de Corbière. La souffrance physique, l'échec amoureux et social se dissimulent sous les ricanements cyniques d'un homme qui refuse toute sentimentalité et qui parle de lui-même comme d'un « crapaud ».

Trois thèmes se retrouvent à travers les sept chapitres du recueil. Celui de l'**amour**, annoncé par le titre, est omniprésent, qu'il soit passionnel, amical ou résigné. Chez l'être disgracié qu'est Corbière, la femme, réelle ou rêvée, apparaît de façon essentiellement négative, source de fausseté et de déception. Le thème de la **mer**, espace authentique à l'opposé des artifices de la ville, permet à ce Breton de célébrer l'héroïsme quotidien de la vie des gens de mer (« Armor », « Gens de Bretagne »). Le thème de la **mort**, enfin, hante l'œuvre de ce poète malade et inspire, par exemple, « Épitaphe », « Le Portrait du décourageux », « Petit mort pour rire ».

Une poésie nouvelle: la dérision du ton

L'**ironie**[*] et l'**autodérision** sont omniprésentes chez Corbière qui élabore une œuvre originale, aussi éloignée du lyrisme[*] romantique que du formalisme[*] parnassien ou du symbolisme[*]. Elles se traduisent dans les jeux de mots et la parodie[*]. L'écriture – novatrice – laisse une impression d'inachèvement et de désordre : vers désarticulé, ponctuation surabondante et diversifiée qui crée un **rythme heurté**, typographie originale, jeux d'oppositions, utilisation d'un lexique rare et de nombreuses images enchaînées. Par là Corbière apparaît comme un **précurseur des surréalistes**.

CITATIONS
▪ **La dérision et l'autobiographie**
« [...] Ce crapaud-là, c'est moi. » (« Le Crapaud », *Les Amours jaunes*)
« C'est bien moi, je suis là – mais comme une rature. » (« Le Poète contumace », *ibid.*)

REPÈRES BIOGRAPHIQUES
→ Fils d'un capitaine de vaisseau qui est aussi un homme brillant et un écrivain connu, Tristan Corbière, difforme et tuberculeux, interrompt rapidement ses études pour raisons de santé. Il s'installe à Roscoff où il se lie avec des peintres de Paris, en compagnie desquels il scandalise la ville par ses farces et ses travestissements. C'est alors qu'il prend le prénom, médiéval et romantique, de Tristan.
→ En 1871, il s'éprend de la compagne d'un aristocrate de passage à Roscoff et suit le couple à Paris. C'est là qu'en 1873 il fait publier, aux frais de son père, *Les Amours jaunes*. Le recueil n'a aucun succès. En 1874, son état de santé s'aggrave. Sa mère le ramène en Bretagne, où il meurt, le 1er mars 1875, en pressant dans ses bras un bouquet de bruyère.
→ L'œuvre de Corbière ne sera découverte qu'après sa mort. Verlaine[*], enthousiasmé par les *Amours jaunes*, consacre à Tristan Corbière une étude des *Poètes maudits* en 1883, et Huysmans[*] l'évoque avec admiration dans *À rebours*.

→ **autobiographie, coupe, ironie, surréalisme**

Corneille
(Pierre), 1606-1684

ŒUVRES PRINCIPALES
• **Comédies**: *Mélite* (1629), *L'Illusion comique* (1636).
• **Tragicomédies**: *Clitandre* (1632), *Le Cid* (1637).
• **Tragédies**: *Médée* (1635), *Horace* (1640), *Cinna* (1642), *Polyeucte* (1643), *Suréna* (1674).
• **Comédie héroïque**: *Tite et Bérénice* (1670).
• **Comédie-ballet**: *Psyché* (1671).

• **Poésie religieuse**: *L'Imitation de Jésus-Christ* (1656).
• **Œuvres théoriques**: trois *Discours sur le poème dramatique* (1660).

Le renouveau de la comédie

Avec *Mélite*, Corneille s'est vanté d'avoir réinventé la comédie*, genre abandonné depuis près de dix ans. Refusant le comique grossier de la farce* au profit d'un ton « enjoué », remplaçant les personnages-types de la commedia dell'arte* par des jeunes gens empruntés à la réalité de l'époque, la comédie cornélienne (en cinq actes et en vers) s'inspire du schéma amoureux et des dialogues de la pastorale*, qu'elle transpose dans un cadre parisien (*La Place royale*, 1633-1634).

Avec *L'Illusion comique*, Corneille intègre dans une comédie régulière tous les genres dramatiques (pastorale, comédie, tragicomédie*, tragédie*). Par le jeu de la mise en abyme* (théâtre dans le théâtre), il présente, dans un foisonnement baroque*, une brillante apologie du théâtre. Devenu auteur de tragédies, il ne renoncera pas pour autant à la comédie (*Le Menteur*, 1645).

Les tragicomédies et les formes mixtes

Sa **tragi-comédie** *Clitandre* s'oriente timidement vers la régularité. La pièce respecte la règle des vingt-quatre heures mais elle foisonne encore d'actions multiples et violentes (meurtres, tentative de viol, personnage que l'on aveugle sur scène…). La tragicomédie du *Cid* marque une évolution très nette et se rapproche de la tragédie (qui est régulière) ; c'est au nom du respect des règles de cette dernière que la pièce va être violemment critiquée.

Avec *Don Sanche d'Aragon* (1650), Corneille invente le genre intermédiaire de la **comédie héroïque** : faisant intervenir des personnages nobles qui ne courent aucun péril de mort, la pièce ne mérite pas le titre de tragédie.

Il perfectionne le genre de la **tragédie à machines** (à effets spectaculaires), destinée aux spectacles de cour, avec *Andromède* (1647) et *La Toison d'or* (1660).

En 1671, il collabore avec Molière* et Quinault à l'écriture d'une **comédie-ballet**, *Psyché*.

Les tragédies

La première tragédie de Corneille, *Médée* (1635), est une **tragédie mythologique**. « Régulière », mais empreinte de démesure baroque, elle s'inspire de Sénèque et se fonde sur l'horreur que suscite le personnage de Médée.

Avec *Horace* (1640), le dramaturge s'oriente vers la **tragédie historique et politique**, dont les sujets sont empruntés à l'histoire romaine. S'il n'en invente pas le genre, il le promet à sa plus grande gloire. Aux intrigues simples de ses premières tragédies succèdent des intrigues aussi complexes que cruelles, qui mettent en scène des « **monstres** » (Cléopâtre dans *Rodogune* [1645], Attila dans la pièce éponyme [1667]), tandis que *Polyeucte* et *Théodore* (1646), **tragédies bibliques**, abordent la question de la sainteté.

Le « généreux » cornélien

Les tragédies de Corneille **exaltent le héros**[*] « **généreux** » qui, lucide et porté par un orgueil vertueux, répond au défi du destin. Sa gloire réside dans le dépassement héroïque, dans le renoncement à ce qu'il aime. Le conflit tragique ne naît pas, comme chez Racine (*Phèdre*), d'un déchirement intérieur insoluble, mais d'un **dilemme entre l'amour et le devoir**, auquel s'ajoute presque toujours un enjeu politique.

Le théâtre de Corneille, marqué par la philosophie néostoïcienne et l'enseignement des jésuites, est un **théâtre optimiste**, qui affirme la liberté humaine et la grandeur du héros. Il aboutit logiquement à l'invention de la **tragédie à fin heureuse** (*Cinna*).

La conception de l'héroïsme évolue dans les tragédies de Corneille, reflétant la **nouvelle répartition du pouvoir** qui s'opère à l'époque : une aristocratie peu à peu dépouillée de ses prérogatives se heurte au développement de l'absolutisme royal. Le héros cornélien perd son autonomie pour trouver sa seule gloire dans le service et l'obéissance à son roi.

Un théoricien indépendant

L'essentiel des théories dramatiques de Corneille se trouve dans les *Discours* qui ouvrent chacun des trois volumes de ses *Œuvres complètes*, publiées en 1660, et dans les *Examens* qui analysent chaque pièce. Appuyant toujours ses réflexions sur sa propre pratique du théâtre, Corneille est **l'un des plus grands théoriciens du théâtre** au XVIIe siècle.

Tout en s'adaptant aux règles nouvelles qui ont peu à peu codifié la dramaturgie* classique, Corneille sait ménager sa propre liberté. Il réclame un **usage souple des règles**, substitue l'« unité de péril » à l'unité d'action, propose d'élargir la notion de lieu à une ville, d'étirer les vingt-quatre heures à trente… Il revendique sa **préférence pour le vrai contre le vraisemblable**, puisant dans les textes historiques des actions extraordinaires, susceptibles de provoquer l'admiration. À la doctrine d'Aristote qui fonde la catharsis* sur la terreur et la pitié, Corneille substitue un ressort tragique nouveau, l'**admiration** (au sens premier d'« étonnement » devant quelque chose d'extraordinaire, en bien ou en mal). Le « monstre » exerce sa fascination sur le spectateur au même titre que le héros.

CITATION
• Sur le théâtre
« À présent le théâtre/Est en un point si haut que chacun l'idolâtre,/Et ce que votre temps voyait avec mépris/Est aujourd'hui l'amour de tous les bons esprits. » (*L'Illusion comique*, V, 6)

REPÈRES BIOGRAPHIQUES
➔ Pierre Corneille naît en 1606, à Rouen, dans une famille de la bourgeoisie de robe. Il est l'aîné de six enfants (son jeune frère, Thomas Corneille, sera lui aussi un dramaturge de renom). Il étudie chez les jésuites puis fait des études de droit. Deux offices d'avocat du roi, qu'il occupe jusqu'en 1651, lui permettent de vivre, modestement.

➔ Sa carrière littéraire est fulgurante. Dès 1629, il connaît un très grand succès avec sa comédie *Mélite*, jouée par la troupe de Montdory, future troupe du Marais. Après le triomphe du *Cid** (1637), le père de Corneille est anobli par le roi. Mais la querelle que suscite cette tragicomédie amène Richelieu à faire intervenir la toute jeune Académie française pour juger la pièce. Corneille cesse d'écrire pendant trois ans. En 1640, il donne avec *Horace* la première de ses tragédies romaines. Élu à l'Académie française* en 1647, il partage son temps entre Rouen et Paris, où il ne s'installe définitivement qu'en 1662. Il écrit plus de douze pièces en douze ans.

➔ Après l'échec de *Pertharite* (1652), il renonce au théâtre et se consacre à la traduction en vers de l'*Imitation de Jésus-Christ*, et à l'édition de ses œuvres dramatiques. Pour satisfaire aux bienséances et aux unités, Corneille modifie – parfois considérablement – ses œuvres de jeunesse. Il revient au théâtre en 1659 avec *Œdipe*. S'il écrit encore dix tragédies, sa gloire est éclipsée par celle du jeune Racine*. Sa dernière pièce, *Suréna* (1674), est un échec.

➔ La diversité (elle couvre tous les genres sauf la pastorale) et l'ampleur de son œuvre (plus de trente pièces), son souci constant d'innovation (renouvellement et invention de plusieurs genres), font de Corneille le plus grand dramaturge du xviie siècle.

➔ baroque, bienséances, classicisme, comédie, pastorale, Racine, tragédie, tragicomédie, unités (règle des trois), vraisemblance

correspondances

n. f. pl. Mot emprunté au vocabulaire des mystiques. La notion de « correspondances » repose sur la théorie des synesthésies* que Baudelaire* a découverte chez Hoffmann et selon laquelle des liens se tissent entre nos sens. Par une véritable magie sensorielle, notre vécu quotidien retrouve une mystérieuse unité et s'enrichit grâce à la puissance évocatoire des sensations. Ainsi, dans « Parfum exotique » (*Les Fleurs du mal**), d'une sensation olfactive jaillit tout un univers visuel et sonore.

La révélation d'un monde supérieur

Les correspondances permettent aussi d'établir des **liens entre le monde visible et le monde invisible**. Dans la perspective symboliste, le poète sait qu'il est exilé dans un monde imparfait mais il sait aussi qu'il peut accéder à la révélation d'un monde supérieur, dont « l'immortel instinct du Beau » nous donne un aperçu. C'est grâce aux **images et aux symboles*** qu'il peut entrevoir ces splendeurs surnaturelles.

Le monde réel apparaît alors comme la « forêt de symboles » évoquée dans le sonnet* « Correspondances » (*ibid.*). Le rôle du poète est à la fois de déchiffrer ces symboles et de ménager le passage d'un univers à l'autre, l'exaltation sensorielle conduisant à l'exaltation spirituelle.

➔ analogie, Baudelaire, *Fleurs du mal* (Les), symbole, synesthésies

couleur locale

n. et adj. f. Dans le vocabulaire de la peinture, la couleur locale désigne la couleur propre à chaque objet, indépendamment de la distribution de la lumière. Ensemble des traits extérieurs caractérisant des personnes et des choses dans une époque et un lieu donnés.

Utilisation de la notion en littérature

Généralement absente chez les auteurs classiques, qui cherchent à étudier et à peindre ce qui est commun à tous les hommes, la couleur locale est **utilisée** au xixe siècle **par les romantiques** qui s'attachent à rendre, dans leurs descriptions* ou dans les décors de leurs drames*, l'originalité des pays et des époques (voir le pittoresque des Indiens d'Amérique dans *Atala* de Chateaubriand*). Cette recherche de l'influence exercée sur les psychologies par des événements historiques, sociologiques ou par le climat **aboutit**, chez Balzac*, Flaubert* ou Zola*, **au réalisme*** (ainsi de la recréation minutieuse de Carthage par Flaubert dans *Salammbô*).

→ **exotisme, réalisme, romantisme**

coup de théâtre

n. m. Du latin *colpus* et de *théâtre*.
L'expression désigne tout événement inattendu qui modifie le cours de l'action ou son dénouement*.

Le coup de théâtre et ses effets

Selon Aristote, le coup de théâtre est le « renversement qui inverse l'effet des actions » (*Poétique*). Il s'identifie à la **péripétie*** et consiste souvent en la reconnaissance d'un personnage par un autre personnage.

Exemple : chez Molière*, dans *Les Fourberies de Scapin*, alors que Géronte vient de refuser à son fils Léandre l'autorisation d'épouser Zerbinette parce qu'elle est de parents inconnus, le jeune homme sort de sa poche le bracelet remis par les Bohémiens qui lui ont vendu la jeune fille. Ce bracelet permet à Argante de reconnaître en Zerbinette la fille qu'il a perdue. Coup de théâtre qui permet à Léandre d'épouser Zerbinette.

Le coup de théâtre provoque un **effet de surprise**, qui augmente ou diminue la tension dramatique. À la fin d'une pièce, il permet parfois de résoudre le conflit initial ; dans ce cas, il s'apparente au *deus ex machina**.

→ **action, comédie, dénouement, *deus ex machina*, péripétie, théâtre**

coupe

n. f. De *couper*. Terme utilisé en métrique*, la coupe correspond à une division du vers en mesures rythmiques secondaires par rapport à la césure*, coupe principale. Les coupes se font entre deux termes dont le premier se termine par une syllabe accentuée. Les coupes, ainsi que la césure, créent le rythme* du vers.

Principaux effets

Les mots ou les groupes de mots qui précèdent les coupes sont **mis en valeur**. Ainsi, dans le vers de Du Bellay* : « Fran/ce, mère des arts,// des ar/mes et des lois » (*Les Regrets*), la coupe après la première syllabe met en valeur l'apostrophe à la patrie, la coupe à la huitième syllabe met en relief l'homophonie entre les mots « arts » (avant la césure) et « armes ».
La césure et les coupes secondaires impriment aussi au vers un **rythme** lié à telle ou telle intention. Ainsi, l'émotion est marquée par de nombreuses coupes : « Ô/ra/ge/! il aurait/, lui,/ le cœur,/l'amour,/le trône » (Hugo*, *Hernani**, V, 6). D'autre part, jouer sur les coupes d'un vers permet de jouer sur son sens (voir dans l'article « césure » l'exemple d'Apollinaire).

→ **césure, enjambement, contre-rejet, rejet, rythme, vers, versification**

Courteline
(Georges), 1858-1929

ŒUVRES PRINCIPALES
• **Théâtre** : *Les Gaîtés de l'escadron* (1886), *Boubouroche* (nouvelle, 1892 ; comédie, 1893), *Messieurs les ronds-de-cuir* (1893), *Un client sérieux* (1897), *Le gendarme est sans pitié* (1899), *Le commissaire est bon enfant* (1899), *La Paix chez soi* (1903).
• **Essai** : *La Philosophie de Georges Courteline* (1917 et 1922).

Une observation aiguë de la société

Les personnages de Courteline sont des représentants de l'**humanité ordinaire** et leurs préoccupations sont celles de la **réalité quotidienne**, ce qui explique son succès auprès du grand public. Qu'ils appartiennent à la vie de caserne (l'adjudant Flick et le maréchal des logis Tuvache dans *Les Gaîtés de l'escadron*), à celle des bureaux (Charavax dans *Messieurs les ronds-de-cuir*), ou qu'ils soient gens de justice (l'avocat Barbemolle et l'huissier Loyal d'*Un client sérieux*), tous ses personnages constituent des **types caricaturaux** et possèdent un pouvoir comique irrésistible.

L'observation porte sur les **mœurs du temps** : la paresse des employés de bureau est stigmatisée dans *Monsieur Badin* (1897) ; les conflits liés au pouvoir, les injustices sont des motifs fréquents, comme dans *Un client sérieux* où le renvoi du procès de Mapipe témoigne de la lenteur de la justice. Les relations conjugales relèvent du conflit ou de la duperie : le couple de *La Cinquantaine* (1895) se dispute constamment ; Octavie, dans *Monsieur Félix*, trompe son mari dans la pièce voisine de celle où il se tient.

Un comique grinçant

Le comique* naît de la **caricature*** des types traditionnels du **vaudeville***. Le grossissement comique se manifeste d'emblée, dès le nom donné aux personnages : ainsi, le juge Foy de Vaulx d'*Un client sérieux*. Leur langage, d'une grande truculence, est caricatural de leur condition : dans *Les Gaîtés de l'escadron*, Courteline transcrit le jargon militaire : « Vous aurez deux jours sall'police ».

Le comique se manifeste également dans les **oppositions**, les coups de théâtre* et les renversements de situation : le couple de *La Cinquantaine* chante l'amour et se déchire en sous-main ; Octavie tombe dans les bras de l'importun qui vient troubler la soirée familiale (*Monsieur Félix*).

Ces oppositions servent également à faire apparaître en filigrane, derrière la comédie, les défauts des systèmes – police, armée, justice –, les tares de la société et l'absurdité de la vie sociale.

REPÈRES BIOGRAPHIQUES

➜ Fils de l'humoriste Jules Moinaux, Courteline (pseudonyme de Georges Moinaux) reçoit une formation littéraire qu'il exploitera en 1905 dans *La Conversion d'Alceste*. Son bref service militaire dans les chasseurs à cheval lui inspire ses premiers écrits satiriques, *Les Gaîtés de l'escadron* et *Le Train de 8 h 47* (1887), adaptés plus tard pour la scène. Un poste de fonctionnaire au ministère des Cultes lui laisse le temps d'écrire, en même temps qu'il lui permet d'observer la vie de bureau, qu'il croquera dans son roman *Messieurs les ronds-de-cuir*, d'où il tirera également une pièce. La comédie *Boubouroche*, adaptée du récit du même nom, le rend célèbre.

➜ Toutes les comédies qui vont suivre relèvent de la même veine satirique, qu'il s'agisse de la peinture de la justice et de la police (*Un client sérieux*, *Le gendarme est sans pitié*), ou de celle de la petite bourgeoisie (*La Paix chez soi*). Courteline publie aussi des réflexions dans *La Philosophie de Georges Courteline*.

➜ En 1926, trois ans avant sa mort, il est élu à l'académie Goncourt.

→ **comédie, comique, satire, vaudeville**

courtoisie

n. f. De *courtois*, issu de l'ancien français *cort*, « cour ». **Sens historique** : au Moyen Âge, *courtois* signifie « ce qui est propre à la cour » (sens social) et, par extension, « loyal, honnête », (sens moral). La courtoisie désigne un idéal de comportement et un art de vivre propres aux gens de cour, c'est-à-dire aux nobles (par opposition aux *vilains*), idéal qui s'est exprimé dans les œuvres littéraires des XIIe et XIIIe siècles. **Sens actuel** : politesse raffinée.

Un nouvel art de vivre

La courtoisie repose sur une exigence d'élégance et de civilité, de raffinement dans les comportements comme dans les sentiments. Cette idéologie s'est développée dans la **poésie des troubadours***, au XIIe siècle. Elle est liée au développement de la vie de cour, où les femmes sont invitées à jouer un rôle plus grand. La lyrique occitane associe trois valeurs à la courtoisie : la **mesure**, qui est maîtrise de soi et conformité aux normes sociales, la **largesse** (générosité morale et matérielle) et la **joven** qui évoque la disponibilité d'esprit. Mais l'aspect le plus novateur de la courtoisie est sa **doctrine amoureuse**. L'expression « amour courtois » est une invention de la critique littéraire, qui date de la fin du XIXe siècle. Elle recouvre en fait deux conceptions de l'amour, qui ont trouvé leur expression dans des genres littéraires différents.

**L'« érotique des troubadours »
(R. Nelli)**

La *fin'amor* – ou « amour parfaite » – des troubadours assimile l'amour au désir. Or le désir s'éteint s'il est assouvi. Pour mener ce désir au *joi*, son point le plus haut, et pour le faire durer, il faut repousser son accomplissement.

L'obstacle étant nécessaire à la survie du désir, la *fin'amor* est toujours un amour adultère, **calqué sur la relation féodale** : la « dame » est la suzeraine et l'amant, son vassal. Cette hiérarchie rend la femme presque inaccessible, et oblige l'amant à se surpasser pour la mériter.

L'**amour des troubadours**, fortement teinté de sensualité, n'est pas platonique, mais il **impose à l'amant une série d'épreuves qualifiantes** qui montreront sa capacité à maîtriser son désir, et qui le rendront digne de celle qu'il aime. L'épreuve ultime est l'*asag* (« essai »), épreuve de chasteté qui impose à l'amant de passer une nuit « nu à nue » à côté de sa dame, sans la toucher. La dame récompense l'amant à proportion de ses prouesses, jusqu'au don final, le *guerredon* (« récompense »). Le désir ainsi maîtrisé est source de vertu : seul celui qui aime peut être véritablement courtois.

Le roman courtois

On a appelé « courtois » le roman qui s'est développé dans les cours du Nord de la France à partir de 1150 et qui a connu son apogée aux XIIᵉ et XIIIᵉ siècles. Qu'il reprenne la matière antique (**roman antique**) ou orientale (**roman byzantin**), ou qu'il s'inspire de la légende arthurienne (**roman breton**), il reflète l'idéal de vie courtois. Il valorise le respect de la femme, la fidélité et la discrétion, et prend ses distances avec la brutalité qui caractérisait la chanson de geste*.

Sa conception de l'amour diffère cependant de celle des troubadours. Si Chrétien de Troyes* a donné, dans *Le Chevalier de la charrette*, l'illustration la plus parfaite du *fin'amant* à travers le personnage de Lancelot*, il a surtout peint, dans ses autres romans, l'**amour conjugal**. L'obligation de l'adultère, constitutive de la *fin'amor*, disparaît. L'amour courtois, parce qu'il repose sur un idéal de maîtrise de soi, s'oppose à la passion involontaire et destructrice du *Tristan et Iseult* de Béroul.

Origine et originalité de la courtoisie

La courtoisie incarne un idéal que nous ne connaissons qu'à travers des œuvres littéraires et qui n'a peut-être eu aucune réalité. La *fin'amor*, aux antipodes de la réalité de l'époque, a surtout été un jeu littéraire. Les origines de cette doctrine amoureuse, si contraire aux enseignements de l'Église et si éloignée de la pratique de l'époque, restent obscures.

→ **Arthur, Chrétien de Troyes, Lancelot, Table ronde (romans de la), Tristan et Iseult, troubadour**

critique

n. f. ou m. Du grec *kritikos*, de *krinein*, « juger comme décisif ». La critique est l'art de juger un ouvrage de l'esprit, une œuvre littéraire ou artistique. Elle prend la forme d'un jugement d'ordre intellectuel, moral ou esthétique. Elle rassemble les critiques (au masculin), c'est-à-dire ceux qui font la critique (critique littéraire, critique d'art, critique de cinéma).

La critique littéraire

La critique littéraire, au sens moderne, apparaît au XIXᵉ siècle, sous l'impulsion de Sainte-Beuve (1804-1869). Cependant, depuis l'Antiquité, la réflexion critique sur la littérature, ses genres, ses principes, ses œuvres est déjà nourrie de textes théoriques (traités de poétique*, de rhétorique*), de commentaires et de débats sur tel ou tel ouvrage. À la fin du XVIIᵉ siècle, la **Querelle des Anciens et des Modernes*** manifeste cette activité critique en mettant en question la doctrine du classicisme* et en relativisant les critères du jugement esthétique. La voie est désormais ouverte à une critique qui tiendra compte de l'Histoire dans l'appréciation des œuvres. C'est ainsi que Mme de Staël* publiera en 1800 *De la littérature considérée dans ses rapports avec les institutions sociales*. Au XIXᵉ siècle, différentes tendances se dessinent au sein de la critique littéraire. **Sainte-Beuve** instaure une **critique** essentiellement **subjective**, fondée sur la connaissance de la personnalité de l'écrivain : « Je puis goûter une œuvre, affirme-t-il, mais il m'est difficile de la juger indépendamment de la connaissance de l'homme même ; et je dirais volontiers : *tel arbre, tel fruit*. L'étude littéraire mène ainsi tout naturellement à l'étude morale. » (*Nouveaux Lundis*, 1863-1870.)

À cette critique essentiellement subjective, s'opposent les tenants du positivisme* qui pensent pouvoir fonder une **méthode scientifique**, « objective », **d'analyse littéraire**. Hippolyte **Taine** (1828-1893) recherche les conditions historiques, sociales, psychologiques qui ont déterminé le caractère original d'un écrivain (*Essai sur La Fontaine et ses fables*, 1853 ; *Essais de critique et d'histoire*, 1858). Ferdinand **Brunetière** (1849-1907) propose une classification et une histoire des genres littéraires, inaugurant ainsi une critique érudite représentée à la fin du XIXᵉ siècle par Émile **Faguet** ou Gustave **Lanson**. Quant aux écrivains eux-mêmes, ils n'ont cessé d'affirmer leurs choix littéraires, leurs goûts et leurs dégoûts en matière de lecture : ainsi Baudelaire*, tout en faisant l'éloge d'Edgar Poe, définit ses propres conceptions esthétiques (*Edgar Allan Poe, sa vie et ses ouvrages*, 1852). Entre subjectivisme et méthode scientifique, les chemins de la critique littéraire contemporaine sont ainsi ouverts (voir l'article « Nouvelle Critique »).

La critique d'art

Les relations entre la littérature et les autres arts ont toujours été fécondes : les **écrivains** s'en font l'écho en se faisant **critiques d'art**.

Les *Salons* de **Diderot***, consacrés à des expositions de peinture de 1759 à 1781, donnent naissance à la critique esthétique, critique passionnée qui témoigne de la sensibilité littéraire de l'écrivain, de sa définition du beau. **Baudelaire*** reprendra au siècle suivant ce dialogue avec les œuvres d'art dans ses *Salons* ou ses *Curiosités esthétiques* (1869). Au xxe siècle, **Malraux*** élargira ce dialogue au patrimoine artistique du monde entier (*Le Musée imaginaire*, 1952-1956 ; *La Métamorphose des dieux*, 1957-1974).

→ **Anciens et Modernes (Querelle des), art poétique, Baudelaire, Diderot, Malraux, Nouvelle Critique**

Cros
(Charles), 1842-1888

ŒUVRES PRINCIPALES
• **Recueils poétiques** : *Le Coffret de santal* (1873 et 1879), *Le Fleuve* (1874), *La Vision du grand canal royal des Deux Mers* (1888), *Le Collier de griffes* (posth. 1908).

La fantaisie poétique

La **fantaisie** qui caractérise l'œuvre de Cros – deux des sections du *Coffret de santal* s'intitulent « Drames et fantaisies » et « Fantaisies en prose » – s'exprime d'abord dans le **thème de la vie rêvée** : exotisme oriental aux « fleurs odorantes », dames et châteaux du Moyen Âge, visions de paysages imaginés sous l'emprise de l'absinthe, évocation de couleurs impressionnistes, de parfums et de musique… L'imagination est servie par des **formes nouvelles** comme le poème en prose*, ou renvoyant à la poésie médiévale comme la ronde ou la chanson*. La juxtaposition d'images

insolites permet d'entrevoir, comme chez les symbolistes*, les rapports cachés des choses.

Un humour grinçant

L'**humour*** est une seconde facette de l'œuvre de Cros. Il se traduit par le **refus des conventions** et par des **attaques** contre la bêtise des « gens – graves, graves, graves », contre la bourgeoisie installée qu'il apostrophe dans le poème intitulé « Aux imbéciles » : « Donc gens bien assis […]/Méfiez-vous du poète/Qui peut, ayant faim,/Vous mettre, à la fin,/Quelques balles dans la tête » (*Le Collier de griffes*). Ces attaques sont particulièrement sensibles dans les monologues* comme « Le Capitaliste ». Cet humour est aussi une défense dérisoire contre la difficulté d'être.

« Moi, je vis la vie à côté »

Sensible aux échecs de sa vie – son œuvre scientifique et littéraire restera incomprise, il a des difficultés sentimentales et financières –, Cros cherche douloureusement dans la poésie la consolation qu'il ne trouve ni dans l'amour, ni dans l'alcool. Apparaissent alors les thèmes de la femme cruelle, du temps, de la mort et surtout du **mal-être** qui donne à ce « vrai sauvage égaré » le sentiment d'être toujours en décalage.

CITATION
• **La poésie comme remède**
« Je veux ensevelir au linceul de ma rime/ Ce souvenir, malaise immense qui m'opprime. » (« Lento », *Le Coffret de santal*)

REPÈRES BIOGRAPHIQUES
→ Né dans une famille bourgeoise et cultivée, Charles Cros, poète et savant, fait des études diversifiées, apprenant aussi bien la physique et la médecine que le latin, le grec, le sanscrit et l'hébreu. Il occupe brièvement un poste de professeur de chimie à l'Institut des sourds-muets à Paris (1860-1863), puis mène une double carrière, scientifique et littéraire. Ses inventions – le télégraphe automatique, la photographie en couleur, et surtout le phonographe qu'il appelait « paléophone » (1877), mis au point par Edison un an plus tard – n'ont aucun succès.
→ Parallèlement, dans le salon* de Nina de Villard, sa maîtresse, il côtoie les poètes de l'époque, Verlaine*, François Coppée, Villiers de l'Isle Adam*, Rimbaud*. Il publie quelques poèmes dans des revues, puis fait paraître une première édition du *Coffret de santal* en 1873. Il lance une revue éphé-

mère, participe à des créations collectives, fréquente les « Zutistes » (poètes et amis de Cros qui se réunissaient le soir dans un café de la rue de Rennes). Ses monologues humoristiques (*Le Hareng saur*) sont récités au cabaret du *Chat noir* à Montmartre. Miné par l'absinthe et le manque d'argent, il publie encore avant sa mort *La Vision du grand canal royal des Deux Mers*. Les vers inédits du *Collier de griffes* seront publiés par son fils en 1908.

→ **décadentisme, monologue, poème en prose, Rimbaud, symbolisme, Verlaine**

Cyrano de Bergerac
(Savinien de), 1619-1655

ŒUVRES PRINCIPALES
- **Tragédie** : *La Mort d'Agrippine* (1653).
- **Comédie** : *Le Pédant joué* (1654).
- **Romans philosophiques** : *Histoire comique des États et Empires de la Lune* (posth. 1657), *Histoire comique des États et Empires du Soleil* (posth. 1662), réunis sous le titre commun *L'Autre Monde*.

Le libertinage

Disciple de Gassendi, Cyrano emprunte à l'**épicurisme*** sa théorie de l'atomisme : dans les *États et Empires de la Lune et du Soleil*, « chaque petit corps visible [*est divisé*] en une infinité de petits corps », soumis à des mouvements divers et assemblés par le hasard. Ce **matérialisme** conduit nécessairement à un athéisme dont Cyrano de Bergerac se défend mais qui est visible dans sa tragédie *La Mort d'Agrippine*, où les dieux apparaissent comme « les beaux riens qu'on adore ».

Une telle philosophie aboutit à la remise en cause des bases mêmes d'un pouvoir de droit divin fondé sur la religion et à la revendication d'une nouvelle organisation politique et sociale. La **contestation** s'exprime aussi à travers le refus des privilèges de la naissance, particulièrement dans *La Mort d'Agrippine*, et la revendication d'un pouvoir juste : *L'Histoire comique des États et Empires de la Lune* met en scène un roi doux et pacifique, choisi par le peuple pour une courte durée.

Le baroque et ses avatars

Les thèmes et l'écriture de l'œuvre portent la marque du **baroque*** et de ses satellites, le **burlesque*** et la **préciosité***.

Dans *Les États et Empires de la Lune*, la fantaisie imaginative de Cyrano se traduit par d'étonnantes anticipations qui font de lui un **précurseur de la science-fiction*** (ainsi de sa machine, ancêtre de la montgolfière). Le roman raconte en effet les aventures extraterrestres de Cyrano qui, grâce à une machine de son invention, est transporté dans la Lune. Là, il découvre un « autre monde » peuplé d'hommes quadrupèdes qui, parce qu'il est bipède, le prennent pour un animal et le mettent en cage. Retombé sur la Terre, il fabrique une nouvelle machine et s'élance vers le Soleil (*États et Empires du Soleil*), où il découvre une république gouvernée et habitée par des oiseaux.

Le **burlesque** est particulièrement sensible dans *Le Pédant joué*, dont Molière* se souviendra (*Les Fourberies de Scapin*) et dont le ton ironique se retrouve dans les *Lettres satiriques* (1654). Cette prose décapante inspirera d'ailleurs Swift et Voltaire*.

La **préciosité** se retrouve dans un style qui multiplie les images, les allégories* et les symboles*, et une écriture qui emploie un vocabulaire recherché.

REPÈRES BIOGRAPHIQUES

→ Né à Paris (le fief de Bergerac que possède son père se situe dans la vallée de Chevreuse), Cyrano fait ses études dans un collège du Quartier latin qu'il raillera dans *Le Pédant joué*. En 1639, il s'engage dans l'armée, pour une carrière brève et héroïque. Grièvement blessé au siège d'Arras en 1640, il revient à une vie civile fort libre. Disciple de Gassendi, amateur de Machiavel, bretteur, libertin, il gaspille l'héritage paternel. Opportuniste en politique, il est successivement protégé par les Conti puis par le duc d'Arpajon et se fait de nombreux ennemis. Sa mort, apparemment accidentelle – il est assommé par une poutre – est sans doute d'origine criminelle.

→ La figure de Cyrano de Bergerac sera popularisée par la pièce éponyme d'Edmond Rostand*.

→ **anticipation, baroque, burlesque, Cyrano de Bergerac, fantastique, libertinage, préciosité, Rostand, science-fiction**

Cyrano de Bergerac

Le personnage de Cyrano de Bergerac, héros de la pièce éponyme d'Edmond Rostand* (1897), a été créé pour l'acteur Coquelin. Il s'inspire de la vie de l'écrivain libertin du même nom, qui vivait au xviie siècle. Si Rostand reprend des épisodes authentiques de la vie du Cyrano historique (enrôlement dans la compagnie des cadets commandée par Casteljaloux, participation au siège d'Arras, mort suspecte causée par une poutre qui lui tombe sur la tête), il crée un personnage à la faconde éblouissante, bretteur généreux et brave qui défend les opprimés et refuse les compromis, sentimental que sa laideur condamne à une douloureuse solitude.

Une douloureuse solitude

Le nez magistral dont Cyrano est affublé explique sa **solitude sentimentale**. Redoutant « l'amante à l'œil moqueur », Cyrano ne peut vivre l'amour qu'il éprouve pour sa cousine Roxane que par procuration, en prêtant au beau Christian de Neuvillette son esprit, sa plume et ses mots d'amour. Après la mort de Christian, il garde le secret et, durant quatorze ans, joue après de Roxane le rôle du « vieil ami qui vient pour être drôle » (V, 5).

Le refus des compromis

Cependant la solitude de Cyrano est liée aussi à son **refus de toutes les compromissions** : rejetant l'appui des grands et cherchant à « [n]e pas monter bien haut, peut-être, mais tout seul ! »

(II, 8), Cyrano, dès le premier acte, affronte l'aristocratie et ses protégés (le Vicomte, le comédien Monfleury), ainsi que l'Académie. La tirade des « Non, merci ! » (*ibid.*) érumère toutes les lâchetés que le héros récuse, préférant demeurer dans la misère plutôt que de « [c]hercher un protecteur puissant », « [c]alculer, avoir peur, être blême ». Avant de rendre l'âme, dans une hallucination finale, il pourfend ses vieux ennemis, « le Mensonge, les Compromis, les Lâchetés, la Sottise » (V, 6).

La bravoure

Cet héroïsme intellectuel se double de **bravoure physique**. Le bretteur qu'est Cyrano vit l'épée à la main ; la ballade qu'il improvise au cours du duel contre le Vicomte (I, 4) traduit cette dualité. Cyrano se bat sans arrêt, contre les cent ennemis qui menacent son ami Lignière, contre les Espagnols au siège d'Arras...

Du personnage au mythe*

L'immense succès populaire de Cyrano est sans doute lié à l'identification du spectateur avec ce héros douloureux qui se dresse seul face au monde, auréolé par son discours de révolté. Mais, derrière cet anticonformisme de façade, Cyrano, patriote et mourant en chrétien, attaché à son « panache » (dernier mot de la pièce), incarne une **sorte d'idéal aristocratique bien français** et bien servi par la forme du drame* en alexandrins*. On peut y voir alors la **survivance du héros* glorieux** face à la décadence bourgeoise de la fin du xixe siècle.

→ **Cyrano de Bergerac, drame, héros, mélodrame, Rostand**

Dada ou dadaïsme

n. m. Mouvement littéraire et artistique fondé en 1916, à Zurich, par Tristan Tzara*, et délibérément affublé d'une dénomination cocasse et dénuée de sens, choisie à l'aide d'un coupe-papier pointé au hasard sur les pages d'un dictionnaire.

Historique du dadaïsme

Né dans le tumulte de la Première Guerre mondiale, le mouvement Dada exprime une révolte virulente. C'est la **contestation radicale d'une civilisation** qui, fondée sur la raison et les valeurs humanistes, a pu engendrer une pareille horreur : « Je détruis les tiroirs du cerveau et ceux de l'organisation sociale : démoraliser partout et jeter la main du ciel en enfer, les yeux de l'enfer au ciel, rétablir la roue féconde d'un cirque universel dans les puissances réelles et les fantaisies de chaque individu » (Tzara, *Manifeste dada*, 1918). Révolutionnaire, anarchiste, iconoclaste, le mouvement vit de protestations et de scandales et regroupe aussi bien des **peintres** comme Picabia, Hans Arp, Marcel Duchamp (qui expose à New York, sous le titre *Fountain*, un simple urinoir) que des **écrivains** comme Georges Ribemont-Dessaignes et ceux qui allaient bientôt former le groupe surréaliste : André Breton*, Philippe Soupault*, Paul Eluard*, Louis Aragon*, ou Benjamin Péret.

Cependant le mouvement s'épuise en parodies, provocations et bouffonneries diverses, tel le procès de Maurice Barrès*. Les dissensions internes achèveront de le miner : assez vite les surréalistes vont prendre leurs distances et se séparent de Dada en 1921. Le mouvement disparaît en 1923.

Dada et le surréalisme

Les jeunes surréalistes ont d'abord été séduits par le mouvement Dada et même enthousiasmés par la radicalité de sa révolte paroxystique. Mais en jetant à bas toutes les idoles, en contestant systématiquement toute norme sociale, esthétique ou littéraire, en refusant toute valeur, le dadaïsme s'enfonçait dans l'**impasse d'un nihilisme** désespéré qui le vouait à l'impuissance. Tout en refusant les idéologies dominantes, les surréalistes souhaitaient au contraire instaurer des valeurs nouvelles, parmi lesquelles en premier lieu l'art, l'amour et la révolte.

Bilan du mouvement Dada

Bien qu'il ait rapidement sombré, le dadaïsme a cependant exercé une influence déterminante sur l'art et la littérature. On lui doit la technique du collage et du *ready-made* en peinture. Il a d'autre part ouvert la voie au surréalisme* qui poursuivra à sa façon la lutte contre toutes les formes d'aliénation de l'individu.

→ **surréalisme**

dandysme

n. m. De l'anglais *dandy*. Le dandysme désigne les manières élégantes, le raffinement et l'attitude morale du dandy.

Historique

Le dandysme, apparu en Angleterre à la fin du XVIIIe siècle, est une attitude particulière face à la vie, une manière d'être qui se caractérise par un souci de **recherche, d'élégance et** de

distinction, tant sur le plan vestimentaire que dans le domaine du goût et de l'esprit.

Le modèle incontesté du dandy reste **George Brummel** (1778-1840) qui fut pendant vingt ans l'arbitre des élégances à la cour du roi d'Angleterre. Le dandysme sera incarné aussi par Byron et Oscar Wilde (*Portrait de Dorian Gray*) et, en France, par Musset*, Balzac*, Baudelaire*, Barbey d'Aurevilly*. On en retrouvera l'esprit, plus ou moins dévoyé, chez les décadents après 1870, ou, au xxᵉ siècle, chez des auteurs comme Jacques Vaché ou Drieu La Rochelle.

De l'élégance vestimentaire à l'élégance intérieure

Selon Barbey d'Aurevilly (*Du dandysme et de George Brummel*, 1845), le dandysme est non seulement un « art de la mise » mais aussi une « **manière d'être** » : l'élégance du dandy ne saurait être que le « symbole de la supériorité aristocratique de son esprit » (Baudelaire). Quête orgueilleuse du raffinement et de l'originalité, « **culte du moi** » avant la lettre, le dandysme se manifeste dans le souci de se distinguer de l'humanité commune, dans une révolte permanente contre la médiocrité et la vulgarité. Esprit supérieur, le dandy cherche à la fois « le plaisir d'étonner et la satisfaction orgueilleuse de ne jamais être étonné » (Baudelaire). Contrairement aux excentriques anglais, qui expriment leur révolte contre l'ordre établi de la façon la plus provocante et la plus effrénée, le dandy joue un jeu plus subtil : il prend des libertés avec la règle mais continue à s'y soumettre. Ce qui le conduit souvent à de profondes contradictions : « Il se tient à l'écart de la société alors qu'il n'existe que par elle […], il a besoin de ce qu'il méprise » (Jacques de Langlade, *Brummel ou le prince des dandys*, 1985).

Dandysme et littérature

Sur le plan littéraire, l'influence du dandysme a été grande sur ceux qui, résistant aux progrès de la démocratie, se raccrochaient à un **idéal aristocratique**. **Baudelaire**, analysant le phénomène dans *L'Art romantique*, se montre particulièrement sensible au goût du maquillage propre au dandysme, et à sa volonté de substituer l'artificiel au naturel.

Barbey d'Aurevilly (1808-1889) qui, face à l'ordre social né de la Révolution, refuse de suivre la voie libérale de Chateaubriand* ou de Lamennais, ces « prophètes du passé », incarnera avec passion et désespoir l'idéal du dandy. Plus flamboyants, plus extravagants, les **décadents** évoluent vers un pseudo-dandysme, in-

fidèle à l'idéal primitif et dont l'un des derniers avatars sera le comte Robert de Montesquiou, dépeint par Marcel Proust* dans *La Recherche** sous les traits du baron de Charlus.

→ **Barbey d'Aurevilly, Baudelaire, décadentisme, symbolisme**

Danton,
1759-1794

Un orateur impulsif et inspiré

Dans ses discours parfois totalement improvisés, en tout cas jamais écrits, Danton n'a rien d'un théoricien ni d'un idéologue. Sa force est de réagir aux événements et aux faits. Son audace, son sens politique, se trouvent multipliés face aux dangers et aux crises, qu'il affronte avec réalisme. Son éloquence est servie par de remarquables qualités : le sens de la formule (« De l'audace, encore de l'audace, toujours de l'audace, et la France est sauvée ! »), sa capacité d'adapter ses propos aux circonstances, et une voix éclatante.

Orateur fougueux, irrégulier mais intuitif et généreux, Danton incarne plus que tout autre la puissance de la parole révolutionnaire.

REPÈRES BIOGRAPHIQUES

→ Descendant de paysans champenois, Georges-Jacques Danton est un avocat déjà réputé quand éclatent les événements de 1789. Il a alors trente ans. Cinq ans plus tard, il est guillotiné. Dans ce court intervalle, il aura imprimé sa marque puissante d'homme d'action et d'orateur à toutes les heures cruciales de la Révolution.

→ Président du Club des cordeliers, il organise l'insurrection du 10 août 1792 qui renverse la monarchie. Nommé ministre de la Justice, il joue un rôle déterminant dans la politique étrangère de la République. Président du premier Comité de salut public formé en avril 1793, il prononce alors ses discours les plus brillants. Mais son opposition aux excès de la Terreur entraîne sa chute et sa condamnation mort par le Tribunal révolutionnaire. Il est exécuté avec la plupart de ses partisans en avril 1794.

→ **éloquence, oratoire (style), Robespierre**

Daudet
(Alphonse), 1840-1897

ŒUVRES PRINCIPALES
- **Contes**: *Lettres de mon moulin* (1866-1868), *Contes du lundi* (1873).
- **Romans**: *Le Petit Chose* (1868), la trilogie de *Tartarin de Tarascon* (1872, 1885, 1890).
- **Théâtre**: *L'Arlésienne* (1872).

Le chantre de la Provence

Les œuvres les plus célèbres d'Alphonse Daudet manifestent son attachement à sa Provence natale, sa nostalgie de paysages dominés par le soleil, des collines de Fontvieille dont il décrit le célèbre moulin au pont d'Avignon (« La mule du pape »). Pour le lecteur parisien de ses contes, Daudet fait revivre un **univers rustique** (« Installation », « La chèvre de M. Seguin »), familier, pittoresque et désuet. La **satire** des ecclésiastiques (« Le curé de Cucugnan »), des fonctionnaires (« Le sous-préfet aux champs ») est traditionnelle mais fait sourire. La tonalité dominante de l'œuvre est bien l'**humour*** qui passe souvent par la **caricature*** de personnages hauts en couleur (*Tartarin de Tarascon*, héros dont les aventures burlesques et l'imagination verbale sont devenues légendaires).

Daudet anime ses récits par des dialogues émaillés d'expressions populaires et régionales, d'interjections, d'exclamations, d'onomatopées. Les noms des personnages ou des lieux sentent bon le terroir provençal : Mamette, Tistet Védène, Garrigou, Pampérigouste, Cucugnan… L'œuvre de Daudet, qui prend souvent la forme du **conte*** et où s'inscrit parfois une dimension autobiographique (*Le Petit Chose*), s'adresse à la part d'enfance du lecteur.

CITATION

- **Le moulin de Daudet**
« Mon moulin ne m'appartint jamais. Ce qui ne m'empêchait pas d'y passer de longues journées de rêves, de souvenirs, jusqu'à l'heure où le soleil hivernal descendait entre les petites collines rases dont il remplissait les creux comme d'un métal en fusion, d'une coulée d'or toute fumante. » (*Revue de Paris*, 1883)

REPÈRES BIOGRAPHIQUES

→ Né à Nîmes, Daudet fait ses études secondaires à Lyon avant de découvrir Paris où il devient journaliste. Il rencontre le poète provençal Frédéric Mistral et publie son premier roman, *Audiberte*, en 1859. Il séjourne souvent dans le Midi où il trouve l'inspiration des *Lettres de mon moulin* auxquelles collabore son ami Paul Arène. Il connaît également le succès avec *Le Petit Chose*, la trilogie de *Tartarin de Tarascon* ou les *Contes du lundi*. Le musicien Georges Bizet s'inspire d'un des drames* de Daudet pour créer *L'Arlésienne* (1872).

→ Alphonse Daudet est le père de Léon Daudet, l'un des créateurs de l'Action française.

→ **conte, humour**

décadentisme

n. m. Du latin *decadens*, de *cadere*, « tomber ». Tendance littéraire à peu près contemporaine du symbolisme*, qui naît comme lui dans les années 1880 et s'oppose au naturalisme*. Ses principaux représentants sont Laforgue*, Huysmans*, Paul Bourget, Rémy de Gourmont ou encore Octave Mirbeau*. Toutefois, le décadentisme se manifeste bien avant 1880. Le terme de *décadence* a été employé dans les années 1830 par des historiens pour évoquer la fin de l'Empire romain et les poètes latins tardifs. L'idée de décadence a été volontiers reprise par la suite, comme si elle cristallisait un parti pris esthétique : par Baudelaire* d'abord, dans ses *Notes nouvelles sur Edgar Poe* (1857), puis Gautier* et Verlaine*, et par le romancier et essayiste Paul Bourget (1852-1935) qui, dans ses *Essais de psychologie contemporaine* (1883), analyse la sensibilité décadentiste.

« Un aérolithe dans le champ de foire littéraire »

La parution de *À Rebours* de J. K. Huysmans en 1884 permet d'illustrer d'une date les vrais débuts de la période décadentiste. Ce roman, dont chaque chapitre évoque une tentative de Jean des Esseintes, le personnage principal, pour atteindre d'« originales extases », est déjà, par sa structure même, un exercice de décomposition, le seul ordre subsistant étant celui, scrupuleusement suivi par Huysmans, des différentes hallucinations caractérisant la névrose.

Des Esseintes, jeune dandy, est un esthète reclus dans une « thébaïde raffinée » où il se voue, contre la nature, au culte de l'artifice,

« marque distinctive du génie de l'homme » : d'où le goût pour les fleurs rares lorsqu'elles semblent factices, d'où la synthèse de parfums « inouïs », ou encore le sertissage de gemmes sur la carapace d'une tortue vivante… Ce parti pris de l'**artificiel**, cette **jubilation du rare**, cette **culture du fantasme** sont des traits de la tendance décadentiste. Mais la tortue meurt et le névrosé doit revenir au monde même qui l'écœure.

« Ah ! que la vie est quotidienne ! »

Ce vers des *Complaintes* (1885) de Jules Laforgue pourrait résumer le décadentisme qui, toutefois, se déploie en de multiples inspirations.

D'abord, l'opposition de l'ivresse et de l'écœurement dans *À Rebours* peut rappeler l'alternance de l'élévation et du spleen dans *Les Fleurs du mal** ; autre marque de l'influence baudelairienne : la fascination des décadents pour la **beauté du vénéneux**.

Ensuite, les évocations des *Salomé* de Gustave Moreau, dans *À Rebours*, sont un exemple du **mysticisme mêlé de sensualité** qu'affectionne le décadentisme, en outre volontiers porté vers l'occultisme*.

Enfin et surtout, le décadentisme, inspiré par le pessimisme du philosophe allemand Schopenhauer, pénétré de la certitude que la décadence de toute société est fatale, **s'oppose au naturalisme*** parce qu'il refuse de peindre la réalité du temps : les décadents sont anticonformistes, antibourgeois, et rejettent le positivisme*. Le monde moderne ne les intéresse que dans ses accidents artificiels, tout comme la ville fascine Laforgue, ou comme les locomotives ravissent des Esseintes.

→ **Baudelaire, bohème, Cros, Huysmans, Laforgue, occultisme**

décasyllabe

n. m. Du grec *deka*, « dix », et *syllabe*, son prononcé en une émission de voix. Vers composé de dix syllabes. La césure* y est généralement placée après la quatrième ou la sixième syllabe, plus rarement après la cinquième. Très fréquent dans la poésie médiévale, le décasyllabe est progressivement délaissé au xvie siècle au profit de l'alexandrin*, avant d'être repris au xixe siècle par Verlaine* et, au xxe siècle, par Apollinaire* et Valéry*. *Ex.* : « Ce toit tranquille,/où marchent des colombes (4/6) / Entre les pins palpite, / entre les tombes (6/4) » (Valéry*, *Le Cimetière marin*).

Emplois du décasyllabe

Vers plus bref que l'alexandrin, le décasyllabe se prête aussi bien à l'**épopée*** (*La Chanson de Roland*) qu'à la **poésie lyrique**. Ainsi, chez Ronsard*, le déséquilibre engendré par la césure habituelle après la quatrième syllabe souligne la rapidité du temps qui passe et la fragilité de la vie et de l'amour humains :
« Et d'amours desquelles nous parlons, /
Quand serons morts, n'en sera plus nouvelle. »
(*Continuation des Amours.*)

→ **alexandrin, heptasyllabe, mètre, métrique, octosyllabe, poétique, vers, versification**

dénotation

n. f. Du latin *notatio*, « désignation ».
La dénotation, ou sens dénoté d'un mot, correspond au sens premier, objectif, d'un mot. Par opposition, la connotation* est un sens second, implicite, variable selon les individus, les groupes sociaux et le contexte, et qui vient se surajouter au sens dénoté.

Les deux sortes de sèmes

La dénotation d'un mot est constituée par l'**ensemble des sèmes constants** (ou unités minimales de sens) qui composent ce mot. Voici, par exemple, la décomposition sémique du mot *voiture* : inanimé + concret + moyen de transport + automobile + privé + à quatre roues + propulsé par un moteur à explosion. Les **sèmes génériques** (ou classèmes) sont des unités de sens très générales, fondées sur des oppositions binaires : abstrait/concret, animé/inanimé, animal/humain, masculin/féminin. Les **sèmes spécifiques** (ou sémantèmes) sont les sèmes particuliers sur lesquels repose la signification d'un mot et qui permettent de mettre en évidence les ressemblances et les différences entre deux mots de sens voisin. Ainsi, *tramway* = moyen de transport + en commun + urbain + à propulsion électrique + roulant sur rails ; *trolleybus* = moyen de transport + en commun + urbain + à propulsion électrique + roulant sur pneumatiques.

L'étude de la dénotation

Dans un texte, l'étude de la dénotation permet de décrire l'univers de référence construit par le texte. Elle repose sur le **repérage des champs lexicaux**[*], l'analyse de leur organisation (association/opposition), le repérage des isotopies (ou répétition d'un même sème) qui établissent des liens entre les divers champs lexicaux. La mise en évidence des réseaux sur le plan dénotatif doit s'accompagner aussitôt de la prise en compte des connotations.

→ **connotation, sémantique, signifiant, signifié**

dénouement

n. m. De *dénouer.* Le dénouement est ce qui conclut une œuvre littéraire, et plus particulièrement une pièce de théâtre. Le terme vient de la métaphore[*] contenue dans l'expression *nœud de l'action*, action que l'on noue (exposition[*]), puis que l'on dénoue (dénouement).

Les exigences du dénouement
Dans la dramaturgie[*] classique, le dénouement, comme les autres éléments de la structure d'une pièce, obéit à des règles précises, énoncées par des théoriciens comme l'abbé d'Aubignac ou des auteurs comme Corneille[*]. Il doit être **nécessaire** (c'est-à-dire découler naturellement de l'action et des caractères, sans invraisemblance), **complet** (il doit indiquer le sort de chacun des personnages et résoudre tous les problèmes posés) et **rapide**. Souvent, il rassemble tous ou presque tous les personnages. Il varie selon les genres : souvent sanglant dans les tragédies[*], il est heureux dans les comédies[*], qui se finissent presque invariablement par le mariage des héros, les retrouvailles entre parents séparés, le retour à la richesse…

Les écarts par rapport à la règle
Certains auteurs s'écartent volontairement de ces règles, en recourant dans le dénouement à l'intervention d'un ***deus ex machina***[*] : événement invraisemblable, utilisation du merveilleux comme dans la *Médée* (1635) de Corneille, ou intervention du surnaturel comme dans le *Dom Juan* (1665) de Molière[*].
D'autres, par souci de réalisme[*] et de variété, mélangent les genres : dans la tragicomédie[*], au XVIIᵉ siècle, malgré une action qui frôle le malheur, tout finit bien ; *Cinna*, de Corneille, est la première tragédie à fin heureuse.
Théophile Gautier[*] se moque plaisamment de la tradition du dénouement dans la Préface de *Mademoiselle de Maupin* (1835) : « Il est reconnu depuis un temps immémorial, que le but de toute tragédie est de faire assommer à la dernière scène un pauvre diable de grand homme qui n'en peut mais, comme le but de toute comédie est de conjoindre matrimonialement deux imbéciles de jeunes premiers d'environ soixante ans chacun. »

→ **action, classicisme, coup de théâtre,** *deus ex machina*, **drame, dramaturgie, exposition, intrigue, nœud dramatique, péripétie, unités (règle des trois), vraisemblance**

description

n. f. Du latin *descriptio.* La description consiste à représenter ce qui se situe dans l'espace. Elle est souvent introduite par des verbes de perception et se reconnaît à la présence d'éléments visuels (couleurs, formes, volumes), de repères spatiaux (*au loin, devant, à droite…*), de verbes d'état (*être, sembler, avoir l'air…*), de qualificatifs et de caractérisations. Il arrive qu'une description forme un ensemble autonome (dans un poème descriptif, par exemple) mais le plus souvent elle prend place dans un récit[*].

Description et narration
La description correspond généralement à une **pause dans le récit** : elle interrompt le cours de la narration[*] et, dans un récit au passé, l'imparfait remplace le passé simple. Toutefois, elle peut aussi être étroitement intégrée à la narration sous la forme de fragments descriptifs mêlés au récit. Narration et description se confondent même dans le cas d'une **description dynamique** qui comporte de nombreux verbes d'action (portrait d'un personnage en mouvement, histoire et transformation d'un lieu). Enfin, la description peut être motivée par le récit ; il s'agit alors d'une **description narrativisée** : on donne à voir les éléments constitutifs d'un lieu, en relation avec le déroulement de l'action.

Organisation et point de vue
La description s'organise suivant divers types de progression : du plan général au plan rapproché, du détail au plan d'ensemble, de l'extérieur vers l'intérieur. Le texte descriptif met en jeu les différents modes de focalisation[*]. La **focalisation interne** sert fréquemment à organiser la description : celle-ci suivra les perceptions du personnage au fur et à mesure de sa

découverte d'un lieu ou d'un objet. Du point de vue adopté dépend également la présence de jugements de valeur ou d'éléments appréciatifs dans la description.

Fonctions de la description

La description a longtemps été considérée comme un simple ornement. Depuis le XIXe siècle, son rôle s'est enrichi. La description a une **fonction représentative** : construire un monde en donnant l'illusion du réel. Elle a une **fonction métaphorique ou symbolique** lorsque les éléments qui la composent renvoient, par analogie*, à un état moral ou social (la description de l'automne chez les romantiques). Si une description sert à expliquer la psychologie d'un personnage, à révéler une situation sociale, à éclairer les raisons d'une intrigue*, elle se substitue au récit : elle a alors une **fonction narrative**. C'est le rôle qu'elle joue souvent chez les écrivains réalistes (Balzac*) pour qui le caractère est déterminé par le milieu.

→ **focalisation, narration, portrait**

Desnos
(Robert), 1900-1945

ŒUVRES PRINCIPALES

• **Poésie**: *Corps et biens* (1930), *État de veille* (1943), *Trente Chantefables pour les enfants sages* (1944), *Le Veilleur du Pont-au-Change* (1944).

L'humour et la poésie

L'**expérience surréaliste** permet à Desnos de cultiver le plaisir de **jouer avec les mots** en virtuose du langage. Dans « Rrose Sélavy » (nom du personnage imaginaire sous la dictée duquel il prétend écrire pendant ses séances de sommeil hypnotique), Desnos multiplie les jeux de mots (« Je vous aime ô beaux hommes vêtus d'opossum »), les calembours* (« Eros c'est la vie »), les jeux sur les anagrammes* (« Ô mon crâne, étoile de nacre qui s'étiole ») ou les contrepèteries (« Les caresses de demain nous révéleront-elles le carmin des déesses ? »).

Le merveilleux, l'amour

Ce goût pour l'expérimentation verbale ne doit pas faire oublier le poète sensible à l'onirisme ou celui qui traque l'insolite dans le quotidien, réalisant, dans une poésie « délirante et lucide », cette **quête du merveilleux*** dont les

surréalistes ont fait leur grande affaire. Comme les surréalistes aussi, Desnos est un grand **poète lyrique de l'amour**. Il voit dans l'expérience amoureuse un moyen d'accéder au surréel : « Il est faux que les sens appartiennent à la matière. Ils appartiennent à l'esprit, ils ne servent que lui et c'est par eux que vous pouvez espérer l'extase finale. Pénètre en toi-même et reconnais l'excellence des ordres de la sensualité. » (*La Liberté ou l'amour !* posth. 1962.)

CITATION

> « J'entends vos voix et je vous appelle / Je vous appelle dans ma langue connue de tous / Une langue qui n'a qu'un mot / Liberté ! » (*Le Veilleur du Pont-au-Change*)

REPÈRES BIOGRAPHIQUES

→ Fils de petits commerçants, Robert Desnos déçoit très vite les espoirs que son père fondait sur lui. Il abandonne ses études et se passionne pour la littérature d'avant-garde. En 1922, il rencontre les surréalistes et participe aux séances d'écriture automatique* et de sommeil hypnotique, pour lesquels il manifeste des dispositions exceptionnelles. Desnos apparaît alors comme l'un des poètes les plus doués du groupe : il « parle surréaliste à volonté », disait Breton*. Mais, trop indépendant, il est exclu du mouvement en 1930, année où il fait paraître *Corps et biens* et où il perd celle qu'il aime, la chanteuse Yvonne George.

→ À partir de 1934, il devient réalisateur d'émissions radiophoniques, écrit des chansons, des critiques de films et même des scénarios. Il milite dès 1936 contre la montée du fascisme et entre dans la Résistance lorsque la guerre éclate. Arrêté par les Allemands en septembre 1944, il mourra d'épuisement dans le camp de Terezin, en Tchécoslovaquie, le 8 juin 1945.

→ **calembour, surréalisme**

deus ex machina

n. m. Expression latine signifiant « dieu [*qui sort*] d'une machine ». **1.** À l'origine, dans le théâtre antique, on appelait *deus ex machina* l'apparition inopinée, sur une plate-forme suspendue au bout d'une grue, d'un dieu qui résolvait aussitôt tous les problèmes. Selon la *Poétique* d'Aristote, « la machine ne doit être utilisée que pour les événements extérieurs à la pièce, ceux qui sont arrivés précédemment et dont l'homme ne peut avoir connaissance, ou ceux qui arriveront plus tard et qui exigent une prédiction annoncée par quelqu'un : car nous reconnaissons aux dieux le don de tout voir ». **2.** Par extension, on attribue le nom de *deus ex machina* à tout événement, toute intervention surnaturelle, tout personnage dont l'arrivée fortuite au dernier acte dénoue providentiellement n'importe quel imbroglio. Dans la tragédie*, le *deus ex machina* intervient toujours à la suite de la volonté divine ; dans la comédie*, au contraire, il est souvent l'enfant du hasard. Par convention, le caractère invraisemblable de ce procédé ne nuit pas à la crédibilité de l'intrigue*. *Ex.* : *a.* Le char traîné par un dragon sur lequel s'envole Médée pour échapper à la justice humaine, dans les *Médée* d'Euripide, de Sénèque, de Corneille*. *b.* L'intervention surnaturelle dans le *Dom Juan* de Molière*, où la statue du Commandeur vient chercher le héros pour l'engloutir dans l'abîme.

Pour le spectateur, le *deus ex machina* crée un effet de surprise ; pour l'auteur, il résout sur le champ, aisément, un conflit apparemment insoluble. Ainsi, l'arrivée impromptue de l'exempt au dernier acte de *Tartuffe** (Molière*) rétablit la situation d'Orgon alors que tout semblait perdu.

→ **coup de théâtre, dénouement**

dialogue

n. m. Du grec *dialogos*, de *logos*, « discours ».
Sens large : entretien entre deux personnes.
Sens restreint : échange de paroles entre deux ou plusieurs personnages dans une pièce de théâtre, un récit*, un film.

Le dialogue, un genre littéraire
Le dialogue est un genre littéraire à part entière. Au ve siècle av. J.-C., **Platon** expose ses idées sous la forme du **dialogue philosophique** : Socrate, par un jeu de questions/ réponses, amène son interlocuteur à découvrir la vérité qu'il a en lui. Le genre, pratiqué par de nombreux philosophes de l'Antiquité, réapparaît chez Fontenelle* au xviie siècle : les *Entretiens sur la pluralité des mondes* font dialoguer une mondaine et un philosophe.
Au siècle des Lumières, **Diderot**, dans *Le Neveu de Rameau*, utilise toutes les ressources du dialogue dans l'échange qui oppose « Lui », un bourgeois arrivé, à « Moi », un bohème anarchiste. Dans *Le Supplément au Voyage de Bougainville*, deux personnages, désignés par les lettres A et B, discutent sur ce qu'est une société libre et heureuse.

Dialogue et récit
Le dialogue est l'un des éléments du récit, au même titre que la narration* ou la description*. Contrairement à la narration où elles sont rapportées au style indirect, dans un dialogue les **paroles** le sont **au style direct**. Typographiquement, le changement de personnage est marqué par un tiret. Le dialogue confère au récit un caractère vivant et rapide.

Dialogue et théâtre
Le dialogue définit également le **théâtre** puisque, dès la plus haute antiquité, un ou plusieurs personnages échangent des paroles entre eux ou avec le chœur. Tout l'art du dialogue est dans l'enchaînement entre les répliques, lequel se joue sur le mot ou sur la chose. Ainsi, Frédéric Deloffre note que, chez Marivaux*, « le mode obligatoire du progrès de l'action est le passage d'un mot à un mot » comme dans l'échange suivant tiré du *Legs* :
« Frontin. – Cette dame se figurait que nous nous aimions.
Lisette. – Eh bien elle se figurait mal. »
La dynamique du dialogue est parfois brisée lorsque la conversation est monopolisée par l'un des interlocuteurs ou lorsque les mots semblent leur manquer, comme dans les dialogues de Beckett*. Au théâtre, les interruptions du dialogue sont toujours significatives, puisqu'elles mettent en cause l'essence même du langage dramatique. Mais, même lorsqu'un personnage monologue, le dialogue se poursuit avec le public.

→ **aparté, Beckett, Diderot,** *En attendant Godot,* **Fontenelle, interruption, monologue, réplique, tirade**

dictionnaire

n. m. Du latin médiéval *dictionarium*, de *dictio*, « action de dire », « mot ». Ouvrage énumérant les termes d'une langue, d'une science ou d'un art, disposés selon un ordre convenu (alphabétique, par famille, par regroupements d'idées...) et livrant différents types d'informations (étymologie, sens, dérivés, synonymes*...).

Un instrument de savoir

Le dictionnaire est d'abord un **moyen de connaissance du langage**. On peut citer, parmi les grandes références, les dictionnaires de Furetière* et de l'Académie française* (xviiᵉ siècle), puis ceux de Larousse et de Littré (xixᵉ siècle).

Les philosophes des Lumières*, dès Bayle* au début du xviiiᵉ siècle, y voient aussi un moyen de diffuser des idées novatrices, mais plutôt sous la forme du dictionnaire encyclopédique, qui donne pour chaque mot un véritable commentaire et non une définition lapidaire. À l'idéologie du *Dictionnaire de Trévoux* des jésuites, les philosophes opposent la critique religieuse, politique, économique et sociale de l'*Encyclopédie**, et du *Dictionnaire philosophique portatif* de Voltaire*.

Au xixᵉ siècle, le *Dictionnaire des idées reçues* de Flaubert* donne, pour chaque mot, les truismes* et les préjugés de l'époque.

Une « machine à rêver »

Nombreux sont les poètes modernes qui ont attribué au dictionnaire un « **pouvoir raffiné de création** » : « Chaque mot est comme un vaisseau : il semble d'abord clos sur lui-même, bien enserré dans la rigueur de son armature ; mais il devient très facilement un départ, il s'évade vers d'autres mots, d'autres images, d'autres désirs : voilà le dictionnaire doué d'une fonction poétique » (R. Barthes* dans la préface d'un dictionnaire, posth. 1980). Mallarmé* y puisait pour ses poèmes hermétiques des termes rares aux sonorités étranges. Ponge* part d'un mot matraque (« À mi-chemin de la cage au cachot, la langue française a cageot », *Le Parti pris des choses*), et imagine « une sorte d'écrits [*nouveaux*] qui, se situant à peu près entre les deux genres [*définition et description*], emprunteraient au premier son infaillibilité, son indubitabilité, sa brièveté aussi, au second son respect de l'aspect sensoriel des choses » (*Méthodes*, 1947). Les surréalistes jouent avec le hasard qui met en relation les mots au fil des pages, l'Oulipo* trouve dans le dictionnaire des structures nouvelles (par exemple la méthode S + 7, qui consiste à remplacer chaque mot important d'une phrase par le septième qui le suit dans un dictionnaire).

→ **Académie française, *Encyclopédie*, Furetière, Oulipo, Ponge**

didactique

adj. Du grec *didaskein*, « enseigner ».
La tonalité didactique caractérise des textes écrits pour instruire, pour dispenser un enseignement, transmettre un savoir. On la trouve dans les manuels scolaires, dans les journaux (articles de vulgarisation) ou dans les encyclopédies. Ces textes véhiculent un savoir sur le monde physique et animal ou sur le monde humain, qu'il s'agisse de sciences, de techniques, d'histoire, de littérature ou d'art. *Ex.* : les « maximes du mariage » dans *L'École des femmes* de Molière*, ou tel article de l'*Encyclopédie**.

Instruire avec clarté et rigueur...

En premier lieu, le texte didactique se veut **objectif** : il ne peut donc être polémique ni même argumentatif. Informations et explications y sont généralement présentées de façon impersonnelle. Les marques de l'énonciateur et du destinataire, tels les pronoms des première et deuxième personnes, y sont très rares. Visant la transmission d'un savoir, le texte didactique ne prévoit pas l'échange. Les énoncés se présentent en effet sous la forme de phrases déclaratives et les verbes sont généralement au présent de vérité générale, sauf dans les textes historiques où l'on emploie les temps du récit (imparfait et passé simple, notamment).
Le texte didactique se signale ensuite par l'**utilisation d'un vocabulaire technique** précis et spécialisé, celui qui correspond à la discipline de référence.
Enfin, on notera le soin apporté aux **mots de liaison** qui tantôt structurent une énumération (*d'abord, ensuite, enfin*), tantôt articulent une stratégie d'explication : ainsi, on soulignera le rapport de cause à effet (*aussi, en effet, c'est pourquoi*), on marquera le contraste (*mais, au contraire, en revanche, cependant*), on introduira un exemple, une addition (*de plus, de même, également*), ou on annoncera une reformulation (*c'est-à-dire, en d'autres termes*).

... mais aussi intéresser et plaire

Cependant, l'objectivité et la rigueur ne sont pas les seules qualités qu'on doit trouver dans un texte didactique. Celui-ci ne peut avoir l'aridité d'un exposé scientifique. Il ne doit pas être trop déconcertant pour un lecteur qui, par définition, n'est pas un spécialiste. D'où un effort pour limiter au strict minimum les termes techniques, pour les introduire dans un contexte qui les éclaire, et pour en donner un équivalent dans le langage courant.

De plus, le texte didactique ne doit pas être trop rébarbatif : **il faut instruire mais aussi plaire**. D'où le recours au présent de narration s'il s'agit d'histoire, ou à l'interrogation rhétorique[*] pour raviver l'attention du lecteur – on va, en somme, au-devant des questions qu'il se pose – ou piquer sa curiosité. Parfois, un impératif à la première personne (*remarquons que*) introduira un rapprochement fictif entre l'énonciateur et le destinataire. L'emploi d'un lexique aux connotations[*] un tant soit peu laudatives laissera deviner l'intérêt que l'énonciateur porte au sujet qu'il expose.

→ **oratoire (style), polémique**

didascalies

n. f. plur. Du grec *didaskaliai*, « instructions ». Le mot grec désignait à la fois les instructions pour le chant du chœur, la déclamation des acteurs ou le jeu des danseurs, et les catalogues de pièces avec le nom des auteurs, la date et les particularités des représentations. On retrouve ces deux sens dans le terme contemporain. Il s'applique aux instructions de jeu et de mise en scène données, dans le texte même, par l'auteur pour ses personnages. Mais il représente aussi toute indication écrite dans le texte et non dite par un personnage (nom de lieu, de temps, d'un personnage...).

Place des didascalies

Généralement, les didascalies se situent au début de la pièce, puis avant ou entre les répliques : « *Arnolphe lui prend la main sans qu'elle le reconnaisse* » (Molière[*], *L'École des femmes*, V, 8).

Mais elles peuvent aussi être contenues dans les propos tenus par les personnages. On parle alors de **didascalies internes** : « Je fis la révérence aussi de mon côté. / Soudain il me refait une autre révérence : Moi, j'en refais de même une autre en diligence » (*ibid.*).

Fonctions des didascalies

Les didascalies donnent au metteur en scène et aux acteurs des **indications précises sur le jeu et la mise en scène** voulus par l'auteur de la pièce. Elles permettent aussi au lecteur d'imaginer la mise en scène.

Rares dans le théâtre classique, elles peuvent tenir une place considérable dans le théâtre romantique ou contemporain (chez Beckett[*] par exemple).

→ **dramaturgie, théâtre**

Diderot
(Denis), 1713-1784

ŒUVRES PRINCIPALES
- **Œuvres philosophiques** : *Pensées philosophiques* (1746), *Lettre sur les aveugles à l'usage de ceux qui voient* (1749), *Encyclopédie* (1750-1772), *Le Rêve de d'Alembert* (1769), *Supplément au Voyage de Bougainville* (1772), *Paradoxe sur le comédien* (1773), *Réfutation d'Helvétius* (1774).
- **Romans** : *Les Bijoux indiscrets* (1748), *La Religieuse* (1760, publ. 1796), *Le Neveu de Rameau* (1762-1777, publ. 1891), *Jacques le Fataliste* (1778).
- **Théâtre** : *Le Fils naturel* (1757), *Le Père de famille* (1758).
- **Critique d'art** : *Salons* (de 1759 à 1771 tous les deux ans, puis 1775 et 1781).
- *Correspondance* avec Sophie Volland.

L'énergie du génie

Diderot a prêté sa plume à **tous les genres** pour ne servir qu'**une seule cause** : le **combat de la raison contre les idées fausses**. Un article de l'*Encyclopédie* aussi bien qu'un roman comme *La Religieuse*, une page des *Salons* aussi bien que des essais de morale ou de physiologie comme le *Supplément au Voyage de Bougainville* et *Le Rêve de d'Alembert*, un drame[*] comme *Le Fils naturel* autant qu'une lettre à Sophie Volland expriment la même énergie, mise au service de la critique de toute hypocrisie.

Comme pour attester cette vivacité et ce bouillonnement créatif, les œuvres prennent facilement la **forme du dialogue**[*], si bien que les pièces de théâtre sont presque moins « parlantes » que ne le sont un texte comme le *Paradoxe sur le comédien*, un roman comme *Jacques le Fataliste*, ou un essai comme *Le Rêve de d'Alembert*. *Le Neveu de Rameau* est un bon exemple de la **liberté** de Diderot **par rapport aux genres traditionnels** : ni roman, en raison de la prédominance du dialogue et des multiples pantomimes du Neveu, ni pièce de théâtre non plus, en raison des digressions du personnage-narrateur qui nous rapporte ainsi ses sentiments.

Le matérialisme de Diderot

La pensée de Diderot repose d'abord sur la **foi en l'expérience.** Ainsi la *Lettre sur les aveugles* ou la *Lettre sur les sourds et muets* (1751) sont-elles des recherches d'esthétique (c'est-à-dire des études sur la perception et sur la beauté) qui se fondent sur la physique expérimentale.

Cependant, en faisant observer que les sensations sont capables de donner forme à nos idées, Diderot entame gravement le primat de la pensée posé par la religion, d'où son incarcération au fort de Vincennes.

S'adonner à l'étude de la matière en n'acceptant que les enseignements de l'expérience amène très vite Diderot à réfuter le dualisme (croyance dans la cœxistence du divin et de la matière) et même le déisme (croyance dans le fait que le divin participe de la matière) pour parvenir à un **matérialisme « vitaliste »**, celui du docteur Bordeu dans *Le Rêve de d'Alembert.* La matière est constituée de « molécules » en mouvement et elle est « sensible » : il y a interrelation entre la pensée (amas de matière sensible qui ne consiste qu'en réactions physiologiques) et la périphérie du corps, sensible comme elle. Jusqu'à la fin de sa vie, Diderot cherchera à améliorer cette théorie vitaliste qu'illustre avec humour *Le Rêve de d'Alembert.*

Interrogations morales et politiques

De la même façon que la matière sensible communique pour former un organisme, la raison humaine, purement biologique, détermine l'organisation de la société et est déterminée par elle. La **morale** n'est donc pas absolue mais **relative**, d'où le développement du *Neveu de Rameau* sur les « idiotismes moraux » qui, selon les pays, les conditions ou les conjonctures, sont des exceptions à la « conscience générale ». D'où encore l'opposition, dans le *Supplément au Voyage de Bougainville*, entre la morale naturelle des Tahitiens et la morale hypocrite des sociétés européennes.

Un dialogue comme *Le Neveu de Rameau* est une **interrogation sur la morale universelle** que pourrait se donner la société si elle était bien orientée. C'est dans la perspective d'une **morale supérieure** que Diderot critique les conventions, les règles artificielles et immuables, comme la vocation contrainte de Suzanne dans *La Religieuse.* Cette réflexion apparaît déjà dans les *Pensées philosophiques*, condamnées à leur parution, et dans *Les Bijoux indiscrets.*

La réflexion de Diderot embrasse aussi la **politique** : l'article « Autorité politique » de l'*Encyclopédie*, le séjour auprès de Catherine II sont l'occasion d'une interrogation sur l'exercice du pouvoir absolu et sur la question de la volonté générale.

Le beau, l'émotion

À partir de la fin des années 1750, Diderot multiplie les **réflexions sur l'esthétique.** Le célèbre *Paradoxe sur le comédien*, parmi d'autres écrits sur le théâtre, prend le relais des opinions de Diderot sur la matière sensible puisqu'il explique que l'acteur, pour émouvoir le spectateur, doit maîtriser sa sensibilité et jouer son rôle en toute impassibilité.

Avec ses *Entretiens sur le fils naturel* (1757) ou dans son *Discours sur la poésie dramatique* (1758), Diderot proscrit le vers[*] et les bienséances[*], et fonde véritablement le **drame**[*] **bourgeois**, à l'imitation des peintures pathétiques de Greuze, son peintre favori : il préconise une tragédie domestique où l'on remplacera le jeu des caractères par la mise en scène des conditions sociales, et qui doit édifier le spectateur, lui donner une leçon de civisme.

Avec ses neuf *Salons*, Diderot est l'**un de nos premiers critiques d'art**. Ses comptes rendus, qui se présentent initialement sous la forme de lettres à Grimm, conserveront toujours la liberté du ton épistolaire, animé par des apostrophes[*] au destinataire, voire au peintre considéré. Dans ces commentaires, qui souvent présupposent que « les mœurs sont essentielles au bon goût » (« Sur Baudoin », 1767), Greuze est loin d'être la figure centrale. Ce sont surtout Vernet, Chardin et La Tour que Diderot à bien « vus », le dernier semblant même in-carner l'acteur parfait dont le *Paradoxe* nous trace la figure : lorsqu'il peint, « il reste froid, et cependant son imitation est chaude » (*Salon de 1767*).

théologie à la Sorbonne et divers petits métiers. Il y fait deux rencontres importantes : celle d'Antoinette Champion, une lingère qu'il épouse secrètement en 1743, et celle de Rousseau[*] dont il devient l'ami en 1742. Il vit grâce à des traductions et à l'édition de ses premiers ouvrages philosophiques ; il publie également *Les Bijoux indiscrets*.

➡ C'est en 1747 que se situe le grand tournant de la vie de Diderot, lorsque le libraire Le Breton lui confie la direction de l'*Encyclopédie*[*], entreprise qui l'occupera un quart de siècle. Les ouvrages de cette période, où il affiche clairement une pensée déiste, font scandale, mais c'est le matérialisme de la *Lettre sur les aveugles* qui lui vaut d'être emprisonné à Vincennes en 1749. Il rencontre Sophie Volland en 1754, devient dramaturge en 1757 et, depuis que Rousseau puis d'Alembert ont pris leurs distances, doit soutenir presque seul les travaux de l'*Encyclopédie* alors que se multiplient les attaques contre les philosophes. Il y répliquera à partir de 1762 dans *Le Neveu de Rameau*[*]. En 1759, il commence la rédaction de ses *Salons*.

➡ L'*Encyclopédie* livrée, Diderot poursuit ses réflexions sur l'histoire naturelle avec, entre autres, *Le Rêve de d'Alembert*. Il rédige en 1771 *Jacques le Fataliste*, en 1774 la *Réfutation d'Helvétius*. Il voyage, en Allemagne et en Italie (1769) puis, invité par Catherine II qui le pensionne depuis 1765, il se rend en Russie en 1773-1774. Il meurt, six mois après Sophie Volland, le 31 juillet 1784.

→ drame, *Encyclopédie*, Lumières, *Neveu de Rameau (Le)*, Rousseau, satire, Voltaire

diégèse

n. f. Du grec *diêgêsis*, « narration ».
Synonyme de « récit », le mot désigne les transformations successives de la situation exposée dans un énoncé. Dans une œuvre littéraire, la diégèse est l'**histoire racontée**, la relation des événements considérés dans leur déroulement.

Diêgêsis et mimêsis
Platon, dans *La République*, distingue la **mimêsis**, qui est la **représentation directe** des faits (exemple du théâtre), de la **diêgêsis**, qui en est la **représentation indirecte**, mise à distance par un narrateur (exemple de l'épopée[*]).

Il note toutefois qu'un récit comme l'*Iliade* peut contenir de larges citations de discours de personnages : ce sont des moments où la *diégêsis* tend vers la *mimêsis*.
Aristote, dans la *Poétique*, emploie les termes de manière légèrement différente : pour lui, le genre dramatique (imitation directe) et le genre épique (imitation privilégiant la *diégêsis*) participent tous deux de la *mimêsis*, de la représentation. Le terme *mimêsis* inclut dans ce cas la *diégêsis*.
La **différence** entre ces deux philosophies de la représentation poétique est **d'ordre moral** : pour Platon, il faut préférer la diégèse pure, représentation narrative et distanciée des faits, à l'imitation des paroles, qu'apprécie en revanche Aristote (qui place la tragédie au-dessus de l'épopée et aime chez Homère les moments où la narration cède la parole aux personnages).

Les « frontières » du récit : discours et description
Cette opposition originelle entre *diégêsis* et *mimêsis*, que le critique Gérard Genette récapitule dans le chapitre de l'ouvrage *Figures II* intitulé « Frontières du récit », servait principalement chez les philosophes grecs à **classer les genres** (la poésie épique d'une part, la poésie dramatique d'autre part). Pour nous, elle est très utile pour réfléchir aux moments où un récit s'éloigne de la diégèse pure pour incorporer d'autres éléments, comme les **discours** des personnages ou les **descriptions** (voir l'article « Récit »).

→ description, discours, narration, narratif (schéma), récit, scène

diérèse

n. f. Du grec *diairêsis*, « division ».
En versification[*], prononciation en deux syllabes de deux voyelles contiguës, la première étant généralement -*i*- ou -*u*-.
Ex. : « Mon esprit, glorieux et jaloux de l'avoir,/Enviait à mes yeux le bonheur de te voir » (Corneille[*], *Clitandre*, v. 65-66) : glorieux se prononce [glo-ri-ø] et enviait [ã-vi-ɛ].

La diérèse permet au poète d'allonger le vers d'une syllabe. Utilisée à des **fins expressives**, elle adoucit le mot ou le solennise en l'étirant sur le vers. Ainsi, dans le vers suivant : « Un navire y passait majestu-*eus*ement » (Vigny[*], « La Bouteille à la mer », *Les*

Destinées), la diérèse produit un effet de lenteur et de calme souverains.

→ **hiatus, vers, versification**

dilemme

n. m. Du grec *dis*, «deux» et *lêmma*, «argument». Dans une situation problématique, le dilemme est une alternative de choix négatifs : pour s'en sortir, on ne peut choisir que le moindre mal. Le dilemme est l'essence même du conflit cornélien. *Ex.* : dans *Le Cid*, Rodrigue perd son honneur s'il ne venge pas son père qui a été insulté par le père de Chimène. Mais s'il tue ce dernier pour laver l'affront fait à son propre père, il perd Chimène : «Réduit au triste choix ou de trahir ma flamme, / Ou de vivre en infâme, / Des deux côtés, mon mal est infini.» (I, 6.)

Un choix entre deux solutions également fâcheuses

Dans un débat, enfermer un adversaire dans un dilemme, c'est le contraindre à reconnaître que, pour sortir de son problème, il n'a le choix qu'entre deux solutions également dangereuses et inacceptables.

Le dilemme devient aisément un **argument manipulateur**, artificiel, pour forcer un adversaire à admettre la conclusion d'un raisonnement : « Si la femme qu'on épouse est belle, elle cause de la jalousie ; si elle est laide elle déplaît, donc il ne faut pas se marier » (Arnauld et Nicole, *La Logique de Port-Royal*, 1662). Dans cet exemple, la mauvaise foi consiste à n'envisager que des cas extrêmes sans prendre en compte toutes les possibilités intermédiaires et à tenir pour nécessaire chaque partie du raisonnement : en effet, est-il inévitable qu'une belle femme cause de la jalousie ? Et si elle en cause, est-ce un obstacle inévitable à l'amour et au mariage ?

→ **Cid (Le), Corneille, nœud dramatique**

discours

n. m. Du bas latin *discurrere*, «discourir», qui a donné *discursus*, «discours». Expression de la pensée dans la conversation. **1.** Par opposition au récit, le discours désigne un énoncé ancré dans le présent de l'énonciation ; on passe du récit au discours lorsque les paroles d'un personnage sont citées à l'intérieur d'une fiction narrative. **2.** Dans un sens idéologique, on peut parler de discours pour désigner le sens que prend l'œuvre littéraire dans son contexte.

Discours et récit

Le linguiste Émile Benveniste, dans *Problèmes de linguistique générale*, fait la distinction entre discours et récit (ou histoire). Dans le **discours**, ce qui est dit est **ancré dans le présent de l'énonciation**. Dans le **récit**, il y a un **écart entre l'histoire racontée** (généralement passée) **et la situation d'énonciation**. Le discours et le récit diffèrent donc dans l'utilisation des temps, des pronoms personnels ou des adverbes :
– le présent, le passé composé ou le futur sont les **temps** verbaux du discours, car ils relèvent de la sphère du locuteur, tandis que le passé simple, le passé antérieur ou le plus-que-parfait sont les temps du récit ;
– le discours emploie les **pronoms** de la première personne (locuteur) et éventuellement de la deuxième personne (allocutaire), tandis que les pronoms de la troisième personne sont ceux du récit ;
– le discours emploie des **adverbes** de temps (comme *demain* ou *hier*), des adverbes de lieu ou des démonstratifs qui doivent être transformés lorsqu'on passe en régime de récit (où l'on emploiera, par exemple, *le lendemain* ou *la veille*).

Un énoncé peut très vite **passer du discours au récit**, par exemple lorsqu'en dialoguant avec quelqu'un, on se met à lui raconter ce qui nous est arrivé ou ce qui est arrivé à une tierce personne, et que toute référence à la situation d'énonciation disparaît.

Le discours rapporté dans le récit

Un récit peut tout aussi vite laisser la place au discours : c'est souvent ce qui se passe lorsqu'on rapporte dans un roman les propos d'un personnage. Il y a cependant plusieurs manières de rapporter ces propos, certains relevant du discours, d'autres continuant de relever du récit :
– le **discours direct** : *Je rencontrai Jean. Il me déclara : « J'irai voir mon père demain. »* Les paroles de Jean, entre guillemets, marquent le surgissement du discours dans le récit ;
– le **discours indirect libre :** *Je rencontrai Jean. Il irait voir son père le lendemain.* Les paroles de Jean se trouvent cette fois absorbées par le temps et les personnes du récit, même s'il n'y a pas de verbe introducteur ;

– le **discours indirect** : *Je rencontrai Jean. Il me déclara qu'il irait voir son père le lendemain.* Nous sommes en régime de récit ;
– le **discours narrativisé** : *Je rencontrai Jean. Il était décidé à rendre visite rapidement à son père.* S'éloignant des paroles réellement prononcées par Jean, le narrateur ancre encore plus profondément ses propos dans le récit.

Parfois, les écrivains utilisent des modes de discours rapporté plus évolués, comme le **discours immédiat**, qu'on peut appeler aussi **discours direct libre** : *Je rencontrai Jean. J'irai voir mon père demain. Je ne pus m'empêcher de douter de sa détermination.* La phrase centrale, citée sans guillemets, ne peut avoir été prononcée que par Jean. Ce genre de procédé existe chez Marguerite Duras* et il doit être rapproché du **monologue intérieur*** (qui rapporte des pensées). Tous deux relèvent du discours.

Ces différentes manières de rapporter les paroles d'un personnage dans un récit définissent la **distance**, le degré de **proximité**, qu'a envers lui le narrateur.

Discours romanesque, discours littéraire

En envisageant la question sur un autre plan, on peut parler de discours lorsqu'on s'intéresse aux **valeurs qui animent un texte**, même narratif : dès lors qu'un roman travaille sur des clichés* ou des stéréotypes, qu'il met en scène des personnages incarnant une doctrine ou une classe sociale, il tend à énoncer un discours. La fiction romanesque prend alors une **valeur argumentative et une portée idéologique**. Le cas le plus manifeste est celui des romans à thèse (exemple de l'œuvre de Paul Nizan*).

De manière plus générale, on parle aujourd'hui de discours littéraire pour rappeler que toute œuvre est le produit d'un auteur qui occupe une certaine place dans le champ littéraire, qu'elle s'inscrit dans une certaine histoire des genres, qu'elle implique le choix d'une langue, qu'elle constitue un discours concurrent de celui d'autres institutions comme l'école, les médias, etc. Une œuvre, lorsqu'elle s'écrit, implique un certain **positionnement de l'auteur** et s'élabore comme un discours.

→ **argumentation, auteur, cliché, énonciation, monologue intérieur, narration, récit, rhétorique, roman**

distanciation

n. f. Traduction de l'allemand *Verfremdungseffekt*. **Au théâtre** : notion introduite par le dramaturge allemand Bertold Brecht (1898-1956), qui a pour but d'instaurer une distance entre le spectateur et le spectacle. Les techniques de la distanciation ont été mises en œuvre par les auteurs et les metteurs en scène du théâtre contemporain.

Principaux effets

Les procédés de la distanciation visent à **briser** la *mimêsis* aristotélicienne, c'est-à-dire **l'illusion réaliste** qui, au théâtre, favorise l'identification passive du spectateur à l'action et aux personnages. Il s'agit de **(ré) installer le spectateur dans une attitude critique**. Le comédien doit pour cela prendre ses distances avec son personnage : « Il montre en s'étonnant le rôle qu'on lui a confié », « il cite le personnage qu'il représente » et communique librement et directement avec le spectateur. La continuité de l'action elle-même peut être brisée par les commentaires d'un récitant, des chansons, des projections de documents qui en éclairent le sens. Ainsi, pour Brecht, la distanciation n'est pas seulement négative : il s'agit d'un nouvel « art de montrer le monde de telle manière que l'homme puisse le maîtriser ».

→ **absurde, Beckett, Ionesco**

distique

n. m. Du grec *distichos*, « disposé sur deux rangs », « formé de deux vers ». Un distique est un ensemble deux vers consécutifs, formant une unité par leur forme et par leur sens.

Caractéristiques du distique

Dans la littérature grecque et latine, le distique est la réunion d'un vers long (hexamètre) et d'un vers plus court (pentamètre), que l'on appelle aussi **distique élégiaque**. André Chénier* imite ce modèle en faisant alterner, dans ses *Iambes*, un alexandrin* avec un octosyllabe : « Comme un dernier rayon, comme un dernier zéphyre/Animent la fin d'un beau jour,/Au pied de l'échafaud j'essaye encor ma lyre./Peut-être est-ce bientôt mon tour. » (« Comme un dernier rayon ».)

Dans la poésie moderne, on appelle distique une **strophe* de deux vers à rimes* plates**, qui forme un tout signifiant : « Dans le vieux parc solitaire et glacé / Deux formes ont tout à l'heure passé. // Leurs yeux sont morts et leurs lèvres sont molles, / Et l'on entend à peine leurs paroles // Dans le vieux parc solitaire et glacé, / Deux spectres ont évoqué le passé. » (Verlaine*, « Colloque sentimental », *Fêtes galantes*).

Rond, solide, le distique peut devenir léger grâce à l'enjambement* strophique. Alternant avec des strophes plus longues, il peut alors **souligner des parallèles, des oppositions**, des renvois, ou servir de refrain comme dans *Les Fleurs du mal** de Baudelaire* (« L'Invitation au voyage », « Les Litanies de Satan »).

→ **élégie, quatrain, strophe, tercet, vers, verset**

Don Juan

> Né sous la plume du dramaturge espagnol Tirso de Molina en 1630, le personnage de Don Juan, libertin séducteur, a connu une fortune exceptionnelle. Polyforme, ambigu, énigmatique, il a suscité au cours des siècles une multitude d'écrits privilégiant tel ou tel aspect de sa personnalité. Don Juan est l'un des plus grands mythes de la littérature universelle et incarne, aux yeux de la modernité, l'éternel séducteur.

L'insatiable *Burlador*
Dans la pièce de **Tirso de Molina**, *El Burlador de Sevilla*, Don Juan Tenorio, grand seigneur brave et libertin, ne pense qu'à **assouvir ses pulsions sexuelles** toujours renaissantes. Pour ce faire, il ne re-cule devant aucun mensonge, aucune trahison, aucun parjure. Il séduit et déshonore toutes les femmes qu'il rencontre. Sacrilège, il croit néanmoins en Dieu et à l'Enfer, mais retarde le moment de changer sa conduite. La punition céleste s'abat sur lui, et il meurt foudroyé. Le problème religieux fait écho aux disputes théologiques de l'époque. Derrière le comportement du héros se dessine aussi une critique de l'Espagne des Habsbourg dont le puritanisme affiché masque en réalité une luxure débridée.

Un libertin révolté
Chez **Molière***, Don Juan, « grand seigneur méchant homme », est un **révolté qui défie Dieu et la société**. Désormais, le plaisir du séducteur réside surtout dans le spectacle de l'amour qu'il inspire. Toujours fuyant, il fait du changement le principe du plaisir amoureux et ne songe qu'à multiplier ses conquêtes. Dans un ultime défi, il refuse de se repentir et subit le châtiment divin.

La figure de Don Juan se durcit donc et se teinte d'athéisme, ce qui vaudra à la pièce de Molière d'être officieusement interdite : créée le 15 février 1665, elle s'arrête un mois plus tard. Dès lors, *Dom Juan* n'est plus connu que dans la version édulcorée de Thomas Corneille, le frère de Pierre.

Ce n'est qu'en 1841 que la Comédie-Française* reprend la pièce dans le texte original de Molière. Depuis, Louis Jouvet en 1947 et surtout Jean Vilar en 1953 ont donné à la pièce la dimension que nous lui connaissons aujourd'hui.

Un héros insaisissable et complexe

Insaisissable, le personnage de Don Juan revêt, selon les siècles et les auteurs, des **aspects multiples ou contradictoires.** Croyant dans la pièce espagnole, indifférent à la religion dans les pièces italiennes, impie dans celle de Molière, il préfère mourir plutôt que de renoncer à sa liberté dans l'opéra de Mozart (*Don Giovanni*, 1787), avant de prendre, chez Balzac* (*L'Élixir de longue vie*, 1830) ou José de Espronceda (*L'Étudiant de Salamanque*, 1840), un caractère satanique. Inversement, le Don Juan de la nouvelle* de Mérimée*, *Les Âmes du Purgatoire* (1834), se convertit et achève sa vie dans un monastère. Dans *Le Mythe de Sisyphe* (1942), Camus* imagine un Don Juan athée, figure de la révolte.

L'**image du séducteur** connaît, elle aussi, des **transformations** : de héros dénué de scrupules envers ses victimes, Don Juan devient à son tour, dans *Le Commandeur de pierre*, drame* de Lesia Ukraïnka (1912), victime d'une femme.

Jean Rousset, dans *Le Mythe de Don Juan*, distingue dans le personnage **trois aspects essentiels** : par sa révolte contre les normes, Don Juan est le « réprouvé devant ses juges » ; par son refus de la fidélité, de l'éternité, de Dieu, de la mort, il est « l'improvisateur devant la permanence » ; enfin, par son recours constant au masque, il est le comédien face à ses spectateurs.

→ **Dumas, Mérimée, Molière**

Don Quichotte

Personnage du roman éponyme de Cervantès (1547-1616), Don Quichotte, *hidalgo* famélique aveuglé par sa passion pour les romans de chevalerie, échoue lamentablement quand il veut imiter les exploits de ses héros favoris. Il symbolise les travers de l'idéalisme détaché des aspects matériels de la vie : voulant faire le bien, il se trompe de cible, et cause même parfois du mal.

Une force comique inépuisable

Avec Don Quichotte et son serviteur Sancho Pança, qui est son parfait contraire – petit et rond, il n'a que des aspirations prosaïques, mais aussi un solide bon sens –, Cervantès crée un **couple comique**, que l'on va retrouver dans tous les genres, et surtout dans les genres visuels, en raison des gags engendrés par les bévues du héros. L'œuvre a fait l'objet de multiples adaptations (opéra, ballet, cinéma, peinture).

Le couple a également inspiré d'**autres grandes figures du comique* moderne** : Bouvard et Pécuchet de Flaubert*, Laurel et Hardy bien sûr, mais aussi Charlot et les héros créés par Buster Keaton, à la fois ridicules et touchants.

Une allégorie de la condition humaine

La force du personnage de Don Quichotte ne réside pas uniquement dans le comique. Il constitue en fait une **allégorie* subtile de la condition humaine**. À travers la parodie* des romans de chevalerie, Don Quichotte symbolise tout le contraste entre les rêves idéalistes de l'homme et la réalité qu'il doit affronter. Mais, au-delà de cette analyse, il donne une **leçon morale** en révélant la nécessité, pour survivre et s'insérer dans la société, de s'adapter, de transiger.

Le personnage permet aussi de faire passer une **leçon esthétique** : en se moquant des romans de chevalerie, Cervantès revendique, dans la littérature, une place pour le réalisme* et la peinture de tous les aspects de l'âme humaine. *Don Quichotte* est un chef-d'œuvre de l'art burlesque.

→ **Arlequin, burlesque, cinéma et littérature, Flaubert**

dramatique

adj. Du grec *drama*, « action ».

Sens premier : selon une classification qui remonte au XVIIIe siècle, l'adjectif *dramatique* renvoie au théâtre et désigne un genre regroupant la tragédie*, la comédie* et le drame*. Le genre dramatique s'oppose d'une part aux formes narratives (roman*, conte*, nouvelle*), et d'autre part aux formes lyriques (ou poétiques).

Sens large : lorsqu'il est appliqué à une tonalité, le mot peut concerner aussi bien un récit romanesque qu'un récit théâtral ou filmique. Il caractérise alors des scènes riches en péripéties*, fondées sur une succession rapide d'actions ou d'événements, dans une atmosphère de tension et de violence. Le héros* est en danger et son sort reste incertain. Par ses renversements de situation, ses coups de théâtre*, ses accélérations, le récit dramatique sollicite puissamment l'attention du spectateur ou du lecteur.

Dramatique et tragique

Tout d'abord, on ne confondra pas **dramatique et tragique**[*]. Une scène tragique n'est pas nécessairement une scène d'action. Et une scène dramatique, même si la mort menace le héros, ne présente pas le caractère de fatalité d'une scène tragique. Le héros fait face à une situation difficile et non pas à l'irrémédiable. Il affronte des obstacles à sa mesure – et souvent propres à le grandir, à lui donner sa dimension proprement héroïque –, et non pas des forces qui le dépassent.

Dramatique et pathétique

Ensuite, on distinguera **dramatique et pathétique**[*]. Le pathétique exclut l'action. Il renvoie à l'émotion que l'on ressent une fois que tout est accompli, qu'il n'y a plus rien à faire, que l'irrémédiable s'est produit. Il ne reste plus qu'à contempler la souffrance du héros.

Conjugaison des trois tonalités

Ces trois tonalités peuvent s'enchaîner dans un même récit, voire se conjuguer.
À la fin de *Tristan et Iseult*[*], la mort des amants illustre ce qu'il y a de **tragique** dans leur destin : la vie les a à la fois unis et séparés, seule la mort les réunira définitivement. Mais on qualifiera de **dramatique** la succession de péripéties et de hasards qui empêchent la nef d'Iseult d'arriver à temps auprès de Tristan avant qu'il meure. Quant à l'ultime enlacement des héros qui s'étreignent dans la mort, il relève incontestablement du **pathétique**, tout comme l'image du rosier qui, poussant ses branches d'une tombe à l'autre, unit Tristan et Iseult par-delà la mort.

→ **pathétique, tragique, Tristan et Iseult**

dramaturgie

n. f. Du grec *dramatourgia*, « composition » ou « représentation d'une pièce de théâtre ». Le mot a conservé sa double signification originelle. **1.** La dramaturgie désigne d'abord l'ensemble des principes qui régissent la composition d'une pièce de théâtre : ainsi, dans *La Dramaturgie classique en France* (1950), Jacques Scherer dégage la structure commune aux œuvres du théâtre classique et étudie la poétique[*] et la technique employées par les auteurs pour construire ces pièces. **2.** La dramaturgie est aussi le lien entre le texte et la représentation : un dramaturge a pour fonction d'examiner les différentes significations du texte pouvant orienter les choix de mise en scène (décor, costumes, éclairage, musique, jeu des acteurs...).

Fonctions de la dramaturgie

Les choix esthétiques et idéologiques inhérents à toute dramaturgie influent sur la représentation et, de ce fait, sur la compréhension que le public a de la pièce. Ainsi, *Le Tartuffe*[*] de Molière[*] visait certains dévots zélés de la Compagnie du Saint-Sacrement. En 1995, la mise en scène d'Ariane Mnouchkine actualise la pièce de Molière et oblige le spectateur à réfléchir, non plus seulement sur l'hypocrisie des faux dévots du siècle de Louis XIV, mais aussi sur les dangers de l'intégrisme et du fanatisme religieux.

→ **drame, poétique, théâtre, unités (règle des trois), vraisemblance (et vérité)**

drame

n. m. Du grec *drama*, « action ». Dans la *Poétique* d'Aristote, le mot est synonyme de « pièce de théâtre ». Si l'adjectif **dramatique**[*], équivalent de « théâtral », apparaît au XVIIᵉ siècle, le substantif « drame » n'est accepté par le *Dictionnaire de l'Académie* qu'en 1762 et désigne alors le « genre dramatique sérieux », qui se définit par la place intermédiaire qu'il occupe entre la comédie[*] et la tragédie[*]. Au XIXᵉ siècle, après la forme particulière qu'est le **drame romantique**[*], le genre se diversifie et donne naissance au **drame bourgeois**, lui-même relayé par une multitude de formes dans lesquelles la notion même de drame finira par se perdre.

Le drame sérieux

Défini par Diderot[*], Beaumarchais[*] et Louis-Sébastien Mercier[*] dans leurs textes théoriques, le drame sérieux se caractérise par la **place importante donnée au statut des individus** – statut familial ou statut socioprofessionnel. Diderot, dans les *Entretiens sur le Fils naturel*, souligne l'importance de représenter les hommes dans leur état habituel et de renvoyer ainsi au spectateur un reflet où il se reconnaisse.

Se voulant un théâtre de la vérité, le drame est conduit à mettre en scène moins des caractères et des passions que des **situations familiales et sociales** : ainsi, *Le Fils naturel* de Diderot, centré sur le problème de la paternité, et *La Mère coupable* de Beaumarchais sur celui de la maternité, renvoient au statut familial des personnages.

Les situations mises en scène par le drame bourgeois sont celles que l'on trouve dans la vie courante, avec son lot de problèmes familiaux et sociaux, par lesquels le public se sent directement concerné. L'idée sous-jacente du drame sérieux est que l'homme, naturellement bon et vertueux, est corrompu par la vie en société, où la méchanceté persécute la vertu. En le montrant, le drame sérieux heurte les sensibilités et, par le pathétique* qu'il engendre, se met au service de la moralité.

Sur le **plan formel**, cette recherche du vrai se traduit par l'**emploi de la prose**, mieux à même de rendre le langage de la vie ordinaire, par l'**importance accordée à la mise en scène** (multiplication des didascalies*), **à la pantomime** et aux mimiques, étroitement liées aux dialogues*, par le recours à la scénographie* de l'illusion (abandon de l'unité de lieu).

Cependant, les prétentions moralisantes et les excès du pathétique vont conduire à la **transformation** du drame **en mélodrame***, qui en est une caricature.

Le drame bourgeois au xixe siècle

Après la brève mais fulgurante parenthèse du drame romantique, le genre sérieux renaît avec *La Dame aux camélias*, drame sérieux de Dumas fils (1824-1895) et *Le Gendre de M. Poirier*, comédie sérieuse d'Émile Augier (1820-1889).

Chez Dumas, le pathétique des situations renvoie aux réalités morales et sociales de la bourgeoisie du Second Empire (questions de la condition féminine et de l'argent dans *La Dame aux camélias* [1852]). Les personnages, fortement typés, évoluent à l'intérieur d'une intrigue bien construite. Les thèses de l'auteur sont sensibles dans l'écriture même de la pièce. Enfin, une grande importance est accordée à la mise en scène et surtout au jeu des comédiens qui doivent faire passer le plus de réalité possible dans les personnages.

La disparition du drame

Au xxe siècle, le terme de drame est progressivement abandonné en raison de la diversité des formes qu'il recouvre.

Chez les symbolistes, le drame **redevient action pure**. Claudel* le conçoit comme une illustration « dans le domaine du général et du paradigme » du conflit humain « transformé en acte » (*Mes idées sur le théâtre*, 1966). Le

drame surréaliste, initié par Apollinaire* avec *Les Mamelles de Tirésias*, installe sur la scène une action qui échappe au contrôle du réel.

Le drame désigne dès lors une telle **diversité de formes** qu'il disparaît dans cette pluralité même : les auteurs contemporains, Sartre* dans la plupart de ses œuvres, Anouilh*… renoncent à un genre préétabli qui ne correspond plus à aucune nécessité, dans la mesure où chacun invente selon sa fantaisie les formes qui lui conviennent.

→ **action, dramaturgie, Beaumarchais, Diderot, Mercier, scénographie**

drame romantique

n. m. Du grec *drama*, « action ». Genre théâtral né dans le premier quart du xixe siècle, qui veut peindre le monde et l'homme dans leur totalité, c'est-dire tantôt bons et tantôt mauvais, **tantôt grotesques*** et **tantôt sublimes*** ; pour rendre cette contradiction, le drame romantique entend donc mêler éléments comiques et éléments tragiques. Il est proprement romantique par la mise en œuvre d'une sensibilité accordée avec une époque instable, et par la réflexion sur le politique. Avec Hugo*, ses principaux représentants sont Dumas* père, Musset* et Vigny*.

Influences

Influence du contexte historique : l'époque (Restauration, mouvements nationaux en Europe) se prête à la naissance d'un théâtre qui mette en scène des crises et des tensions politiques, des héros tourmentés qui contestent l'ordre social.

Influence du mélodrame* : genre populaire très à la mode au début du xixe siècle, le mélodrame n'a pas été sans influer sur le théâtre romantique, qui lui emprunte son goût pour le pathétique*, les personnages simplifiés (voir l'esthétique du contraste chère à Hugo), les effets de mise en scène, les costumes et les décors historiques (châteaux, ruines…).

Influence du théâtre étranger : si Shakespeare a exercé une influence considérable sur les romantiques, il faut aussi noter celle de Goethe et de Schiller, dont les pièces évoquent l'amour et la révolte contre la tyrannie.

Histoire du genre

Dès 1823, Stendhal*, dans *Racine et Shakespeare*, appelle de ses vœux la naissance d'un théâtre nouveau, dont Shakespeare lui semble être le précurseur. En 1827, Hugo, dans la **Préface de Cromwell**, expose la théorie du drame romantique. En 1829, la création d'*Henri III et sa cour*, de Dumas père, signe l'acte de naissance du genre, et en 1830, *Hernani**, dont la représentation donne lieu à une **bataille** fameuse **entre Anciens et Modernes**, inaugure son succès. En 1843, l'échec des *Burgraves*, de Hugo, met fin à l'histoire du drame romantique.

Les années **1830-1835** voient la création de tous les grands drames romantiques, ceux de **Hugo** (*Lucrèce Borgia*, 1833 ; *Ruy Blas*, 1838), de **Dumas** (*Antony*, 1831 ; *Kean*, 1836), de **Vigny** (*Chatterton*, 1834), de Musset (publication de *Lorenzaccio**, écrit pour la lecture, en 1834).

L'abandon des règles

La **liberté** qui fonde le drame romantique s'exprime essentiellement dans le **refus des normes et des règles du théâtre classique**, fondées sur les bienséances* et la vraisemblance*.

Le drame romantique abandonne les règles de l'unité de temps* (l'action peut être amplifiée à plusieurs mois) et de l'unité de lieu* (nombreux changements de lieu et de décor). Il recherche le réalisme* – voire la couleur locale*, le pittoresque – des lieux et des époques, qu'il ne choisit plus dans l'Antiquité.

Le mélange des genres

Sur le plan de l'écriture, la volonté d'exprimer la totalité de la nature, de l'histoire et des êtres conduit au **mélange des genres*** et des tons, qui s'accompagne du **mélange des registres de langue**. D'autre part, le drame romantique peut être en prose (*Lorenzaccio*), et lorsqu'il reste en vers, comme chez Hugo, celui-ci est souvent disloqué. Enfin, les effets, les coups de théâtre* visent au **pathétique***.

Le héros romantique

Au lieu d'incarner un type comme dans le théâtre classique, le héros du drame romantique n'incarne pas un type, il est un **individu unique** dont le drame met en lumière le destin. C'est un **être en marge**, exclu de la société, comme Hernani le proscrit ou Ruy Blas le laquais. C'est un être **passionné et brave**, fidèle à un idéal de grandeur pour lequel il donne sa vie. C'est un être **révolté** qui s'oppose, comme Lorenzaccio, à une société corrompue.

La toile de fond du drame romantique

L'**histoire** est la **matière du drame romantique**, qui situe ses actions dans des époques

lointaines : Renaissance italienne pour *Lorenzaccio* ; Espagne des XVIᵉ et XVIIᵉ siècles pour *Hernani* et *Ruy Blas*. Cependant, le passé ainsi ressuscité doit faire signe pour le présent, et Hugo, dans la Préface de *Lucrèce Borgia* (1833), assigne au drame romantique une « mission nationale, une mission sociale, une mission humaine ».

→ **alexandrin, bienséances, drame, Dumas, grotesque, *Hernani*, Hugo, *Lorenzaccio*, mélodrame, Musset, romantisme, sublime, unités (règles des trois), Vigny**

Dumas
(Alexandre), 1802-1870

> **ŒUVRES PRINCIPALES**
> • **Romans :** *Les Trois Mousquetaires* (1844), *Le Comte de Monte-Cristo* (1844-1846), *Vingt Ans après* (1845), *Le Chevalier de Maison-Rouge* (1845), *La Reine Margot* (1845-1846), *La Dame de Montsoreau* (1846), *Joseph Basalmo* (1846-1848), *Le Vicomte de Bragelonne* (1847-1848), *Le Collier de la reine* (1849-1850), *Ange Pitou* (1851), *La Comtesse de Charny* (1852-1855), *Les Mohicans de Paris* (1854-1857).
> • **Théâtre :** *Henri III et sa cour* (1829), *Antony* (1831), *Charles VII* (1831), *La Tour de Nesles* (1832), *Don Juan de Maraña* (1836), *Kean ou Désordre et génie* (1836).

Une production pléthorique

L'œuvre de Dumas comprend plus de trois cents titres, dont quatre-vingt-onze pièces de théâtre et une centaine de romans, sans compter un nombre considérable d'articles. Spécialiste du **roman historique** (*Les Trois Mousquetaires*, *La Reine Margot*), il se sert de collaborateurs pour étudier les archives ou élaborer des plans, mais c'est lui qui supervise, choisit, réécrit et **mêle** allègrement **fiction et vérité historique**.

On lui reproche souvent un style négligé, qui n'évite ni les redites, ni les imbroglios ni les ruptures de l'action. Mais sa **verve**, son **don du dialogue*** et de l'**intrigue***, son art de rendre un personnage attachant, expliquent le succès de ses romans.

Un précurseur du drame romantique

Avant même la bataille d'*Hernani**, *Henri III et sa cour*, le premier triomphe de Dumas, contient les ferments de l'esthétique romantique : abandon du vers au profit de la prose, qui permet un style plus vif et alluré ; toile de fond historique, qui fait mieux ressortir la déréliction des héros ; sens des répliques cinglantes et de la chute* ; utilisation de la violence physique. Dans les drames* de Dumas, le héros ne parvient jamais au faîte de son ambition que pour mieux chuter.

CITATION

• Sur Dumas

« Lui qui porte un monde d'événements, de héros, de traîtres, de magiciens, d'aventuriers, lui qui est le drame en personne, croyez-vous que les goûts innocents ne l'auraient pas éteint ? Il lui a fallu des excès de vie pour renouveler sans cesse un énorme foyer de vie. » (Georges Sand)

REPÈRES BIOGRAPHIQUES

➜ La mort de son père, général d'Empire, contraint Alexandre Dumas à devenir clerc de notaire à l'âge de quinze ans. À vingt et un ans, il part pour Paris, bien décidé à faire fortune, et entreprend d'acquérir la culture qui lui manque. Dès lors, sa vie devient un roman : il multiplie les duels, les aventures féminines, fréquente les milieux artistiques et littéraires, et se lie d'amitié avec Hugo. Bibliothécaire adjoint du duc d'Orléans, il démissionne par conviction républicaine, participe aux journées de juillet 1830, à la révolution de 1848, se présente deux fois à la députation dans l'Yonne, y essuie deux échecs, rejoint l'armée de Garibaldi et reste quatre ans en Italie.

➜ Dumas voyage énormément, pour son plaisir, ou obligé de s'exiler pour fuir le régime politique du moment ou ses créanciers. Parallèlement, il ne cesse d'écrire : articles de presse, pièces de théâtre, romans*, mémoires*, jusqu'à un dictionnaire de cuisine ! Il gagne, par ses écrits, une fortune colossale, mène un train de vie fastueux, et s'endette plus encore. Mais il ne peut passer les dernières années de sa vie qu'à la charge de son fils et de sa fille.

➔ *Comte de Monte-Cristo (Le)*, **drame romantique, Hugo, roman, romantisme**

Duras
(Marguerite), 1914-1996

ŒUVRES PRINCIPALES

• Romans : *Barrage contre le Pacifique* (1950), *Moderato Cantabile* (1958), *Le Ravissement de Lol V. Stein* (1964), *L'Amant* (prix Goncourt 1984).

• Films : scénario et dialogues d'*Hiroshima, mon amour* (Alain Resnais, 1958), *Une aussi longue absence* (Henri Colpi, 1961) ; de films réalisés par elle-même : *Détruire, dit-elle* (1969), *India Song* (« texte-théâtre-film », 1975), *Baxter Vera Baxter* (1976), *Le Camion* (1977).

• Théâtre : *Des journées entières dans les arbres* (1965), *L'Amante anglaise* (1968), *L'Éden-cinéma* (1977), *Savannah Bay* (1985).

La douleur, le désir

Les personnages de Duras sont tous en proie à une **douleur secrète**, obsédante, énigmatique. De leur univers atone – qu'il s'agisse de la vie éteinte d'une bourgeoise comme Anne-Marie Desbaresdes (*Moderato Cantabile*), ou de celle d'un vice-consul à Calcutta, dans la moiteur insupportable de la mousson (*India Song*) –, sourd une douleur indicible qui monte jusqu'au paroxysme et déborde souvent en un cri désespéré, inhumain, aux limites de la folie. Toujours inexplicable et inexpliquée, cette douleur met en lumière la faim atroce et absolue tapie au cœur de l'être qu'est le **désir**. Parfois, la rencontre émerveillée mais nécessairement fugitive de deux êtres laisse entrevoir ce que pourrait être la puissance libératrice de l'amour. Mais « aucun amour au monde ne peut tenir lieu d'amour » (*Les Petits Chevaux de Tarquinia*, 1953). Les êtres sont toujours étouffés par un ennui insondable ou emmurés dans les contraintes et les conventions de la vie sociale.

Une écriture blanche et incandescente

L'écriture de Marguerite Duras n'a cessé d'évoluer vers une **sobriété et** un **dépouillement** de plus en plus grands. Elliptique, allusive, pleine de béances, de ruptures, de syncopes, de silences, cette écriture au phrasé proche du langage quotidien est douée d'une exceptionnelle **puissance incantatoire**, comme si la matité des mots, le refus de l'ornement et le rythme souvent saccadé rendaient plus violente et plus vibrante l'intensité des émotions et des sentiments.

CITATION

• Un désespoir si pur

« Ce grand découragement à vivre, ma mère le traversait chaque jour. Parfois il durait, parfois il disparaissait avec la nuit. J'ai eu cette chance d'avoir une mère désespérée d'un désespoir si pur que même le bonheur de la vie, si vif soit-il, quelquefois, n'arrivait pas à l'en distraire tout à fait. » (*L'Amant*)

REPÈRES BIOGRAPHIQUES

➜ Marguerite Duras naît en Indochine, alors colonie française, où sa mère exerce le métier d'institutrice. Orpheline de son père à quatre ans, elle connaît une enfance difficile et son adolescence sera assombrie par la ruine de sa mère (celle-ci perd toutes ses économies dans l'achat de terres inondées six mois par an par le Pacifique).

➜ Arrivée à Paris en 1931, Marguerite Duras commence à écrire pendant la guerre. Son roman *Moderato Cantabile* et surtout le film d'Alain Resnais *Hiroshima, mon amour*, dont elle écrit le scénario et les dialogues, assurent sa notoriété.

➜ Proche du Nouveau Roman* par son refus des règles romanesques traditionnelles, Marguerite Duras construit cependant une œuvre profondément originale qui comporte aussi bien des récits que des films ou des pièces de théâtre. Elle touche un large public avec *L'Amant*, roman autobiographique et prix Goncourt en 1984.

→ **cinéma et littérature, Nouveau Roman**

Échenoz
(Jean), né en 1947

ŒUVRES PRINCIPALES
- **Romans**: *Cherokee* (prix Médicis 1983), *Lac* (1989), *Nous trois* (1992), *Je m'en vais* (prix Goncourt 1999).
- **Biographies romancées**: *Ravel* (2006), *Courir* (2008), *Des éclairs* (2010).

Peut-on encore écrire des romans ?

Jean Échenoz appartient à une génération de romanciers qui, à la fin du xxᵉ siècle, après les radicales remises en cause du Nouveau Roman*, a dû réinventer un genre qui paraissait épuisé. Pour son compte, il a choisi de combiner les différents sous-genres romanesques (roman d'aventures*, roman policier*, roman de mœurs voire biographie* romancée) et de revisiter avec un regard distancié leurs codes et leurs stéréotypes pour écrire des **œuvres décalées et ironiques**, dans lesquelles le narrateur se permet des interventions narquoises. Écrire des romans consiste à mettre au point de « **petites machines textuelles** », à la mécanique très complexe, où le cadre spatial et les déplacements prennent une telle importance que l'auteur lui-même qualifie ses récits de « **romans géographiques** ».

Le romancier dans son atelier d'écriture

L'écriture est l'enjeu majeur des romans de Jean Échenoz. Il exploite en virtuose toutes les ressources de la langue et des techniques narratives. Jouant sur l'**intertextualité**, il nourrit son œuvre des multiples emprunts qu'il fait aux auteurs qu'il admire, de Flaubert à Beckett en passant par les grands noms du roman policier américain. Il s'inspire aussi du **cinéma** pour la technique du raccord entre les scènes, ou du **jazz** pour le rythme de la phrase. Une **recherche documentaire** extraordinairement minutieuse confère aux descriptions une dimension réaliste saisissante.

Cette **écriture très travaillée** (chaque roman est réécrit plusieurs fois) joue avec beaucoup d'humour sur le second degré, les rapprochements inattendus et les décalages stylistiques, produisant un effet ironique constant. Mais ici l'**ironie***, loin d'être corrosive, est une sorte d'hommage affectueux aux modèles imités.

Une vision du monde désenchantée

Jean Échenoz s'est toujours défendu de chercher à délivrer un quelconque message à travers ses romans. On peut cependant y lire une vision du monde particulière. L'humour souriant dissimule mal la **vacuité de l'univers des personnages**. S'ils bougent beaucoup dans l'espace, c'est pour essayer de fuir, en vain, la solitude et l'ennui. Nul enthousiasme chez les spationautes lancés à la conquête du cosmos, nulle passion chez Ravel qui triomphe avec son *Boléro*, monument musical musicalement vide. Dépourvu de rêve ou d'idéal, l'horizon du sujet postmoderne est morne. Et pourtant nulle place dans cet univers pour le désespoir, le pathos ou l'angoisse métaphysique.

CITATION

> « Je n'arrête pas de piller […] Tout est un montage à partir d'inventions mais aussi de notes que je prends sur une phrase, un

geste, une attitude, une situation. Je canni-balise, je vampirise, et je mélange. » (*Dans l'atelier de l'écrivain*, 2000)

REPÈRES BIOGRAPHIQUES

→ Né à Orange en 1947, Jean Échenoz découvre dès l'âge de huit ans sa passion pour la littérature en lisant *Ubu roi*, d'Alfred Jarry. Adolescent, il s'enthousiasme pour le jazz. Après des études en sociologie puis en génie civil, il se consacre à l'écriture.

→ Les Éditions de Minuit le révèlent au public en 1977 en publiant son premier roman : *Le Méridien de Greenwich*. Dès lors, sa vie est rythmée par la publication de ses romans et les nombreux prix dont ils sont récompensés, comme le Médicis pour *Cherokee*, en 1983, ou le Goncourt en 1999 pour *Je m'en vais*.

→ Considéré comme l'un des romanciers contemporains les plus marquants, Éche-noz est souvent présenté – même s'il s'en défend – comme le chef de file de ceux qu'on a appelés les « romanciers impas-sibles », dont l'œuvre se caractérise par un certain minimalisme à la fois sur le plan de l'intrigue, souvent très mince, et de l'écri-ture qui se veut neutre et froide.

→ **Modiano, Nouveau Roman, Robbe-Grillet**

écriture automatique

n. et adj. f. Du grec *automatos*, « qui se meut de soi-même ». L'écriture automatique est l'une des méthodes mises au point par les surréalistes pour déjouer l'emprise de la raison et de la logique sur le processus créateur.

Caractéristiques et effets de l'écriture automatique

L'écriture automatique consiste à se mettre dans un état de réceptivité et de disponibilité psychique totales, entre le rêve et la veille, et à noter au fil de la plume le courant de mots qui jaillit. « Écrivez vite, recommande Breton[*], sans sujet préconçu, assez vite pour ne pas re-tenir et ne pas être tenté de vous relire. » Passif, celui qui écrit borne son rôle à enregistrer : il s'agit en somme d'**écrire** dans un état se-cond, **sous la dictée de l'inconscient**, hors de tout contrôle et de toute censure, sans aucune intervention de l'esprit critique. On se laisse

porter au gré des associations, par le flux des images, sans aucun souci d'ordre esthétique. Cette technique dont Breton a eu l'idée en li-sant les œuvres de Freud, est proche de celle utilisée (oralement et non par écrit) par le psy-chanalyste pour explorer l'inconscient de ses patients.

Bien qu'elle soit restée ludique – sauf pour *Les Champs magnétiques*, écrits à deux mains par Breton et Soupault[*] –, l'expérience de l'écri-ture automatique a eu des **effets libérateurs** et a permis les audaces de l'image surréaliste.

→ **cadavre exquis, inspiration, surréalisme**

Éducation sentimentale (L')
Gustave Flaubert, 1869

RÉSUMÉ

Première partie. En 1840, un jeune homme de dix-huit ans, Frédéric Moreau, rencontre sur le bateau qui le ramène chez sa mère M. et Mme Arnoux. Les mots et les regards qu'il échange avec elle le marqueront à jamais. À Paris, où il est étudiant, il cherche à la revoir, tout en dilapidant son capital au contact de son ami Deslauriers, des riches Dambreuse, et de divers camarades qui l'introduisent chez les Arnoux. **Deuxième partie.** Frédéric, ruiné, doit passer deux ans en province, dans une étude d'avoué. Revenu à Paris en 1845, tout en continuant d'aimer platoniquement Mme Arnoux, il devient l'amant d'une grisette, Rosanette, lors des journées révolutionnaires de 1848 dont il est le spectateur passif. **Troisième partie.** Rosanette attend un enfant et Frédéric devient l'amant de Mme Dambreuse. Mme Arnoux, dont le mari a fait faillite, quitte Paris. Frédéric rompt avec ses deux maîtresses et quitte lui aussi la capitale. Seize ans plus tard, il revoit Mme Arnoux et tous deux évoquent avec nostalgie leur amour. Le roman s'achève sur le bilan que Frédéric et Deslauriers, au début de l'hiver 1868-1869, bien installés au coin du feu, tirent de leur existence.

Genèse de l'œuvre

L'Éducation sentimentale, dont une première version avait été rédigée par Flaubert en 1845, est d'abord un **roman d'apprentissage*** qui s'inspire de la vie de l'auteur : en effet, l'amour de Frédéric Moreau pour Mme Arnoux évoque la passion éprouvée par Flaubert pour Élisa Schlésinger – passion mise en scène également dans un court texte de jeunesse de l'écrivain, *Mémoires d'un fou* (1838).

L'Éducation sentimentale est ensuite un **roman historique** puisque l'Histoire (fin de la monarchie de Juillet, révolution de 1848, Second Empire) sont étroitement mêlés au récit.

Un roman d'apprentissage

L'Éducation sentimentale, ou « Histoire d'un jeune homme », est, comme ses titre et soustitre l'indiquent, un **roman d'apprentissage et** le **récit d'une quête amoureuse**, nous présentant l'itinéraire du héros de l'adolescence à la maturité.

Autour de lui, les femmes offrent des visages et des possibilités de relations différents : l'idéal inaccessible (Mme Arnoux), la riche mondaine (Mme Dambreuse), la femme entretenue (Rosanette), la fille libérée (Louise Roque). Si Frédéric connaît des succès amoureux (avec Rosanette et Mme Dambreuse), la seule conquête qui lui importe vraiment – celle de Mme Arnoux pour qui il éprouve un amour véritable – s'avérera impossible. De plus, en rompant avec Mme Dambreuse, il renonce à la réussite sociale. Car Frédéric est davantage un **antihéros*** qu'un **héros*** : essentiellement immobile et passif, spectateur plus qu'acteur de sa vie, il se définit par des ambitions – politiques, littéraires – jamais abouties et reste, selon Thibaudet, « l'homme qui rêve sa vie ».

Échec sentimental individuel et déroute morale collective

Cependant, le roman a aussi une **dimension sociale et politique**. *L'Éducation sentimentale* souligne souvent avec ironie le règne matérialiste d'une bourgeoisie qui signe le déclin des valeurs intellectuelles et n'offre à la jeunesse aucune perspective d'avenir. À l'échec de Frédéric fait écho celui des espoirs révolutionnaires de 1848. En cela, le roman est bien, comme le voulait Flaubert, « le portrait moral d'une génération ».

Le **réalisme flaubertien** est sensible dans l'évocation des journées révolutionnaires, où le romancier a utilisé ses propres souvenirs. Mais, de façon générale, il se met à distance de son objet, en particulier par l'**ironie** : il confond narrateur et personnage par le style indirect libre, élabore des descriptions dans lesquelles le foisonnement du détail rend compte de la médiocrité et de l'inanité du monde, met volontiers des clichés dans la bouche de ses personnages. Ainsi s'élabore une **vision grinçante et** fondamentalement **pessimiste** de l'homme et du monde.

→ antihéros, *Bildungsroman*, Flaubert, ironie, réalisme

148

Électre

Personnage de la mythologie et de la tragédie grecques, Électre, par sa soif de justice et de vengeance, a inspiré de nombreux auteurs depuis l'Antiquité.

Électre ou la vengeance

Il existe plusieurs Électre dans la mythologie grecque, mais la plus célèbre est la fille de Clytemnestre et d'Agamemnon, sœur d'Iphigénie, de Chrysothémis et d'Oreste. Dans l'*Iliade* d'Homère, elle est appelée Laodicé. Il existe **différentes versions** du mythe. Le roi Agamemnon ayant sacrifié sa fille Iphigénie pendant la guerre de Troie afin d'obtenir des dieux qu'ils rétablissent les vents propices au départ de la flotte grecque, il est tué à son retour à Mycènes par Égisthe, l'amant de Clytemnestre, avec l'aide active de celle-ci. Sauvée de justesse de la mort et maintenue dans une condition servile selon certaines versions, Électre est **habitée par le désir de venger son père.** Au retour d'Oreste, qu'elle avait fait éloigner de Mycènes afin qu'il ne tombe pas aux mains des meurtriers, Électre le pousse à tuer leur mère et son amant, accomplissant ainsi la malédiction qui pèse sur la famille des Atrides. Oreste sera poursuivi par les Érinyes (ou Euménides), déesses de la vengeance.

Victime ou meurtrière ?

Les tragiques grecs et latins proposent des **interprétations différentes du personnage**. Dans *Les Choéphores* (458 av. J.-C.) d'Eschyle, Électre est une victime qui appelle la justice. Dans l'*Électre* (v. 415 av. J.-C.) de Sophocle, elle accable sa mère de reproches et encourage le geste meurtrier de son frère. Dans l'*Électre* d'Euripide (413 av. J.-C.), elle apparaît plus terrible encore, convainquant son frère réticent d'accomplir le crime avant d'être prise de remords.

Certains auteurs centrent l'action sur la menace qui plane sur Oreste et sur les efforts d'Électre pour le protéger. Dans l'*Agamemnon* de Sénèque (Iᵉʳ siècle), Électre cherche avant tout à éloigner son frère encore enfant. Dans la tragédie de Voltaire, *Oreste* (1750), Électre est prête à se sacrifier pour sauver Oreste, revenu venger son père.

La justice, à quel prix ?

La **radicalité** du personnage a inspiré de nombreux auteurs du XXᵉ siècle. **Giraudoux***, dans *Électre* (1937), en fait une jeune fille qui hait sa mère sans savoir pourquoi, et qui, découvrant le crime de celle-ci, choisit la justice et la vérité au prix de la guerre et de la destruction. Dans *Les Mouches*, de **Sartre*** (1943), Oreste devient un héros de la liberté tandis qu'Électre, **incarnation de la mauvaise conscience et de la mauvaise foi**, est prise de remords au moment d'assumer l'acte qu'elle a tant désiré. Dans son opéra, *Elektra* (1909), **Richard Strauss** met l'accent sur la passion sanguinaire du personnage.

La psychanalyse et le « complexe d'Électre »

Pour le psychanalyste Gustav Jung, Électre est en quelque sorte la **sœur symbolique d'Œdipe***. Elle figure l'amour de la fille pour son père et la rivalité avec la mère, comme une version symétrique du complexe d'Œdipe. Freud a récusé cette interprétation et l'idée d'une symétrie entre le « complexe d'Œdipe » chez la fille et chez le garçon, la problématique œdipienne étant, selon lui, différente pour chaque sexe.

→ **Giraudoux, mythe, Œdipe, Sartre, tragédie**

élégie

n. f. Du grec *elegos*, « chant de deuil ». **1.** Dans l'Antiquité, l'élégie est un poème à forme fixe*, composé en distiques* élégiaques et abordant des sujets fort variés. **2.** Sous l'influence des poètes grecs et latins (Ovide, Tibulle, Catulle, Properce, dits « les élégiaques »), l'élégie évolue en se spécialisant dans l'expression des joies et des peines de la vie amoureuse. **3.** Remise en honneur à la Renaissance, l'élégie ne se définit plus par des critères formels mais exclusivement par des critères thématiques : elle exprime, sur le ton de la plainte, la méditation mélancolique du poète sur les peines de l'amour ou la fuite du temps.

De la Renaissance au romantisme

Les poètes de la Renaissance, **Marot***, **du Bellay*** (dans *Les Regrets*) et **Ronsard*** (notamment dans le poème « Contre les bûcherons de la forêt Gastine ») consacrent le genre élégiaque, qui déclinera peu à peu au XVIIᵉ siècle, avant de trouver un regain de faveur au XVIIIᵉ siècle avec **André Chénier*** (« La Jeune Captive », « Néère », *Élégies*).

Mais c'est surtout au XIXᵉ siècle que l'élégie, en **parfait accord avec la sensibilité romantique**, redevient l'une des grandes voies de la poésie. Alors que le mot disparaît, la tonalité de l'élégie continue à imprégner largement la poésie lyrique jusqu'au milieu du siècle, aussi bien dans les œuvres de **Lamartine*** (*Méditations*), de **Musset***, de **Nerval*** que dans celles de Hugo* (en particulier *Les Contemplations**).

Le rejet des modernes

Les excès de la subjectivité et de l'intimisme suscitent le **rejet post-romantique**. Baudelaire* comme Verlaine* se méfient, à des titres divers, de la confession sentimentale et des épanchements du cœur. Jules Laforgue* tourne le genre en dérision dans ses *Complaintes*. Il faut attendre Apollinaire* pour retrouver un poète qui s'abandonne à la tonalité élégiaque en toute simplicité : « J'ai cueilli ce brin de bruyère / L'automne est morte souviens-t'en / Nous ne nous verrons plus sur terre » (« L'Adieu », *Alcools*).

La tonalité élégiaque

Si l'élégie a fini par se dissoudre en tant que genre, elle **perdure sous la forme d'une tonalité particulière** qui se définit d'abord par ce qu'elle exclut : les accents épiques ou tragiques, la narration* ou la grandeur héroïque, la satire* ou la dérision. Elle se caractérise au contraire par un certain retrait vis-à-vis de toute action, par un mouvement d'intériorisation, une méditation intimiste et apaisée sur les orages de la vie et de l'amour. Ce **mélange de tristesse et de douceur** reste conforme à la subtile analyse que du Bellay en avait faite dès le XVIᵉ siècle : « […] je pleure mes ennuis / Ou, pour le dire mieux, en pleurant je les chante / Si bien qu'en les chantant, souvent je les enchante. » (*Les Regrets*.)

→ **Bellay (du), Chénier, distique, romantisme**

ellipse

n. f. Du grec *elleipsis*, « omission d'un mot ». Suppression d'un ou de plusieurs mots dans une phrase, le sens de celle-ci demeurant clair. Il peut y avoir ellipse dans un récit* ou dans l'argument d'une pièce lorsque des épisodes ne sont pas montrés : on parle alors d'ellipse **narrative** ou d'ellipse **temporelle**.

Formes et fonctions de l'ellipse

L'**ellipse d'un mot** dans une phrase permet d'alléger celle-ci en évitant une répétition : ainsi de l'ellipse de « qui rapportent » dans la phrase suivante : « Il y a bien de la sagesse à sacrifier à tant de plaisirs quelques vieux préjugés qui rapportent assez peu d'estime, et beaucoup d'ennui à ceux qui en font encore la règle de leur conduite » (Crébillon fils, *La Nuit et le Moment*, 1755). Mais ces suppressions peuvent mener au style télégraphique (« Mère décédée. Enterrement demain. Sentiments distingués », Camus*, *L'Étranger**), à la phrase nominale, à la parataxe (juxtaposition) voire à la rupture de construction.

L'**ellipse narrative**, qui a fondamentalement pour but d'omettre les épisodes inintéressants d'une histoire et de concentrer l'action, peut relever d'une intention plus profonde : Flaubert*, dans *Madame Bovary*, omet de représenter la cérémonie du mariage d'Emma et Charles pour ne faire de l'événement qu'un grossier banquet.

L'**ellipse temporelle**, différente de la précédente en ceci qu'elle concerne une longue période de l'histoire racontée, donne l'impression que les personnages ont un destin : ainsi, dans *Cyrano de Bergerac*, d'Edmond Rostand*, il s'écoule de nombreuses années entre l'avant-dernier et le dernier acte.

→ **anacoluthe, narration, zeugme**

éloquence

n. f. Du latin *eloquentia*. Art de persuader par la parole.

La rhétorique au service de l'éloquence

L'éloquence est le **produit de la rhétorique***, c'est-à-dire la mise en œuvre virtuose de préceptes – quitte à s'en émanciper pour laisser libre cours à « l'éloquence du cœur » (« la vraie éloquence se moque de l'éloquence », Pascal*, *Pensées*).

Dans le cadre d'une codification du discours, qui prescrit notamment le respect d'un plan en quatre parties principales : l'exorde* (introduction), la narration* (exposition des faits), l'argumentation* et la péroraison* (conclusion), l'éloquence consiste à user de **procédés** – en particulier les figures* – **qui emportent l'adhésion de l'auditeur**. Aussi l'éloquence a-t-elle souvent recours au style sublime* et aux ressources du pathétique*.

Au-delà des **deux genres traditionnels** dans lesquels elle s'est déployée : l'éloquence du **barreau** (celle des avocats) et l'éloquence de la **chaire** (celle des prédicateurs), l'éloquence apparaît comme une composante majeure de la littérature.

→ **Bossuet, Danton, Mirabeau, oratoire (style), Pascal, pathétique, péroraison, rhétorique, Robespierre, sermon**

Eluard
(Paul), 1895-1952

ŒUVRES PRINCIPALES
• **Poésie :** *152 Proverbes mis au goût du jour* (1925), *Capitale de la douleur* (1926), *L'Amour, la poésie* (1929), *Ralentir travaux* (1930, en coll. avec Breton et Char), *L'Immaculée Conception* (1930, en coll. avec Breton), *La Vie immédiate* (1932), *Les Yeux fertiles* (1936), *Au rendez-vous allemand* (1944), *Poésie ininterrompue* (1946), *Le Temps déborde* (1947), *Le Phénix* (1951).

L'amour, la liberté

Chez Eluard, **la poésie amoureuse et la poésie engagée vont de pair** : on ne peut oublier l'une au profit de l'autre. En lui, l'amoureux et l'homme révolté ont toujours été indissolublement liés. Le poème qui le rend célèbre, « Liberté » (1941), est à l'origine un poème d'amour. Pour Eluard, l'amour d'une femme ne saurait conduire au repli du couple sur lui-même, dans la bulle d'un bonheur à deux : l'amour ouvre à une vision généreuse de l'humanité et ne se sépare pas d'un combat pour la liberté. L'amour est, jusque dans ses drames, une puissance d'ouverture et d'expansion, d'éveil et de rayonnement : « Nous sommes corps à corps nous sommes terre à terre / Nous naissons de partout nous sommes sans limites » (*Poésie ininterrompue*). Chez Eluard, l'amour prend toujours une **dimension cosmique** : « Il y a de grands rires sur de grandes places. Des rires de couleur sur les places dorées. Les barques des baisers explorent l'univers », écrit-il dans *Capitale de la douleur*. Même si le poète a vécu les souffrances de l'amour, personne mieux que lui, peut-être, n'a su chanter le bonheur d'aimer et d'être aimé dans toute son évidence.

L'amour, la poésie

Le **lyrisme**[*] amoureux d'Eluard s'exprime à travers des images qui permettent au poète d'accueillir dans sa poésie toute la réalité sensible : « Tout est au poète objet à sensation [...]. Tout le concret devient alors l'aliment de son imagination » (*L'Évidence poétique*, 1937). Dans une **syntaxe très simple** qui privilégie la **juxtaposition et l'anaphore**[*], le poète crée un flot de « poésie ininterrompue » qui donne une impression de fluidité, de facilité : « J'allais vers toi j'allais sans fin vers la lumière / La vie avait un corps l'espoir tendait sa voile / Le sommeil ruisselait de rêves et la nuit / Promettait à l'aurore des regards confiants / Les rayons de tes bras entr'ouvraient le brouillard / Ta bouche était mouillée des premières rosées / Le repos ébloui remplaçait la fatigue / Et j'adorais l'amour comme à mes premiers jours. » (*Le Phénix*). « J'ai la beauté facile et c'est heureux », écrit-il. Le temps est une succession d'instants purs, la lumière même est liquide. Mêlant l'insolite et le quotidien, devenue « art des lumières », la poésie éluardienne ne cesse de purifier le regard par sa limpidité et sa transparence.

CITATIONS
« La terre est bleue comme une orange. » (*L'Amour, la poésie*)
« Si nous le voulions, il n'y aurait que des merveilles. Le poète est celui qui inspire bien plus que celui qui est inspiré. » (*Ralentir travaux*)

REPÈRES BIOGRAPHIQUES
→ Paul Eluard, de son vrai nom Eugène Grindel, naît dans la banlieue parisienne. De santé fragile, il doit interrompre ses études en 1912 et partir pour un séjour en Suisse qui le marquera : il y rencontre en effet Gala, une jeune Russe qu'il épousera en 1917. Contraint à l'immobilité, il commence à écrire des poèmes.
→ À peine est-il guéri que la guerre éclate. Mobilisé dans l'infanterie, il découvre l'horreur des champs de bataille. Il fait bientôt la connaissance d'Aragon[*] et de Breton[*] qui l'intègrent dans le mouvement surréaliste naissant. La rencontre du peintre Max Ernst en 1921 l'entraîne dans une expérimentation périlleuse sur le rêve et l'hallucination. Ses liens avec Gala en souffrent et, pour mettre fin à une situation intenable, Eluard s'embarque pour l'Océanie en 1924. Rentré à Paris au bout de six mois, il devient l'un des membres les plus actifs du mouvement surréaliste. Son activité créatrice est intense.

→ Cependant, à ses problèmes de santé viennent s'ajouter les difficultés sentimentales : définitivement séparé de Gala qui, en 1929, lui préfère Salvador Dali, il épouse Nusch en 1934. En politique, il suit l'évolution des surréalistes et adhère au Parti communiste, dont il est exclu en 1933, mais qu'il rejoint en 1936 à l'occasion de la guerre d'Espagne. Il rompt alors avec André Breton.

→ À la Libération, Eluard est au faîte de sa gloire mais le malheur le frappe bientôt : Nusch meurt brutalement en 1946. Au bord de la folie et du suicide, il sera sauvé par deux rencontres féminines, en particulier celle de Dominique en 1949. Il meurt en 1952 d'une angine de poitrine.

→ cadavre exquis, engagement, lyrisme, surréalisme

Emmanuel
(Pierre), 1916-1984

ŒUVRES PRINCIPALES
• **Poésie**: *Tombeau d'Orphée* (1941), *Jours de colère* (1942), *Orphiques* (1942), *Sodome* (1944), *Poésie, raison ardente* (1948), *Babel* (1952), *Versant de l'âge* (1958), *Évangéliaire* (1960), *Tu* (1978), *Le Livre de l'homme et de la femme* (1980), *Le Grand Œuvre* (1984).

Mystique et poésie
La poésie de Pierre Emmanuel, fortement ancrée dans les convictions religieuses de son auteur, cherche à retrouver par les mots le **contact avec le sacré**, à réintroduire « dans une société de non-sens » une transcendance qui rende au quotidien sa dimension d'éternité. De recueil en recueil, il poursuit une méditation sur les **grands mythes** bibliques (Babel, Sodome, le Christ) qu'il n'hésite pas à mêler aux mythes grecs, avec une prédilection particulière pour le mythe d'Orphée*.
En lutte depuis la guerre contre la « défiguration de l'homme », Pierre Emmanuel n'a cessé de poursuivre une ample et grave **réflexion sur la condition humaine**, avec des accents prophétiques qui se traduisent par un goût prononcé pour l'accumulation* et l'antithèse*.

La poésie, « raison ardente »
À la différence d'autres poètes appartenant au même courant spiritualiste, Pierre Emmanuel fait entièrement confiance au verbe poétique : « Ma foi dans le langage est mon être même », affirme-t-il pour exprimer sa quête mystique. Pour lui, la poésie est cette « raison ardente », c'est-à-dire enflammée, qui tente de réconcilier « le conscient et l'inconscient, la vie et le rêve, l'imaginaire et le réel ».

REPÈRES BIOGRAPHIQUES

→ Né en 1916 dans le Béarn Pierre Emmanuel, dont les parents vivent aux États-Unis, est confié à un oncle. Il fait ses études à Lyon dans un pensionnat religieux. Son professeur de mathématiques supérieures lui fait lire la *Jeune Parque* de Paul Valéry* : c'est pour lui une véritable révélation. Sa rencontre avec le poète Pierre-Jean Jouve* en 1938 le conforte dans sa vocation poétique. Il a trouvé sa voie : celle d'une poésie prophétique et visionnaire, à laquelle sa foi religieuse donne une dimension mystique.

→ La guerre l'amène à une interrogation douloureuse sur l'Histoire et sur la barbarie. Réfugié dans la Drôme, il devient l'un des grands poètes de la Résistance.

→ Après la guerre, directeur à la Radiodiffusion française, il continue à publier de nombreux recueils tout en développant une réflexion théorique sur la poésie. Homme public, président de la commission de réforme de l'enseignement du français, il est élu à l'Académie française en 1968.

→ engagement, Jouve, Orphée

emphase

n. f. Du grec *emphasis* (terme de rhétorique), « expression forte ». **1.** Emploi du style élevé, solennel et déclamatoire, marquant l'énergie, la force expressive dans le ton ou les mots choisis et qui, selon la rhétorique* classique, est de rigueur dans certains genres. *Ex.*: « Semblable à un torrent qui, ayant rompu ses digues, renverse et entraîne tout ce qui s'oppose à son passage, déjà je vois cette fidèle interprète de la religion, armée du glaive victorieux de la grâce, soutenue par la force de la vérité, appuyée par des prodiges innombrables, subjuguer le monde entier, porter la foi jusqu'aux deux pôles et sur les débris de l'idolâtrie, élever le christianisme » (modèle d'éloquence proposé dans une anthologie d'art oratoire parue vers 1830). **2.** Péjoratif: emploi abusif ou à contretemps de ce style et de ses clichés. *Ex.*: «La pièce est dans ce genre roide, rude, tendu et *emphatique*, qui rappelle parfois le ton et le tic, mais non le génie de Corneille» (Sainte-Beuve, *Causeries du lundi*, 6 octobre 1851).

Emplois de l'emphase

Jusqu'au début du xxe siècle, l'emphase (au sens 1) est jugée indispensable dans le style oratoire*, la tragédie*, le drame*, l'épopée*, les situations pathétiques. Elle utilise avec abondance les apostrophes*, la gradation*, l'hyperbole*, l'anaphore*, l'allégorie*, la prosopopée*, les longues phrases, afin d'exprimer le sublime*, l'émotion.

L'emphase, source de comique

L'emphase a toujours été tournée en ridicule par les satiristes en raison de ses excès et des lieux communs qu'elle charrie chez les auteurs médiocres (Rabelais* parodie souvent l'emphase des avocats par exemple). Utilisée à contretemps, par exemple par un personnage sans dimension, ou devant une assistance qui ne peut la comprendre, **l'emphase crée le comique* ou le grotesque***. Ainsi, dans *Madame Bovary*, Flaubert* raille l'emphase de l'administration provinciale dans le discours prononcé par un conseiller de préfecture aux comices agricoles de Yonville : « Le temps n'est plus, messieurs, où la discorde civile ensanglantait nos places sublimes, où le propriétaire, le négociant, l'ouvrier lui-même, en s'endormant le soir d'un sommeil paisible, tremblaient de se voir réveillés tout à coup au bruit des tocsins incendiaires, où les maximes les plus subversives sapaient audacieusement les bases [...].» Aujourd'hui, le terme n'est plus que péjoratif, en raison de la disparition progressive du style oratoire.

→ amplification, burlesque, éloquence, hyperbole, oratoire (style)

En attendant Godot,
Samuel Beckett, 1953

RÉSUMÉ
Acte I. Sur une «*route à la campagne avec arbre*», à la tombée du jour, deux clochards, Estragon et Vladimir, attendent un dénommé Godot, dont on ignore tout, mais qui a promis de venir. Pourquoi l'attendent-ils? Eux-mêmes semblent ne pas très bien le savoir. En l'attendant, ils conversent: de

tout, de rien, d'épisodes bibliques, de leurs pieds douloureux, de leurs désirs, de leur difficulté d'uriner, de leur attente... Ils se disputent, jouent, s'ennuient, passent le temps. Survient Pozzo, tirant son esclave et souffre-douleur Lucky au bout d'une corde. Ces passants distraient un moment les deux compères. Après leur départ, un jeune garçon arrive et leur annonce que Godot ne peut pas venir mais qu'il sera sûrement là le lendemain. **Acte II.** Le lendemain, à la même heure, au même endroit: la structure et les situations de l'acte I se répètent mais le temps de présence sur scène de tous les personnages est diminué. À la fin de la pièce, Godot n'est pas venu et les deux personnages, qui veulent partir loin, «*ne bougent pas*».

Histoire de la pièce

Samuel Beckett écrit *En attendant Godot* en 1948-1949, pour se distraire – selon ses dires – de la rédaction parallèle de sa trilogie romanesque, *Molloy, Malone meurt, L'Innommable*. Le choc provoqué par la découverte des camps de concentration et l'explosion de la première bombe atomique ont détruit toute foi en un monde ordonné, que ce soit par l'homme ou par Dieu. L'univers en ruines réclame un **nouveau théâtre**, à son image.

En attendant Godot marque un tournant dans la production théâtrale : la pièce **récuse** la notion de fable, **déconstruit** celle de personnage, **détruit** l'illusion réaliste au profit d'un univers onirique, **rejette la langue littéraire**. Roger Blin met quatre ans à la monter et, quand il parvient, en janvier 1953, elle connaît d'abord un succès de scandale. La pièce a été écrite à la fois en français et en anglais (sous le titre *Waiting for Godot*).

Absence d'intrigue et structure cyclique

Le caractère révolutionnaire de la pièce apparaît dès le titre qui récuse la notion traditionnelle d'intrigue : le verbe *attendre* et l'emploi du gérondif réduisent l'action à un pur divertissement destiné à combler l'attente. L'auteur nous avertit par là que ce qui est mis en scène n'est **pas une fable mais la théâtralité même**. La dramaturgie* classique repose sur une progression de l'action jusqu'à l'explosion de la crise et sa résolution. La pièce de Beckett, elle, comporte deux actes construits sur le même modèle selon un **schéma de répétition**. Cette structure cyclique met en lumière l'absence d'évolution possible pour les personnages et, donc, de dénouement*. L'avenir, le présent et le passé sont semblables, ce que souligne la répétition des mêmes événements, des mêmes mots, des mêmes gestes, l'absence de relation de cause à effet (l'arrivée et le départ de Pozzo n'ont aucune incidence sur l'action), la perte de la mémoire comme du temps.

Le temps immobile

Le traitement de la temporalité renforce l'idée d'un **présent éternel**. Dans la pièce, en effet, les lois ordinaires du temps ne jouent pas : au début de l'acte II vingt-quatre heures se sont écoulées, mais les feuilles sur l'arbre dénudé la veille suggèrent un laps de temps bien plus long. Les personnages parviennent difficilement à se situer dans le temps et de nombreuses répliques marquent leur hésitation : étaient-ils là ou non la veille ? Qu'ont-ils fait ? Passé et présent se télescopent dans une éternité dont la figure de l'**attente** rend compte : « Hier soir nous avons bavardé à propos de bottes. Il y a un demi-siècle que ça dure », affirme Estragon.

Les personnages

Ils n'ont **aucun fondement psychologique**. Leur identité se limite à leur prénom et aux haillons dont ils sont vêtus ; sans mémoire du passé, sans statut social (si ce n'est celui de l'exclusion, de la précarité…), ils sont d'abord une **présence physique** sur le plateau, corps souffrant et gesticulant à la manière des **clowns**, dont ils ont le langage farcesque et la gestuelle. Ils se ramènent presque à leur fonction dramatique. Cette **absence de psychologie** fait ressortir l'image critique d'une société de consommation, offerte par des clochards voués à se partager une carotte…

Le rire tragique

Beaucoup ont vu dans cette œuvre une **pièce métaphysique** présentant la vision pessimiste d'un monde abandonné par Dieu (Godot, ce serait *God*) et privé de sens. C'est oublier sa **dimension comique**, voulue par Beckett, créateur d'un rire tragique fondé très souvent sur le malentendu, au sens propre ou figuré, et le non-sens, et utilisant tous les ressorts propres à la farce* et au théâtre*, mais aussi au cirque, au guignol, au cinéma (Charlot, Laurel et Hardy). C'est omettre également la volonté affichée de l'auteur de refuser de donner à la pièce une signification précise afin de laisser y coexister une **pluralité de sens**, et de s'en tenir à la **seule existence du fait théâtral** : « Je ne sais pas plus sur les personnages que ce qu'ils

disent, ce qu'ils font et ce qui leur arrive. Je ne sais pas qui est Godot. Je ne sais même pas, surtout, s'il existe. Et je ne sais pas s'ils y croient ou non, les deux qui l'attendent. » (Beckett, *Lettre à M. Polac*, janvier 1952.)

→ **absurde, Beckett, humour, Ionesco, tragique**

Encyclopédie, 1751-1772

n. f. Du grec *egkuklios*, « qui fait le tour des connaissances » et *paideia*, « éducation ». **Sens historique :** ouvrage monumental rédigé collectivement de 1751 à 1772 sous la direction de Diderot* pour établir une synthèse des connaissances de l'époque. Comme l'indique son sous-titre, *Dictionnaire raisonné des sciences, des arts et des métiers*, l'objectif visé par l'*Encyclopédie* est à la fois un inventaire organisé (ordre alphabétique du dictionnaire) et un inventaire « raisonné » avec un système de renvois qui met en évidence les liens organiques entre notions.

Un projet ambitieux et dangereux

Il ne s'agissait, au départ, que de traduire la *Cyclopædia* de l'Anglais Chambers. Mais Diderot élargit rapidement le projet initial en prévoyant, d'une part, de réaliser la **synthèse des connaissances** les plus modernes **et**, d'autre part, de **vulgariser** ce savoir pour le rendre accessible au plus grand nombre. La rédaction des quelque **60 000 articles** devait durer plus de vingt ans et réunir la plupart des grands intellectuels de l'époque (Voltaire*, Rousseau*, d'Alembert, Condillac, Marmontel, Turgot…).

L'histoire de l'*Encyclopédie* est riche en péripéties : emprisonnement de Diderot, dissensions entre collaborateurs, hostilité de la censure*, condamnation par le pape, problèmes financiers. L'écriture même de l'œuvre subit les conséquences de ces incidents : pour échapper à la censure, sont souvent les articles les plus anodins qui cachent les critiques les plus audacieuses. L'entreprise bénéficie cependant de soutiens puissants (Mme de Pompadour et Malesherbes, le directeur éclairé de la Librairie) et le succès éditorial est au rendez-vous.

Un esprit novateur

L'attention portée aux métiers et aux techniques, décrits de façon concrète et illustrés par des planches, fait du travail et des classes moyennes le moteur du progrès social, au rebours du système de valeurs de l'Ancien Régime. Surtout, chacun des secteurs de la connaissance est abordé au crible de l'**esprit d'examen**, le système de renvois permettant de dépasser les limites de l'ordre alphabétique pour établir entre les articles des relations fructueuses et la multiplicité des collaborateurs assurant la présence de tous les nouveaux courants de pensée. Les fondements de l'Ancien Régime sont remis en cause sous l'apparence anodine d'un article de dictionnaire : la religion, dont on dénonce les préjugés et l'intolérance (articles « Raison », « Réfugiés »), l'ordre politique (éloge du régime anglais dans l'article « Monarchie » et d'un régime propre aux petites nations dans l'article « République »), les inégalités sociales, les causes et les effets des guerres, etc.

L'influence de l'*Encyclopédie* a dépassé largement les frontières, et a été relayée par des œuvres plus faciles d'accès pour un large public (*Dictionnaire philosophique portatif de* Voltaire en 1764).

→ **censure, dictionnaire, Diderot, engagement, Fontenelle, Lumières, Rousseau, Sade, Voltaire**

Enfance,
Nathalie Sarraute, 1983

RÉSUMÉ

Récit autobiographique, *Enfance* évoque les onze premières années de la narratrice, au début du XXᵉ siècle, dans une famille déchirée par le divorce. Sa mère ayant choisi de rester en Russie, la petite fille vit à Paris avec son père qui se remarie et lui donne une demi-sœur. Au fil de l'écriture, la mémoire fait resurgir les petits événements de la vie familiale et de la vie scolaire. Les souvenirs se juxtaposent en une série de fragments, sans souci de chronologie. Un fil directeur se dessine cependant : l'auteur ne cesse de revenir sur ses relations difficiles avec une mère par qui elle se sent de plus en plus abandonnée, mais aussi aux relations avec sa belle-mère. Aux moments de bonheur intense se mêlent les souffrances de la petite fille qui, mal aimée, découvre les blessures que peuvent infliger les mots les plus simples.

Un reniement ?

Publié en 1983, ce récit autobiographique a suscité une certaine stupéfaction : comment une figure de proue du Nouveau Roman*, qui s'était distinguée par ses remises en cause radicales du roman traditionnel, pouvait-elle sacrifier à un genre qui instaure le narrateur* en personnage central et fait la part belle au récit, à la psychologie et au réalisme* ? En réalité, Nathalie Sarraute n'a pas eu à se renier pour écrire ce récit d'enfance : comme elle a su renouveler l'écriture romanesque, elle a su **inventer une écriture autobiographique** scrupuleusement attentive à ne pas trahir la vérité d'une vie singulière.

Un récit à trois voix

Dès la première page, l'auteur inscrit au cœur du dispositif narratif une **instance critique** extrêmement vigilante. Aux deux voix traditionnellement présentes dans l'autobiographie*, celle du narrateur enfant et celle du narrateur adulte, elle en ajoute une **troisième**, très sourcilleuse, qui tutoie la narratrice et qui est pour elle comme la **voix de sa conscience**. Ainsi s'instaure, au cœur même de l'écriture, une distance critique salutaire. Les trois voix parlent au présent mais, pour le récit proprement dit, il ne s'agit pas d'un classique présent de narration : c'est une sorte de **présent atemporel** qui s'installe, celui du surgissement du souvenir.

Une autobiographie soumise au soupçon

D'emblée, la narratrice mesure l'ampleur du défi qu'elle relève en se proposant « d'évoquer ses souvenirs ». La mise en récit risque d'établir des liens logiques entre des faits qui, dans la vie, ne relevaient que du hasard. Le genre a ses passages obligés et surtout ses clichés, tels les « beaux souvenirs » où l'on enjolive le passé à plaisir. On pallie les défaillances de la mémoire en entérinant de faux souvenirs, en comblant les lacunes. On cède à la tentation de l'effet littéraire. L'entreprise autobiographique est sans cesse menacée de travestir la réalité. C'est au prix d'une rigoureuse exigence, en déjouant pas à pas les difficultés, que Nathalie Sarraute réussit à être fidèle à son projet.

L'obsession du mot juste

La narratrice assume les risques de son entreprise. Les blancs entre les chapitres, ou à l'intérieur même du texte, exhibent délibérément les ravages de l'oubli ; les points de suspension trahissent les hésitations, les repentirs.

Mais c'est surtout sur le plan du langage que la vigilance s'impose : il faut sans cesse **lutter contre les clichés**, les mots trop généraux, comme par exemple les mots « bonheur » et « joie », qui ne disent rigoureusement rien du sentiment éprouvé. L'écriture doit **rendre compte des mouvements intérieurs, ces « tropismes »** chers à Nathalie Sarraute, qui, informulés, restent généralement obscurs pour la conscience. L'auteur amène à l'expression ce qui avait été ressenti « hors des mots », en questionnant sans concession les mots les plus ordinaires jusqu'à ce que soit formulé, le plus justement possible, le flux d'impressions qui se bousculent dans la tête de l'enfant.

→ **autobiographie, Nouveau Roman, Sarraute**

engagement, intellectuel engagé

***n. m.** De en et gage.* Attitude de l'intellectuel consistant, d'une part, à afficher des convictions politiques ou philosophiques qui l'engagent dans les débats de son temps et, d'autre part, à considérer la littérature comme un média possible de ces convictions.

Engagement et littérature

De nombreuses figures d'écrivains français invitent à penser que s'engager est la destination naturelle de l'intellectuel : tout texte satirique prenant pour cible un puissant (telle épigramme* de Marot* ou telle fable* de La Fontaine*) n'est-il pas déjà un texte engagé ? Et lorsque Voltaire*, ajoutant aux leçons d'humanisme de ses *Contes*, s'implique dans l'affaire Calas puis publie son *Traité sur la tolérance* (1763), n'avons-nous pas le sentiment que l'écrivain a une vocation politique ? Benjamin Constant* et Lamartine* le montrent, qui s'engagent dans la vie publique du XIXᵉ siècle.

Pourtant, peu de temps avant que Hugo* ne s'attelle à la rédaction des *Châtiments* (1853), véritable brûlot dirigé contre Napoléon III, **certains écrivains ont affirmé avec force que la littérature n'avait pas vocation à changer le monde** : les **Parnassiens** reprochent en effet aux romantiques leur engagement dans la vie politique et sociale. Dès 1835, dans la préface de *Mademoiselle de Maupin*, **Théophile Gautier*** soustrait la littérature au règne de l'utilité : « D'abord, il est très peu utile que nous soyons sur terre et que nous vivions. Je

défie le plus savant de la bande de dire à quoi nous servons, si ce n'est à ne pas nous abonner au *Constitutionnel* ni à aucune espèce de journal quelconque. » On verra ainsi **Leconte de Lisle***, déçu par la révolution de 1848, s'enfermer dans la tour d'ivoire de la poésie et, quelques décennies plus tard, **José Maria de Heredia*** se retirer dans la contemplation des ruines du passé.

La naissance de l'intellectuel

Le tournant du siècle vient démentir cette conception de l'écrivain détaché : lorsque, pour mettre l'affaire Dreyfus au grand jour, **Zola*** publie dans *l'Aurore* sa fameuse lettre ouverte *J'accuse…* (13 janvier 1898), il marque le retour sur l'avant-scène de ce qu'on appellera désormais, selon un mot de Georges Clemenceau repris ironiquement par Maurice Barrès, l'« intellectuel ».

Les écrivains du XXᵉ siècle qui feront figure d'intellectuels engagés seront par exemple **Aragon***, marqué par le communisme, ou encore **Malraux***, avec *La Condition humaine** (1933) ou *L'Espoir* (1937), romans qui semblent vouloir embrasser l'histoire récente. **Camus***, au lendemain de la guerre — pendant laquelle, comme Malraux* ou René Char* (*Feuillets d'Hypnos*), il a pris part à la Résistance — formule, avec *La Peste* (1947) et *L'Homme révolté* (1951), une pensée de l'action fondée sur un nouvel humanisme*. **Sartre*** s'oppose à lui en fondant son engagement non pas sur la foi en l'existence d'une nature humaine mais sur la certitude que « l'homme est ce qu'il se fait » : il illustrera cette doctrine dite « existentialiste » par ses propres œuvres — en particulier ses œuvres dramatiques : *Huis clos* (1944), *La P… respectueuse* (1946), *Les Mains sales* (1948) — mais aussi par son action politique.

On peut toutefois noter que l'engagement de l'intellectuel n'implique pas des œuvres « à thèse », dans lesquelles la littérature ne serait que l'illustration d'une pensée. Saint-John Perse*, par exemple, n'a rien sacrifié de son exigence de poète en faisant de son œuvre un « témoignage pour l'homme » : « Et c'est assez, pour le poète, d'être la mauvaise conscience de son temps » (discours du Nobel).

→ **auteur, Camus, existentialisme, Hugo, Malraux, Parnasse, Sartre, Voltaire, Zola**

énigme

n. f. Du latin *œnigma*. **Sens large**: chose ou mot à deviner à partir d'une question, d'un indice ou d'une définition en termes obscurs. Jeu pratiqué dans les salons aux XVIIe et XVIIIe siècles mais aussi au XXe siècle par les surréalistes. Les devinettes, charades, portraits chinois sont des exemples d'énigmes. **Sens restreint**: description métaphorique, généralement en vers, d'un objet qui n'est pas nommé.

→ **Œdipe, périphrase, préciosité, salons (littéraires), surréalisme**

enjambement

n. m. Du latin *gamba*, «jambe». Procédé utilisé en poésie, consistant à supprimer la pause habituelle à la fin du vers. *Ex.*: «Non, ce qui l'occupait, c'est l'ombre blonde et rose / D'un bel enfant qui dort la bouche demi-close» (Hugo*, *Les Chants du crépuscule*).

Effet de l'enjambement
En **rompant l'accord entre l'unité du vers et celle de la phrase**, l'enjambement étire celle-ci et peut suggérer l'idée d'une longueur, d'une lenteur, d'un espace immense – temporel ou spatial –, d'une continuité. Ainsi, chez Baudelaire* : « J'ai connu, sous un dais d'arbres tout empourprés/Et de palmiers d'où pleut sous les yeux la paresse » («À une dame créole», *Les Fleurs du mal**), l'enjambement met en évidence la continuité du paysage et suggère la langueur qui sourd des arbres.

→ **contre-rejet, métrique, rejet, versification**

énonciation

n. f. Du latin *enuntiatio*, formé du préfixe *ex* et du verbe *nuntiare*, «faire savoir», d'où «énoncer». L'énonciation est l'acte de produire un énoncé.

Énonciation et communication
L'énonciation s'articule avec la notion de discours*, en lien avec le schéma de la communication* de Jakobson. Elle implique un **énonciateur** ou **locuteur*** qui produit l'énon-

cé, et un **énonciataire** ou **allocutaire** à qui cet énoncé est destiné. Tous deux sont appelés **interlocuteurs**. La plupart du temps, locuteur et producteur de l'énoncé se confondent, mais il peut aussi arriver qu'ils diffèrent. Ainsi, Baudelaire (producteur de l'énoncé) fait parler l'âme du vin (locuteur) dans les bouteilles : « Homme, vers toi je pousse, ô cher déshérité / […] / Un chant plein de lumière et de fraternité » («L'âme du vin», *Les Fleurs du mal*).

Situation et indices d'énonciation
Étudier un énoncé présuppose non seulement l'étude de sa structure formelle mais aussi celle de la situation précise dans laquelle il est produit. Le cadre de production d'un énoncé s'appelle **situation d'énonciation**. Celle-ci comprend les interlocuteurs et les conditions générales de production de l'énoncé : cadre spatiotemporel, contexte sociohistorique, contexte narratif, nature du canal, réception du message…
Les éléments d'analyse de l'énonciation s'appellent **indices d'énonciation**. Les indices dont les référents ne peuvent être compris que par rapport à l'identité ou à la situation de communication des interlocuteurs au moment où ils parlent, s'appellent **déictiques**. Ceux-ci comportent :
– les pronoms personnels des 1re et 2e personnes ; *ex.* : *Je te prête ma moto* ;
– les déterminants et pronoms démonstratifs ; *ex.* : *Cette moto est vieille. Celle-ci est plus rapide* ;
– les déterminants et pronoms possessifs ; *ex.* : *Ma moto est en panne. Prenons la tienne* ;
– les adverbes spatiotemporels : *ici, maintenant, hier…*
– les verbes performatifs : verbes qui, énoncés à la 1re personne du présent, accomplissent l'action qu'ils désignent ; *ex.* : dire *je vous promets* revient à effectuer l'acte de la promesse ;
– les temps du verbe, organisés autour du présent de l'énonciation.

Modalités de l'énonciation et modalisation
On peut analyser aussi les rôles du locuteur et de l'allocutaire à travers ce qu'on appelle les modalités de l'énonciation. Il en existe principalement quatre : la **modalité assertive, injonctive, interrogative, exclamative**, qui correspondent syntaxiquement à des «types de phrases».
Enfin, l'étude d'un énoncé implique aussi celle de sa visée : dans une situation précise, l'énonciateur parle pour **agir** sur le destinataire de

son discours. Il convient donc de s'intéresser à l'ensemble des indices qui renseignent sur le degré d'implication du locuteur par rapport à son énoncé. C'est ce qu'on appelle la **modalisation***.

→ **communication (schéma de la), locuteur, modalisation**

épicurisme

n. m. Du latin *epicurius*, «d'Épicure».
1. Doctrine philosophique d'Épicure.
2. Morale fondée sur la recherche du plaisir.

La doctrine d'Épicure

L'épicurisme désigne, au sens strict, la doctrine du philosophe grec Épicure (341-270 av. J.-C.). Des œuvres d'Épicure nous ne connaissons que celles reproduites par l'écrivain grec Diogène Laërce (IIIe siècle) dans *Vies et Sentences des philosophes illustres*, à savoir trois *Lettres* (à Hérodote, à Pythoclès et à Ménécée) et les *Maximes capitales*, ainsi qu'un recueil de sentences découvert à la fin du XIXe siècle.

La doctrine d'Épicure a donné lieu à de nombreux contresens. En particulier, ses détracteurs ont voulu y voir l'expression d'un hédonisme débridé que résume à elle seule l'expression « pourceau d'Épicure ». En réalité, la philosophie épicurienne peut être définie comme un **matérialisme** (l'univers est composé d'atomes et du vide dans lequel ils tombent), un **sensualisme** (la sensation est le point de départ de la connaissance) et comme une **morale naturelle** (l'homme doit vivre en accord avec la nature). Ces trois volets de la philosophie d'Épicure se retrouvent dans le « **quadruple remède** » qui permet à l'homme d'être heureux : les dieux ne sont pas à craindre (ils n'agissent ni sur les lois de l'univers ni sur la destinée des hommes dont ils ne se soucient pas) ; la mort n'est rien pour l'homme ; le bien est facile à obtenir, le mal facile à écarter.

L'idéal de bonheur d'Épicure est un **idéal de sagesse** : l'homme doit vivre loin des affaires publiques (« Pour vivre heureux, vivons cachés » est une maxime épicurienne), dans une communauté d'amis (Épicure a réalisé cet idéal dans son « école du Jardin »), en se contentant de plaisirs naturels (le pain et l'eau suffisent à satisfaire la faim et la soif, désirs naturels et nécessaires). C'est dire que l'épicurisme authentique, contrairement à la légende, est un **ascétisme**, qui consiste essentiellement à **fuir la douleur** : « Le plaisir dont nous par-

lons consiste dans l'absence de souffrance physique et de trouble de l'âme » (Épicure).

L'épicurisme en littérature

Une première expression littéraire de l'épicurisme est donnée par le poète latin **Lucrèce** (Ier siècle av. J.-C.) dans son célèbre poème didactique* *De la nature (De natura rerum)*. Il faut attendre **Gassendi** (1592-1655) – après le relais culturel qu'ont constitué les *Essais* de **Montaigne***, qui associe épicurisme et scepticisme* – pour voir renaître l'épicurisme, dans une forme christianisée.

L'influence de l'épicurisme dans le domaine littéraire s'est traduite par des thèmes exprimant l'adhésion à une **morale du plaisir** souriante, tel le célèbre *Carpe diem* (littéralement « Cueille le jour », c'est-à-dire « Profite de l'instant présent »), hérité d'Horace (*Odes*, I, 7), et repris notamment par Ronsard* dans « Mignonne, allons voir si la rose ». Surtout, elle s'est traduite, au XVIIe siècle, dans le **courant libertin** qui revendique tout à la fois la liberté de penser et la liberté de mœurs (Théophile de Viau*, Cyrano de Bergerac*, La Fontaine*, Saint-Évremond). La vulgarisation de la philosophie épicurienne et sa diffusion dans la société mondaine doivent beaucoup à l'*Abrégé de la philosophie de Gassendi*, publié par François Bernier en 1678.

Réduit au seul **hédonisme**, l'épicurisme s'est transmis jusqu'à nous à travers le XVIIIe siècle (*Le Mondain* de Voltaire), qui fait du bonheur la finalité de l'existence humaine et des plaisirs le moyen d'y accéder.

→ **Cyrano de Bergerac, La Fontaine, libertinage, Montaigne, scepticisme, Voltaire**

épigramme

n. f. Du grec *epigramma*, «inscription». Dans l'Antiquité, courte inscription funéraire, le plus souvent versifiée. Au début du XVIe siècle, cette forme poétique brève (quatre à dix vers) est remise à l'honneur, en particulier par Clément Marot*. C'est un genre auquel on a recours jusqu'au XIXe siècle dans la poésie amoureuse ou la satire*, et qui se caractérise par le trait d'esprit du dernier vers.

Un poème de petite circonstance

L'épigramme relève de l'**art de l'instantané**. C'est un genre qui se prêtera par exemple à l'expression d'un fugitif regret de la jeunesse, comme dans le huitain de **Marot** « De soi-même », ou bien encore à un mouvement d'ardeur amoureuse, comme dans le célèbre dizain « D'Anne, qui lui jeta de la neige », dont la brièveté n'exclut pas le mouvement : le dizain commence au passé par la remémoration d'Anne et se termine au présent par une apostrophe*. Dans cet intervalle, en trois rimes, s'est exprimée une émotion à laquelle la concision donne de la sincérité. D'ailleurs, chez Marot, une épigramme, comme le dizain « Du partement d'Anne », peut n'être que l'expression ramassée d'une élégie* plus ample (en l'occurrence, ici, l'élégie troisième).

Un genre satirique

Toutefois, Marot a aussi utilisé l'épigramme à des **fins satiriques**, l'attaque profitant pleinement de la vivacité du genre. Voltaire* fait le même usage de l'épigramme, qui s'avère appropriée à l'attaque *ad hominem* ; dans l'exemple suivant, elle est dirigée contre un adversaire des encyclopédistes : « L'autre jour au fond d'un vallon/ Un serpent piqua Jean Fréron./ Que pensez-vous qu'il arriva ?/ Ce fut le serpent qui creva. »
Cet exemple montre bien la vertu du genre. Comme l'explique Boileau* dans l'*Art poétique* : « L'épigramme plus libre, en son tour plus borné,/ N'est souvent qu'un bon mot de deux rimes orné. »
Comme le madrigal*, l'épigramme est un **genre de la pointe***. Les épigrammes amoureuses s'achèvent ainsi par un trait original, qui soutient la demande à la dame ou contredit la gravité de la plainte éventuelle. La vivacité de la pointe participe alors du ton badin de l'ensemble.

→ **madrigal, Marot, pointe, satire, Voltaire**

épilogue

n. m. Du latin, emprunté au grec *epilogos*, « péroraison* d'un discours ». **Sens littéraire** : partie ajoutée à la fin d'un roman, qui raconte des faits postérieurs au dénouement* de l'action principale ; petit discours prononcé par un acteur à la fin d'une pièce. **Sens courant** : conclusion, dénouement (d'un discours, d'une affaire).

Fonctions de l'épilogue

Comme le prologue*, qui introduit le récit ou la pièce, l'épilogue se situe un peu en **marge de**

l'action, qu'il commente parfois. Le très long roman de Roger Martin du Gard* *Les Thibault* (7 volumes) consacre un tome entier à l'épilogue, qui relate des faits se passant quatre ans après la mort du personnage principal.
Au **théâtre**, l'épilogue est une forme d'**adresse au public**. Celle-ci est peu employée à l'époque classique car elle rompt l'illusion théâtrale. À la fin de *La Résistible Ascension d'Arturo Ui* (1941) – où Brecht évoque la montée au pouvoir d'Hitler –, l'épilogue tire la morale de la pièce et appelle les spectateurs à la vigilance : « Vous, apprenez à voir, plutôt que de rester/Les yeux ronds. Agissez au lieu de bavarder./Voilà ce qui aurait pour un peu dominé le monde !/ Les peuples en ont eu raison, mais il ne faut/Pas nous chanter victoire, il est encore trop tôt :/Le ventre est encore fécond, d'où a surgi la bête immonde. »

→ **péroraison, prologue**

épistolaire (genre)

adj. Du latin *epistola* (*-stula*), « lettre ». Le genre épistolaire concerne à la fois des **lettres réelles** de personnes célèbres, publiées sous forme de recueils, et des **lettres fictives**, dans les romans par lettres.

La lettre littéraire

La tradition de la **lettre littéraire** – qui, au-delà de son destinataire explicite, vise un public plus vaste – **remonte à l'Antiquité** (*Lettres à Lucilius* de Sénèque et lettres de Cicéron). Elle emprunte à la correspondance ordinaire le style de la conversation (la *sermo*) et permet ainsi l'expression naturelle de la pensée.
Dans la continuité du xviᵉ siècle, où le genre connaît un nouvel essor avec la réédition des lettres des auteurs antiques et la défense du genre par Érasme (*De conscribendis epistolis*, 1522), le xviiᵉ **siècle** constitue un véritable **âge d'or de la littérature épistolaire**. La lettre est alors un **phénomène et social et littéraire** : la publication de *secrétaires* (manuels épistolaires) et celle de la correspondance de personnes célèbres (Guez de Balzac, Bussy Rabutin, Voiture) connaissent un grand succès. Qu'elles soient savantes (Guez de Balzac) ou galantes (Voiture), ces lettres se caractérisent par une recherche de la perfection formelle, qui en font une sorte d'idéal de la conversation mondaine. Au contraire, les lettres de Mme de Sévigné* – notamment celles à sa fille, Mme de Grignan, dont la rédaction débute en 1671 –,

lettres privées, contemporaines de l'apparition d'une poste régulière, sont surtout l'expression d'une vive sensibilité.

Le roman par lettres

À la même époque, la parution (sans nom d'auteur) des *Lettres portugaises* de Guilleragues (1669) inaugure le **genre du roman par lettres**. Cri d'amour d'une amante délaissée (Mariane), les *Lettres portugaises* doivent leur succès à leur caractère passionné, ressenti comme « réaliste » par les contemporains.

Ce **roman monophonique** (à une seule voix) propose un pacte de lecture d'authenticité qui sera la caractéristique du genre : l'auteur se fait passer pour l'éditeur des lettres, données pour véritables. Le XVIIIe siècle reprendra la forme du roman monophonique (*Lettres d'une Péruvienne*, de Mme de Grafigny, 1747), mais c'est avec le **roman polyphonique** (à plusieurs voix) que le roman par lettres connaîtra ses plus grands chefs-d'œuvre : les *Lettres persanes* de Montesquieu* (1721), *Julie ou la Nouvelle Héloïse* de Rousseau* (1761), *Les Liaisons dangereuses* de Choderlos de Laclos* (1782).

Le genre s'éteint au XIXe siècle (Balzac*, *Mémoires de deux jeunes mariées*, 1842) pour ne resurgir que de manière ponctuelle (Marguerite Yourcenar*, *Alexis ou le traité du vain combat*, 1929).

Le roman épistolaire a en commun avec le journal* intime de privilégier l'**introspection**. Il s'en différencie toutefois par la présence d'un destinataire, qui fait de toute lettre un dialogue adressé à un absent. Expression d'un ou de plusieurs *je*, nécessairement subjectif(s), le roman par lettres (qui a comme corollaire l'absence d'un narrateur* extérieur garant d'une vérité sur les personnages et sur l'histoire) est une forme ouverte, souvent ambiguë, qui commande des interprétations plurielles.

→ **journal, Laclos, Montesquieu, Rousseau, Madame de Sévigné**

épithalame

n. m. Du grec *epi*, « près de », et *thalamos*, « lit nuptial ». Dans la Grèce antique, l'épithalame est un chant nuptial accompagnant les festivités du mariage, que l'on chante tout le long du parcours conduisant les époux vers la maison du mari. Puis le mot s'est spécialisé pour désigner un genre poétique de circonstance, sous la forme d'un poème composé spécialement en l'honneur des nouveaux mariés.

L'épithalame en littérature

Le genre a connu une grande vogue pendant l'**Antiquité**. On retiendra les poèmes de deux poètes grecs : l'*Épithalame de Thétis et de Pélée* d'Hésiode et l'*Épithalame de Ménélas et d'Hélène* de Théocrite, ainsi que celui d'un poète latin : l'*Épithalame de Julie et Menlius* de Catulle. Les poètes de la **Renaissance**, soucieux de faire revivre les genres poétiques de l'Antiquité, ont remis en honneur l'épithalame. Mais le genre, resté mineur, n'a pas donné de chefs-d'œuvre notables et a quasiment disparu par la suite.

On peut également considérer comme des épithalames le psaume XLIV de David, dans la Bible, ainsi que le **Cantique des cantiques** : « Que tu es belle, ma bien aimée, / que tu es belle ! / Tes yeux sont des colombes, / derrière ton voile ; / tes cheveux comme un troupeau de chèvres, / ondulant sur les pentes de Galaad [...] / Tes deux seins sont deux faons, / jumeaux d'une gazelle, / qui paissent parmi les lis. »

→ **hymne**

épître

n. f. Du latin *epistola* (*-stula*), « lettre ». **Sens strict** : lettre à contenu théologique adressée par les apôtres aux communautés chrétiennes et conservées dans le Nouveau Testament (Épîtres de Paul aux Colossiens, aux Éphésiens, aux Romains, aux Corinthiens...). Ce sens prévaut encore au Moyen Âge. **Sens littéraire** : lettre en vers traitant de sujets divers (morale, philosophie, politique, littérature...) sur un ton souvent satirique, forme poétique pratiquée par les écrivains latins (*Épîtres* d'Horace, Ier siècle av. J.-C.). Le genre connaît un regain de faveur entre les XVIe et XVIIIe siècles : *Épîtres* que Marot* adresse à ceux qu'il sollicite, *Épîtres* de Boileau*, de Voltaire*.

Une poésie personnelle

Les **thèmes personnels** dominent **chez Marot** dont de nombreuses épîtres sont liées aux problèmes financiers du poète (« Petite épître au Roy », « Au Roy pour avoir été dérobé ») et surtout à ses démêlés avec ceux qui l'accusent d'hérésie (« Au Roy pour le délivrer de prison »). Une des marques stylistiques de l'épître est l'apostrophe* fréquente au destinataire*, notamment lorsqu'elle se présente comme une requête adressée au roi ou à un grand.

Dans les *Épîtres* de **Boileau**, la poésie personnelle revêt un autre aspect : il s'agit d'**évocations** par le poète **de sa vie privée** (*Épître VI*, « À Monsieur de Lamoignon » ; *Épître X*, « À mes vers »). Les destinataires en sont très variés : le roi, Racine, le jardinier du poète, M. de Lamoignon (grand magistrat de l'époque).

Une évocation de l'époque

Cependant, à travers la vie privée, c'est la situation politique, sociale, voire littéraire, de l'époque que dépeignent les épîtres : chez Marot, les persécutions contre les Réformés, la justice, les conditions d'emprisonnement, l'exil ; chez Boileau, les guerres de Louis XIV, l'accueil fait à la *Phèdre* de Racine.

La forme et le ton de l'épître

L'épître n'est **pas une forme fixe**[*]. Sa longueur est très variable, allant de quelques vers (chez Marot, l'*Épître XXIV* compte 8 vers) à plusieurs centaines (256 vers pour l'*Épître LVI* du même auteur et, en général, entre 100 et 200 vers chez Boileau). La longueur des vers varie elle aussi : si, au XVIIe siècle, les épîtres sont en alexandrins[*], Marot utilise l'octosyllabe[*], le décasyllabe[*] et même le vers de trois syllabes (*Épître XLI*) – voire la prose (*Épître V*).
Notable est également la **diversité des tons**, adaptés à l'objet de l'épître. La personnalité du dédicataire et le sujet de la lettre peuvent imposer un **style recherché** : ainsi, l'*Épître IV* de Boileau, qui célèbre le passage du Rhin. Mais, dans les textes plus personnels (Boileau, *Épître VI*, sur les plaisirs des champs), la **simplicité du style** est fréquente : elle domine chez Marot, notamment dans les requêtes. On rencontre aussi fréquemment l'**ironie**[*] et la **satire**[*] mises au service de la dénonciation : celle des fâcheux chez Boileau (*Épître VI*) et, chez Marot, celle d'un adversaire comme Sagon, métamorphosé en animal (*Épître LVI*).

→ **Boileau, ironie, lettre, Marot, satire, Voltaire**

épopée

n. f. Du grec *epos*, « parole », et *poiein*, « faire ». **Sens strict** : long poème narratif destiné à l'origine à être récité en public. L'épopée célèbre généralement les actions d'un héros[*] à travers des épisodes symboliques dans lesquels une société peut reconnaître ses valeurs. **Sens large** : l'épique est un registre caractérisé par l'amplification des êtres et des choses grâce à l'hyperbole[*] et parfois à l'intervention du merveilleux[*]. L'histoire aussi bien que les personnages font l'objet d'une simplification de nature symbolique.

Caractéristiques de l'épopée

Pour les Grecs de l'Antiquité, **l'épique caractérise les ouvrages où auteur et personnages ont droit à la parole**, contrairement à la poésie lyrique où seul parle l'auteur, et à la poésie dramatique où seuls parlent les personnages. Goethe, au XIXe siècle, voit dans cette triade les « trois formes naturelles de la poésie » : l'épopée est celle qui « raconte clairement » ; la poésie lyrique, celle qui « s'exalte et s'enthousiasme » ; le drame[*], celle qui « agit clairement ». Plus récemment, le linguiste Roman Jacobson distingue l'épopée, récit du passé à la troisième personne, du lyrisme[*], récit du présent à la première personne.

L'épopée antique

Étudiés à la lumière de l'anthropologie, les grands cycles épiques de l'Antiquité (l'*Iliade* d'Homère, l'*Énéide* de Virgile) ou du Moyen Âge (*La Chanson de Roland*[*]) apparaissent comme de vastes constructions imaginaires, dans lesquelles l'**histoire collective est transposée sur un plan mythique** où elle acquiert une dimension sacrée : l'action des dieux se mêle à l'action des hommes, le héros[*] assurant entre les deux un rôle médiateur. Achille, dans l'*Iliade*, est à la fois homme et fils d'une déesse. Guerrier ou fondateur de cité, le héros a, par ses exploits, une **valeur exemplaire** pour les auditeurs du récit épique.

L'épopée en France

Dans l'histoire de la littérature française, **La Chanson de Roland** (XIe siècle) a pris rang de premier poème épique national en raison du caractère d'exemplarité de ses héros : Roland et son indestructible épée Durandal incarnent la vaillance, Charles la sagesse du roi. Après les efforts – peu reconnus – de Ronsard[*] (*La Franciade*, 1572) et de Voltaire[*] (*La Henriade*, 1728) pour créer des épopées françaises, le XIXe siècle donne un nouveau souffle et un sens plus large au registre épique : celui-ci caractérise aussi bien des **œuvres poétiques** (Hugo[*], *La Légende des siècles*, 1859-1883) que de **grands ensembles romanesques** (Balzac[*], *La Comédie humaine* ; Zola[*], *Les Rougon-Macquart*). Cependant, l'épique est-il compatible avec la modernité ? Une réflexion de Renan éclaire le déclin de l'épopée dans la littérature française contemporaine : « L'épopée disparaît avec l'héroïsme individuel, pas d'épopée avec l'artillerie. »

→ *Chanson de Roland (La)*, **drame, héros, hyperbole, lyrisme, merveilleux, mythe**

Ernaux
(Annie), née en 1940

ŒUVRES PRINCIPALES
• **Récits**: *La Femme gelée* (1981), *La Place* (1983), *Une femme* (1987), *La Honte* (1997), *Les Années* (2008).

Le poids de la condition sociale sur les individus

Annie Ernaux a écrit une **œuvre** essentiellement **autobiographique* et biographique*** : écartant la fiction, elle s'attache à rendre compte fidèlement des vies qu'elle a connues, celle de son père (*La Place*), de sa mère (*Une femme*), mais aussi la sienne (*La Femme gelée*, *La Honte*). Les trajectoires individuelles, au cœur des mutations du XXᵉ siècle, ne peuvent être comprises qu'à travers la société dans laquelle elles s'inscrivent. La **dimension sociologique** est d'autant plus importante que, pour les gens d'origine modeste – dont font partie ses parents –, les conditions sociales ont le poids du destin : leur vie est largement déterminée par leur lutte quotidienne pour échapper à la pauvreté et vivre dignement. Annie Ernaux débusque les non-dits et met en lumière les secrets douloureux dont les êtres sont parfois porteurs (*La Honte*) et la part de violence cachée qu'ils subissent. Scrutant les usages, les comportements ou les expressions populaires, elle excelle à **restituer l'air du temps** d'une époque et à faire sentir à quel point ces vies humbles en sont imprégnées. Dans *Les Années*, sur la base d'un fil autobiographique assez ténu, c'est toute la deuxième moitié du XXᵉ siècle qui est radiographiée : la mode, les chansons, les films, les échos plus ou moins assourdis des grands événements historiques, composent un panorama concret qui rend palpable le passage du temps sur les êtres et la société.

Une femme au cœur des mutations de la condition féminine

Qu'elle raconte sa propre vie ou celle de sa mère, Annie Ernaux donne à voir, à travers les expériences vécues, les profondes mutations qui, après la Seconde Guerre mondiale, ont bouleversé les mentalités et les mœurs. Si sa mère s'est conformée bon gré mal gré au modèle rigide qui avait cours à son époque, l'adolescente supporte mal d'être prise dans le corset des convenances et des bienséances. Devenue femme, elle n'aura de cesse qu'elle n'ait fait éclater les carcans de la morale traditionnelle. L'évolution des mœurs à partir des années soixante prend tout son relief. Mais la **libération de la femme** implique une **libération de la parole**. L'écriture permet en effet de dire ce qui jusqu'alors ne se disait pas : les désirs amoureux de la femme (*La Femme gelée*, *Passion simple*) mais aussi les souffrances qui peuvent envahir son corps, qu'il s'agisse de l'avortement (*L'Événement*), du cancer du sein, de la maladie d'Alzheimer (*Je ne suis pas sortie de ma nuit*) ou de la mort (*Une femme*).

Les mots pour dire la vie et le destin

L'œuvre d'Annie Ernaux, en mettant en scène la vie de gens ordinaires, en peignant le milieu modeste dans lequel ils évoluent, leur a conféré une sorte de dignité littéraire. Mais comment mettre en mots ces « vies minuscules », vécues loin de toute littérature, sans les trahir ? Annie Ernaux a choisi une **écriture sobre, plate**, méfiante à l'égard de tout effet littéraire. Il s'agit pour elle de **rester « au-dessous de la littérature »**, cette institution bourgeoise à laquelle les siens étaient étrangers.

Ce choix, qui donne à l'œuvre son accent d'authenticité, lui a valu un large public mais a pu susciter la polémique : à propos de *Passion simple*, évocation d'une aventure amoureuse, une partie de la critique a contesté la valeur littéraire d'une œuvre pourtant originale et qui, à la croisée du biographique, de l'histoire et de la sociologie, dresse un tableau saisissant des mutations du XXᵉ siècle.

CITATION
« Ce que le monde a imprimé en elle et ses contemporains, elle s'en servira pour reconstituer un temps commun, celui qui a glissé d'il y a si longtemps à aujourd'hui – pour, en retrouvant la mémoire de la mémoire collective dans une mémoire individuelle, rendre la dimension vécue de l'Histoire. » (*Les Années*)

➜ La vie d'Annie Ernaux porte l'empreinte des bouleversements sociaux de la deuxième moitié du xxe siècle. Née en 1940 à Yvetot dans un milieu modeste (ses parents, d'abord ouvriers, acquièrent une épicerie-café), elle fait de bonnes études qui lui ouvrent les portes de l'enseignement mais l'arrachent à son milieu d'origine. Parallèlement à sa carrière de professeur de lettres, elle devient écrivain et obtient la faveur d'un large public.

➜ Éduquée dans un milieu où les femmes doivent respecter des obligations et des interdits strictement codifiés, l'auteur vit avec soulagement la libération des mœurs qui suivra mai 1968. Mais, déjà engagée dans la vie conjugale et l'éducation de jeunes enfants, elle reste prisonnière des anciens schémas. Recouvrant sa liberté après son divorce, Annie Ernaux aura vécu dans sa chair l'évolution de la condition féminine au cours de la deuxième moitié du xxe siècle.

→ autobiographie, biographie

essai

n. m. Du latin *exagium*, « pesée, essai ». Genre inventé par Montaigne*, l'essai est un texte de réflexion en prose qui se caractérise par sa forme libre et son refus de l'exhaustivité. Il s'oppose au discours construit du traité*.

Un genre inventé par Montaigne

Chez Montaigne (*Essais*), le mot a plusieurs significations : il signifie « tentative », mais aussi « épreuve, expérimentation » et « œuvre d'apprenti ». Montaigne lui conserve son sens plein d'« ébauche », qui implique l'inachèvement. L'essai, chez Montaigne, s'inspire des compilations du xvie siècle qui proposent des commentaires sur des sujets divers ; il revendique la discontinuité et adopte le ton familier de la lettre* ou du dialogue*. Les *Essais* sont une suite de réflexions personnelles sur des sujets divers. L'essai n'est donc pas un genre littéraire à part entière : il n'est pas codifié et n'obéit pas aux lois de la rhétorique*.

Postérité de l'essai

Joignant une forme neuve à une pensée personnelle, l'essai à la manière de Montaigne n'a pas eu véritablement d'imitateurs. Au xviie siècle, Pierre Nicole écrit des *Essais de morale* qui traitent de diverses questions d'éthique. De nombreux ouvrages, notamment philosophiques, s'intitulent « essais » (*Essai sur l'entendement humain* de Locke), pour signaler qu'ils exposent des pistes de réflexion sans ambition d'approfondir le sujet, ou une tentative d'interprétation, plus qu'une doctrine totalement constituée.

→ genre, Montaigne, traité

Étranger (L'),
Albert Camus, 1942

RÉSUMÉ

La première partie du roman (six chapitres) s'ouvre sur la mort de la mère de Meursault, le narrateur. Peu après l'enterrement, ce modeste employé algérois retrouve une ancienne connaissance, Marie, qui devient sa maîtresse. Outre le vieux Salamano, qui bat son chien, Meursault a pour voisin un souteneur, Raymond Sintès, auquel il rend service. Bientôt impliqué dans les bagarres entre Raymond et des Arabes, Meursault tue l'un d'eux.
Commence alors la seconde partie du livre, cinq chapitres détaillant le procès de Meursault jusqu'à sa condamnation à mort. « Le sens du livre tient exactement dans le parallélisme des deux parties », déclarait Camus. La première partie nous présente la vie de Meursault jusqu'au meurtre, la seconde sa vie après le meurtre : nous passons ainsi de la vision d'un homme libre et innocent à celle d'un accusé bientôt déclaré coupable.

Le premier roman de Camus

L'Étranger est le premier roman de Camus, mais il fait suite à une première tentative, *La Mort heureuse*, roman à la publication duquel l'auteur avait renoncé, le jugeant inabouti. C'est en un mois et demi (mars-avril 1940), comme « sous la dictée », que Camus rédige le premier jet de *L'Étranger*. Le roman est publié en 1942 – donc en pleine guerre –, la même année que *Le Mythe de Sisyphe*, essai consacré à l'absurde.

Meursault, un étranger au monde

La profondeur de ce roman en diptyque ne tient pas seulement à l'opposition entre la première partie, qui prend la forme d'un journal*, et le violent plaidoyer* du dernier chapitre, qui relève de la métaphysique et de la morale. Dès la première partie en effet, le narrateur, Meursault, n'apparaît pas seulement comme un être indifférent, relativiste, abstentionniste ; il nous est aussi présenté comme un hédoniste qui communie avec le monde : il a des amis, une maîtresse, il aime les plages et le soleil d'Alger. Son **étrangeté** vient de ce que, sous son apparente amoralité, il est animé par une farouche **passion de l'absolu et de la vérité** (c'est la franchise de ses réponses au juge qui fait qu'il mourra).

Une réflexion sur la condition humaine

La structure même du roman invite à la réflexion. Le lecteur de la première partie tend à peser la culpabilité de Meursault, à établir un enchaînement logique entre ses actes. Mais il est amené à s'interroger sur sa lecture, lorsqu'il voit les juges et le procureur pousser cette reconstitution jusqu'à l'absurde. « Conclusion : la société a besoin de gens qui pleurent à l'enterrement de leur mère », écrit Camus, ajoutant : « On n'est jamais condamné pour le crime qu'on croit. D'ailleurs je vois encore dix autres conclusions possibles. » Le dernier chapitre donne au *je* une dimension lyrique supérieure en accédant à la réflexion philosophique sur le destin de l'homme parmi les hommes.

Une écriture blanche

C'est par le style que Camus restitue l'ambivalence du personnage. L'**écriture** est *a priori* « **non littéraire** » : refus de l'ornementation, phrases courtes et juxtaposées, syntaxe simple, passé composé préféré au passé simple font qu'elle s'apparente au style oral. La technique de la narration tient du behaviorisme, alors que l'histoire est racontée par un *je*. D'où la remarque de Blanchot* selon laquelle le *je* de *L'Étranger* est plutôt un *il*. D'où encore l'explication de Sartre* sur la méthode de Camus : « Entre les personnages dont il parle et le lecteur il [*intercale*] une **cloison vitrée** », qui est la conscience de Meursault : ainsi le monde des hommes apparaît-il absurde, Meursault étranger, et ses actes inconséquents.

Toutefois, comme le remarquera Robbe-Grillet*, **l'écriture n'est pas sans lyrisme***. Surtout lorsqu'il s'agit d'évoquer le bonheur sensuel ressenti au contact de la nature, les sensations éprouvées au contact du sable et de l'eau, la lumière du soleil.

→ **absurde, Camus, journal, lyrisme, plaidoyer**

étymologie

n. f. Du grec *etymos*, « vrai », et *logos*, « science ». L'étymologie est l'étude de l'origine des mots. Elle consiste à rechercher, pour chaque mot, le mot dont il est issu (son *étymon*) et à observer les évolutions de forme et de sens qui l'ont affecté au cours des siècles.

Origine des mots français

À la base du vocabulaire français se trouve d'abord un **fonds primitif provenant essentiellement du latin vulgaire** et, de façon marginale, du gaulois (quelques termes d'agriculture) et du germanique (vocabulaire militaire). À ce fonds s'ajoutent de nombreux mots empruntés au latin et au grec par les clercs du Moyen Âge qui cherchaient ainsi à combler les lacunes du lexique français. D'où le phénomène des doublets : le latin *fragilis* a donné « frêle » par formation populaire, et « fragile » par formation savante. On notera aussi de nombreux **emprunts à d'autres langues** (arabe : 300 mots ; italien : 1 000 mots ; allemand : 200 mots ; espagnol : 300 mots…).

Étymologie et littérature

De nombreux écrivains – Michel Tournier* en est un bon exemple – aiment jouer sur l'étymologie des mots. Celle-ci est souvent utilisée (pas toujours avec rigueur) pour **rafraîchir le sens d'un mot** : on en remotive le sens actuel en réactivant le sens originel. Ainsi Roland Barthes* remotive-t-il le sens du mot *incident* (du latin *cado*, « tomber ») : « L'incident déjà beaucoup moins fort que l'accident (mais peut-être plus inquiétant), est simplement ce qui tombe doucement, comme une feuille, sur le tapis de la vie » (*Le Degré zéro de l'écriture*).

→ **polysémie, sémantique**

euphémisme

n. m. Du grec *euphêmismos*, « emploi d'un mot favorable pour un mot de mauvais augure ». Figure de style consistant à atténuer l'expression d'une idée jugée trop brutale, triste, désagréable ou vulgaire, en substituant au terme précis un mot ou une **périphrase*** jugés plus acceptables. L'euphémisme rejoint l'antiphrase* quand le mot ou la périphrase substituée sont employés dans un sens contraire à leur sens

réel. *Ex.*: dans le vers d'André Chénier[*]:
«Elle a vécu, Myrto, la jeune Tarentine»
(*Bucoliques*), «Elle a vécu» est un
euphémisme pour «elle est morte».

Emplois de l'euphémisme

Les Anciens, qui étaient très superstitieux, évitaient les termes de mauvais augure. Quand ils devaient faire allusion à une idée triste, honteuse, ou néfaste, ils recouraient aux euphémismes : ainsi les Grecs appelaient-ils *Euménides*, c'est-à-dire « Bienveillantes», les furieuses Érynies, ou bien *Pont-Euxin*, c'est-à-dire « Mer hospitalière », une mer réputée pour ses naufrages.

Plus près de nous, l'euphémisme est fréquemment **employé à l'époque classique dans la tragédie**[*] **et la poésie**[*], genres nobles où l'on s'abstenait de heurter la bienséance ou de choquer la sensibilité. La **préciosité**[*], qui bannissait les mots crus, en a fait un grand usage, dont Molière[*] se moque dans *Les Précieuses ridicules* ou *Les Femmes savantes*.

→ **antiphrase, bienseances, ironie, litote, préciosité, synonyme**

exergue

n. m. Du grec *ex-*, «hors de» et *ergon*, «œuvre»; proprement: «espace hors de l'œuvre». **Sens propre**: espace réservé sur une médaille pour recevoir une inscription, puis cette inscription elle-même. **Sens figuré**: citation placée en tête d'un livre ou d'un chapitre.

Fonctions de l'exergue

L'exergue, dont l'usage s'est fortement développé au XXe siècle, doit retenir l'attention du lecteur en raison de sa place privilégiée. L'exergue, en effet, **préforme la lecture**, qu'il s'agisse d'un roman policier comme les *Dix Petits Nègres* d'Agatha Christie (dont l'exergue fournit le schéma de l'intrigue), ou d'un roman de Claude Simon[*]. Ainsi, au début de *L'Herbe* (1958), on trouve cette citation de Boris Pasternak : «Personne ne fait l'Histoire, on ne la voit pas plus qu'on ne voit pousser l'herbe.» Selon Georges Robichou (*Lecture de L'Herbe de Claude Simon*), cette phrase, loin de proposer une vision pessimiste de l'Histoire, invite le lecteur à s'intéresser aux problèmes de l'écriture : à l'image de la croissance de l'herbe, «le roman [*L'Herbe*] croît selon des

lois organiques internes qui [...] paraissent imperceptibles».

Souvent, l'exergue permet d'**expliquer le titre de l'ouvrage**. Ainsi, le titre du roman d'André Brink *Une saison blanche et sèche* (prix Médicis 1980) provient d'un poème placé en exergue, qui se termine sur l'idée que « les saisons ne font que passer». Après une mauvaise saison («une saison blanche et sèche», celle de l'apartheid), il peut en venir une meilleure. Par ce message d'espoir, l'exergue joue un rôle décisif : à lui seul il fait contrepoids aux perspectives tragiques et désespérées du roman en conduisant le lecteur à réévaluer sa lecture dans un sens optimiste.

→ **épigraphe, paratexte, préface**

existentialisme

n. m. Du mot *existence*. **Sens philosophique**: philosophie qui place au centre de sa réflexion l'existence (le fait qu'une chose ou un être est), par opposition aux philosophies de l'*essence* (ce qui constitue la nature d'une chose ou d'un être indépendamment de son existence). **Sens historique et littéraire**: courant philosophico-littéraire qui accorde à l'existence le primat sur l'essence. On associe le plus souvent l'existentialisme à l'œuvre de Jean-Paul Sartre[*] et à la revue *Les Temps modernes*, qu'il fonde avec le philosophe Merleau-Ponty en 1945. L'existentialisme a connu un immense succès en France de 1943 aux années 1950.

L'unité des philosophies existentialistes

Héritiers de Kierkegaard, Husserl et Heidegger, les existentialistes français, par-delà la diversité extrême des sensibilités – du chrétien Gabriel Marcel au marxiste athée **Jean-Paul Sartre** – présentent quelques traits communs : ils considèrent, selon la formule sartrienne, que « **l'existence précède l'essence** » ; que la philosophie ne peut faire fi de la subjectivité et de l'expérience vécue ; que l'homme est libre et son existence dépourvue de nécessité et de normes.

L'attachement des existentialistes au concret les pousse naturellement vers la littérature, seule production où peut être décrit l'accomplissement de la liberté humaine. C'est ainsi que Gabriel Marcel publie, plutôt qu'un exposé systématique de sa pensée, son *Journal méta-physique* (1928), et se fait dramaturge. Le succès de l'existentialisme a aussi été une mode : elle a conduit à associer Camus*, qui fut un temps l'ami de Sartre, à un mouvement de pensée qui lui était étranger, mais aussi à laisser dans une ombre relative l'œuvre de Merleau-Ponty (*Phénoménologie de la perception*, 1945), qui témoigne d'un existentialisme exigeant, inspiré de Husserl et de Heidegger.

L'existentialisme sartrien

C'est évidemment l'œuvre de Sartre qui a été le plus souvent qualifiée d'existentialiste. Il est le seul à avoir donné, avec *L'Être et le Néant* (1943), un traité systématique de l'existentialisme. L'affirmation de la liberté humaine n'est pas une exaltation souriante de cette liberté, puisqu'elle implique la responsabilité et l'incertitude de l'action dans un monde privé à la fois de Dieu et de valeurs morales. La **liberté** est le fardeau de l'homme, mais aussi bien le définit, même s'il cherche à y échapper, et l'**engagement*** est moins un devoir de l'homme qu'un fait constant de son existence : pris dans l'Histoire, l'homme ne peut se dérober à elle et Sartre, dans une trilogie romanesque inachevée, s'efforcera de décrire ces *Chemins de la liberté* (1945-1949).

C'est bien dans la **fiction** que s'épanouit la réflexion existentialiste, tant dans les romans de Simone de Beauvoir* qui poursuit une longue analyse des problèmes liés à l'altérité (*L'Invitée*, 1943), que dans le « théâtre de situations » de Sartre : *Huis clos* (1944) tente une phénoménologie en acte des rapports entre les êtres (« l'enfer, c'est les autres »). *La Nausée* (1938) évoque sur un mode fictionnel la découverte de l'angoisse et de la contingence du monde.

L'influence de l'existentialisme

L'influence de l'existentialisme a été à la fois **profonde et diffuse** : sans être une école constituée, la littérature existentialiste a donné le ton à de nombreux mouvements de l'après-guerre, tels que le **Nouveau Roman*** et le **théâtre de l'absurde***. En tant qu'humanisme* (Sartre, *L'existentialisme est un humanisme*, 1946), le mouvement s'est essoufflé à partir des années 1960, avec le développement du structuralisme* et des sciences humaines.

→ **absurde, Beauvoir (Simone de), Nouveau Roman, Sartre**

exorde

n. m. Du latin *exordium*, de *exordiri*, « commencer ». Dans la rhétorique antique, l'exorde est la première partie d'un discours. Il relève de la partie de la rhétorique appelée *dispositio*.

Fonctions et caractéristiques de l'exorde

Ouvrant le discours, l'exorde a pour fonction de **susciter la bienveillance de l'auditoire** (*captatio benevolentiæ*), d'**exposer le sujet** du discours et éventuellement le plan qui va être suivi. L'exorde est suivi de la *narration**, qui expose les faits, et de la *confirmation* qui développe les arguments pour et contre. La *péroraison** conclut le discours.

À l'époque classique, l'exorde est la première des trois parties qui composent l'**oraison funèbre*** ou le **sermon***. Dans la mesure où de nombreuses tirades* de la tragédie classique relèvent du discours rhétorique (judiciaire, délibératif ou épidictique), elles débutent fréquemment par un exorde. Lorsque Cinna rapporte à Émilie le discours qu'il a tenu aux conjurés pour les convaincre d'assassiner Auguste, il rapporte au style direct son exorde, puis résume sa narration : « [*Exorde*] Amis, leur ai-je dit, voici le jour heureux/Qui doit conclure enfin nos desseins généreux :/Le ciel entre nos mains a mis le sort de Rome,/Et son salut dépend de la perte d'un homme […] »/ [*Narration*] Là, par un long récit de toutes les misères […]/Je redouble en leurs cœurs l'ardeur de le punir. » (Corneille, *Cinna*, I, 3, v. 163-176.)

L'exorde peut être d'un **style simple ou sublime*** (comme dans les oraisons funèbres de Bossuet*). Il peut emprunter **plusieurs tons** (pathétique* ou didactique*…). Il peut être très court – voire inexistant, ce qui est aussi un moyen de créer un effet – ou très long.

→ **oraison funèbre, oratoire (style), péroraison, rhétorique, sermon**

exotisme

n. m. Du grec *exoticos*, « qui vient de l'étranger ». Évocation, dans un passage ou dans une œuvre entière, des mœurs ou des paysages d'un pays étranger ou lointain ; affirmation d'un goût pour cet ailleurs.

Caractéristiques de l'exotisme

L'exotisme évoque une culture, une nature, une histoire qui ne sont pas le cadre de référence du lecteur. Il suppose l'**éloignement spatial** (l'Orient, l'Amérique pour un public occidental par exemple ; l'Espagne pour un lecteur français du XIXe siècle), **ou temporel** (l'Antiquité).

L'exotisme peut intervenir dans de nombreux genres* (théâtre*, roman*, conte*, poésie*...), voire constituer un genre spécifique (conte oriental au XVIIIe siècle).

L'exotisme au XVIIIe siècle

La **mode des récits de voyages et** la **vogue orientale** née de la traduction en français des *Mille et Une Nuits* par Galland (1704-1717) font de l'exotisme un moyen de séduire le public, que l'objectif soit de le distraire ou de propager des idées neuves et sérieuses.

Les contes et romans libertins prennent souvent comme cadre l'Orient, connu pour sa tradition de raffinement amoureux (*Le Sopha* de Crébillon fils).

Les philosophes des Lumières* utilisent l'exotisme dans différentes intentions : **vulgariser leurs idées** sous des formes plaisantes ; **déjouer la censure*** en masquant une critique de la société française sous des habits étrangers (*Zadig* de Voltaire*) ; recourir au regard d'un étranger pour dénoncer les travers de la société française (*Lettres persanes* de Montesquieu*, *L'Ingénu* de Voltaire) ; proposer un système plus juste et plus moral, incarné par une autre civilisation, souvent idéalisée (la Chine dans *La Princesse de Babylone* de Voltaire).

L'exotisme caractérise également le **mythe du bon sauvage*** (*Supplément au Voyage de Bougainville* de Diderot*).

L'exotisme chez les romantiques

L'apparition du **sentiment de la nature** au XVIIIe siècle et le fait que de plus en plus d'écrivains **voyagent**, font de l'exotisme une source de sensations, de descriptions*, de lyrisme*, de méditations sur l'Histoire, ou sur la présence de Dieu dans la beauté des paysages. Cette voie, ouverte avec succès par Bernardin de Saint-Pierre* dans *Paul et Virginie* pour l'île Maurice, est bientôt suivie par les romantiques : Chateaubriand* évoque les mœurs des Indiens et les sites grandioses de l'Amérique (*Atala, Les Natchez*), Lamartine* puis Nerval* publient un récit de leur voyage en Orient. Chez d'autres, cependant, l'exotisme est **pure invention de l'imagination** (*Les Orientales* de Hugo*, *Contes d'Espagne et d'Italie* de Musset*).

Réalisme et poésie

Après le romantisme*, l'exotisme suit deux directions principales.
1. Le **roman réaliste** reconstitue avec précision les mondes lointains (*Salammbô* de Flaubert* pour Carthage). Pierre Loti* qui, par son métier de marin, bénéficie d'une riche expérience concrète, crée au tournant du siècle une véritable vogue de l'exotisme par ses romans, composés d'une intrigue amoureuse ancrée dans un cadre pittoresque (Islande, Tahiti, Japon).
2. Les **poètes** (Leconte de Lisle*, José-Maria de Heredia*, Baudelaire*, Mallarmé*), en revanche, s'approprient l'exotisme, vécu ou rêvé, pour y projeter, dans une langue travaillée et avec des images raffinées, leur **nostalgie d'un paradis perdu**, leur aspiration à un idéal inaccessible de perfection et de beauté. Avec Rimbaud*, l'exotisme devient un moyen d'explorer le monde de l'inconscient et du rêve.

→ **bon sauvage, couleur locale, Flaubert, Loti, romantisme**

exposition

n. f. Du latin *exponere*, « mettre en vue ».
Partie initiale d'une pièce de théâtre où sont présentés les personnages* et l'intrigue*.
Faite par le chœur dans le théâtre antique – tradition reprise avec des variantes dans certaines œuvres de Claudel* comme *Le Soulier de satin*, où l'Annoncier représente une sorte de coryphée –, l'exposition met en scène certains personnages de la pièce.

Fonctions de l'exposition

La scène d'exposition sert à donner au spectateur un certain nombre de **renseignements indispensables à la compréhension de la pièce et à l'informer sur l'identité des personnages**. À travers une situation d'énonciation complexe, dans laquelle les personnages parlent entre eux mais aussi comme destinataire le public, celui-ci est informé sur eux (identité, statut, rôle...), sur le lieu et le temps de l'action, sur la situation et la façon dont cette situation s'inscrit dans une histoire préexistante.
L'exposition donne corollairement des indications sur le genre" – tragique", comique", pathétique*... – et sur le registre de langue.
L'intérêt de l'exposition est de **créer une attente** chez le spectateur et, par là, de l'intéresser au déroulement de l'action.

→ **action, intrigue**

fable

n. f. Du latin *fabula*, « propos, récit ». **Sens strict**: apologue*, court récit en vers ou en prose utilisant l'allégorie* animale à des fins didactiques et morales. **Sens large**: on appelle fable tout récit de faits imaginaires, toute fiction, d'où son emploi (abandonné aujourd'hui) pour désigner l'action, l'intrigue dans une pièce de théâtre. **Autre sens**: au xviie siècle, la Fable (avec une majuscule) désigne l'ensemble de la mythologie gréco-latine.

Fable et récit

Lorsqu'on parle de fable, on se concentre sur l'expansion et le fonctionnement du récit* dans l'apologue, on tend à privilégier les caractéristiques narratives du genre par rapport à sa vocation morale. Or, la **distinction du récit et de la moralité**, si elle est aisée à faire dans les courts textes en prose du Grec Ésope (vie siècle av. J.-C.) ou du Romain Phèdre (ier siècle), devient extrêmement délicate chez un fabuliste comme La Fontaine*. Entre-temps, les fables de Marie de France* (xiie siècle) et autres ysopets et fabliaux* médiévaux, sont à ranger aux côtés des descendants de l'apologue que sont l'*exemplum* ou l'emblème, et peuvent être distingués des formes où le récit s'est affranchi, comme dans le *Roman de Renart** ou le *Roman de Fauvel*.

L'allégorie animale

La fable intègre un récit qui relève le plus souvent de l'allégorie animale. Les **contes animaliers**, plus libres que la fable, et qui vont jusqu'à la satire*, ont une longue histoire, depuis les contes indiens, amérindiens, africains ou européens des origines en passant par les contes de Grimm ou d'Andersen. Ils montrent combien l'allégorie animale est riche en motifs narratifs qui tirent leur force de leur simplicité : affrontements, esquives, dévoration, prédation.

Le **sens figuré** de l'allégorie apparaît sans cesse en **contrepoint du sens littéral** : c'est une société, avec ses ingratitudes et son arbitraire, qui nous est peinte. Et lorsque l'homme apparaît dans le conte, il donne une dimension supplémentaire à l'allégorie animale, puisqu'il est à la fois parmi les bêtes et représenté en eux. Mais le recours même à l'allégorie animale, qui implique la peinture des forts opposés aux faibles, influe sur le contenu de la moralité des fables, qui tend à exprimer un humble voire un cynique savoir-survivre.

La fable a ses limites

Cette conclusion ne vaut pas pour les *Fables* de **La Fontaine** (publ. 1668, 1678, 1693), car c'est un véritable **savoir-vivre** qu'elles prônent, nourri d'épicurisme* et teinté de jansénisme*. Surtout, les *Fables* de la Fontaine rompent avec la logique narrative du seul conte animalier : en décalant parfois la moralité par rapport au conte, elles **restaurent la dualité formelle de l'apologue** et questionnent la relation du conte et de la moralité que l'allégorie animale avait rendue trop transitive. La narration* retrouve un nouvel élan alors même que la fable est versifiée.

Enfin, l'importance acquise par le discours direct des protagonistes culmine bientôt dans l'usage d'un *je* dont on ne saura jamais s'il relève de coquetteries de conteur ou de l'élégie* la plus sincère. Arrivée à ce point, la fable a transcendé le conte animalier : c'est là son apogée. Mais les ressources du genre permettront encore de le pratiquer tel un jeu littéraire, comme l'ont fait Prévert* ou Queneau*.

→ **allégorie, apologue, conte populaire, épicurisme, fabliau, La Fontaine, parabole, syllepse**

fabliau

n. m. Forme picarde de l'ancien français* *fableau, fablel*; de *fable*. **Sens strict**: court récit de deux cents à cinq cents vers octosyllabiques à rime plate, de ton comique, voire satirique, genre pratiqué du début du XIIe siècle au milieu du XIIIe siècle.

Origine et définition
Le fabliau n'est pas un genre très défini : les conteurs le désigneront tantôt comme un **lai** ou un **dit**, ou encore comme une **fable***, un **conte***. La longueur même des fabliaux est très inégale.

Mis à part Jean Bodel (mort en 1210) qui, comme Rutebeuf* (XIIIe siècle), a pratiqué ce genre concurremment à d'autres, on peut nommer, parmi les auteurs de fabliaux, souvent anonymes, Guillaume Le Normand (*Le Prêtre et Alison*), Eustache d'Amiens (*Le Boucher d'Abbeville*) ou encore Cortebarbe (*Les Trois Aveugles de Compiègne*). En fait, la diversité sociale même de ces jongleurs invite à penser que leur public était varié et que le fabliau lui était adaptable, en particulier qu'on en pouvait changer les personnages.

Raconter « un bon tour »
Le fabliau est un **conte pour rire** dont la structure est des plus simples. La narration* est linéaire et le motif narratif, souvent réduit à quelque renversement de situation, est principalement celui de la rixe ou de la tromperie : vol, dol, adultère… Les personnages sont peu nombreux et fortement caractérisés : le mari est fréquemment un benêt, sa femme est une rusée, les marchands sont nécessairement riches et les prêtres très enclins aux plaisirs terrestres. Ainsi le fabliau est-il l'occasion d'une **satire*** de la société du temps.
Le **ton** est **burlesque***, la **thématique** principalement **grivoise**, et lorsque le fabliau n'entre pas dans cette catégorie, il raconte néanmoins toujours un bon tour.

La moralité
Les fabliaux illustrent une moralité et ressemblent en cela aux *exempla* auxquels recourent à la même époque les prêtres en chaire, ou encore aux ysopets, descendants de la fable ésopique.
La moralité est assez lourdement formulée et, loin d'être orthodoxe, semble moquer encore le personnage trompé. Le fabliau demeure donc dans le **registre prosaïque et le style bas**. Le genre a une descendance : on retrouvera cette veine gauloise et cette vivacité narrative chez Marguerite de Navarre* (*Heptaméron*), Marot* ou La Fontaine* (*Contes*).

→ **burlesque, conte, fable, farce, satire**

fantastique

adj. et n. m. Du grec *phantastikos*, « relatif à l'imagination ». **Sens commun**: le mot «fantastique» désigne ce qui est créé par l'imagination, ce qui n'existe pas dans la réalité. **Genre littéraire**: forme artistique faisant intervenir des éléments surnaturels dans le monde quotidien. Pour Tzetan Todorov (*Initiation à la littérature fantastique*, 1970), «le fantastique, c'est l'hésitation éprouvée par un être qui ne connaît que les lois naturelles face à un événement en apparence surnaturel».

L'essor du fantastique
Si on trouve déjà des éléments de fantastique dans la littérature de l'Antiquité et du Moyen Âge, c'est au XVIIIe siècle que peut être située la **naissance du genre**. Parallèlement à la philosophie des Lumières* se développe en effet en France un goût passionné pour l'irrationnel (illuminisme*, spiritisme, ésotérisme, occultisme*) et *Le Diable amoureux*, de Jacques Cazotte*, qui paraît en 1772, peut être considéré comme le premier grand roman fantastique français.
Le **roman noir anglais**, imprégné de macabre (*Le Moine*, de Lewis, 1796), le **romantisme allemand** (*Faust*, de Goethe, 1808) et surtout l'œuvre de **Hoffmann** (*L'Homme au sable*, 1815) lancent la vogue du fantastique qui va persister tout au long du XIXe siècle – à côté du romantisme*, du réalisme* ou du naturalisme* – et qui exprime, selon Roger Caillois, « la tension entre ce que l'homme peut et ce qu'il souhaiterait pouvoir ».

Le fantastique en France

Au xixᵉ siècle, présent chez les **romanciers** (Balzac*, *La Peau de chagrin*) mais se rencontrant surtout chez les **conteurs** (Nodier*, Mérimée*, Maupassant*, Villiers de l'Isle Adam*…), le fantastique met en scène des personnages et des situations souvent ordinaires. L'événement fantastique crée une **rupture dans les lois naturelles**, et provoque chez celui qu'il touche hésitations et interrogations. L'auteur lui-même peut hésiter entre le rationnel et le fantastique : ainsi, il est significatif que la première version du *Horla* de Maupassant se soit appelée *Journal d'un fou*.

Au xxᵉ siècle, la vogue du fantastique persiste. Chez **Marcel Aymé***, il se joint à l'onirisme et au surréalisme* (*Le Passemuraille*, 1943). Les peintres surréalistes (Tanguy) renouvellent le genre, et des auteurs comme **Breton*** (*Nadja*) ou **Aragon*** (*Le Paysan de Paris*) suggèrent que le fantastique est partout, dans le quotidien comme dans les rues des villes. Le **cinéma**, enfin, donne aux thèmes fantastiques un éclat nouveau : ainsi, le personnage du roman de Bram Stoker, *Dracula* (1897), va devenir l'un des mythes les plus populaires du xxᵉ siècle.

Les caractéristiques du fantastique

Le **cadre** du récit fantastique est souvent **inquiétant** – le château isolé un soir d'orage, du conte de Nodier *Iñes de las Sierras* –, parfois exotique comme la Lituanie dans *Lokis* de Mérimée, mais il peut aussi être un lieu très ordinaire comme le jardin du *Horla* de Maupassant.

Les personnages peuvent se trouver affaiblis : ainsi, une longue marche a épuisé le héros de *La Cafetière* de Théophile Gautier*.

Les **événements** relèvent de l'**ordre magique** et appartiennent à un **monde inversé** : les morts et les objets s'animent (Gautier, *La Morte amoureuse*, *La Cafetière*), les êtres et la matière sont doués de pouvoirs magiques (la peau de chagrin dans le roman éponyme de Balzac), à la suite de pactes passés avec le diable. Les récits fantastiques se terminent généralement par « un événement sinistre qui provoque la mort, la damnation ou la disparition du héros » (R. Caillois, *Images, images…*).

L'**écriture** « fantastique » met en évidence l'**oscillation** permanente **entre le surnaturel et le réel**. L'incertitude est renforcée par la narration* : le narrateur, qui parle à la première personne, est la première victime du doute qu'il communique à son lecteur. Les nombreuses figures de style (personnifications*, images…) traduisent la superposition des deux univers, le naturel et le surnaturel, et ajoutent à l'hésitation.

→ **Aymé, Balzac, Cazotte, conte, Gautier, Maupassant, Mercier, merveilleux, Nodier**

farce

n. f. Du latin *farcire*, « remplir, farcir ».
Sens strict : intermède comique dont on « farcissait » la représentation des mystères au Moyen Âge pour faire rire le public.
Sens élargi : à partir du xvᵉ siècle, toute courte pièce d'un comique bas et grossier (*La Jalousie du Barbouillé* de Molière*). Désigne ensuite l'utilisation d'éléments du comique* farcesque à l'intérieur d'une pièce plus complexe : Molière intègre des scènes de farce dans ses grandes comédies* (*L'École des femmes*).

Rappel historique

La farce remonte à la plus haute Antiquité, puisque certaines caractéristiques de cette forme de comique se retrouvent en **Grèce** dans les comédies d'Aristophane (vᵉ siècle av. J.-C.) et, à **Rome**, dans les pièces de Plaute (iiᵉ siècle av. J.-C.), ainsi que dans les *atellanes*, forme théâtrale populaire de la région de Naples (iᵉʳ siècle av. J.-C.).

En **France**, la farce alimente le répertoire comique des xvᵉ et xviᵉ siècles, sous la forme de courtes pièces en vers (de 300 à 500) destinées uniquement à faire rire. *La Farce de Maître Pathelin* (vers 1465), avec ses 1 600 vers, est la plus longue qui nous soit parvenue.

Au xviiᵉ siècle, revivifiée par l'influence de la commedia dell'arte* qui a recours aux mêmes schémas – et même si les érudits la méprisent –, la farce reste très appréciée et des acteurs comme Tabarin ou Gros-Guillaume obtiennent un franc succès auprès du public populaire. Après Molière, dont presque toutes les **comédies** empruntent aux ressorts de la farce, Beaumarchais*, au siècle suivant, utilisera dans les siennes travestissements et quiproquos*.

Si, à partir du xixᵉ siècle, les procédés farcesques se retrouvent dans la **comédie de boulevard** et le **vaudeville*** – notamment la caricature chez Courteline* –, l'action ne se situe plus dans les milieux populaires.

Au xxᵉ siècle, la farce réapparaît dans le théâtre de **Jarry*** puis de **Jules Romains*** et, à partir des années 1950, chez des écrivains comme **Ionesco*** et **Beckett***.

Personnages et thèmes de la farce

Les **personnages**[*] de la farce, dénués de complexité et d'individualité, sont **figés dans un type** : le mari trompé, la femme infidèle et rusée, le valet stupide, le marchand voleur, le moine paillard, etc., et n'ont généralement pas de nom propre. L'**intrigue**[*], très schématique, joue essentiellement sur l'opposition entre la bêtise et la ruse, laquelle finit par triompher. L'**action** est généralement fondée sur une **double tromperie** et sur un renversement de situation inespéré : ainsi, dans *La Farce de Maître Pathelin*, l'avocat est pris à sa propre ruse et le piège qu'il a mis au point se referme sur lui.

Les **thèmes de la farce** appartiennent à la **vie quotidienne** : disputes et problèmes conjugaux, la femme étant généralement rusée et retorse ; poncifs touchant certains métiers et fonctions : gens de justice, marchands, prêtres (la farce mêlant dans ce cas profane et sacré). Lorsque, avec Molière, la farce se trouve intégrée dans la comédie, elle met surtout aux prises les **personnages** populaires, valets et servantes chez Molière (par exemple Alain et Georgette dans *L'École des femmes*), juges chez Beaumarchais (Brid'Oison dans *Le Mariage de Figaro*[*]).

Ressorts du comique farcesque

La farce médiévale, destinée à faire rire, utilise tous les ressorts du **comique** le moins nuancé et le plus **grossier** : coups de bâton, bons tours joués aux benêts, déguisements – tous procédés que l'on retrouvera chez Molière et Beaumarchais. Les situations exploitent largement les ressources du quiproquo[*] et sont parfois franchement scatologiques.

La farce met en œuvre tous les langages comiques : insultes, cris, onomatopées, jargons, dialectes (on en trouve trace dans le « patois » des paysans de Molière), obscénités.

→ **Beaumarchais, comédie, comique, commedia dell'arte, Courteline, Feydeau, Molière, quiproquo**

Faust

Originaire d'Allemagne du Sud, la légende du docteur Faust, savant ayant acquis des pouvoirs occultes en pactisant avec le diable, hante depuis le XVIe siècle l'imaginaire occidental.

Faust, de la tentation à la damnation

Faust, dans la tradition populaire de la Renaissance, est l'homme damné pour ses prétentions à la connaissance et sa vie d'aventures et de plaisirs. Les aspirations du personnage gagnent en complexité dans les drames de **Goethe** (*Faust I*, 1808 et *Faust II*, 1832) et illustrent le déchirement de l'homme entre son aspiration à l'infini et sa conscience désenchantée d'une vie incomplète. Le pacte diabolique conclu avec Méphistophélès, l'« esprit qui toujours nie », est une façon pour Faust d'affirmer sa révolte. La séduction d'une jeune femme, Marguerite, par le héros rajeuni grâce à l'intervention du Malin, symbolise l'**ambiguïté du mythe** : Faust est partagé entre l'aspiration à la pureté et à la jeunesse incarnées par Marguerite, et la démesure représentée par Méphisto. D'un côté les nobles élans de l'âme, de l'autre les désirs immédiats. D'un côté la claire raison, de l'autre la folle passion. Rêveur de l'impossible, Faust tente de concilier les extrêmes : « Je veux entasser sur mon cœur tout le bien et tout le mal. »

Un mythe fécond

L'influence du *Faust* de Goethe sur la génération romantique est considérable : Nerval[*] le traduit en français en 1828, Balzac[*] s'en inspire dans *La Peau de chagrin* (1831) ou *La Recherche de l'absolu* (1834). Berlioz, Gounod et Liszt en donnent des versions musicales. À l'homme du XXe siècle, soucieux d'affirmer sa liberté mais inquiet de sa propre puissance, le mythe de Faust offre un miroir privilégié. Paul Valéry[*] lui consacre, en 1945, une comédie amère où Faust est un « grand seigneur de l'esprit » atteint par l'ennui de vivre. Ainsi, l'« homme faustien » de notre temps n'est ni le personnage sulfureux, fantastique et inquiétant, apparu à la Renaissance, ni le rêveur romantique, rebelle orgueilleux et orphelin de l'infini : traversant un siècle de bruit et de fureur, il incarne désormais le doute rongeur d'une « âme ivre de néant sur les rives du rien » (P. Valéry, *Mon Faust*).

→ **fantastique, mythe, romantisme**

Fénelon,
1651-1715

ŒUVRES PRINCIPALES

- *Traité de l'éducation des filles* (1687), *Explication des maximes des saints* (1697), *Lettre à l'Académie* (1714).
- **Roman**: *Les Aventures de Télémaque* (1699).

Un pédagogue humaniste

L'œuvre littéraire de Fénelon est celle d'un pédagogue humaniste. C'est en vue d'instruire en l'amusant le duc de Bourgogne qu'il rédige ses *Fables*, ses *Dialogues des morts* (1700) à la manière de Lucien et surtout **Les Aventures de Télémaque** auxquelles il doit sa gloire littéraire.

Ce roman[*] se présente comme la suite du livre IV de *l'Odyssée* d'Homère : le récit des aventures de Télémaque, le fils d'Ulysse, parti à la recherche de son père sous la protection de Mentor (qui est en réalité la déesse Athéna), est l'occasion de transmettre des **leçons** de mythologie ainsi que de **morale et de politique**. Qu'il s'agisse de l'évocation utopique du royaume de la Bétique (livre VII), image de l'âge d'or, ou des réformes décidées par Mentor dans le royaume de Salente (livre X), on retrouve un même **idéal de simplicité rustique**, de **modération et** de **vertu**, inspiré autant de la sagesse antique que de la morale évangélique.

L'esthétique de Fénelon

Dès ses *Dialogues sur l'éloquence* (rédigés vers 1679), Fénelon défend un idéal de simplicité, de naturel et de douceur auquel il restera fidèle dans sa *Lettre à l'Académie*. L'importance qu'il accorde à l'**émotion**, signe de la véritable éloquence[*], se traduit dans le *Télémaque* par la présence de scènes pathétiques (les larmes du héros sont un motif récurrent), mises en valeur par une **prose poétique** qui annonce celle de Rousseau[*].

Un précurseur des Lumières[*] ?

L'auteur du *Télémaque* a été reconnu par les philosophes comme un de leurs précurseurs. Pourtant, ainsi qu'il s'en justifie dans une lettre au Père Le Tellier en 1710, Fénelon n'a nullement eu le dessein d'y faire « des portraits satiriques et insolents ». Loin d'être un roman de contestation politique, le *Télémaque* est bien plutôt l'œuvre d'un réformateur réactionnaire (au sens propre de ce terme) qui ne dénonce les excès de l'absolutisme que pour mieux en asseoir la légitimité.

CITATION

- **Contre le luxe**

« Toute une nation s'accoutume à regarder comme les nécessités de la vie les choses les plus superflues : ce sont tous les jours de nouvelles nécessités qu'on invente, et on ne peut plus se passer des choses qu'on ne connaissait point trente ans auparavant. » (*Télémaque*, livre VII)

REPÈRES BIOGRAPHIQUES

➡ Issu d'une grande famille périgourdine ruinée, François de Salignac de La Mothe Fénelon entre au séminaire de Saint-Sulpice en 1672 et est ordonné prêtre en 1675. L'amitié de Bossuet[*] lui vaut de rencontrer Mme de Maintenon et d'être nommé précepteur du duc de Bourgogne, petit-fils de Louis XIV, en 1689, puis archevêque de Cambrai en 1695.

➡ Son soutien à Mme Guyon et à sa doctrine quiétiste du « pur amour », qui se traduit en 1697 par la parution de son *Explication des maximes des saints sur la vie intérieure*, suscite l'opposition véhémente de Bossuet, qui obtient la condamnation des *Maximes* par Innocent XII en 1699. Peu après cette condamnation, la publication, sans son aveu, du *Télémaque* – dans lequel Louis XIV voit une critique de l'absolutisme – ajoute à sa disgrâce. Exilé dans son diocèse de Cambrai, Fénelon ne reparaît plus à la cour. La mort du duc de Bourgogne en 1712 ruine tout espoir de retour en grâce.

➡ Cependant, Fénelon bénéficie d'une puissante autorité morale et intellectuelle sur ses pairs de l'Académie française[*] (où il est élu en 1693) : elle donne tout son poids à son intervention modérée dans la Querelle des Anciens et des Modernes[*], par l'intermédiaire de sa *Lettre à l'Académie*.

➡ **Anciens et Modernes (Querelle des), Bossuet, Lumières, Rousseau, utopie**

feuilleton

n. m. Dérivé de *feuillet*. **Sens strict**: à l'origine, le feuilleton est un article de critique littéraire et artistique inséré en bas de page d'un journal, sous un filet; il désigne ensuite le fragment romanesque publié quotidiennement à cette même place. **Sens large**: aujourd'hui, ce terme évoque toute histoire, écrite ou filmée, narrée par épisodes.

Un genre populaire

Dès l'origine, le roman-feuilleton est lié à la **production de masse**. Il naît en 1836, lorsqu'Émile de Girardin fonde *la Presse*, journal dans lequel il publie le premier **roman-feuilleton**, espèrant par ce biais multiplier le nombre d'abonnés et diminuer le coût de l'abonnement, assez onéreux.

Si le public réserve un triomphe au roman-feuilleton, les critiques, eux, se montrent sévères : ils lui reprochent d'être une « littérature industrielle » sacrifiant l'esthétique à l'émotion. Car le roman-feuilleton se moque de la vraisemblance*, des répétitions : il faut **tenir le lecteur en haleine et jouer avec sa sensibilité**. Aussi l'action l'emporte-t-elle sur la description*, et obstacles, rebondissements, coups de théâtre*, effets spectaculaires abondent avant la victoire finale du héros*. Sous la IIIe République, le principal ressort du roman-feuilleton est le recours à la compassion et à l'attendrissement : il se rapproche alors du mélodrame*. Populaire, il l'est aussi par ses personnages : pour la première fois, **les bas-fonds et le peuple** deviennent **objets de littérature**.

Un succès foudroyant au XIXe siècle

Dès ses débuts, le roman-feuilleton connaît un vif succès : *Les Mystères de Paris* (1842-1843), d'**Eugène Sue***, enflamment le public et déchaînent les passions politiques. Malgré le rejet de la critique, il suscite un engouement croissant et prend si bien sa place dans tous les journaux – quelle que soit leur couleur politique – qu'une nouvelle presse voit le jour : les journaux-romans.

Bientôt, le feuilleton devient le **mode de publication privilégié des romans** auquel tous les écrivains du XIXe siècle sacrifient, même les plus réticents, comme Zola*. Balzac*, le premier, en 1836, publie un roman en feuilleton, *La Vieille Fille*, bientôt suivi par Sue et Dumas*, longtemps maître du genre. Paul Féval, Ponson du Terrail (*Rocambole*), Émile Gaboriau, le père de l'actuel roman policier, Xavier de Montépin (*La Porteuse de pain*), Jules Mary (*Le Docteur Rouge*), Émile Richebourg (*L'Enfant du faubourg*) font également les délices du public.

Un genre toujours vivant

Au début du XXe siècle, Maurice Leblanc (*Arsène Lupin*), Gaston Leroux (*Rouletabille*), Michel Zevaco (*Pardaillan*) prennent le relais avec bonheur. Mais l'évolution du roman-feuilleton est liée à celle de la société et au développement de la presse. Aussi, à partir des années 1950, avec la concurrence de la bande dessinée, du cinéma, de la radio et de la télévision, perd-il sa spécificité propre et sa production diminue-t-elle. Sa vogue perdure néanmoins sous une autre forme : celle de l'**adaptation télévisée ou cinématographique**, en épisodes, de ses succès les plus populaires.

→ **chronique, mélodrame, récit, roman**

Feydeau
(Georges), 1862-1921

ŒUVRES PRINCIPALES
• **Vaudevilles**: *Monsieur chasse* (1892), *Un fil à la patte* (1894), *La Dame de chez Maxim's* (1899), *La Puce à l'oreille* (1907), *Occupe-toi d'Amélie* (1908), *Feu la mère de Madame* (1908), *Mais n'te promène donc pas toute nue!* (1912).

Des « mécaniques » efficaces

Les pièces de Feydeau sont essentiellement des **vaudevilles***, c'est-à-dire des comédies* qui mettent en scène des personnages plutôt caricaturaux, appartenant surtout à la bourgeoisie. Elles donnent de celle-ci une peinture burlesque* en évoquant ses problèmes d'argent, de famille (*Feu la mère de Madame*), de mœurs (l'adultère dans *L'Hôtel du Libre Échange*, 1894).

Si les thèmes sont répétitifs, les intrigues* sont variées et emmêlées à plaisir pour ménager surprises, quiproquos*, rebondissements, éclats de rire. La principale invention de Feydeau réside précisément dans la mécanique efficace de ses pièces, dans la rapidité de leurs enchaînements, dans la logique implacable autant qu'absurde des événements.

CITATION
« Feydeau était un grand comique. Le plus grand après Molière... [Ses] pièces ont la progression, la force et la violence des tragédies. Elles en ont l'inéluctable fatalité. Devant les tragédies, on étouffe d'horreur. Devant Feydeau, on étouffe de rire. » (Marcel Achard)

REPÈRES BIOGRAPHIQUES

➜ Fils de l'écrivain Ernest Feydeau (1821-1873), Georges Feydeau se consacre rapidement à l'écriture de pièces légères mais doit attendre 1892 pour obtenir un plein succès avec *Monsieur chasse*.

➜ Il est, avec Labiche* et Courteline*, le maître du vaudeville*. Ses pièces, très populaires à la fin du xixe siècle et au début du suivant, font toujours les beaux jours du théâtre de boulevard et figurent désormais, pour certaines d'entre elles, au répertoire de la Comédie-Française.

→ **Courteline, Labiche, vaudeville**

figures

n. f. Du latin *figura*, « forme façonnée ». Procédés stylistiques qui, en s'écartant du langage ordinaire, « façonnent » le discours pour produire des effets de sens et une plus grande expressivité. La rhétorique classique voyait dans les figures des « tours de mots et de pensées qui animent et ornent le discours » (Dumarsais).

Figures de rhétorique : des genres du discours aux autres genres

Le mot **figures** s'emploie aujourd'hui en concurrence avec les expressions plus usuelles de « **figures de style** » ou « **figures de rhétorique** », ou encore « figures du discours » (titre du traité de P. Fontanier, 1821). Ces désignations elles-mêmes se distinguent dans leur emploi, selon que l'on met l'accent sur la fonction persuasive des figures dans le discours (« figures de rhétorique ») ou sur leurs qualités esthétiques (« figures stylistiques »).

Historiquement, les figures sont **liées à la rhétorique** dont elles forment l'une des cinq parties, l'*elocutio*, qui utilise le style et les ornements du discours pour persuader. Mais **elles débordent ce cadre**, étant abondamment représentées dans le champ littéraire, bien au-delà de toute visée persuasive. Elles irriguent tous les genres, même si on les voit le plus souvent associées à la création poétique. En vérité, les figures sont à l'œuvre partout. Au xviiie siècle Dumarsais faisait déjà remarquer que le langage populaire, par exemple, contient certainement plus de figures qu'aucun autre.

Les principales figures

Les **figures de mots** portent sur le **signifiant***, jouant sur l'aspect formel (néologisme, dériva-

tion, archaïsme…) ou sur la matière sonore du mot (assonance*, paronomase, allitération*, calembour*…).

Les **figures de sens** (« tropes* » dans la rhétorique classique) portent sur le **signifié***. Elles consistent le plus souvent en un transfert de sens, un sens figuré venant se substituer ou plus exactement se superposer au sens propre. Ce sont la métaphore*, la métonymie*, la synecdoque*…

Les **figures de construction** portent sur la **syntaxe**. Ce sont les figures de symétrie (antithèse*, chiasme*…), de répétition (anaphore*, anadiplose…) et celles qui perturbent l'ordre grammatical de la phrase (asyndète, ellipse*, anacoluthe…).

Les **figures de pensée** portent sur l'**énonciation*** et l'organisation du discours. Elles ressemblent les différentes manières de présenter sa pensée. Ce sont l'ironie*, l'antiphrase*, le paradoxe* ; la prétérition*, l'interrogation rhétorique* ; l'hypotypose*…

Classer les figures

Le regroupement établi ci-dessus, même s'il est aujourd'hui largement admis, ne représente qu'une des classifications possibles des figures. Un système différent, qui prévaut dans l'usage scolaire, organise les figures en **figures par analogie** (métaphore, comparaison, allégorie*…), figures **par substitution** (métonymie…), figures **d'opposition** (antithèse, oxymore*…), figures **d'amplification** (hyperbole*, gradation*…) **ou d'atténuation** (litote*, euphémisme*…).

La linguistique moderne défend une autre typologie en distinguant les **figures microstructurales**, qui affectent un élément précis du discours pouvant être facilement isolé, et les **figures macrostructurales**, qui dépassent les limites de la phrase et dépendent d'un contexte envisagé globalement.

Certains linguistes proposent d'autres types d'organisations qui permettraient de combiner différents critères : la nature de la figure, les conditions de son apparition dans le discours et l'effet qu'elle produit.

Cependant, de toutes les recherches sur la classification, il ressort une même exigence : dépasser la simple approche descriptive des figures, pour prendre en compte le contexte dans lequel elles apparaissent et les effets de leur réception.

→ **analogie, éloquence, lyrisme, poésie, rhétorique, sens propre et sens figuré, oratoire (style)**

Flaubert
(Gustave), 1821-1880

ŒUVRES PRINCIPALES
- «**Autobiographie romancée**»: *Mémoires d'un fou* (1838).
- **Romans**: *Novembre* (1842), *Madame Bovary* (1855), *Salammbô* (1862), *L'Éducation sentimentale* (1re version, 1845; 2e version, 1869), *La Tentation de saint Antoine* (3 versions: 1849, 1856, 1873), *Bouvard et Pécuchet* (posth. 1884).
- **Contes**: *Trois Contes* (1877).
- *Correspondance* (publ. posth.).

Flaubert et le romantisme

Flaubert se reconnaissait lui-même, sur le plan littéraire, un **double visage** : d'un côté la tentation passionnée du **romantisme***, de l'autre un souci acharné du **réalisme***.

Ses premiers essais littéraires sont nettement romantiques : par leur forme : contes et récits ; par leurs thèmes : le fantastique, l'exotisme* et surtout la mort ; par l'écriture, souvent lyrique et exaltée. De façon récurrente, dans les trois versions de *La Tentation de saint Antoine* (1849, 1856, 1873), Flaubert laisse libre cours à son imagination. *Salammbô*, plus qu'une reconstitution historique de la Carthage du temps d'Hamilcar, est un grand récit épique, somptueux et violent, où le romancier s'abandonne à son goût pour l'exotisme*. Dans les *Trois Contes* (1877), *La Légende de saint Julien l'Hospitalier* et *Hérodias* évoquent des temps et des lieux lointains.

En outre, toute l'œuvre flaubertienne est parcourue par le **désenchantement**, thème éminemment romantique.

Flaubert et le réalisme

Le second visage de Flaubert, c'est celui de l'écrivain réaliste, soucieux de « **fouill [er] le vrai**». De fait, la thématique de ses romans – peinture de la vie de province, de la société parisienne, du mariage, de l'argent, de l'apprentissage de la vie, de l'amour –, son exigence d'objectivité et de fidélité au réel situent Flaubert dans la **lignée** des écrivains réalistes, **de Balzac** en particulier.

Pour ne rien laisser au hasard, il passe des heures à rechercher et à dépouiller une énorme documentation : « La littérature prendra de plus en plus les allures de la science, elle sera surtout *exposante* », écrit-il dans une lettre à Louise Collet. La **description*** devient **proliférante** et se substitue aux éléments proprement romanesques, à l'intrigue.

Cependant, plus encore que ne le fait la narration réaliste traditionnelle, c'est son imagination et son émotion que l'auteur de *Madame Bovary* tient à distance : le romancier devient un **observateur impassible**, détaché de l'univers qu'il peint. Car ce qui importe pour Flaubert est moins la représentation de cet univers que le **regard ironique** qu'il porte sur lui.

Ironie et romans de l'échec

L'ironie*, qui permet au romancier de se détacher de l'univers qu'il crée, est liée au pessimisme fondamental de Flaubert. L'**échec** est le **thème central de tous ses romans**. Si, dans *Madame Bovary*, malgré le ridicule de ses rêves romantiques, l'héroïne conserve quelque chose de pathétique* («l'ironie n'enlève rien au pathétique ; elle l'outre, au contraire », dit-il), il n'en va plus de même dans les deux romans suivants. Dans *L'Éducation sentimentale**, l'échec s'inscrit dans le déroulement de la vie elle-même et, au terme du roman, Frédéric et Deslauriers ne peuvent que constater la faillite de leurs rêves d'amour ou de réussite. L'ambition de Flaubert de peindre la bêtise et la médiocrité culmine avec *Bouvard et Pécuchet*, dont les deux héros, revenus de leurs études encyclopédiques, décident de retourner à leur travail de copistes. Suprême caricature de la bêtise humaine, le *Dictionnaire des idées reçues* devait constituer l'appendice du roman.

Le travail du style

La volonté du romancier de faire passer l'anecdotique au second plan s'accompagne d'un travail sur le style d'autant plus fouillé que les sujets abordés n'ont pas de beauté intrinsèque. Pour Flaubert, la mission de l'artiste est de **créer du beau**, conception voisine de celle du Parnasse* – en témoignent les remaniements constants de ses manuscrits. Le souci de la forme se traduit par un travail portant notamment sur la propriété des termes, les sonorités, le rythme de la phrase déclamée dans les séances de « **gueuloir** » racontées par Maupassant (« Il écoutait le rythme de sa prose, s'arrêtant pour saisir une sonorité fuyante, combinant les tons, éloignant les assonances, disposant les virgules avec conscience, comme les haltes d'un long chemin »).

Le travail de Flaubert porte aussi sur la **structure du récit**, particulièrement sur les **transitions entre description et narration***, pour donner une unité à l'œuvre. Dans la même perspective, le **style indirect libre**, l'usage des temps verbaux et les variations de point de vue* permettent des glissements discrets entre narrateur et personnage, et entre les personnages eux-mêmes.

CITATIONS

• **À propos du style**

« Ce qui me semble beau, ce que je voudrais faire, c'est un livre sur rien, un livre sans attache extérieure, qui se tiendrait de lui-même par la force interne de son style. » (*Lettre à Louise Colet*, 16 janvier 1852)

• **Autoportrait de Flaubert**

« Il y a en moi, littérairement parlant, deux bonshommes distincts : un qui est épris de gueulades, de lyrisme, de grands vols d'aigle, de toutes les sonorités de la phrase et des sommets de l'idée ; un autre qui fouille et creuse le vrai tant qu'il peut, qui aime à accuser le petit fait aussi puissamment que le grand, qui voudrait vous faire saisir presque matériellement les choses qu'il reproduit. » (*Ibid.*)

REPÈRES BIOGRAPHIQUES

→ Flaubert naît à Rouen le 12 décembre 1821. Son père est chirurgien en chef de l'Hôtel-Dieu et le jeune Gustave passe une enfance assez délaissée – ses parents lui préfèrent son frère aîné – dans l'atmosphère de l'hôpital, l'une de ses distractions étant d'aller observer les cadavres à la morgue en compagnie de sa sœur Caroline. En 1836, il rencontre Élisa Schlésinger, une femme mariée qui lui inspire une passion platonique et dont on trouve des échos dans ses premières œuvres (*Mémoires d'un fou*, 1838 ; *Novembre*, 1842), ainsi que dans *L'Éducation sentimentale* avec le personnage de Mme Arnoux.

→ En janvier 1844, une première crise nerveuse l'oblige à se retirer dans la maison familiale de Croisset, près de Rouen. Il y mènera désormais, près de sa mère, une existence d'« ermite » qu'interrompent deux longs séjours à Paris : en 1846, il y rencontre Louise Colet qui devient sa maîtresse et la « Muse » avec qui il entretient une importante correspondance jusqu'en 1854 ; en 1848, il assiste aux journées révolutionnaires de février, et le voyage en Orient avec son ami Maxime Du Camp de 1849 à 1851.

→ De retour à Croisset, il va dès lors consacrer sa vie à l'écriture. Dès sa parution en 1857, *Madame Bovary* lui vaut un procès pour « immoralité », dont il sort acquitté et célèbre. Si *Salammbô* (1862) est bien accueilli, *L'Éducation sentimentale* (1869) est un échec, de même que la version définitive

de *La Tentation de saint Antoine* (1874). À cela s'ajoutent des difficultés de tous ordres : nouvelles crises nerveuses, mort de sa mère, gêne matérielle.

→ *Bouvard et Pécuchet* (commencé en 1874 et resté inachevé) reflète l'amertume et le pessimisme des dernières années de Flaubert, que n'atténue pas l'admiration que lui manifestent les jeunes écrivains naturalistes (en particulier Maupassant[*]). Il meurt d'une hémorragie cérébrale le 8 mai 1880.

→ Balzac, bovarysme, *Éducation sentimentale (L')*, exotisme, ironie, réalisme, romantisme

Fleurs du mal (Les),
Charles Baudelaire,
1857 et 1861

RÉSUMÉ

Les Fleurs du mal comprennent six sections. « **Spleen et Idéal** » (poèmes I à LXXXV) évoque l'homme déchiré entre l'aspiration à l'élévation et l'attirance pour la chute, déchirement qui est à l'origine de l'Ennui - nommé aussi « guignon » ou « spleen » - indissociable de la condition humaine, et qui finit par triompher. Dans « **Tableaux parisiens** » (poèmes LXXXVI à CIII), le poète voit dans la ville diverses figures de sa propre détresse. « **Le Vin** » (poèmes CIV à CVIII) puis l'amour charnel des « **Fleurs du mal** » (poèmes CIX à CXVII) représentent des tentatives avortées pour échapper au malaise existentiel. Dans la section « **Révolte** » (poèmes CXVIII à CXX), le poète se tourne vers Satan. « **La Mort** » (poèmes CXXI à CXXVI) offre seule, peut-être, la promesse d'un ailleurs. L'ensemble renvoie à l'oscillation initiale entre Spleen et Idéal.

L'édition des *Fleurs du mal*

Après avoir publié plusieurs poèmes dans diverses revues, Baudelaire élabore un recueil structuré d'une centaine de textes qui est publié en 1857 et immédiatement condamné pour « atteinte aux bonnes mœurs » : six poèmes sont supprimés.

Le poète prépare cependant une seconde édition enrichie des *Fleurs du mal*, et la version de 1861 comprend 126 textes plus un poème liminaire « Au lecteur ».

Le titre : « Extraire la beauté du mal »

Le titre même du recueil, par le rapprochement de termes à connotation opposée, « fleurs » et « mal », suggère l'existence d'une **beauté liée au mal**. Il évoque aussi la métamorphose proprement poétique de la laideur en beauté, ce qu'exprime le dernier vers du « Projet d'épilogue » pour la seconde édition des *Fleurs du mal* ébauché par le poète : « Tu m'as donné ta boue et j'en ai fait de l'or. »

Les thèmes des *Fleurs du mal*

Les thèmes dominants du recueil sont marqués par la **double postulation vers Dieu et vers Satan**. La création poétique constitue une tentative pour échapper à l'« Ennui » car, dans le jeu des correspondances*, elle permet le contact avec un monde supérieur. Les titres mêmes des poèmes (« Les Phares », « Élévation ») reflètent cette aspiration. Mais l'artiste reste soumis au temps destructeur.

L'**amour** est beaucoup plus ambigu. Il est évasion vers l'imaginaire, comme dans « Parfum exotique », ou il renvoie plus nettement à l'Idéal, comme dans « Harmonie du soir » et dans les poèmes dédiés à Mme Sabatier. Cependant l'amour – et singulièrement l'amour charnel – est aussi un paradis artificiel lié au spleen.

Le **spleen** est caractérisé par des images hivernales, du temps qui s'écoule, des paysages fermés, angoissants, où « le ciel bas et lourd pèse comme un couvercle » (« Spleen »). L'absence de tout recours, la vanité des paradis artificiels accentuent cet ennui.

La **mort** constitue le dernier espoir. « Enfer ou Ciel, qu'importe ? » (« Le Voyage »), elle seule pourra peut-être guérir l'homme, dans la mesure où le voyage qu'elle propose permet de plonger « [a]u fond de l'inconnu pour trouver du *nouveau* » (*ibid.*).

→ **Baudelaire, correspondances**

focalisation (ou point de vue)

n. f. Du latin *focus*, « foyer ». Notion introduite en 1972 par Gérard Genette dans *Figures III*, qui permet de déterminer, à l'intérieur d'un récit* ou d'une description*, comment et par qui sont vus les éléments narrés ou décrits. On distingue trois types de focalisation : zéro, interne, externe.

Focalisation zéro ou vision omnisciente

Le narrateur est omniscient : il **raconte comme s'il savait et voyait tout**. Il maîtrise les événements, fournit au lecteur des renseignements et des explications qu'un simple témoin ne pourrait donner, sur les sentiments d'un personnage par exemple. *Ex.* : chez Balzac*, la description de l'antiquaire au début de *La Peau de chagrin*).

Focalisation interne ou vision « avec »
L'histoire est **racontée à travers ce que sait et voit un personnage**. Le lecteur partage la partialité du point de vue de ce personnage et s'identifie à lui. *Ex.* : la description de Mme Arnoux par Frédéric Moreau lors de leur première rencontre (Flaubert*, *L'Éducation sentimentale**, Ire partie, chap. 1).

Focalisation externe ou vision « du dehors »
Les événements sont **narrés par un témoin extérieur de façon neutre**, objective. L'information est limitée aux apparences et à l'instant : le lecteur ne connaît rien des pensées ou des sentiments des personnages. Dans les débuts de roman, cette vision externe suscite l'intérêt en produisant un certain mystère ; *ex.* : le premier paragraphe introduisant Frédéric Moreau dans la première page de *L'Éducation sentimentale*.
Il arrive souvent que ces différentes focalisations soient entremêlées dans un même texte.

→ **description, narrateur, narration**

Fontenelle,
1657-1757

œUVRES PRINCIPALES
• *Entretiens sur la pluralité des mondes* (1686), *Histoire des oracles* (1687).

Un talent de vulgarisateur
Fontenelle n'est pas seulement un « bel esprit ». On lui doit aussi la diffusion, auprès d'un public mondain, des connaissances scientifiques de son temps. Ses *Entretiens sur la pluralité des mondes* mettent l'astronomie à la portée des curieux par des explications précises sur le système de Copernic et stimulent l'intelligence par des spéculations audacieuses sur l'existence possible d'autres mondes et d'autres êtres. En faisant l'éloge des savants, en éclairant avec finesse les richesses de l'esprit scientifique, Fontenelle contribue à **promouvoir** une valeur nouvelle : **le pouvoir de la raison**. Il faisait déjà œuvre de philosophe, confiant dans les progrès du savoir.

Démystifier et éclairer
Avec vivacité et ironie*, Fontenelle s'en prend aux superstitions, au goût du mystère et de l'irrationnel, à la crédulité, qui, selon lui, résultent de l'ignorance et engendrent l'erreur. Sous des dehors plaisants, il se donne pour mission de mettre en garde contre les illusions du faux merveilleux et dénonce, en particulier dans son *Histoire des oracles*, les fables et les pratiques magiques. En appliquant l'esprit critique aux vérités non prouvées, aux croyances inexplicables, au surnaturel, Fontenelle soumet à l'esprit d'examen la religion elle-même.
Son **scepticisme*** le rattache au libertinage* du xviie siècle mais, par sa volonté d'éclairer les hommes sur le chemin de la raison, il est un **précurseur des Lumières***.

REPÈRES BIOGRAPHIQUES

→ Originaire de Rouen comme son grand-oncle Corneille*, Bernard Le Bovier de Fontenelle commence une carrière dans la poésie galante, le théâtre et l'opéra. Cependant, il s'affirme bientôt dans un rôle qui allait être sa véritable vocation : celui de diffuseur de la pensée moderne. Les *Entretiens sur la pluralité des mondes* et l'*Histoire des oracles* témoignent de la curiosité et des audaces de sa pensée.
→ Entré à l'Académie française* à 34 ans, Fontenelle est élu secrétaire perpétuel de l'Académie des sciences en 1699. Là, il s'applique à familiariser un large public avec la pensée scientifique grâce à son esprit et à son style enjoué.
→ La dernière partie de sa vie exceptionnellement longue (il meurt centenaire, à un mois près) se déroule dans les salons* philosophiques et mondains qu'il animait par ses paradoxes* et ses bons mots.

CITATION
« Assez de gens ont toujours dans la tête un faux merveilleux enveloppé d'une obscurité qu'ils respectent. Ils n'admirent la nature que parce qu'ils la croient une espèce de magie où l'on n'entend rien ; et il est sûr qu'une chose est déshonorée auprès d'eux dès qu'elle peut être conçue. » (*Entretiens sur la pluralité des mondes*)

→ **dialogue, libertinage, scepticisme, Lumières**

formes fixes

n. et adj. f. plur. Formes poétiques soumises à des combinaisons de strophe*s réglées. Dans les poèmes à forme fixe, on distingue : **1.** les poèmes composés d'une seule strophe ; **2.** les poèmes plus complexes, dont la forme est déterminée par les groupements de strophes. Essentielles jusqu'à la fin du xixe siècle, les formes fixes sont moins respectées depuis Apollinaire*.

Les poèmes à une strophe

Les vers sont regroupés par deux (distique*), quatre (quatrain*), six (sizain), huit (huitain), dix (dizain), plus rarement trois (tercet*) et cinq (quintil*). La brièveté de ces poèmes convient aux **épigrammes***, aux **épitaphes** (l'*Épitaphe d'un paresseux*, de La Fontaine*), aux **inscriptions**.

Les poèmes plus complexes

Les formes fixes constituent des cadres à l'intérieur desquels les poèmes peuvent être créés. La plupart d'entre elles, mises au point au Moyen Âge, ne sont plus en usage.

Le **rondel**, pratiqué par Charles d'Orléans*, construit sur deux rimes*, comprend deux quatrains suivis d'un quintil. Un refrain occupe les vers 1 et 2, puis les vers 7 et 8, et le premier vers est répété en dernier.

Le **lai**, construit sur deux rimes, est composé de vers de 5 et 2 syllabes ; le **virelai** en est une variante.

Le **chant royal**, pratiqué par Marot*, comprend 5 strophes de 11 vers et un envoi de 5 vers. Adressé à Dieu, au roi, à un prince, il porte sur un sujet allégorique.

La **villanelle**, composée d'un nombre impair de tercets suivis d'un quatrain final, est construite sur deux rimes, joue sur la reprise de certains vers : le premier vers du tercet 1 sert de vers final aux tercets 2 et 4, son troisième vers forme le dernier vers des tercets 3 et 4, ces deux vers constituant aussi les deux derniers vers du quatrain.

Seuls le **rondeau***, la **ballade***, et surtout le **sonnet***, venu d'Italie en France au xvie siècle, sont encore en usage aujourd'hui.

Des formes étrangères inspirent aussi les poètes, comme le **pantoum***, poème à forme fixe originaire de Malaisie, révélé par Hugo* et utilisé par Théodore de Banville.

→ **ballade, distique, pantoum, quatrain, quintil, rondeau, sonnet, strophe, vers, versification**

France
(Anatole), 1844-1924

ŒUVRES PRINCIPALES
• **Romans** : *L'Histoire contemporaine* (*L'Orme du mail*, 1897 ; *Le Mannequin d'osier*, 1897 ; *L'Anneau d'améthyste*, 1899 ; *Monsieur Bergeret à Paris*, 1901), *Les dieux ont soif* (1912).

Une œuvre abondante

L'œuvre d'Anatole France étonne d'abord par sa **variété**. Ses premiers écrits poétiques (*Les Poèmes dorés*, 1873), dédiés à Leconte de Lisle*, le rattachent au courant parnassien mais c'est essentiellement dans le **domaine romanesque** qu'il s'affirme, dès 1881, avec *Le Crime de Sylvestre Bonnard* dans lequel il campe un personnage d'intellectuel en quête de sagesse. Le personnage de Monsieur Bergeret dans la série de romans intitulée *L'Histoire contemporaine* apparaît également comme un double de l'écrivain. D'autres écrits comme *Le Livre de mon ami* (1885) ou *Le Petit Pierre* (1918) ont un caractère autobiographique encore plus affirmé et marquent la nostalgie de l'enfance. L'œuvre d'Anatole France comprend aussi des **romans historiques** comme *Les dieux ont soif*, consacré à la Terreur, et des **essais critiques** qui témoignent de préoccupations politiques, sociales et littéraires de l'auteur.

Un humaniste sceptique

Qu'il s'engage dans les débats de son époque (ceux que suscitent l'affaire Dreyfus, la séparation de l'Église et de l'État, le pacifisme, la révolution russe) ou qu'il paraisse s'en éloigner comme dans ses dernières années, Anatole France ne cesse d'affirmer des **valeurs de tolérance et de liberté**. Cependant, ses héros sont souvent en butte aux excès du fanatisme religieux ou politique. À travers leurs réflexions, l'écrivain exprime souvent le **scepticisme*** voire l'amertume que lui inspire « l'histoire contemporaine ». Avec une **ironie*** mordante, il raille volontiers la mesquinerie, les petites ambitions et les rivalités de chapelles qui caractérisent aussi bien les notables de province que les intellectuels parisiens. Ce désenchantement transparaît notamment dans les mésaventures conjugales et professionnelles de son héros Monsieur Bergeret (*Le Mannequin d'osier, Monsieur Bergeret à Paris*).

Par ses réflexions et ses portraits, sa langue claire et précise, Anatole France rejoint, sans vraiment innover, l'idéal des moralistes* classiques.

CITATION

• La réflexion politique et morale

« La peine de mort est abolie dans plusieurs nations de l'Europe, sans qu'il s'y commette plus de crimes que dans les pays où subsiste cette ignoble pratique. Là même où cette coutume dure encore, elle languit et s'affaiblit. Elle n'a plus ni force, ni vertu. C'est une laideur inutile. » (*Le Mannequin d'osier*)

REPÈRES BIOGRAPHIQUES

➜ Fils d'un libraire du quai Malaquais à Paris, Anatole France devient lecteur chez Alphonse Lemerre qui publie le *Parnasse contemporain*, puis bibliothécaire au Sénat. Il écrit dans les journaux et publie dans tous les genres (poèmes, essais, critiques littéraires, nouvelles et romans, et même un drame et un opéra mis en musique par Massenet).

➜ Écrivain reconnu de la IIIe République, il prend le parti de Dreyfus et de l'anticléricalisme du ministère Combes. Pacifiste, il déplore l'entrée en guerre de la France en 1914. Académicien français depuis 1896, il reçoit le prix Nobel de littérature en 1921. Il meurt dans son domaine de Touraine en 1924.

➜ Son statut d'écrivain quasiment officiel, de maître à penser, lui a valu les critiques acerbes des surréalistes, de Gide* ou de Bernanos*.

→ **moraliste, scepticisme**

francophonie

n. f. De français et du grec *phonê*, « voix, son ». **1. Sens large.** Organisation internationale de soixante-dix pays sur les cinq continents, déclarant avoir le français en partage (France, Belgique, Suisse, Canada, pays d'Afrique francophone, Haïti, Algérie, Tunisie, Maroc, île Maurice, Roumanie, Vietnam, etc.). Aux États ayant le français pour langue première ou seconde, souvent issus de la colonisation, s'en sont progressivement ajoutés d'autres (Hongrie, Bulgarie...). **2. Sens restreint.** Toute littérature écrite en français, que l'écrivain soit ou non de nationalité française, que sa langue natale soit ou non le français.

Une notion controversée

Le terme « francophonie » est encore souvent utilisé pour désigner les **œuvres rédigées en français par des auteurs considérés comme n'appartenant pas à la « littérature française »** au sens strict, soit en raison de leur nationalité, soit, en réalité, en raison de leur couleur de peau ou de leur origine extra-européenne. Ainsi, Saint-John Perse* a rang dans la littérature française, alors qu'Aimé Césaire* passe pour une des meilleures plumes francophones. Tous deux, nés français, ont eu une carrière politique ou administrative, et donnent une large part dans leur œuvre poétique à leur outre-mer natal (respectivement, Martinique et Guadeloupe).

La francophonie a ainsi été d'abord désignée comme l'**espace des débats sur la négritude, la créolité, la décolonisation, l'exil** et l'expression de réalités, d'expériences jugées par les cénacles parisiens comme « exotiques », secondaires.

Aux huit siècles d'œuvres en français sur le Vieux Continent s'ajoutent donc, dans tous les genres (poésie, théâtre, roman, essai...), des créateurs proposant un **usage novateur de la langue, des thèmes très divers**, tant hexagonaux qu'africains, québécois, créoles, arabes, asiatiques, kanaks, etc. Parmi les talents majeurs ainsi qualifiés de « francophones » : Senghor* (Sénégal), Césaire*, Patrick Chamoiseau, Édouard Glissant (Martinique), Maryse Condé (Guadeloupe), Léon-Gontran Damas (Guyane), René Depestre, Jacques Roumain (Haïti), Tahar Ben Jelloun* (Maroc), Albert Memmi (Tunisie), Anne Hébert (Québec), Georges Shehadé (Égypte), Andrée Chédid* (Liban).

L'extension, depuis la chute du mur de Berlin, de la **francophonie politique** à des États européens non issus de l'ancien Empire colonial français, modifie les représentations mentales, favorise la lutte contre les discriminations, ainsi qu'une prise de conscience progressive de la valeur de cette littérature par les décideurs liés au livre (éditeurs, jurys des prix littéraires, libraires, critiques, responsables des programmes et manuels scolaires).

Le brouillage des catégories s'est aussi accentué avec l'apparition récente d'une **littérature francophone d'inspiration chinoise**, représentée par Gao Xingjian (Nobel en 2000), François Cheng, Shan Sa, Dai Sijie (*Balzac et la petite tailleuse chinoise*, 2000), que l'on ne peut réduire à la « littérature des cicatrices » liée à l'exil politique.

Vers une « littérature monde »

Force est d'observer la créativité de ces écrivains – consacrée par les prix, les tirages nationaux et internationaux –, leur capacité à renouveler les lettres en langue française, à promouvoir via l'écriture un **nouvel universalisme** hérité des Lumières, à enrichir le patrimoine francophone et mondial d'échanges linguistiques et intellectuels. Ils contribuent ainsi, parallèlement à l'anglophonie, à la lusophonie, à l'hispanophonie, à **dénoncer** des « identités dangereuses », « meurtrières » (Amin Maalouf), qui réduisent l'être et les cultures à un ou quelques critères nationaux, religieux, raciaux ou linguistiques. En 2007, année où ils récoltèrent tous les principaux prix littéraires français, quarante artistes de la seconde vague dite « francophone » – Dany Lafferière, J.-M. G. Le Clézio, Gisèle Pineau, Lyonel Trouillot, Jean-Luc V. Raharimanana, rejoints par Édouard Glissant, Tahar Ben Jelloun* –, ainsi que des Français d'ordinaire non rangés dans cette catégorie mais ouverts à l'ailleurs (Erik Orsenna, Patrick Rambaud, Jean Rouaud, Gilles Lapouge…), ont signé un manifeste : ils y déclarent la **mort de la « francophonie » littéraire**, la fin « des temps du mépris et de la suffisance », et l'**avènement d'une « littérature monde » en français**, une ouverture sur le grand large, et un retour vivifiant à la poésie et à la fiction. Ils le disent souvent, la langue française est leur véritable pays, qui peut tout exprimer.

Quelques exemples de cette transformation de la francophonie en « littérature monde » peuvent être évoqués. On peut ainsi citer **Édouard Glissant**, passé des révoltes du *Discours antillais* (1981) à la dénonciation des « identités-racines », et à l'éloge du « Tout-Monde » des « identités-rhizomes ». Et bien évidemment **J.-M. G. Le Clézio**, proche du Nouveau Roman* à ses débuts (*Le Procès-verbal*, 1963), planétaire, lyrique, écologique (*Désert*, *L'Africain*…) ensuite. Ce prix Nobel de littérature (2008), dans un même mouvement, se revendique « francophone », puisqu'il s'exprime en français, et nie la francophonie : Français, il mêle les continents (Europe, Afrique, Amérique, Océanie) par sa biographie, son inspiration, ses combats. **Dany Lafferière** se définit comme un auteur migratoire, nomade, qui explore à la fois l'ensemble de la Caraïbe et l'Amérique du Nord. Quant à **Dai Sijie**, dans *Le Complexe de Di* (2003), il fait se rencontrer, au fil d'une épopée à bicyclette et en train, la psychanalyse occidentale et la Chine contemporaine.

→ Bâ, Ben Jelloun, Camus, Césaire, Chédid, Duras, Heredia, Lautréamont, récit de voyage, Saint-John Perse*, Semprun*, Senghor, Yacine

Fromentin
(Eugène), 1820-1876

ŒUVRES PRINCIPALES
- **Récits de voyage** : *Un été dans le Sahara* (1857), *Une année dans le Sahel* (1859).
- **Roman** : *Dominique* (1863).
- **Critique d'art** : *Les Maîtres d'autrefois* (1876).

Une œuvre de la maturité

Fromentin publie *Dominique* à 43 ans, quinze ans après la mort de la femme qu'il a aimée et à laquelle il a dû renoncer. Le héros* du roman, Dominique, lorsqu'il consent à relater sa passion contrariée pour Madeleine et le renoncement mutuellement consenti à cet amour, est un homme installé, maire de sa commune et heureux au milieu de sa famille.

Le recul, la maturité et une certaine sagesse font de ce récit un **roman d'apprentissage** original, dans lequel le héros comprend que la connaissance de soi n'est pas à chercher ailleurs que dans la somme des sensations, des souvenirs, des habitudes, des émotions ressenties, dont la permanence constitue l'identité même de l'être.

Un peintre discret

Roman psychologique, roman de l'adolescence, roman du souvenir, *Dominique* ne présente pas une intrigue complexe ou dramatique mais exprime bien plutôt, sur le ton de la confidence, la **poésie des sensations et de la mémoire**. Fromentin romancier déploie les mêmes qualités que celles qu'il exige du peintre : restituer les impressions aussi exactement que possible grâce à la qualité de l'attention qu'on leur porte. Le **refus de l'emphase***, la **pudeur des sentiments**, une écriture précise et discrète, composent un univers harmonieux et nostalgique où s'inscrivent, comme sur un tableau, les paysages familiers, le rythme des saisons, la lumière de l'automne, le silence des émotions.

■ **La « mémoire spéciale »**

« [...] mais si je vous cite ce fait entre mille autres [*l'auteur vient d'évoquer un petit détail de son enfance*], c'est afin de vous indiquer que quelque chose se dégageait déjà de ma vie extérieure, et qu'il se formait en moi je ne sais quelle mémoire spéciale assez peu sensible aux faits, mais d'une aptitude singulière à se pénétrer des impressions. » (*Dominique*)

REPÈRES BIOGRAPHIQUES

➔ Né à La Rochelle, fils d'un médecin aliéniste, Fromentin quitte sa région et sa famille pour Paris, où il se découvre une vocation pour la peinture. À 26 ans, il voyage en Algérie où il fera trois séjours entre 1846 et 1853. Séduit par la lumière, le désert et les paysages d'Afrique du Nord, il devient un peintre orientaliste renommé. De ces expéditions il rapporte des livres de souvenirs qui sont également très appréciés.

➔ Cependant, son œuvre littéraire la plus attachante est son unique roman, *Dominique*, inspiré de la passion éprouvée pour l'amie de sa jeunesse, une femme mariée morte à 27 ans.

➔ *Bildungsroman*, **Constant**

Furetière
(Antoine), 1619-1688

ŒUVRES PRINCIPALES

■ **Poésie** : *L'Énéide travestie* (1649), *Le Voyage de Mercure* (1653).
■ **Roman** : *Le Roman bourgeois* (1666).
■ **Dictionnaire** : *Dictionnaire universel des mots et des choses* (1690).

Le Roman bourgeois

Comme son titre l'indique, *Le Roman bourgeois* met en scène des bourgeois et, par là, **s'oppose** aux aventures sentimentales et héroïques qui caractérisent les romans de l'époque. L'intrigue*, très décousue, tourne autour du projet de mariage du procureur Vollichon pour sa fille Javotte.

En effet, l'ambition de Furetière est ailleurs : faire un **roman réaliste**, prétexte à une **satire*** **féroce** de la petite bourgeoisie parisienne dont les mœurs sont minutieusement observées et décrites. Il y règle ses comptes avec les magistrats, mais aussi avec l'écrivain Charles Sorel*, qu'il caricature à travers le personnage du vieux poète Charroselles (anagramme* de Charles Sorel).

Mais il y a plus. Non seulement Furetière s'oppose au roman héroïque, mais il s'attaque également aux conventions du genre romanesque lui-même : en effet le narrateur* du *Roman bourgeois* interrompt sans arrêt le fil de l'histoire, la commente et annonce ce qu'il va raconter. Si l'œuvre n'a guère eu de succès à l'époque, la réflexion de l'auteur sur le **rôle du narrateur** trouvera un écho au siècle suivant, dans le roman de Diderot* *Jacques le Fataliste*.

Le *Dictionnaire universel*

Le *Dictionnaire* de Furetière, qui suscite les foudres de l'Académie, est en réalité beaucoup **plus riche et plus maniable** que celui qu'elle produira en 1694. Alors que le *Dictionnaire de l'Académie* ne retiendra que le langage des « honnêtes gens », et que celui de Richelet, publié en 1680, se consacrait essentiellement aux mots littéraires, Furetière intègre dans le sien des termes techniques, des termes vieillis, des expressions proverbiales ; il y propose aussi des définitions de choses (se donnant ainsi une visée plus encyclopédique). Le *Dictionnaire* de Furetière sera repris et réimprimé par les jésuites de Trévoux, au XVIIIe siècle, qui s'en serviront pour rivaliser avec l'*Encyclopédie* de Diderot.

■ **Sur le projet du *Roman bourgeois***

« Au lieu de vous tromper par ces vaines subtilités, je vous raconterai sincèrement et avec fidélité plusieurs historiettes ou galanteries arrivées entre des personnes qui ne seront ni des héros ni des héroïnes, qui ne dresseront point d'armées, ni ne renverseront point de royaumes, mais qui seront de ces bonnes gens de médiocre condition, qui vont tout doucement leur grand chemin, dont les uns seront beaux et les autres laids, les uns sages et les autres sots ; et ceux-ci ont bien la mine de composer le plus grand nombre. » (*Le Roman bourgeois*)

REPÈRES BIOGRAPHIQUES

➔ Antoine Furetière naît à Paris dans une famille bourgeoise. Après des études de droit, il achète la charge de procureur fiscal de l'abbaye de Saint-Germain-des-Prés, puis devient abbé.

➔ Ami de La Fontaine*, de Mainard, de Conrart, il se signale par des œuvres satiriques ou burlesques : *L'Énéide travestie*, dans la lignée de Scarron*, puis le *Voyage de Mercure* quatre ans plus tard. Il publie des satires* dans son recueil de poésies en 1655. En 1658, il se moque de Mlle de Scudéry* dans sa *Nouvelle allégorique ou Histoire des derniers troubles au royaume d'éloquence*. Sa verve satirique éclate dans *Le Roman bourgeois*.

→ Élu à l'Académie française* en 1652, Furetière est surtout connu aujourd'hui pour son *Dictionnaire*, qu'il entreprend de publier en 1684, devançant celui de ses collègues de l'Académie. L'affaire suscite une véritable guerre, qui se solde par l'exclusion de Furetière de l'Académie. Son *Dictionnaire* ne sera publié qu'en 1690, en Hollande, deux ans après sa mort.

→ **Académie française, burlesque, dictionnaire, réalisme, roman, satire, Scarron, Sorel**

G

Gargantua et Pantagruel

Gargantua et Pantagruel, les deux héros des romans homonymes de Rabelais* (*Pantagruel*, 1532 ; *Gargantua*, 1534), ne sont pas des inventions de l'auteur. Le personnage de Gargantua apparaît dans les *Grandes et Inestimables Chroniques du grand et énorme Gargantua* (ouvrage populaire anonyme publié en 1532) qui racontent l'histoire d'un géant se battant aux côtés du roi Arthur* et de ses chevaliers. Quant à Pantagruel, il était un diablotin de la littérature médiévale personnifiant la soif. Rabelais a fait de Pantagruel le fils de Gargantua. Il a repris, dans ses deux romans, le schéma des *Grandes Chroniques* (naissance, éducation, exploits guerriers,

rétablissement de la paix) mais il a donné à ses héros et à leurs aventures une force comique originale, et surtout une dimension symbolique et morale absente des modèles.

Le comique du gigantisme

Le gigantisme des deux héros se prête à des situations qui relèvent du **merveilleux*** et de la **cocasserie** car, dès leur naissance, ces deux géants sont gourmands, joueurs, et impétueux : Gargantua confond les boulets de canon avec des grains de raisin et vole les lourdes cloches de la cathédrale Notre-Dame de Paris comme si elles étaient des hochets ; Pantagruel boit dans son berceau le lait de quatre mille sept cents vaches et couvre une armée de sa langue pour la protéger de l'orage.

Rabelais, dans ces passages, mais également dans ceux qui évoquent les combats guerriers où les deux géants défont des armées, **paro-**

die les **épopées*** **antiques** (exploits d'Hercule dans son berceau et contre ses ennemis) et les romans de chevalerie. Il annonce le comique* des œuvres de Swift reposant sur le contraste entre un géant et les Lilliputiens (*Les Voyages de Gulliver*, 1726).

Les porte-parole de l'idéal humaniste

Les deux personnages dépassent largement cette seule dimension comique, car **ils symbolisent l'avènement** d'une nouvelle mentalité, celle **de la Renaissance**. *Gargantua* et *Pantagruel* sont avant tout des **romans d'apprentissage*** : souverains d'un territoire et d'un peuple, les deux héros apprennent à gouverner. L'idéal de Rabelais est celui d'un monarque tout-puissant, qui veille certes à défendre son peuple contre les guerres de conquête (symbolisées par Picrochole ou les Dipsodes), mais qui recherche surtout la paix, garante du bien-être. En outre, Rabelais oppose à l'éducation du Moyen Âge – notamment la scolastique* – celle de l'**humanisme*** évangéliste : étude des langues saintes mais aussi des langues vivantes, lecture directe de la Bible, équilibre du corps et de l'esprit, appétit pour toutes les sciences, découverte de la relativité des mondes et donc de la tolérance. Cet idéal s'exprime dans l'éducation reçue par Gargantua (*Gargantua*, chap. 2), dans la célèbre lettre qu'il envoie à son fils (*Pantagruel*, chap. 8), et au cours des voyages de Pantagruel et de Panurge (*Tiers Livre, Quart Livre*).

→ **Bildungsroman, comique, conte populaire, grotesque, humanisme, merveilleux, parodie, Rabelais, scolastique, symbole**

Garnier
(Robert), 1545-1590

ŒUVRES PRINCIPALES
- **Tragédies**: *Porcie* (1569), *Hippolyte* (1573), *Cornélie* (1574), *Marc-Antoine* (1578), *La Troade* (1579), *Antigone* (1580), *Les Juives* (1583).
- **Tragicomédie**: *Bradamante* (1582).
- **Poésie**: *Chants royaux en allégories* (1564 et 1566), *Hymne de la monarchie* (1567), *Élégie sur le trépas de Ronsard* (1586).

Le plus grand auteur tragique du XVIᵉ siècle

Garnier a parfois été présenté comme un précurseur de Corneille* et de Racine*. La tragé-

die humaniste du XVIᵉ siècle repose cependant sur une esthétique très différente de celle de l'époque classique. Toutes les tragédies de Garnier reflètent l'influence du dramaturge latin Sénèque : elles mettent en scène des événements épouvantables, et visent à susciter la terreur et la pitié (voir l'article « Catharsis »). Elles se fondent sur la déploration d'un malheur annoncé dès le début de la pièce, face auquel le héros*, impuissant, ne peut que se lamenter. Les tragédies de Garnier ne comportent ni progression dramatique, ni progression psychologique. Ce sont essentiellement des **tragédies du discours**, et elles comportent toutes une **intention didactique***.
Ces tragédies se présentent comme une série de tableaux, que séparent les chants du chœur. Elles opposent bourreaux (caractérisés par la démesure, l'orgueil), qui doivent susciter la terreur chez le spectateur, et victimes (la vertu persécutée), qui inspirent la pitié.

Les horreurs de la guerre

Toutes les tragédies de Garnier s'inspirent d'épisodes particulièrement dramatiques de l'histoire romaine ou biblique (*Marc-Antoine, Les Juives*), ou de la mythologie grecque (*Antigone*). Les personnages n'hésitent pas à évoquer les horreurs qu'ils ont vues dans une grande abondance de détails. Derrière ces tragédies transparaît l'**époque troublée des guerres de Religion**, que Garnier vit douloureusement. Fervent défenseur de l'ordre que, selon lui, seule la monarchie peut assurer, il laisse percer une lueur d'espoir dans les sombres tableaux : l'histoire a connu d'autres périodes de violences et de troubles, et l'ordre succédera aux guerres de Religion.

La première tragicomédie française

Bradamante est la première tragicomédie française, et elle connaît un grand succès jusqu'au début du XVIIᵉ siècle. Le sujet en est emprunté à un épisode du *Roland furieux*, le roman de l'Arioste. La guerrière Bradamante, qui vit à la cour de Charlemagne, a déclaré qu'elle n'épouserait que celui qui la vaincrait au combat ; Roger, qui a pris les armes de son rival, est censé gagner pour lui la main de Bradamante, dont il est lui-même amoureux. La pièce, qui se termine bien, **mêle divers tons** : épique* et lyrique*, comique* et satirique*. Si l'intrigue* se soucie peu de la vraisemblance*, elle se déroule sur un arrière-plan politique qui contient des allusions à l'époque de Garnier, et comporte un message patriotique porteur d'espoir.

« [*Dans les pièces de Garnier*] brillent déjà les répliques foudroyantes, les vers frappés en médailles, les couplets éloquents. Parmi tous les dramaturges français du xvie siècle, Garnier est incontestablement le meilleur artisan du vers. » (R. Lebègue)

REPÈRES BIOGRAPHIQUES

➜ Né près du Mans, Robert Garnier fait des études de droit à Toulouse. Avocat au parlement de Paris en 1567, conseiller au présidial du Mans en 1569, il est nommé au Grand Conseil du roi en 1586. Parallèlement à sa carrière de magistrat, il poursuit une carrière littéraire. Alors qu'il est étudiant à Toulouse, il écrit des poèmes de circonstance à la gloire du roi qui lui valent le premier prix de poésie en 1565.

➜ Auteur de sept tragédies* dont *Les Juives* et d'une tragicomédie*, *Bradamante*, qui connaissent un très grand succès, il est l'auteur dramatique le plus important du xvie siècle.

→ **catharsis, tragédie, tragicomédie**

Gary
(Romain), 1914-1980

ŒUVRES PRINCIPALES
• **Romans** : *Les Racines du ciel* (prix Goncourt 1956), *La Promesse de l'aube* (roman autobiographique, 1960).
• **Romans signés Émile Ajar** : *La Vie devant soi* (prix Goncourt 1976), *Gros-Câlin* (1974).
• **Récit « autobiographique »** : *Pseudo* (1976).

Sous le signe de Protée

Enfant peu sûr d'être le fils de son père (juif polonais ou peut-être russe), Romain Gary n'a jamais cessé de **jouer avec son identité**. Exilé, il a dû conquérir de haute lutte la nationalité française mais aussi la langue française, comme il le raconte dans *La Promesse de l'aube*. Écrivain, il s'est imposé sous un pseudonyme : Romain Gary (en russe : « Brûle ! »). Cependant, au fil des décennies, il ressent douloureusement la désaffection de son public et se découvre prisonnier de l'image qu'on a retenue de lui, celle d'un aventurier, à la fois héros de la Résistance et écrivain acclamé mais imprévisible.

Alors, cas unique dans la littérature, Romain Gary se donne une chance, en adoptant un nouveau pseudonyme, de tout reprendre à zéro. Sous le nom d'**Émile Ajar** (en russe : « braise »), il s'invente une nouvelle manière, extrêmement libre, qui réussit à tromper les plus fins critiques. Échappant aux attentes du public, devenues pour lui stérilisantes, il retrouve sa liberté d'écrivain. Constant dans l'œuvre, le **jeu avec le vrai et le faux** témoigne de la volonté de Romain Gary d'explorer tous les possibles dont il se sent porteur. Plus profondément, ce jeu donne au romancier en mal de filiation la possibilité de **devenir son propre père** : il aura inventé aussi bien ses personnages que son personnage d'écrivain.

Un univers tragique mais non désespéré

Née au cœur des tragédies de l'Histoire, l'œuvre de Romain Gary est **hantée par l'aptitude monstrueuse de l'espèce humaine à détruire et à s'autodétruire**. Premier roman écologique, *Les Racines du ciel* dénonce dès 1956 le scandale de l'extermination des éléphants dans la savane africaine : la destruction frénétique de la nature et des animaux sauvages est une preuve supplémentaire, après la Shoah, de la barbarie de l'être humain.

Dans *La Vie devant soi*, roman signé Émile Ajar, l'auteur raconte l'enfance et l'adolescence de Momo, un petit Arabe de Belleville : fils d'une prostituée, Momo a été confié par sa mère à une autre prostituée, trop vieille, elle, pour vivre de ses charmes. Il va vivre dans toute son horreur la déchéance de celle qui reste pour lui une mère. Ce récit à la première personne, plein d'humour et de tendresse, est d'autant plus touchant qu'il reproduit avec virtuosité le langage oral de Momo, avec ses incorrections et ses maladresses, ce qui lui donne à la fois sa fraîcheur et sa puissance décapante. C'est dans ce voyage au bout des misères de la condition humaine que se révèle l'ultime marque de l'humanité de l'homme : **l'amour**.

CITATIONS
• « J'étais las de n'être que moi-même. J'étais las de l'image de Romain Gary qu'on m'avait collée sur le dos une fois pour toutes depuis trente ans, depuis la soudaine célébrité qui était venue à un jeune aviateur avec *Éducation européenne*. » [...] (*Vie et mort d'Émile Ajar*, posth. 1981)
• « Recommencer, revivre, être un autre fut la grande tentation de mon existence. » (*Ibid.*)

REPÈRES BIOGRAPHIQUES

➜ La vie de Romain Gary a incontestablement une dimension romanesque. Né en Pologne en 1914, incertain de ses origines et de l'amour de sa mère, Roman Kacew est contraint à l'exil par la vague d'antisémitisme qui balaie l'Europe. Arrivé à Nice en 1928, il se sent déjà une vocation d'écrivain mais, incorporé en 1938, il rejoint la France libre dès 1940. Son comportement héroïque comme capitaine de l'escadrille Lorraine lui vaut de nombreuses décorations qui le confirment dans son appartenance à la nation française.

➜ Sous le pseudonyme de Romain Gary, il publie en 1945 son premier roman et mène jusqu'en 1961 une double carrière d'écrivain et de diplomate avant de se consacrer entièrement à la littérature et au cinéma. Les Racines du ciel, prix Goncourt 1956), rencontre un large succès mais, bientôt persuadé que son œuvre est dans une impasse, le romancier décide d'entamer une deuxième carrière sous le masque d'un nouveau pseudonyme, Émile Ajar.

➜ Avec La Vie devant soi (1976), il renoue avec le succès et obtient, au risque de l'imposture, un deuxième Goncourt. Mais il se retrouve pris dans un véritable imbroglio après avoir essayé de faire endosser à son neveu l'identité d'Émile Ajar. Il ne reconnaîtra la vérité que dans un écrit posthume. Malgré de nouveaux succès de librairie, il se donne la mort en 1980.

➜ Plusieurs de ses œuvres ont été portées à l'écran, entre autres Les Racines du ciel (film de Jules Dassin, 1971), et La Vie devant soi (film de Moshé Mizrahi, 1977 ; également adapté au théâtre en 2007-2008).

→ autobiographie, roman

Gautier
(Théophile), 1811-1872

ŒUVRES PRINCIPALES
• **Poésie**: Poésies (1830), Émaux et Camées (1852 et 1872).
• **Récit de voyage**: Tras los montes (1843).
• **Romans**: Mademoiselle de Maupin (1835), Le Roman de la momie (1858), Le Capitaine Fracasse (1863).
• **Contes fantastiques**: La Cafetière (1831), La Morte amoureuse (1836), Spirite (1866).

Le romantisme: influences et rejet

Les premières œuvres poétiques de Gautier sont influencées par le romantisme* : goût des paysages pittoresques, thèmes du temps et de la mort, violence de l'écriture. En outre, sa défense de Hugo lors de la bataille d'Hernani le classe parmi les romantiques engagés. Son œuvre romanesque se rattache également au romantisme par l'attirance pour l'imaginaire. Cependant, Gautier refuse l'exaltation des romantiques et, en 1833, son roman Les Jeunes-France critique le romantisme en le pastichant. Rupture que vient consacrer en 1835 la Préface de Mademoiselle de Maupin.

L'ailleurs

Une grande partie de l'œuvre de Gautier est marquée par la **recherche de l'ailleurs**, imaginaire ou non.

Cette recherche s'exprime dans le **conte fantastique**, depuis La Cafetière jusqu'à Spirite. Dans ce dernier conte, les manifestations insolites d'un « extra-monde » sont aussi l'écho de la croyance de Gautier à des forces surnaturelles.

L'ailleurs est également celui **du voyage**, qu'il pratique en journaliste, en romancier et en poète : comme journaliste avec Tra los montes, récit de voyage réunissant des articles sur l'Espagne parus antérieurement ; comme romancier avec Arria Marcella (1852), roman écrit après un voyage en Italie en 1850 ; comme poète, avec le recueil España. Mais le voyage peut être aussi un **voyage imaginaire**, à travers l'espace – le Roman de la momie précède son voyage en Égypte (1869) – et le temps – Le Capitaine Fracasse se déroule sous Louis XIII. Le pittoresque des évocations, nettement romantique, se double d'un intérêt pour les images et la beauté plastique.

Le fondateur de l'art pour l'art

Dans la Préface de Mademoiselle de Maupin, Gautier proclame qu'« il n'y a de vraiment beau que ce qui ne peut servir à rien [et que] tout ce qui est utile est laid ». **L'art est à lui-même sa propre fin**, il n'a rien à voir ni avec la morale ni avec la politique. Il ne vise que la beauté qui, seule, est supérieure et éternelle. La poésie donnera donc la primauté aux sensations sur les sentiments, et établira des liens privilégiés avec les arts de la sculpture et de la peinture (que Gautier a pratiquée).

Dans cette perspective, Gautier s'attache particulièrement au **travail de la forme** : richesse lexicale, recherche des sonorités*, difficultés métriques, rimes* soignées : la beauté de l'œuvre sera d'autant plus grande que l'artiste aura rencontré plus de difficultés techniques. Le titre d'*Émaux et Camées* se fait l'écho de ce travail minutieux qui s'apparente à celui de l'orfèvre.

La **théorie de l'art pour l'art** a trouvé son prolongement naturel chez Leconte de Lisle[*] et les poètes parnassiens. Elle a aussi influencé Baudelaire[*], qui dédie ses *Fleurs du mal*[*] à Gautier, « poète impeccable » et « magicien ès lettres françaises ».

CITATIONS

• **Sur l'art pour l'art**
« Sans prendre garde à l'ouragan/Qui fouettait mes vitres fermées,/Moi j'ai fait *Émaux et Camées*. » (*Émaux et Camées*, Préface)
• **Sur le travail de la forme**
« Oui, l'œuvre sort plus belle/D'une forme au travail/Rebelle,/Vers, marbre, onyx, émail. » (« L'Art », *Émaux et Camées*)

REPÈRES BIOGRAPHIQUES

➜ Né à Tarbes, Théophile Gautier fait ses études à Paris, au collège Charlemagne, où il rencontre Gérard de Nerval[*]. En 1829, celui-ci le présente à Hugo[*] dont Théophile, vêtu de son fameux gilet rouge, va prendre le parti lors de la bataille d'*Hernani*[*] (1830) et qu'il admirera toute sa vie.

➜ Après avoir été tenté par la peinture, Gautier publie ses premières *Poésies* en 1830. Diverses autres œuvres poétiques et romanesques suivent. D'abord lié au Cénacle romantique, il fait paraître en 1835 *Mademoiselle de Maupin* dont la célèbre Préface annonce la doctrine de l'art pour l'art[*].

➜ Gautier voyage et écrit beaucoup : récits de voyage, feuilletons[*], livrets de ballets, articles. Dans *Émaux et Camées* (recueil de poèmes à strophes courtes et à la métrique brève paru en 1852), il célèbre le culte de la seule perfection formelle et de la beauté. Des nombreuses publications ultérieures de Gautier, on retiendra surtout les romans (*Le Roman de la momie*, *Le Capitaine Fracasse*).

➜ Malade du cœur et très affecté par la défaite de 1870, il meurt en 1872.

➔ art pour l'art (l'), fantastique, Leconte de Lisle, Parnasse, romantisme

Gavroche

Créé par Victor Hugo[*] dans *Les Misérables* (1862), le personnage de Gavroche est rapidement devenu une figure constitutive de l'imaginaire français. Son épopée[*] à l'intérieur du roman[*] dépeint la vie haute en couleur des nombreux enfants errants qui, à l'époque, couraient dans les rues de Paris. Bien que vagabonds, « enfants du bourbier », ils vivaient aussi selon un idéal de grandeur, de courage, de générosité auquel Victor Hugo rend hommage en faisant mourir Gavroche en héros, sur les barricades dressées les 5 et 6 juin 1832, lors des émeutes qui éclatent à l'occasion des funérailles du général Lamarque, républicain bonapartiste.

Gavroche, le « gamin fée »

« Ce n'était pas un enfant, ce n'était pas un homme ; c'était un étrange gamin fée. » Fils des Thénardier, détesté par sa mère, ignoré par son père, **Gavroche vit sur le pavé**. « C'était un garçon bruyant, blême, leste, éveillé, goguenard, à l'air vivace et maladif. Il allait, venait, chantait, jouait à la fayousse, grattait les ruisseaux, volait un peu, mais comme les chats et les passereaux, gaîment, riait quand on l'appelait galopin, se fâchait quand on l'appelait voyou. Il n'avait pas de gîte, pas de pain, pas de feu, pas d'amour ; mais il était joyeux parce qu'il était libre. » Malgré sa misère, Gavroche ne se départit jamais de sa **bonne humeur**, et multiplie **bons mots et bonnes actions** : il se défait de son cache-nez pour l'offrir à une petite mendiante grelottante, ou partage sa maigre pitance et son logis de fortune avec deux jeunes enfants perdus qu'il a pris sous son aile. Lors des émeutes de 1832, il participe activement aux barricades aux côtés des insurgés et meurt, héroïquement, debout, face aux soldats. Dans un ultime défi aux gardes nationaux, troué par deux balles dans le ventre, il s'écroule en chantant : « Je suis tombé par terre,/C'est la faute à Voltaire,/Le nez dans le ruisseau,/C'est la faute à... »

De Gavroche à gavroche

Symbole de l'enfant abandonné, le personnage du roman de Hugo est devenu un **nom commun**. Il représente le **type du gamin de Paris**, échappé des familles pauvres, qui, à l'instar de son modèle romanesque, a fait de la rue son logis et, déguenillé mais joyeux, « braille, raille, gouaille, bataille », côtoie brigands et voleurs, hante les cabarets, fréquente les théâtres, parle argot, jure comme un charretier, chante des chansons obscènes, escalade murs, balcons, ou grilles.

Ironique, insolent, effronté, toujours audacieux, toujours courageux, généreux, haineux du bourgeois et des représentants de l'ordre, immergé dans les vices publics, il « chasse dans le cloaque, extrait la gaîté de l'immondice » mais, préservé par la ville, conserve, en dépit de tout, une **âme pure**. Parce qu'il est malheureux, il rit. Privé du nécessaire, doté de l'inutile, il survit, polisson héroïque, en conformant son existence à celle de Paris. Tels apparaissent Momo, le héros de *La Vie devant soi* (1975) d'Émile Ajar, ou encore la Zazie de Queneau*, dans *Zazie dans le métro* (1959).

→ Hugo, **Misérables (Les)**

Genet
(Jean), 1910-1986

ŒUVRES PRINCIPALES
• **Romans**: *Notre-Dame-des-Fleurs* (1944), *Miracle de la rose* (1946), *Un captif amoureux* (1983).
• **Théâtre**: *Les Bonnes* (1947), *Le Balcon* (1956), *Les Nègres* (1958), *Les Paravents* (1961).

Une mystique inversée

La plupart des personnages de Genet sont des **marginaux** : qu'ils soient en rupture avec la loi (criminels, prostituées dans *Notre-Dame-des-Fleurs* ou *Le Journal du voleur*) ou avec l'ordre moral (homosexuels dans *Querelle de Brest*), ils subissent leur marginalité tout en la revendiquant comme contre-valeur. La fascination qu'exerce sur eux le pouvoir officiel les incite à établir dans leur monde des rapports de domination, effectifs ou fantasmés (*Les Bonnes, Les Paravents*), qui fondent une nouvelle forme de souveraineté. Tout en privilégiant le monde interlope, Genet universalise sa réflexion : ses « monstres » symbolisent l'être humain et sa condition.
Genet invente donc un univers où **les valeurs s'inversent** : la violence et l'abjection y sont célébrées, afin que, par un processus dialectique, le mal prenne valeur de sainteté. Le texte devient alors le lieu d'une rédemption.

Mirages, reflets et métamorphoses
Les œuvres de Genet, et plus particulièrement ses pièces de théâtre, jouent avec les mirages. Les illusions tendent à se confondre avec la réalité, comme si les pouvoirs de l'imaginaire et du fantasme pouvaient seuls permettre de modifier le réel et d'atteindre la sainteté. L'alchimie de la douleur et du mal passe chez Genet par le pouvoir de la parole qui métamorphose le monde et se fait action. La **langue**, très riche, devient le moyen de présenter au lecteur ou au spectateur son image inversée et de transmuer la laideur en beauté.

CITATION
• Sur la conception du théâtre
« Sans pouvoir dire au juste ce qu'est le théâtre, je sais ce que je lui refuse d'être : la description de gestes quotidiens vus de l'extérieur : je vais au théâtre afin de me voir, sur la scène [...] tel que je ne saurais – ou n'oserais – me voir ou me rêver, et tel pourtant que je me sais être. » (*Comment jouer Les Bonnes*)

REPÈRES BIOGRAPHIQUES
→ La vie de Jean Genet commence sous de noirs auspices. Né de père inconnu, abandonné par sa mère, il est placé à l'Assistance publique en 1918. Accusé de vol en 1925, il entre en maison de redressement, s'évade en 1935 et s'engage dans la Légion étrangère. Après sa désertion, il vit d'expédients et fait de fréquents séjours en prison.
→ Grand lecteur, il commence à écrire, encouragé par Cocteau*. C'est grâce à ce dernier et à Sartre* qu'il échappe à l'exil en 1948. L'œuvre et le personnage sulfureux de Genet lui attirent autant d'admirations que de haines. En 1952, Sartre écrit *Saint Genet, comédien et martyr* ; en 1961, Malraux, ministre des Affaires culturelles, soutient la création des *Paravents*, pièce qui défend l'indépendance algérienne.
→ Genet, en effet, est un écrivain engagé : il soutient les Black Panthers, la Fraction Armée rouge et les Palestiniens. Ses romans et ses pièces de théâtre portent les traces de la vie et du combat de leur auteur.

→ Beckett, engagement, Ionesco, Sartre

g

genre

n. m. Du latin *genus, generis*, « origine, naissance ». Catégorie générale d'œuvres littéraires ou artistiques définie par plusieurs caractéristiques : sujet, ton, style, usage de la prose ou du vers, règles de structure...

Évolution de la notion de genre

La notion de genre apparaît dès l'**Antiquité**, qui permet de classer les œuvres selon des règles admises par les auteurs, les critiques et le public. Les genres, cependant, évoluent. Ainsi, les Anciens distinguaient, en poésie* : les genres lyrique, épique*, dramatique (divisé en comédie* et tragédie*) ; en prose : les genres oratoire*, didactique*, romanesque.

L'**âge classique** (XVIIe siècle) reprend cette distinction, ainsi que le principe de la **séparation** et de la hiérarchisation **des genres** (séparation entre rire et larmes, entre genres nobles et genres secondaires).

Cependant, progressivement, se répand l'idée que le **mélange des genres** représente mieux la variété de la réalité (mélange du grotesque* et du tragique* dans le drame romantique* par exemple).

Au XXe siècle, **la notion de genre s'affaiblit**. On distingue encore quelques grandes catégories (essai*, roman*, théâtre*, mémoires*…), mais la liberté est de mise pour le choix et le mélange des moyens stylistiques et des tons. L'idée de la supériorité de certains genres par rapport à d'autres disparaît. Le roman, qui prédomine, tend à absorber tous les moyens d'expression.

→ **classicisme, drame romantique, poésie, roman, théâtre**

Germinal,
Émile Zola, 1885

RÉSUMÉ

Étienne Lantier, fils de Gervaise Macquart, l'héroïne de *L'Assommoir*, arrive à Montsou, bourg minier du Nord, pour travailler au puits du Voreux. C'est un ouvrier autodidacte, acquis aux idées de Proudhon et de Marx. La direction voulant imposer une baisse de salaire, Lantier décide les mineurs à faire grève. Contre le réformiste modéré Rasseneur, Étienne prône la grève dure, seul moyen pour s'opposer aux conditions de travail imposées par le Capital. Celui-ci est représenté par Hennebeau, directeur nommé par la lointaine Compagnie d'Anzin, par Grégoire, l'un des riches actionnaires de la Régie de Montsou, ou encore par Deneulin, directeur du petit puits de Vandame, concurrent de Montsou (**parties I à IV**).

La grève se prolonge, et les ouvriers, affamés, détruisent les installations de la mine (**Ve partie**), avant de se précipiter chez Hennebeau pour réclamer du pain. On fait donner la troupe et le conflit s'achève dans le sang. Maheu, le mineur chez qui loge Lantier, est tué (**VIe partie**). Le jour même de la reprise du travail, le puits du Voreux est inondé par l'anarchiste Souvarine et les mineurs sont bloqués au fond. Étienne est sauvé par une équipe de secours après avoir vu mourir à ses côtés Catherine Maheu, qu'il aimait. Il retourne à Paris, et les mineurs à leur condition misérable. Mais c'est avec l'espoir des révoltes futures, à l'image de la lente « germination qui [va] faire bientôt éclater la terre », fécondée par le sang des martyrs (**VIIe partie**).

Le roman de la mine

Germinal est le **second roman ouvrier de Zola** après *L'Assommoir*, écrit huit ans plus tôt. Mais le traitement du sujet est totalement différent : Zola a décidé d'écrire un roman politique qui doit évoquer une grève de mineurs sous le Second Empire. À la date où il élabore son projet, janvier 1884, le sujet est d'une actualité brûlante : les mineurs d'Anzin, dans le Valenciennois, viennent de déclencher l'une des grèves les plus longues de leur histoire. Zola se rend sur place pour visiter les mines et mener son enquête documentaire.

La thématique amoureuse et sexuelle

Germinal est un **roman à plusieurs strates**. Le résumé qui précède omet, par exemple, l'importante **thématique amoureuse et sexuelle**, orientée vers l'évocation de la jalousie : celle d'Hennebeau, mari trompé qui devient une figure de capitaliste malheureux compliquant la peinture de l'inégalité des classes ; celle de Chaval, le mineur qui vit avec Catherine, elle-même liée à Étienne dans un amour réciproque. C'est dans ce triangle que Zola replace une figure obligée de son projet des *Rougon-Macquart* : la pulsion de meurtre d'Étienne, qui finit par tuer Chaval, l'idée de tare héréditaire étant cependant très atténuée par rapport à l'idéal social incarné par le personnage.

Un roman politique

Germinal est en effet, et avant tout, un **roman politique**. Il ne s'agit plus de peindre l'ouvrier comme le soûlard de *L'Assommoir* : la famille Maheu, décimée par la grève, concentre tout le courage et le malheur des mineurs, et devient le symbole du Travail en lutte contre le Capital. Si, dans la Ve partie, Zola montre la violence aveugle qui jette les mineurs « les uns sur les autres », c'est néanmoins l'évocation des souffrances du peuple qui domine.

« Le naturalisme ne se prononce pas », dit Zola se défendant de prendre parti pour les mineurs. Mais l'alternance savante des chapitres dépeignant d'une part la misère des mineurs et d'autre part la gourmandise des « gros », le paternalisme bonhomme des Grégoire, le paternalisme sévère de Deneulin ou bien l'insouciance esthète des Hennebeau mère et filles, semble légitimer la lutte des classes. Le roman entier, comme l'indique son titre, comme le signifient les deux passages clés que sont le discours d'Étienne dans la forêt (IVe partie, chap. 7) et sa vision finale, veut montrer la **germination de la conscience de classe**. Depuis le nihilisme révolutionnaire aveugle représenté par Souvarine en passant par le marxisme insurrectionnel exprimé par Étienne dans la forêt, le roman évolue vers l'espérance finale de l'avènement d'une action révolutionnaire plus réfléchie, ne négligeant ni les moyens légaux ni l'action syndicale.

→ **naturalisme, Zola**

Gide
(André), 1859-1951

ŒUVRES PRINCIPALES

- **Traités** : *Traité du Narcisse* (1891), *Le Voyage d'Urien* (1893), *Corydon* (1924).
- **Soties** : *Paludes* (1895), *Les Caves du Vatican* (1914).
- **Poèmes lyriques** : *Les Nourritures terrestres* (1895), *Les Nouvelles Nourritures* (1935).
- **Récits** : *Les Cahiers d'André Walter* (1891), *L'Immoraliste* (1902), *La Porte étroite* (1909), *La Symphonie pastorale* (1919), *Thésée* (1946).
- **Écrits autobiographiques** : *Si le grain ne meurt* (1924), *Voyage au Congo* (1927), *Retour de l'URSS* (1936), *Journal* (1939 et 1950).
- **Roman** : *Les Faux-Monnayeurs* (1926).

Une œuvre classique

Lié à son éducation religieuse et à sa formation, le classicisme* se retrouve dans plusieurs aspects de l'œuvre de Gide. Si l'on excepte les obscurités de la recherche symboliste dans les premières œuvres, son **style** est **classique par sa concision** : précision du lexique où se mêlent quelques archaïsmes et quelques néologismes, et de la syntaxe qui combine la régularité et quelques ruptures de construction.

Grand lecteur, Gide connaît bien la littérature classique et contemporaine : il traduit Shakespeare (1921-1924), s'intéresse – entre autres – à Dostoïevski (1923), Montaigne* (1929), Michaux* (1941), adapte Kafka pour le théâtre (1947).

Il reprend en les transposant les mythes* grecs (*Traité du Narcisse*, *Thésée*) et les paraboles* bibliques (les titres de *La Porte étroite* et de *Si le grain ne meurt* renvoient aux Évangiles). Pourtant, cet écrivain classique est aussi d'une grande modernité.

Une œuvre moderne

Les dénominations que Gide donne à ses œuvres témoignent d'un souci de **renouvellement des techniques narratives** : ce qu'il appelle « récit » s'inscrit dans la tradition du roman d'analyse, et la « sotie » (*Paludes*, *Les Caves du Vatican*) définit un texte ironique et critique à arrière-plan philosophique. Le seul roman ainsi nommé, *Les Faux-Monnayeurs*, se caractérise par des ruptures temporelles et la multiplication des points de vue*.

Gide exploite aussi le procédé de la **mise en abyme*** : *Paludes* raconte l'histoire d'un homme qui écrit *Paludes* ; dans *Les Faux-Monnayeurs*, Édouard tente d'écrire un roman qui s'intitulerait *Les Faux-Monnayeurs*. Par là, le narrateur* est conduit à juger ses personnages. Les nombreuses directions dans lesquelles se développent *Les Faux-Monnayeurs* multiplient le champ du possible romanesque.

Difficultés de l'autobiographie

L'autobiographie* proprement dite est contenue dans *Si le grain ne meurt*, mémoires* des vingt-six premières années de l'écrivain, et dans le *Journal*, publié de son vivant et jusqu'en 1950. Mais Gide est également présent dans plusieurs textes de fiction : l'homosexualité apparaît dans *Les Nourritures terrestres*, *L'Immoraliste* et *Les Faux-Monnayeurs*. Des figures du milieu protestant se retrouvent dans la critique du mysticisme de *La Symphonie pastorale* et de *La Porte étroite*, où l'auteur transcrit des expériences vécues.

La **double aspiration** de Gide **à la liberté et à la rigueur morale** se rencontre à travers son œuvre et à l'intérieur de chaque œuvre : ainsi, l'homosexualité est tantôt revendiquée comme une forme de liberté, tantôt donnée comme scandaleuse. De même, l'austérité puritaine, qui fonde la belle figure d'Alissa dans *La Porte étroite*, est surtout l'objet de critiques. Cette diversité permet la **multiplication des images du moi**. Ainsi, Gide « crée ses personnages avec les directions infinies de sa vie possible » (Thibaudet, cité dans le *Journal des Faux-Monnayeurs*). Son « égotisme » s'en trouve enrichi.

Un « inquiéteur » et un « contemporain capital »

La formule, notée dans le *Journal* (1935) – « belle fonction à assurer, celle d'inquiéteur » –, peut s'appliquer aux domaines littéraires, moral, politique, dans lesquels Gide apparaît aussi comme le « contemporain capital », selon le mot d'André Rouveyre.

Le récit gidien constitue une **rupture avec le roman réaliste et naturaliste**, et participe à la remise en question du genre romanesque, caractéristique du xxᵉ siècle.

– **Rupture avec les thèmes classiques** : l'acte gratuit de Lafcadio dans *Les Caves du Vatican* montre que l'homme est un être libre qui échappe à tous les déterminismes.

– **Rupture avec les formes de la fiction romanesque** qui perd son pouvoir d'illusion : dans *Les Faux-Monnayeurs*, les interventions ironiques et critiques du narrateur et le procédé de la mise en abyme* rappellent au lecteur qu'il est en train de lire un roman.

– **Rupture avec la morale traditionnelle** : la célébration de l'homosexualité dans *Corydon* et *Si le grain ne meurt* appelle à la libération sexuelle et à l'exaltation des sens et des corps. Si la publication de tels ouvrages a déchaîné le scandale, elle n'en brisait pas moins des tabous puissants.

Parallèlement, malgré un individualisme fondamental, Gide **s'engage dans les combats politiques** de son temps : dénonciation du colonialisme ; adhésion, un temps, au nom de la justice sociale, aux idées communistes ; critique des insuffisances de la justice dans les comptes rendus de deux procès (*La Séquestrée de Poitiers*, *L'Affaire Redureau*, 1930).

De fait, pour une grande partie des intellectuels de l'entre-deux-guerres, cet « inquiéteur » fut un maître à penser.

CITATIONS

• **Sur la famille**

« Familles ! je vous hais. Foyers clos ; portes refermées ; possessions jalouses du bonheur. » (*Les Nourritures terrestres*)

• **Sur l'égotisme**

« Je ne veux plus comprendre une morale qui ne permette et n'enseigne pas le plus grand, le plus beau, le plus libre emploi et développement de nos forces. » (*Journal.*)

REPÈRES BIOGRAPHIQUES

➜ Cévenol par son père et normand par sa mère – double origine, source, selon lui, d'instabilité –, Gide voit le jour dans une famille de la grande bourgeoisie, attachée à un protestantisme austère. Après la mort de son père en 1880, l'enfant, dont les crises nerveuses perturbent les études, est élevé dans une société exclusivement féminine. Après le baccalauréat, il commence à écrire des œuvres d'inspiration symboliste comme les *Cahiers d'André Walter* et le *Traité du Narcisse* (1891). Un séjour en Tunisie (1893-1895) lui révèle son homosexualité. À son retour, il épouse sa cousine Madeleine, qu'il aime depuis l'adolescence d'un amour pur et idéalisé, union ambiguë et douloureuse – le mariage ne sera jamais consommé – qui lui permet de concilier sa sexualité et sa recherche absolue.

➜ Ses œuvres, d'abord confidentielles, rompent avec le symbolisme* (*Paludes*) ; elles célèbrent la sensualité (*Les Nourritures terrestres*), mais en signalent les conséquences négatives (*L'Immoraliste*). Jusqu'en 1920 alternent les sujets à thème mystique (*La Porte étroite*, *La Symphonie pastorale*) et à thème profane (l'acte gratuit des *Caves du Vatican* ; la publication partielle des souvenirs de *Si le grain ne meurt*, 1920).

➜ La vie de Gide est également marquée, au plan littéraire, par la fondation de la *Nouvelle Revue française** (1909) et, au plan personnel, par le début d'une longue liaison avec Marc Allégret. En juin 1925, il entame un long voyage au Congo et au Tchad où il découvre le système colonial dont il dénonce les abus dans *Voyage au Congo* et *Retour du Tchad* (1928). Parallèlement, il publie *Les Faux-Monnayeurs*.

➜ Au plan politique, il se détachera du communisme qui l'avait tenté après un voyage en URSS en 1936, et se ralliera au gaullisme après avoir été séduit par le pétainisme. Il fait paraître *Thésée* en 1946 et poursuit la rédaction et la publication de son *Journal*. Prix Nobel de littérature en 1947, André Gide est désormais un écrivain consacré. En 1949, il participe à des *Entretiens radiophoniques* avec Jean Amrouche. Une congestion pulmonaire l'emporte le 19 février 1951.

→ abyme (mise en), autobiographie, classicisme, *Nourritures terrestres (Les)*, NRF

Giono
(Jean), 1895-1970

ŒUVRES PRINCIPALES

• **Romans**: *Colline* (1928), *Le Chant du monde* (1934), *Que ma joie demeure* (1935), *Un roi sans divertissement* (1947), *Le Hussard sur le toit* (1951), *Le Bonheur fou* (1958), *Deux Cavaliers de l'orage* (1965), *L'Iris de Suse* (1970).

Les deux époques de l'œuvre

Les premiers romans de Giono évoquent les **grandes forces de la nature** – l'eau, le vent, le feu, la terre – et la relation de l'homme à cette « vie immense ». La *Trilogie de Pan* (*Colline* ; *Un de Baumugnes*, 1929 ; *Regain*, 1930), *Jean-le-Bleu* (1932) et *Le Chant du monde* racontent le triomphe des forces vitales sur les forces de destruction. Le romancier y chante la genèse du monde et la vie rustique, sur un mode lyrique où se conjuguent utopie et nostalgie. Après la Seconde Guerre mondiale, délaissant l'*illud tempus* des premiers récits, Giono place ses **personnages dans l'Histoire** et développe une **veine plus psychologique**. Son œuvre fait résonner une note sombre, déjà perceptible dans certains romans antérieurs. Dans *Un roi sans divertissement* et *Le Hussard sur le toit*, les justes sont malmenés par la violence du monde et par leur propre violence intérieure. Parallèlement aux grands romans, Giono se met à écrire des chroniques* romanesques.

Une interrogation sur l'homme et le monde

Giono n'est pas un romancier rural ou provençal. Il fait de **la terre un personnage à part entière** de ses récits et exprime l'idéal d'une vie primitive, naïve et simple. En ce sens, le romancier **s'interroge sur la condition humaine**. C'est cette interrogation qui confère à l'œuvre de Giono son unité : constamment, la générosité et l'innocence sont chantées ;

constamment, les luttes et les douleurs, nées de l'ennui ou de l'égoïsme, sont relatées. L'écriture de Giono restitue la sincérité et l'immédiateté d'un langage primitif idéal : la **richesse des images** place la poésie au-delà du discours rationnel. Conteur subtil, Giono ne se préoccupe pas de la vérité objective, mais de la magie poétique ; grâce aux charmes de l'imaginaire, son œuvre atteint au mythe* et à la fable*.

CITATION

• **Sur les deux vérités de Giono**

« La première de ces vérités est qu'il y des hommes nus et simples ; l'autre est qu'elle existe, sans littérature, [...] cette terre vivante ; qu'il faut compter avec elle et que toutes les erreurs de l'homme viennent de ce qu'il s'imagine marcher sur une chose morte alors que ses pas s'impriment dans de la chair pleine de volonté. » (Préface de *Colline*)

REPÈRES BIOGRAPHIQUES

→ Né à Manosque, Giono restera toujours attaché à sa Provence natale, qui lui fournira le cadre de plusieurs romans. Après avoir travaillé dans une banque, encouragé par le succès de ses premiers romans, il décide de se consacrer à la littérature. Marcel Pagnol* adapte au cinéma *Regain* en 1937 et *La Femme du boulanger* en 1938.

→ À la veille de la guerre, les écrits pacifistes de Giono lui valent quelques ennuis et, à la Libération, il est momentanément incarcéré pour la même raison. Tout en continuant à écrire, Giono se tourne ensuite vers le cinéma ; il devient scénariste (*Hortense ou L'Eau vive*, 1958) et réalisateur (*Crésus*, 1960).

→ **Gracq, Pagnol**

Giraudoux
(Jean), 1882-1944

ŒUVRES PRINCIPALES
- **Souvenirs**: *Amica America* (1919), *Adorable Clio* (1920).
- **Romans**: *Suzanne et le Pacifique* (1921), *Siegfried et le Limousin* (1922), *Juliette au pays des hommes* (1924), *Bella* (1926).
- **Théâtre**: *Siegfried* (1928), *Amphitryon 38* (1929), *Intermezzo* (1933), *La guerre de Troie n'aura pas lieu* (1935), *Électre* (1937), *Ondine* (1939), *La Folle de Chaillot* (posth. 1945).
- **Essais**: *Pleins pouvoirs* (1939), *Sans pouvoirs* (posth. 1945).
- **Scénarios de films**: *La Duchesse de Langeais* (1942), *Les Anges du péché* (1944).

Une œuvre en prise sur son époque

L'œuvre de Giraudoux s'inscrit, pour l'essentiel, dans l'actualité de l'**entre-deux-guerres**, dont, grâce à sa carrière de haut fonctionnaire, il est un témoin privilégié. Ancien combattant de la Première Guerre mondiale et pacifiste convaincu, Giraudoux **dénonce** dans son œuvre **les horreurs et l'absurdité de la guerre**. Si *Adorable Clio* évoque des souvenirs de fraternité liés à la Grande Guerre, l'œuvre giralducienne est surtout **dominée par l'échec du dialogue entre la France et l'Allemagne**, que tentait d'esquisser *Siegfried et le Limousin*. Les pièces, par les situations qu'elles mettent en scène, n'échappent pas non plus à l'actualité du temps : *La guerre de Troie n'aura pas lieu* montre l'impossibilité d'échapper à la guerre ; *Électre* s'ouvre sur un conflit familial, puis s'élargit au conflit entre cités, et se termine par la guerre ; *Sodome et Gomorrhe* (1943) prophétise la fin du monde : « Qu'ils en profitent vite ! Ce ne sera pas long ! Et le spectacle qui va suivre risque d'être affreux ! » (Prélude) ; dans *La Folle de Chaillot* se retrouvent les politiciens et affairistes responsables de la guerre, déjà dénoncés dans *Pleins pouvoirs*.

Face à la cruauté de la guerre, un patriotisme harmonieux, à vivre plus qu'à proclamer, loin des vociférations nationalistes du Demokos de *La Guerre de Troie n'aura pas lieu*, constitue un contrepoids.

Des tentations opposées

L'univers de Giraudoux est d'abord celui de la **province française** où il a passé son enfance et à laquelle il est toujours resté très attaché. Toute l'action d'*Intermezzo* se déroule dans une petite ville du Limousin, dont la vie quotidienne mesquine est caricaturée à travers les personnages du Maire, du Droguiste ou du Contrôleur.

Cependant, à l'opposé de cette humanité moyenne, existe la tentation de la fugue dans le **surnaturel**, de la communion avec un **merveilleux** issu de mythes divers. Les divinités germaniques apparaissent surtout dans *Ondine*, mais sont déjà en germe dans le Spectre d'*Intermezzo*, qui tente d'entraîner Isabelle hors du monde des hommes. On retrouve la mythologie grecque dans *Amphitryon* où sont évoquées les liaisons de Jupiter avec Léda et Alcmène, ainsi que dans *Électre*. Chez Giraudoux, le surnaturel est une forme d'évasion hors de l'étroitesse du monde humain, mais c'est aussi l'occasion de redonner vie aux légendes tragiques de l'Antiquité (*Électre*, *Sodome et Gomorrhe*).

La préciosité du langage

La recherche du style est omniprésente dans l'œuvre de Giraudoux, à propos duquel Claude-Edmonde Magny parle d'**écrivain** « précieux ». La préciosité est souvent liée, selon la conception platonicienne, à la recherche de l'essence de l'objet, de l'archétype, ce que traduit également le recours au mythe. Elle s'exprime par le jeu avec les mots, les anachronismes, les allégories, la parodie et le pastiche. Les images et leurs prolongements créent un refrain, comme reviennent les petites Euménides dans *Électre*. Le jeu des antithèses – tout *Siegfried* est construit sur l'opposition entre la France et l'Allemagne – crée des litanies envoûtantes comme dans la scène entre Hector et Ulysse dans *La guerre de Troie n'aura pas lieu* (II, 13).

CITATIONS

- **La vision de la guerre**
« Le privilège des grands, c'est de voir les catastrophes d'une terrasse. » (*La guerre de Troie n'aura pas lieu*, II, 13)
- **Le jeu des oppositions**
« Ce qu'aiment les hommes [...], ce n'est pas connaître, ce n'est pas savoir, c'est osciller entre deux vérités ou deux mensonges, entre Gap et Bressuire. » (*Intermezzo*, III, 4)

REPÈRES BIOGRAPHIQUES

➜ Né à Bellac (Limousin) dans une famille modeste, Giraudoux fait de brillantes études et se passionne pour la culture allemande, avant de se diriger parallèlement vers la diplomatie et l'écriture. Il fait paraître son premier ouvrage, *Provinciales*, en 1909.

Après la Première Guerre mondiale où il est deux fois blessé, il poursuit sa carrière de haut fonctionnaire à Paris et à l'étranger, alors que ses romans se succèdent : *Simon le Pathétique* (1918), *Elpénor* (1920), *Suzanne et le Pacifique*, *Siegfried et le Limousin*, *Bella*.

➜ Sa rencontre avec Louis Jouvet en 1928 le conduit à écrire pour le théâtre : *Siegfried* est l'adaptation pour la scène de son roman *Siegfried et le Limousin*. Durant les dix années qui suivent, une étroite collaboration s'instaure entre les deux hommes, d'où vont sortir une douzaine d'autres pièces qui rendent Giraudoux célèbre : entre autres, *Amphitryon 38*, *Intermezzo*, *La guerre de Troie n'aura pas lieu*, *Électre*, *Ondine*.

➜ Cependant, en 1939, Giraudoux est nommé commissaire général à l'Information. La même année, il fait paraître *Pleins pouvoirs*, réflexion sur les problèmes politiques de l'époque. En 1940, retiré des affaires publiques, il écrit la pièce *Sodome et Gomorrhe* (1943) et un essai (*Sans pouvoirs*, posth. 1945), œuvres d'une tonalité plus sombre. Il écrit également deux scénarios de cinéma, dont *Les Anges du péché* pour Robert Bresson. Il meurt à Paris le 31 janvier 1944, sans avoir assisté à la création par Jouvet, en 1945, de *La Folle de Chaillot*, l'une de ses deux dernières pièces.

➜ allégorie, antithèse, Électre, mythe, préciosité

Goncourt (Huot de)
(Edmond), 1822-1896
(Jules), 1830-1870

ŒUVRES PRINCIPALES

• **Romans** : *Sœur Philomène* (1861), *Germinie Lacerteux* (1865), *Madame Gervaisis* (1869), *La Fille Élisa* (Edmond de Goncourt, 1877).
• *Journal* (publ. 1885-1896).

Du *Journal* au roman

À mi-chemin de la chronique* journalistique et de l'essai* littéraire, l'imposant *Journal* des Goncourt (neuf tomes seront publiés entre 1885 et 1896) rassemble l'expérience de deux témoins privilégiés de la vie artistique et sociale de la fin du XIXᵉ siècle. En « **historiens du présent** », ils rapportent des événements culturels et mondains, des faits divers, affirment leurs goûts (l'art japonais du XVIIIᵉ siècle) et relèvent les symptômes de décadence d'une

société dans laquelle ils baignent pourtant avec une volupté d'esthètes. Leurs observations portent notamment sur les **cas pathologiques** dont résonnent les débats des cours d'assise ou les couloirs des hôpitaux : ils en font la matière principale de romans d'un type nouveau.

Du réalisme au naturalisme

L'œuvre romanesque des Goncourt marque la **transition du réalisme* au naturalisme***. En inscrivant l'histoire de leurs personnages (*Sœur Philomène*, *Germinie Lacerteux*, *Madame Gervaisis*, *La Fille Élisa*) dans un contexte social précis – généralement les milieux populaires –, en s'inspirant de faits authentiques (la débauche de leur propre domestique pour décrire la névrose de Germinie Lacerteux), les Goncourt affirment un parti pris réaliste. Mais ils vont au-delà en visant une **approche clinique** des passions, une véritable « **enquête sociale** ». La Préface de *Germinie Lacerteux* présente l'œuvre comme un « roman vrai », une « clinique de l'Amour » faite pour contrarier les habitudes du public à l'heure où « le roman s'est imposé les études et les devoirs de la science ». Ces principes et ces méthodes d'observation et d'analyse **préfigurent le naturalisme de Zola***.

Mais ils ne signifient pas pour autant la mort de l'art : le style des Goncourt romanciers est raffiné, visant ce qu'ils appellent « **l'écriture artiste** », faite de suggestion impressionniste et sensuelle, d'alliances de mots rares et d'effets picturaux comme dans cette phrase de *Germinie Lacerteux* : « Les horizons s'assombrissaient ; les verdures se fonçaient, s'assourdissaient, les toits de zinc des cabarets prenaient des lumières de lune, des feux commençaient à piquer l'ombre, la foule devenait grisâtre, les blancs du linge devenaient bleus. »

CITATION

• **Sur le « roman vrai »**
« Il nous faut demander pardon au public de lui donner ce livre et l'avertir de ce qu'il y trouvera. Le public aime les romans faux ; ce roman est un roman vrai. Il aime les livres qui font semblant d'aller dans le monde : ce livre vient de la rue. » (Préface de *Germinie Lacerteux*)

REPÈRES BIOGRAPHIQUES

➜ Il n'est guère d'exemple de fraternité littéraire aussi complète que celle d'Edmond et Jules de Goncourt. Dès que la vocation d'homme de lettres s'éveille chez ces deux fils d'un ancien officier de la Grande Armée, chacun apporte à l'œuvre commune sa sensibilité particulière : Edmond, le taciturne, ordonne ce que le sémillant Jules écrit dans la ferveur. Leur *Journal*, qu'Edmond poursuivra seul après la mort de son cadet, témoigne de l'inlassable curiosité littéraire et artistique de deux dandys du XIXᵉ siècle, alors que leurs romans (*Germinie Lacerteux*) traduisent leur sens aigu de l'observation des maladies sociales et morales.

→ Comme théoriciens d'un réalisme* déjà naturaliste et comme esthètes, les Goncourt ont profondément marqué leur époque. Avant sa mort Edmond consacre une partie de sa fortune à la création d'une société littéraire composée de dix membres et consacrant chaque année par un prix la meilleure « œuvre d'imagination en prose » : l'académie et le prix Goncourt étaient nés.

→ **dandysme, journal, naturalisme, réalisme, Zola**

Gracq
(Julien), 1910-2002

ŒUVRES PRINCIPALES
• **Romans**: *Au château d'Argol* (1938), *Un beau ténébreux* (1945), *Le Rivage des Syrtes* (1951), *Un balcon en forêt* (1958).
• **Poésie**: *Liberté grande* (1947).
• **Théâtre**: *Le Roi pêcheur* (1948).
• **Essais critiques**: *Préférences* (1961), *Lettrines I et II* (1967-1974), *Les Eaux étroites* (1976), *En lisant en écrivant* (1980), *Carnets du grand chemin* (1992).

Les lisières, l'attente

L'œuvre de Julien Gracq, hormis l'influence du surréalisme*, s'est développée **en marge** des courants de son époque. Son univers romanesque se constitue essentiellement autour d'une atmosphère : l'**intrigue** est toujours **réduite**, les **personnages** sont des figures **énigmatiques** dont la psychologie importe peu et qui valent surtout par leur capacité d'aimantation. Personnages sans attaches, presque sans identité, toujours disponibles pour l'appel des chemins, ils entretiennent avec l'espace et le temps une relation mystérieuse.

L'espace est pour eux un champ d'attraction où jouent des forces adverses, des énergies invisibles. Dans le paysage gracquien, les confins, les lisières, les rivages sont des lieux magiques où l'être entend des vibrations singulières qui l'invitent à une quête intérieure. Se dessine alors une géographie initiatique qui, loin d'être le décor d'une vaine succession d'événements, suscite une ouverture à ce qui peut advenir, un éveil, une attente. Toute l'œuvre de Gracq repose sur cette **magie de l'attente**, ce **temps vacant et aimanté** qui place l'être face à l'énigme du monde mais aussi face à sa propre énigme.

Une écriture magnétique

La géographie onirique et poétique de Julien Gracq s'exprime dans une **prose lyrique**, envoûtante, qui déploie une **phrase ample et rythmée**, sensuelle, riche d'images somptueuses, jouant de l'étrangeté des noms propres, une phrase pleine de surprises et de raccourcis, qui parfois peut rester béante, comme en suspens au-dessus du vide. Suggestive, refusant les mensonges du réalisme*, la langue de Gracq efface les contours, entoure les êtres et les choses d'un halo de mystère qui exalte « l'étrange vie symbolique des objets ».

Parallèlement à son œuvre de fiction, Julien Gracq a développé une importante œuvre critique sous la forme de l'essai* et du fragment.

CITATION

« Pourquoi le sentiment s'est-il ancré en moi de bonne heure que, si le voyage seul – le voyage sans idée de retour – ouvre pour nous les portes et peut changer vraiment notre vie, un sortilège plus caché, qui s'apparente au maniement de la baguette de sourcier, se lie à la promenade entre toutes préférée, à l'excursion sans aventure et sans imprévu qui nous ramène en quelques heures à notre point d'attache, à la clôture de la maison familiale ? » (*Les Eaux étroites*)

REPÈRES BIOGRAPHIQUES

→ Julien Gracq, de son vrai nom Louis Poirier, naît en 1910 dans le Maine-et-Loire. Reçu à l'École normale supérieure en 1930, il en sort agrégé d'histoire et géographie en 1935. Il commence alors une double carrière de professeur et d'écrivain, publiant en 1938 son premier roman : *Au château d'Argol*. Le livre est remarqué par André Breton*, et Julien Gracq, bien que romancier, se rapproche du surréalisme.
→ Mobilisé en 1939, il est fait prisonnier en 1940. Après sa libération, il se lie d'amitié avec l'écrivain allemand Ernst Jünger (*Sur les falaises de marbre*), et se livre à une intense activité créatrice (romans, théâtre, critique littéraire). En 1951, il refuse le prix

Goncourt qui lui est décerné pour *Le Rivage des Syrtes*.

→ Il poursuivra dès lors, en marge des tapages parisiens, une vie littéraire ponctuée seulement par la publication de ses œuvres.

Il meurt en 2007, après avoir vu son œuvre publiée de son vivant – honneur rarissime – dans la Bibliothèque de la Pléiade.

→ **prose cadencée, surréalisme**

gradation

n. f. Du latin *gradatio*, de *gradus*, « degré ».
Figure par laquelle on ordonne les termes d'un énoncé selon une progression (en nombre, en taille, en intensité...) : « C'est un roc ! c'est un pic ! c'est un cap !/Que dis-je, c'est un cap ?.... C'est une péninsule ! »
C'est ainsi que Cyrano évoque plaisamment son nez dans la pièce d'Edmond Rostand* (*Cyrano de Bergerac*, I, 4). Lorsque la progression va en diminuant, on parle de gradation « descendante » (Quillet) ou « régressive » (Morier) : « Adieu veau, vache, cochon, couvée » : ainsi s'évanouissent les rêves de Perrette dans la fable de La Fontaine* (« La Laitière et le Pot au lait »).

La gradation est une figure de l'**amplification*** **du discours** qui permet de gagner en intensité expressive ou en précision dans les genres épique* ou oratoire* notamment. La gradation peut également marquer une progression rythmique, comme dans ce fameux vers de Corneille* : « Va, cours, vole et nous venge » (*Le Cid**).

→ **amplification, épique, oratoire (style), rythme**

Green
(Julien), 1900-1998

ŒUVRES PRINCIPALES
• **Romans**: *Mont-Cinère* (1926), *Adrienne Mesurat* (1927), *Moïra* (1950), *Chaque homme dans sa nuit* (1960).
• **Autobiographie**: *Partir avant le jour* (1963).

Un romancier de l'inquiétude

L'**univers** romanesque de Julien Green est souvent **sombre** : plongés dans une nuit qui est celle de leur conscience, obsédés par le mal qu'ils provoquent ou qu'ils subissent sans vraiment le comprendre ou le vouloir, ses personnages vivent des tragédies incommunicables qui se résolvent en violence parfois meurtrière (*Chaque homme dans sa nuit*).

Dans *Adrienne Mesurat*, la description quasiment naturaliste de la passion mortifère d'une jeune provinciale prend un caractère plus mystérieux quand le romancier évoque, au plus près des pensées de son héroïne, son irrésistible basculement dans la folie. Dans ce monde où errent des âmes guettées par le péché mais toujours en quête d'innocence, la grâce semble bien lointaine.

Les chemins de l'autobiographie

Sans abandonner la fiction, Julien Green a consacré une grande partie de son œuvre à l'**écriture de soi**, sous la forme d'un *Journal* (1928-1972) qui retrace les étapes de son parcours spirituel et dans les quatre volumes de son autobiographie. « Sans itinéraire précis », il revient sur les traces d'une enfance regrettée, celle du « bonheur de vivre » : « Dieu parle avec une extrême douceur aux enfants, et, ce qu'il a à leur dire, il le leur dit souvent sans paroles. La création lui fournit le vocabulaire dont il a besoin, les feuilles, les nuages, l'eau qui coule, une tache de lumière. C'est le langage secret qui ne s'apprend pas dans les livres et que les enfants connaissent bien. » (*Partir avant le jour*.)

CITATION
« Tout roman greenien est aventure d'un être brutalement jeté hors de ses habitudes et contraint à la difficile, tragique, découverte de soi. » (J. Petit)

REPÈRES BIOGRAPHIQUES
→ Né à Paris dans une famille anglo-américaine protestante, Julien Green est engagé volontaire en 1917. Il étudie ensuite aux États-Unis mais choisit d'écrire en français ses romans et ses nouvelles.
→ Converti au catholicisme en 1916, il traverse plusieurs crises religieuses, éternellement tourmenté par des interrogations morales (liées à l'homosexualité) et spirituelles : pour lui « chaque homme dans sa nuit » (titre d'un de ses livres) est en mal d'espérance. Ces tourments s'expriment dans son œuvre romanesque, et plus discrètement dans le *Journal* qu'il tient depuis

g

1928 et l'autobiographie* qu'il a inaugurée en 1963 avec *Partir avant le jour*.
→ Julien Green, décédé à Paris le 13 août 1998, occupait à l'Académie française, depuis 1971, le fauteuil de François Mauriac*.

→ **autobiographie, Bernanos, journal, Mauriac**

grotesque

n. m. ou *adj.* De l'italien *grottesca*, de *grotta*, «grotte». À l'origine, motifs décoratifs fantastiques découverts dans les ruines de certains monuments antiques. **Sens général** : le grotesque est un ridicule de type caricatural, bouffon, bizarre, produit par une déformation qui peut aller jusqu'au fantastique : ainsi, chez Hugo*, sa difformité monstrueuse fait de Quasimodo*, le sonneur de cloches de *Notre-Dame de Paris*, un personnage grotesque. **Sens particulier au romantisme** : pour Hugo, le grotesque crée «le difforme et l'horrible», «le comique et le bouffon» (*Préface de Cromwell*).

Le grotesque, catégorie esthétique

Le grotesque offre des possibilités créatrices infinies. Il s'oppose à la pure beauté, sublime et idéalisée, et, par contraste, la fait ressortir. **Hugo** propose précisément de **mêler le sublime* et le grotesque dans le drame romantique*** afin d'offrir, par la rencontre des extrêmes, le spectacle complet de la vie humaine. Pour l'auteur des *Misérables*, la catégorie du grotesque a une double dimension, naturelle et sociale : le grotesque est la part de la bête en l'homme mais il est également le signe distinctif des parias de la société. Le drame romantique illustre la transition possible du grotesque au sublime, de la laideur physique et de l'exclusion sociale à la beauté morale : c'est ainsi que le héros de *Ruy Blas*, laquais, «ver de terre», peut s'élever à la grandeur de l'homme d'État et au sublime de la passion.

→ **caricature, comique, drame romantique, Hugo, Quasimodo, sublime**

Guillevic
(Eugène), 1907-1997

ŒUVRES PRINCIPALES
• **Poésie** : *Terraqué* (1942), *Exécutoire* (1947), *Gagner* (1949), *Carnac* (1961), *Sphère* (1963), *Avec* (1966), *Euclidiennes* (1967), *Ville* (1969), *Paroi* (1970), *Inclus* (1973), *Du domaine* (1977), *Étier* (1979), *Creusement* (1986), *Motifs* (1987), *Art poétique* (1989), *Le Chant* (1990).

Une poésie antilyrique

L'itinéraire poétique de Guillevic commence avec un **refus** : celui **du lyrisme* et de la métaphore***. D'emblée, il situe sa démarche en opposition avec celle du surréalisme* et trouve sa voie dans une interrogation inquiète et fascinée du monde des objets.
Guillevic a su créer un rythme personnel loin des enchantements et des harmonies faciles. **Poète au souffle court**, il refuse de s'abandonner au flot des mots et, s'acceptant comme tel, adopte une **écriture sèche**, concise, elliptique, qui se méfie autant de l'éclat des images que des joliesses «poétiques». Il ne cherche jamais à faire un «beau vers». Pas de rhétorique*, pas de bavardage mais des vers la plupart du temps très brefs, qui accumulent de courtes notations dans une volonté de «suspendre le temps». Car le temps est justement un flux qui entraîne les choses vers leur déchéance.

L'ouverture au monde

Guillevic passe pour un **poète de l'objet**, un poète qui serait spontanément **tourné vers le réel**, vers l'univers sensible. À vrai dire, ce rapport au réel n'a rien d'euphorique. Au départ, le monde du dehors est présent plutôt comme une menace permanente : l'espace, «horriblement vacant», suscite vertige et malaise, l'univers aérien déclenche une irrépressible phobie. La tentation est grande du repli sur soi, du recours aux refuges. Il faudra un long combat intérieur pour que le poète conquière la sérénité et accepte l'ouverture, l'appel de l'horizon, pour qu'il accueille le monde du dehors au lieu de le rejeter comme une menace.

CITATION
• **Sur l'homme dans la ville**
« Il y avait des lampadaires ;/De loin en loin,/Un peu d'êtres humains.// C'est arrivé à mi-chemin/Entre deux lampadaires./Il a crié :// «Mais j'existe pourtant. Je cherche où c'est./Essayez-moi. » » (*Ville*)

REPÈRES BIOGRAPHIQUES

➜ Originaire de Carnac et fils d'un fonctionnaire de police, Eugène Guillevic entre dans la fonction publique en 1926 et devient inspecteur de l'économie en 1946. Il publie son premier recueil important, *Terraqué*, en 1942. Homme de convictions, soucieux de résister à toute forme d'oppression et en particulier au nazisme, il adhère au Parti communiste. Pendant une dizaine d'années, il va mettre son inspiration au service de ses idées politiques.

➜ Ce n'est que dans les années 1960, après ce passage par la poésie militante, que Guillevic renoue avec une inspiration plus personnelle. Il produit alors ses recueils majeurs, enrichissant jusqu'à sa mort une œuvre qui s'impose désormais comme l'une des plus originales du xxᵉ siècle.

→ **engagement, Ponge**

Guilloux
(Louis), 1889-1980

ŒUVRES PRINCIPALES
• **Romans**: *La Maison du peuple* (1927), *Dossier confidentiel* (1930), *Le Sang noir* (1935), *Angélina* (1934), *La Confrontation* (1967), *Salido*, suivi de *O. K. Joe!* (1976), *Coco perdu, essai de voix* (1978).
• **Théâtre**: *Cripure* (1962), adaptation du *Sang noir*.

Un romancier populiste
Le nom de Louis Guilloux est souvent associé à celui d'Eugène Dabit, avec qui il partage une **tendresse** attentive **pour les petites gens et** surtout pour **les artisans** (*La Maison du peuple, Angélina*). Louis Guilloux s'attache à restituer l'atmosphère des années de la Grande Guerre dans les petites villes de l'arrière : *Dossier confidentiel* et *Le Sang noir* sont des peintures au vitriol de la bassesse des notables de province. Mais *Le Sang noir* est aussi l'émouvant portrait de Cripure, professeur de philosophie pathétique et courageux. L'écriture de Guilloux, dédaigneuse des explications, cherche avant tout à sympathiser avec des personnages et des destinées dérisoires.

« Essai de voix »
La compassion spontanée et sincère de Louis Guilloux pour les gens « sans importance » s'exprime surtout par le souci de **faire entendre leurs voix**, qu'il s'agisse de dialogues ou de la restitution de la vie intérieure de ses héros. *Coco perdu, essai de voix* est le monologue intérieur* d'un homme isolé dans une petite ville, abandonné par sa femme. Guilloux lui-même livre, dans *OK Joe !* ses souvenirs désenchantés d'interprète de l'armée américaine pendant la libération de la France, dans un style toujours dominé par la pudeur d'un lyrisme* contenu.

CITATION
• **La satire de la guerre et de la province**
« Dans la rue entra la noire silhouette de M. le Maire, avec, dans sa main gantée de noir, son parapluie noir, sa redingote en ailes de corbeau, ses caoutchoucs [...]. Il commençait sa tournée de bien bonne heure, ce matin ! À combien de familles allait-il aujourd'hui glisser dans la main – tenez mon ami : voilà pour vous ! – ce petit papier où serait marquée en rouge la mort d'un enfant adoré ? » (*Le Sang noir*)

REPÈRES BIOGRAPHIQUES
➜ Issu d'une famille très modeste, Louis Guilloux grandit à Saint-Brieuc où se situe l'action de plusieurs de ses récits. Il gagne Paris en 1918, où il vit de l'enseignement et du journalisme. Sa vocation littéraire s'affirme en 1927 avec la publication de *La Maison du peuple*. Durant les années 1930 sa production romanesque est intense, de *Dossier confidentiel* au *Sang noir*.
➜ Sensibilisé très tôt à la lutte politique par un père artisan et militant socialiste, Louis Guilloux milite dans l'entre-deux-guerres, sans jamais pourtant adhérer au Parti communiste. Secrétaire du Congrès mondial des écrivains antifascistes en 1935, il soutient également la République espagnole. En 1936, il accompagne André Gide* en URSS ; il en revient déçu, et rompt avec le Parti communiste l'année suivante. Il reçoit le Prix du roman populiste en 1942 (*Le Pain des rêves*), le prix Renaudot en 1949 (*Le Jeu de patience*).
➜ Désormais célèbre, Louis Guilloux travaille après la guerre à des adaptations d'œuvres de Joseph Conrad ou de Roger Martin du Gard* pour la télévision, reçoit diverses distinctions pour l'ensemble de son œuvre, dont le Grand Prix de l'Académie française* en 1973. Il s'éteint dans sa ville natale en 1980.

→ **monologue intérieur, Vallès**

harangue

n. f. De l'italien *aringa*, «discours public».
Discours solennel prononcé devant une
assemblée ou un personnage important.
Sens péjoratif : discours pompeux et
ennuyeux, remontrance. Le verbe *haranguer*
s'emploie fréquemment pour signifier
«tenir un discours» (souvent ennuyeux).

Exercice de rhétorique*, la harangue appartient
à la *declamatio* (discours) par opposition à la
disputatio (débat). Une harangue est souvent
un **discours d'exhortation**, prononcé dans un
cadre politique (harangue adressée au peuple)
ou militaire (encouragement au combat). On
peut citer comme exemple la harangue du
« Député du Danube » qui donne son nom à
une fable (XI, 7) de La Fontaine*.

→ **rhétorique, sermon**

harmonie imitative

n. et adj. f. Du latin *harmonia* et d'*imitation*.
En prose ou en poésie, jeu sur les sonorités*
des mots par lequel on vise à reproduire,
imiter, ou évoquer le son produit par la
réalité que décrit le texte.

Exemples et effets
Dans ce vers célèbre de Racine (*Andromaque*,
V, 5) : « Pour *qui* sont *ces* serpents *qui si*fflent
sur vos têtes ? », le sifflement des serpents est
suggéré par l'association *ils*. L'**image sonore**
est du reste redoublée par une **image visuelle**,

la forme même de la consonne *s* évoquant le
serpent.
Émile Verhaeren* rend perceptible le mugisse-
ment du vent, en multipliant les assonances*
en *an/on/ou* et les allitérations* en *vlf* : « Sur la
bruyère, infiniment,/Voici le vent/Qui se déchire et se démembre/En souffles lourds, battant les bourgs ;/Voici le vent,/Le vent sauvage
de novembre. » (*Les Villages illusoires*, 1895.)

→ **allitération, assonance, sonorités**

hémistiche

n. m. Du grec *hêmi*, «demi», et *stikhos*,
«vers». On appelle hémistiche chacune
des moitiés d'un vers coupé par la césure*.
L'hémistiche peut ne pas correspondre
strictement à la moitié du vers : si, dans
l'alexandrin*, chaque hémistiche compte
six syllabes, ceux du décasyllabe* valent
rarement cinq syllabes, mais le plus souvent
quatre et six syllabes.

Effets de l'hémistiche
Dans l'**alexandrin** classique, la longueur égale
de chacun des deux hémistiches, parfois séparés en plus par une ponctuation, conduit à
multiplier les **jeux de symétrie**, parallélismes
et oppositions. Ainsi chez Corneille* : « J'ai pris
sa mort pour vraie,// et ce n'était que feinte »
(*L'Illusion comique*, V, 5), ou chez Baudelaire* :
« Ô lutteurs éternels,// ô frères implacables »
(« L'Homme et la mer », *Les Fleurs du mal*).
Dans le **décasyllabe**, la plus grande longueur
du second hémistiche crée souvent un **déséquilibre**, évocateur d'une durée : « Las ! Le

temps, non,// mais nous nous en allons »
(Ronsard*, *Continuation des Amours*, 35).
Dans la poésie contemporaine, le vers est
souvent désarticulé et la notion d'hémistiche
disparaît.

→ **alexandrin, césure, coupe, décasyllabe, vers**

heptasyllabe

n. m. Du grec *hepta*, « sept ». En métrique*,
l'heptasyllabe est un vers de sept syllabes.
Ex. : « Marquise, si mon visage/A quelques
traits un peu vieux/Souvenez-vous qu'à
mon âge/Vous ne vaudrez guère mieux »
(Corneille*, *Stances à Marquise du Parc*).

Effets de l'heptasyllabe
La **musicalité** de ce mètre est fondée sur son
déséquilibre, semblable en cela à celui de neuf
et de onze syllabes. Sa brièveté empêche une
coupe* marquée et procure une impression de
légèreté propice à l'imaginaire.
L'heptasyllabe est souvent employé par les
symbolistes. Ainsi, dans cette strophe* d'un
poème de Verlaine*, l'alliance du *e* muet, de
l'enjambement et du mètre court souligne l'indolence et incite à la rêverie : « Ferme tes yeux
à demi,/Croise tes bras sur ton sein,/Et de ton
cœur endormi/Chasse à jamais tout dessein. »
(« En sourdine », *Fêtes galantes*.)

→ **décasyllabe, octosyllabe**

Heredia
(José-Maria de), 1842-1905

ŒUVRE
• **Recueil de 118 sonnets** :
Les Trophées (1893).

Les mythes et l'Histoire
L'œuvre de Heredia se présente comme une
sorte de « légende des siècles » dont l'ambition
est de **retracer** par étapes **l'épopée* de l'humanité**. Les sonnets*, groupés par séries, forment
cinq sections dont les trois premières sont inspirées par la mythologie et par l'Histoire (« La
Grèce et la Sicile », « Rome et les Barbares »,
« Le Moyen Âge et la Renaissance »). Les deux
dernières ont pour thème « L'Orient et les
Tropiques » et « La Nature et le Rêve ».
Si *Les Trophées* célèbrent l'héroïsme et l'énergie, notamment à travers les *conquistadores*

(les conquérants du Nouveau Monde), sont
aussi ressuscités les civilisations disparues,
les ruines, les tombeaux qui jalonnent l'histoire de l'humanité et ouvrent la méditation
sur la mort et le néant. Le titre *Les Trophées*
évoque un contexte de grandeur et de victoire,
en même temps qu'il fait référence à la mort
et aux dépouilles abandonnées. Mais il s'agit
d'un butin dont le poète rapporte les plus
beaux souvenirs pour en composer avec art
un tableau immortel.

L'art du sonnet
Quelques années après Baudelaire*, Heredia
privilégie lui aussi la **forme du sonnet*** négli-
gée par la poésie française depuis la Pléiade*.
Cette forme fixe* répond à sa conception d'un
art exigeant. Elle permet de **condenser** dans
le cadre étroit des strophes* un grand nombre
d'effets. Heredia y exprime sa parfaite maîtrise
de la technique du vers* : choix des sonorités
et goût des mots rares, rythmes* réguliers ou
savamment brisés, rimes* riches, mise en valeur du dernier vers, soigneusement travaillé.

CITATION
• « Soir de bataille »
« [...] C'est alors qu'apparut, tout hérissé de
flèches/Rouge du flux vermeil de ses blessures fraîches,/Sous la pourpre flottante et
l'airain rutilant,// Au fracas des buccins qui
sonnaient leur fanfare,/Sur le ciel enflam-
mé, l'Imperator sanglant ! » (« Rome et les
barbares », *Les Trophées*)

REPÈRES BIOGRAPHIQUES
→ Descendant des *conquistadores*,
Heredia naît à Cuba. L'héritage his-
panique dont se nourrit son imagination lui est transmis dès sa jeunesse,
qu'il passe entre la France et La Havane.
En 1862, il entre à l'école des Chartes et,
à vingt-quatre ans, il donne ses premiers
vers au *Parnasse contemporain*, le recueil
des poètes partisans de la doctrine de l'art
pour l'art*.
→ *Les Trophées*, son œuvre unique, rassemble 118 sonnets d'une grande pureté
formelle qui lui vaudront, l'année suivante,
la consécration avec son élection à l'Académie française*. Hérédia termine sa vie
comme administrateur de la bibliothèque
de l'Arsenal.

→ **art pour l'art (l'), Leconte de Lisle, Parnasse,
sonnet**

hermétisme

n. m. D'*Hermès*, dieu grec considéré comme l'inventeur de toutes les sciences et de la magie. Doctrine ésotérique et caractère d'une œuvre qui ne se révèle qu'à des initiés.

Sous le signe d'Hermès

En un premier sens, l'hermétisme désigne un **ensemble de doctrines ésotériques**, venues de Perse et d'Égypte, et compilées dans le *Corpus hermeticum* (xiᵉ siècle). Ces doctrines postulent l'unité de la création, macrocosme et microcosme étant reliés par de multiples réseaux de correspondances*. Les recherches des alchimistes sur la transmutation du plomb en or et leur quête d'un idéal de pureté individuelle sont directement issues de l'hermétisme.

Le message hermétique, qui recourt au langage crypté des **symboles***, est délibérément **énigmatique**, la vérité ne devant pas être révélée à qui n'en est pas digne. C'est ce qui explique que l'on qualifie d'« hermétique », au sens affaibli du terme, un langage ou une œuvre obscurs, difficiles à comprendre.

Hermétisme et littérature

Sur le plan littéraire, l'hermétisme a exercé une profonde influence sur des écrivains qui s'en réclament plus ou moins directement et dont l'œuvre est susceptible d'un **double niveau de lecture**, le second n'étant perceptible qu'aux seuls initiés. Tel est le cas, par exemple, du *Conte du Graal* (fin du xiiᵉ siècle), de Chrétien de Troyes*, de la *Délie* (1544) de Maurice Scève*, ou encore des *Contes* de Perrault*.

Au xixᵉ siècle, les théories de Jacob Bœhme, de Swedenborg et de Saint-Martin influencent les œuvres de **Nerval*** (*Les Chimères*, *Aurélia*), de **Balzac*** (*Séraphita*, *La Fille aux yeux d'or*, *Louis Lambert*, *Le Chef-d'œuvre inconnu*). À leur tour, **les** poètes **symbolistes** s'efforceront de saisir, par le biais des **analogies***, la vérité d'un monde secret qui se révèle au-delà des apparences. L'aventure poétique est une véritable ascèse, qui vise l'absolu et s'exprime dans une langue accessible aux seuls initiés. L'œuvre de **Mallarmé***, souvent qualifiée d'hermétique (au sens péjoratif du terme) en raison de sa difficulté, repose explicitement sur la quête du secret des êtres et des choses, sur la volonté de déchiffrer le sens de l'univers.

Au xxᵉ siècle, on retrouve chez **André Breton*** (*Arcane 17*, 1944) la fascination pour « l'universelle analogie », tandis que des romanciers comme René Abellio, Marcel Brion, Michel **Tournier*** ou Marguerite **Yourcenar*** redécouvrent l'inspiration hermétique et manifestent la volonté, qui a été celle de toute la tradition hermétique, d'accéder à une connaissance autre que celle du savoir scientifique et positiviste.

→ **analogie, correspondances, occultisme, symbole, symbolisme, synesthésies**

Hernani,
Victor Hugo, 1830

RÉSUMÉ

Trois hommes aiment doña Sol : le premier, Hernani, aimé en retour, est un proscrit ; le second est le roi d'Espagne, don Carlos (futur Charles Quint) ; le troisième est le vieux duc don Ruy Gomez, oncle de doña Sol.
Acte I : il souligne la rivalité entre l'oncle, le roi et le proscrit.
Acte II : le roi tente d'enlever doña Sol. Il est surpris par Hernani qui lui laisse la vie sauve, alors que don Carlos refuse de se battre en duel avec un proscrit.
Acte III : alors que le mariage entre doña Sol et le vieux duc se prépare, Hernani demande qu'on le livre à don Carlos, mais le duc refuse au nom de l'honneur et le roi emmène doña Sol en otage. Hernani et le vieux duc concluent un pacte contre le ravisseur : la vie du proscrit appartient désormais au duc qui n'aura qu'à sonner du cor le moment venu, mais Hernani doit d'abord tuer le roi.
Acte IV : don Carlos, devenu empereur, découvre la conjuration, pardonne aux conjurés et marie doña Sol à Hernani, lequel est en réalité Jean d'Aragon, un grand d'Espagne.
Acte V : le jour même du mariage, retentit le cor de don Ruy Gomez qui rappelle à Hernani sa promesse. Celui-ci s'empoisonne ainsi que doña Sol. Le duc, lui, se suicide.

La « bataille d'*Hernani* »

Théoricien du drame romantique* depuis la *Préface de Cromwell* (1827), Hugo, encouragé par l'accueil favorable fait aux drames de Vigny* et de Dumas*, écrit d'abord *Marion Delorme* (1829), interdit par ordonnance royale, puis *Hernani*. Avant même la première représentation, le texte est retouché par la censure[*] et brocardé par les adversaires du poète. La première de la pièce, le 25 février 1830, donne lieu à la célèbre **bataille d'*Hernani***, où s'affrontent les « modernes » menés par Théophile Gautier[*] en gilet rouge, et l'opposition « classique ». Cependant, la pièce connaîtra un succès durable.

Un drame romantique

Plusieurs des caractéristiques du drame romantique se retrouvent dans *Hernani*.

1. L'abandon des unités de lieu et de temps. Pas d'unité de lieu : dans *Hernani*, on se déplace beaucoup : chambre de doña Sol, patio du palais de don Ruy Gomez, château de Silva, tombeau de Charlemagne à Aix-la-Chapelle, palais d'Aragon. Pas d'unité de temps : l'action dure plusieurs mois. Quant à l'action, elle est éclatée entre une intrigue sentimentale et une intrigue politique.

2. La reconstitution historique. Hugo affirme avoir trouvé dans une vieille chronique le thème du revirement moral de don Carlos devenu empereur, et a puisé à plusieurs sources. La description des décors et des costumes ainsi que des mouvements de foule traduisent le goût romantique pour la **couleur locale**[*].

D'autre part, le foisonnement des données historiques, l'exaspération des passions, les avatars de la monarchie et de l'aristocratie (Hernani, don Carlos) évoquent certains aspects du temps de l'écriture de la pièce (août 1829-février 1830) : à l'Histoire représentée fait alors écho l'actualité vécue.

3. Le personnage d'*Hernani*. Solitaire et fragilisé par son sens exacerbé de l'honneur, Hernani, « force qui va », est déterminé par une fatalité qui le mène à la mort, après qu'il a vécu en héros romantique un amour sublime et impossible.

4. L'alliance du grotesque[*] et du sublime[*] dans les situations et l'écriture. Ainsi, la dissimulation du roi dans le placard (acte I) relève du vaudeville[*], alors que la méditation du roi devant le tombeau de Charlemagne (acte IV) relève de la tragédie[*]. De même, le ton et le lexique passent du comique familier (« Le manche à balai qui te sert de monture », I, 1) au registre soutenu. Enfin, la liberté de l'auteur face au « vers noble » qu'est l'alexandrin et sa virtuosité dans la création des images donnent au drame d'*Hernani* une poésie singulière.

→ **alexandrin, couleur locale, drame romantique, grotesque, Hugo, sublime**

héroï-comique

adj. Contraction des mots *héroïque* et *comique*. Registre qui mêle l'héroïque au comique.

Caractéristiques

du registre héroï-comique

Le registre[*] héroï-comique joue sur le contraste entre l'évocation de personnages de basse condition, de scènes banales, voire triviales, et l'utilisation d'un registre noble, épique, dans cette évocation. L'objectif est de susciter le rire par le **travestissement d'un matériau vulgaire au moyen d'un langage soigné**.

Ce style est illustré par des parodies d'épopées ou de romans de chevalerie : la *Batrachomyomachie* attribuée à Homère (combat de rats et de grenouilles parodiant l'*Iliade*), le *Roland furieux* de l'Arioste, *Don Quichotte* de Cervantès, le *Lutrin* de Boileau[*] (parodie de l'*Énéide*), le personnage de Matamore dans *L'Illusion comique* de Corneille[*].

Aujourd'hui, on en trouve des illustrations, par exemple, dans des films comiques ou des bandes dessinées.

Héroï-comique et burlesque

L'héroï-comique **se distingue du burlesque**[*] qui, partant à l'inverse d'un personnage, d'une situation, d'un genre nobles, les traite dans un style bas, familier ou amusant. Boileau définit ainsi l'héroï-comique : « C'est un burlesque nouveau, dont je me suis avisé en notre langue. Car au lieu que, dans d'autres burlesques, Didon et Énée parlaient comme des harengères et des crocheteurs, dans celui-ci une horlogère et un horloger parlent comme Didon et Énée. »

→ **burlesque, caricature, comédie, épopée, grotesque, parodie**

héros

n. m. Du grec *hêrôs*. **Sens mythologique**: demi-dieu pour les Grecs, le héros assure la médiation entre les mondes humain et divin (ainsi Achille, fils d'un mortel, Pélée, et d'une déesse, Thétis). **Sens commun**: personnage réel ou imaginaire entré dans la légende par son courage, sa force de caractère, son dévouement à une cause. **Sens littéraire**: personnage principal dans une fiction (épopée*, roman*, pièce de théâtre), le héros se distingue souvent par des qualités, des actions exceptionnelles («héroïques») et un destin exemplaire.

Évolution de la notion de héros

Issu du mythe ou de l'histoire transformée en légende, le héros s'inscrit à l'origine tout naturellement dans le registre* de l'**épopée**. Les poèmes homériques sont ainsi organisés autour des figures héroïques d'Achille (*Iliade*) et d'Ulysse (*Odyssée*) dont ils célèbrent les hauts faits. Les héros sont porteurs des valeurs de leur communauté : les grandes figures du théâtre de Corneille* incarnent les **vertus aristocratiques du** xviie **siècle** : courage des guerriers, sens de l'honneur et du sacrifice.

Le **déclin de ces valeurs**, la **promotion de l'idée d'égalité** font perdre au héros de fiction son caractère d'exception : si les héros romantiques aspirent encore à la reconnaissance de leur grandeur, les personnages de Flaubert* ou de Maupassant* représentent le destin d'une humanité moyenne. Si, aux xixe et xxe siècles, ils expriment parfois la nostalgie de l'héroïsme, la littérature et le cinéma présentent souvent des **antihéros***, des personnages à l'identité incertaine (chez Kafka ou Beckett*) qui subissent l'histoire plus qu'ils ne la dominent. On peut alors parler d'un crépuscule des valeurs héroïques.

→ **antihéros, Corneille, épopée, mythe, personnage**

hiatus

n. m. Du latin *hiatus*, «ouverture». **1.** Son produit par la rencontre directe de deux voyelles à l'intérieur d'un mot (*aérer*), ou bien entre deux mots énoncés sans pause, l'une en fin de mot et l'autre au début du mot suivant (il *a* été, un cri étrange). **2.** Solution de continuité, interruption, espace ou rupture entre deux choses ou dans une chose, ou dans l'énonciation d'idées.

Principaux effets du hiatus

Dans la versification* et la prose classiques, **le hiatus est interdit**, car jugé choquant pour l'oreille. Le voisinage de deux voyelles séparées par un *h* aspiré est cependant admis. Au xixe siècle encore, les romantiques respectent cette règle, et Flaubert* pourchasse le hiatus dans ses romans.

Cependant, des poètes ordinairement soucieux des règles emploient parfois le hiatus comme **figure de style**, par le fait même que, provoquant une rupture dans l'harmonie des sons, le hiatus crée une idée de violence, de dissonance. Cette révolte peut être symbolisée par le hiatus d'Apollinaire* dans le premier vers de son poème «Zone» (*Alcools**) : «À la fin *tu es* las de ce monde ancien». Révolte qui correspond notamment à la volonté d'introduire dans la littérature la langue quotidienne.

→ **art poétique, Boileau, classicisme, diérèse, métrique, phonème**

Hugo
(Victor), 1802-1885

ŒUVRES PRINCIPALES
• **Romans**: *Han d'Islande* (1822), *Burg-Jargal* (1826), *Le Dernier Jour d'un condamné* (1829), *Notre-Dame de Paris* (1831), *Les Misérables* (1862), *L'homme qui rit* (1869), *Quatrevingt-treize* (1864).
• **Poésie**: *Odes et ballades* (1826), *Les Orientales* (1828), *Les Feuilles d'automne* (1831), *Les Voix intérieures* (1837), *Les Rayons et les Ombres* (1840), *Les Châtiments* (1853), *Les Contemplations* (1856), *La Légende des siècles* (1859, 1877, 1883), *L'Année terrible* (1872).
• **Théâtre**: *Cromwell* (1827), *Hernani* (1830), *Ruy Blas* (1838).

Un univers de contrastes

Les **contrastes** et les **combats** caractérisent l'univers hugolien, dominé par le jeu des antithèses*. **Contrastes** liés à l'idée que tout élément procède d'une lutte manichéenne entre le bien et le mal : ainsi, à l'ombre s'oppose la lumière (Nox et Lux dans *Les Châtiments*), à la générosité le vice (Quasimodo et Frollo dans *Notre-Dame de Paris*), et l'oxymore* « cette petite grande âme » définit Gavroche dans *Les Misérables*.

Les **combats** entre deux êtres, entre deux camps sont fréquents dans l'œuvre hugolienne. Ils peuvent entraîner un progrès, une élévation, comme dans *La Légende des siècles*, ou se résoudre en une unité, comme l'exprime l'évolution de certains personnages à double identité, tel Jean Valjean-Monsieur Madeleine dans *Les Misérables*.

Le **dualisme** sous-tend également la conception hugolienne de la littérature, notamment la rencontre entre **grotesque*** et **sublime*** qui fonde le drame romantique*.

Hugo poète

Se voulant d'abord poète, d'**inspiration** essentiellement **romantique**, Hugo revendique la **liberté des thèmes et des formes**. Ainsi, les *Odes et ballades* (1826) traduisent une grande virtuosité technique, qui se retrouve dans *Les Orientales*, recueil exploitant le thème de l'Orient, à la mode au XIXᵉ siècle. Le lyrisme* s'exprime surtout à partir des *Feuilles d'automne* : lyrisme personnel des *Contemplations*, sensibilité romantique à la nature, au temps, mais aussi thèmes plus politiques comme la patrie, la liberté, la société…

En effet, si, pour Hugo, la **poésie** est une expérience individuelle, elle est aussi l'**expression de la destinée humaine universelle** : vaste épopée*, *La Légende des siècles*, par les mythes* qu'elle revisite, les symboles*, le surnaturel, les amplifications* qui y sont à l'œuvre, traduit l'importance de l'imagination qui fonde le génie poétique.

Le « voyant »

Cette imagination transforme le monde. Le sentiment que la nature est animée (« Tout vit ! Tout est plein d'âme ! ») se traduit par une écriture essentiellement métaphorique qui recourt au **mythe et** à l'**allégorie***. Le poète, déchiffreur de la part invisible des choses, donne à comprendre le sens contenu dans le monde concret : ainsi, dans « Les Pauvres Gens » (*La Légende des siècles*), la mer est le lieu symbolique des dangers contre lesquels lutte l'être humain.

La fonction du poète est d'abord de « se maintenir au-dessus du tumulte » (Préface des *Voix intérieures*). Contemplateur visionnaire, **le poète est celui qui guide les hommes vers le progrès spirituel et social**. Cette mission passe par la parole car « le Verbe, c'est Dieu » : le langage devient créateur, et il est acte.

L'œuvre politique et sociale

L'engagement politique de Hugo pour la liberté et sa révolte contre « Napoléon-le-Petit » s'expriment dans *Les Châtiments*. À la fois satire*, pamphlet* et épopée, le recueil esquisse aussi les thèmes d'une poésie sociale provenant d'un regard plus général sur le monde et ses inégalités. Cet intérêt du poète pour l'humanité souffrante se retrouve dans toute l'œuvre, avec les figures de Quasimodo, Jean Valjean, Hernani… Cependant, dans la conception hugolienne de l'Histoire, l'homme n'est pas définitivement opprimé : Jean Valjean se rachète, et Satan devient Lucifer.

Le dramaturge et le romancier

Théoricien, sinon initiateur du drame romantique, Hugo élabore un théâtre où se retrouvent largement les caractéristiques de son œuvre romanesque et poétique : goût pour les **contrastes** dans le mélange des genres* et dans la double identité des héros (*Ruy Blas*) ; **lyrisme*** dans la peinture de l'amour ; **épopée*** dans le large cadre historique des drames ; **symbolisme*** dans ce que représentent les personnages comme Ruy Blas, figure du génie du peuple.

Du **roman « gothique »** (*Notre-Dame de Paris*) au **roman du peuple** (*Les Misérables*) en passant par le **roman historique** (*Quatrevingt-treize*), Hugo communique à tout ce qu'il touche, nature, événements politiques, personnages de la simple humanité, un souffle épique.

CITATIONS

• **Sur la mission du poète**
« Hélas ! Quand je vous parle de moi, je vous parle de vous. Comment ne le sentez-vous pas ? Ah ! insensé qui croit que je ne suis pas toi ! » (Préface des *Contemplations*)
« Peuples ! écoutez le poète !/Écoutez le rêveur sacré !/Dans votre nuit, sans lui complète,/Lui seul a le front éclairé./[…] / Il rayonne ! il jette sa flamme/Sur l'éternelle vérité ! » (*Les Rayons et les Ombres*)
• **Sur le héros romantique**
« […] Je suis une force qui va !/Agent aveugle et sourd de mystères funèbres !/ Une âme de malheur faite avec des ténèbres ! » (*Hernani*, III, 4)
• **Sur la libération de la langue**
« J'ai dit aux mots : Soyez républicains ! soyez/La fourmilière immense, et travaillez ! croyez,/Aimez, vivez ! – J'ai mis tout en branle, et, morose,/J'ai jeté le vers noble aux chiens noirs de la prose. » (*Les Contemplations*, I, 7, v. 175-178)

h

→ Fils d'un général d'Empire, Hugo connaît une enfance difficile en raison des voyages de son père de garnison en garnison et de la séparation de ses parents. Il arrête rapidement ses études pour se consacrer à la littérature. Il explore tous les genres : le roman (*Han d'Islande*), la poésie (*Odes et ballades*), le théâtre (*Préface de Cromwell*, *Hernani*). Chef de file du mouvement romantique, fondateur du Cénacle, il revendique la liberté dans l'art et évolue vers le libéralisme politique.

→ Sa vie conjugale avec Adèle Foucher, qu'il épouse en 1822 et avec qui il aura quatre enfants, est troublée par la rencontre en 1833 de la comédienne Juliette Drouet, qui devient sa maîtresse et le restera jusqu'à sa mort. Son œuvre s'enrichit notamment de quatre recueils de poésie lyrique, de drames* et d'un roman (*Notre-Dame de Paris*). En 1843, la mort de sa fille aînée Léopoldine, qui lui inspirera *Les Contemplations*, plonge Hugo dans le désespoir : il ne publiera plus rien jusqu'en 1852.

→ Il se lance dans l'action politique : après la révolution de 1848, il est élu député de Paris. Opposé au coup d'État de Louis-Napoléon Bonaparte en 1851, il choisit de s'exiler et, après un séjour à Jersey, s'installe définitivement à Guernesey en 1855. La publication des *Châtiments* en fait le chef de file de l'opposition à Napoléon III, et toute son œuvre va être dorénavant marquée par son engagement dans la lutte sociale : il achève *Les Misérables*, et commence *La Légende des siècles*.

→ Rentré à Paris après la proclamation de la République en 1870, il poursuit son combat humanitaire et continue à édifier une œuvre monumentale. Il meurt le 22 mai 1885, deux ans après Juliette Drouet. Le 1er juin, la République organise au poète des funérailles nationales suivies par une foule immense.

→ *Contemplations (Les)*, drame romantique, épopée, *Hernani*, lyrisme, *Misérables (Les)*, romantisme

humanisme

n. m. Du latin *humanus*, « humain », et *humanitas*, « culture », formés sur *homo*, « homme » ; puis de l'italien *umanista*, « professeur de rhétorique* ».
Sens général : philosophie qui place l'homme et ses valeurs au-dessus de toute autre considération, et qui vise à l'épanouissement des qualités humaines.
Sens historique : mouvement intellectuel européen de la Renaissance, caractérisé par le retour à la culture antique et par la foi en l'homme. Ce mouvement, d'un optimisme raisonné, s'exprime dans tous les domaines : pédagogie, religion, politique, art.

Le retour à l'Antiquité

Le développement du mouvement humaniste s'explique par la conjonction de plusieurs facteurs historiques. Tout d'abord, on **redécouvre les œuvres des Anciens** : apportées en Italie par les érudits chassés de Constantinople en 1453, elles se répandent en France et dans toute l'Europe. Ensuite, l'**imprimerie** permet la diffusion des livres. Enfin, la **sclérose** de l'ensei-

gnement médiéval – la scolastique* – conduit à rechercher une autre pédagogie.

L'humanisme est d'abord un mouvement de **retour à la culture antique** alors que, dans le même temps, le Moyen Âge, qualifié de « barbare », fait l'objet d'un net rejet. Initialement apprentissage de la rhétorique ancienne, puis rapidement orienté vers la philologie et la traduction des œuvres (Budé, Lefèvre d'Étaples), l'humanisme entreprend aussi une réflexion fondée sur le modèle légué par l'Antiquité : il s'agit de **remettre l'homme au centre de tous les domaines du savoir.**

Une pédagogie nouvelle

La culture est à la base de l'épanouissement de l'homme, d'où l'importance que les humanistes accordent à la pédagogie, avec Érasme, et au renouvellement de l'enseignement (Rabelais*, Montaigne*), favorisé par la création d'un établissement novateur pour l'étude des langues anciennes, le Collège des lecteurs royaux (futur Collège de France).

L'élève doit s'inspirer des modèles antiques, **pratiquer une imitation***, non pas servile mais qui lui donne les moyens de nourrir une inspiration originale. Dans les contenus, l'**enseignement** est **diversifié** : orienté surtout vers l'art oratoire et les lettres anciennes, il ne néglige pas pour autant les sciences et fait une grande part aux activités artistiques et physiques, ainsi qu'aux règles relatives à l'hygiène et à la vie sociale. Les méthodes utilisent la mémorisation chère au Moyen Âge, mais mise au service de la compréhension et de la réflexion critique. Au cœur de ce système, l'élève doit progresser individuellement, ce qui n'est possible que dans le cadre d'un préceptorat.

La question religieuse

Dans les œuvres des auteurs anciens, des humanistes évangélistes comme Érasme et Lefèvre d'Étaples voient une préparation à l'avènement du christianisme.

Les méthodes appliquées à la découverte des textes grecs et latins – débarrasser le texte des erreurs et des commentaires qui l'entachent et le rétablir dans sa pureté première – sont aussi utilisées pour les textes sacrés. Les humanistes rejettent la glose de l'Église et prônent le **retour au texte biblique** : la confrontation de son contenu avec les pratiques religieuses habituelles conduit à une critique des formes « officielles » de piété. Par cette lecture du texte biblique, **l'humanisme prépare la Réforme.** Mais l'optimisme des humanistes, pour lesquels l'homme est capable de progrès, s'oppose à la vision pessimiste des Réformés pour qui l'homme ne peut être sauvé que par la grâce divine.

Un idéal politique

Attachés à une monarchie modérée, les humanistes, réformistes, conçoivent une **société idéale** fondée sur les mérites de ses membres, comme en témoignent le mythe de l'**abbaye de Thélème** chez Rabelais et l'œuvre de Thomas More, *Utopia*. Cosmopolites, ils considèrent que les **voyages**, ouverture vers d'autres civilisations, constituent un enrichissement essentiel pour le développement de l'homme. Enfin, les humanistes sont **pacifistes**, mais leur condamnation de la guerre offensive – comme chez Rabelais – ne vise pas la guerre défensive.

L'art de l'homme

Le corps de l'homme est au centre des recherches artistiques de l'humanisme : la sculpture et la peinture se réfèrent à l'anatomie, comme chez Michel-Ange et Léonard de Vinci. Un même souci du réel peut aussi se rencontrer en poésie, notamment chez Ronsard*. D'autre part, les thèmes évoluent : aux motifs religieux s'ajoutent des sujets profanes, mythologiques comme chez Botticelli (*La Naissance de Vénus*) ou chez Titien. Le portrait prend une place croissante (Dürer, Raphaël).

→ **Montaigne, Rabelais, Renaissance, rhétorique**

humour

n. m. De l'anglais *humour*, issu du français *humeur* (lui-même du latin *humor*, « liquide »). L'humour est une tonalité particulière qui se caractérise par la capacité à considérer la réalité sous un aspect insolite et plaisant.

Humour et esprit

L'humour trouve son origine dans le *sense of humour* britannique dont la base est la conscience de soi (*self-consciousness*), la capacité de prendre ses distances avec son propre personnage. À ce stade, l'humour est un certain **regard sur soi-même et sur le monde**, un regard lucide et souriant, un regard faussement naïf qui, sous une apparence de sérieux, fait éclater l'absurdité des choses.

L'humour **se distingue de l'esprit**, qui fonctionne sur un plan purement intellectuel : « L'humour c'est l'esprit avec quelque chose en plus », dit Robert Escarpit. Et, selon Congrave, « tous les gens d'esprit ne sont pas humoristes, mais tous les humoristes sont gens d'esprit ». À l'esprit s'ajoute dans l'humour un « mouvement du cœur », c'est-à-dire une part d'affectivité, de sensibilité et de générosité.

Humour et ironie

L'intention de l'humoriste est le plus souvent bienveillante et tolérante. Contrairement à l'ironie*, **l'humour n'est pas destructeur**. Il vise à créer un lien de sympathie et de complicité avec le lecteur. À la faveur de cette complicité, l'humoriste donne à réfléchir : par des effets de décalage (entre le ton et le contenu, par exemple) ou de juxtaposition, il déstabilise toute vision rassurante des choses et y introduit la menace de l'absurde*. Mais il ménage toujours une issue positive.

Humour et liberté

L'humour permet de prendre ses distances avec l'angoisse, d'ouvrir une issue dans les situations les plus désespérées. Il **rend à l'homme sa liberté d'esprit** et peut devenir une **arme efficace** contre toutes les formes de désordre établi ou d'oppression. Il apparaît alors comme « une révolte supérieure de l'esprit » (André Breton*) et se révèle être une attitude proprement philosophique face à l'existence. C'est le cas, tout particulièrement, de l'**humour noir** qui conjugue la fantaisie et le tragique* et qui, pour les surréalistes, atteste de la liberté de l'homme face au destin qui l'écrase.

→ ironie, paradoxe, parodie, surréalisme

Huysmans
(Joris-Karl), 1848-1907

ŒUVRES PRINCIPALES
- **Romans** : *Marthe, histoire d'une fille* (1876), *Les Sœurs Vatard* (1879), *À rebours* (1884), *En rade* (1886), *Là-bas* (1891), *En route* (1895).
- **Nouvelles** : *En ménage* (1881), *À vau l'eau* (1882).
- **Critique d'art** : *L'Art moderne* (1883), *Trois primitifs* (1905).

Le naturaliste

Lorsqu'il écrit *Marthe*, pour évoquer l'une de ses maîtresses, ou bien *En ménage* et *À vau-l'eau*, où l'on voit respectivement André, le mari trompé, et Jean Folantin, le célibataire,

mener l'existence indigne de solitaires enfermés dans les dilemmes* les plus triviaux, Huysmans appartient encore à l'**école naturaliste**. Ses héros « chipotent » leurs œufs ou leur fromage en ruminant leurs échecs lorsqu'ils ont été sur le point d'être, comme André, des artistes. Le **profond pessimisme** de ces premières œuvres se ressent fortement de l'influence de Schopenhauer. On y trouve cependant l'annonce d'une autre inspiration.

Le décadent

La publication de *À rebours* marque une **rupture décisive avec le naturalisme***. Le héros du roman, des Esseintes, dernier représentant d'un lignage aristocratique exténué, s'enferme dans une « thébaïde raffinée » où il s'adonne à des plaisirs rares dont la formule est la **perversion de la nature**, c'est-à-dire sa transformation ou bien son imitation parfaite. Des Esseintes admire la conformation de ses fleurs rares ou factices, s'embarque pour des excursions londoniennes simulées, couvre de gemmes la carapace de sa tortue… Mais le roman, suivant de près l'évolution réelle des névroses, substitue bientôt à ces paradis artificiels et à ces jeux de correspondances* des hallucinations pathologiques.
Des Esseintes devient alors l'**incarnation du mal fin de siècle, de la décadence**, et Huysmans prend place aux côtés de Villiers de l'Isle-Adam* ou de Barbey d'Aurevilly*.

Le converti

« Après un tel livre, il ne reste plus à l'auteur qu'à choisir entre la bouche d'un pistolet ou les pieds de la croix », écrit Barbey d'Aurevilly à propos d'*À rebours*. Huysmans choisit la seconde direction, en faisant avec *Là-bas* un détour par le satanisme. Sa conversion, qui est celle de son héros Durtal dans *En route*, passe par une **extase esthétique** : l'admiration de l'architecture et de la peinture médiévales, ou bien celle du chant grégorien.
Les séjours monastiques, l'oblature en 1900, ponctuent le parcours spirituel d'un auteur dont les dernières œuvres, d'abord mystiques, finissent en pure prière.

CITATION
- **Sur l'art des parfums**
« En résumé, dans la parfumerie, l'artiste achève l'odeur initiale de la nature dont il taille la senteur, et il la monte ainsi qu'un joaillier épure l'eau d'une pierre et la fait valoir. » (*À rebours*, X)

→ Originaire des Pays-Bas, Charles-Georges Huysmans reprend la forme hollandaise de ses prénoms lors de la publication de son premier ouvrage.

→ Fonctionnaire à Paris durant trente-deux ans, célibataire et misogyne endurci, il mène la vie monotone de son personnage d'*À vau-l'eau*, Jean Folantin, jusqu'à sa conversion au catholicisme en 1891.

→ Il se met alors à étudier l'art sacré, fait des séjours à la trappe d'Igny, à Saint-Wandrille et à Solesmes, et reçoit l'oblature en 1900 avant de mourir d'un cancer de la gorge.

→ **décadentisme, naturalisme**

hymne

n. m. Du grec *humnos*, « hymne ». Dans la Grèce antique, chant, de tonalité tantôt épique* tantôt lyrique, dans lequel on célèbre un dieu ou un héros. En France, le genre se développe au xvıe siècle, dans l'enthousiasme de la redécouverte des hymnes orphiques et homériques. L'influence des poètes italiens, tel Marulle qui publie des hymnes cosmologiques et mythologiques, renforce la vogue de l'hymne. Mais après une belle floraison dans toute la deuxième moitié du siècle, le genre tombe dans l'oubli.

Un genre ronsardien

Avec l'*Hymne à la France* (1548), l'*Hymne à Bacchus* (1554) puis un double recueil d'*Hymnes* (1555-1556), Ronsard fixe le genre dans sa forme spécifique : **poème généralement long** – en alexandrins* ou en décasyllabes* –, **non strophique**, **à rimes suivies**, l'hymne est consacré à l'**éloge** d'un personnage mythologique, d'un souverain ou d'une entité abstraite (par exemple la justice). Il se caractérise également par la portée didactique* voire édifiante qui se profile derrière l'éloge. Le genre est propice à la description* mais aussi, conformément à sa veine épique, aux narrations mythologiques et aux développements allégoriques. Lorsqu'il aborde des sujets élevés, il se prête à de graves méditations philosophiques.

Dans le contexte du xvıe siècle, l'hymne se fait l'écho des conflits religieux et politiques qui déchirent la France. En réponse aux psaumes de l'Église réformée, **Ronsard** écrit des hymnes (tel *L'Hercule chrétien*) qui servent les visées apologétiques de la Contre-Réforme catholique. Si Ronsard est le poète qui a le mieux illustré ce genre, on citera également les noms de Jean de Baïf et Joachim du Bellay*.

Les **hymnes nationaux** ont accompagné et symbolisé la naissance des nations : ainsi, Rouget de Lisle compose l'hymne national français, *La Marseillaise*, en 1792.

→ **épopée, ode, psaume**

hyperbole

n. f. Du grec *hyperbolê* (de *hyper*, « au-delà », et *ballein*, « jeter »). Figure de style consistant à amplifier un énoncé, pour produire une impression forte. *Ex.* : « Un affreux serrurier, [...]/De cent coups de marteau me va fendre la tête » (Boileau*).

Composition de l'hyperbole

L'hyperbole est souvent constituée à l'aide de **termes augmentatifs** : préfixes (*hyper*, *super*, *extra*), suffixe en *-issime*, et autres formes de superlatifs (« le plus joli maintien », chez La Bruyère*). Elle peut l'être aussi à l'aide d'accumulations*, de comparaisons*.

Fonctions de l'hyperbole

L'hyperbole vise à frapper l'imagination et la sensibilité. Elle caractérise la **tonalité épique** et elle est l'une des figures favorites de la **préciosité** qui recherche l'originalité et ne recule pas devant l'exagération, ce que Molière* ridiculise dans *Les Précieuses ridicules* : « C'est là savoir le fin des choses, le grand fin, le fin du fin » (sc. 9).

On la trouve aussi dans les **discours**, où elle a pour objectif d'impressionner l'auditeur et de le faire adhérer aux idées de l'orateur. Ainsi, chez Camille Desmoulins : « La liberté, c'est le bonheur, c'est la raison, c'est l'égalité, c'est la justice, [...], c'est votre sublime Constitution. »

→ **accumulation, amplification, emphase, gradation, oratoire (style), préciosité, rhétorique**

h

hypotypose

n.f. Du grec *hupo*, « au-dessous » et *tupos*, empreinte en creux ou en relief que laisse la frappe d'une matrice. Figure de style consistant à évoquer un objet, un être ou une scène de façon si intense qu'on les fait voir. On l'appelle aussi « image » (Boileau*), « peinture » (Fénelon*), « tableau » (Pierre Fontanier), « effet de réel » (Roland Barthes*).

Fonction de l'hypotypose
La fonction de l'hypotypose est, par sa force évocatrice, de **frapper l'imagination** pour **provoquer une émotion** : rire, pitié, peur… Il peut s'agir d'une **description**, mais vive et animée ; il peut s'agir aussi d'un **récit**, mais d'un événement unique et dramatique, et qui recourt souvent à d'autres figures de style (apostrophe*, focalisation*, gradation*, hyperbole*, métaphore*…).

Quelques exemples célèbres
La description du sac de Troie dans *Andromaque* de Racine* (« Songe, songe, Céphise, à cette nuit cruelle… », III, 8) ; le récit de la mort tragique d'Hippolyte dans *Phèdre* (V, 6) du même Racine ; certaines anecdotes des *Lettres* de Mme de Sévigné* ; le récit de la bataille de Waterloo dans *La Chartreuse de Parme* de Stendhal* ; chez Zola*, la description de l'alambic dans *L'Assommoir*, de la mine dans *Germinal* ; celle de la place Monge dans *Le Jardin des Plantes* de Claude Simon. L'hypotypose se trouve dans tous les genres littéraires mais aussi, bien sûr, dans la peinture et le cinéma.

→ **allégorie, cinéma et littérature, gradation, hyperbole, prosopopée**

Idéologues

Groupe d'intellectuels du xviiie siècle et du début du xixe siècle, dont les plus célèbres sont les philosophes d'Alembert, Condorcet, Maine de Biran, d'Holbach, Destutt de Tracy, Condillac, le médecin Cabanis, l'historien Volney, les hommes de lettres Daunou et Garat. Influencés par le sensualisme et animés par une même foi dans le progrès, les idéologues rejettent la métaphysique et fondent l'analyse de la connaissance sur la raison et l'esprit critique. Pour répandre leurs idées, ils fondent en 1794 la *Décade philosophique, politique et littéraire*, revue qui paraîtra jusqu'en 1807.

Des intellectuels hommes d'action

Refusant d'être confinés dans le seul rôle de penseurs de la Révolution, **empiristes, héritiers des Lumières** et des encyclopédistes, les Idéologues essaient de faire appliquer leurs principes en participant aux affaires de l'État comme hauts fonctionnaires ou membres du Conseil d'État. Ils quittent la scène politique après la rupture avec Napoléon survenue lors de la signature du Concordat (1802). Sous la Restauration (1815-1830), ils combattent aux côtés de la gauche libérale.

La primauté de l'analyse

L'analyse est à la fois la **méthode** et l'**idée-force** des Idéologues. Dotée d'un caractère universel, applicable à tous les domaines du savoir, la méthode analytique autorise à croire en un **progrès indéfini** fondé sur le triomphe de la connaissance. C'est pourquoi l'analyse est l'instrument indispensable de toute pédagogie. Grâce à elle, Volney entrevoit la naissance d'une nouvelle science historique, différente de la philosophie de l'histoire mise en œuvre jusqu'alors : sociologique avant la lettre, cette science ne serait pas événementielle, mais mettrait au jour les structures profondes de la société.

Les Idéologues renouvellent l'histoire littéraire : les premiers, ils appliquent l'analyse historique au fait littéraire, faisant ainsi évoluer la notion de belles-lettres, émanation des canons de l'esthétique classique, vers celle, moderne, de littérature.

L'instruction publique

L'éducation est au centre des préoccupations des Idéologues. Les premiers, ils tentent de donner à l'instruction publique une dimension nationale en montrant la nécessité pour l'État de prendre en charge le système éducatif. On leur doit la création de l'Institut de France, de l'École normale, de l'École polytechnique, du Conservatoire des arts et métiers, du Muséum d'histoire naturelle, l'organisation de l'enseignement primaire, et surtout, le remplacement des collèges de l'Ancien Régime par des écoles centrales.

→ *Encyclopédie, Lumières*

imitation (doctrine de l')

n. f. Du latin imitatio. **Sens historique :** mot d'ordre du classicisme* qui, au xviie siècle, fait sienne l'idée d'Aristote et de la philosophie grecque selon laquelle l'art a pour fonction l'imitation (en grec *mimêsis*), c'est-à-dire la représentation de quelque chose. Ainsi, une pièce de théâtre « imite » une action, des sentiments... Une description « imite » la nature qu'elle décrit.

L'imitation de la nature

L'**imitation** de la nature constitue le **fondement de l'esthétique classique** du xviie siècle. Pourtant, ce principe fait l'objet de débats : jusqu'où aller dans l'imitation ? Les règles classiques préconisent de tempérer cette imitation par le respect de la vraisemblance* et des bienséances*. Quelle est la part de l'art et d'où vient qu'une belle œuvre puisse naître de l'imitation des horreurs de la nature ? Boileau* exprime cette contradiction : « Il n'est pas de serpent ni de monstre odieux/Qui par l'art imité ne puisse plaire aux yeux » (*Art poétique*, III), et il conclut au rôle essentiel de la raison (« le naturel ») et de la clarté* dans l'expression de la beauté artistisque.

L'imitation des Anciens

Au xviie siècle, la doctrine de l'imitation s'entend aussi comme l'**imitation des Anciens**. Le classicisme considère que les auteurs de l'Antiquité ont atteint une sorte de perfection. Pour parvenir à la maîtrise de son art, on doit se nourrir de ces modèles et tenter de les égaler. Imiter les Anciens, c'est aussi espérer conférer à ses propres œuvres la pérennité et l'universalité des œuvres antiques.

Mais **imiter n'est pas copier** : une part d'« invention » doit être préservée. Part personnelle qui ne va pas de soi et qui doit être justifiée : ainsi, dans les Préfaces de ses tragédies, Racine* s'excuse des libertés qu'il a prises et prend toujours soin d'affirmer sa fidélité aux modèles antiques.

À la fin du siècle, la **Querelle des Anciens et des Modernes*** se cristallisera en partie sur cette doctrine de l'imitation que les Modernes contestent et qu'ils rejetteront.

→ **Anciens et Modernes (Querelle des), classicisme**

incipit

n.m. Par référence à la formule latine des manuscrits médiévaux : *Incipit liber*, « Ici commence le livre ». **1.** Premiers mots d'un manuscrit, d'un texte, et notamment d'un poème identifié par ces mots lorsqu'il n'a pas de titre (*ex.* : « Demain, dès l'aube... », poème des *Contemplations* de V. Hugo). **2.** Par extension, première page, en particulier d'un roman ou d'un conte.

Formes de l'incipit de roman

Des **formes différentes** peuvent se combiner dans l'incipit d'un roman. L'incipit peut **décrire** un lieu, des personnages, un contexte social et politique : dans *Le Rouge et le Noir*, de Stendhal, une petite ville de province est présentée comme le cadre essentiel de l'action à venir ; dans *Pierre et Jean*, Maupassant souligne d'emblée l'opposition de deux frères, « l'un à bâbord, l'autre à tribord » dans une barque de pêche.

L'incipit *in medias res* projette le lecteur dans l'action, sans donner beaucoup d'informations sur la fiction : le lecteur assiste à une scène à laquelle il est étranger, sans savoir ce qui a précédé. L'incipit de *La Condition humaine* de Malraux présente ainsi un personnage au moment où il s'apprête à commettre un meurtre.

Fonctions de l'incipit de roman

L'incipit a différentes fonctions. Il vise le plus souvent à **informer** mais il laisse des **zones d'ombre** que la suite du livre contribuera en partie à éclairer.

Il veut susciter la curiosité du lecteur en lui fournissant des indices qui lui permettent de formuler des hypothèses sur les personnages et l'action à venir : en ce sens, il construit un **horizon d'attente**. Le héros de *Germinal*, de Zola*, n'est pas nommé dans la première page du roman (« Dans la plaine rase, sous la nuit sans étoiles... ») où il apparaît : sa vie reste à écrire et à imaginer.

L'incipit peut même chercher à **dérouter** le lecteur : *La Modification*, de Butor*, dont la narration démarre à la deuxième personne du pluriel, en offre un bon exemple.

Intérêt littéraire de l'incipit

L'incipit définit l'écriture du roman à travers, notamment, le niveau de langue et le mode de narration.

Le **niveau de langue** donne des **indications sur le cadre, l'atmosphère** du livre. « La magnificence et la galanterie n'ont jamais paru en France avec tant d'éclat que dans les dernières années du règne de Henri second » : le lecteur comprend immédiatement que l'écriture de *La Princesse de Clèves* de Mme de La Fayette correspond au cadre et à l'époque évoqués. « Doukipudonktan » : la langue de *Zazie dans le métro*, de Queneau*, renvoie au monde contemporain et à un milieu interlope. Par le niveau de langue se mettent en place des univers différents.

Selon qu'il donne ou non des éléments de l'intrigue, selon la manière dont le lecteur est ou non présent, l'incipit amorce la **relation entre narrateur et lecteur**, fondant ainsi le **pacte de lecture**. Si le narrateur est souvent omniscient, le lecteur peut aussi être sollicité par des questions qui lui laissent une liberté d'interprétation : ainsi, « Tchen tenterait-il de lever la moustiquaire ? » (Malraux, *La Condition humaine*). Certains auteurs établissent une communication directe, parfois déroutante, avec le lecteur : « Tu vas commencer le nouveau roman d'Italo Calvino, *Si par une nuit d'hiver un voyageur*… » est la première phrase du roman éponyme et invite à découvrir les arcanes de la création littéraire.

Même si, pour Aragon, l'écriture découle de l'incipit, défini comme la première phrase écrite par l'auteur (et donc pas nécessairement placée au début du roman), l'incipit au sens habituel laisse des **questions en attente** et ne prend tout son sens que si le lecteur avance dans la découverte du livre. Les éléments de l'incipit sont souvent repris et transformés dans l'« **explicit** » (ou « excipit »), c'est-à-dire dans la dernière page du livre.

→ **narration, point de vue, registre, roman**

Index (mise à l')

n. m. Index ou *Index librorum prohibitorum*, «liste des livres prohibés». L'Index désigne le catalogue des ouvrages condamnés par l'Église romaine parce que jugés dangereux pour la foi ou pour les mœurs. Un ouvrage *mis à l'Index* est donc un ouvrage dont la lecture est condamnée par les autorités de l'Église. **Sens élargi** : *mettre à l'index* signifie «rejeter, exclure, condamner».

Origines et évolution

L'Index a été institué par le pape Paul IV en 1559 puis remanié et complété après le concile de Trente en 1564. Il s'agissait alors d'aller

contre les progrès du protestantisme et aussi de faire face au nombre croissant de livres, dont le développement de l'imprimerie favorisait la diffusion. L'Index rend **officiel** le **recensement des livres « suspects et pernicieux »** dont la lecture ou la possession peuvent entraîner l'excommunication, une condamnation ou des sanctions.

L'Index a été plusieurs fois modifié au cours du temps, jusqu'au XXᵉ siècle où il cesse d'être une loi ecclésiastique : la lecture de livres interdits n'entraîne plus l'excommunication. C'est la **fin de la censure* religieuse** et les procès sont supprimés. L'Église attribuera encore à l'Index une valeur morale. Mais, après le concile de Vatican II (1966), il sera totalement supprimé.

Les livres visés

Les premières mises à l'Index frappent d'abord les **ouvrages religieux** dans lesquels on recherche les traces d'hérésie. Au XVIIᵉ siècle, les **libertins** et les **jansénistes**, pour des raisons différentes, sont les plus suspects aux yeux des autorités ecclésiastiques. Puis, à l'époque des Lumières*, c'est le **rationalisme***, le **matérialisme** et l'impiété qui sont traqués. Les ouvrages licencieux, les attaques contre le clergé font bien sûr partie des livres incriminés. Enfin, les mœurs sont surveillées : l'obscénité, l'érotisme et les déviances subissent une même réprobation et, au XXᵉ siècle, un écrivain comme André Gide* est mis à l'Index. La mise à l'Index a souvent contribué à donner un surcroit de renommée au livre condamné…

→ **censure, jansénisme, libertinage, Lumières**

injonctif

adj. Du latin *injungere*, « imposer ». Le texte injonctif ne vise pas à décrire, à raconter ou à convaincre, mais à faire faire : le destinataire doit traduire en actes les instructions qu'il reçoit. Le lecteur doit devenir agent. Il s'agit souvent de textes utilitaires : recettes, notices de montage et d'utilisation, consignes, règlements, règles du jeu.

Injonctif/narratif

Cherchant à impliquer le lecteur, le texte injonctif correspond à ce que Jakobson appelle la « **fonction conative** » du langage. Il se caractérise fréquemment par la mise en séquence chronologique linéaire (non hiérarchique) d'une série d'actes, ce qui le rapproche du texte narratif. Comme ce dernier, le texte injonctif repose sur un processus de transformation, puisqu'on passe d'un état initial à un état final. Ces deux types de texte s'opposent cependant très nettement : dans un récit*, le lecteur ne devient pas acteur du procès narratif ; un récit est très souvent fictif et s'il raconte des événements réellement survenus, il est nécessairement postérieur aux faits ; il comporte également un élément perturbateur qui déclenche le processus narratif.

Le texte injonctif au contraire ne comporte pas d'élément perturbateur, il précède l'action, il est toujours ancré dans un contexte concret. Ce type de texte exige un lexique précis, monosémique, où prédominent les verbes d'action. Les phrases sont brèves, rarement complexes. Les verbes sont à l'impératif ou à l'infinitif, ou parfois au futur (soit à la 2e personne du singulier, soit avec l'impersonnel on : on choisira, on tournera…).

Injonctif/argumentatif
On rangera dans les textes injonctifs des textes qui n'ont pas l'objectivité et la neutralité des textes utilitaires, et qui portent les marques d'une forte charge affective. La **fonction expressive vient se conjuguer avec la fonction conative**. Il s'agit de textes dont la fonction est de mobiliser et qui font appel au sentiment et à la passion : tracts, textes publicitaires, passages de discours. On en trouve, sous forme de séquences injonctives, dans toutes sortes de textes littéraires : roman*, théâtre* ou poésie*. Il s'agit d'entraîner une adhésion, de conduire à une action en utilisant tous les moyens de la persuasion ou de la pression affective (séduction voire menace). On se rapproche alors du texte argumentatif. Mais tandis que celui-ci vise un changement d'opinion, le texte injonctif vise le passage à l'acte.

→ **argumentation, narration**

inspiration

n. f. Du latin inspirare, « souffler ».
L'inspiration est l'un des deux pôles de la création littéraire et poétique, l'autre étant le travail. Le mot désigne la part la plus mystérieuse et la plus controversée du processus créateur.

Le thème de l'inspiration
Selon Platon, si le poète crée, c'est parce qu'il est habité par une présence divine qui s'exprime à travers lui : l'**enthousiasme** (au sens étymologique : « possession de l'esprit par un dieu »). L'inspiration, « fureur sacrée » (Ronsard*), est le souffle d'une transcendance dans la parole poétique.

Tandis que les **classiques** mettent l'**accent sur le travail** (selon Malherbe*, le poète est un bon ouvrier du vers), les **romantiques** attribuent l'inspiration au **génie du poète**, c'est-à-dire à cette part de singularité irréductible qui fait du poète un être d'exception. Voué à un destin hors du commun, il écrit dans un état d'incandescence intérieure qui l'arrache au monde quotidien. Un poète sans inspiration ne serait qu'un froid faiseur de vers. Quant aux **surréalistes**, sous l'influence de la psychanalyse, ils voient dans l'inspiration une **manifestation de l'inconscient**.

Le débat autour de l'inspiration
Au cours des siècles, ce **débat** a **toujours** été **vif** : les uns, tels les romantiques, ont fait fond sur cette faculté du poète à écrire sous la pression d'une force inconnue ; les autres ne veulent voir dans la création poétique que le fruit de leur travail, c'est-à-dire de leur volonté et de leur raison. Ainsi, Edgar Poe prétend avoir composé son poème « Le Corbeau » d'une façon totalement lucide et raisonnée : le poème serait le fruit d'un travail conscient, d'un art calculé, ajustant les moyens aux effets à produire.

→ **imitation, intertextualité**

interrogation rhétorique

n. et adj. f. Du latin interrogare, « interroger », et du grec rhêtor, « orateur ». Appelée aussi « interrogation – ou question – oratoire », l'interrogation rhétorique est une question qui n'appelle pas de réponse de la part d'un éventuel interlocuteur.

Principales fonctions
L'interrogation rhétorique équivaut souvent à une **exclamation** : « Mais quoi ? déjà leur haine est égale à la mienne » (Racine*, Andromaque, IV, 5) ; elle traduit l'agitation psychologique du personnage. Souvent, la tournure affirmative signifie une **négation**, ou l'inverse : « Aux cendres d'un époux doit-elle [Hermione] enfin sa flamme ? » (Ibid., I, 4.)

Dans le **monologue** de théâtre, l'interrogation rhétorique permet au personnage d'explorer les possibilités qui s'offrent à lui : « Faut-il laisser un affront impuri ?/Faut-il punir le père de Chimène ? » (Corneille*, *Le Cid**, I, 6.) Dans la **tirade**, elle peut constituer l'un des procédés destinés à emporter la conviction de l'interlocuteur ; ainsi, Hermione s'adresse à Oreste de la façon suivante : « Enfin qu'attendez-vous ? Il vous offre sa tête » (*Andromaque*, IV, 5). On peut rattacher à cet emploi celui par lequel, dans un **texte d'idées**, l'auteur s'adresse au lecteur dans un jeu dialectique de questions/réponses : « Qui voudrait d'une couronne olympique si on la gagnait sans peine ? Personne n'en voudrait. » (Alain, *Propos sur le bonheur*.)

→ **éloquence, rhétorique**

intertextualité

n. f. Du latin *inter*, « entre » et *textus*, « tissu, texte ». L'intertextualité est constituée par l'ensemble des relations qui existent entre un texte et un ou plusieurs autres textes : « L'*intertexte*, écrit Michel Riffaterre, est la perception, par le lecteur, de rapports entre une œuvre et d'autres qui l'ont précédée ou suivie. »

Intertextualité et écriture
La notion d'intertextualité, introduite par Julia Kristeva (*Séméiôtiké*, 1969), permet de décrire un aspect spécifique de la création littéraire : **une œuvre ne naît pas *ex nihilo***, elle naît dans un paysage d'œuvres récentes ou anciennes avec lesquelles elle entretient un dialogue, alors même qu'elle proclame sa volonté de rompre avec toutes les œuvres antérieures. « Tout roman, poème, tout écrit nouveau est une intervention dans ce paysage antérieur », écrit Michel Butor*. Un écrivain fait toujours de la littérature avec la littérature, son écriture se nourrit de son expérience de lecteur. Tout travail d'écriture est réécriture de textes antérieurs, c'est-à-dire **absorption et transformation d'un autre texte** » (J. Kristeva). Une œuvre s'inscrit donc nécessairement dans un réseau de relations intertextuelles, à l'intérieur duquel elle prend son sens. Selon Tzvetan Todorov, « le sens de *Madame Bovary* est de s'opposer à la littérature romantique ». Ces **relations** sont **parfois explicites**, comme dans le cas de la citation, du plagiat, du pastiche* ou de la parodie* (voir Gérard Genette,

Palimpsestes, 1982) mais, plus généralement, elles restent implicites.

L'intertextualité ne se confond pas avec la recherche des sources* effectuée par la critique traditionnelle, laquelle s'en tient à des relevés parfois hasardeux, presque toujours hétéroclites. La théorie de l'intertextualité permet au contraire de montrer le **rôle dynamique du jeu des emprunts et des influences dans le processus créatif.**

→ **imitation, inspiration, palimpseste, réception de l'œuvre, sources**

intrigue

n. f. De l'italien *intrigo*. **Sens général** : ensemble de combinaisons secrètes qui peuvent faire réussir ou manquer une affaire. **Sens particulier au théâtre** : ensemble des péripéties* et rebondissements qui font avancer ou retardent l'action.

La **comédie d'intrigue** est un genre dans lequel l'auteur multiplie les incidents et les ramifications de l'intrigue jusqu'à l'imbroglio ou situation confuse qui ne s'éclaircira qu'au dénouement* : *Le Barbier de Séville*, de Beaumarchais*, en est un bon exemple. On parle également d'intrigue à propos des **principaux fils de l'action** dans un roman ou dans un film.

→ **comédie, scénario**

Ionesco
(Eugène), 1912-1994

ŒUVRES PRINCIPALES
• **Théâtre** : *La Cantatrice chauve* (1950), *La Leçon* (1951), *Les Chaises* (1952), *Rhinocéros* (1959), *Le roi se meurt* (1962).
• **Écrits sur le théâtre** : *Notes et contrenotes* (1962).

Un anti-théâtre ?
La critique n'a pas immédiatement pris au sérieux les premiers essais dramatiques d'Eugène Ionesco, où il se joue d'emblée des principes traditionnels du théâtre. Des pièces comme *La Cantatrice chauve* ou *La Leçon* en opèrent même la destruction : l'intrigue*, réduite au minimum, semble tourner en rond comme les

personnages, inconsistants et interchangeables, et le dialogue*, à la fois répétitif et déréglé. Pourtant, dès ces premières « anti-pièces », les obsessions et les **thèmes fondamentaux** de l'œuvre sont présents : **l'absurde, la déshumanisation, la mort.**

Par la suite, et notamment dans le cycle de pièces où apparaît le personnage de Bérenger (*Tueur sans gages*, 1959 ; *Rhinocéros* ; *Le Piéton de l'air*, 1963 ; *Le roi se meurt*), le **système dramatique** de Ionesco devient **plus complexe** : les personnages sont plus nombreux, moins mécaniques ; la composition en actes, absente des premiers essais, réapparaît pour rendre plus perceptible une progression fatale (la transformation des habitants d'une ville en bêtes sauvages dans *Rhinocéros*) ou une stagnation tragique (le face-à-face inexorable avec le destin dans *Le roi se meurt*). Les objets acquièrent toujours plus d'importance et d'autonomie (*Les Chaises*) pour souligner la victoire du matériel sur le spirituel.

Cependant, Ionesco conserve toujours dans son théâtre un certain **schématisme** qu'il définit ainsi : « une idée simple, une progression également simple et une chute ». Les types humains qu'il met en scène sont souvent peu caractérisés : le Professeur, l'Élève (*La Leçon*), le Vieux Monsieur, la Ménagère (*Rhinocéros*) n'ont pas de nom. Ce sont des **allégories*** d'une condition humaine menacée par un « anti-monde » qui pourrait bien ressembler au monde tout court.

L'anti-monde

Même si Ionesco refuse de parler à propos de son œuvre de théâtre engagé – il reproche à Brecht son didactisme –, il n'en délivre pas moins une **forme d'avertissement**. L'univers dans lequel évoluent ses personnages n'est pas seulement étrange, privé de sens : il est un danger pour l'homme. Les principaux caractères de cet anti-monde sont la déshumanisation, l'aliénation des êtres, de la pensée et du langage (une sorte de « folie ordinaire »), l'uniformisation dans une société qui se « massifie » (*Rhinocéros*), le repli sur soi et finalement la violence et la mort, omniprésentes. Ces thèmes tragiques dans lesquels on a vu le reflet du monde contemporain (fureur des guerres, emprise des totalitarismes, vacuité de la société de consommation) sont, dans le théâtre de Ionesco, comme détachés de l'Histoire. L'écrivain a souhaité leur donner une **dimension universelle** en mettant en évidence un « vide métaphysique », une « absence d'être » dans le quotidien. Ce « rien ontolo-gique » menace aussi bien la conversation de M. et Mme Smith (*La Cantatrice chauve*) que la vie pleine d'ennui de Bérenger, bureaucrate provincial (*Rhinocéros*) ou roi à l'agonie (*Le roi se meurt*).

Si l'univers de Ionesco est ainsi marqué par le **sentiment de l'absurde***, par l'angoisse du néant, il inspire paradoxalement le rire par de multiples procédés qui relèvent à la fois de la parodie* et de la satire*.

Des « farces tragiques »

« Drames comiques », « farces tragiques » : c'est ainsi que Ionesco qualifie ses pièces, **récusant la distinction traditionnelle entre comédie* et tragédie***. Le comique naît en premier lieu, comme chez Jarry* ou Beckett*, de personnages grotesques, bouffons pitoyables, à peine humains (*Rhinocéros*), ou prototypes de l'humanité la plus banale (les Smith et les Martin dans *La Cantatrice chauve*, le Vieux et la Vieille dans *Les Chaises*). Le **registre de la parodie** s'impose en permanence, notamment lorsque l'écrivain reprend des histoires connues (*Macbett*, 1972). Les situations elles-mêmes prêtent à rire quand le quotidien, le « normal » basculent dans l'insolite, le macabre (dans *La Leçon*, un Professeur très particulier finit par tuer son Élève).

Mais c'est le **langage** qui est le **principal instrument de la dérision** : l'accumulation* incohérente des clichés*, les sophismes d'une prétendue logique, les jeux de mots saugrenus, les dérapages incontrôlés d'une conversation mécanique dénoncent le conformisme de la pensée, son insatiable prétention à la raison. Par ce tohu-bohu verbal, Ionesco veut « rendre au langage sa virginité » pour qu'il rende « l'incommunicable [*les angoisses et les rêves de la condition humaine*] de nouveau communicable ». Au-delà du constat de l'absurde, de la satire* des savoirs et des pouvoirs, le travail du dramaturge consiste à **débarrasser le réel de ses masques** en perçant la carapace du quotidien. Il affirme ainsi la liberté de l'artiste de « créer des mondes » par le « renouvellement de l'expression », signe de la liberté de l'homme, de l'homme singulier, celle que revendique Bérenger à la fin de *Rhinocéros* : « Contre tout le monde, je me défendrai ! Je suis le dernier homme, je le resterai jusqu'au bout ! Je ne capitule pas ! »

• Sur l'art du théâtre

« J'ai essayé d'extérioriser l'angoisse [...] de mes personnages dans les objets, de faire parler les décors, de visualiser l'action scénique, de donner des images concrètes de la frayeur, du regret, du remords, de l'aliénation, de jouer avec les mots (et non pas de les envoyer promener) peut-être même en les dénaturant, ce qui est admis chez les poètes et les humoristes. » (*Notes et contrenotes*)

REPÈRES BIOGRAPHIQUES

➜ Né en Roumanie mais élevé en France, Eugène Ionesco retrouve son pays natal en 1925, en apprend la langue avant d'y préparer une licence de français. De retour à à Paris en 1938, il projette de faire une thèse de doctorat sur la poésie moderne. Quand la guerre éclate, il vit à Marseille.

➜ Après 1945, définitivement fixé en France, il exerce différents métiers, notamment dans l'édition. Grand lecteur de Kafka et de Dostoïevski, il ne vient que tardivement à l'écriture théâtrale. Sa première pièce, *La Cantatrice chauve*, créée à Paris aux Noctambules en 1950, étonne par son caractère provocateur. Les succès qui suivent font de Ionesco l'un des maîtres du théâtre de l'absurde.

➜ Élu à l'Académie française* en 1970, le dramaturge consigne, dans les deux tomes de son *Journal en miettes* (1967-1968), ses obsessions (l'ennui, l'enlisement, la mort), ses doutes, ses refus.

→ **absurde, Beckett, caricature, Jarry, parodie, tragique**

ironie

n. f. Du grec *eirôneia*, « action d'interroger en feignant l'ignorance ». Figure de style, forme d'expression consistant à dire le contraire de ce que l'on pense, ou à feindre d'approuver les opinions d'un adversaire pour mieux montrer l'ineptie ou la cruauté de ses thèses. « À force de médecines et de saignées, la maladie de Candide devint sérieuse » (Voltaire*, *Candide*, chap. 22.) : dans cet exemple, l'inversion des causes habituelles – les soins médicaux visant normalement le rétablissement de la santé – aboutit à une satire du faux savoir de certains médecins de l'époque.

Fonctions et procédés de l'ironie

L'ironie est une attitude mentale qui exprime, d'une façon subtile et détournée, une désapprobation. Selon une définition célèbre, « cette espèce de raillerie est une action de justice, lorsque celui envers qui on en use l'a méritée » (Pascal*, *Lettres écrites à un Provincial*, 11). Voltaire, par exemple, l'utilise comme une arme plus efficace que le raisonnement ou l'émotion pour lutter contre tous les abus. Les **principaux procédés stylistiques** de l'ironie sont l'antiphrase*, la litote*, la périphrase*, l'inversion des liens logiques, la juxtaposition de faits contradictoires, la description d'une situation radicalement contraire à la réalité, un faux éloge... On la trouve dans tous les genres.

→ **antiphrase, conte philosophique, distanciation, Flaubert, humour, parodie, satire, Voltaire**

Jaccottet

(Philippe), né en 1925

ŒUVRES PRINCIPALES
- **Poésie** : *L'Effraie* (1953), *L'Ignorant* (1958), *Airs* (1967), *Paysages avec figures absentes* (1970, 1997), *À la lumière d'hiver* (1974, 1994), *À travers un verger* (1975, 2000), *Pensées sous les nuages* (1983), *Promenade sous les arbres* (1997, 2000), *Cahier de verdure* (2003).
- **Carnets** : *La Semaison* (1984), *La Semaison II* (1996) et *III* (2001).
- **Études critiques** : *L'Entretien des Muses* (1968), *Une transaction secrète* (1987).

Un « magicien de l'insécurité »

Jaccottet appartient à une génération de poètes qui, dans les années 1950, s'éloignent de l'expérience surréaliste et reviennent au réel. Loin des jeux verbaux et de la fausse richesse des métaphores[*], il s'agit de retrouver une **parole juste**. D'où une poésie exigeante, **attentive au réel**, méfiante à l'égard du prestige des images, une poésie qui accepte le **doute**, l'**ignorance**, l'**incertitude** comme expérience première. « À partir de l'incertitude avancer tout de même. Rien d'acquis, car tout acquis ne serait-il pas paralysant ? L'incertitude est le moteur, l'ombre est la source. Je marche faute de lieu, je parle faute de savoir, preuve que je ne suis pas encore mort. » (*La Semaison*).

Jaccottet reprend à son compte la définition du poète comme « magicien de l'insécurité » (René Char[*]). Les **images aériennes** (nuages, fumées, pluie, brumes) prédominent dans un paysage poétique marqué par le mouvement, le tourbillon, la dispersion et par une **atmosphère** incertaine d'ombre et **de crépuscule**. Cherchant à capter par les mots le jaillissement de la poésie, Jaccottet délaisse les formes traditionnelles, craignant que la poésie ne puisse tenir, abusivement, à la forme seule.

Aube, semaison, jeunesse du temps

Dans cette atmosphère crépusculaire, il arrive cependant que le miracle se produise, envol d'un oiseau ou floraison des amandiers. Le poète refuse le confort des certitudes mais il **refuse** aussi **de céder à l'accablement**, et si sa poésie évolue vers toujours plus de retenue et de sobriété, elle sait appréhender la beauté, si fugitive soit-elle, elle sait dire les instants purs de l'émerveillement. La prédilection du poète pour l'aube ou l'avant-printemps s'explique précisément parce que c'est le moment du passage des ténèbres à la lumière, du froid à la chaleur, de l'ignorance à la connaissance. Moment qui est toujours promesse de lumière : « Tu es le feu naissant sur les froides rivières / l'alouette jaillit du champ… Je vois en toi / s'ouvrir et s'entêter la beauté de la terre. » (« Au petit jour », *L'Ignorant*).

Si puissantes soient les forces qui nous tirent vers le bas et vers l'inerte, le poète reste le magicien capable de capter par les mots les instants fugaces où l'être s'allège, où un dynamisme ascensionnel emporte les êtres vers la lumière, jusqu'au moment où il ose écrire le mot « joie » : « Ce mot, presque oublié, avait dû me revenir de telles hauteurs comme un écho extrêmement faible d'un immense orage heureux. » (*Pensées sous les nuages*.)

« L'effacement soit ma façon de resplendir. » (*L'Ignorant*)

REPÈRES BIOGRAPHIQUES

➔ Philippe Jaccottet, né en Suisse en 1925, fait ses études à Lausanne où il commence à publier ses premiers textes. En 1946, après un voyage en Italie (il y rencontre le poète Giuseppe Ungaretti), il s'installe à Paris et collabore avec les Éditions Mermod, faisant la connaissance de Ponge*, du Bouchet*, Bonnefoy* et Dupin. Il traduit les auteurs allemands, en particulier Rilke, Musil, Thomas Mann, et italiens (Ungaretti).

➔ En 1953, il s'installe à Grignan, dans la Drôme, où il va poursuivre l'élaboration de son œuvre poétique, parallèlement à son activité de traducteur et de critique littéraire. Il a reçu, entre autres, le Grand Prix national de poésie en 1995 et le prix Goncourt de la poésie en 2003.

→ **Bonnefoy, Bouchet (du)**

Jacob
(Max), 1876-1944

ŒUVRES PRINCIPALES
• **Poésie**: *Les Œuvres burlesques et mystiques de Frère Matorel, mort au couvent de Barcelone* (1912), *Le Cornet à dés* (1917), *Le Laboratoire central* (1921), *Les Pénitents en maillots roses* (1925), *Ballades* (1938), *Poèmes de Morven le Gaélique* (1953).

La fantaisie verbale
Tous ceux qui ont fréquenté Max Jacob ont été éblouis par sa personnalité originale, son imagination débordante et sa spirituelle cocasserie. Telles sont également les qualités qui nourrissent l'écriture de ce poète dont l'influence a été considérable, mais qui a toujours conservé son indépendance. L'auteur du *Cornet à dés* possède un style plein de **fantaisie**, de **jeux d'esprit et de langage** (calembours*, coq-à-l'âne, collages). Cependant, sous la gaîté, affleurent toujours sa gravité et son sens du tragique*.

Une nouvelle logique poétique
La poésie de Max Jacob présente des principes d'unité particuliers. Les différentes inspirations religieuses (ésotérique, juive, biblique) s'y allient dans un syncrétisme très personnel. Les **brusques ruptures** entre euphonie et dissonances, élans mystiques et pitreries, émotion et sarcasme, s'organisent dans un enchaînement dynamique ; l'accord des mots et des images naît ainsi de « leur appel mutuel et constant ». S'affranchissant des règles poétiques traditionnelles, Jacob affectionne le **poème en prose*** et invente un univers fictif construit sur l'association des mots et des images, et non sur les lois du raisonnement ou de l'observation.

Pour Max Jacob, en effet, le poème n'est pas la mise en forme poétique d'une expérience mais un **acte poétique pur**. Les choses ne sont pas décrites dans une intention réaliste ou psychologique, mais réorganisées, comme dans les toiles cubistes, en fonction de différents angles de vue, et liées par des associations poétiques nées de l'inconscient et du rêve. Pour donner à cette écriture proche de l'automatisme surréaliste toute son efficacité, le poète prône la nécessité d'une construction et d'une langue rigoureuses. Chaque poème de Max Jacob affirme donc son existence en tant qu'« objet construit ».

• **Définition du poème**
« Le poème est un objet construit et non la devanture d'un bijoutier. » (Préface du *Cornet à dés*)

REPÈRES BIOGRAPHIQUES

➔ Né à Quimper dans une famille de commerçants juifs, Max Jacob arrive à Paris en 1897. Il exerce divers petits métiers et se lie particulièrement avec Picasso, Apollinaire* et André Salmon. En 1907, il s'installe au Bateau-Lavoir, à Montmartre, et fréquente les milieux d'avant-garde. Il a une première vision du Christ en 1909, puis une seconde en 1914, et se fait baptiser l'année suivante. En 1921, il se retire au monastère de Saint-Benoît-sur-Loire. Sa production poétique, jusqu'alors limitée, devient abondante.

➔ Max Jacob revient à Paris en 1928, puis choisit de retourner définitivement au monastère en 1937. Durant la guerre, une partie de sa famille est déportée. Lui-même est arrêté à Saint-Benoît le 24 février 1944 et transféré au camp de Drancy, où il meurt le 5 mars de la même année.

→ **Apollinaire, Cocteau, écriture automatique, poème en prose**

jansénisme

n. m. Mouvement religieux issu de la pensée de *Jansénius* (1585-1638), théologien flamand auteur de l'*Augustinus* (publ. posth. 1640). Le jansénisme – terme inventé par les adversaires de Port-Royal* – divise profondément et violemment l'Église catholique au xviie siècle, et se poursuit au xviiie siècle. Il s'inspire de l'augustinisme, doctrine héritée de saint Augustin (ive-ve siècle).

La question de la grâce

La question qui **oppose** le plus violemment **jansénistes et jésuites** (ou molinistes) est celle de la **grâce divine** et de la **prédestination**. Ce débat, qui domine tout le xviie siècle, remonte à la Renaissance et à la naissance de la Réforme. Les jansénistes, se réclamant d'une interprétation plus stricte de la doctrine de saint Augustin, soutiennent que – puisque le libre arbitre de l'homme a été corrompu par le péché originel – l'homme ne peut accomplir son salut que par la grâce divine. Seule la grâce peut libérer sa volonté de la concupiscence et l'amener à faire le bien. Mais cette **grâce**, dite « **efficace** » car elle sauve infailliblement, n'est pas donnée par Dieu à tous les hommes : seuls certains sont « prédestinés » au salut, les autres seront damnés, indépendamment de leurs actes.

À l'opposé, les jésuites, héritiers de l'humanisme* de la Renaissance, défendent l'idée d'une **grâce « suffisante »**, qui serait donnée par Dieu à tous les hommes. Cette grâce aide les hommes à faire le bien, *s'ils le veulent*, mais n'assure pas automatiquement leur salut : celui-ci dépend de leurs actes et de leurs mérites. Pour les jésuites, l'homme est donc responsable de son salut : il se sauve ou se damne selon ses actes. Les jésuites conservent BIEN l'idée d'une prédestination, mais celle-ci est « en prévision des mérites » : Dieu, sachant par avance quels sont les hommes qui feront le bien, les prédestine au salut.

La morale janséniste

Doctrine théologique, le jansénisme est aussi une **morale, rigoureuse et exigeante**. Les jansénistes développent une **conception pessimiste de l'homme** et des passions, insistant sur le néant de l'homme sans Dieu et sur l'étendue de sa corruption (Pascal*, *Pensées*). Les jésuites, au contraire, abusent de la casuistique, qui analyse la gravité des péchés et tend à les atténuer selon l'intention qui préside aux actes. Les jansénistes insistent sur la « **conversion du cœur** » plus que sur les actes, et appellent à une foi éclairée (par la raison). Ils privilégient une vie retirée et contemplative. L'attention qu'ils portent aux mouvements secrets du cœur, aux replis de la conscience, comme leur conception pessimiste des passions, marque profondément la littérature classique. Cette influence est évidente dans les *Maximes* de La Rochefoucauld*, perceptible aussi chez Mme de Lafayette*.

Les jansénistes interviennent également dans la vie littéraire de l'époque par leur condamnation du théâtre*, qui exacerbe les passions : Racine*, qui a été leur élève, finira par y renoncer.

L'enjeu politique

Le conflit entre jansénistes et jésuites a aussi une dimension politique, qui explique la violence avec laquelle le jansénisme a été réprimé. Alors que les jésuites, partisans du centralisme, sont les alliés du pouvoir royal, les jansénistes, tout en affirmant leur fidélité au roi et au pape, **contestent la monarchie de droit divin et l'absolutisme royal**. La doctrine trouve de nombreux adeptes dans la noblesse parlementaire, hostile à la monarchie absolue, particulièrement pendant la Fronde. D'une façon plus générale, le jansénisme refuse tout autoritarisme et affirme l'indépendance de la conscience.

La fin du jansénisme

Jusqu'en 1709, l'histoire du jansénisme se confond avec celle de **Port-Royal***. Malgré la destruction du couvent par Louis XIV, la poursuite du mouvement sous la direction de Quesnel (1634-1719), auteur des *Réflexions morales sur le Nouveau Testament*, amène Rome à publier en 1713 la bulle *Unigenitus*, qui condamne les propositions de son ouvrage. Cette bulle devient une loi d'État en 1730. Les convulsions et les « miracles » sur la tombe du diacre janséniste Pâris, au cimetière Saint-Médard à Paris (1730-1732), ne suffisent pas à redonner au mouvement l'éclat qu'il avait au xviie siècle. Le jansénisme est vaincu mais son influence persiste tout au long du xviiie siècle.

→ Index (mise à l'), La Rochefoucauld, Pascal, Port-Royal, Racine

Jarry
(Alfred), 1873-1907

ŒUVRES PRINCIPALES
- **Poésie**: *Les Minutes de sable mémorial* (1894).
- **Romans**: *Les Jours et les Nuits* (1897), *L'Amour en visites* (1898), *L'Amour absolu* (1899), *Le Docteur Faustroll* (posth. 1911).
- **Farces**: *Ubu roi* (1896), *Ubu enchaîné* (1900), *Ubu sur la butte* (1906), *Ubu cocu* (posth. 1944), *La Chandelle verte* (posth. 1969).

La geste d'Ubu

D'un texte de potaches, Jarry a su faire une farce* qui valait manifeste*. À partir de la découverte de la pièce de théâtre *Les Polonais* écrite par ses camarades Charles et Henri Morin, huit ans se seront écoulés avant qu'*Ubu roi* soit monté à Paris : la bataille d'*Ubu* a lieu les 9 et 10 décembre 1896 au théâtre de l'Œuvre, sanctuaire du théâtre symboliste. La pièce est perçue comme une « fumisterie » (H. Fouquier, dans le *Figaro*) ou bien comme une « farce extraordinaire » (H. Bauër, dans *L'Écho de Paris*).

Le cycle de la geste ubique met en scène les aventures énormes du Père Ubu et de son épouse, la Mère Ubu. La geste d'Ubu, sorte d'usurpateur itinérant aux appétits aussi bas qu'inextinguibles, est largement parodique d'œuvres antérieures comme *Macbeth* de Shakespeare. L'écriture ubuesque cultive la provocation, opère la **destruction des règles de la dramaturgie*** classique par la mise en œuvre d'un comique de l'absurde* et de la cruauté.

« De l'inutilité du théâtre au théâtre »

Sous ce titre, Jarry rédige en 1896 un article pour le *Mercure de France* où il formule les principes majeurs de sa conception du théâtre. Il **refuse** d'abord le **décor naturaliste**, qui est vain, mais sans doute pas aussi « dangereux » qu'un décor exprimant trop évidemment la vision du poète. D'où l'idée de la « toile peinte » ou de l'« envers de décor », les changements de lieu étant indiqués par un écriteau. Il souligne également l'**inutilité du visage de l'acteur, dont on fera** avantageusement **un masque**, en jouant avec la lumière de la rampe, pour atteindre des « expressions simples [...], universelles ».

Le roman symboliste

Le Jarry adepte de la « pataphysique » – c'est-à-dire de la destruction par l'absurde de la raison et de la langue – se double d'un **autre Jarry, disciple de Mallarmé**, auteur de poésies comme *Les Minutes de sable mémorial*, et de récits très différents de la geste ubique, romans ou nouvelles à la thématique hardie, au style disloqué. *Les Jours et les Nuits*, où Jarry s'inspire du temps passé en 1895 au service militaire, évoquent le séjour à la caserne de Sengle, futur « déserteur », ainsi que son amitié pour le personnage de Valens, présenté comme son frère. Dans *L'Amour en visites*, onze nouvelles tournent au dialogue théâtral en abolissant toutes les scènes de genre de la rencontre amoureuse.

CITATION

- **Sur le personnage d'Ubu**
« Ce n'est pas exactement Monsieur Thiers, ni le bourgeois, ni le mufle : ce serait plutôt l'anarchiste parfait, avec ceci qui empêche que nous devenions jamais l'anarchiste parfait, que c'est un homme, d'où couardise, saleté, laideur, etc. » (A. Jarry, *Paralipomènes d'Ubu*)

REPÈRES BIOGRAPHIQUES

→ Jarry est né à Laval. Au lycée de Rennes où il entre en 1888 et où il se montre un élève très brillant, il rencontre les jeunes auteurs des *Polonais*, pièce caricaturant l'un de leurs professeurs, dont il tirera *Ubu roi*. En 1891, il entre en khâgne à Henri-IV et fait la connaissance de Léon-Paul Fargue, de Marcel Schwob, d'Alfred Vallette, directeur du *Mercure de France*, et de sa femme Rachilde, organisatrice de « mardis » où Jarry rencontre Mallarmé* et Rémy de Gourmont. De novembre 1894 à décembre 1895, il fait son service militaire à Laval et finit par être réformé.

→ Après la représentation d'*Ubu roi* en 1896, qui déclenche un scandale retentissant, Jarry poursuit l'écriture de la « geste ubique » en même temps qu'il publie de la poésie et des romans d'inspiration symboliste.

→ Sérieusement malade depuis 1905, il a une grave crise cérébrale en 1906 et meurt l'année suivante d'une méningite tuberculeuse.

→ absurde, farce, Mallarmé, surréalisme, symbolisme, Ubu

j k

Jeu de l'amour et du hasard (Le), Marivaux, 1730

RÉSUMÉ

Pour examiner à loisir le mari que son père lui destine, Silvia, une jeune femme noble, imagine un stratagème : elle échangera son identité avec sa suivante Lisette. De son côté, Dorante, le prétendant de Silvia a eu la même idée. Les rencontres entre amoureux prennent donc la forme de savoureux quiproquos* jusqu'au moment où, l'amour ayant triomphé du préjugé social, maîtres et valets jettent le masque.

Marivaux et la troupe italienne

C'est aux Comédiens-Italiens que Marivaux confie la création du *Jeu de l'amour et du hasard*. Rivaux des Comédiens-Français, spécialisés dans le jeu de la tragédie et de la grande comédie en vers, les Italiens se distinguent par la fantaisie et le naturel de leur jeu, leur art de la pantomime et de l'improvisation dans la tradition de la **commedia dell'arte***, Il attribue à certains personnages de la pièce le nom même des acteurs de la troupe : Silvia, Mario… Représentée le 23 janvier 1730, la pièce reçoit un bon accueil.

Amour et travestissement

Cette **comédie en trois actes et en prose** illustre la virtuosité de Marivaux dans la maîtrise de situations théâtrales où la **vérité du cœur se cache derrière les masques** dont les personnages tentent de se parer. Le double travestissement des maîtres et des valets conduit à un subtil ballet de rencontres parallèles, de « surprises de l'amour », de malentendus comiques qui dégénèrent parfois en disputes. Les dialogues soulignent, avec retenue et émotion dans le cas des maîtres, une fantaisie cocasse et parodique dans celui des valets, la difficulté d'être sincère avec les autres et avec soi-même dans l'aveu de ses sentiments.

L'épreuve de l'amour

Dans cette comédie, les épreuves subies par le cœur ne vont pas sans souffrance ni cruauté. Le « **double registre** » caractéristique du théâtre de Marivaux fait du père et du frère de Silvia les spectateurs-meneurs de jeu de l'intrigue mais c'est Silvia elle-même qui, au dernier acte, prend en main sa destinée et conduit Dorante à sacrifier son rang social à son amour : « Il n'est ni rang, ni naissance, ni fortune qui ne disparaisse devant une âme comme la tienne. » Ainsi se dessinent les valeurs d'un Marivaux **moraliste et humaniste**, lucide, soucieux d'authenticité et attentif à la dignité des êtres que la société de l'époque place dans une situation d'infériorité : les femmes et les valets.

→ commedia dell'arte, comédie, marivaudage, Marivaux

journal

n. m. Du latin *diurnalem*, « de jour ». Le journal est une forme particulière de texte autobiographique. Il se distingue de l'autobiographie* au sens strict dans la mesure où sa périodicité (quotidienne, hebdomadaire, mensuelle...) n'en fait pas un récit rétrospectif continu, mais une série de fragments, datés, qui combinent narration au présent et narration au passé (le plus souvent, il s'agit d'un passé proche).

Le journal intime

Le contenu d'un journal est extrêmement variable d'un individu à l'autre. Et la locution « journal intime », apparue au XIXe siècle, qui réfère à un contenu aussi profond qu'intérieur, ne rend compte que partiellement de cette diversité. En effet, le journal peut aussi bien porter sur la vie globale d'un individu (et relater alors des événements et des réflexions personnels) que privilégier l'une de ses activités : le *Journal* des Goncourt¹ est un journal littéraire ; concerner la vie privée : voir les journaux de Gabriel Matzneff, centrés sur sa vie sexuelle, ou bien l'exclure : voir le *Journal du dehors* d'Annie Ernaux, qui contient essentiellement des « choses vues ».

En tant que texte privé, non destiné à la publication, le journal ne constitue pas, à l'origine, un genre littéraire : le premier journal connu est celui de l'Anglais Samuel Pepys, écrit entre 1659 et 1669.

Le journal littéraire

Cependant, même s'il demeure une pratique d'écriture privée (qui s'apparente à une écriture du secret, depuis l'utilisation d'initiales jusqu'à l'emploi d'une écriture codée), **le journal change de statut dès lors qu'il est publié.** Dans l'histoire du journal, les **années 1880**, qui voient la publication posthume d'extraits de journaux de Stendhal*, Benjamin Constant* et Amiel, marquent un tournant : le journal est reconnu et constitué en **genre littéraire.**

Au XXe siècle, des écrivains comme Gide* et Léautaud publient de leur vivant des versions expurgées de leurs journaux, amorçant une tendance qui ira en augmentant : que l'on songe aujourd'hui aux volumineux journaux d'un Claude Mauriac (*Le Temps immobile*) ou d'un Charles Juliet. Plus qu'une œuvre mineure écrite en marge d'une œuvre principale, le journal tend donc à s'imposer comme une œuvre à part entière.

→ **autobiographie, Gide, Goncourt, Leiris, Stendhal**

Jouve
(Pierre Jean), 1887-1976

ŒUVRES PRINCIPALES
- **Roman**: *Paulina 1880* (1925).
- **Poésie**: *Les Noces* (1931), *Sueur de sang* (1933), *Mélodrame* (1957), *Moires* (1962).
- **Essai**: *Le Don Juan de Mozart* (1942).

Une œuvre déchirée

La poésie de Jouve témoigne de la **double postulation de l'homme vers le bien et vers le mal** qui était au cœur de l'expérience baudelairienne. L'ardeur mystique est aux prises avec les forces obscures et l'œuvre est hantée par l'angoisse du sexe et de la mort. La psychanalyse, qui éclaire les **jeux d'Éros et Thanatos, de l'amour et de la mort,** confirme une vision terrible de l'homme, « cette colonie de forces insatiables qui se remuent en rond comme des crabes » : « Nous avons connaissance à présent de milliers de mondes à l'intérieur du monde de l'homme que toute l'œuvre de l'homme avait été de cacher et de milliers de couches dans la généalogie de cet être terrible qui se dégage avec obstination et peut-être merveilleusement (mais sans jamais y bien parvenir) d'une argile noire et d'un placenta sanglant. » (*Sueur de sang.*)

Une œuvre visionnaire

Partagée entre des forces violemment antagonistes, souvent hantée par des fantasmes sexuels obsédants, l'œuvre de Jouve tisse un vaste **réseau d'images et de symboles***: l'œil, le poil, le sang, le cerf, l'arbre, le cygne, la colombe, le haut ciel, le sexe, le diadème se conjuguent dans une fantasmagorie tantôt sombre, tantôt lumineuse. Sa poésie retrouve parfois l'inspiration visionnaire et les accents prophétiques de l'Apocalypse. Dès 1933, il prédit « la catastrophe la pire de la civilisation ». La guerre devait apporter une confirmation tragique à la tentation du suicide qu'il pressentait au cœur de la civilisation.

CITATION

• Sur l'œuvre de Pierre Jean Jouve

« La grandeur de Pierre Jean Jouve est dans cette longue passion de témoigner, par les romans et les poèmes, d'une obscurité qui n'est jamais des mots, mais de l'être, de la vie. » (G. Ungaretti)

REPÈRES BIOGRAPHIQUES

→ L'enfance de Pierre Jean Jouve, né à Arras, est marquée par de graves problèmes de santé qui l'empêcheront de mener ses études à leur terme. Il découvre sa vocation poétique en lisant Baudelaire* et Mallarmé*. Après avoir écrit des poèmes marqués par le symbolisme*, il subit l'influence de Jules Romains*, poète de l'unanimisme, puis de Romain Rolland* dont il adopte les thèses pacifistes.

→ De 1922 à 1925, traversant une grave crise intellectuelle, Pierre Jean Jouve renie toute son œuvre antérieure. L'année 1925 marque un tournant décisif : le poète a enfin trouvé sa voie, celle d'une poésie qui, tout en explorant les profondeurs de l'être, est animée par une quête spirituelle. Son œuvre sera couronnée par le Grand Prix des lettres en 1964, et le Grand Prix de l'Académie française* en 1966.

→ **Emmanuel, symbole**

Koltès
(Bernard-Marie), 1948-1989

ŒUVRES PRINCIPALES

• **Romans** : *La Fuite à cheval très loin dans la ville* (1976), *Prologue* (posth.).

• **Théâtre** : *Sallinger* (1977), *La Nuit juste avant les forêts* (1977), *Combat de nègre et de chiens* (1979), *Quai Ouest* (1985), *Dans la solitude des champs de coton* (1985), *Tabataba* (1986), *Le Retour au désert* (1988), *Roberto Zucco* (1988).

Un théâtre sibyllin

En marge de la mode des années 1970 qui, depuis Beckett* et Brecht, renonce à la fable dans les œuvres dramatiques, le théâtre de Koltès **raconte des histoires**. **Sibyllines**. Ses pièces tentent en effet de rendre compte de l'**opacité du réel et de l'homme moderne**. Leur structure narrative est lacunaire, et procède d'une esthétique de l'ellipse*, de l'allusif, du détournement du réel, des retournements inexpliqués, des conclusions inachevées.

Le théâtre de Koltès dénonce un monde d'échanges mercantiles où la **violence gratuite** s'installe toujours (elle est présente dans toutes ses pièces, jusqu'à *Roberto Zucco* où elle est érigée en mythe), et où l'homme, en quête d'amour, ne peut jamais, ni accéder à l'autre, ni se trouver lui-même ; un monde qui oppose l'Occident, porteur de valeurs négatives, au tiers-monde, porteur d'espérance et objet d'amour : « Ô noir, couleur de tous mes rêves, couleur de mon amour », dit Leone dans *Combat de nègre et de chiens*.

Des personnages en tension

Koltès ne cherche pas à mettre en scène des personnages ayant une profondeur psychologique mais des **êtres** tiraillés entre l'ombre et la lumière, **en proie à de multiples tensions**. Ni « caractères » ni « conditions », ces personnages sont cependant définis socialement, idéologiquement, et leur passé comme leur futur déterminent l'architecture générale de toutes pièces. **Énigmatiques**, ils n'existent que le temps d'une parole déployée en longs soliloques qui les révèlent à eux-mêmes et à autrui autant qu'elle les cache.

Symptomatique à cet égard est le *je* de *La Nuit juste avant les forêts*, qui, en une phrase sans ponctuation, dévidée sur une soixantaine de pages, tente de retenir un inconnu silencieux rencontré au coin d'une rue. On ne connaît de lui que l'univers qu'il convoque et qui contient déjà tous les **thèmes** et motifs **récurrents de Koltès** : l'étranger (Noir, Arabe), la marge, la solitude, le désir, le secret, l'interdit, l'érotisme, la fraternité, les conflits, la violence et le meurtre, la guerre, la difficulté d'être et la fureur de vivre.

Le personnage koltésien **oscille** toujours **entre deux pôles** : l'élan vers l'amour, le dialogue possible… et la confrontation avec « l'état de guerre permanent qui est celui de la réalité koltésienne » (A.-F. Benhamou). Cette tension interpelle, renforcée par le choix des **lieux**, « **métaphores du monde** » selon l'auteur. Uniques ou multiples, n'apportant aucun éclairage sur les personnages, ce sont des microcosmes à valeur universelle, dont la puissance révélatrice rend possibles d'improbables rencontres : « La rue, le chantier, la cité, le quai, le terrain vague, le hangar, la prison, autant de lieux qui sont la contrefaçon du vide du monde, des limites qui sont la contrefaçon de l'infinité de l'univers » (F. Régnault). Ce sont aussi des lieux emblématiques du monde moderne dans ses échanges, ses relations de pouvoir, ses exclusions, ses aliénations.

Des mots qui cognent

Le théâtre de Koltès exhibe une parole qui tente vainement de résoudre des conflits. Pour Patrice Chéreau, ses pièces sont un « **combat de paroles**, d'où naît réellement un événement théâtral ». D'abord lyrique, la parole se fait ensuite rythme, pulsation, scansion, tension, « tissant sa musicalité par séries contrapunctiques et par leitmotive » (J.-C. Lallias). Toujours **poétique**, à **mi-chemin entre langue écrite et langue orale**, sa profération nécessite une diction et un engagement physiques de l'acteur. Les mots résonnent dans une langue magnifique qui, pour le comédien F. Chattot, « accouche de cailloux, à la manière des caillots de sang qui, selon Brecht, devaient sortir de la bouche des acteurs ».

CITATION

« Si vous marchez dehors, à cette heure, et en ce lieu, c'est que vous désirez quelque chose que vous n'avez pas, et cette chose, moi, je peux vous la fournir ; car si je suis à cette place depuis plus longtemps que vous et pour plus longtemps que vous, et que même cette heure qui est celle des rapports sauvages entre les hommes et les animaux ne m'en chasse pas, c'est que j'ai ce qu'il

faut pour satisfaire le désir qui passe devant moi. » (*Dans la solitude des champs de coton*)

REPÈRES BIOGRAPHIQUES

→ Né à Metz dans une famille bourgeoise, Koltès s'installe à Strasbourg en 1970. La représentation de *Médée*, avec Maria Casarès, décide de sa vie : il fera du théâtre. Il fonde sa troupe, écrit ses premières pièces, d'inspiration biblique ou russe. Grâce à Hubert Gignoux, il intègre pour un temps le théâtre national de Strasbourg. Il lit, écrit, fréquente les cinémas, voyage à travers le monde, activités qu'il poursuivra sa vie durant et qui nourriront son œuvre. En 1977, il crée avec succès *La Nuit juste avant les forêts* au festival off d'Avignon et renie ses œuvres antérieures.

→ L'année 1979 marque la fin de son engagement politique au Parti communiste et voit sa rencontre avec Patrice Chéreau, qui le rendra célèbre à partir de 1983 en mettant en scène, successivement, quatre de ses pièces. Paradoxalement, sa collaboration avec Chéreau le dessert car la notoriété du metteur en scène fait écran à ses textes, même si, désormais, il est édité, lu et joué, en France et à l'étranger. Il confie la mise en scène de sa dernière pièce à Peter Stein et meurt en 1989 du sida.

→ **Lagarce, lyrisme, théâtre, tragédie, Vinaver**

Labé
(Louise), 1524-1566

ŒUVRES
- **Dialogue en prose**: *Débat de Folie et d'Amour* (1555),
- **Poésie**: 24 *Sonnets*, 3 *Élégies* (1555).

Une figure de l'école lyonnaise

Au XVIᵉ siècle, Lyon, par son importance économique et sa position de carrefour culturel à mi-chemin entre Paris et l'Italie, connaît un bouillonnement intellectuel dont l'originalité a permis de parler de « Renaissance lyonnaise ». Dans le domaine de la poésie, l'école lyonnaise se caractérise par le développement du **thème amoureux**, où se fait jour l'influence du modèle italien. Cette tendance est accrue par le rôle prépondérant joué par les femmes dans les salons* et les cercles intellectuels, dont Pernette du Guillet (1520-1545) est, avec la Belle Cordière – surnom de Louise Labé –, une autre grande animatrice.

L'influence italienne

L'influence italienne s'exprime dans toute l'œuvre de Louise Labé, et particulièrement dans les *Sonnets*. Le premier d'entre eux est écrit en italien à la manière de Pétrarque. Tous les thèmes et modes poétiques principaux du recueil, largement empruntés au **pétrarquisme***, y sont annoncés : l'amour vécu dans la douleur, le langage savant, émaillé d'allusions mythologiques, les métaphores* du combat et de la blessure, la forme même du **sonnet*** étant empruntée à la poésie italienne.

La revendication féministe

Faisant montre d'audace, Louise Labé, dans l'« Épître* dédicatoire » de ses *Œuvres*, demande que les femmes ne soient pas « dédaignées comme compagnes, tant ès affaires domestiques que publiques, de ceux qui gouvernent ». Sa poésie se caractérise par des accents de sincérité éloignés du caractère souvent artificiel du pétrarquisme, surtout dans la relation de l'expérience sensuelle.

Tout d'abord, renversant les rôles du code amoureux traditionnel, elle **fait de l'homme l'objet de désir** dont on détaille les charmes et montre la femme non plus comme une inspiratrice mais comme soumise à la violence de la passion. Ensuite, l'écriture de Louise Labé rejette toute description et toute anecdote pour concentrer l'émotion, souvent liée à l'absence de l'aimé, dans le pronom de la première personne et les termes à connotation érotique. Enfin, le dévoilement du désir ne s'accompagne d'aucun regret. La brièveté du sonnet, qu'elle utilise librement, convient à l'expression de ce **lyrisme*** amoureux.

CITATION

- **Sur la souffrance du désir**
« Je vis, je meurs ; je me brûle et me noie./ J'ai chaud extrême en endurant froidure ;/ La vie m'est trop molle et trop dure./ J'ai grands ennuis entremêlés de joie. » (*Sonnets*, VII)

REPÈRES BIOGRAPHIQUES

→ Fille d'un riche cordier de Lyon, Louise Labé reçoit une éducation exceptionnelle : elle apprend le latin et les langues modernes de même que l'équitation et l'escrime, ce qui lui permet de participer, travestie, à un siège militaire et à un tournoi. Sa liberté de mœurs lui donne une réputation sulfureuse (peut-être abusive).

➜ On lui prête de nombreuses aventures masculines, même après son mariage avec un riche cordier – d'où son surnom de « Belle Cordière » –, parmi lesquelles une liaison passionnée avec le poète Olivier de Magny qu'elle reçoit dans son salon ouvert aux beaux esprits de son temps. Toute son œuvre est marquée par l'ardeur de la passion.

➜ formes fixes, pétrarquisme, sonnet

Labiche
(Eugène), 1815-1888

ŒUVRES PRINCIPALES
• **Théâtre**: *Un chapeau de paille d'Italie* (1851), *Le Voyage de M. Perrichon* (1860), *La Cagnotte* (1864), *Moi* (1864).

Un maître du rire

Avec ses cent soixante-treize pièces, comédies, vaudevilles, « pochades », « fantaisies », « opérettes-bouffes », Labiche s'est imposé comme un « ingénieur du rire » (G. Sigaux). Le secret de son extraordinaire succès tient avant tout à son sens du **mouvement** qui emporte ses personnages à un rythme endiablé dans de folles poursuites (celle de Fadinard à la recherche d'*Un chapeau de paille d'Italie*), des accidents plus ou moins prévus (*Le Voyage de M. Perrichon*), des dialogues* cocasses ou des chassés-croisés amoureux caractéristiques du **vaudeville**.

Choisissant ses personnages dans une bourgeoisie ancrée dans ses préjugés, ses « manies », il brosse des **portraits-charges** de militaires ou d'avocats, de négociants ou de professeurs (l'irrésistible Ajax Verboulot, « professeur de dessin et peintre de portraits pour dames », dans *L'École buissonnière*). Chacune de ces figures hautes en couleur a un petit grain de folie, une idée fixe, comme le projet matrimonial d'une vieille fille ou les préoccupations d'argent dans *La Cagnotte*.

Ainsi, **en amuseur plus qu'en moraliste**, Labiche se moque-t-il gentiment des travers de ses contemporains dans des comédies légères mêlées de chants : « Coquette infâme !/ Un châtiment/ Ici l'attend/Beauté sans âme !/ Nous punirons/Tes trahisons ! » (chœur de *L'École buissonnière*, I, 8).

CITATION
« Mais si on disait toujours la vérité dans le monde... on passerait sa vie à se dire des injures. » (*Le Misanthrope et l'Auvergnat*, 1852)

REPÈRES BIOGRAPHIQUES
➜ Fils d'un industriel, né à Paris, Eugène Labiche donne à différents journaux des critiques littéraires, s'essaie à des romans avant de se lancer en 1837 dans une carrière d'auteur dramatique.

➜ Avec différents collaborateurs (quarante-huit au total), il écrit jusqu'en 1877 plusieurs dizaines de comédies* et de vaudevilles* à succès. Cet « amuseur » du Second Empire est en outre l'auteur de différents opéras-comiques. Il est élu en 1880 à l'Académie française*.

➜ Courteline, Feydeau, vaudeville

La Bruyère
(Jean de), 1645-1696

ŒUVRES
• *Les Caractères ou les Mœurs de ce siècle* (1688, 1re éd. ; 1696, 9e éd.), *Discours de réception à l'Académie* (1693), *Discours sur le quiétisme* (1699, inachevés).

Le moraliste

À l'instar de Pascal* et de La Rochefoucauld*, La Bruyère est un moraliste*. Par ce terme, au sens strict, on a coutume de désigner des écrivains dont l'œuvre se caractérise d'une part par une matière morale, d'autre part par une **forme fragmentaire**. La Bruyère lui-même nomme ses fragments « **remarques** », dont la longueur varie (de la maxime* jusqu'à la remarque de plusieurs pages). Leur nombre est pratiquement multiplié par trois entre la première édition (1688, 420 remarques) et la neuvième (1696, 1 120 remarques). Mais, surtout, dès la quatrième édition, elles sont enrichies de **portraits***, dans lesquels le public croit reconnaître un certain nombre de contemporains (portraits « à clés »).

La morale de La Bruyère est essentiellement **descriptive** : son ambition est d'abord de peindre les mœurs de son siècle, d'offrir au lecteur une « cartographie morale » qui lui permette de lire le grand livre du monde (d'où la division en seize chapitres qui tentent de quadriller la totalité du réel : « De la cour », « De la ville »...).

Néanmoins, cette description révèle l'orientation idéologique de son auteur : La Bruyère est un **moraliste chrétien pessimiste**, pour qui la nature humaine est irrémédiablement marquée par la corruption liée au péché originel : « Ne nous emportons point contre les hommes en voyant leur dureté, leur ingratitude, leur injustice, leur fierté, l'amour d'eux-mêmes, et l'oubli des autres : ils sont ainsi faits, c'est leur nature » (« De l'homme », 1). Son ambition est donc de **corriger les mœurs** de son siècle, si éloignées selon lui de la morale évangélique, en tendant à ses contemporains le miroir grossissant de la **caricature**[*]. Ce projet moral est indissociable du projet apologétique qui s'explicite dans le seizième et dernier chapitre des *Caractères*, « Des esprits forts », où La Bruyère, à la suite de Pascal[*], cherche à convertir les esprits libertins.

L'esthétique de La Bruyère

L'esthétique de La Bruyère est le corollaire logique de son éthique. À l'instar de Fleury et de Fénelon, il est, au sens propre du terme, un réactionnaire : pour réformer les mœurs, il faut se tourner vers le modèle des Anciens (« De la ville », 21). Dans le domaine esthétique, il est donc naturellement un **partisan des Anciens**, ce que signale d'emblée le choix du genre[*] des caractères, qu'il emprunte au philosophe grec Théophraste, dont il donne une traduction des *Caractères* en tête de son propre ouvrage. Son goût pour les Anciens est explicité dans son *Discours sur Théophraste*, ainsi que dans son *Discours de réception à l'Académie*. Il est tout aussi manifeste dans le premier chapitre des *Caractères*, « Des ouvrages de l'esprit », où La Bruyère reprend à son compte l'idéal esthétique défini par Boileau[*] (idéal de naturel, de simplicité, de sublime).

Toutefois, son œuvre révèle en réalité une **tension entre deux esthétiques** : celle du **sublime**[*] (qui vise à étonner et à élever l'esprit) **et** celle du **burlesque**[*]. En effet, si certaines maximes ont bien comme enjeu d'élever l'âme en donnant à penser : « La cour est comme un édifice bâti de marbre : je veux dire qu'elle est composée d'hommes fort durs, mais fort polis » (« De la cour », 10), certains portraits, tel le fameux portrait de Ménalque (« De l'homme », 7), possèdent une puissance comique marquée par l'outrance.

La modernité de La Bruyère

La modernité de La Bruyère tient à la **réflexion sur l'écriture**, qui fait de la forme, du style l'essence même de la littérature : « Horace ou Despréaux l'a dit avant vous. – Je le crois sur votre parole ; mais je l'ai dit comme mien » (« Des ouvrages de l'esprit », dernière remarque). C'est ainsi qu'on a longtemps opposé la richesse de son style (qu'il se plaît lui-même à souligner à la fin de sa Préface des *Caractères*) à l'absence de profondeur de sa pensée. En réalité, tout aussi moderne est sa **psychologie**, traversée par une tension entre une conception « fixiste », héritée d'Aristote *via* Théophraste et qui induit l'existence de caractères permanents (la coquette, le distrait…) et la conscience des limites de ce modèle interprétatif.

Ainsi La Bruyère souligne-t-il la **difficulté de son projet descriptif**, qui pourrait bien être une gageure. Comment peindre – donc fixer – l'inconstance ? Ce qu'expriment l'image récurrente du caméléon (« le ministre ou le plénipotentiaire est un caméléon », « Du souverain », 12) et la présence de formules déceptives qui pointent une impossibilité (« Qui peut nommer ? », « Qui peut définir ? »). De même, comment peindre le mouvement, ou le vide ? Le double portrait en mouvement de Cimon et Clitandre (« De la cour », 19) constitue une négation de toute intériorité. Comment peindre des originaux, qui échappent précisément à la caractérologie ? Les curieux sont des types uniques (« De la mode », 2). Enfin, comment peindre des êtres énigmatiques, qui résistent à la classification morale ? Straton est un « caractère équivoque, mêlé, enveloppé ; une énigme, une question presque indécise » (« De la cour », 96).

Entre le projet explicite de peindre, à travers les mœurs de son temps, « les hommes en général » (Préface) et la réalité du texte, l'œuvre de La Bruyère présente des apories, qui semblent mettre à mal l'idée même d'une nature humaine : « Ainsi, tel homme au fond et en lui-même ne se peut définir : trop de choses qui sont hors de lui l'altèrent, le changent, le bouleversent » (« De l'homme », 18).

pable, et qu'il mérite de moi, je lui en fasse la restitution. Il peut regarder avec loisir ce portrait que j'ai fait de lui d'après nature, et s'il se connaît quelques-uns des défauts que je touche, s'en corriger. C'est l'unique fin que l'on doit se proposer en écrivant [...]. » (*ibid.*, début de la Préface)

REPÈRES BIOGRAPHIQUES

→ Issu d'une famille bourgeoise, La Bruyère suit des études de droit avant d'acheter une charge de trésorier des finances en 1674. Sa nomination comme précepteur du duc de Bourbon (petit-fils du Grand Condé) en 1684 lui donne une expérience personnelle de la cour et des grands. Cette nomination serait due à l'appui de Bossuet*, que La Bruyère côtoyait dans le cadre du « petit concile » qui comptait également Huet, Fleury et Fénelon*.

→ Si La Bruyère est connu pour l'immense succès de ses *Caractères* (1ʳᵉ éd. en 1688), qui lui vaut d'être élu à l'Académie française* en 1693, il consacre la fin de sa vie à des *Dialogues sur le quiétisme*, où il prend parti pour Bossuet contre Fénelon et qui témoignent de son attachement à un christianisme orthodoxe.

→ **Anciens et Modernes (Querelle des), classicisme, La Rochefoucauld, moraliste, Pascal**

Laclos
(Choderlos de), 1741-1803

ŒUVRES PRINCIPALES
• **Roman**: Les Liaisons dangereuses (1782).
• **Traités**: De l'éducation des femmes (1783), Considérations sur l'influence du génie de Vauban (1786).

Morale et libertinage*

Dans *Les Liaisons dangereuses*, deux complices, le comte de Valmont et la marquise de Merteuil, anciens amants, tous deux cyniques et intelligents, parfaits libertins, se jouent d'autres personnages plus naïfs : Valmont décide, par défi, de séduire la vertueuse Présidente de Tourvel. La marquise, pour se venger du comte de Gercourt, qui doit épouser la jeune Cécile de Volanges, exige de Valmont qu'il pervertisse cette ingénue. Leurs entreprises réussissent : la Présidente tombe amoureuse, Cécile tombe enceinte de Valmont et noue une idylle avec

le jeune chevalier Danceny, dont la marquise s'empresse de faire son amant. Mais cette belle mécanique s'enraie lorsque Valmont s'éprend véritablement de la Présidente. La marquise de Merteuil exige qu'il rompe. Il cède au chantage, puis réalise, alors que la Présidente se meurt d'amour, qu'il l'aimait pour la première fois. Les deux complices se déclarent la guerre. Convoqué en duel par Danceny, Valmont se laisse tuer, mais publie sa correspondance avec la marquise, révélant ainsi leurs machinations immorales. Déshonorée, Mme de Merteuil, malade, enlaidie, criblée de dettes, prend la fuite, alors que Cécile se retire au couvent.

Dans sa Préface, **Laclos se pose en moraliste*** : « Il me semble [...] que c'est rendre un service aux mœurs que de dévoiler les moyens qu'emploient ceux qui en ont de mauvaises pour corrompre ceux qui en ont de bonnes. » En outre, la fin du roman paraît morale, puisque les deux libertins sont punis. Cependant, le scandale qui entoura la publication du livre ne s'explique pas seulement par la dénonciation de mœurs dépravées dont chacun savait qu'elles avaient cours dans certains milieux nobles. En réalité, le roman dérange profondément parce qu'il peint les **effets**, terriblement efficaces et fascinants, presque inhumains, de l'**extrême intelligence jointe à la volonté méthodique de nuire** aux êtres et aux fondements moraux de la société. C'est pourquoi, aujourd'hui encore, les intentions réelles de Laclos donnent lieu à des controverses.

Un chef-d'œuvre littéraire

Bien que la mode des **romans par lettres*** soit déjà bien installée lorsque paraissent *Les Liaisons dangereuses* (pensons aux *Lettres persanes** de Montesquieu* ou à *La Nouvelle Héloïse* de Rousseau*), Laclos est le premier à explorer – magistralement – toutes les possibilités du genre. Ces lettres n'ont pas pour seul objet l'information du destinataire* : elles sont, entre les mains de Valmont et de Mme de Merteuil, des **armes** contre leurs victimes, puis, une fois publiées, contre eux-mêmes. Ainsi, c'est par ses lettres que Valmont séduit la Présidente (lettres 52, 58, 68...), et c'est par un billet qu'il la condamne à mort en prétendant ne pas l'aimer ; c'est en contrôlant les lettres que Cécile écrit à Danceny que la marquise contribue à dépraver la jeune fille.

D'autre part, le jeu des échanges de missives entre les différents acteurs permet de **multiplier les points de vue*** sur un même événement (cas des lettres XXI et XXII sur l'acte de charité de Valmont). La duplicité des deux héros transparaît dans la variété des tons et des thèmes utilisés par Valmont selon les interlocuteurs auxquels il s'adresse. Laclos joue également sur les **décalages**, sources d'ironie* ou de tragique*, entre la rédaction d'une lettre et sa réception : c'est après avoir été séduite par Valmont que la Présidente de Tourvel reçoit la lettre de Mme de Rosemonde, qui la félicite de ne pas avoir cédé au comte.

L'organisation des lettres obéit également à une **structure dramatique** toute **classique** : exposition*, nœud*, phases de l'intrigue*, dénouement*.

CITATIONS

• **Sur la formation de Mme de Merteuil**
« J'étudiais nos mœurs dans les Romans ; nos opinions dans les Philosophes ; je cherchai même dans les Moralistes les plus sévères ce qu'ils exigeaient de nous, et je m'assurai ainsi de ce qu'on pouvait faire, de ce qu'on devait penser, et de ce qu'il fallait paraître. Une fois fixée sur ces trois objets, le dernier seul présentait quelques difficultés dans son exécution ; j'espérai les vaincre, et j'en méditai les moyens. » (*Les Liaisons dangereuses*, lettre 81).

• **Sur l'intelligence et la volonté**
« De tous les romanciers qui ont fait agir des personnages lucides et prémédités, Laclos est celui qui place le plus haut l'idée qu'il se fait de l'intelligence. Idée telle qu'elle le mènera à cette création sans précédent : faire agir des personnages de fiction en fonction de ce qu'ils pensent. La marquise et Valmont sont les deux premiers dont les actes soient déterminés par une idéologie. » (André Malraux*, Préface aux *Liaisons dangereuses*)

REPÈRES BIOGRAPHIQUES

→ Jeune militaire issu de la petite bourgeoisie, bridé par les préjugés de caste qui l'empêchent de faire carrière et le confinent en province, Pierre Choderlos de Laclos publie un roman par lettres (*Les Liaisons dangereuses*) qui fait scandale, puis un *Éloge de Vauban* qui le brouille avec les autorités militaires.

→ Durant la Révolution, il s'engage politiquement auprès de Philippe Égalité puis des Jacobins, et participe à la préparation de la bataille de Valmy. Admirateur de Bonaparte, il participe à la campagne d'Italie et meurt d'une dysenterie durant le siège de Tarente.

→ **lettre, libertinage, Montesquieu, point de vue (focalisation), Rousseau, Sade**

Lafayette
(Madame de), 1634-1693

ŒUVRES PRINCIPALES
• **Romans** : *La Princesse de Montpensier* (anonyme, 1662), *La Princesse de Clèves* (anonyme, 1678).

La nouvelle et le roman historiques

La *Princesse de Montpensier*, publiée en 1662, inaugure le genre de la **nouvelle*** **historique**. Le récit inscrit une histoire d'amour fictive dans un cadre historique précis, celui de la France des années 1560. L'originalité de Mme de Lafayette vient de ce qu'elle décrit la cour des Valois avec un **réalisme*** dénué de complaisance qui laisse apparaître, derrière le faste de la cour, un milieu dangereux, dominé par la galanterie et l'ambition. Monde clos et factice où la conduite de chacun est soumise au regard impitoyable des autres.

Le cadre est le même dans *La Princesse de Clèves*, œuvre plus longue que Mme de Lafayette voulait intituler « Mémoires » (forme d'Histoire romancée mais posant une exigence de vérité incomparable avec celle du roman traditionnel). Malgré cette revendication, les récits de Mme de Lafayette attachent souvent plus d'importance à la vérité morale et psychologique qu'à l'exactitude historique.

L'amour, une « chose incommode »

Les récits de Mme de Lafayette témoignent tous d'une **méfiance** extrême **à l'égard des passions** et plus particulièrement de l'amour, cette « chose incommode » qu'elle se flattait, à vingt ans, de ne pas éprouver ! En peignant le malheur de femmes mal mariées et l'issue tragique de l'amour, Mme de Lafayette exprime la conception pessimiste de la passion qui caractérise le dernier tiers du XVII\e siècle. Mais, derrière ce pessimisme, s'affirme – comme dans les *Maximes* de La Rochefoucauld – une **exigence** héroïque **de lucidité et de sincérité**. Au milieu des mensonges de la vie de cour, l'héroïne de *La Princesse de Clèves* se distingue par son souci constant de rester lucide et maîtresse de sa passion. Elle puise la force d'y résister dans la conscience de sa propre faiblesse. C'est parce qu'elle craint de ne pas réussir à résister à l'amour qu'elle éprouve pour le duc de Nemours qu'elle avoue cette passion à M. de Clèves, son mari, et qu'elle s'enferme dans un couvent à la fin du roman. Au-delà du souci de son « devoir », Mme de Clèves est hantée par la certitude que l'amour ne peut que se dégrader s'il est satisfait. C'est pour échapper aux ravages de la jalousie qu'elle opte pour le « repos » de son âme, contre l'amour. La sincérité de Mme de Clèves – lors de l'aveu à M. de Clèves – ainsi que son renoncement final au monde parurent invraisemblables à certains contemporains de Mme de Lafayette, au point de susciter une véritable « querelle » littéraire.

L'art de l'analyse

Les romans de Mlle de Scudéry* accordent une place importante à l'analyse de l'amour. Mais ces analyses se développent en marge de l'intrigue amoureuse, dans de longues conversations qui ralentissent l'action.

Avec Mme de Lafayette, l'**analyse de la vie intérieure** se place pour la première fois **au cœur de l'action**, et la fonde. L'action et les obstacles ne naissent plus d'événements extérieurs (enlèvements, tremblements de terre qui séparent les amants…) mais des choix de l'héroïne.

Un roman classique ?

La **sobriété et la simplicité de l'écriture** de Mme de Lafayette, les litotes* qui atténuent la violence de la passion, et le souci de la brièveté sont caractéristiques du **style classique**. La narratrice se garde d'apparaître trop clairement dans le récit, et s'efface le plus souvent derrière ses personnages. Mais *La Princesse de Clèves*, malgré sa nouveauté, porte encore la **trace des romans héroïques** : épisodes empruntés (la lettre perdue), coïncidences que l'auteur se soucie peu de rendre vraisemblables (Nemours entendant l'aveu de Mme de Clèves à son mari), expressions hyperboliques héritées de la **préciosité** (M. de Nemours « lui fit voir […] la plus vive et la plus tendre passion dont un cœur ait jamais été touché »).

La modernité de *La Princesse de Clèves* réside moins dans la structure du roman et dans les épisodes relatés que dans l'importance prise par l'analyse de la vie intérieure.

CITATION

Dans une lettre de 1678, Mme de Lafayette se fait critique de La Princesse de Clèves *sans avouer qu'elle est l'auteur de ce récit :* « Je le trouve très agréable, bien écrit sans être extrêmement châtié, plein de choses d'une délicatesse admirable et qu'il faut relire plus d'une fois, et surtout, ce qui s'y trouve, c'est une parfaite imitation du monde de la Cour et de la manière dont on y vit. Il n'y a rien de romanesque et de grimpé. Aussi n'est-ce pas un roman. C'est proprement des Mémoires, et c'était, à ce que l'on m'a dit, le titre du livre, mais on l'a changé. »

REPÈRES BIOGRAPHIQUES

→ **Marie-Madeleine Pioche de la Vergne** naît à Paris, dans une famille de petite noblesse. À la mort de son père, en 1649, sa mère se remarie avec Renaud de Sévigné, oncle de la célèbre marquise dont Marie-Madeleine deviendra rapidement l'amie. En 1651, elle devient demoiselle d'honneur d'Anne d'Autriche, puis fait son entrée à la cour grâce à Henriette d'Angleterre, femme de Monsieur, frère du roi. En 1655, elle épouse le comte François de Lafayette, plus âgé qu'elle d'une vingtaine d'années et de très haute noblesse.

→ À la mort d'Henriette d'Angleterre, en 1670, Mme de Lafayette fréquente moins la cour, et tient salon*. Et c'est en collaboration avec ses amis – Ménage, auprès de qui elle acquiert sa culture, Segrais, sous le nom duquel paraît *Zaïde* (histoire espagnole renouant avec la tradition du roman héroïque), et La Rochefoucauld*, avec qui elle entretient une amitié privilégiée jusqu'à la mort de celui-ci, en 1680 – qu'elle écrit des nouvelles et romans qu'une ne signe pas, convaincue que le statut d'auteur ne convenait pas à une femme de son rang. À la fin de sa vie, elle devait jouer un rôle diplomatique auprès de la cour de Savoie.

→ **classicisme, La Rochefoucauld, préciosité, roman, Mlle de Scudéry**

La Fontaine
(Jean de), 1621-1695

ŒUVRES
- **Poésie** : *Adonis* (1658), *Le Songe de Vaux* (1660), *Élégie aux Nymphes de Vaux* (1662), *Ode au Roi pour M. Fouquet* (1663).
- **Lettres** : *Relation d'un voyage en Limousin* (1663).
- **Contes** : *Contes et Nouvelles en vers* (1665-1674).
- **Fables** : publiées en trois recueils (1er, 1668 ; 2e, 1678-1679 ; 3e, 1693).
- **Roman** : *Les Amours de Psyché et de Cupidon* (1669).

De la convention à l'invention

De l'œuvre plurielle de La Fontaine, le public connaît surtout les *Fables*. Or, **le poète a touché à tous les genres**. Si les *Contes et Nouvelles en vers* sont inspirés de Boccace et de l'Arioste, ils portent aussi l'empreinte de Marot* ou de

Rabelais*, tout comme ils reflètent le goût de La Fontaine pour la préciosité* (*L'Astrée*, d'Honoré d'Urfé*, est demeuré longtemps son livre de chevet). Les *Fables* entretiennent des liens étroits avec les *Contes* : certaines d'entre elles, comme « La Femme noyée » (III, 16), se situent à l'intersection des deux genres, et l'ensemble relève du même art de narrer. Valéry* opposera l'aspect, selon lui « glacé » et convenu, des *Contes* à la beauté du poème héroïque *Adonis*. D'autres lecteurs accordent au roman mythologique *Les Amours de Psyché* une originalité qui tiendrait à la difficulté même, pour La Fontaine, de s'en tenir au sujet imposé et d'échapper aux esthétiques antérieures. Quant aux *Recueils de poésies chrétiennes* ou bien au poème *La Captivité de Saint-Malc* (1673), ils relèvent d'une tradition littéraire religieuse, illustrée depuis le tournant des XVIe et XVIIe siècles par des paraphrases des Psaumes ou des vies de saints.

Ce sont en définitive les *Fables*, d'abord écrites avec une révérence envers l'inspirateur grec Ésope, qui marquent le mieux le talent inventif de La Fontaine : sous prétexte de mettre ces histoires « sues de tout le monde » en **vers**, il renouvelle le genre en les égayant (Préface de l'édition de 1668). Dans le second recueil (1678), il intègre des sources orientales et, étendant les circonstances de ses récits (Avertissement), se montre l'inimitable roi du genre.

Le charme des *Fables*

La nouveauté de La Fontaine tient en particulier au **bouleversement des relations entre** les deux parties de l'apologue* ésopique : **le récit** et la moralité finale. Il semble que le fabuliste cède surtout au plaisir de raconter et que le récit intègre plus intimement une morale plus complexe. On ne trouvera plus, comme chez Ésope, de sèche moralité à la fin d'un conte peu circonstancié : la morale change librement de place, elle emprunte la voix d'un personnage (X, 7) ou bien du conteur ; elle peut être ambiguë (« L'Homme qui court après la Fortune… », VII, 12) et ne refuse pas la contradiction, que ce soit entre plusieurs fables (voir « La Mort et le mourant », VIII, 1 ; « Le Cochon, la Chèvre et le Mouton », VIII, 12) ou bien entre le récit et sa leçon (« Le Berger et le Roi », X, 9). C'est une **morale de la prudence**, qui utilise donc parfois les ressources de l'ellipse* (« Le Chat et les Deux Moineaux », XII, 2) et la forme de la réticence (« Le Lion, le Singe et les Deux Ânes », XI, 5).

Si le récit coule avec transparence, si la morale s'y enchaîne avec un naturel que la contrainte du vers aurait semblé devoir mettre en danger, cela tient à un véritable « **art de la transition** » (Léo Spitzer) que nourrissent la variété des mètres* (le plus souvent octosyllabes* et alexandrins*), le jeu des rimes*, celui des énumérations, auxquels s'ajoutent la diversité lexicale, le jeu des coupes ou encore la modulation des styles (burlesque*, familier, héroï-comique*, sublime*).

D'où ces textes enchanteurs dont le fabuliste n'a de cesse de célébrer le pouvoir à travers l'évocation du renard sauvé par ses mensonges (« Le Loup et le Renard », XI, 6), ou à travers celle de l'inefficacité de la rhétorique* classique (« Le Pouvoir des fables », VIII, 4).

Les animaux et le jardin

Plus que de métaphore*, on peut parler d'**allégorie* animale**, tant les *Fables* comptent d'acteurs, leurs traits de caractère ne relevant d'ailleurs pas d'une récurrence aussi exacte que Taine a pu le prétendre, en voulant voir dans ce kaléidoscope animalier le portrait de la société française du siècle de Louis XIV. La valeur essentielle de l'allégorie animale est peut-être de contenir déjà une leçon : **l'homme est une bête** et il entre dans une hiérarchie peu différente de la chaîne des prédateurs. En cela, La Fontaine rejoint la morale de son siècle, illustrée par La Rochefoucauld* dans ses *Réflexions diverses* (XI). Mais le fabuliste y ajoute un jeu expressif sur la silhouette animalière, dont il semble faire déjà un signe moral. Surtout, il va au-delà de la simple superposition de l'humain et de l'animal en désamorçant – parfois astucieusement – le code allégorique : ainsi lorsqu'il nous explique que telle moralité s'applique « Non parmi les baudets, mais parmi les puissances » (XI, 5).

L'allégorie animale permet aussi la **critique du pouvoir** (« Les Animaux malades de la peste », VII, 1), et même du pouvoir royal (« La Cour du Lion », VII, 7) : la fable avance masquée mais ses fleurets ne sont pas mouchetés. Grâce à la métaphore animale, elle emploie les mots justes : « On écorche, on taille, on démembre/ Messire Loup […] » (VIII, 3). L'attaque est oblique mais pas atténuée.

Cependant, le message des *Fables* est loin de se restreindre à la doléance ou à la critique. Elles **délivrent une philosophie** dont le premier degré est une réplique naturelle à la thèse des animaux-machines développée par Descartes, et dont le message le plus élevé, qui mêle les sagesses épicurienne et stoïcienne ainsi que la

morale janséniste, est une **invitation à jouir du présent** (« Le Loup et le Chasseur », VIII, 27) et à faire retraite en se consacrant aux beautés d'un jardin (« Le Philosophe scythe », XII, 20 ; « Le Juge arbitre, l'Hospitalier et le Solitaire », XII, 24). C'est avec ces accents sereins que la voix du fabuliste adopte le ton de la confidence pour nous livrer sa conception de l'art de vivre (« Le Songe d'un habitant du Mogol », XI, 4).

CITATIONS

• **Dépasser les Anciens après une révérence**
« Mon imitation n'est point un esclavage. » (*Épître à Huet*)
• **Conter pour instruire**
« Les fables ne sont pas ce qu'elles semblent être ;/Le plus simple animal nous y tient lieu de maître./Une morale nue apporte de l'ennui :/Le conte fait passer le précepte avec lui./En ces sortes de feinte il faut instruire et plaire,/Et conter pour conter me semble peu d'affaire. » (*Fables*, VI, 1)

REPÈRES BIOGRAPHIQUES

➜ La jeunesse de La Fontaine en Champagne est indolente et peu productive : marié en 1647 avec la jeune Marie Héricart, sur le point d'hériter de la charge de maître des eaux et forêts de son père à Château-Thierry, en 1654, La Fontaine n'a publié qu'une traduction peu remarquée de *L'Eunuque* de Térence. Il ne manifeste pas davantage d'assiduité au travail lorsqu'il rejoint, en 1657, les protégés de Nicolas Fouquet, surintendant des finances, et qu'il partage la vie brillante du château de Vaux-le-Vicomte. Mais la disgrâce de Fouquet

(1661), auquel La Fontaine reste fidèle, rapproche le poète du parti hostile à Colbert et marque le début de sa période féconde. Sous la protection de la duchesse douairière d'Orléans, il se fait connaître par ses *Contes* et par le premier recueil des *Fables*, et s'essaye à plusieurs genres.
➜ C'est auprès de Mme de la Sablière, une savante amie, qu'à partir de 1673 il élabore une œuvre diverse, marquée par la publication de nouveaux *Contes* et du second recueil de *Fables*.
➜ Entré à l'Académie* en 1684, il prend parti pour les Anciens* dans la Querelle contre les Modernes. Après la mort de Mme de la Sablière et la publication du XIIe livre des *Fables* en 1693, il doit abjurer ses *Contes* licencieux – que ses poésies chrétiennes n'ont pas suffi à racheter – et meurt chez ses derniers protecteurs, le jeune couple d'Hervart.

→ **apologue, classicisme, conte populaire, épicurisme, fable, stoïcisme**

Laforgue
(Jules), 1860-1887

ŒUVRES PRINCIPALES

• **Poésie**: *Complaintes* (1885), *L'Imitation de Notre-Dame la Lune* (1886), *Le Concile féerique* (1886), *Derniers Vers, Des fleurs de bonne volonté* (posth. 1890).
• **Contes**: *Moralités légendaires* (posth. 1887).

La peinture du désespoir

Maladif, timide, manquant d'affection (il passe son enfance en internat), angoissé par la perte de sa foi religieuse après la mort de sa mère, Laforgue est hanté par l'**ennui et la tristesse**, qu'il exprime dans toutes ses œuvres. Le titre même de ses poèmes exprime cette déréliction d'enfant qui ne s'est jamais épanoui : « Complainte du fœtus de poète », « Complainte des pubertés difficiles », « Complainte de l'automne monotone », « Complainte du pauvre jeune homme »... Certains de ses vers sont devenus célèbres pour leur expression, directe et sans fard, de son ennui, qui rappelle le spleen baudelairien : « Ah ! que la Vie est quotidienne.../Et du plus vrai qu'on se souvienne,/Comme on fut piètre et sans génie... » (« Complainte sur certains ennuis »).

L'humour consolateur

L'humour*, chez Laforgue, est à la fois l'expression de sa pudeur, une tentative de consolation, et une source d'invention poétique. La peinture de ses malheurs s'accompagne toujours d'une **dérision** à la fois tendre, nostalgique et caustique, que symbolise son personnage fétiche, le Pierrot blafard, émouvant et comique par sa recherche – décalée – d'un idéal inaccessible dans un monde désespérément banal et hostile. Cet humour se traduit aussi par une grande **liberté prise avec la tradition poétique** (versification* malmenée, mélange délibéré des tons) et par l'innovation terminologique (« spleenuosités », « éternullité »...).

Ses *Complaintes* sont des chansons des rues, gouailleuses autant que plaintives, et les *Moralités légendaires* parodient les grandes œuvres (Shakespeare notamment) avec une familiarité désenchantée.

CITATION

• **Humour et amour**
« Nous nous aimions comme deux fous/On s'est quittés sans en parler. » (*Des fleurs de bonne volonté*)

REPÈRES BIOGRAPHIQUES

→ Né à Montevideo (Uruguay) dans une famille pyrénéenne qui y avait émigré dans l'espoir de faire fortune, Laforgue, deuxième de onze enfants, est envoyé en France (à Tarbes) chez des cousins puis rejoint sa famille à Paris. Grâce à l'appui de quelques amis, il part à Berlin (1881) comme lecteur d'Augusta de Prusse, publie dans l'indifférence générale deux recueils de poèmes, s'ennuie, épouse une jeune Anglaise puis rentre à Paris (1887) où il meurt à vingt-sept ans, pauvre et tuberculeux.

→ Il laisse une œuvre originale, émouvante et profondément moderne, dont une partie n'a été connue qu'après sa mort.

→ **Baudelaire, burlesque, décadentisme, humour, ironie**

Lagarce
(Jean-Luc), 1957-1995

ŒUVRES PRINCIPALES

• **Triptyque narratif**: *L'Apprentissage* (1993), *Le Bain* (1993), *Le Voyage à la Haye* (1994).
• **Articles et éditoriaux** réunis dans *Du luxe et de l'impuissance* (1994).
• **Théâtre**: *Retour à la citadelle* (1984), *Derniers remords avant l'oubli* (1987), *Music-hall* (1989), *Les Prétendants* (1989), *Juste la fin du monde* (1990), *Nous les héros* (1993), *Les Règles du savoir-vivre dans la société moderne* (1994), *J'étais dans ma maison et j'attendais que la pluie vienne* (1994), *Le Pays lointain* (1995).
• **Journal intime**: t. 1, 1977-1990 ; t. 2, 1990-1995.

Le plateau scénique libérateur

Jean-Luc Lagarce **renverse le rapport entre texte et scène**. Le drame ne préexiste pas au plateau ; celui-ci est un lieu d'expérimentation de la parole et des effets de sa profération, où la fable se construit par la confrontation des discours des personnages. L'action résulte de leurs récits, de leurs commentaires, des rapports que la parole installe entre eux. Le plateau rend plus libre que la vie ; magique, il permet de dire et de jouer en toute liberté : même les morts peuvent parler sans que cela choque. Dire, c'est exister, et le spectateur assiste en direct à la création des personnages. Ce qu'ils disent n'est pas ce qu'ils ont prévu, **l'essentiel résidant dans la manière de dire, non dans le contenu.** C'est cela qui, au sein du désordre des apparences, permet au spectateur de trouver le chemin du sens.

Par exemple, dans *Juste la fin du monde*, le présent de l'énonciation scénique, dans lequel se dissout une temporalité toujours brouillée, diffractée entre futur, présent et passé, est le seul moment où s'élabore une vérité en relation avec l'imaginaire du spectateur. **La tension entre l'écriture et le jeu**, attestée par la frontière poreuse entre théâtre et récit (a-t-on affaire à du théâtre ou à du théâtre-récit ?) et entre réel et imaginaire (que vient faire cette scène ? quand se situe-t-elle ? est-ce un rêve ?), **renouvelle la théâtralité.**

Une langue en suspension

La théâtralité repose sur la **poétique de la langue** : faussement quotidienne, la langue s'appuie sur une suspension dynamique de la parole qui nécessite une énergie constante de l'acteur. Du vide produit par le creux revendiqué du discours, totalement banal et quotidien, par la diffraction des dialogues, naît un sens, empreint d'une profondeur paradoxale qui donne à la parole intime une valeur universelle. Rythmée, constituée de phrases musicales à tiroirs, souvent en vers libres, elle regorge d'incises, de parenthèses suspensives ; elle procède par bonds, amplifications, reprises, cassures, scansion, avec, pour figure emblématique, la **répétition/variation. La recherche constante du mot juste** marque la difficulté de dire, de se dire à autrui, de se saisir soi-même en parlant, au risque de se perdre, et souligne l'écart entre l'image que l'on a de soi et celle qu'en ont les autres.

Collage, reprise de thèmes, de personnages, de situations, de répliques, révèlent chez Lagarce, pour qui la littérature a déjà tout dit, une quête obsédante de la forme dramatique : c'est elle qui inscrit les enjeux dramaturgiques. Avec humour et pudeur, à travers les motifs de la solitude, du secret, de la mort, à travers l'esquisse de destins individuels dans l'intimité du cercle familial (*J'étais dans ma maison et j'attendais* [...], *Nous les héros*, par exemple), ou dans les lieux de pouvoir (*Retour à la citadelle*, *Les Prétendants*), J.-L. Lagarce nous dit que la manière de penser le monde importe autant que la pensée sur le monde.

REPÈRES BIOGRAPHIQUES

→ Né en 1957 de parents protestants et ouvriers chez Peugeot, J.-L. Lagarce passe son enfance en Franche-Comté. Il obtient une maîtrise de philosophie en 1980 à Besançon avec un mémoire sur le théâtre : *Théâtre et pouvoir en Occident*. Parallèlement à ses études, il suit des cours du Conservatoire d'art dramatique, et fonde sa compagnie amateur, La Roulotte, qui devient professionnelle en 1981.

→ Il poursuit une double carrière d'auteur et de metteur en scène de Besançon à Paris. Il est soutenu comme auteur par le couple Attoun qui dirige Théâtre ouvert. En 1990, lauréat du prix Médicis hors les murs, il vit six mois à Berlin, où il *écrit Juste la fin du monde*, refusée par les comités de lecture. Avec François Berreur, il fonde en 1991 les éditions des Solitaires intempestifs.

→ Il meurt du sida fin septembre 1995, fort d'une œuvre qui comprend dix-huit mises en scènes, vingt-cinq pièces de théâtre, trois récits, un scénario pour le cinéma, un livret d'opéra, quelques articles et éditoriaux, un journal intime. De son vivant metteur en scène reconnu mais auteur méconnu, Jean-Luc Lagarce est, depuis sa mort, joué dans le monde entier.

→ **Koltès, monologue, théâtre, Vinaver**

Lamartine
(Alphonse de), 1790-1869

ŒUVRES PRINCIPALES
• **Poésie**: *Méditations poétiques* (1820), *Nouvelles Méditations poétiques* (1823), *Harmonies poétiques et religieuses* (1830), *Jocelyn* (1836), *La Chute d'un ange* (1838), *Recueillements poétiques* (1839), *La Vigne et la Maison* (1856-1857).

- **Ouvrage historique**: *Histoire des Girondins* (1846).
- **Récit de voyage**: *Voyage en Orient* (1835).
- **Romans autobiographiques**: *Les Confidences* (1849), *Raphaël* (1849), *Nouvelles Confidences* (1851), *Graziella* (fragment des *Confidences*, 1852).

Le lyrisme romantique

L'**accent personnel** est particulièrement sensible dans les premières œuvres lamartiniennes, largement inspirées par la vie privée du poète et écrites à la première personne : les *Méditations poétiques* ainsi que certains textes des *Harmonies poétiques et religieuses* font référence à l'enfance (« Milly ou la terre natale »), à l'amour pour Julie Charles (« Le Lac »). L'œuvre autobiographique intitulée *Les Confidences*, l'évocation de l'aventure italienne de 1811 (*Graziella*) et de l'amour pour Julie (*Raphaël*) traduisent aussi l'importance du lyrisme* personnel.

Les **thèmes de la nature et du temps** s'associent à l'expression des sentiments personnels : « Mais la nature est là qui t'invite et qui t'aime » (« Le Vallon », *Méditations poétiques*). Familière comme dans « Milly… » ou évocatrice de paysages plus lointains – les « doux vallons d'Enna » (« Novissima verba », *Harmonies poétiques*) –, la nature s'accorde toujours au paysage intérieur du poète (« L'Automne », *Méditations poétiques*, et surtout *Jocelyn*). Le thème de la fuite du temps, l'expérience de la mort dominent les *Méditations poétiques* (« Le Lac » et « L'Automne »), mais imprègnent également les œuvres suivantes comme les *Nouvelles Méditations* (« Le poète est semblable aux oiseaux de passage… ») et de nombreux passages des *Harmonies poétiques* et de *Jocelyn*. Ces thèmes s'expriment dans un style particulier : sous le classicisme apparent des alexandrins*, le réel apparaît flou, car la poésie lamartinienne recherche **la suggestion plus que la description**.*

L'inspiration religieuse

La religion, comme recherche d'absolu, est très présente dans toute l'œuvre de Lamartine. Les *Méditations poétiques* et surtout les *Harmonies poétiques* sont marquées par une inquiétude religieuse liée au déisme hérité des philosophes du XVIIIe siècle. Lamartine **hésite** alors **entre la foi et le rationalisme***, comme le dit bien l'apostrophe de l'« Hymne au Christ » (*Harmonies poétiques*) : « Mais la raison, c'est toi ! »

Cependant, il arrive aussi que la foi du poète vacille : dans les *Méditations poétiques*, le poème « Désespoir » – qu'il considérait d'ailleurs comme un « blasphème » – montre le Créateur indifférent à son « œuvre imparfaite » et les textes liés à la mort de sa fille Julia traduisent sa révolte.

C'est dans *Jocelyn* que s'exprime le mieux l'ambiguïté du sentiment religieux de Lamartine, à mi-chemin entre le déisme des Lumières* et le catholicisme social de Lamennais.

L'inspiration politique et sociale

Partiellement liée à son sentiment religieux, en accord avec son évolution vers un **socialisme humanitaire** et son **engagement** dans les débats et combats du temps, la pensée politique de Lamartine s'exprime surtout à partir de 1830.

Pour le poète, le progrès social est voulu par Dieu, qui permet les révolutions : l'égalité politique est en quelque sorte la transcription de l'idéal des Évangiles. Le héros de *Jocelyn*, attentif à la misère du peuple, assume la mission évangélique de charité et de fraternité. De même, le pacifisme et l'idéal humanitaire sont sensibles dans les *Recueillements* et dans *La Marseillaise de la paix* (1841).

Lamartine exprime aussi ses idées politiques dans des discours où il laisse libre cours à son talent d'orateur. Pour le ministre des Affaires étrangères de la IIe République, **le poète a une mission politique et sociale** qui doit dominer la poésie même : « Honte à qui peut chanter pendant que Rome brûle » (« Réponse à Némésis », 1831). La fonction de la poésie est d'offrir au peuple, comme le fait *Jocelyn*, des figures exemplaires qui servent de modèles.

CITATIONS

- **Sur l'amour**
« Un seul être vous manque, et tout est dépeuplé. » (« L'Isolement », *Méditations poétiques*)

- **Sur la fuite du temps**
« Ô temps, suspends ton vol ! et vous, heures propices,/Suspendez votre cours !/ Laissez-nous savourer les rapides délices/Des plus beaux de nos jours ! » (« Le Lac », *ibid.*)

REPÈRES BIOGRAPHIQUES

➜ Né dans une famille noble peu fortunée, Lamartine passe son enfance à Milly, élevé par une mère très pieuse et l'abbé Dumont. Lors de ses études chez les jésuites s'éveille sa vocation littéraire. En 1811 un voyage en

Italie lui fait rencontrer la culture antique, et connaître un premier amour avec le futur modèle de *Graziella*. Maire de Milly, un temps garde du corps de Louis XVIII, il mène aussi à Paris une vie dissipée. Sa brève liaison en 1816 avec Julie Charles, qui meurt l'année suivante, inspire « Le Lac », suivi de l'ensemble des *Méditations poétiques*, recueil qui rend Lamartine célèbre. Suivent divers recueils de moindre audience, parmi lesquels les *Nouvelles Méditations poétiques* et *La Mort de Socrate* (1823).

➜ Reçu à l'Académie française* en 1830, il fait paraître la même année les *Harmonies poétiques et religieuses*. Parallèlement, il mène une carrière diplomatique à Naples, puis à Florence (1825). Un voyage en Orient au cours duquel il perd sa fille (1832) donne une orientation plus rationnelle à sa pensée religieuse, sensible dans le *Voyage en Orient* et *Jocelyn*.

➜ Élu député en 1833, il évolue vers la gauche jusqu'à la révolution de 1848 où, membre du gouvernement provisoire et ministre des Affaires étrangères, il proclame la République. L'avènement du Second Empire en 1851 met fin à sa carrière politique.

➜ À la fin de sa vie, criblé de dettes, il est condamné aux « travaux forcés littéraires ». Frappé d'apoplexie en 1867, il succombera deux ans plus tard à une seconde attaque.

➜ engagement, lyrisme, poésie, romantisme

Lancelot

Simplement cité dans le roman *Érec et Énide* de Chrétien de Troyes*, le personnage de Lancelot apparaît pour la première fois dans un autre roman du même auteur, *Le Chevalier de la charrette*. Mais il n'a pas été inventé par Chrétien. C'est un récit allemand, le *Lanzelet*, inspiré d'un texte français, perdu, qui a très probablement été sa source. Dans la *Charrette* comme dans le *Lanzelet*, le personnage principal est élevé par une fée. Cependant, en faisant de Lancelot l'amant d'une reine, Chrétien modifie radicalement le personnage et crée ainsi un véritable mythe*, à la mesure de celui de Tristan*.

Le parfait amant

Le Chevalier de la charrette est rédigé par Chrétien à la demande de la comtesse Marie de Champagne, qui lui a très probablement

imposé l'idéologie amoureuse du roman, inspirée de la **fin'amor des troubadours***. Chez Chrétien, Lancelot devient l'exemple même du parfait amant. Amant de Guenièvre, la femme du roi Arthur*, il est aussi le meilleur chevalier du roi : c'est lui qui délivre la reine lorsqu'elle est enlevée par un chevalier de l'Autre Monde. Cet amour adultère (conforme à la doctrine de la *fin'amor*) est soumis à de nombreuses épreuves, et notamment à celle de la honte (pour retrouver la reine, Lancelot accepte de monter dans la charrette d'infamie). Dans le roman de Chrétien, la soumission du chevalier à sa dame est absolue.

Lancelot et Tristan

On a parfois comparé Lancelot à Tristan. Mais si, comme Tristan, il est l'amant de la reine – et de ce point de vue traître à son seigneur –, Lancelot reste jusqu'au bout **le plus fidèle défenseur du royaume d'Arthur**. Chrétien, qui valorisait l'amour conjugal, prend soin – pour atténuer l'adultère – de placer la nuit d'amour de Lancelot et de la reine dans l'Autre Monde. Les amants étant presque toujours séparés, l'amour de Lancelot ne peut s'exprimer que par ses prouesses au combat, dont Guenièvre sait qu'elles lui sont secrètement dédiées. L'amour, loin d'être incompatible avec la prouesse chevaleresque, l'accroît au contraire.

Le *Lancelot* en prose

Les autres romanciers n'auront pas autant de scrupules que Chrétien, et reviendront plusieurs fois sur les amours de la reine et de Lancelot. Dans l'immense cycle du *Lancelot-Graal*, qui retrace les enfances de Lancelot, élevé par la dame du Lac, et se poursuit jusqu'à la disparition du royaume arthurien, Lancelot reste l'amant fidèle de Guenièvre, mais son amour, coupable, l'empêche de mener à bien la quête du Graal. Cette relation adultère est l'une des causes de la destruction du royaume d'Arthur. D'autres héros, chastes, prennent la première place : Perceval* et Galaad, fils de Lancelot. Lancelot finira sa vie comme ermite, expiant son péché et se réconciliant avec Dieu.

Le chevalier courtois

Dans l'amour quasi mystique qu'il voue à Guenièvre (au point qu'il sombre à plusieurs reprises dans la folie), Lancelot est aussi la **figure emblématique du chevalier courtois**. Voyageant presque toujours incognito, il est loyal, fidèle à sa parole, et défend les faibles, les dames et les demoiselles (qui s'éprennent souvent de lui sans jamais parvenir à faire vaciller sa loyauté envers Guenièvre).

Lancelot et Tristan, les héros du parfait amour, sont réunis dans un long roman du XIIIe siècle, le *Tristan en prose*.

→ **Arthur, Chrétien de Troyes, courtoisie, Table ronde (romans de la), Tristan et Iseult**

Larbaud
(Valery), 1881-1957

ŒUVRES PRINCIPALES
• **Romans**: *Fermina Màrquez* (1911), *A. O. Barnabooth, ses œuvres complètes c'est-à-dire un conte, ses poésies et son journal intime* (1913).
• **Nouvelles**: *Enfantines* (1918), *Amants, heureux amants* (1926).

Un nouvel exotisme

Il revient à Valery Larbaud d'avoir enrichi la littérature française d'une nouvelle forme d'exotisme* : le **cosmopolitisme**. Pour ses personnages itinérants, l'Europe est un « pays » et le monde lui-même, un univers familier ouvert à toutes les curiosités et promesse de toutes les jouissances. Faite de fascination pour les cultures, les individus, les pays, les langues, cette ouverture au monde permet la libération de l'être et l'élargissement de la vie jusqu'à l'universel.

Une **thématique nouvelle** vient traduire cet appétit de découverte : la poésie des chemins de fer, la vitesse, la magie des wagons-lits et des palaces internationaux...

La modernité de Larbaud

Exprimer la succession des expériences, la pluralité des situations et des lieux, impose une poétique* originale qui fait entrer Larbaud dans la modernité littéraire : juxtapositions, éclatement de l'« histoire », défilé des paysages, des visages, fragmentation des impressions, mouvement et vitesse, produisent un kaléidoscope d'émotions, qui trouve cependant son unité dans la quête du bonheur, teinté de nostalgie devant l'éphémère.

Cette **poésie du discontinu** s'exprime aussi dans la technique du **monologue intérieur*** (emprunté à Joyce) qui sert de révélateur à la multiplicité des « états de conscience ». Larbaud, écrivain discret, aura aussi été un précurseur dans le domaine de la technique narrative.

CITATION

« [*La locomotive*] semblait se reposer, comme un homme qui est venu fumer sa pipe dans l'allée d'un parc. » (*Enfantines*)

REPÈRES BIOGRAPHIQUES

→ Valery Larbaud naît à Vichy où son père possède les sources Saint-Yorre, dont les revenus vont lui permettre de voyager dans l'Europe entière. C'est cette existence cosmopolite qu'il prête au héros de ses premiers livres, A. O. Barnabooth, jeune milliardaire sud-américain. L'intérêt que Larbaud porte aux littératures étrangères l'incite à se tourner vers la traduction en 1924. Il se consacre pendant cinq ans à l'*Ulysse* de James Joyce et, par ses articles, fait connaître en France des écrivains comme Joseph Conrad ou Walt Whitman.

➡ En dehors des *Poésies* et du *Journal intime de A. O. Barnabooth*, l'œuvre de Larbaud est peu abondante mais originale et attachante.

Elle comprend, entre autres, *Fermina Màrquez*, roman nostalgique d'amours adolescentes, ainsi que plusieurs nouvelles.

➡ Paralysé depuis 1935, devenu incapable de parler, Larbaud vivra encore vingt ans, n'écrivant plus que des essais critiques.

→ **exotisme, monologue intérieur**

La Rochefoucauld
(François, duc de), 1613-1680

ŒUVRES PRINCIPALES
- *Mémoires de M. D. L. R.* (1662), *Réflexions ou Sentences et Maximes morales* (1665), *Réflexions diverses* (posth. 1731).

Les premières œuvres
La première œuvre publiée de La Rochefoucauld, l'*Apologie de M. le Prince de Marcillac* (1649), est un pamphlet* contre Mazarin. En 1659, il compose, pour le *Recueil des portraits*, un autoportrait qui insiste sur son caractère mélancolique. En 1662, paraissent, sans autorisation de l'auteur, les *Mémoires de M. D. L. R.*, dont une partie seulement est de la main de La Rochefoucauld et qu'il désavoue aussitôt. Ce témoignage sur la Régence et sur la Fronde, relativement fidèle malgré le parti pris de l'auteur, est très mal reçu par les anciens frondeurs.

Les *Maximes*
En 1664, paraît en Hollande, sans autorisation de l'auteur, une version fautive des *Maximes*, qui amène La Rochefoucauld à publier, anonymement, la version correcte de ses *Réflexions ou Sentences et Maximes morales*. D'édition en édition, La Rochefoucauld supprime ou ajoute des maximes* : la première édition, datée de 1665, comporte 318 maximes, la cinquième et dernière (en 1678), 504. L'« Avis au lecteur » de 1665 présente l'ouvrage comme un « portrait du cœur de l'homme », destiné à rabattre son orgueil.

La Rochefoucauld n'invente pas la **maxime** mais il en fait un véritable **genre littéraire**. Elle perd son caractère prescriptif pour devenir paradoxale. Loin d'exprimer les lieux communs du discours moral, elle invite le lecteur, par un effet de surprise sans cesse renou-

velé, à les remettre en cause. La maxime chez La Rochefoucauld a avant tout une **fonction critique**.

De nombreuses maximes sont construites autour de la formule restrictive *ne... que*, qui dévalorise son objet au moment même où elle le définit : « La constance des sages n'est que l'art de renfermer leur agitation dans le cœur » (20), ou sur une antithèse*, qui crée le paradoxe* : « Il n'y a point de sots si incommodes que ceux qui ont de l'esprit » (451). Elles tirent leur efficacité d'un effet de chute* : « Nous avons tous assez de force pour supporter les maux d'autrui » (19). Concise et percutante, la maxime est solidaire d'un projet qui vise à **démasquer les mensonges** dans lesquels l'homme se complaît.

Le règne de l'amour-propre
Un **thème**, celui de **l'amour-propre**, domine les *Maximes* et les teinte de pessimisme. L'amour-propre est cette sorte d'instinct vital qui pousse chaque *moi* à se préférer aux autres et à chercher toujours son intérêt. Toutes les actions de l'homme se rapportent en dernière analyse à l'amour-propre, et ne sont de ce fait jamais pures, ni généreuses : « Nos vertus ne sont le plus souvent que des vices déguisés. » Les *Maximes*, en révélant la fausseté des vertus humaines, toutes minées par l'amour-propre, **dénoncent le paraître, l'hypocrisie**, l'égoïsme, l'intérêt qui dominent le monde. Toute forme de bonne conscience est anéantie.

Certains des contemporains de La Rochefoucauld (dont Mme de Lafayette*) se sont insurgés contre cette conception trop pessimiste de la nature humaine, qui semble exclure la possibilité même de la vertu. Cette conception porte la marque de la **pensée janséniste**, que l'on retrouve dans le traité de Jacques Esprit, ami de La Rochefoucauld, sur *La Fausseté des vertus humaines* (1677-1678). Mais ce **pessimisme** est sans doute **accentué par la forme même de la maxime** qui incite à la formule brève et frappante. La Rochefoucauld se révèle beaucoup moins sévère dans les *Réflexions diverses* qui ne furent publiées qu'au XVIIIe siècle. Même dans les *Maximes*, la critique des passions se teinte parfois d'une certaine indulgence, tandis que quelques valeurs positives se dessinent en creux. À la conception totalement négative de l'amitié que l'on trouve dans la maxime 83 : « Ce que les hommes ont nommé amitié n'est qu'une société, qu'un ménagement réciproque d'intérêts, et qu'un échange de bons offices ; ce n'est enfin qu'un commerce où l'amour-propre se propose toujours quelque chose à gagner », répond la maxime 376 : « L'envie est détruite par la véritable amitié, et la coquetterie par le véritable amour. » Quoique rare, la possibilité d'une véritable amitié existe donc. Peut-être La Rochefoucauld l'a-t-il appris de sa tendre amie, Mme de Lafayette, qui écrivait : « M. de La Rochefoucauld m'a donné de l'esprit, mais j'ai réformé son cœur ».

L'honnête homme

Les *Maximes* témoignent aussi de préoccupations mondaines ; une **conception de l'honnête homme** s'y élabore : « Les faux honnêtes gens sont ceux qui déguisent leurs défauts aux autres et à eux-mêmes. Les vrais honnêtes gens sont ceux qui les connaissent parfaitement et les confessent. » (202). Cependant, l'attitude du véritable honnête homme peut toujours être ramenée à l'amour-propre : « Nous avouons nos défauts pour réparer par notre sincérité le tort qu'ils nous font dans l'esprit des autres. » (184).

La sincérité et l'inconscient

La **question du vrai et du faux**, du paraître et de la motivation profonde des actions humaines, obsède les *Maximes*. Elle n'exclut cependant pas la possibilité de la sincérité, mais celle-ci semble réservée à une élite : « La sincérité est une ouverture du cœur. On la trouve en fort peu de gens ; et celle que l'on voit d'ordinaire n'est qu'une fine dissimulation pour attirer la confiance des autres. » (62). Nul doute qu'appartient à cette élite l'héroïne de *La Princesse de Clèves*, roman de Mme de Lafayette auquel La Rochefoucauld a collaboré.

L'homme, cependant, malgré son effort de lucidité, reste obscur à lui-même, et l'on a pu voir dans certaines maximes une **préfiguration de la découverte de l'inconscient** : « L'homme croit souvent se conduire lorsqu'il est conduit ; et pendant que par son esprit il tend à un but, son cœur l'entraîne insensiblement à un autre. » (43) « Il s'en faut bien que nous ne connaissions toutes nos volontés. » (295).

Un projet libertin ?

L'absence de Dieu dans les *Maximes*, l'omniprésence de l'intérêt (notion que les Lumières* revalorisent) ont parfois conduit les XVIIIᵉ et XIXᵉ siècles à voir en La Rochefoucauld un épicurien ou un matérialiste se cachant sous le masque d'une pensée janséniste. Mais cette interprétation épicurienne n'a traversé l'esprit d'aucun des contemporains de La Rochefoucauld, pour qui la peinture de la mi-

sère de l'homme sans Dieu reste la meilleure preuve de la nécessité de la grâce divine. Il reste que les *Maximes* ne sauraient se réduire à l'interprétation janséniste : elles contiennent – et les *Réflexions diverses* plus encore – toute une conception de l'honnêteté qui les rattache à la **pensée mondaine des salons***.

REPÈRES BIOGRAPHIQUES

➜ Aîné d'une illustre famille, fils d'un duc et pair de France, La Rochefoucauld est destiné par sa naissance à la carrière militaire. Il participe aux campagnes contre l'Espagne en 1635-1636 mais, opposant à Richelieu, il est exilé pendant deux ans dans son château de Verteuil. En 1648, il s'engage dans la Fronde où il joue un rôle important. Blessé et amnistié à plusieurs reprises, il surt vaincu du combat contre Mazarin. Son château de Verteuil est en ruines. Il fréquente le salon janséniste de Mme de Sablé, d'où sont issues les *Maximes* qui paraissent en 1664, et se lie d'une amitié privilégiée avec Mme de Lafayette*, qui dure jusqu'à sa mort, en 1680.

➜ Pour ce noble doté dans sa jeunesse d'un sens aigu de l'honneur et d'une humeur belliqueuse, l'écriture décapante des *Maximes* et la dénonciation des valeurs qui fondaient l'héroïsme ont peut-être été la revanche d'une carrière militaire et politique brisée.

➔ **jansénisme, Mme de Lafayette, La Fontaine, maxime, moraliste, Port-Royal**

Lautréamont
(Isidore Ducasse, dit le comte de), 1846-1870

ŒUVRE PRINCIPALE
• **Poème**: *Les Chants de Maldoror* (1869).

La destinée de l'œuvre

Œuvre profondément dérangeante, *Les Chants de Maldoror* ont longtemps été occultés : l'éditeur, effrayé par les audaces et les outrances du texte, en cache les exemplaires dans sa cave et il faudra attendre la fin du siècle pour qu'on commence à s'y intéresser. Encore n'y voit-on que le produit d'un cerveau détraqué. Ce sont les **surréalistes**, et principalement Breton*, qui **sortiront Lautréamont de l'oubli** et rendront un juste hommage à son génie. Ils admirent celui qui ose les **rapprochements les plus abrupts** : « Il est beau [...] comme ce piège à rat perpétuel toujours retendu par l'animal pris, qui peut prendre seul des rongeurs indéfiniment, et fonctionner même caché sous la paille ; et surtout, comme la rencontre fortuite sur une table de dissection d'une machine à coudre et d'un parapluie ! » (Chant VI.) Dans le langage en crise des *Chants*, effervescent et chaotique, Breton discerne un « principe de mutation perpétuelle » qui « s'est emparé des objets comme des idées, tendant à leur délivrance totale qui implique celle de l'homme ». Après le surréalisme*, Lautréamont devient la référence obligée de toute une avant-garde littéraire qui voit en lui un pionnier. En revanche, un Robert Faurisson prétendra que l'œuvre n'est qu'un canular et son auteur un des plus grands mystificateurs de l'histoire littéraire…

Une œuvre inclassable

La disposition en chants, le ton de l'œuvre évoquent les grandes épopées* comme l'*Iliade* et l'*Odyssée*. *Les Chants de Maldoror* sont en effet une **sorte d'épopée en prose**, mais une **épopée du mal**, tant la rage destructrice éclate à chaque phrase : « Je fais servir mon génie à peindre les délices de la cruauté », annonce Maldoror. Cette délectation devant le mal et la souffrance n'est pas sans rappeler l'œuvre du marquis de Sade*.

Averti dès la première phrase des *Chants* : « Plût au ciel que le lecteur, enhardi et devenu momentanément féroce comme ce qu'il lit, trouve sans se désorienter, son chemin abrupt et sauvage, à travers les marécages désolés de ces pages sombres et pleines de poisons », le lecteur est convié à une véritable **descente aux enfers** dans laquelle se succèdent d'innombrables épreuves et métamorphoses qui font la part belle au monde animal le plus repoussant. Maldoror apparaît comme une sorte d'ange noir, dont les imprécations visent le monde entier mais aussi celui qui l'a créé, avant qu'il ne les retourne contre lui-même.

L'art de la parodie

L'œuvre est un véritable torrent verbal dans lequel Lautréamont use avec un humour* ravageur de tous les artifices de la parodie*, mêlant dans un tourbillon d'images la rhétorique du **roman noir**, celle du **romantisme*** le plus échevelé comme celle du **fantastique*** le plus stéréotypé. Car il s'agit de saccager les valeurs esthétiques par l'outrance parodique, tout autant que les valeurs morales par l'éloge sans retenue de la haine et de la cruauté.

CITATION

• **Description du Créateur**
« Il [le Créateur] était étendu sur la route, les habits déchirés. Sa lèvre inférieure pendait comme un câble somnifère ; ses dents n'étaient pas lavées, et la poussière se mêlait aux ondes blondes de ses cheveux. [...]. L'abrutissement, au groin de porc, le couvrait de ses ailes protectrices, et lui jetait un regard amoureux. Ses jambes, aux muscles détendus, balayaient le sol, comme deux mâts aveugles. Le sang coulait de ses narines : dans sa chute, sa figure avait frappé contre un poteau... Il était soûl ! Horriblement soûl ! Soûl comme une punaise qui a mâché pendant la nuit trois tonneaux de sang ! » (*Les Chants de Maldoror*, III, 4)

REPÈRES BIOGRAPHIQUES

➜ Isidore Ducasse naît en 1846 à Montevideo (Uruguay) dans un pays dévasté par la guerre. Sa mère meurt l'année suivante. En 1858 son père l'envoie faire ses études au lycée impérial de Tarbes, puis à Paris où il doit préparer l'École polytechnique. Après un bref retour dans sa ville natale durant l'été 1867, il s'installe à Paris en 1869.
➜ Après avoir fait paraître anonymement le chant I des *Chants de Maldoror* en 1868, il en publie, à compte d'auteur, la première édition complète en 1869, sous le pseudonyme de « comte de Lautréamont » dans lequel les uns voient une déformation de Latréaumont, titre d'un roman d'Eugène Sue*. D'autres y déchiffrent « l'autre est amont » ou encore « l'autre est Amon », dieu égyptien du soleil. En 1870 paraissent

deux essais, *Poésie I* et *Poésie II*, sous le nom d'Isidore Ducasse, dans une tonalité radicalement opposée à la violence des *Chants de Maldoror*, sans qu'on puisse s'expliquer une telle évolution.

➜ Ducasse meurt le 24 novembre 1870, dans Paris assiégé. L'acte de décès reste muet sur les circonstances de cette mort prématurée, qui reste aussi mystérieuse que la vie de l'écrivain.

➔ **épopée, surréalisme, *Tel Quel***

Le Clézio
(Jean-Marie Gustave), né en 1940

ŒUVRES PRINCIPALES

• **Romans** : *Le Procès-verbal* (prix Renaudot 1963), *Le Livre des fuites* (1969), *Désert* (1980), *Le Chercheur d'or* (1985), *Étoile errante* (1992), *Poisson d'or* (1997), *Ourania* (2005), *Ritournelle de la faim* (2008).
• **Essais** : *L'Extase matérielle* (1967), *L'Inconnu sur la terre* (1978).
• **Nouvelles** : *Mondo et autres histoires* (1978).

Loin des mirages de la civilisation européenne

Les premiers romans de J.-M. G. Le Clézio, marqués par l'influence de Sartre* et de Camus*, expriment en des formes proches du Nouveau Roman* une vision pessimiste du monde moderne : les personnages, tels ceux du *Procès-verbal* ou du *Livre des fuites*, sont des êtres en marge qui déambulent sans fin dans les villes à l'écoute de leurs sensations, hallucinés, à la fois fascinés par les merveilles de « la ville, avec sa beauté de fin du monde » et minés par une sourde angoisse face à la brutalité de la société de consommation (*Les Géants*).

À partir de *Désert* (Grand Prix de littérature Paul Morand, 1980), héros et héroïnes appartiennent à d'**autres civilisations** (Sahara, océan Indien, Mexique…) et sont livrés à de **vastes errances** qui souvent les conduisent, victimes de toutes sortes d'exploitation ou de trafics humains, vers les mirages de la société occidentale.

Du côté des « barbares »

Loin de la civilisation industrielle et des destructions qu'elle inflige à la nature, loin des guerres qui ont ravagé le XXᵉ siècle (guerres mondiales, Biafra, Palestine…), Le Clézio s'attache à faire entendre une parole autre, celle des civilisations encore épargnées par le progrès technique et soucieuses de préserver une certaine harmonie avec le monde. Critique à l'égard des valeurs universalistes promues par une Europe selon lui trop nombriliste, Le Clézio en appelle à un **nouvel universalisme** qui, **tourné vers l'**« **ailleurs** » (un ailleurs trop souvent relégué dans la catégorie de l'exotique), donnerait sa juste place aux civilisations longtemps considérées comme « barbares » par une civilisation européenne arrogante.

Les territoires sauvages de l'enfance

Dans la géographie magique de Le Clézio, l'**enfance** est par nature l'**un de ces** « **ailleurs** » fascinants grâce auxquels on accède, par le contact avec l'élémentaire, à la beauté de la nature et aux mystères de la vie cosmique. Ses recueils d'histoires pour enfants lui permettent d'explorer le monde avec le regard de l'enfance, un regard neuf, pas encore dévoyé. *L'Inconnu sur la terre* prolonge cette recherche sous la forme d'une longue méditation poétique sur les merveilles qui nous entourent, le soleil, la mer, les arbres, mais aussi sur les visages, le pain ou la musique des mots. Dans cette voie, c'est vers sa propre enfance, une enfance hantée par des personnages chimériques et la nostalgie de l'île Maurice, que l'auteur s'est tourné pour y trouver le cadre et les personnages de ses romans les plus récents.

CITATION

« Musique de lumières, musique d'odeurs, de sensations, d'images ! Les idées chantent, les idées vibrent, aiguës parfois comme le son strident du soleil, douces comme la voix de la mer sur les bancs de sable, graves et pleines d'échos comme le tonnerre, lourdes comme les eaux souterraines, murmurantes comme le vent sur les parois lisses des gratte-ciel. » (*L'Inconnu sur la terre*)

REPÈRES BIOGRAPHIQUES

➜ J.-M. G. Le Clézio naît à Nice en 1940 dans une famille dont les ancêtres avaient émigré à l'île Maurice au XVIIIᵉ siècle. Bercé par les souvenirs exotiques, il commence à écrire très tôt et publie à vingt-trois ans son premier roman, *Le Procès-verbal*.
➜ La découverte du Mexique et des civilisations amérindiennes le bouleverse et infléchit profondément, à partir de *Désert* (1980), sa production romanesque. Il en-

seigne dans différentes universités étrangères et partage sa vie entre la France et le Mexique, poursuivant une œuvre qui s'enrichit, à partir du *Chercheur d'or*, d'une dimension autobiographique de plus en plus marquée.

➜ Le Clézio a reçu le prix Nobel de littérature en 2008.

→ **bon sauvage, exotisme, Nouveau Roman**

Leconte de Lisle
(Charles Marie), 1818-1894

ŒUVRES PRINCIPALES

• **Poésie**: *Poèmes antiques* (1852), *Poèmes barbares* (1862), *Poèmes tragiques* (1876).
• **Traductions**: *Œuvres* d'Eschyle (1872), d'Horace (1873), de Sophocle (1877), d'Euripide (1885).

Le pessimisme et le refus de l'effusion

Méditant les échecs de sa vie – et notamment celui de son engagement politique en 1848 –, Leconte de Lisle inscrit dans son œuvre poétique le **dégoût du présent**. Son pessimisme rejette l'effusion lyrique des romantiques où il voit « une vanité et une profanation gratuites ». Il préfère se retirer « dans [s] on orgueil muet, dans [s] a tombe sans gloire » (« Les Montreurs », *Poèmes barbares*). L'envers de ce goût du néant est la vision d'un monde « barbare » livré à la violence, à la cruauté et au chaos. Leconte de Lisle **puise ses images dans le mythe**[*], affirmant ainsi son refus d'une Histoire coupable d'avoir tué l'espoir.

De la souffrance à l'échelle infinie du rêve

Poète de la souffrance, Leconte de Lisle cherche à la maîtriser en se détachant du présent et en élevant son art vers les hauteurs immobiles des **civilisations antiques** (*Poèmes antiques*) ou des **lointains exotiques** (*Poèmes barbares*) qu'il réunit dans une étonnante fusion des cultures. L'**exaltation parnassienne de la beauté des formes** se traduit dans sa poésie par une prédilection pour des alexandrins[*] fortement scandés, des strophes[*] rigoureusement articulées, une description minutieuse des spectacles de la nature (« Le Sommeil du condor », *Poèmes barbares*). De vers en vers, de rêve en rêve, le poème se veut une « échelle infinie » où l'esprit s'élève vers la lumière.

Cet idéalisme nourri de références à la Grèce antique ne va pas sans contradictions : au rêve d'un retour à l'âge d'or des origines, au charme des premières amours (« Le Manchy », *Poèmes barbares*) s'opposent les batailles sanglantes du passé lui-même. Comme si l'écho des tourments de son siècle, que le poète tente d'assourdir dans la parfaite cadence de ses vers, faisait retour sous les espèces des temps révolus et de leur violence. Lorsqu'il veut fixer par l'écriture le vol d'un oiseau ou la fin du jour, la beauté de l'image ne peut masquer la blessure du cœur « qui s'est brisé pour la dernière fois » (« La Mort du soleil », *Poèmes barbares*).

CITATION

• **Sur le refus de l'effusion**
« Tel qu'un morne animal, meurtri, plein de poussière,/La chaîne au cou, hurlant au chaud soleil d'été,/Promène qui voudra son cœur ensanglanté/Sur ton pavé cynique, ô plèbe carnassière ! [...]// Je ne livrerai pas ma vie à tes huées,/Je ne danserai pas sur ton tréteau banal/Avec tes histrions et tes prostituées.» (« Les Montreurs », *Poèmes barbares*)

REPÈRES BIOGRAPHIQUES

➜ Aristocrate né à l'île Bourbon (la Réunion), Charles Leconte de Lisle fait des études de droit à Rennes avant de se tourner vers la littérature. Partisan des idées socialistes de Fourier et de l'abolition de l'esclavage, républicain ardent, il se détourne de la politique après l'échec de la révolution de 1848.

➜ Ses *Poèmes antiques* (1852-1874), ses *Poèmes barbares* (1862-1878) mais surtout sa participation, dès 1866, à la revue *Le Parnasse contemporain* lui valent la célébrité, l'admiration de Baudelaire[*] et font de lui le chef de file de l'école parnassienne. Il est élu en 1886 à l'Académie française[*] au fauteuil de Victor Hugo[*] et meurt à Louveciennes en 1894.

→ **Heredia, Parnasse, romantisme**

Leiris
(Michel), 1901-1990

ŒUVRES PRINCIPALES
- **Journal de voyage**: L'Afrique fantôme (1934).
- **Autobiographie**: L'Âge d'homme (1939), La Règle du jeu (3 tomes), Langage, tangage (1985), Images de marque (1989).
- **Poésie**: Haut-mal (1943).
- **Roman**: Aurora (1946).
- **Essai**: Le Ruban au cou d'Olympia (1981).

L'explorateur du moi

Ethnologue de profession, Michel Leiris s'est en quelque sorte fait l'**ethnologue de son propre moi**, explorant avec la même passion, et presque les mêmes méthodes, son être intérieur et cherchant à poursuivre dans l'écriture (et par l'écriture) le travail sur lui-même qu'il avait commencé grâce à la psychanalyse.

Avec L'Âge d'homme, mêlant souvenirs et fantasmes, l'auteur a décidé de se compromettre dans l'écriture : écrire, ce n'est pas édifier de soi une statue présentable pour la postérité ni s'abandonner au confort et aux délices des confessions. C'est, en se mettant en scène, s'exposer à un risque de mise à mort. L'écriture est une **sorte de tauromachie** dans laquelle l'écrivain est à la fois la victime et le bourreau. La Règle du jeu poursuit le même projet mais Leiris, loin de toute perspective narrative linéaire, s'abandonne aux jeux du langage pour tisser une trame textuelle aléatoire.

L'explorateur du langage

Grâce au surréalisme[*] et à la psychanalyse, Michel Leiris découvre le pouvoir associatif des mots. Dans La Règle du jeu, il compose son texte à partir de fiches, comme l'ethnologue, qu'il rapproche en dehors de tout souci chronologique, simplement attentif à développer dans tous leurs prolongements les réseaux qui émergent du hasard. L'écriture prend alors une dimension proprement poétique. Même s'il ne croit plus à leur pouvoir, l'écrivain **cède l'initiative aux mots**, s'enfonce dans leur labyrinthe, et donne libre cours à sa passion pour le langage, dans une polyphonie exubérante où il retrouve le bonheur ludique, proprement enfantin, de jouer avec le langage.

CITATION
- **Sur le jeu sémantique**
« Que je sois éclairé, à la fin de ces bifurs (ou prospections tentées un peu dans tous les sens) et après de multiples biffures (ou éliminations successives de valeurs illusoires) sur ce que le plus profondément je veux. »
(Biffures)

REPÈRES BIOGRAPHIQUES

➜ Michel Leiris naît en 1901 dans une famille bourgeoise du quartier d'Auteuil, à Paris. Il est traumatisé, à l'âge de six ans, par une opération des amygdales sans anesthésie. Après avoir interrompu des études scientifiques, il commence à écrire des poèmes en 1921. Il adhère au mouvement surréaliste en 1924 et, en 1926, écrit un roman surréaliste, Aurora. En 1929 il se rapproche de Georges Bataille[*] et rompt avec les surréalistes.

➜ En 1931, il commence une carrière d'ethnologue et sillonne l'Afrique, périple d'où il tire un journal de voyage très désabusé : L'Afrique fantôme. En 1938, avec Roger Caillois et Georges Bataille[*], il fonde le Collège de sociologie. Il s'engage alors dans un vaste projet d'écriture autobiographique qui comprend L'Âge d'homme et les quatre volumes de La Règle du jeu.

➜ autobiographie, surréalisme

Lesage
(Alain-René), 1668-1747

ŒUVRES PRINCIPALES
- **Romans**: Le Diable boiteux (1707), Histoire de Gil Blas de Santillane (t. I, 1715; t. II, 1724; t. III, 1735).
- **Théâtre**: Crispin, rival de son maître (1707), Turcaret (1709).

L'auteur de Turcaret...

Lesage est l'un des premiers écrivains français à vivre de sa plume. Il pratique donc, de manière libre, différents genres littéraires qui rencontraient alors la faveur du public. Avec sa **comédie de mœurs** Turcaret, qui fait la **satire**[*] d'un financier (« le public aime à rire aux dépens de ceux qui le font pleurer », dit Asmodée dans la Critique de la comédie de Turcaret par le diable boiteux, qui sert de préface à l'œuvre), il connaît un succès de scandale. C'est une comédie noire, qui s'achève, certes, par la ruine de Turcaret, mais annonce l'ascension de son double, en la personne du valet Frontin (« Voilà le règne de M. Turcaret fini, le mien va commencer »).

Puis, avec ses *Mille et Un Jours* (1710-1712), Lesage exploite, à la suite de Galland dont on publie alors *Les Mille et Une Nuits*, la mode du conte oriental.

... et de *Gil Blas*

Quant à l'*Histoire de Gil Blas de Santillane*, **roman picaresque*** à la française, elle s'inscrit dans la vogue du pseudo-roman mémoires, qui répondait au goût du public pour le réalisme*. Partisan résolu des Modernes, usant de l'humour* et de la parodie*, Lesage est surtout un satiriste. Le cadre espagnol de ses romans sert de voile à la satire des mœurs de son époque (« On voit en Castille, comme en France, des médecins dont la méthode est de faire un peu trop saigner leurs malades. On voit partout les mêmes vices et les mêmes originaux », déclare l'auteur dans le paratexte* de *Gil Blas*). Mais derrière le sourire du satiriste pointe le scepticisme* : en témoigne *Gil Blas*, ce héros qui vieillit au même rythme que son auteur et qui, en fait de sagesse, semble se résigner, au terme du roman, à l'existence paisible d'un mari trompé...

CITATION

• **La sagesse de Gil Blas**
« Il y a déjà trois ans, ami lecteur, que je mène une vie délicieuse avec des personnes si chères. Pour comble de satisfaction, le ciel a daigné m'accorder deux enfants dont l'éducation va devenir l'amusement de mes vieux jours, et dont je crois pieusement être le père. » (Fin de *Gil Blas*)

REPÈRES BIOGRAPHIQUES

→ La vie de Lesage est celle d'un bourgeois d'origine bretonne, qui, après avoir étudié chez les jésuites, vient faire son droit à Paris (1692) où il mène, jusqu'en 1730, une double carrière de dramaturge et de romancier.
→ Il doit ses premiers succès à une comédie *Crispin, rival de son maître*, et à un roman adapté de l'espagnol, *Le Diable boiteux*. Si son nom reste attaché à son œuvre maîtresse, *Gil Blas de Santillane*, Lesage est aussi un auteur prolixe du théâtre de la Foire (1712-1730) pour lequel il écrit une centaine de pièces (seul ou en collaboration), après sa brouille avec les comédiens du Théâtre-Français.
→ Marié en 1694, il mène une existence paisible parmi les siens et se retire, vers la fin de sa vie, chez un de ses fils, chanoine à Boulogne-sur-Mer.

→ **picaresque, satire**

Lettres persanes,
Montesquieu, 1721

RÉSUMÉ

« Pour aller chercher laborieusement la sagesse », Usbek et Rica décident de quitter Ispahan et de se rendre à Paris. S'ensuit pendant dix ans, d'avril 1711 à novembre 1720, une correspondance entre divers personnages : les protagonistes de l'intrigue du sérail (Usbek, les eunuques et les femmes du harem), et les autres correspondants, tous masculins. On distingue : les **lettres satiriques** (environ 68), qui sont surtout le fait de Rica et d'Usbek, et qui traitent de politique, des mœurs et des institutions françaises, des personnages publics. Puis les **lettres philosophiques** entre Rica, Usbek et leurs correspondants, qui abordent le droit, la morale, la justice, la religion et la politique. Enfin, les **lettres sur le sérail** qui, concentrées pour la plupart à la fin du roman, rompent l'ordre chronologique et forment un épilogue* : Usbek, maître jaloux, veut s'assurer de la fidélité de ses femmes pendant son absence. La durée de celle-ci engendre une anarchie croissante, puis une rébellion ouverte, sévèrement réprimée.

Un roman par lettres

Probablement rédigées en trois ans, les *Lettres persanes* sont le **premier grand roman épistolaire du** XVIIIe **siècle**. Montesquieu répond au goût de son siècle pour l'Orient en mettant en scène deux Persans qui séjournent en France et portent un regard critique sur le monde qui les entoure. Cependant le roman par lettres à des fins satiriques n'est pas une innovation de Montesquieu : il a eu quelques modèles et, en particulier, le livre de Marana. *L'Espion dans les cours des princes chrétiens* (1684). Mais il est le premier à **entrelacer** dans ce type de roman **plusieurs voix narratives**.

La satire des mœurs et des institutions

Les *Lettres persanes* sont considérées comme le premier texte emblématique des Lumières* et l'un des plus brillants du XVIIIe siècle. Elles ont donné lieu à de nombreuses imitations, et Voltaire* s'en inspire dans *L'Ingénu*. Anticlérical, antidespotique, favorable à la tolérance religieuse, aux prérogatives retrouvées du Parlement, Montesquieu pose **trois problèmes** à ses yeux indissociables : celui du

bonheur, celui de la **vertu**, celui de la **liberté**, notamment dans l'allégorie politique des Troglodytes (lettres XI, XII et XIII). Un autre épisode, celui du sérail, permet à l'auteur d'opposer au despotisme oriental la modération qu'il souhaiterait voir régner dans les institutions occidentales.

Une réflexion sur la situation de la femme

À la philosophie politique s'ajoute une **réflexion sur les passions et la condition féminine** : Usbek, simultanément philosophe et tyran, malgré les enseignements qu'il a tirés de ses voyages, jouit d'un statut ambigu. La dernière lettre du roman, qui relate le cri de révolte et le suicide de Roxane, la favorite d'Usbek, est à mettre en parallèle avec la dernière lettre de l'ordre chronologique (lettre 146), qui évoque la crise engendrée par la faillite du système de Law en France. Cette « double fin » met en évidence l'effondrement des valeurs orientales et occidentales.

Par-delà l'aspect romanesque du texte, les *Lettres persanes* contiennent déjà l'essentiel de la philosophie de Montesquieu.

→ **Lumières, Montesquieu, satire**

libelle

n. m. Du latin *libellus*, « petit livre ». Court écrit en prose, de ton satirique ou diffamatoire, dirigé contre une œuvre, un auteur, ou traitant d'un sujet d'actualité.

Caractéristiques du libelle

Le libelle est un **moyen de polémique*** efficace, rapidement rédigé et diffusé parmi les cercles restreints qui font l'opinion. Il est d'autant plus injurieux qu'il est souvent protégé par l'**anonymat**. Son âge d'or se situe aux XVIIe et XVIIIe siècles : de véritables batailles de libelles ont lieu autour du *Cid** de Corneille*, ou bien entre jansénistes et jésuites, puis entre les philosophes des Lumières* et leurs détracteurs.

Un genre lié à des conditions historiques précises

Il est rare que les libelles accèdent à la postérité, car ils sont trop **impliqués dans le feu de l'actualité**. On peut citer *Les Provinciales* de Pascal*, parues une à une au moment d'une violente polémique religieuse. Voltaire* en écrivit un très grand nombre (*Diatribe du docteur Akakia* contre Maupertuis en 1752,

Relation de la maladie et de la mort du jésuite Berthier en 1759).

Aujourd'hui, le genre a quasiment disparu : la critique littéraire et les controverses prennent place dans des articles de journaux ou bien lors de débats télévisés qui permettent de toucher l'opinion publique, et des lois encadrent la diffamation (notamment les attaques contre la vie privée).

→ **caricature, épigramme, ironie, pamphlet, polémique, satire**

libertinage

n. m. Du latin *libertinus*, « esclave affranchi » (par opposition à *ingenuus*, « homme né libre »). **Sens restreint** : indépendance d'esprit en matière de religion allant jusqu'à l'athéisme. **Sens large** : anticonformisme religieux, moral ou sexuel.

Le libertinage érudit

Au XVIIe siècle, le libertinage est d'abord un **mouvement intellectuel** qui conteste la vision traditionnelle du monde. S'appuyant sur l'**épicurisme***, les libertins nient l'existence de Dieu : tout est matière et s'organise selon des lois que l'homme peut comprendre par sa raison. Ce libertinage érudit et philosophique s'oppose à la tentative de Pascal* qui, à la même époque, justifie l'existence de Dieu par les limites de la raison humaine. Les représentants du libertinage (Théophile de Viau*, Saint-Amant*, Tristan l'Hermite*, Cyrano de Bergerac*), tous hommes de raison caractérisés par leur indépendance d'esprit et leur goût pour la tolérance, sont souvent persécutés pour leurs idées.

Le libertinage des mœurs

Ce mouvement intellectuel donne aussi naissance, à la même époque, à un **libertinage moral**, attitude de révolte contre les mœurs et les dogmes religieux traditionnels, qui est souvent de mise au sein de l'aristocratie. Le héros du *Dom Juan* de Molière*, anticonformiste et provocateur, est la figure la plus représentative de ces grands seigneurs libertins, qui s'affranchissent des valeurs morales et des lois.

Le libertinage hédoniste

Au XVIIIe siècle, le libertinage prend une troisième forme : il représente un **mode de vie** plutôt **aristocratique et hédoniste**, qui accorde une large place au plaisir. Il est représenté dans la littérature sous diverses formes (contes*, mémoires*…), et plus particulièrement par le **roman libertin** (Sade*, Crébillon fils, Laclos*, Vivant Denon, Restif de la Bretonne*, Godard d'Aucour, La Morlière, Dorat, Nerciat…).

→ **conte philosophique, Diderot, Don Juan, épicurisme, exotisme, Index (mise à l'), Laclos, Restif de La Bretonne, Sade, Viau, Voltaire**

linguistique

adj. et n. f. Du latin *lingua*, « langue ». Discipline des sciences humaines fondée par Ferdinand de Saussure (1857-1913), qui a pour objet « la langue envisagée en elle-même et pour elle-même ».

L'étude du langage
La linguistique ne vise pas à énoncer des règles (contrairement à la grammaire traditionnelle) mais à **décrire les langues comme des systèmes**, dont elle étudie aussi bien les codes de l'oralité (langue parlée) que les codes écrits.

Les différentes parties de la linguistique
On distingue différentes branches à l'intérieur de la linguistique : la **sociolinguistique** et la **psycholinguistique**, qui étudient les relations entre langage et culture, langage et psychologie ; la **linguistique appliquée**, qui s'intéresse aux questions de traduction et de pédagogie ; la **linguistique historique** et comparée… La **stylistique***, et en particulier la stylistique littéraire, a emprunté nombre de ses instruments d'analyse et de ses méthodes à la linguistique.

→ **communication (schéma de la), sémiotique, stylistique**

lipogramme

n. m. Du grec *leipein*, « laisser » et *gramma*, « lettre ». Jeu littéraire très ancien, attesté dès l'Antiquité, qui consiste à écrire un texte en s'astreignant à ne pas utiliser une ou plusieurs lettres de l'alphabet. Ce jeu a été pratiqué tout particulièrement par les membres de l'Oulipo*, qui ont inventé de nombreuses contraintes d'écriture reposant sur ce principe.

Les différentes sortes de lipogrammes
Luc Étienne, dans l'*Atlas de littérature potentielle* (Gallimard, coll. « Idées »), propose un éventail de ces contraintes :
– la **traduction**, qui consiste à réécrire une phrase ou un poème célèbre en évitant une lettre donnée ;
– la **contrainte du prisonnier**, lequel, pour écrire la lettre la plus longue possible sur le peu de papier dont il dispose, n'utilise pas de lettres qui « dépassent » : « Nous, communs amis, écrivons sans ennui une missive » ;
– le **monovocalisme** : on n'utilise qu'une voyelle, comme dans cette réécriture de la fable « Le Corbeau et le Renard » : « Père Merle perché serre entre le bec le bretzel » (M.-C. Plassard) ;
– l'**asphyxie** : on prive une phrase de *r*, de façon à obtenir une phrase nouvelle dite **anaérobie** de la première : « Cette rosse amorale a fait crouler le parterre » → « Cet os à mœlle a fait couler le pâté » ; « Ne faites pas la guerre, faites l'amour ! » → « Ne faites pas la gaie, faites la moue ! » ;
– l'**aération**, opération inverse de la précédente : « Ce vieux bonze n'excuse pas ce pet d'agent » → « Ce vieux bronze n'excuse pas ce prêt d'argent » ;
– le **lipogramme progressif** ou contrainte de la **belle absente** : on supprime dans chaque vers d'un poème une lettre différente, de façon à pouvoir former un nom avec les lettres supprimées. Ainsi, dans cet exemple de Georges Perec*, on reconstituera, verticalement, le mot OULIPO :
« [O] Champ défait jusqu'à la ligne brève,
[U] J'ai désiré vingt-cinq flèches de plomb
[L] Jusqu'au front borné de ma page chétive
[I] Je ne demande qu'au hasard cette fable en prose vague,
[P] Vestige du charme déjà bien flou qui
[O] Défit ce champ jusqu'à la ligne brève ».
On doit au même Georges Perec un roman, *La Disparition*, construit entièrement sur le principe du lipogramme. Dans ce roman policier, ce qui a « disparu », c'est d'abord la voyelle la plus fréquente de la langue française : le *e*.

→ **Oulipo, Perec, Queneau**

litote

n. f. Du grec *litotê*, « simplicité, pauvreté, petitesse ». Figure de style consistant à atténuer l'expression de la pensée pour faire entendre le plus en disant le moins.

Ex. : *Il n'est pas sot* (pour dire qu'une personne est très intelligente).

Principaux effets de la litote

La litote permet de donner **plus d'énergie et de poids** à l'affirmation positive dont elle tient la place. Elle est fréquente dans le langage familier. Souvent, elle dévoile la force d'un sentiment ou d'une idée que la modestie ou la bienséance* interdisent d'exprimer directement (dans la tragédie* notamment) : ainsi, dans *Le Cid** de Corneille*, c'est par une litote que Chimène avoue à Rodrigue qu'elle l'aime toujours, bien qu'il ait tué son père en duel : « Va, je ne te hais point » (III, 4).

La litote est également l'**une des figures de l'ironie*** : « Ce n'est rien, c'est une femme qui se noie » (La Fontaine, *Fables*, III, 16).

→ **antiphrase, bienséances, euphémisme, ironie, préciosité**

littérarité

n. f. Néologisme formé à partir de l'adjectif *littéraire*. Spécificité d'un texte littéraire.

L'objet de la science de la littérature

La notion de littérarité a été inventée dans les années 1920 par le linguiste et poéticien **Roman Jakobson** (1896-1982) pour désigner l'objet de ce que devait être une science de la littérature : « L'objet de la science de la littérature n'est pas la littérature mais la *littérarité*, c'est-à-dire ce qui fait d'une œuvre donnée une œuvre littéraire. » Ce parti pris « formaliste » – Jakobson appartient à l'école dite des « formalistes russes » – a été une **réaction contre** les autres discours utilisés dans le cadre des études littéraires (discours biographique, psychologique, historique, politique, philosophique…) qui ne tenaient pas compte de la spécificité du langage littéraire.

L'étude des procédés littéraires

La science de la littérature – telle que Jakobson la conçoit et qu'il appellera plus tard « poétique* » – part en effet du principe que le **langage littéraire** se distingue des autres langages (par exemple scientifique et journalistique) par son caractère « opaque » : loin d'être le médiateur « transparent » d'une pensée, il **est d'abord une forme** (un ensemble de faits verbaux) qui attire l'attention sur elle-même. Étudier la littérarité des œuvres littéraires

consiste donc, pour Jakobson, à étudier l'ensemble des procédés littéraires utilisés par les écrivains. C'est dire que la notion de littérarité constitue l'une des réponses à la question qui hante toute théorie littéraire : Qu'est-ce que la littérature ?

→ **Nouvelle Critique, poétique, structuralisme**

livret d'opéra

n. m. De l'italien *libretto*, « petit livre », et *opera*, « œuvre ». Texte poétique ou dramaturgique sur lequel est écrite la musique d'un opéra.

Caractéristiques du livret d'opéra

Comme dans le théâtre classique, on distingue l'**opéra sérieux** (sujet tragique) de l'**opéra-bouffe** ou de l'opérette (sujet comique), mais bien des œuvres mêlent les deux genres (mélodrame*) ; on peut y ajouter l'**opéra-ballet**, où prévaut la danse.

L'opéra impose des contraintes particulières : il fait **alterner des récitatifs** (parfois même des scènes parlées) **et des airs**, duos, trios, quatuors, ensembles, qui doivent mettre en valeur les principaux chanteurs. On y trouve aussi parfois des danses ou des ballets. Le couple du librettiste et du compositeur n'est pas toujours équilibré : il arrive souvent que le musicien prévale par son talent.

Librettistes et écrivains

Les livrets d'opéra s'inspirent dans leur majorité de mythes* et de légendes, ou de l'œuvre de grands écrivains que le librettiste ou le compositeur adapte, en en modifiant éventuellement la langue d'origine. L'italien Da Ponte reprend, pour Mozart, le mythe de Don Juan* (*Don Giovanni*, 1787) illustré notamment par Molière*, ainsi que *Le Mariage de Figaro* de Beaumarchais* (*Les Noces de Figaro*, 1786), dont *Le Barbier de Séville* inspire aussi Rossini (1816). Bizet reprend *Carmen* (1875), la nouvelle de Mérimée* ; Ravel compose *L'Enfant et les sortilèges* (1925) sur un livret de Colette* ; Honegger et Cocteau* collaborent pour une *Antigone* (1927). De grands écrivains comme Lesage*, Voltaire* (*La Princesse de Navarre*, 1745), Rousseau* (*Le Devin du village*, 1752) ont également été librettistes.

Les livrets d'opéra **participent aux principaux mouvements littéraires** : le classicisme* (Quinault et Molière collaborent pour des ballets et des passages dansés et chantés dans le

Bourgeois gentilhomme), les Lumières* (Da Ponte avec *Les Noces de Figaro*), le romantisme* (invention de l'opéra historique et du drame lyrique ; adaptation par Verdi de *La Dame aux camélias* de Dumas fils). Il leur arrive aussi de **réactualiser une œuvre littéraire** : *Candide* (1956), opéra de Léonard Bernstein, ajoute au conte de Voltaire des allusions sur l'opposition entre riches et pauvres qui s'inspirent du marxisme.

→ **Carmen, Don Juan, Don Quichotte, Molière**

locuteur

n. m. Du latin *loquor, locutus sum,* «parler». En grammaire du discours, le terme de locuteur s'emploie à propos de l'énonciation*. Que la communication soit immédiate ou différée, le locuteur est celui qui, dans un discours adressé à un *allocutaire* (destinataire), est la source de l'énoncé. Il est l'équivalent, dans le schéma de la communication*, de l'*émetteur* ou *destinateur*. Il ne doit pas être confondu avec le producteur de l'énoncé, dont il peut différer. *Ex.* : «J'avais dix-sept ans, et j'achevais mes études de philosophie à Amiens, où mes parents, qui sont d'une des meilleures maisons de P., m'avaient envoyé» (abbé Prévost*, *Manon Lescaut*). Dans cette phrase, le *je* renvoie au locuteur des Grieux qui raconte son histoire à un narrateur principal, l'homme de qualité.

La présence du locuteur dans l'énoncé
Le locuteur peut manifester sa présence dans l'énoncé par des **indices d'énonciation**. Ainsi, les pronoms des 1re et 2e personnes marquent la présence d'un locuteur (1re personne) et d'un allocutaire ou destinataire (2e personne) à qui le locuteur s'adresse. Tous deux constituent les interlocuteurs. Le *nous* de la première personne du pluriel peut désigner le locuteur et l'allocutaire (*ex.* : *entre nous soit dit*) mais il désigne plus souvent un groupe indéterminé de personnes qui inclut le locuteur (*ex.* : *nous avons gagné le match*). Le spectateur ne dit pas qu'il a gagné le match avec les joueurs mais évoque une communauté de personnes dans laquelle il s'inclut et à laquelle il attribue la victoire. Parfois, l'indéfini de la troisième personne *on* est employé en ce sens : *ex.* : *on a gagné*.

Les effets de la présence du locuteur
Tout locuteur essaie en effet d'établir une complicité avec son (ses) destinataire(s) et d'agir sur lui (eux). **Sa présence ou son absence aide à distinguer différents types de textes :** ainsi, le locuteur est généralement absent des textes descriptifs, des textes explicatifs, des sentences* et des maximes*, alors qu'il est plus souvent présent dans les textes argumentatifs, les textes narratifs, ou dans le genre épistolaire. L'effacement ou la présence du locuteur, son implication ou son impartialité sont significatifs. Il importe donc de regarder si le texte comporte ou non des modalisateurs, et si oui, de les étudier, car ils indiquent le degré d'adhésion du locuteur à ce qu'il énonce et renseignent aussi bien sur lui que sur les enjeux et la visée de son message.

→ **actanciel (schéma), communication (schéma de la), énonciation, modalisation, sémiologie**

Lorenzaccio,
Alfred de Musset, 1834

RÉSUMÉ
La pièce se déroule à Florence en 1536. En compagnie de son cousin Lorenzo (surnommé ironiquement «Lorenzaccio»), le duc Alexandre de Médicis mène une vie de débauche dans une ville qu'il a totalement asservie. Trois intrigues qui n'en font qu'une, structurent la pièce : une **intrigue amoureuse**, celle qui s'ébauche entre le duc et la marquise Cibo, conformément au plan du beau-frère de celle-ci, l'ambitieux cardinal Cibo ; une **deuxième intrigue**, qui met aux prises la famille Strozzi et la famille Salviati, nous introduit dans les milieux de la rébellion républicaine ; la **troisième intrigue** tourne autour du personnage de Lorenzo, et nous fait pénétrer à la cour des Médicis et dans l'intimité du duc.
Philippe Strozzi, chef des républicains, ne peut empêcher l'arrestation de ses fils sur ordre du duc. C'est alors que Lorenzo jette le masque et révèle au vieux Strozzi son intention d'assassiner le duc pour rétablir la république. Mais il lui avoue aussi que le rôle de débauché qu'il a adopté pour capter la confiance de son cousin, est devenu une seconde nature et qu'il n'a plus foi dans les hommes (III, 3).

La fin du drame est marquée par une série de meurtres et d'échecs : l'empoisonnement de Louise, la fille des Strozzi ; les vaines tentatives de la marquise Cibo pour infléchir la politique du duc dont elle est devenue la maîtresse ; l'assassinat du duc par Lorenzo, qui n'est pas suivi par les républicains. Florence passe en effet aux mains d'un nouveau tyran et Lorenzo, réfugié à Venise, est jeté dans la lagune.

Genèse de l'œuvre

Musset compose sa pièce pendant et après son séjour en Italie avec George Sand à qui il en emprunte le sujet : à partir du manuscrit des *Chroniques* de Varchi, elle avait commencé à écrire *Une conspiration en 1537*. La pièce est inspirée de faits historiques auxquels Musset donne un éclairage particulier : celui des problèmes de son temps, et en particulier ceux de la jeunesse sous Louis-Philippe.

Paru en 1834 dans la deuxième volume des *Comédies et proverbes*, *Lorenzaccio* n'est joué pour la première fois qu'en 1896.

Une intrigue dispersée

Drame romantique* en cinq actes et en prose, *Lorenzaccio* conserve certaines contraintes classiques et privilégie la rigueur. Le foisonnement des personnages, des lieux, la multiplicité des actions donnent à la **structure** de la pièce une allure complexe mais **organisée autour du duc** : tout converge vers la scène du meurtre.

L'originalité de la pièce tient à l'habile combinaison entre l'**organisation** en **actes**, découpés classiquement en scènes, **et l'utilisation de vastes tableaux** en liaison avec le traitement de l'espace. Les différents lieux de Florence forment un réseau métaphorique et symbolique : la cité est désormais entièrement investie par la débauche. À cet espace corrompu correspondent une parole corrompue, une impossibilité de maîtriser le temps, et l'inanité de toute action.

Un héros crépusculaire

La pièce s'achève par des morts inutiles qui rappellent celles de la révolution de 1830. Musset démasque l'idéologie hypocrite d'un pouvoir fondé sur l'exclusion des femmes, du peuple, et de la jeunesse. Héros des illusions perdues, Lorenzo n'attend rien de son meurtre-suicide. Il est celui en qui viennent s'annuler les discours des autres personnages.

→ **couleur locale, drame romantique, Musset, romantisme**

Loti
(Pierre), 1850-1923

ŒUVRES PRINCIPALES
• **Romans** : *Aziyadé* (1879), *Pêcheur d'Islande* (1886), *Madame Chrysanthème* (1887), *Ramuntcho* (1897).

Le désenchantement du monde

Les personnages de Loti promènent sur le monde un regard chargé de tristesse et de nostalgie. Les voyages ouvrent sur des ailleurs attirants mais inaccessibles, clos dans leur étrangeté et leur altérité. Voyager, c'est aller à la rencontre de civilisations splendides mais souvent décomposées, et il flotte dans tous les romans de Loti une **odeur de mort**.

Partout la pureté originelle s'est corrompue, on n'en contemple que des bribes, des débris. Partout, le voyageur pressent la fin d'un monde, et l'éclat des chrysanthèmes du Japon est nécessairement leur dernier éclat, celui qu'ils jettent avant de se faner. D'où l'ambiance souvent morbide des romans de Loti, renforcée par une **phrase** harmonieuse et **alanguie**, ouverte sur le rêve par des points de suspension.

Le sentiment d'exil

Le drame profond de Loti réside peut-être dans le **sentiment d'un exil absolu**. Il a beau essayer de capter dans ses fictions les beautés exotiques des peuples lointains, il a beau reconstituer dans son extravagante demeure de Rochefort-sur-Mer un salon turc ou japonais, voire une mosquée, il a beau se travestir lui-même en oriental dans un décor des mille et une nuits, il bute sur un échec : le monde de l'autre n'est qu'**effleuré**, il sait qu'il n'en fera jamais partie. Pire encore, il se retrouve en somme exilé de lui-même. Irrémédiablement différent de l'autre, il est également **étranger à lui-même**, à sa patrie propre.

CITATION

« Son domaine propre est cette région indéterminée où la vibration suraiguë des nerfs fait de la jouissance une douleur et des larmes une volupté [...]. Il possède un tel pouvoir de noter l'infiniment petit de ses émotions qu'il vous entraîne avec lui dans un monde d'exaltation continue. » (Paul Bourget)

REPÈRES BIOGRAPHIQUES

➜ Julien Viaud, né à Rochefort-sur-Mer, subit dès son enfance la fascination de la mer. Il entre à l'École navale en 1867. Sa carrière de marin lui permettra de parcourir toutes les mers du monde et de découvrir en particulier l'Extrême-Orient. Lors d'un voyage à Tahiti, il reçoit le surnom de « Loti », terme qui désigne en maori une fleur et dont il fera son pseudonyme. Dès ses premiers voyages, il tient son journal, d'où sortiront ses romans.

➜ L'écrivain rencontre très vite le succès en proposant au public du rêve, de l'aventure et de l'exotisme* dans une époque dominée par le naturalisme*. Cumulant la gloire, l'argent et les honneurs, Loti est reçu à l'Académie française en 1892. À sa mort le gouvernement lui fera des funérailles nationales.

→ exotisme

Lumières

n. f. pl. Mouvement philosophique et littéraire du XVIIIe siècle, fondé sur la raison, l'expérience et les sciences, et remettant en cause l'ordre politique, social et religieux de l'Ancien Régime. Les Lumières influenceront les réformateurs et révolutionnaires français mais aussi européens.

Le triomphe du rationalisme

Les progrès scientifiques et techniques, la réflexion sur la relativité des civilisations, les excès de l'absolutisme politique instauré par Louis XIV conduisent un grand nombre d'intellectuels, au début du XVIIIe siècle, à **pratiquer systématiquement l'esprit d'examen et à contester les fondements de la société.** On cherche à dépouiller la religion de ses superstitions, de son intolérance, des abus commis par un clergé plus soucieux de pouvoir et de richesse que de valeurs morales. Sont également attaquées l'inégalité sociale reposant sur le sang (la noblesse) au détriment du mérite, la monarchie absolue et les guerres de conquête, la corruption de la justice.

L'esprit des Lumières est d'abord illustré par Fontenelle*, Bayle*, Montesquieu*, puis trouve son apogée dans l'entreprise collective de l'*Encyclopédie**, qui fédère les efforts de Diderot*, d'Holbach, Rousseau*, Voltaire*… pour mettre à la portée d'un large public la somme des sciences et des idées nouvelles, et qui renverse les préjugés au nom de la raison.

L'esprit de réforme

Dépassant la simple critique de l'ordre établi, les philosophes des Lumières proposent des **réformes dans tous les domaines** : instauration d'un régime parlementaire à l'anglaise et protection des droits fondamentaux (suppression des emprisonnements discrétionnaires), rationalisation de l'agriculture, développement du commerce et des techniques, amélioration de l'hygiène et de l'éducation… Il s'agit d'un véritable **laboratoire d'idées nouvelles**, et les débats les plus vifs ont souvent lieu entre les philosophes : certains sont résolument athées, d'autres restent déistes ; Rousseau innove politiquement en imaginant un contrat social qui associe le peuple au pouvoir, alors que Voltaire se contente de rêver d'un « despote éclairé ». Si Rousseau exalte l'idée d'une nature foncièrement bonne et dénonce les dépravations de la civilisation, Voltaire, à l'inverse, met l'accent sur les apports de cette dernière (confort, prospérité…), tandis que Sade*, dénonçant ces contradictions, met au jour le rôle des pulsions les plus cachées de l'homme.

De nouveaux thèmes et formes littéraires

Les Lumières se traduisent aussi par des changements dans la littérature et l'esthétique. **L'œuvre devient une arme au service de la vulgarisation des idées.** Se développent ainsi de **nouveaux genres** : le conte*, le roman* et le dialogue* philosophiques, le dictionnaire*, l'encyclopédie. Diderot remet en cause les règles classiques qui séparent les genres au théâtre, et crée le drame* bourgeois. Rousseau fonde l'autobiographie* moderne (*Les Confessions, Les Rêveries du promeneur solitaire*).

La littérature du Siècle des Lumières n'est donc pas seulement une littérature d'idées : l'âge d'or de la raison et des projets de réforme sociale est aussi l'**âge d'or de la sensibilité passionnée de l'individu**, qui s'épanouit dans le roman (*La Nouvelle Héloïse* de Rousseau, *Paul et Virginie* de Bernardin de Saint-Pierre*).

→ censure, Diderot, *Encyclopédie*, Index (mise à l'), libertinage, rationalisme, Voltaire

lyrisme

n. m. Du grec *lura*, « lyre », emblème d'Orphée*. En poésie, sont dites « lyriques » les œuvres dont l'objet principal est **l'expression des sentiments**. À l'origine, la poésie lyrique est une poésie chantée que l'on accompagne au son de la lyre et qui trouve dans l'ode* sa forme la plus caractéristique. Plus largement, le lyrisme est une **tonalité particulière** que l'on peut rencontrer aussi dans des textes en prose et qui est toujours liée à l'expression des sentiments.

Au Moyen Âge et à la Renaissance

Le Moyen Âge a vu se développer une floraison lyrique exceptionnelle. Aux XIIe et XIIIe siècles, **trouvères** (poètes du Nord, en langue d'oïl) **et troubadours*** (poètes du Midi, en langue d'oc), chantent l'**amour courtois**. Pour les trouvères, on retiendra les noms de Jean Bodel d'Arras, Colin Muset, Adam de la Halle et surtout Rutebeuf* et, pour les troubadours, ceux de Bernard de Ventadour et Jaufré Rudel.

Aux XIVe et XVe siècles, la poésie lyrique est illustrée par quelques grands poètes à l'inspiration plus personnelle, tels Guillaume de Machaut, Eustache Deschamps, Christine de Pisan, Charles d'Orléans* et François Villon*, qui introduisent des **formes nouvelles** : le rondeau*, la ballade* ou le virelai (voir l'article « Formes fixes »).

Au XVIe siècle, les poètes de la Pléiade* rejettent le legs du Moyen Âge et prônent un retour aux formes lyriques de l'Antiquité : l'**ode et l'élégie***.

La poésie romantique

Le mouvement romantique est particulièrement propice à l'expression lyrique. L'**exaltation du moi** favorise une tendance à l'épanchement lyrique : « Ah ! frappe-toi le cœur, c'est là qu'est le génie ! », s'écrie Musset*. Le lyrisme romantique saura cependant s'élargir et, dépassant les thèmes de l'amour, de la fuite du temps ou de la nature, il s'ouvrira à une **inspiration humanitaire**, exprimant tantôt une interrogation pathétique sur le destin de l'humanité, tantôt une foi enthousiaste dans l'avenir.

La tonalité lyrique

Sur le **plan de la forme**, certains procédés sont caractéristiques de la tonalité lyrique : prédominance du vocabulaire affectif, prédilection pour l'exclamation (« Le lyrisme est le développement d'une exclamation », affirme Paul Valéry*), apostrophe*, interrogation oratoire*, goût des anaphores* et des répétitions. La phrase sera tantôt ample tantôt brisée (ellipses*, anacoluthes*, juxtaposition) pour épouser l'émotion dans son jaillissement. Enfin, l'hyperbole*, la comparaison* et la métaphore* sont particulièrement fréquentes dans les textes lyriques.

→ **élégiaque, élégie, ode, troubadour**

madrigal

n. m. Mot emprunté à l'italien, et d'origine obscure. **1.** Pièce de musique d'inspiration profane qui dérive des chansons de troubadours* et qui a connu son âge d'or au XVIᵉ siècle, en particulier avec les œuvres de Palestrina (1525-1594) et de Claudio Monteverdi (1567-1643). **2.** Court poème d'inspiration spirituelle et galante, qui cherche à briller par son ingéniosité et qui est souvent proche de l'épigramme* par sa pointe* malicieuse.

Un genre précieux

Le genre reste associé à la **littérature précieuse du XVIIᵉ siècle**. On citera les noms de Voiture, de Bensérade, et de Cotin. De toute cette floraison, la postérité n'a guère retenu qu'un madrigal de l'abbé Cotin, *Sur un carrosse de couleur amarante*, et seulement parce que Molière* le tourne en ridicule dans *Les Femmes savantes* (III, 2) : « L'amour si chèrement m'a vendu son lien/Qu'il m'en coûte déjà la moitié de mon bien ;/Et, quand tu vois ce beau carrosse,/Où tant d'or se relève en bosse/Qu'il étonne tout le pays/Et fait pompeusement triompher ma Laïs,/Ne dis plus qu'il est amarante,/Dis plutôt qu'il est de ma rente. »
En brocardant (très injustement) son auteur sous les traits de Trissotin, ce sont les travers de l'esprit précieux que raille Molière.

→ **blason, bouts-rimés, chanson, épigramme, préciosité**

Maeterlinck
(Maurice), 1862-1949

ŒUVRES PRINCIPALES
• **Poésie** : *Serres chaudes* (1889), *Douze Chansons* (1896).
• **Essai** : *Le Trésor des humbles* (1896).
• **Théâtre** : *Pelléas et Mélisande* (1892), *Ariane et Barbe Bleue* (1901), *Monna Vanna* (1902), *L'Oiseau bleu* (1908).

Un théâtre symboliste

Auteur de deux recueils de poésie, Maeterlinck est avant tout un **auteur dramatique**. Profondément imprégné par le mysticisme flamand et par les paysages humides de la Flandre, il n'a cessé d'explorer les chemins de l'intériorité, dans une quête jamais interrompue de l'indicible et de l'invisible aux lisières de l'ésotérisme. Avec Villiers de l'Isle-Adam*, il crée un théâtre neuf. Alors que le premier, sous l'influence de Wagner, propose un symbolisme* flamboyant, surchargé, qui s'affiche aussi bien dans le texte que dans le décor, Maeterlinck opte dans ses drames* pour une **esthétique dépouillée** qui bannit tout pittoresque et toute éloquence, et il fournit avec *Pelléas et Mélisande* un **symbolisme tout intérieur**, moins théâtral et plus poétique.

Un précurseur oublié

Fêté du vivant de l'auteur, le théâtre de Maeterlinck est tombé dans l'oubli, sauf lorsque la musique, comme pour *Pelléas et Mélisande*, lui a conféré une forme de pérennité. Sa **poésie brumeuse et féerique**, toujours ouverte sur les légendes et le monde onirique, a frayé des voies sur lesquelles s'engageront Apollinaire[*] et les surréalistes.

Sa théorie du « **symbole[*] inconscient** », libérée du symbolisme trop souvent allégorique de ses contemporains, préfigure la théorie surréaliste de l'image : « Je crois qu'il y a deux sortes de symboles : l'un qu'on pourrait appeler le symbole *a priori* ; [...] il part d'abstractions et tâche de revêtir d'humanité ces abstractions... L'autre [...] serait plutôt inconscient, aurait lieu à l'insu du poète, souvent malgré lui, et irait, presque toujours, bien au-delà de sa pensée : c'est le symbole de toute création géniale d'humanité. » (Réponse à une enquête de Jules Huret, 1891.)

CITATION

« Le poète dramatique est obligé de faire descendre dans la vie réelle, dans la vie de tous les jours, l'idée qu'il se fait de l'inconnu. Il faut qu'il nous montre de quelle façon, sous quelle forme, dans quelles conditions, d'après quelles lois, à quelle fin agissent sur notre destinée les puissances supérieures, les influences inintelligibles, les principes infinis, dont, en tant que poète, il est persuadé que l'univers est plein. » (*Sur l'évolution littéraire*, réponse à une enquête de Jules Huret, 1891.)

REPÈRES BIOGRAPHIQUES

➜ Après une enfance heureuse, Maeterlinck, né à Gand, fait des études de droit et commence à écrire. La publication de son recueil poétique *Serres chaudes* et la représentation de sa pièce *La Princesse Maleine* en 1890 attire l'attention de l'écrivain Octave Mirbeau[*]. Maeterlinck apparaît bientôt comme l'un des grands poètes symbolistes. Il écrit de nombreuses pièces, dont *Pelléas et Mélisande* qui sera mis en musique par Debussy.

➜ Les années 1896-1897 marquent un tournant : Maeterlinck prend ses distances avec le symbolisme[*]. Il trouve, sur des thèmes moins morbides, une écriture plus sobre, blanche et fluide, comme en quête de silence. Il reçoit le prix Nobel de littérature en 1911.

➜ Parallèlement, l'écrivain s'intéresse au monde animal et végétal : il publie *La Vie des abeilles* (1901), *La Vie des termites* (1926), *La Vie des fourmis* (1930).

➜ **Claudel, symbole, symbolisme, Verhaeren**

Malherbe
(François de), 1555-1628

ŒUVRES PRINCIPALES

• **Poésie**: *Ombres de Damon* (écrit vers 1585), *Larmes de saint Pierre* (1587), *Consolation à M. du Périer* (1598), *Ode de bienvenue à la reine Marie de Médicis* (1600), *Prière pour le Roi allant en Limousin* (1605), *Pour le Roi allant châtier la rébellion des Rochelais* (1627), *Paraphrase du psaume CXLV* (1627).

La doctrine de Malherbe

Les célèbres vers de l'*Art poétique* (1674) de Boileau[*] présentent Malherbe comme le créateur de la poésie classique : « Enfin Malherbe vint, et le premier en France/Fit sentir dans ses vers une juste cadence. »

S'il s'est imposé comme un chef d'école, Malherbe n'a pas rédigé de doctrine. Celle-ci apparaît à travers des annotations critiques sur un recueil de poèmes de Desportes, son rival (*Commentaire sur Desportes*, 1606), et dans les propos rapportés par l'un de ses élèves, Racan, dans son *Mémoire pour la vie de M. de Malherbe*. Ces sources permettent cependant de reconstituer une doctrine cohérente, celle d'un poète qui se considère avant tout comme un **artisan du vers**. **Malherbe place** en effet **la technique poétique** (et la composition du poème) **au-dessus de l'invention**. Les héritiers des poètes de la Pléiade[*], mais aussi les poètes satiriques comme Mathurin Régnier, ont accusé Malherbe et ses émules de n'être que des faiseurs de rimes[*], dénués d'inspiration[*] poétique : « Nul aiguillon divin n'élève leur courage. »

Malherbe travaille avant tout à partir du langage commun. Refusant aussi bien les innovations lexicales de la Pléiade que les archaïsmes ou les provincialismes, il prône un vocabulaire simple, emprunté à la langue de la bonne société et compréhensible par tous. **La poésie de Malherbe s'oppose à la poésie savante**, à ses termes rares et à ses obscurités.

Rigueur et clarté

La doctrine poétique de Malherbe repose sur une **exigence de rigueur et de clarté[*]**. Elle se caractérise par le refus de l'ambiguïté, dans la construction des phrases comme dans les termes employés. Elle se veut respectueuse de l'ordre naturel de la phrase, et revendique la raison et la logique. Dans ses commentaires sur les poèmes de Desportes, Malherbe souligne l'emploi impropre d'un mot, l'absurdité d'une image, l'ambiguïté d'une expression.

Il rejette ainsi toutes les facilités que s'autorisent des poètes peu rigoureux : les « chevilles » ou le « remplissage » (toute image désormais doit être motivée), mais également les rimes entre mots apparentés (« une arme »/« il s'arme », « jours »/« toujours »). À la rime « pour l'oreille », il ajoute la contrainte de la rime « pour l'œil » (« jour » au singulier ne peut rimer avec « toujours ») et généralise l'alternance des rimes féminines et des rimes masculines. Attentif au heurt de sonorités* disgracieuses, Malherbe rejette la cacophonie et proscrit le hiatus*.

Le souci de la structure

Le souci de la structure (du vers* comme de la strophe*) conduit Malherbe à refuser les rimes intérieures car elles tendent à effacer la limite du vers. Il exige également que le rythme de la phrase corresponde à celui du vers (les articulations de la phrase doivent suivre les césures* et la limite des vers) : il proscrit donc l'enjambement* qui amène la syntaxe à « déborder » sur le vers suivant.

Malherbe n'a pratiquement pas écrit de poèmes en rimes suivies. Il privilégie les formes strophiques : odes*, sonnets*… Il essaie de nombreuses formules métriques, y compris des vers de 5 ou 9 syllabes. Mais sa préférence va à l'**alexandrin***, vers rigoureux par la présence d'une césure fixe (à la sixième syllabe) et d'accents secondaires qui permettent variations et effets de symétrie.

Une œuvre variée

Malherbe n'a pas écrit que des poèmes. C'est aussi un **prosateur**, un **épistolier**, un **spécialiste de la grammaire et de l'éloquence***, et un **traducteur** (textes de Tite-Live et de Sénèque). Sa production poétique comprend des **poèmes amoureux**, des **poèmes de circonstance** et des **poèmes religieux** (dont les *Larmes de saint Pierre*). Sa poésie amoureuse teinte d'épicurisme* des motifs assez conventionnels (*Dessein de quitter une dame qui ne le contentait que de promesses*), tandis que les poèmes de circonstance s'inspirent davantage de la philosophie stoïcienne. Mais sa *Consolation à Du Périer sur la mort de sa fille* n'est pas dépourvue de sensibilité (Malherbe venait lui-même de perdre sa fille) : « Mais elle était du monde, où les plus belles choses/ Ont le pire destin ;/ Et rose elle a vécu ce que vivent les roses,/ L'espace d'un matin. » Sa **poésie de cour** est une poésie d'éloge. Nécessairement hyperbolique, elle fait souvent appel à des images ou à des références mythologiques. Malherbe associe la gloire du roi à celle du poète qui, par ses vers, rend éternel le souvenir de ses exploits.

Entre baroque et classicisme

Malherbe a longtemps été présenté comme le père de la poésie et de la prose classiques. Par une certaine thématique (la mort, le temps qui passe, les vanités de la vie terrestre) et par le goût des images frappantes, il **se rattache** cependant au **baroque***, et particulièrement dans ses premières œuvres : les *Larmes de saint Pierre* sont riches en antithèses*, en hyperboles* et en images. Mais, par le choix de la rigueur et de la clarté, par sa volonté de fonder la poésie sur les exigences de la raison, par le respect des bienséances*, **Malherbe annonce le classicisme***.

Malherbe a formé de nombreux poètes (comme Racan et Mainard) qu'il recevait chez lui, le soir. Sa doctrine domine la poésie jusqu'aux romantiques, qui la rejetteront avec éclat. Valéry*, Ponge* ont loué cet artisan du vers.

REPÈRES BIOGRAPHIQUES

➔ Malherbe naît à Caen dans une famille de la noblesse de robe. La première partie de sa vie est marquée par les guerres de Religion, qui éclatent en 1562. Son père, magistrat protestant, envoie son fils poursuivre des études à Bâle et Heidelberg. Mais, en 1576, Malherbe renonce à la magistrature et se tourne vers le catholicisme. Il se place au service de François d'Angoulême, bâtard du roi Henri II, qui gouvernait Provence. À la mort de celui-ci, il retourne à Caen, où il est élu échevin (magistrat municipal) en 1594. Il fera plusieurs séjours à Aix, où résident sa femme et ses enfants.

➔ Il commence à publier des poèmes dans des recueils collectifs en 1597. Le *Recueil des plus beaux vers…*, de 1627, sera presque intégralement consacré aux poèmes de Malherbe et de ses disciples. Son *Ode de bienvenue à la reine Marie de Médicis* le fait remarquer, mais le véritable tournant de sa carrière se situe en 1605, lorsque son ami du Vair, président du parlement de Provence et humaniste, l'emmène à Paris et le présente au roi. Malherbe devient poète de cour et le restera jusqu'à sa mort, en 1628.

→ **alexandrin, baroque, Boileau, classicisme, mètre, métrique**

Mallarmé
(Stéphane), 1842-1898

ŒUVRES PRINCIPALES
• **Poésie** : *L'Après-midi d'un faune* (1876), *Prose pour des Esseintes* (1885), *Poésies* (1887), *Album de vers et de prose* (1888), *Poésies* (1913, éd. de la *NRF*), *Igitur ou la Folie d'Elbehnon* (1925).
• **Traduction** : *Poèmes d'Edgar Poe* (1889).
• **Prose** : *Divagations* (1897).

L'azur, l'absolu

C'est dans l'enthousiasme provoqué par la découverte de Baudelaire* que le jeune Mallarmé commence à écrire. Ses premiers poèmes, tels *Les Fenêtres* (1863) et *L'Azur* (1864), témoignent de cette influence et manifestent un appel de l'idéal encore très proche de son modèle. Se félicitant que l'Action ne fût pas la sœur du Rêve », il écrit à son ami Cazalis : « Si le Rêve était ainsi défloré et abaissé, où nous sauverions-nous donc, nous autres malheureux que la terre dégoûte et qui n'avons que le Rêve pour Refuge ? »

Cet **appel de l'absolu et de la perfection** (symbolisée par l'Azur) devient une obsession qui confronte Mallarmé à sa propre impuissance et le laisse dans un face-à-face mortel avec le néant. D'où la grave crise métaphysique qu'il connaît vers 1866 et qui mettra sa vie en danger. Car, pour Mallarmé, loin d'être un jeu ou encore un simple « reportage » sur le monde, l'écriture est la seule aventure spirituelle digne d'être vécue, même si c'est au prix d'une redoutable descente aux enfers.

Sous le signe d'Hermès

La poésie a pour tâche, en donnant « **un sens plus pur aux mots de la tribu** », d'épurer un langage englué dans le monde matériel pour le rendre capable d'évoquer le mystère et l'essence secrète des choses. Poète d'une extrême exigence, Mallarmé poursuit cette entreprise jusqu'à ses limites, celles où, à force de densité, il réussit à évoquer l'absence, le silence, le non-être, dans un hymne intemporel et glacé à l'Idée.

Si Mallarmé est souvent qualifié de **poète hermétique**, ce devrait être **au sens propre** : il a tenté, en effet, de réaliser une véritable opération alchimique par laquelle il serait parvenu à ce « Livre » total et absolu où il aurait fourni « l'explication orphique de la Terre ». *Un coup de dés jamais n'abolira le hasard* devait en être la préfiguration. Cette entreprise, interrompue par la mort, laisse un rêve qui fascinera la postérité de Mallarmé, de Valéry* aux écrivains de la revue *Tel Quel*.

CITATIONS

• **Sur la poésie**
« L'œuvre pure implique la disparition élocutoire du poète, qui cède l'initiative aux mots [...] ; ils s'allument de reflets réciproques comme une virtuelle traînée de feux sur des pierreries. » (*Crise de vers*)

• **Sur le symbole**
« *Nommer* un objet, c'est supprimer les trois quarts de la jouissance du poëme qui est faite du bonheur de deviner peu à peu : le *suggérer*, voilà le rêve. C'est le parfait usage de ce mystère qui constitue le symbole : évoquer petit à petit un objet pour montrer un état d'âme, ou, inversement, choisir un objet et en dégager un état d'âme, par une série de déchiffrements. » (*Sur l'évolution littéraire*, réponse à une enquête de Jules Huret, 1891)

REPÈRES BIOGRAPHIQUES

→ Stéphane Mallarmé, né à Paris en 1842, perd sa mère à l'âge de cinq ans et sa sœur dix ans plus tard. Le jeune homme, qui lit Baudelaire et Edgar Poe, commence à écrire de la poésie en 1859. En 1863, il termine ses études d'anglais et devient enseignant à Tournon. Médiocre pédagogue, Mallarmé tirera peu de satisfaction de ce métier qui dévore son temps aux dépens de la poésie. L'année 1863 est aussi l'année de la mort de son père et celle de son mariage avec Maria Gerhard.

→ Nommé à Paris en 1871, après la Commune, Mallarmé connaît une grave crise métaphysique dont toute son œuvre porte la trace. Il traduit Edgar Poe et poursuit une entreprise poétique extrêmement exigeante qui ne rencontre qu'un public très restreint. À partir de 1877, il réunit chaque mardi, dans son appartement de la rue de Rome, des artistes (Manet, Debussy...) et de jeunes poètes qui voient en lui un chef de file : Henri de Régnier, Verhaeren*, Maeterlinck, Laforgue* mais aussi quelques-uns des écrivains dont l'œuvre allait marquer le xxᵉ siècle : Valéry*, Gide* et Claudel*. En 1884, Verlaine* (dans les *Poètes maudits*) et Huysmans* (dans *À rebours*) lui rendent hommage et le révèlent à un public plus large.

➜ Admis à la retraite en 1894, il poursuit son œuvre en écrivant des textes extrêmement denses et travaillés, tel *Un coup de dés jamais n'abolira le hasard* (1897), œuvre dans laquelle il explore les possibilités de la typographie. Il meurt dans sa propriété de Valvins en 1898.

→ **hermétisme, Orphée, symbole, symbolisme**

Malraux
(André), 1901-1976

ŒUVRES PRINCIPALES
- **Romans**: *Les Conquérants* (1928), *La Voie royale* (1930), *La Condition humaine* (prix Goncourt 1933), *Le Temps du mépris* (1935), *L'Espoir* (1937), *Les Noyers de l'Altenburg* (1943).
- **Essais**: *Le Musée imaginaire* (1947), *Les Voix du silence* (1951), *La Métamorphose des dieux* (1957).
- **Mémoires**: *Antimémoires* (1967), *Le Miroir des limbes* (1976).

La réflexion sur la condition humaine
Cette réflexion constitue l'unité de la vie et de l'œuvre de Malraux. La crise des valeurs occidentales consécutive à la guerre de 1914 le conduit à affirmer, dans *La Tentation de l'Occident*, que « l'homme est mort après Dieu ». Le **sentiment du tragique*** présent dans ses romans et dans ses essais prend notamment la forme du « farfelu », du non-sens ou de l'indifférence du monde qui rendent dérisoire l'effort des hommes.
Cependant Malraux **refuse l'absurde***. Car si l'homme est écrasé par la mort ou la matérialité de l'existence, il lui reste la liberté de se révolter et de **donner un sens au monde par l'action** : « L'homme est ce qu'il fait », affirme Kyo, l'un des héros de *La Condition humaine*. Pour les personnages de Malraux, la révélation du sens de la vie s'accomplit dans la confrontation avec la mort. Ils prennent alors conscience, par leur sacrifice, de la part de grandeur que chaque individu porte en lui et ils accèdent à la dignité. Celle-ci est le contraire de « l'humiliation » et prend une nouvelle dimension dans la fraternité (celle de Katow et des révolutionnaires chinois dans *La Condition humaine*, celle des combattants des brigades internationales dans *L'Espoir*).

L'art du romancier
Fortement ancrés dans l'Histoire, les romans de Malraux prennent parfois l'allure de la chronique d'un chaos événementiel (la grève de Canton dans *Les Conquérants*, la guerre d'Espagne dans *L'Espoir*). À première vue l'accumulation des événements, les techniques narratives mises en œuvre (focalisation interne*, montage des séquences et des plans emprunté au cinéma) servent surtout la dramatisation de l'action. Celle-ci prend sens cependant dans une **composition romanesque polyphonique** : au héros* central du roman traditionnel, Malraux substitue une constellation de personnages dont les dialogues forment un commentaire permanent de l'action. C'est ainsi que, dans ses romans, l'Histoire et la métaphysique ne cessent de se répondre.
Dans la peinture de l'homme abattu ou exalté, l'écriture malrucienne prend un caractère **lyrique** et même **épique**. Il en est ainsi des grandes scènes collectives qui ponctuent la fin de *L'Espoir*. Chez Malraux, le rythme épouse toujours l'idée, et les images qui peuplent son univers, lourdes de signification, créent, de thème en thème, une cohérence picturale ou une dynamique cinématographique.
La **variété des points de vue*** caractéristique de l'art du romancier se retrouve dans les *Antimémoires*, où Malraux rassemble, sans souci de la chronologie, les souvenirs de ses rencontres avec l'Histoire et l'art.

La méditation sur l'art
Le dépassement esthétique de l'Histoire prend, chez cet « amoureux des statues », la forme d'une méditation sur l'**art défini comme un « antidestin »** et comme le **lieu de l'intemporel**. Dans le « musée imaginaire » de Malraux, temples, pyramides, fresques voisinent en effet avec un Picasso ou un Goya pour lancer un défi à la mort. *Les Voix du silence* constituent une synthèse de cette réflexion sur les chefs-d'œuvre. L'art est, pour Malraux, la « monnaie de l'absolu » qui, par le jaillissement d'un autre monde, permet au démiurge créateur de transcender sa condition mortelle et les notions ordinaires de réalité et de vérité. L'histoire de l'art est une histoire des cultures et *Le Musée imaginaire* en présente trois aspects essentiels : l'apparition des musées, qui établissent un nouveau rapport entre les œuvres

d'art et le public ; les progrès de la photographie, qui engendrent une métamorphose de notre regard sur le monde ; la naissance de l'art moderne.

• **La mort fraternelle de Kyo**

« Il mourrait, comme chacun de ces hommes couchés, pour avoir donné un sens à sa vie. Qu'eût valu une vie pour laquelle il n'eût pas accepté de mourir ? Il est facile de mourir quand on ne meurt pas seul. » (*La Condition humaine*)

• **La condition humaine**

« Qu'est-ce qu'un homme peut faire de mieux de sa vie, selon vous ? – Transformer en conscience une expérience aussi large que possible. » (*L'Espoir*)

➜ Né en 1901, Malraux poursuit des études à l'École des langues orientales, publie son premier texte en 1921 (*Lunes de papier*) et collabore à la *NRF**. Sa passion des voyages et de l'aventure le conduit en Indochine où, malgré des démêlés avec la justice, il s'imprègne de l'art et de la civilisation asiatiques. Il s'engage dans le mouvement anticolonialiste en publiant le journal *L'Indochine enchaînée*. Cette expérience des conflits de l'Extrême-Orient est au fondement des *Conquérants*, de *La Voix royale* et de *La Condition humaine**, trois romans qu'il publie à son retour en Europe.

➜ Désormais célèbre, Malraux préside le comité mondial antifasciste. En 1936, il s'engage dans la guerre d'Espagne aux côtés des républicains, ce qu'il relate dans *L'Espoir*, roman qu'il adaptera pour le cinéma. Pendant la Deuxième Guerre mondiale, il entre dans la Résistance et devient le compagnon du général de Gaulle, dont il sera le ministre des Affaires culturelles de 1959 à 1969. On lui doit le ravalement des monuments de Paris et la création des maisons de la culture.

➜ Parallèlement à ses activités politiques, Malraux dirige chez Gallimard la collection l'« Univers des formes », où il poursuit sa méditation sur l'art et les relations de l'homme avec son destin.

➜ **absurde, Camus, Condition humaine (La), Sartre, tragique**

manifeste

n. m. Du latin *manifestus*, « pris sur le fait ». **Sens littéraire** : on appelle « manifeste » un texte autonome dans lequel un auteur ou un groupe expose au public ses thèses esthétiques en se proposant, la plupart du temps, de les illustrer. **Sens politique** : ce substantif, employé depuis le XVIe siècle, désigne aussi un genre de discours politique, dans lequel un dirigeant ou un parti justifie son action ou défend son programme.

Le manifeste et le mouvement

Un manifeste **illustre un mouvement littéraire**, c'est-à-dire qu'il engage plusieurs auteurs. Ainsi la *Défense et Illustration de la langue française*, signée par du Bellay* en 1549, est-elle le fait de tous les auteurs de la Pléiade* rassemblés autour de Ronsard*. L'intention affichée est forte, puisqu'il s'agit de revendiquer la valeur littéraire du français face au latin et au grec, et d'annoncer qu'on illustrera cette affirmation par une imitation* inventive des Anciens. Cet exemple livre les principaux caractères du manifeste : il pose, éventuellement en s'opposant, mais aussi en se donnant des précurseurs, une **théorie de la représentation littéraire**, voire une représentation propre du monde.

Ainsi, le *Manifeste du surréalisme* (1924), œuvre collective, ne se contente pas de préconiser l'écriture automatique* : il affirme l'inanité de la raison, et, ainsi que l'illustre *Nadja*, d'André Breton*, l'existence d'un monde surréel. Les surréalistes reconnaissent Lautréamont* comme un précurseur ; ils récusent la littérature antérieure, quoique moins radicalement que le mouvement Dada* (*Manifeste*, 1918). Enfin, le *Second manifeste du surréalisme* (1930) réactive tous les sens du mot puisqu'il pose la question de l'engagement politique du mouvement.

Genres contigus et caractéristiques du genre

Les exemples précédents invitent à se demander quelle forme ont pris les manifestes d'autres grands mouvements littéraires. La *Préface de Cromwell* (1827), de Victor Hugo*, constitue bien un manifeste du romantisme* français. Ce sont des essais* entiers de Zola, *Le Roman expérimental* (1880) et *Les Romanciers naturalistes* (1881), qui constituent le manifeste du naturalisme*. On peut aussi rattacher à ce dernier la préface* de Maupassant* à son roman *Pierre et Jean* (1888) – intitulée « Le roman » –, voire celle des Goncourt* à *Germinie Lacerteux* (1865).

La **préface ou** le **prologue*** ont donc fréquemment **valeur de manifeste**, et plusieurs textes peuvent nourrir un même manifeste. Où se situe alors la limite du genre ? En quoi se distinguent la préface de *Mademoiselle de Maupin* (1835) de Théophile Gautier*, manifeste de l'art pour l'art*, et la préface des *Fables* (1768) de La Fontaine* ? le début des *Confessions** (1782) de Rousseau* ou encore le prologue de *Gargantua* (1535) de Rabelais* ? On répondra en disant qu'on parle moins volontiers de manifeste lorsque la revendication, la défense ou l'injonction se limitent à un genre*, à un homme ou à un ouvrage.

En revanche, on accole volontiers le substantif « manifeste » à une œuvre lorsque la modalité affirmative, voire le ton injonctif et polémique du texte, ou bien sa portée philosophique et la rupture qu'il crée dans l'inspiration littéraire, le justifient : ainsi, « Le Bateau ivre » (1871) est un poème-manifeste où Rimbaud* illustre l'art poétique* du Voyant ; *Ubu roi*, de Jarry* (1896), est une pièce-manifeste puisqu'elle s'oppose au naturalisme et qu'elle dépasse le symbolisme*.

→ **Breton, Dada, naturalisme, Pléiade, préface, prologue, surréalisme**

Marguerite de Navarre, 1492-1549

ŒUVRES PRINCIPALES
- **Poésie** : *Dialogue en forme de vision nocturne* (1525, publ. 1533), *Miroir de l'âme pécheresse* (1531), *Marguerites de la Marguerite des princesses* (1547).
- **Contes** : l'*Heptaméron* (posth. 1558-1559).
- **Théâtre** : quatre comédies bibliques (1535-1540) et sept profanes (1535-1549), *Comédie sur le trépas du Roy* (1547).

L'amour de la poésie

Dès son adolescence, Marguerite de Navarre s'adonne à la poésie, qu'elle développe dans deux directions : l'une tournée vers le monde, l'autre vers la religion.

Sa **poésie profane** contient des **poèmes d'amour**, empreints de néoplatonisme* et de pétrarquisme*, rédigés à la première personne

ou sous forme de dialogue entre des personnages imaginaires (*Les Quatre Dames et les Quatre Gentilhommes*) ; des **poèmes d'actualité**, dictés par les événements à la cour ; un dialogue fictif avec son frère décédé, *Le Navire*. Sa **poésie religieuse** est imprégnée d'analyses évangélistes, fruits de sa longue amitié avec l'évêque Briçonnet, et de réflexions théologiques.

Des contes moraux

L'*Heptaméron*, son œuvre la plus illustre, inspirée par le *Décaméron* de l'Italien Boccace, comporte soixante-douze nouvelles. Dix « devisants » que le hasard contraint à séjourner ensemble loin de chez eux, se divertissent en racontant chacun une histoire qui, le plus souvent, a trait à l'amour. Ces récits, à l'aspect parfois licencieux, visent à **plaire** et à **instruire**. Chaque histoire donne lieu à un débat dans lequel on retrouve les préoccupations mondaines, morales, spirituelles et mystiques de Marguerite de Navarre.

REPÈRES BIOGRAPHIQUES

→ Fille de Louise de Savoie et de Charles d'Orléans, sœur aînée du futur roi François Ier, Marguerite reçoit une éducation soignée déjà teintée d'humanisme* : on lui apprend le latin, l'italien, quelques rudiments de grec.

→ Après l'accession de son frère au trône de France (1515), elle vient vivre à la cour où, jusqu'en 1540, elle va jouer un rôle politique et culturel de premier plan. En 1525, elle se rend à Madrid pour négocier auprès de Charles Quint la libération de son frère, fait prisonnier à la bataille de Pavie. Veuve à trente-quatre ans, elle se remarie avec le roi de Navarre Henri d'Albret. Suivent quelques années sombres : elle perd successivement son fils âgé de six mois et sa mère, voit son recueil de poèmes le *Miroir de l'âme pécheresse* condamné en Sorbonne, et doit, en raison de ses positions religieuses évangélistes, quitter la cour après l'affaire des Placards (octobre 1534).

→ Retirée dans ses États de Nérac, Marguerite, l'une des femmes les plus cultivées de son temps, fait de sa cour un foyer de l'humanisme et accorde sa protection aux protestants. Parmi les écrivains qui l'ont entourée, on peut citer Marot*, Peletier du Mans, Étienne Dolet, Rabelais* qui lui dédie le *Tiers Livre*. Elle passe la fin de sa vie à écrire et méditer pieusement.

→ **humanisme, Marot, nouvelle, Rabelais**

m

Mariage de Figaro (Le),
Beaumarchais, 1784

RÉSUMÉ

Figaro apparaît pour la première fois, chez Beaumarchais, dans *Le Barbier de Séville*, où il aide son ancien maître, le comte Almaviva, à conquérir et épouser Rosine, jeune et belle pupille du vieux barbon Bartholo. L'action du *Mariage* se déroule trois ans plus tard : Figaro est le serviteur du comte mais, plus encore que dans *Le Barbier*, il est le véritable héros de la pièce. Son projet d'épouser Suzanne, la femme de chambre de Rosine (devenue la comtesse Almaviva), est contrecarré par le comte, grand seigneur libertin qui délaisse sa femme et aimerait obtenir les faveurs de la fiancée de Figaro. Celui-ci, aidé par Suzanne et la comtesse, déploie toute son ingéniosité pour obtenir une victoire complète sur son maître et épouser sa promise.

Bref historique de la pièce

Il fallut à Beaumarchais six ans de lutte acharnée contre la censure* et le pouvoir royal avant de pouvoir faire jouer *Le Mariage de Figaro*. Représentée le 27 avril 1784 à la Comédie-Française, cette grande comédie connaît un succès considérable qui s'étend à l'Europe entière. Mozart et son librettiste Lorenzo Da Ponte en tirent *Les Noces de Figaro*, opéra-comique créé à Vienne en 1786.

Espace et temps

L'**unité de temps***, qui tendait à concentrer l'action dramatique, est **distendue** au cours des cinq actes et des quatre-vingt-douze scènes de la pièce. Dans cette « folle journée », ce sont les soudaines accélérations du rythme qui caractérisent l'enchaînement vertigineux des situations. L'**élargissement du lieu théâtral** par des changements de décor à chaque acte offre aux personnages un espace de jeu et de liberté, à l'image de leur destin hasardeux et troublé (voir le célèbre monologue de Figaro [V, 2], où le héros s'interroge sur la « bizarre suite d'événements » qui forme sa destinée).

La satire d'un système social

Par le ballet de leurs évolutions, c'est l'édifice des conditions sociales que les personnages mettent en question. *Le Mariage de Figaro* dénonce les privilèges de la naissance, l'arbitraire de la justice, l'orgueil des grands. L'opposition classique entre maîtres et valets est dépassée au profit d'une confrontation plus générale entre nobles et roturiers, et enrichie par d'autres conflits : celui des sexes et celui des générations.

Chérubin, le jeune page amoureux

Dans ce spectacle de l'ambiguïté, où l'attendrissement se mêle parfois au rire de la franche comédie* et de la satire*, Chérubin, filleul de la comtesse et amoureux de sa belle marraine, incarne, par ses apparitions imprévues, ses déguisements et sa fantaisie, le chatoiement d'un monde où les êtres et les choses sont livrés au changement et au désordre du désir.

→ Beaumarchais, comédie, satire

Marie de France,
2e moitié du xiie siècle

ŒUVRES

• **Poésie :** *Lais* (1160-1178 ?), *Fables* ou *Ysopet* (1167-1189 ?), *Le Purgatoire de saint Patrick* (après 1189 ?).

Du lai aux *Lais*

Les lais sont de courtes pièces en vers provenant de vieilles traditions bretonnes, que chantaient les jongleurs au Moyen Âge en s'accompagnant à la harpe. À partir de ceux qu'elle connaissait, Marie de France écrit, en français, de courts récits en octosyllabes* à rimes* plates, relatant l'aventure évoquée dans le lai d'origine. Elle intitule son recueil, constitué de douze contes, *Lais*. Le titre du lai primitif, toujours cité, fait le lien avec le conte élaboré par Marie de France. Mais, surtout, Marie de France fait **œuvre littéraire** : les *Lais*, dépourvus d'accompagnement musical, sont purement narratifs ; certains mots, les traits de certains personnages, le cadre de certaines nouvelles dénotent aussi une inspiration livresque.

Des aventures merveilleuses

Les *Lais* de Marie de France empruntent leurs sujets à la « **matière de Bretagne** », c'est-à-dire aux légendes du cycle arthurien dont l'un des thèmes les plus riches est celui de l'Autre Monde, distinct du monde des chevaliers mais en communication avec lui. Les *Lais* se situent donc en Bretagne, à l'époque d'Arthur*, et évoquent des aventures merveilleuses peuplées de créatures fabuleuses : ainsi le héros de *Guigemar* voyage dans l'Autre Monde, sous la conduite d'un animal ; celui de *Bisclavret* se transforme en loup-garou ; celui de *Lanval* aime une jeune fille qui le transporte à jamais en Avallon ; l'héroïne de *Yonec* aime un chevalier qui se transforme en oiseau... Le *Lai du Chèvrefeuille* relate la rencontre de Tristan et d'Yseult*.

Sur fond de chevalerie et de légendes, savamment composé, le recueil des *Lais* entrelace les mêmes motifs, l'aventure amoureuse constituant le thème commun à tous les récits.

CITATION

« D'eux deux [*Tristan et Iseult*] il allait de même/ Comme du chèvrefeuille/ Qui s'attachait au coudrier :/ Une fois qu'il s'y est attaché et enlacé,/ Et qu'il s'est enroulé tout autour du tronc,/ Ils peuvent bien vivre longtemps ensemble,/ Mais si quelqu'un veut les séparer,/ Le coudrier meurt très vite,/ Et le chèvrefeuille aussi./ «Belle amie, ainsi est-il de nous :/ Ni vous sans moi, ni moi sans vous. » » (*Lai du chèvrefeuille*)

REPÈRES BIOGRAPHIQUES

➜ De la vie de Marie de France, on ignore à peu près tout. Elle doit son nom au président Fauchet qui, au XVIᵉ siècle, appelle ainsi l'auteur de trois ouvrages signés Marie, dont un *Ysopet* (recueil de traductions de fables antiques attribuées à Ésope, d'où le nom des recueils de ce genre) : « Me numerai pur remembrance : Marie ai num, si sui de France » (« Je me nomme Marie, je suis originaire de France »).

➜ Il semble qu'elle ait vécu à la cour d'Angleterre, dont Aliénor d'Aquitaine avait fait un grand centre de la culture française. Et c'est à deux Anglais, Henri II Plantagenêt et Guillaume de Mandeville, comte d'Essex, qu'elle aurait dédié respectivement ses *Lais* et son *Ysopet*. On l'identifie ordinairement soit à Marie, abbesse de Shaftesbury, fille naturelle de Geoffroi Plantagenêt, soit à Marie de Meulan ou à Marie de Beaumont, toutes les trois d'origine française et vivant en Angleterre dans la seconde moitié du XIIᵉ siècle.

➔ **Arthur, chanson, chanson de geste, Chrétien de Troyes, octosyllabe, troubadour**

marivaudage

n. m. Mot formé sur le nom de *Marivaux*, écrivain français du XVIIIᵉ siècle. **Sens historique** : style propre aux comédies de Marivaux, fait de préciosité* et de subtilité dans l'expression (ou la dissimulation) des sentiments amoureux. **Sens commun** : badinage, manège compliqué de la galanterie amoureuse.

Une forme de préciosité

Le terme de marivaudage apparaît dès le XVIIIᵉ siècle dans un **sens péjoratif**, pour critiquer le théâtre de Marivaux* auquel Voltaire* reprochait « de trop détailler les passions et de manquer quelquefois le chemin du cœur en prenant des routes un peu détournées ». C'est la nouveauté du style de Marivaux qui choque certains de ses contemporains. Si ceux-ci voient dans le langage de ses personnages ou les situations de ses comédies une excessive complexité, il revient à l'auteur des *Fausses confidences* d'avoir donné, des nuances de l'affectivité, des jeux de masque dont elle se pare, une image d'une subtilité rare et inédite.

La « préciosité* » de Marivaux découle de son **refus de la clarté* du discours au sens classique**. L'écrivain doit, selon lui, « faire entrevoir » les perpétuels et rapides « modifications » du sentiment, leur « étendue non exprimable de vivacité », par un art de la suggestion, du demi-mot qui remplace la pure et simple déclamation des passions (*Pensées sur la clarté du discours*, 1719).

Une science du sentiment

Le marivaudage, dans un **sens positif**, est donc l'**art de suggérer les troubles du cœur**, les « surprises de l'amour », le retard de la conscience sur le sentiment, l'inconstance amoureuse, les déguisements de l'amour-propre chez les hommes, ces « porteurs de visage ».

Ce qui semble un badinage est un **jeu souvent sérieux**, **parfois cruel**, qui met la sincérité à l'épreuve des mensonges et des conventions de la vie sociale, où les mots sont piégés et où les regards et les gestes doivent suppléer la parole : « Il y a des manières qui valent des paroles ; on dit "je vous aime" avec un regard, et on le dit bien » (*Les Serments indiscrets*).

Le marivaudage est donc moins une obscure métaphysique des sentiments qu'une tentative pour leur donner un langage plus riche et plus authentique.

➔ **Marivaux, préciosité**

m

Marivaux
(Pierre Carlet de Chamblain de), 1688-1763

ŒUVRES PRINCIPALES

• **Théâtre**: *Arlequin poli par l'amour* (1720), *La Surprise de l'amour* (1722), *La Double Inconstance* (1723), *Le Jeu de l'amour et du hasard* (1730), *Le Triomphe de l'amour* (1732), *Les Fausses Confidences* (1737).
• **Romans**: *La Vie de Marianne* (1726-1741), *Le Paysan parvenu* (1735).

L'épreuve des sentiments

Le sentiment est, selon Marivaux, seul capable de nous « donner des nouvelles un peu sûres de nous ». Les « surprises de l'amour », ses premiers émois et ses premières blessures sont au cœur de son œuvre qui met en scène des personnages étonnés par leurs propres passions, aptes à se tromper et à tromper les autres. Pour lever les masques, une expérience imprévue s'impose, une épreuve de vérité (*L'Épreuve*, 1740), un « dépouillement des âmes » parfois douloureux qui mène souvent, au dénouement*, au « triomphe de l'amour ». Le jeu de l'amour et de la vérité est annoncé par le titre même des comédies : *Le Prince travesti* (1724), *La Fausse suivante* (1724), *Les Serments indiscrets* (1731), *Les Fausses confidences*…

La société en jeu

Si les sentiments sont si difficiles à (s') avouer, c'est que la société y fait obstacle, imposant des mariages de convention, des rôles distincts et figés pour l'homme et la femme, le paysan et le seigneur, le maître et le valet. Les romans et les comédies de Marivaux introduisent dans ces règles sociales **un certain désordre, un « jeu »**. *Le Paysan parvenu* présente le parcours d'un roturier ambitieux tandis que *La Vie de Marianne* raconte, sous la forme d'une pseudo-autobiographie*, l'apprentissage social et sentimental d'une orpheline qui veut obtenir du monde la reconnaissance de ses mérites tout en échappant aux pièges du libertinage*. Les « **comédies philosophiques** » vont plus loin en imaginant l'inversion des rôles traditionnels des maîtres et des esclaves (*L'Île des esclaves*, 1725), des hommes et des femmes (*La Colonie*, 1729). Si tout rentre finalement dans l'ordre, c'est que Marivaux se veut moins réformateur que moraliste*.

La création verbale

Il innove pourtant avec la création d'un **style particulier** que ses contemporains ont appelé « **marivaudage*** » : association inédite de mots, raffinements du sous-entendu, du double langage dans les dialogues qui prennent le tour d'une conversation brillante à force d'esprit. Le dramaturge cultive le quiproquo* et joue sur un « **double registre** » (J. Rousset) qui oppose regardants et regardés, trompeurs et trompés, maîtres et victimes du jeu.

Souvent gaie, parfois pathétique, l'œuvre de Marivaux repose sur un **réseau** mouvant **de tensions** : celles entre la vérité et les apparences, la lucidité et l'illusion, les hommes et les femmes, les maîtres et les valets, celles du langage lui-même plus riche en émotions qu'en certitudes.

REPÈRES BIOGRAPHIQUES

→ Issu de la petite noblesse, Marivaux délaisse la faculté de droit pour une carrière littéraire. Il fréquente le salon de Mme de Lambert où brille l'esprit des Modernes. Ruiné par la banqueroute de Law, Marivaux trouve dans le théâtre les moyens de vivre. Il connaît le succès dès 1720 avec une féerie, *Arlequin poli par l'amour* puis, pendant plus de vingt ans, grâce à ses comédies (*La Double Inconstance*, *Le Jeu de l'amour et du hasard*, *Les Fausses Confidences*).

→ La réflexion de Marivaux moraliste, analyste des sentiments et de la société, s'exprime aussi dans les journaux qu'il crée et publie entre 1721 (*Le Spectateur français*) et 1734 (*Le Cabinet du philosophe*), ainsi que dans deux romans (*La Vie de Marianne* et *Le Paysan parvenu*). Il est élu à l'Académie française* en 1742.

→ L'œuvre de Marivaux rêve d'un « monde vrai » et éclaire les faux-semblants, les vanités et les ambitions qui caractérisent la vie sentimentale et sociale. Le lieu où s'affrontent mensonge et vérité est le langage, dont l'écrivain souligne les ambiguïtés grâce à la mécanique précise de ses pièces et aux analyses subtiles de ses journaux et romans.

→ **commedia dell'arte, Jeu de l'amour et du hasard (Le), marivaudage, théâtre**

Marot
(Clément), 1496-1544

ŒUVRES PRINCIPALES

• **Poésie**: *Petite Épître au Roi* (1516), *Épître du dépourvu* (1518), *Épître à Lyon Jamet* (1526), *Épître au Roi, pour le délivrer de prison* (1527), *Épître au Roi, pour avoir été dérobé* (1531), *L'Adolescence clémentine* (1532), *Épître au Roi du temps de son exil à Ferrare* (1536), *Épître de Frippelippes, valet de Marot, à Sagon* (1537), *Trente Psaumes de David mis en rimes françaises* (1541), *L'Enfer* (1542), *Psaumes* (1543).

Entre tradition médiévale et renouveau

La **tradition des Grands Rhétoriqueurs**, avec laquelle son père l'a familiarisé, est sensible dans le travail de Marot sur le langage : il utilise en particulier les rimes* équivoquées, les rimes batelées, les rimes en écho et divers jeux de mots mis au service des prières qu'il adresse dans ses *Épîtres*. Marot pratique les **formes poétiques médiévales** comme le rondeau* et la ballade*, et certains poèmes expriment la nostalgie de l'ancien temps (« De l'amour du siècle antique »).

Mais il pratique aussi les **formes modernes** : celles qui, dans la tradition humaniste, sont imitées de l'antique, comme l'épigramme*, l'élégie*, l'épître*, la satire*, et celles qui sont empruntées à l'italien comme le sonnet*, dont on peut dire qu'il est le premier à l'avoir introduit en France. Particulièrement attentif à la précision du lexique, il écrit des vers simples et naturels, procédant à des rapprochements originaux entre les mots et à l'allègement grammatical de la phrase.

Une poésie personnelle

Marot renouvelle l'expression de la poésie amoureuse par le caractère personnel, voire confidentiel, de ses élégies et de ses épigrammes, en particulier celles adressées à « Anne » (sans doute Anne d'Alençon, une nièce de Marguerite de Navarre). Mais c'est dans les *Épîtres* que le poète fait preuve de la plus grande originalité, par la sincérité de la confidence privée et la diversité des thèmes et des tons. Les plus célèbres sont celles qu'il adresse au roi, à qui il demande de l'argent (*Au Roi, pour avoir été dérobé*) ou sa libération (*Au Roi, pour le délivrer de prison*). Dans un **style simple et libre**, le poète y fait le récit de sa vie (« J'eus à Paris prison fort inhumaine »), de son

exil et de ses difficultés avec les autorités (« De France, hélas ! suis banni désolé »).

Ces confidences, pour douloureuses qu'elles soient, sont toujours exprimées avec humour*, légèreté et distance, à travers des récits qui les mettent en images, comme l'épître *À son ami Lyon*, qui reprend une fable d'Ésope et dont s'inspirera La Fontaine*. Marot utilise beaucoup de verbes d'action, enchaîne avec vivacité les séquences narratives et rend comiques des situations difficiles. Cet art de quémander avec fantaisie fut efficace puisque le roi répondit aux demandes du poète.

Une poésie polémique

Les démêlés de Marot avec l'autorité s'expriment dans ses demandes au roi et dans des **textes violemment polémiques et politiques**. Dans l'épître *Au Roi, pour le délivrer de prison*, transparaît l'hostilité du poète à l'égard de la force publique et de la justice : les sergents y sont traités de « pendards » et de « pillards ». Mais la plus représentative des attaques de Marot contre l'autorité – en l'occurrence la justice – est la satire allégorique de *L'Enfer* (1526) : le Châtelet y devient l'Hadès, les procès sont des serpents redoutables, l'avocat est le « mordant » et le « criart », le juge est inhumain. Marot dénonce une justice injuste, corrompue et cruelle, et égratigne au passage une Église catholique peu charitable.

Le talent de polémiste de Marot peut aussi s'exercer contre des personnes privées : l'*Épître de Frippelippes* s'en prend violemment à François Sagon, un obscur rimailleur qui avait voulu profiter de l'exil du poète pour lui ôter l'estime du roi. Dans cette satire, supposée écrite par Frippelippes, le valet de Marot, Sagon est traité de bête et battu : « Zon dessus l'œil, zon sur le groin,/Zon sur le dos du sagouin. »

CITATION

• **Le style marotique**

« En m'ébattant je fais rondeaux en rime,/Et en rimant bien souvent je m'enrime ;/Bref, c'est pitié d'entre nous rimailleurs,/Car vous trouvez assez de rimes ailleurs,/Et quand vous plaît, mieux que moi rimassez. » (*Petite Épître au Roi*)

REPÈRES BIOGRAPHIQUES

➜ Fils du rhétoriqueur Jean Marot, Clément passe son enfance dans le Quercy. Son éducation est sommaire : il ne sait pas le grec et à peine plus de latin. Il arrive à la cour en 1506 et compose, en hommage à

François Ier qui vient d'accéder au trône, *Le Temple de Cupido*, pièce de cinq cents vers se rattachant à la tradition des Grands Rhétoriqueurs. En 1518, grâce à une ballade qu'il compose pour elle, il entre au service de Marguerite d'Angoulême, la future reine de Navarre.

➔ Traducteur de Virgile, proche des humanistes et soupçonné d'évangélisme, Marot est accusé « d'avoir mangé du lard en carême » et emprisonné en 1526 au Châtelet, d'où le font sortir des amis haut placés. C'est à cette occasion qu'il compose son poème *L'Enfer*, violente satire contre la justice. À nouveau incarcéré en 1527, il adresse une épître au roi, qui le fait libérer et le prend comme valet de chambre. Marot devient le poète officiel de la cour.

➔ En 1534, accusé d'hérésie après l'affaire des Placards, il s'enfuit d'abord à Nérac auprès de Marguerite de Navarre*, puis à la cour de Ferrare, refuge de nombreux protestants. Il peut rentrer en France à la fin de l'année 1536, à condition d'abjurer ses erreurs. Cependant, la parution des *Trente Psaumes* en 1541, immédiatement condamnés par la Sorbonne, puis la publication de *L'Enfer* par Dolet en 1542 l'obligent à s'exiler à Genève. Rejeté par les calvinistes qui se souviennent de l'abjuration de 1536, Marot se réfugie à Chambéry puis à Turin, où il meurt en 1544.

➔ **formes fixes, pétrarquisme, rhétoriqueurs, sonnet**

Martin du Gard
(Roger), 1881-1958

ŒUVRES PRINCIPALES
- **Romans :** *Devenir !* (1909), *Jean Barois* (1913), *Les Thibault* (8 vol., 1922-1940).
- **Théâtre :** *Le Testament du père Leleu* (1914), *La Gonfle* (1931).

Un héritier lucide

Fervent admirateur de Tolstoï, Martin du Gard a été décrit comme un **héritier du roman*** **naturaliste**. Qu'il s'agisse d'évoquer la Grande Guerre dans *Les Thibault*, ou l'affaire Dreyfus dans *Jean Barois*, ce rationaliste utilise une documentation minutieuse, qu'il fond dans une **narration de facture classique**. Ses romans témoignent toujours d'un vif souci de composition architecturale, et Martin du Gard s'efforce de lier les trajectoires individuelles au mouvement de l'Histoire, se donnant pour ambition d'aborder les sujets les plus ambitieux ou les plus délicats : le conflit entre la foi et le matérialisme (*Jean Barois*), l'homosexualité (*Un taciturne*), l'inceste (*Confidence africaine*, 1931), l'engagement et le sacrifice (*Les Thibault*).

Étranger à tout esprit d'avant-garde, peu enclin aux raffinements d'un style artiste, Martin du Gard développe dans les huit volumes des *Thibault* une vaste **réflexion sur l'art et l'Histoire**, à travers le récit de la vie de deux frères, Antoine et Jacques, l'un scientifique, l'autre artiste. Le cycle est dominé par *L'Été 14*, dont les mille pages évoquent minutieusement les deux derniers mois de l'avant-guerre.

Une œuvre diversifiée

De la somme romanesque des *Thibault* aux **farces*** (*Le Testament du père Leleu*, *La Gonfle*), des **nouvelles*** (*Confidence africaine*) à un album de croquis villageois (*Vieille France*, 1932), et jusqu'au **drame*** (*Un taciturne*, 1931), Martin du Gard a exploré toutes les voies de la prose.

Proche ami du directeur du théâtre du Vieux-Colombier, Jacques Copeau, Martin du Gard est marqué par son goût du théâtre : en témoigne la forme dialoguée du roman *Jean Barois*.

Le *Journal* (1919-1949, publié après sa mort) révèle un Martin du Gard parfois inattendu : inlassable observateur de la vie littéraire, il conte aussi avec franchise et non sans brutalité sa vie conjugale, ainsi que sa passion extrême pour sa fille.

CITATION

• **Le refus de la guerre**

« La guerre *défensive* !... La guerre légitime, la guerre *juste* !... Vous ne voyez donc pas que c'est l'éternelle duperie ! Vous aussi, vous allez vous y laisser prendre ? Il y a trois heures que la mobilisation est décrétée, et voilà déjà où vous en êtes ! » (*Les Thibault, L'Été 14*)

REPÈRES BIOGRAPHIQUES

→ Roger Martin du Gard naît en 1881 au sein d'une famille bourgeoise. Sa vocation littéraire s'affirme très tôt, mais il suit d'abord une formation d'archiviste et ne publie son premier roman qu'en 1909 (*Devenir !*), roman de formation désabusé de sa génération. C'est son second roman, *Jean Barois* (1913), qui retient l'attention du groupe de la NRF*, auquel il sera désormais associé. Martin du Gard noue avec Gide* une amitié qui durera jusqu'à la mort de ce dernier en 1951 : il rend alors à son ami un hommage lucide et passionné (*Notes sur André Gide*, 1951).

→ Apprécié pour sa droiture et sa générosité, Martin du Gard devient durant l'entre-deux-guerres le conseiller de ses amis écrivains : Jouhandeau, Gide, et surtout Eugène Dabit. Il laisse une correspondance monumentale qui témoigne de son culte de l'amitié. En 1920, il se lance dans une entreprise ambitieuse : le cycle romanesque des *Thibault*, qu'il achève en 1940.

→ Le prix Nobel lui vaut une notoriété internationale, et vient couronner en 1937 une œuvre humaniste et lucide. Sa mort en 1958 ne lui permet pas d'achever son dernier grand roman, *Maumort*.

→ **Gide, roman**

Maupassant
(Guy de), 1850-1893

ŒUVRES PRINCIPALES

• **Contes** : *La Maison Tellier* (1881), *Mademoiselle Fifi* (1882), *Les Contes de la Bécasse* (1883), *Miss Harriet* (1883), *Les Contes du jour et de la nuit* (1885), *Le Horla* (1887).
• **Romans** : *Une vie* (1883), *Bel-Ami* (1885), *Mont-Oriol* (1887), *Pierre et Jean* (1888), *Fort comme la mort* (1889).

Les « contes noirs »

De sa connaissance du pays cauchois, Maupassant tire les figures des *Contes de la bécasse*, des *Contes du jour et de la nuit* ou encore de *Miss Harriet*. Celles de paysans brutaux, tuant la bête par jeu et par fainéantise (*Coco*), prompts à juger sur une impression (*La Ficelle*), celles de personnages subordonnant toujours l'humanité à la perspective du gain : c'est le pêcheur Javel, « regardant à son bien », qui sacrifie le bras de son frère à la préservation de sa pêche (*En mer*) ; c'est le pharmacien qui accepte l'héritage de la pauvre rempailleuse qui l'importuna toute sa vie de son amour ; c'est Céleste se donnant au conducteur de la charrette qui l'emporte pour épargner le coût de la course (*L'Aveu*) ; c'est encore la jeune fille séduite dont on se débarrasse en marchandant son mariage avec un paysan qui la conduira au suicide (*Histoire vraie*)…

Tous ces contes*, qui ne sont pas exclusivement des contes paysans mais décrivent aussi les Prussiens de 1870, les petits notables de province ou les Parisiens en promenade à Chatou (*Un parricide*), sont comparables par leur **cruauté** et par leur **pessimisme**. Toute valeur humaine est entamée par les plus bas instincts.

L'art de narrer

Ces moments de corruption de l'âme sont jetés dans la pleine lumière de récits aussi cruels dans leur forme que dans leur contenu.

Le narrateur est souvent un homme qui prend la parole dans l'après-dîner, il est même parfois l'indigne protagoniste, écouté avec complaisance, d'une sinistre aventure passée (*Histoire vraie*). La **narration** est **linéaire**, ramassée aux moments décisifs en détails expressifs (les « mains rouges » de Mathilde déchue, dans *La Parure*), en expressions frappantes, nées de la rencontre inopinée d'un nom et d'une épithète, mais ne sentant jamais l'écrit, comme le préconisait Flaubert. La tension du récit progresse régulièrement jusqu'à la révélation, souvent marquée du sceau de l'ironie tragique (*Un parricide, La Parure*).

Le trait dominant des textes, plus ou moins brefs, de Maupassant, se trouve enfin dans la rapidité de la narration et la facilité des variations de points de vue*.

En ville

Le style de Maupassant révèle toute sa plasticité lorsqu'il passe à la forme romanesque : l'enjeu n'est plus exactement le même puisque *Bel-Ami** ne se propose rien moins que la satire* des milieux du journalisme et de la politique, tandis que *Mont-Oriol* évoque la haute banque et ses spéculations.

Malgré leur plus grande ampleur, ces romans ont du mordant, par le **caractère incisif du discours direct** et l'**évocation concrète** de l'empire mondain des signes. On citera volontiers le passage de *Bel-Ami* où Duroy vient d'accéder à la rédaction politique de *La Vie française* : « Il sentait grandir son influence à la pression des poignées de main et à l'allure des coups de chapeau. » Là encore, à la peinture naturaliste des différents cercles de la société, Maupassant ajoute souvent une nuance d'ironie* ou de sombre pessimisme (*Une vie*).

Le double

Il n'y a pas de solution de continuité entre les contes cruels et les **contes fantastiques** de Maupassant : un conte comme *La Peur* (*Contes de la Bécasse*), qui relie les deux inspirations, invite à relire les autres histoires de paysans et de pêcheurs en détectant dans « l'œil fou » ou dans l'obstination brute de certains personnages la trace d'une plus sourde et plus profonde menace. C'est une puissance du mal surnaturelle qui semble s'insinuer dans les caractères et qui bientôt apparaît distinctement. Un **leitmotiv** hante les récits de Maupassant, victime, à partir de 1883, d'hallucinations qui annoncent sa folie : c'est la **terreur du double**, apparaissant au narrateur un soir dans son fauteuil. (*Lui ?*), et bientôt, malgré la traque, donnant des preuves tangibles de sa présence et de sa puissance (*Le Horla*).

Les récits fantastiques de Maupassant jettent le doute sur le *je* de la narration, plongeant le lecteur dans un trouble semblable à celui des auditeurs du juge Bermutier dans *La Main*. Dans *Le Horla*, le narrateur nous parle depuis un point aveugle ; plus rien ne nous certifie à qui nous avons affaire ; la littérature entre alors dans l'exploration de la part d'ombre du moi.

REPÈRES BIOGRAPHIQUES

→ Maupassant passe toute sa jeunesse – heureuse et libre – dans le pays de Caux, entre Étretat et Yvetot, années durant lesquelles il rassemble la matière de ses « contes noirs » (contes paysans). Ses dix premières années à Paris, après la débâcle de 1870, sont celles d'un petit fonctionnaire comme le Loisel de la nouvelle *La Parure*. Le dimanche, il fait du canotage sur la Seine qu'il aime passionnément. Il cultive son amitié avec Flaubert*, qui encourage et guide ses débuts littéraires. Publiée dans *Les Soirées de Médan* (1880) patronnées par Zola*, la nouvelle* *Boule de Suif* remporte un succès immédiat qui propulse Maupassant dans la carrière d'écrivain.

→ En une dizaine d'années, il publie près de six cents chroniques et nouvelles, devient un écrivain puissant et mène une vie de plus en plus luxueuse entre Paris et la Méditerranée, dans un environnement nouveau qui lui permet de renouveler son inspiration. Il privilégie alors des formes plus longues comme le roman* (*Bel-Ami**, 1885).

→ Cependant, les suites d'une syphilis contractée dans sa jeunesse, les troubles mentaux hérités de sa mère, viennent miner son existence. La nouvelle *Le Horla* (1886-1887), ou bien *Lui ?* (1883) et ses autres contes fantastiques rendent compte d'une folie dont les progrès rapides condamnent l'écrivain à l'internement. Enfermé en 1892 dans la clinique du docteur Blanche, à Passy, il y meurt dix-huit mois plus tard dans un état d'inconscience totale.

→ *Bel-Ami*, Flaubert, naturalisme, réalisme, Zola

Mauriac
(François), 1885-1970

ŒUVRES PRINCIPALES
• **Romans** : *Le Baiser au lépreux* (1922), *Génitrix* (1923), *Le Désert de l'amour* (1926), *Thérèse Desqueyroux* (1927), *Le Nœud de vipères* (1932), *Le Mystère Frontenac* (1933), *La Pharisienne* (1941), *Un adolescent d'autrefois* (1969).
• **Autobiographie** : *Mémoires intérieurs* (1959).

La lande et la vigne

« Aucun drame ne peut commencer de vivre dans mon esprit si je ne le situe dans les lieux où j'ai toujours vécu », écrit Mauriac.

Ses romans ont un **cadre presque immuable** : sa région bordelaise natale avec ses demeures bougeoises fermées sur leurs secrets de famille, les maisons de campagne du vignoble ou de la forêt, symboles d'une puissance et d'un enracinement terriens. Ce **décor** n'est **jamais neutre** : il donne sens à l'action, il est le miroir des sentiments. Les bois solitaires d'Argelouse deviennent la prison où Bernard Desqueyroux relègue sa femme, Thérèse, après qu'elle a tenté de l'empoisonner (*Thérèse Desqueyroux*). Les vignes de Louis, le narrateur du *Nœud de vipères*, menacées par la grêle, représentent sa vie en proie aux tourments. Bordeaux « qu'assiègent jusqu'à ses portes les pins et le sable où la chaleur se concentre, s'accumule » est ce « désert de l'amour » auquel semble condamné Raymond Courrèges. Ce **réseau d'images récurrentes** (la lande et la vigne surtout) donne toute sa cohérence poétique et sa force symbolique à l'évocation d'un double univers : le cercle de la famille et celui de la conscience.

Un double nœud

On ne peut séparer, chez Mauriac, la **peinture sociale** de la bourgeoisie bordelaise et l'**exploration intérieure** des êtres qui représentent ce milieu ou que celui-ci aliène.

Pour symboliser la complexité conflictuelle des relations familiales et celle des passions qui, dans une large mesure, en découlent, l'écrivain utilise la même image : celle du « **nœud de vipères** » qui en dit l'imbrication et la violence latente. Les sentiments de solitude, d'incompréhension, de jalousie, de haine qui minent de l'intérieur les personnages mauriaciens ne prennent sens que dans le cadre resserré, conformiste jusqu'à l'étouffement, de ces familles dominées par des mères possessives (*Génitrix*), des maris sans amour (*Thérèse Desqueyroux*), des pères ennemis de leurs propres enfants (*Le Nœud de vipères*). Sous le regard sans complaisance du romancier, les mœurs de cette société pharisienne, murée dans ses préjugés, obsédée par l'avoir plus que par la charité, sortent de l'ombre.

Plus difficile est la plongée dans les âmes. Pour « exprimer cet immense monde enchevêtré, toujours changeant, jamais immobile, qu'est une seule conscience humaine », Mauriac déploie toutes les ressources de son art : les monologues intérieurs[*] de Thérèse éclairent les motifs profonds de cette « empoisonneuse » (*Thérèse Desqueyroux*) ; la confession de Louis confrontée à la voix de sa femme multiplie les points de vue[*] sur un même drame conjugal (*Le Nœud de vipères*) ; le discours indirect libre permet de saisir les dernières pensées de Mathilde agonisante et toute la haine secrète de sa belle-mère dans *Génitrix*. Chez ces personnages souvent voués au mal, l'écrivain, soucieux d'éviter la simplification qui lui semble attaché au roman, n'hésite pas à « renverser les rôles », à chercher « dans le bourreau la victime et dans la victime le bourreau ».

La lumière et l'amour

À ses héros, « fils de ténèbres », Mauriac, ce « catholique qui écrit des romans » (selon son expression), restitue parfois leurs « droits à la lumière, à l'amour et, d'un mot, à Dieu ». Par un renversement pascalien, il affirme qu'« un homme aussi misérable qu'il soit, peut commencer l'apprentissage de la sainteté » (*Le Romancier et ses personnages*, 1933). C'est à ce coup de théâtre sur la scène du cœur humain qu'assiste le lecteur du *Nœud de vipères* lorsque Louis, le héros du roman, jusque-là « ennemi des siens » et indifférent à Dieu, meurt touché par la grâce.

Omniprésents, les **thèmes chrétiens** de la tentation, de la souffrance et de la rédemption par l'amour et la pitié donnent à l'ensemble de l'œuvre mauriacienne sa touche mystique.

Désert de l'amour, *Thérèse Desqueyroux*, *Le Nœud de vipères*, autant de peintures d'une société provinciale qu'il connaît bien. Il est élu à l'Académie française* en 1933.

➜ Pendant la Seconde Guerre mondiale, il prend le parti de la Résistance et du général de Gaulle dont il restera un fidèle soutien. « Mauvaise conscience de la bourgeoisie conservatrice », critiqué à droite comme à gauche, le « plus vieil insulté de France » (selon sa propre expression) garde son indépendance d'esprit en stigmatisant le colonialisme.

➜ Polémiste redouté et brillant essayiste, il tient une chronique (le *Bloc-notes*) dans différentes revues de 1952 à 1970. Il reçoit le prix Nobel de littérature en 1952 et termine sa vie comblé d'honneurs.

→ **Bernanos, Green**

maxime

n. f. Du latin *maxima* (sous-entendu *sententia*), « sentence la plus grande, la plus générale ». **Sens général** : précepte, règle de conduite ou de vie. **Sens historique** : au xviie siècle, formule brève et frappante exprimant une proposition universelle en matière de morale ou de psychologie. La Rochefoucauld* fait de la maxime un genre littéraire, imité par Vauvenargues et Chamfort au xviiie siècle.

Origine de la maxime

Les formes brèves existent dans l'Antiquité : aphorismes*, épigrammes*, sentences*… Les **sentences**, à l'origine, sont des phrases extraites d'ouvrages, et ont une vocation pédagogique et morale. Elles expriment une **vérité générale**, d'ordre psychologique et moral. La **maxime**, selon l'étymologie, serait une sentence à caractère encore plus général. Mais, au xviie siècle, le terme a aussi un **sens prescriptif**, celui de précepte ou règle de vie : « C'est la maxime qui fait les grands hommes » (Bossuet*). Arnolphe, dans *L'École des femmes* de Molière*, compose des « Maximes du mariage » : « Celle qu'un lien honnête/Fait entrer au lit d'autrui/Doit se mettre dans la tête,/Malgré le train d'aujourd'hui,/Que l'homme qui la prend ne la prend que pour lui. » (Première maxime du mariage.)

Un genre littéraire

C'est avec **La Rochefoucauld** que la maxime acquiert la dignité d'un **genre littéraire**. Elle perd son caractère prescriptif pour exprimer une **loi psychologique**. Elle définit plus qu'elle n'ordonne. Surtout, elle s'écarte de la banalité et de l'impersonnalité de la sentence : la maxime de La Rochefoucauld, par l'obscurité relative de sa formulation, par l'ironie* ou par le paradoxe*, laisse apparaître la présence d'un auteur qui cherche à surprendre son lecteur pour l'inciter au questionnement (« C'est presque toujours la faute de celui qui aime de ne pas connaître quand on cesse de l'aimer », *Maximes*, 371). Les *Maximes* de La Rochefoucauld visent à démasquer les **ruses de l'amour-propre** et la forme choisie reflète le caractère provocateur de la démarche.

Née d'une pratique individuelle, mais partagée par les habitués du cercle de Mme de Sablé (qui en écrit également), la maxime correspond à la **sociabilité aristocratique des salons***. Son caractère problématique appelle les commentaires d'un public d'initiés, et son souci de la brièveté porte la marque des « grands esprits » : « Comme c'est le caractère des grands esprits de faire entendre en peu de paroles beaucoup de choses, les petits esprits au contraire ont le don de beaucoup parler, et de ne rien dire. » (La Rochefoucauld, *Maximes*, 142.)

La maxime après La Rochefoucauld

La Bruyère*, dans ses *Caractères*, refuse le terme de maxime, dont il dénonce le caractère « législateur » et obscur, et propose celui de **remarque**. Au xviiie siècle, Vauvenargues reprend la forme inventée par La Rochefoucauld, pour exprimer une morale plus optimiste (*Réflexions et maximes*, 1746) ; Chamfort renoue avec le caractère provocateur du genre dans ses *Maximes et pensées, caractères et anecdotes* (posth. 1795).

Le discours fragmentaire, qui s'oppose à la linéarité du traité*, se poursuit jusqu'au xxe siècle mais perd l'appellation de maxime au profit de celle d'**aphorisme*** notamment. Il semble en effet que la maxime ait partie liée avec une idéologie classique qui se fonde sur une psychologie visant à saisir l'essence de l'homme, considérée comme immuable à travers les siècles.

→ **aphorisme, La Bruyère, La Rochefoucauld, moraliste, sentence**

Médée

Le nom de Médée, princesse de Colchide et redoutable magicienne, est lié à celui de Jason et de ses compagnons, les Argonautes, et au mythe* de la Toison d'or.

Médée et la Toison d'or

Fille du roi Aiétès, Médée tombe amoureuse de Jason, le chef des Argonautes, et l'aide à conquérir la fameuse toison de bélier, s'opposant ainsi aux volontés de son père qui, soucieux de décourager Jason, lui imposait des épreuves impossibles à surmonter. Contre une promesse de mariage et de fidélité jusqu'à la mort, Médée fournit à Jason les onguents et breuvages qui lui permettent de triompher de ces épreuves et de s'emparer de la Toison d'or. Puis elle prend la fuite avec Jason, attire dans un piège son frère Apsyrtos lancé à sa poursuite et découpe son corps en morceaux. De retour en Grèce, Jason se venge du roi Pélias, son oncle, qui l'a envoyé conquérir la Toison pour l'éloigner d'un trône dont il était l'héritier légitime : persuadé par Médée que, mis à bouillir dans un chaudron, il recouvrerait sa jeunesse, Pélias meurt découpé en morceaux par ses propres filles.

La mère monstrueuse

Jason et Médée gagnent alors Corinthe où ils passent des années heureuses avant que le roi Créon ne propose à Jason de lui donner sa fille, la jeune Glauké, en mariage. Folle de colère et de chagrin, l'épouse délaissée décide de se venger : elle offre à Glauké une tunique qui s'enflamme dès qu'elle l'a revêtue. Puis elle tue Créon et les deux enfants qu'elle a eus avec Jason, pour leur éviter, selon Euripide, de tomber en des mains étrangères mais aussi pour punir Jason.

Après cet acte monstrueux, Médée trouve son salut dans l'exil, usant de ses talents de magicienne pour guérir ou pour empoisonner. Bannie d'Athènes, elle retourne en Colchide, d'où, devenue immortelle, elle partira pour les Champs Élysées.

Une figure mythique aux cent visages

L'histoire de Médée, riche de multiples péripéties* et variantes, se prête à des **interprétations très diverses**. Tantôt, à la suite d'Euripide, on a insisté sur le **drame psychologique**, sur les déchirements de l'**amante jalouse** et la violence aveugle de la **mère infanticide**. Tantôt on a vu en elle une figure de l'**éternelle exilée**, de la femme errante, de l'**étrangère maléfique**. Venue d'un monde barbare, la Colchide, elle est une Orientale qui, liée aux puissances occultes, vient jeter le désordre et le chaos dans le monde grec, celui de la raison et de l'harmonie. Elle sera l'emblème des « damnés de la terre » dressés contre un colonisateur qui impose sa « civilisation ».

Pour d'autres, plus proches de la source mythique, la petite-fille d'Hélios fait le lien entre le monde divin et le monde humain : elle représente la **dimension sacrée**, avec son poids de terreur primitive, au moment où la rationalité grecque va triompher. Certains voient en elle une femme qui refuse l'ordre masculin et sa logique obtuse.

Personnage ambivalent, Médée reste cette magicienne capable de rendre aux êtres la jeunesse ou la vie, et qui, muée en sorcière, a dû le plus souvent faire un usage funeste de ses pouvoirs.

Un mythe intemporel

Le personnage de Médée a connu une **grande fortune littéraire**. C'est le poète tragique grec Euripide qui, dans sa *Médée* (431 av. J.-C.), fixe la figure de la mère infanticide, déchirée entre sa soif de vengeance et sa pitié pour ses enfants, lui conférant une **grandeur tragique** qui ne cessera de fasciner écrivains, musiciens (Charpentier, 1693 ; Cherubini, 1797) et cinéastes (Vauthier, 1966 ; Pasolini, 1969). De Sénèque, écrivain romain du 1er siècle après J.-C. et adepte du stoïcisme*, à Jean Anouilh* au XXe siècle (*Jason*, 1942), on ne compte plus les œuvres qui, en France et à l'étranger, insistent tour à tour sur la magicienne, l'empoisonneuse, l'amoureuse maléfique (celle à laquelle Apollinaire* fait allusion dans *Les Colchiques*), la mère criminelle ou l'éternelle exilée.

Figure à la fois terrifiante et bouleversante, elle a notamment inspiré la *Médée* de Pierre Corneille (1639) et *Médée-Matériau* (1982-1984), d'Heiner Müller qui, à travers le mythe grec, radiographie les maux du monde contemporain.

→ cinéma et littérature, mythe, Œdipe, tragédie

m

mélodrame

n. m. Du grec *melos*, « chant, musique » et *drama*, « action ». **Sens primitif** : partie chantée d'une œuvre dramatique.
Au xixᵉ siècle : drame populaire à grand spectacle cherchant à susciter des émotions violentes chez le spectateur. Le terme « mélodrame » ou « mélo » a pris aujourd'hui un sens péjoratif et désigne les spectacles visant un pathétique* caricatural.

Origine du mélodrame

Héritier du drame* bourgeois par sa **recherche de l'attendrissement et du pathétique**, le mélodrame est écrit « pour ceux qui ne savent pas lire », affirme Guilbert de Pixérécourt, directeur du théâtre de la Gaîté de 1825 à 1835 et maître incontesté du genre. Le mélodrame triomphe au début du xixᵉ siècle sur le boulevard du Temple (le « Boulevard du crime ») en privilégiant le « plaisir des yeux », le grand spectacle, les émotions plus que la réflexion. Ses intrigues* s'inspirent du roman noir ou des drames allemands (des *Brigands* de Schiller, notamment).

Techniques et influences du mélodrame

Pour créer un climat de terreur ou d'émerveillement, le mélodrame recourt à des mises en scène grandioses (châteaux forts, ruines, souterrains, forêts), de sombres intrigues, des personnages caricaturaux et parfois fantastiques (brigands, fantômes…), des affrontements manichéens qui aboutissent généralement à la punition du méchant, du traître et au salut providentiel de son innocente victime.
Le **drame romantique* s'est** largement **inspiré** des techniques spectaculaires **du mélodrame** dans ses décors, ses coups de théâtre*, sa dimension pathétique. Il le dépasse toutefois par la complexité de ses dimensions humaine et historique.

→ **drame, drame romantique, pathétique**

mémoires

n. m. pl. Du latin *memoriae, -arum*, « annales historiques », pluriel de *memoria*, « mémoire ». **Sens strict** : relation d'événements, publics ou privés, dont le narrateur a été le témoin ou auxquels il a participé. **Sens large** : tout récit plus ou moins autobiographique : confessions*, journaux* intimes, romans*.

Un genre ambigu

Dès l'origine, au xviᵉ siècle, l'ambiguïté des mémoires se caractérise par la **tension du moi avec l'Histoire**. À l'époque, les mémoires n'évoquent que la carrière et les rapports d'un individu avec la communauté sociale. **L'homme privé n'apparaît pas**, ou peu. Le mémorialiste s'apparente donc à l'historien. Mais, loin de viser l'objectivité propre au travail de celui-ci, celui-là se pose toujours en partisan, juge d'une société. Pour des disgraciés, la rédaction des mémoires est souvent un moyen de s'autojustifier : c'est le cas de Saint-Simon*, de La Rochefoucauld*, ou du cardinal de Retz*. Qu'ils destinent ou non leurs écrits à la publication, les mémorialistes n'hésitent pas à passer sous silence ou à grossir certains faits, à en infléchir d'autres, pourvu que l'image du moi ainsi constituée paraisse positive.
À partir du xviiiᵉ siècle, une deuxième ambiguïté vient s'ajouter à la première. L'individu en tant que tel occupant une place grandissante, le moi établit désormais une distance entre lui et le monde. Dès lors, écrire une autobiographie* devient possible. **Le récit de vie contamine le récit historique des mémoires**. Du coup, les mémoires peuvent même relever de la seule fiction, comme les *Mémoires et aventures d'un homme de qualité* (1728-1731) de l'abbé Prévost*. Le chef-d'œuvre du genre reste cependant les *Mémoires d'outre-tombe* (1849-1850) dans lesquels, à partir de l'éparpillement de sa vie, Chateaubriand* reconstruit rétrospectivement un moi unique.

Un genre typiquement français

Si l'Angleterre connaît quelques mémorialistes tels que Samuel Pepys (1633-1703) ou Fanny Burney (1752-1840), si le partage de la Hongrie au xviiᵉ siècle suscite des mémoires, comme ceux de János Kémény (1607-1662) ou Kata Bethlen (1700-1759), c'est en France que le genre se développe avec une abondance particulière. Dès le xviiᵉ siècle, mémoires d'État comme ceux du cardinal de Richelieu, mémoires de la vie de cour, mémoires du Parlement de Paris, mémoires de la vie de hauts personnages se multiplient.
Le xviiiᵉ siècle poursuit avec Saint-Simon* (1675-1755) la tradition mémorialiste mais celle-ci se teinte souvent d'une **pointe libertine**. *Les Confessions* de Rousseau* donnent aux mémoires un tour plus intime et, désormais, on se raconte en racontant l'Histoire, comme

Restif de La Bretonne* dans *Monsieur Nicolas* (1794-1797).

Le XIXe siècle, marqué par le succès du *Mémorial de Sainte-Hélène* (journal de captivité de Napoléon rédigé par le comte de Las Casas) en 1823, développe le genre en privilégiant l'expression du moi intime.

À notre époque, les mémoires foisonnent, la **frontière** étant devenue très **floue entre l'autobiographie, le journal, et le récit historique**.

Refusant la structure chronologique du genre, André Malraux* a publié les réflexions que lui ont inspirées certaines de ses expériences et rencontres sous le titre *Antimémoires* (1967).

→ **autobiographie, biographie, Chateaubriand, confession, journal, La Rochefoucauld,** *Mémoires d'outre-tombe,* **Prévost, Restif de La Bretonne, Retz, Rousseau, Saint-Simon**

Mémoires d'outre-tombe,
Chateaubriand, 1803-1841

RÉSUMÉ

Divisés en quatre parties, les 44 livres des *Mémoires d'outre-tombe* présentent l'ensemble de la vie de Chateaubriand.

La Ire **partie**, composée de 12 livres, évoque l'enfance à Combourg, le voyage en Amérique, l'exil en Angleterre jusqu'au retour en France.

La IIe **partie** (6 livres) rend compte de ses débuts littéraires et des deuils qui affectent sa vie privée. À travers le récit de l'exécution du duc d'Enghien, première mention est faite de la domination napoléonienne.

Plus historique d'abord, la IIIe **partie** (16 livres) analyse le Premier Empire, puis traite du rôle public et de la vie privée de l'auteur sous la Restauration et la monarchie de Juillet, jusqu'à la « fin de [sa] carrière politique ».

Dans la IVe **partie**, Chateaubriand évoque l'exil de Charles X et réfléchit sur la politique et l'évolution sociale. Le 44e et dernier livre est une conclusion sur le « dépérissement de la société » et une ouverture sur le régime politique idéal. Il referme la vie de celui qui s'apprête à « [descendre] hardiment, le crucifix à la main, dans l'éternité ».

Genèse de l'œuvre

Si le premier projet des *Mémoires d'outre-tombe* date de 1803 et s'intitule *Mémoires de ma vie*, la rédaction de l'ouvrage ne commence vraiment qu'en 1809 et se poursuit par intervalles jusqu'en 1826, date d'un premier manuscrit. Le titre de *Mémoires d'outre-tombe* indique que l'œuvre est **destinée aux générations futures**. Il n'apparaît qu'en 1832, avec une modification du projet initial : Chateaubriand remanie le premier manuscrit, rédige de nouveaux livres, structure l'ensemble. Ayant interdit que les *Mémoires* soient publiés de son vivant, l'œuvre n'est diffusée que par les lectures qu'il en fait chez Mme Récamier. Les *Mémoires* commenceront à paraître en feuilleton dans *La Presse* en 1848.

Les objectifs des *Mémoires*

Les objectifs des *Mémoires* varient au cours de la rédaction. Décidé à l'origine à « ne présenter au monde que ce qui est beau » – contrairement aux *Confessions** de Rousseau* –, Chateaubriand est, dès 1809, « résolu à dire toute la vérité ». La Préface de 1833 souligne la relation avec l'histoire en train de se faire : « J'ai fait de l'histoire, et je pouvais l'écrire… J'exerçais peut-être sur [mon siècle] une triple influence religieuse, politique et littéraire. » Cependant, la **recréation** est **indéniable** : dans les *Mémoires d'outre-tombe*, Chateaubriand cherche à décrire une existence exemplaire.

La vision de l'Histoire

Observateur mais aussi acteur de son temps, l'auteur des *Mémoires* est étroitement lié à l'histoire contemporaine. Il laisse des témoignages importants sur toute la période qui court de la Révolution à la Restauration : la société d'Ancien Régime, les images de la Révolution, celles de l'Amérique, puis l'évocation du Consulat et des régimes ultérieurs font l'objet d'observations d'autant plus précises que Chateaubriand a vécu certains des épisodes qu'il décrit (présentation au roi à Versailles, révolution de Juillet…).

La carrière politique de Chateaubriand explique la **partialité de sa vision de l'Histoire**. Bien que fidèle à la monarchie, il est cependant toujours lucide, allant jusqu'à affirmer devant Louis XVIII que « la monarchie [est] finie » (livre V), reconnaissant la grandeur de Bonaparte qu'il n'aimait pas et considérant les nouvelles perspectives socioéconomiques (industrialisation, internationalisation) avec une certaine ouverture d'esprit. Son hostilité se manifeste dans des portraits au vitriol :

Talleyrand et Fouché deviennent « le vice appuyé sur le bras du crime ».

Une œuvre lyrique

Les *Mémoires* sont aussi une œuvre lyrique. Les **thèmes du temps qui passe, de la mort et du souvenir** y sont omniprésents, et associés dans la première partie à l'**évocation de la nature**. Landes en automne, forêts, tempêtes, nuits de lune dessinent des cadres romantiques, propices à l'exaltation de la sensibilité et à l'expression du mal de vivre. La mort surtout parcourt l'œuvre, parfois rapportée au sentiment de la vanité de la vie comme dans l'évocation de Louis XVI (I, 4), parfois plus personnellement nostalgique avec le souvenir de Mme Récamier.

Même si les *Mémoires* sont un **autoportrait largement recomposé**, la sincérité n'en est pas pour autant absente, comme en témoignent l'épisode des démêlés de l'auteur avec une jument rétive et la relation de sa vie misérable à Londres.

Le lyrisme* de l'écriture est soutenu par un style qui joint la **recherche lexicale** et le **foisonnement des images** à l'**ampleur du rythme**.

→ **Chateaubriand, lyrisme, mémoires**

Mercier
(Louis Sébastien),
1740-1814

ŒUVRES PRINCIPALES
- **Romans**: *L'Homme sauvage* (1767), *Les Contes moraux* (1769), *L'An 2440, rêve s'il en fût jamais* (1770).
- **Théâtre**: *La Brouette du vinaigrier* (1775).
- **Pensées**: *Mon bonnet de nuit* (1784-1785).
- **Essais**: *Le Tableau de Paris* (1781-1788), *Le Nouveau Tableau de Paris* (1799), *La Néologie ou Vocabulaire de mots nouveaux ou à renouveler, ou pris dans des acceptions nouvelles* (1801).

Un observateur réaliste

Aucun secteur de la vie prérévolutionnaire puis révolutionnaire n'échappe à Mercier, qui s'intéresse aussi bien à l'évolution des techniques et des sciences qu'à la littérature, mais aussi à la vie quotidienne, aux métiers et aux mœurs de ses contemporains. *Le Tableau de Paris* puis *Le Nouveau Tableau de Paris* retracent, sous la forme de **petits articles juxta-**

posés, sans ordre apparent, tous les aspects de la vie grouillante et pittoresque d'une grande ville, avec ses problèmes démographiques, ses difficultés de voirie, d'approvisionnement et de pollution de l'eau, ou d'urbanisme, et toutes les activités de ses habitants, qu'ils soient prostituées, artisans, commerçants, intellectuels ou courtisans, provinciaux venus dans la capitale pour trouver du travail.

Pour Mercier, la mission de l'écrivain est de **porter témoignage de son temps**.

La révolte et l'utopie

L'écrivain épris de **réalisme*** se double d'un **esprit éclairé qui s'insurge** contre l'injustice, l'égoïsme ou l'hypocrisie de l'organisation politique et sociale de l'époque. Cette révolte le conduit tout d'abord vers l'**utopie***, avec *L'An 2240*, où le narrateur, après s'être endormi durant des siècles, se réveille à Paris dans un monde sans monarchie, où la Bastille a été détruite et où règne un régime républicain et égalitaire.

Mais bientôt Mercier découvre sa véritable vocation, qui est de s'ancrer dans son temps, en décrivant les mille réformes à faire pour transformer l'ordre politique, social et économique de l'Ancien Régime (*Le Tableau de Paris*), puis en dénonçant les excès de la Révolution (*Le Nouveau Tableau de Paris*). Loin d'être doctrinaire ou d'échafauder des théories philosophiques ou politiques, il **applique à la vie concrète les principes de l'esprit des Lumières**, cherchant avant tout une amélioration de la situation quotidienne des plus démunis, un progrès de la santé, de l'hygiène, du confort.

Un regard et un style novateurs

Ses contemporains ont parfois reproché à Mercier de verser dans la vulgarité, car il met son plus grand soin à n'ignorer aucun des aspects de la réalité. Ce réalisme est alors une idée neuve, reprise un siècle plus tard par Balzac* ou Zola*.

Contrairement à son maître Rousseau, ou bien à son imitateur Restif de La Bretonne*, Louis Sébastien Mercier s'efface dans son œuvre, et l'on n'y trouve **pas d'élément autobiographique**. Dans *Le Tableau de Paris*, seul subsiste le regard inlassablement fureteur, agile, attentif, du promeneur, qui surprend au vol le moindre détail, le moindre mouvement, la moindre parole, et les saisit dans de petites scènes aux tons variés.

CITATION

• **Le réalisme de Mercier**

« La connaissance du peuple parmi lequel il vit, sera toujours la plus essentielle à tout écrivain qui se proposera de dire quelques vérités utiles. » (*Le Tableau de Paris*)

REPÈRES BIOGRAPHIQUES

➜ Fils d'un artisan aisé, né à Paris, Louis Sébastien Mercier adopte les idées des Lumières* sous l'influence de Rousseau*. Il fréquente les encyclopédistes, devient journaliste et un auteur prolifique : romans, récits visionnaires et utopiques (*L'An 2440*), pièces de théâtre, critiques littéraires (*Mon bonnet de nuit*). Ses essais sur la vie parisienne avant et après la Révolution (*Le Tableau de Paris* puis *Le Nouveau Tableau de Paris*) sont diffusés dans toute l'Europe.

➜ Il participe à la Révolution, est élu député à la Convention, échappe de peu à la guillotine (1793). Libéré, il siège durant le Directoire au Conseil des Cinq-Cents (1795-1797), entre à l'Institut en 1795, et donne des cours à l'École centrale. Sous l'Empire, ses convictions trop audacieuses mettent fin à la plupart de ses fonctions officielles, et il meurt en 1814 dans une indifférence à peu près générale.

➜ *Encyclopédie*, **réalisme**, **Restif de La Bretonne**, **satire**, **science-fiction**, **utopie**

Mérimée
(Prosper), 1803-1870

ŒUVRES PRINCIPALES

• **Théâtre** : *Le Théâtre de Clara Gazul* (1825).
• **Nouvelles** : *Mateo Falcone* (1829), *La Vénus d'Ille* (1837), *Colomba* (1840), *Carmen* (1845), *Lokis* (1869).

Un exotisme maîtrisé

En situant ses récits dans des régions « étranges » (l'Espagne, la Corse, l'Italie) dont il met en scène les coutumes et les superstitions, Mérimée s'inscrit dans le courant romantique de son époque : goût de l'exotisme* et de la couleur locale*. Mais son approche est différente. On ne trouve dans son œuvre ni pittoresque de fantaisie ni idéalisation poétique, mais un **réel intérêt historique**, reposant sur une documentation et le souci d'une reconstitution objective.

Son **style rapide et sec** tranche avec les sujets colorés et brûlants qu'il traite. Plus proche de Stendhal* que des romantiques par son **refus de l'épanchement et du lyrisme**, il a parfois été taxé d'insensibilité. On rend justice aujourd'hui à la netteté et à la sobriété de son écriture.

Du reportage au fantastique

En quelques nouvelles, Mérimée a donné au fantastique* son illustration la plus fascinante en suivant une méthode implacable : **inscrire ce qu'il appelait « l'atroce » dans le réel le plus vraisemblable** qui soit. Pour cela, il recourt au témoignage, au document, à la chronique*, s'intègre lui-même au récit, use parfois d'une distance ironique pour attester plus sûrement la véracité de ce qu'il rapporte.

Toute son œuvre révèle l'existence de forces fatales prêtes à surgir. Utilisant les thèmes de la possession (*Le Vase étrusque*, *La Vénus d'Ille*, *Lokis*) et de la sorcellerie (*Carmen*), il fait naître le surnaturel d'une passion, d'une terre, d'une situation et, à travers le dépouillement du reportage, conduit le lecteur jusqu'au choc devant l'inexplicable.

CITATION

• **Le parti pris de sobriété**

« L'art de choisir parmi les innombrables traits que nous offre la nature est, après tout, bien plus difficile que celui de les observer avec attention et de les rendre avec exactitude. » (Préface aux *Œuvres* de Gogol)

REPÈRES BIOGRAPHIQUES

➜ Fils d'un secrétaire des Beaux-Arts, Prosper Mérimée devient inspecteur des monuments historiques en 1834. Cette fonction, qu'il occupe jusqu'en 1860, le conduit en tournées d'inspection à travers la France et dans toute l'Europe méditerranéenne. Sa curiosité à l'égard des pays visités, alliée à son intérêt pour l'archéologie, lui inspire le sujet de bon nombre de ses œuvres. Sa carrière littéraire commence en 1815 par une supercherie, avec le *Théâtre de Clara Gazul*, donné pour la simple traduction des pièces d'une actrice espagnole. C'est avec *Mateo Falcone* et *Carmen* que l'écrivain s'illustre dans le genre bref de la nouvelle* et des contes* où son style sobre et concis fait merveille.

➜ Indépendant dans ses choix littéraires, Mérimée se montre au fil du temps de plus en plus conservateur en politique. Sous le Second Empire, nommé sénateur, il est reçu à la cour comme un familier, ayant connu l'impératrice Eugénie alors qu'elle était enfant. Il participe aux divertissements des résidences impériales et écrit encore quelques nouvelles. Depuis longtemps souffrant et devenu très pessimiste, il meurt quelques jours après la chute du Second Empire en 1870.

→ **Carmen, couleur locale, exotisme, fantastique, nouvelle, romantisme**

merveilleux

adj. et *n. m.* Du latin *mirabilis*, « admirable, étonnant ». Présence d'êtres et d'éléments surnaturels dans un texte littéraire.

Historique du merveilleux

Le merveilleux remonte aux **mythes anciens** : les épopées orientale (*Gilgamesh*), grecques (*Iliade, Odyssée*), romaine (*Énéide*) relèvent du merveilleux dans la mesure où le surnaturel intervient de façon systématique dans un univers fictif féerique. Un **merveilleux** « **païen** » existe au Moyen Âge sous forme de fées, gnomes, lutins et autres génies (les *Lais* de Marie de France*). Le **christianisme** développe aussi des figures et des événements relevant du merveilleux, tels que les anges, les démons, les miracles…

Le merveilleux se trouve essentiellement dans le **fonds populaire des légendes** et la littérature de colportage, où puisent de nombreux écrivains dont le plus célèbre est Charles Perrault* à la fin du XVIIᵉ siècle. La vogue des contes féeriques s'inscrit alors dans un contexte de réaction contre une société en déclin et de désir de retrouver un bonheur passé. Supplanté au XIXᵉ siècle par le fantastique*, le merveilleux réapparaît au XXᵉ siècle, notamment dans certains textes surréalistes. Dans une autre perspective, la **science-fiction*** relève souvent du merveilleux.

Caractéristiques du merveilleux

Le merveilleux décrit un **monde situé dans un passé ancien non défini** (« Il était une fois »), ou dans un ailleurs temporel avec la science-fiction. Il renvoie à un univers naïf où, selon Todorov, le surnaturel a droit de cité. Même imprécision sur le plan géographique avec, toutefois, la récurrence de certains motifs : le château, la forêt…

Les **personnages** de ce monde appartiennent à une société artificielle et figée, où ils sont définis par leur place (le Roi, la Reine, le Prince…) sans y être nommés autrement que par un surnom qui les caractérise (Cendrillon, Blanche-Neige), même si, chez Perrault, la réalité sociale est sous-jacente dans l'évocation des tâches domestiques. Si les fées occupent le devant de la scène, on y trouve aussi des ogres, des animaux qui parlent…

Les **objets et** les **événements** de ce monde eux aussi sont merveilleux : ainsi, les bottes de sept lieues, les baguettes et les vêtements magiques se retrouvent sous diverses formes. Nombre d'actions sont imprégnées d'une aura magique comme le baiser du Prince charmant.

Enfin, la plupart des histoires et contes merveilleux se terminent bien.

Fonctions du merveilleux

Le merveilleux ne cherche pas à faire croire au surnaturel mais il renvoie le lecteur à une **période mythique** qui est **retour à une enfance imaginée**. Il permet l'évasion dans la mesure où il excite l'imagination, transporte dans un monde où tout est possible : il abolit alors de façon symbolique les frontières du réel.

Le merveilleux se présente également comme un **moyen d'instruire** : symboliquement, il développe un enseignement moral, comme le signalent notamment les moralités en vers qui terminent les *Contes* de Perrault.

Enfin, chez les surréalistes, le merveilleux **libère l'inconscient**.

→ **conte populaire, *Mille et Une Nuits*, Perrault, science-fiction**

métalangage

n. m. Du grec *méta*, « à la suite de », et *langage*. On appelle « métalangage » (ou « métalangue ») tout discours sur une langue (ou sur un code). Dans les six fonctions du langage établies par Jakobson, la **fonction métalinguistique** concerne toutes les informations données, par la langue, sur la langue utilisée. *Ex.* : dire que *vert est un adjectif qualificatif* est du métalangage. Les définitions des dictionnaires, les termes grammaticaux sont du métalangage.

→ **communication (schéma de la), langage, langue, linguistique**

métaphore

n. f. Du grec *metaphora*, «transport», d'où «transposition». **Figure d'analogie**[*] consistant à désigner un objet ou une idée par un terme convenant à un autre objet ou une autre idée en raison d'une ressemblance perçue par l'esprit. La métaphore peut être définie comme une comparaison[*] à laquelle il manque l'outil de comparaison. *Ex.*: **1.** «France, mère des arts, des armes et des lois» (Du Bellay[*]). **2.** «La nuit a retiré ses voiles» (Théophile de Viau[*]): là, le comparant est implicite dans le groupe verbal qui évoque une femme en train de se dénuder. **Métaphore filée**: métaphore qui est développée par plusieurs termes.

Principaux effets de la métaphore
La métaphore recourt à l'imagination, c'est-à-dire à la capacité de saisir des **analogies**, d'où son emploi fréquent en poésie. À la connaissance rationnelle du monde elle substitue une **connaissance symbolique**. La métaphore permet ainsi de mettre en valeur une qualité particulière du comparé: «Vous êtes mon lion superbe et généreux» (Hugo[*], *Hernani*[*], III, 4): en assimilant Hernani à un lion, doña Sol fait apparaître le courage du proscrit. La métaphore permet également de **mieux faire comprendre une réalité abstraite en l'assimilant à une réalité concrète**: la métaphore «le poète est un voleur de feu» (Rimbaud[*], *Lettre du voyant*, 1871) rend concrète la mission prométhéenne du poète.

→ **allégorie, comparaison, métonymie, personnification**

métonymie

n. f. Du grec *metônumia*, «changement de nom». Figure de style consistant à remplacer un mot par un autre mot qui entretient avec le premier une **relation logique** (et non analogique comme dans le cas de la métaphore[*]). *Ex.*: **1.** *Le Quai d'Orsay n'a pas fait de déclarations*: métonymie du lieu pour le pouvoir qui s'y exerce, en l'occurrence celui du ministre français des Affaires étrangères. **2.** *Il est premier violon à l'Opéra*: métonymie de l'instrument pour l'instrumentiste.

Principaux effets de la métonymie
Son effet le plus net est dans le **raccourci d'expression** qui peut résumer toute une situation en supprimant les articulations habituelles de la pensée. La métonymie est aussi un procédé de symbolisation qui représente une réalité par un signe permettant de l'identifier: *À lui tous les lauriers* (= à lui la victoire, traditionnellement symbolisée par une couronne de lauriers).

→ **métaphore, synecdocque**

mètre

n. m. Du grec *métron*, «mesure». Type de vers déterminé par le nombre de syllabes[*] et de coupes[*] qu'il comporte. *Ex.*: l'alexandrin[*], l'octosyllabe[*], le décasyllabe[*].

Principaux effets du mètre
Les poètes utilisent différents mètres qui, selon leur longueur et leur rythme[*], produisent des effets variés. Un même mètre, l'alexandrin par exemple, peut être aussi bien un **tétramètre** (alexandrin composé de quatre mesures égales [3/3//3/3]: «Il suivait/tout pensif// le chemin/de Mycènes», Racine[*], *Phèdre*[*]) qu'un **trimètre** (alexandrin formé de trois mesures égales [4/4/4]: «Je fais souvent / ce rêve étran / ge et pénétrant […]», Verlaine[*], «Mon rêve familier», *Poèmes saturniens*).

→ **alexandrin, coupe, décasyllabe, heptasyllabe, métrique, octosyllabe, rythme, vers**

métrique

n. f. Du grec *métrikos*, de *métron*, «mesure». **Sens restreint**: étude de la versification[*], c'est-à-dire de l'emploi des différents mètres[*]. **Sens élargi**: tout système de versification et ensemble des règles qui s'y rapportent. *Ex.*: la métrique française est fondée sur le compte syllabique alors que la métrique ancienne l'est sur le nombre de pieds, unité rythmique qui peut être un groupement de syllabes de valeur déterminée.

→ **mètre, prosodie, versification**

m

Michaux
(Henri), 1899-1984

ŒUVRES PRINCIPALES

• **Poésie**: *Mes propriétés* (1929), *Ecuador* (1929), *Plume* (1938), *Épreuves, exorcismes* (1945), *Face aux verrous* (1954), *Émergences, résurgences* (1972), *Moments* (1973), *Poteau d'angle* (1971-1981).

• **Essais**: *Misérable miracle* (1956), *Connaissance par les gouffres* (1961).

L'espace du dedans

« Je ne sais pas faire de poèmes, déclare Michaux dans *Passages* (1950), ne me considère pas comme poète, ne trouve pas particulièrement de la poésie dans mes poèmes et ne suis pas le premier à le dire. » De fait, Michaux reste étranger à toute définition formelle de la poésie aussi bien qu'au lyrisme*. Il pratique la poésie comme une **règle de vie** qui doit lui permettre de « vivre dans un monde d'énigmes auquel c'est en énigmes qu'il convient de répondre ».

Toute l'œuvre écrite et peinte de Michaux est consacrée à cet espace intérieur, non dans une vaine ambition narcissique mais pour en faire éclater les limites. Il s'agit d'éviter toute pétrification, d'**arracher l'être à ce qui l'englue** : rôles sociaux, conventions, masques, illusions. La poésie doit rester ce « soudain élargissement du monde », « adversaire de l'incessante poussiérisation de soi ».

Le grand combat

Au départ, il y a chez Michaux la certitude de l'hostilité du monde, et toute sa poésie, toutes ses expériences picturales tendent à exorciser les cauchemars insistants du réel, en violentant le langage et en jouant de toutes les formes de l'humour*. Dans la **lignée de Lautréamont* et de Dada***, il n'a cessé de mener une expérience agressive de « contre-création » pour « tenir en échec les puissances environnantes du monde hostile ».

CITATION

• **Sur l'hostilité du monde**

« Jusqu'au seuil de l'adolescence, il formait une boule hermétique et suffisante, un univers dense et personnel et trouble où n'entrait rien, ni parents, ni affection, ni aucun objet, ni leur image, ni leur existence, à moins qu'on ne s'en servît avec violence contre lui. » (H. Michaux à propos de *Plume*)

REPÈRES BIOGRAPHIQUES

→ Né à Namur (Belgique), Henri Michaux est un enfant fragile mais de caractère rebelle. En 1920, il abandonne ses études de médecine pour devenir matelot. Il s'installe à Paris en 1921 et fréquente Supervielle* et les poètes surréalistes. Il commence à écrire mais, décidément réfractaire, il rompt avec les milieux littéraires parisiens. Commence alors pour lui une longue période de voyages qui le conduiront jusqu'en Asie.

→ À son retour, il se tourne vers une aventure plus intérieure : le voyage en soi-même. Après la mort tragique de sa femme en 1948, il se met à peindre puis, à partir de 1956, pendant une dizaine d'années, il approfondit son exploration de « l'espace du dedans » par une expérimentation systématique, généralement sous contrôle médical, de substances hallucinogènes comme la mescaline.

→ Dada, Lautréamont, surréalisme

Michelet
(Jules), 1789-1874

ŒUVRES PRINCIPALES

• **Ouvrages historiques**: *Histoire de France* (1833-1874), *Histoire de la Révolution française* (1847-1853), *La Sorcière* (1862).

Un historien visionnaire

Le projet de Michelet est de **ressusciter intégralement le passé**. Le travail de l'historien ne consiste pas, selon lui, en la simple relation des faits : c'est la **mise en scène d'un spectacle vivant et total dont l'acteur est le peuple et l'héroïne, la France**. « La France est comme une personne » : Michelet conçoit son histoire comme une marche et l'humanité comme une force qui progresse dans une révolte permanente contre la fatalité, l'injustice, l'obscurantisme et ses bûchers (il réhabilite la « « Sorcière », l'unique médecin du peuple pendant mille ans »). Ce « puissant travail de soi sur soi » d'un pays consiste en un perpétuel renouvellement. Du Moyen Âge au XIXe siècle, Michelet peint les grandes étapes de ce progrès et les grandes figures de l'histoire de France mais aussi et surtout les humbles : Jeanne d'Arc, incarnation sacrée de la volonté populaire, le peuple de la Bastille, les soldats de l'An II, les hommes et les femmes anonymes de la Révolution.

L'*Histoire de la Révolution française* s'inscrit dans son œuvre comme le « drame final ». Elle est moins une suite d'événements que la manifestation d'un **principe éternel : la justice**. C'est par rapport à ce principe, fondement d'un nouvel « évangile de l'humanité », que l'Histoire passée et présente est écrite et jugée. C'est en juge en effet que se pose l'écrivain, en convoquant devant son tribunal souverain les grands personnages du passé.

Du lyrisme à l'épopée

Le style de Michelet porte la double empreinte romantique du **lyrisme*** et de l'**épopée***. Son tête-à-tête avec l'Histoire est subjectif : il la voit, l'éprouve et son écriture est d'abord image, sensation, sentiment, passion. Passion de Jeanne d'Arc dans les flammes (*Histoire de France*, X, 6), ferveur de la levée en masse de 1792 (*Histoire de la Révolution française*, VII, 8). Toutes scènes animées par un sens du détail symbolique qui fait sentir la portée d'un événement. Il utilise le présent de narration pour actualiser les faits, et invite le lecteur à pénétrer dans l'intimité des consciences.

Enfin, il sait donner aux grandes pages de l'Histoire le **souffle épique** qui traduit la dynamique collective. Ainsi de la Révolution : « Le sacrifice fut, dans ces jours, véritablement universel, immense et sans bornes. Plusieurs centaines de mille donnèrent leur corps et leur vie, d'autres leur fortune, tous leurs cœurs, d'un même élan […]. »

→ Le cours de Michelet est suspendu en 1851, lorsque Louis-Napoléon devient empereur. Il en profite pour voyager, complète sa monumentale *Histoire de France* conçue dès 1830, épouse l'une de ses étudiantes, célèbre les forces de la nature (*L'Oiseau*, 1856 ; *L'Insecte*, 1857 ; *La Mer*, 1861 et *La Montagne*, 1868) et continue de s'attaquer aux préjugés (*La Sorcière*). Épuisé par le travail, éprouvé par les malheurs de sa patrie, il meurt en 1874.

→ **épopée, lyrisme, romantisme**

Mille et Une Nuits (les),
trad. fr. 1704-1717

RÉSUMÉ

Trompé par son épouse, et découvrant que d'autres hommes, comme son propre frère, subissent le même sort, le sultan Schahriar tue sa femme, et décide de dormir chaque nuit avec une compagne vierge, épousée le soir, décapitée le lendemain matin. Cette macabre vengeance dure trois ans. Mais la belle et sage Schéhérazade, fille du grand vizir, à son tour glissée dans le lit du monarque, parvient à le captiver par ses merveilleux récits, qu'elle interrompt à l'aube, au moment le plus intéressant, avec la complicité de sa jeune sœur. Mille et une nuits se déroulent ainsi, au bout desquelles le roi, qui entre-temps a eu trois enfants de Schéhérazade, conquis par sa tendre subtilité, renonce au châtiment. Schéhérazade devient reine.

Un sommet de la littérature orientale

Puisant dans le patrimoine populaire et savant du Proche et du Moyen-Orient, voire au-delà, les *Mille et Une Nuits* forment l'un des plus riches recueils de littérature orientale, issu d'un large territoire, constitué par additions successives d'éléments empruntés à des sources diverses, sur une période de plusieurs siècles. L'ouvrage rassemble en effet **plusieurs dizaines de contes indiens, perses, arabes**, transmis oralement (peut-être à partir du IXe siècle) par des conteurs itinérants pour le divertissement de leurs hôtes, puis transcrits en arabe ou en persan vers le XIIIe siècle. Ces contes sont **enchâssés en tiroirs** dans le récit de l'intrigue amoureuse qui lie Schéhérazade à son roi, **et unifiés** par des noms, des références et une culture issus de l'Islam. Une somme,

donc, comparable aux *Contes* de Perrault* (parus en 1697), et à l'*Odyssée* d'Homère, autre œuvre collective et pluriséculaire, qui l'a précédée, reposant sur un scénario à tiroirs du même genre (un voyage d'escale en escale en Méditerranée).

Parmi les plus connus des contes des *Mille et Une Nuits*, on peut citer « Le Marchand et le Génie », « Aladin ou la Lampe merveilleuse », « Ali Baba et les Quarante Voleurs », « Sindbad le Marin ». Ces récits illustrent une **très grande diversité de thèmes et de registres***, allant **du merveilleux au réalisme** : les métamorphoses d'hommes en animaux, l'intervention de génies demi-dieux, les soucis et les malices des marchands, les joies et les périls de l'amour, les voyages lointains initiatiques, la cohabitation entre chrétiens, juifs et musulmans… Ils vont connaître en Occident et mondialement une immense vogue à partir du XVIIIe siècle.

Une traduction française fondatrice

Antoine Galland, orientaliste né en 1646, avait séjourné en Orient avec l'ambassadeur de France à Constantinople ou bien pour le compte de la compagnie des Indes. Devenu antiquaire du roi Louis XIV, il fait paraître en 1704 une traduction en français d'un des manuscrits relatant les contes des *Nuits*. Son mérite : tout en conservant le point de vue des Arabes, des musulmans, il les **adapte au goût de l'Occident**.

Le succès est immédiat : cette œuvre était dans l'air du temps du début des Lumières*, que Galland, grand lecteur et grand voyageur, a su saisir. Sa traduction répond à la fois à une exigence scientifique d'examen des textes, à la réflexion sur la découverte d'autres mondes que l'Europe qui motive le récit de voyage*, comme

à l'essor des contes de fées alors répandus par Mme d'Aulnoy ou Perrault. Elle répond à l'**attrait de l'exotisme**, insufflé dans tous les arts depuis la Renaissance humaniste et les Grandes Découvertes, et revivifié après le classicisme.

L'œuvre propose aussi une **structure littéraire complexe** (mise en abyme*, enchâssement de récits et de personnages, juxtaposition de registres et de genres…) qui offre aux romanciers une alternative au récit linéaire classique, comme l'avait déjà expérimenté l'*Heptaméron* de Marguerite de Navarre* (1558). L'univers et l'art ainsi dévoilés par Galland répondent aux attentes des écrivains du siècle des Lumières.

Les *Nuits* ont également suscité mille **parodies***, **pastiches*** ou **imitations**. Leur influence transparaît par exemple dans les *Lettres persanes* de Montesquieu*, dans les contes philosophiques (*Zadig* de Voltaire*), ou les contes et romans libertins (*Les Bijoux indiscrets* de Diderot*).

Une postérité mondiale jamais démentie

Le succès s'affirme auprès de tous les âges et couches sociales, dans toutes les langues, en Europe, puis ailleurs. Juste retour des choses, cette postérité éleva l'œuvre au niveau des grands « classiques » en Orient où, au départ, elle n'occupait qu'une place mineure. En outre, **Schéhérazade**, femme séduisante par l'esprit et l'astuce autant et plus que par les sens, offre un **modèle** à des générations de lecteurs et d'auteurs. Une immense galerie de personnages secondaires, nobles ou truculents, stéréotypés ou originaux, procure une inspiration aux moralistes et aux rêveurs de tous les temps. En France de **nombreuses autres traductions et adaptations**, parcellaires ou totales, ont suivi, dont celle – célèbre – du **Dr Mardrus**, plus complète, plus ampoulée, plus érotique aussi que celle de Galland. Le jeune Proust* raconte que sa mère, voulant lui transmettre cet héritage, hésitait entre Galland, le réservé, et Mardrus, l'osé.

Les *Nuits*, longtemps le livre le plus lu après la Bible, ont trouvé leur **postérité dans tous les arts**. Le XXᵉ siècle a vu de nombreuses adaptations. Outre la littérature et les films pour enfants, l'opéra, les ballets (*Schéhérazade* de Diaghilev en 1910), la musique (*Schéhérazade*, suite symphonique de Rimski-Korsakov en 1888 ; ouverture de féerie et trois poèmes pour voix et orchestre de Ravel en 1898 et 1903), le cinéma (Jacques Becker, Pier Paolo Pasolini, Philippe de Broca…) s'en sont emparés. La structure narrative de l'œuvre, faite d'enchâssement de récits et de personnages, a inspiré Marcel Proust pour *La Recherche*, Raymond Queneau pour *Les Fleurs bleues*, et bien d'autres romanciers.

→ **cinéma et littérature, Diderot, exotisme, Montesquieu, récit de voyage, Voltaire**

REPÈRES BIOGRAPHIQUES

➜ Toute la jeunesse d'Honoré Gabriel de Mirabeau est marquée par son conflit avec l'autorité paternelle. Les scandales et les dettes lui valent d'être plusieurs fois emprisonné par lettres de cachet, retraites forcées où il amasse une somme de connaissances et de réflexions.

➜ En 1789, la réunion des états généraux lui permet de saisir sa chance : rejeté par la noblesse, il est élu député par le tiers état d'Aix-en-Provence. Par son talent d'orateur, il jouera un rôle de premier plan à l'Assemblée constituante. Position ambiguë cependant : Mirabeau rêvait de concilier les pouvoirs de l'Assemblée avec l'autorité de la monarchie.

➜ Le personnage a été controversé, mais, malgré les notes secrètes qu'il adressait à la cour et qui l'ont fait plus tard accuser de double jeu, Mirabeau incarnait la Révolution et a été pendant deux ans le plus grand homme de la « nation » naissante.

→ **Danton, éloquence, oratoire (style), Robespierre**

Mirabeau
(comte de), 1749-1791

L'éloquence parlementaire

Mirabeau s'est rendu célèbre par ses répliques inspirées dans lesquelles il forgeait l'Histoire : « Allez dire à votre maître que nous sommes ici par la volonté du peuple et que nous n'en sortirons que par la force des baïonnettes. » Mais c'est surtout l'Assemblée qu'il subjugue par sa parole. Si, comme beaucoup de députés, il confie la préparation de ses discours à un « atelier », il a le génie de leur apporter un trait personnel et de les adapter en **improvisant** selon les circonstances. Son éloquence s'impose par son ampleur, ses mouvements lyriques, le tour dramatique qu'il donne à ses interventions, l'ardeur avec laquelle il s'adresse aux députés pour les appeler à la modération ou au respect des principes démocratiques. Dans la jeune Assemblée, la première que connaît la France, alors que la plupart des députés lisent des textes trop souvent arides, Mirabeau emporte l'auditoire par sa voix puissante, sa stature, sa force de conviction, sa maîtrise des effets oratoires.

Mirbeau
(Octave), 1848-1917

ŒUVRES PRINCIPALES
• **Romans**: *L'Abbé Jules* (1888), *Sébastien Roch* (1890), *Le Journal d'une femme de chambre* (1900), *Les 21 jours d'un neurasthénique* (1901).
• **Théâtre**: *Les affaires sont les affaires* (1903).

Le bouleversement des conventions

L'œuvre de Mirbeau est **polémique et révoltée**. *Le Calvaire* (1886) et *L'Abbé Jules* attaquent la religion et le clergé au moyen de personnages dévoyés, mystificateurs et cyniques. Sébastien Roch, héros du roman éponyme, naïf et pur, est broyé par une société injuste et belliciste. *Le Journal d'une femme de chambre* (adapté au cinéma par Renoir en 1946, puis par Buñuel en 1964) exacerbe les confrontations douloureuses entre maîtres et domestiques. Tous ses romans, à l'instar du *Jardin des supplices* (1899), traitent l'érotisme sous une forme intense et agressive ; convergeant avec les obsessions « fin de siècle », ils exhibent la perversité et le blasphème.

Ses pièces de théâtre, comme *Les affaires sont les affaires*, mettent à nu les rouages d'une société bourgeoise hypocrite, dominée par l'argent et les conventions.

Une écriture violente

Mirbeau a condamné, dans ses chroniques*, le mythe de l'objectivité naturaliste. Si ses romans doivent néanmoins à l'esthétique du groupe de Médan, ils sont animés d'une passion propre à leur auteur. Celui-ci n'hésite pas à écœurer son lecteur en insistant sur les détails bas, obscènes ou sanguinolents. Il le provoque par une **parole directe et démystificatrice.**

Mirbeau abandonne peu à peu le récit traditionnel, organisé selon des cadres précis et une intrigue essentiellement linéaire, pour la juxtaposition de récits et d'anecdotes (*Les 21 jours d'un neurasthénique*), afin de rendre l'incohérence et l'absurdité du monde.

Admirateur de Tolstoï et de Dostoïevski, il tente de restituer à sa façon la mobilité et la diversité de la vie, l'unité des récits venant de la violence et de la singularité de sa parole.

CITATION

• **Le pessimisme mirebellien**
« Où que l'homme aille, quoi qu'il fasse, toujours il verra ce mot "meurtre" immortellement inscrit au fronton de ce vaste abattoir qui s'appelle l'humanité. » (*Le Jardin des supplices*, frontispice)

REPÈRES BIOGRAPHIQUES

➔ Octave Mirbeau est une figure importante de la Belle Époque. Aux lendemains de la Commune, il devient un chroniqueur influent et fréquente Mallarmé*, Paul Bourget, Villiers de L'Isle Adam* et les naturalistes*. Volontiers anarchiste, dreyfusard, il se signale par son goût de la polémique*, et de la critique sociale et politique.

➔ Ses prises de positions artistiques ne sont pas moins radicales : il soutient Wagner, Debussy, Rodin, les impressionnistes et les symbolistes. Sa perspicacité et sa réputation lui confèrent une grande influence dans le monde des lettres et des arts. C'est également dans le vitriol qu'il trempe sa plume littéraire : ses romans, ses nouvelles et ses pièces de théâtre donnent souvent lieu à de beaux scandales.

➔ **Goncourt, Mallarmé, Maupassant, naturalisme, polémique, Renard, Zola**

Misérables (Les),
Victor Hugo, 1862

RÉSUMÉ

1re partie. L'intrigue, touffue, s'articule autour du personnage de Jean Valjean, ancien forçat considéré comme un paria. Après sa rencontre avec l'évêque de Digne qui l'accueille puis le sauve des gendarmes en garantissant l'honnêteté de son hôte alors que celui-ci l'a volé, Valjean fait honnêtement fortune sous le nom de M. Madeleine et devient maire de Montreuil-sur-Mer. Une ouvrière, Fantine, est renvoyée de son usine : fille-mère, elle a confié sa fille Cosette à un couple d'aubergistes, les Thénardier. Sans travail, elle vend ses cheveux et ses dents puis finit par se prostituer pour payer la pension de la petite ; elle devient tuberculeuse. Arrêtée dans une bagarre, elle est libérée par M. Madeleine, qui l'assiste au moment de sa mort et lui jure qu'il prendra soin de Cosette. Entre-temps, l'inspecteur Javert soupçonne M. Madeleine d'être Jean Valjean et le poursuit. Quand un innocent est pris pour l'ancien forçat, celui-ci se dénonce, mais parvient à s'échapper et gagne Paris.

2e partie. Repris, Jean Valjean s'évade de nouveau en faisant croire à sa mort. Il récupère Cosette maltraitée par les Thénardier et revient à Paris, où il vit discrètement avec la petite fille. Mais la police le retrouve ; Valjean lui échappe en franchissant le mur d'un couvent où il se fait passer pour le frère du jardinier, dont il a autrefois sauvé la vie. Il y vit plusieurs années avec Cosette qu'il présente comme sa fille.

3e partie. Le jeune Marius, qui évolue dans les milieux républicains, tombe amoureux de Cosette qu'il a croisée à plusieurs reprises au Luxembourg avec son « père ». Ignorant leur identité, il est désespéré de ne plus voir la jeune fille, Valjean – appelé ici M. Leblanc – évitant le jardin par prudence. Marius le retrouve pourtant par hasard chez ses voisins, que M. Leblanc tente d'aider et qui ne sont autres que les Thénardier : au dernier degré de la déchéance, ils vivent d'aumônes et de rapines avec leurs deux filles, ayant abandonné leurs garçons, dont le petit Gavroche qui vit tout à fait libre. Marius sauve Valjean du piège tendu par les Thénardier qui seront tous arrêtés par

Javert et jetés en prison ; Valjean, lui, se volatilise.

4ᵉ partie. Sous le nom de Fauchelevent, il s'est installé rue Plumet avec Cosette. Marius retrouve son adresse grâce à la fille des Thénardier, Éponine, qui l'aime en secret ; il noue une chaste idylle avec Cosette. Mais Thénardier s'évade de prison, et Valjean, inquiet, change de domicile. Marius, désespéré, retrouve sur une barricade durant les émeutes de juin 1832 ses amis républicains, ainsi que Gavroche, Éponine et Valjean.

5ᵉ partie. La barricade tombe : Gavroche, Éponine et plusieurs insurgés meurent. Valjean aide Javert à échapper aux émeutiers, et sauve Marius blessé en l'emportant dans les égouts. Il rencontre Javert qui le sauve à son tour avant de sombrer dans la folie et de se jeter dans la Seine. Marius se rétablit et épouse Cosette. Jean Valjean finit par révéler à Marius sa véritable identité et s'efface de la vie de sa fille, jusqu'à ce que Marius comprenne qu'il lui a sauvé la vie. Cosette et lui arrivent à temps pour que l'ancien forçat meure dans leurs bras, tranquille et heureux.

Un roman mûri pendant dix-sept ans

Les cinq parties des *Misérables* sont publiées en 1862, alors que Hugo est en exil à Guernesey. L'écriture du roman, commencée dès 1845 sous le titre *Jean Tréjean* puis *Les Misères*, interrompue par les événements de 1848, est reprise en 1860 et terminée l'année suivante.

S'intéressant aux questions sociales depuis *Claude Gueux* (1834), Hugo exprime ses positions dans son *Discours sur la misère* prononcé devant l'Assemblée en 1849. En littérature, il est influencé par des personnages balzaciens représentant le peuple ou la pègre, comme Vautrin, et par le roman-feuilleton des *Mystères de Paris* (1842), où Eugène Sue peint la misère des bas-fonds.

Dans *Les Misérables*, Hugo s'insurge et **s'engage contre la misère et l'injustice sociale**, avec la volonté marquée de délivrer un message universel. Malgré une critique mitigée, le roman connaît un succès public considérable.

Les éléments réalistes

L'**action** est **datée** : elle se déroule entre 1795 et 1833, et l'intitulé du premier livre de la 4ᵉ partie, « Quelques pages d'Histoire », est significatif de la volonté d'inscrire la fiction dans le réel. Les **lieux** sont identifiés avec pré-

cision, avec une prédilection pour les quartiers populaires.

Pour décrire la misère, Hugo recourt à des **documents** : rapports statistiques sur les égouts, études sur les ouvriers. Il enquête lui-même, en particulier dans les prisons (*Choses vues*). Le **niveau de langue** des personnages correspond à leur statut social ; l'argot utilisé par certains marque aussi la volonté romantique de mélanger les langages.

Les procédés de dramatisation

L'**action** relève d'une **dramatisation constante**. Les coïncidences confinent à l'invraisemblable : ainsi, Jean Valjean sauve le père Fauchelevent, qui sera justement le jardinier du couvent où il arrive par hasard quand il échappe à Javert.

D'autre part, l'**organisation générale** du roman vise à faire ressortir certaines scènes qui sont alors particulièrement développées (la mort de Fantine), alors que d'autres épisodes sont très concentrés (le temps passé par M. Madeleine à Montreuil-sur-Mer, l'époque napoléonienne).

L'engagement

Ces choix permettent à Hugo de dénoncer l'injustice sociale et toute forme d'oppression à une époque qui voit se développer l'exode rural vers les villes et le dénuement des nouveaux citadins. L'injustice du système pénal et des conditions socioéconomiques crée la misère, laquelle appelle le mal et peut dégrader l'homme : Jean Valjean est condamné au bagne pour un délit mineur (le vol d'un pain) puis, après avoir purgé sa peine, se trouve exclu du monde du travail en raison de son passeport jaune d'ancien prisonnier. Fantine se prostitue parce qu'elle ne peut payer les Thénardier qui l'exploitent. La solution existe pourtant dans une autre gestion des biens : ainsi, M. Madeleine fait profiter tout le monde de la fortune acquise dans son entreprise.

Politiquement, le roman valorise à la fois le Iᵉʳ Empire – à travers l'évocation de Waterloo – et la République, et notamment l'héroïsme au service de la fraternité et de la liberté, incarné par Gavroche.

Un livre utile et un livre religieux

Hugo affirme l'**utilité sociale de la littérature** dans les dernières lignes du texte mis en exergue au roman : « […] tant qu'il y aura sur la terre ignorance et misère, des livres de la nature de celui-ci pourront ne pas être inutiles. » Cette volonté démonstrative est sensible dans les digressions où l'auteur apparaît derrière le narrateur.

Le roman se veut aussi « un livre religieux » : dès le début, Jean Valjean connaît la rédemption grâce à la bonté de Mgr Myriel, et tout son parcours sera celui d'un **saint laïque** qui se sacrifie pour sauver Cosette dans une lutte intérieure constante entre le bien et le mal. En affrontant les forces des ténèbres que sont Thénardier et Javert, Valjean accomplit, entre ombre et lumière, le **parcours d'une rédemption**.

La dimension épique

L'**amplification** des personnages, des sentiments, des idées donne aux *Misérables* la forme d'une épopée. Le lecteur pénètre par le discours direct ou indirect à l'intérieur de la conscience du héros : l'intitulé même du chapitre I, 7, 3, « Tempête sous un crâne », souligne la violence de la lutte de Valjean entre deux forces pour lui alors inconciliables, le bonheur et la vertu. Ce combat entre le bien et le mal se double des combats du peuple pour la liberté.

La dimension épique est également sensible dans une écriture qui procède par **hyperbole** : le Paris des égouts est comparé à la mer, et l'ancien forçat s'y introduit « avec une force de géant ».

Le roman lui-même déborde le cadre du roman classique : « **roman-poème** » (Henri Meschonnic), il cherche à exprimer les interrogations fondamentales et universelles de l'homme.

→ **épopée, Hugo, réalisme**

modalisation

n. f. On parle de modalisation quand un énoncé porte la marque de la subjectivité du locuteur. Les mots qui indiquent cette part de subjectivité s'appellent des « modalisateurs ». Ainsi, un locuteur peut donner dans un énoncé une information brute (*ex.* : *Il fait 25° degrés aujourd'hui à Marseille*). Mais il peut aussi exprimer son degré d'adhésion au contenu de cet énoncé : *Il devrait faire beau à Marseille aujourd'hui.* Le verbe *devoir* au conditionnel permet au locuteur d'exprimer une légère incertitude : *Il est prévu qu'il fasse beau mais ce n'est pas sûr à cent pour cent.*

Les modalisateurs

On en distingue **deux types** :

– ceux qui expriment un **sentiment**. On parle alors de **modalité affective**. Celle-ci peut être exprimée aussi bien par des moyens lexicaux (verbes, adjectifs, adverbes exprimant un sentiment, interjections) que par des moyens syntaxiques (phrases exclamatives, interrogatives) ou encore typographiques (guillemets). *Ex.* : *Que c'est bon !* (expression de la satisfaction) ;

– ceux qui expriment un **jugement**. On parle alors de **modalité évaluative**. *Ex.* : *À mon avis, c'est un piètre acteur* : l'utilisation de l'expression *À mon avis*, renforcée par l'adjectif *piètre*, manifeste un jugement dépréciatif sur l'acteur. Les verbes de perception (*paraître, sembler…*), d'opinion (*penser, croire…*) de jugement (*prétendre…*) sont des modalisateurs évaluatifs, comme l'est l'emploi du conditionnel (*Selon mes informateurs, il aurait déménagé.*), ainsi que les adverbes exprimant un doute, une probabilité, une certitude (*peut-être, à mon avis…*).

Modalisation et argumentation*

La modalisation caractérise les **textes rhétoriques et argumentatifs** puisque, par définition, un orateur s'implique fortement dans son discours. Il convient donc d'accorder une attention particulière à l'étude des modalisateurs dans ce type de texte : ils sont l'un des procédés qui manifestent la subjectivité de l'orateur et sa stratégie argumentative. Ainsi, ils permettent d'afficher l'hétérogénéité des thèses en présence ou de la masquer. Leur analyse aide à mettre en lumière le fonctionnement général du texte.

→ **argumentation, énonciation, modalisation**

Modiano
(Patrick), né en 1945

ŒUVRES PRINCIPALES
• **Romans** : *La Place de l'Étoile* (1965), *Les Boulevards de ceinture* (1972), *Rue des boutiques obscures* (prix Goncourt 1978), *Dora Bruder* (1997), *La Petite Bijou* (2001), *Le Café de la jeunesse perdue* (2007), *Horizon* (2010).
• **Autobiographie** : *Un pedigree*, 2005.

Les palais délabrés de la mémoire

Les personnages de Modiano, vivant aux lisières de la marginalité, sont généralement des **êtres énigmatiques**. On connaît peu de choses sur eux, qui souvent ne connaissent pas grand-chose sur eux-mêmes. Ils errent d'hôtel en hôtel, tantôt traqués par un passé trouble qu'ils veulent fuir (le **contexte de l'Occupation et de la Collaboration** est à l'arrière-plan de toute l'œuvre), tantôt en quête au contraire d'un passé ou d'une origine qui leur échappent : l'ignorance, l'oubli, l'amnésie se conjuguent pour effacer des pans entiers de leur histoire. L'**incertitude** porte même sur les patronymes : fausses identités, surnoms, paronymies sont autant de moyens pour rendre encore plus insaisissables ces êtres toujours en mouvement, lancés dans une quête vaine ou du moins décevante. Mal aimés, inaptes au bonheur, ils ont souvent l'impression de revivre à l'âge adulte des traumatismes de leur enfance, comme si le temps bégayait, créant une étrange impression d'éternel retour.

Dans cet univers d'individus toujours sur le qui-vive, le personnage de l'enquêteur, détective privé, agent des RG ou simple narrateur, joue, avec une précision maniaque, un rôle capital. Il devient la **figure même du romancier**, lequel suit à la trace des trajectoires évanescentes qui se croisent, se perdent et parfois disparaissent dans le néant.

Une géographie urbaine

L'univers de prédilection de Modiano, c'est la grande ville et plus précisément **Paris**. La ville n'est pas un simple cadre : **labyrinthe** qui éloigne ou rapproche les itinéraires, favorise ou nuit aux rencontres, elle joue le **rôle d'un personnage**. De roman en roman, sont cités des dizaines de noms de rue, tandis que le réseau du métro redouble celui des rues. Les personnages sont des piétons obstinés qui, rêvant d'un « point fixe », vont de bistrot en bistrot, de quartier en quartier, souvent pour brouiller les pistes. Leur vie est une **déambulation inquiète et hallucinée dans les zones grises de la ville**. L'annuaire téléphonique devient pour l'enquêteur le plus précieux des instruments. Par le simple jeu des noms de rue (rue d'Argentine, de Saïgon…), l'espace urbain est ouvert sur le monde entier et il prend une dimension **cosmopolite** par la diversité des patronymes d'origine étrangère (russe très souvent) que leurs consonances inhabituelles rendent à la fois fascinants et vaguement inquiétants.

Dans cet univers labyrinthique et mouvant, le quotidien prend une coloration **fantastique**, attisée par l'écriture de Modiano, une **écriture** d'autant plus magnétique qu'elle est **sobre, sèche** et **rapide**.

CITATION

« Je crois qu'on entend encore dans les entrées d'immeubles les pas de ceux qui avaient l'habitude de les traverser, et qui, depuis, ont disparu. Quelque chose continue de vibrer après leur passage, des ondes de plus en plus faibles, mais que l'on capte si l'on est attentif. Au fond, je n'avais peut-être jamais été ce Pedro McEvoy, je n'étais rien, mais des ondes me traversaient, tantôt lointaines, tantôt plus fortes et tous ces échos épars qui flottaient dans l'air se cristallisaient et c'était moi. » (*Rue des boutiques obscures*)

REPÈRES BIOGRAPHIQUES

→ Sa naissance dans le contexte trouble de la fin de la guerre et son enfance malheureuse ont laissé une empreinte indélébile sur l'œuvre de Patrick Modiano, né en 1945 d'une mère comédienne et d'un père juif d'origine italienne aux activités plutôt mystérieuses. Tous deux délaissent leur enfant qui, jusqu'au baccalauréat, sera confié à divers internats. Il restera marqué par la mort, à l'âge de dix ans, de son frère Rudy.

→ Ayant rompu avec son père et introduit par Raymond Queneau dans le monde littéraire, le jeune homme renonce à poursuivre ses études pour écrire son premier roman, *La Place de l'Étoile*, en 1965 : c'est d'emblée le succès. Dès lors sa vie se confond avec une carrière littéraire singulière qui se développe en dehors des courants de l'époque et sera ponctuée de nombreux prix.

→ **Queneau**

Molière,
1622-1673

ŒUVRES PRINCIPALES

• **Comédies** : *La Jalousie du barbouillé* (1646), *Le Dépit amoureux* (1656), *Les Précieuses ridicules* (1659), *Sganarelle ou le Cocu imaginaire* (1660), *L'École des femmes* (1662), *L'Impromptu de Versailles* (1663), *Le Tartuffe* (1664), *Dom Juan* (1665), *Le Misanthrope* (1666), *Amphitryon* (1668), *L'Avare* (1668), *Les Fourberies de Scapin* (1671), *Les Femmes savantes* (1672).

• **Comédies-ballets** : *Les Fâcheux* (1661), *Monsieur de Pourceaugnac* (1669), *Le Bourgeois gentilhomme* (1670), *Le Malade imaginaire* (1673).

Un homme de théâtre complet

Fasciné depuis son enfance par le théâtre, c'est en 1643, à l'âge de 21 ans, que Molière décide de monter sur les planches et c'est aux Comédiens-Italiens qu'il emprunte un jeu et une diction très appuyés. Parallèlement, ses fonctions de directeur de troupe le conduisent à devenir metteur en scène et gestionnaire. *L'Impromptu de Versailles* nous fait connaître la minutie de sa direction d'acteurs.

Cependant, les difficultés qu'il rencontre pour faire vivre sa troupe, qui joue les grandes tragédies* du répertoire, l'amènent à créer son propre répertoire. Le nombre et la diversité des œuvres moliéresques sont en partie liés à ces problèmes financiers.

Le théâtre de divertissement

Les premières pièces de Molière sont des **farces** (*La Jalousie du barbouillé*, 1646 ; *Le Médecin volant*, 1647), et il continuera d'en écrire durant toute sa carrière (*Le Médecin malgré lui*, 1666). Les procédés farcesques se retrouvent d'ailleurs dans presque toutes ses pièces, qu'il s'agisse des comédies de mœurs et d'intrigue (les coups de bâton dans *Les Précieuses ridicules* et *Les Fourberies de Scapin*), des grandes comédies (les soupirs d'Arnolphe dans *L'École des femmes* ; l'épisode d'Orgon caché sous la table dans *Le Tartuffe* ; celui du valet Du Bois dans *Le Misanthrope*), ou des comédies-ballets (*Le Bourgeois gentilhomme*).

Molière **renouvelle la farce en faisant fusionner deux traditions**. De la **farce française**, dont le thème est celui du mariage et de l'adultère, **et de la farce italienne**, qui met en scène l'opposition entre un vieillard et des jeunes gens aidés par un fourbe, Molière retient les sujets (la première fournit le sujet de *Sganarelle* et la seconde celui des *Fourberies de Scapin*). Il retient aussi de la farce les personnages (valets et servantes, médecins, figures du pédant), les situations (les précieuses ignorent que leurs soupirants sont des valets), la gestuelle, les déguisements, la verdeur du langage (*Le Médecin malgré lui*) et, de façon générale, la répétition mécanique des gestes et des mots.

Cependant, la farce n'est pas seulement divertissante, elle dévoile aussi les êtres, leurs travers, leurs ridicules, leurs obsessions : celle d'Harpagon (*L'Avare*) s'exprime dans le « sans dot », celle d'Orgon (*Le Tartuffe*) dans « le pauvre homme ». Au théâtre de divertissement peuvent être rattachées les **comédies-ballets** qui comportent des intermèdes chantés ou dansés, comme *Le Bourgeois gentilhomme* (sur une musique de Lully).

La « grande comédie »

Cependant, la farce n'est qu'un aspect de la comédie moliéresque. *Le Dépit amoureux* témoigne déjà d'une recherche psychologique, et *Les Précieuses ridicules*, qui marquent l'effort de Molière pour se démarquer du divertissement pur, relèvent largement de la comédie de mœurs.

C'est surtout après l'échec de *Dom Garcie de Navarre* (1661) que Molière cherche à **élever la comédie à la dignité de la tragédie**. Écrite en vers comme la tragédie, *L'École des femmes* inaugure la grande création moliéresque : l'allusion au problème de la place sociale des femmes, la vérité psychologique, les questions morales avec le châtiment du héros, dépassent le cadre de la farce.

On retrouve dès lors dans toutes les comédies le refus des simplifications caricaturales de la farce : les questions idéologiques, liées aux combats de Molière contre les vices et les ridicules de son temps, la complexité des personnages, la recherche de la sincérité, deviennent les caractéristiques essentielles de sa production.

« Peindre d'après nature »

« Peindre d'après nature » les mœurs et les caractères, telle est l'ambition qu'avoue Molière dans *La Critique de l'École des femmes* (1663). La **satire des mœurs** contemporaines est originale par rapport aux conventions de la comédie romanesque du XVIIe siècle. Médecins, excès de la préciosité, gens de justice, milieux de la fausse dévotion sont des sujets récurrents et l'objet d'attaques constantes. Les valets, les servantes, les paysans, le monde des entremetteurs (Frosine dans *L'Avare*) font monter le peuple et son langage sur la scène.

La **peinture des caractères** conduit à la création de types représentatifs – depuis Molière, des mots comme *tartuffe, tartufferie, harpagon*, ont pris place dans la langue. Les personnages sont hantés par une idée fixe qui se révèle dans chacun de leurs actes (le libertinage pour Don Juan, faire son salut pour le dévot Orgon), tout en conservant la complexité de l'humain : ainsi, Arnolphe (*L'École des femmes*), malgré un autoritarisme dévoyé, aime sincèrement Agnès.

Un comique subtil

Le comique des grandes comédies moliéresques utilise des moyens plus subtils que ceux de la farce : les contradictions internes des personnages, les revirements brutaux de leurs relations, les quiproquos*, le langage à double sens, entraînent un rire fondé sur une compréhension intellectuelle adaptée à la gravité des sujets, qui tournent souvent autour de la destruction d'une famille par le vice d'un individu. Et, nonobstant le xixe siècle tenté par une interprétation tragique de Molière, ce comique sérieux, qui oblige à réfléchir, n'oublie jamais de faire rire.

Un idéal de modération et de vérité

De nombreux personnages de Molière se caractérisent par leur **caractère excessif** : qu'ils refusent en bloc les règles du jeu social comme Alceste, qu'ils soient dominés par une passion comme Harpagon, ou par leur égoïsme, ils répandent le malheur autour d'eux.

Face à eux – et à leur échec – triomphe l'**idéal de modération et de vérité** incarné par leurs opposants, les honnêtes gens, comme Elmire face à Tartuffe et Orgon. Cette modération est liée à un bon sens raisonnable, par où s'exprime la voix de la nature, qui refuse tout excès et toute hypocrisie.

CITATION

• **Sur l'objectif de la comédie**
« Le devoir de la comédie étant de corriger les hommes en les divertissant, j'ai cru que, dans l'emploi où je me trouve, je n'avais rien de mieux à faire que d'attaquer par des peintures ridicules les vices de mon siècle. » (*Premier placet* au roi, sur *Tartuffe*, 1664)

REPÈRES BIOGRAPHIQUES

→ Fils d'un tapissier du roi, Jean-Baptiste Poquelin, dit Molière, fait des études de droit avant de s'orienter, contre la volonté de son père, vers le théâtre auquel il avait été initié enfant par son grand-père, amateur des Comédiens-Italiens. En 1643, avec Madeleine Béjart, une comédienne déjà connue, il fonde la troupe de l'Illustre-Théâtre et, l'année suivante, prend le pseudonyme de Molière. Mais la nouvelle compagnie ne tarde pas à péricliter et, après une incarcération pour dettes, Molière s'engage avec Madeleine dans une troupe de comédiens ambulants. Durant quinze ans il va parcourir la province et se forger une expérience d'acteur, de directeur de troupe et de metteur en scène. Il commence à écrire des farces* (*La Jalousie du barbouillé*) et quelques comédies* (*Le Dépit amoureux*).

→ En 1658, Molière est de retour à Paris. Protégée par le duc d'Orléans, la troupe joue devant Louis XIV *Le Docteur amoureux*, une farce dont le roi s'amuse beaucoup. En 1659, *Les Précieuses ridicules* sont

un véritable triomphe et, deux ans plus tard, Molière et sa troupe s'installent au Palais-Royal. Le dramaturge est alors au faîte de sa gloire et les créations se succèdent, dans des registres différents : farces, comédie héroïque (*Dom Garcie de Navarre*), comédie-ballet (*Les Fâcheux*), comédies de mœurs (*L'École des maris*, *L'École des femmes*).

→ C'est avec cette dernière pièce que les ennuis commencent, le parti des dévots s'indignant des libertés prises avec l'institution du mariage. *Le Tartuffe*, joué à Versailles en 1664, provoque le scandale et, malgré l'appui royal, les dévots font interdire la pièce qui ne sera plus autorisée avant 1669. *Dom Juan**, en 1665, subit le même sort. De plus, le mariage que Molière a contracté en 1662 avec Armande Béjart (sœur ou fille de Madeleine ?), n'est pas heureux.

→ À partir de 1666, après *Le Misanthrope*, Molière revient à un théâtre plus divertissant : la comédie-ballet avec *Le Bourgeois gentilhomme*, la farce avec *Les Fourberies de Scapin*, une comédie moins politique avec *L'Avare* et *Les Femmes savantes*. C'est au cours de la quatrième représentation du *Malade imaginaire* (21 février 1673), où il tient le rôle d'Argan, que Molière est emporté par une hémoptysie.

→ **comédie, comique, commedia dell'arte, Dom Juan, farce, moraliste, préciosité**

monologue

n. m. Du grec *mono*, « un, seul » et *logos*, « discours ». **Sens strict** : discours prononcé dans une pièce de théâtre par un personnage seul (ou qui se croit tel). Jacques Scherer propose d'étendre cette définition au cas où un personnage écouté par d'autres « ne craint pas d'être entendu par eux ». **Sens large** : long discours d'une personne qui ne laisse pas les autres parler.

Formes du monologue

Très employé dans le théâtre au début du xviie siècle, le monologue est ensuite plus rare : on lui reproche son caractère artificiel et on s'oriente vers d'autres moyens (dialogues avec les confidents*) pour informer le public.

Sa longueur est variée : de quelques lignes ou vers à des proportions considérables (167 vers dans le monologue de Don Carlos, *Hernani**, IV, 2).

On le rencontre aussi bien dans la comédie*
que dans la tragédie*. Hugo* y voyait un moyen
d'illuminer l'intérieur des hommes et il peut
être défini comme une « pensée verbalisée »
(Pierre Larthomas).

Fonctions du monologue

De fait, le monologue s'oppose au dialogue*
puisqu'il marque une **rupture de la communication**. Dans la tragédie, il exprime souvent la
solitude du héros*, dans un moment de crise
où celui-ci est confronté à un choix difficile :
dans le monologue de Rodrigue (Corneille*,
*Le Cid**), il prend la forme des stances* et de
la délibération tragique. Il peut se transformer
en **méditation** (Don Carlos dans *Hernani*), en
récit d'une destinée (monologue de Figaro
chez Beaumarchais*), en **confession lyrique**
(monologue de la Reine dans *Ruy Blas* de
Hugo). Tzvetan Todorov y voit une « extension de la forme linguistique d'exclamation »,
mais Pierre Larthomas note qu'il accueille aussi bien l'interrogation et l'apostrophe*. En effet,
le monologue s'adresse souvent à un interlocuteur visible ou invisible et prend ainsi la forme
d'un **dialogue imaginaire**, ce qui réintro-
duit le « mouvement dans un genre statique »
(J. Dubois). La parole redevient alors instrument de communication.

Le monologue peut encore marquer la **confusion mentale** de celui qui « parle tout seul ».
L'apostrophe à soi-même marque dans ce cas
le dédoublement psychologique (voir Cœlio
au dernier acte des *Caprices de Marianne* de
Musset*). Le monologue de Lucky dans *En
attendant Godot* de Beckett* est un exemple
contemporain de cette parole aliénée.

Enfin, le décalage entre le monologue et son
commentaire par ceux qui le surprennent
est un **procédé classique du comique** (voir
les scènes IV et V de l'acte III du *Mariage de
Figaro** de Beaumarchais*).

→ **aparté, dialogue, monologue intérieur,
réplique, stances, tirade**

monologue intérieur

n. m. Du grec *mono*, « seul » et *logos*,
« discours ». Forme d'énoncé utilisée dans
le roman (notamment à la fin du xixe siècle
et au xxe siècle), destinée à « évoquer le flux
ininterrompu des pensées qui traversent
l'âme du personnage au fur et à mesure
qu'elles naissent et dans l'ordre où elles
naissent, sans en expliquer l'enchaînement
logique » (Édouard Dujardin).

Caractéristiques

Le monologue intérieur est un discours direct
à la première personne, mais c'est un discours
intérieur : **il n'a pas d'auditeur, il n'est pas
même prononcé**. La ponctuation est souvent
gommée (il n'y a le plus souvent ni tirets ni
guillemets) et la syntaxe est peu élaborée, délibérément éloignée de l'écrit.

On fera la différence entre monologue rapporté, monologue intérieur et monologue
narrativisé, pour reprendre la terminologie de
la critique Dorrit Cohn dans *La Transparence
intérieure* (1981). Celle-ci appelle **monologue
rapporté** le procédé qui consiste, dans un
roman à la troisième personne, à citer entre
guillemets les pensées d'un personnage après
un verbe introducteur. Le **monologue intérieur** (que Dorrit Cohn appelle « monologue
autonome ») est une manière plus fluide de
rapporter les pensées d'un personnage : elles
surgissent à travers des phrases à la première
personne qui viennent envahir le récit, sans
guillemets, comme au début d'*Aurélien* (1942)
d'Aragon. Certes, on constate dans ce même
incipit* que certaines phrases à la troisième
personne reproduisent aussi, jusque dans leur
construction, le mouvement des pensées du
personnage, tout comme dans les premières
pages du *Planétarium* (1959) de Nathalie
Sarraute*. Mais Dorrit Cohn préfère alors parler de **monologue narrativisé**, réservant le
terme de monologue intérieur à l'emploi de
la forme du discours*, destinée à reproduire
les pensées d'un personnage dans une portion
plus ou moins vaste du récit.

Exemples

On trouve déjà le monologue intérieur dans
La Princesse de Clèves (1678) de **Mme de La
Fayette**. Les exemples de cette forme d'énoncé sont nombreux chez **Stendhal**, **Balzac**,
Flaubert, **Zola**. Voir par exemple comment
les pensées de Julien Sorel, dans *Le Rouge et
le Noir** (1830), s'immiscent dans le récit :

« Un homme comme moi se doit de réparer cet échec, et saisissant le moment où l'on passait d'une pièce à l'autre, il crut de son devoir de donner un baiser à Mme de Rênal » (I, chap. XIII).

C'est cependant à la fin du XIXe siècle que l'écrivain Édouard Dujardin prétend développer pleinement cette technique dans *Les lauriers sont coupés* (1887). Sa tentative a influencé la littérature dite du « **courant de conscience** » (*stream of consciousness*) qui s'est développée au Royaume-Uni et aux États-Unis dans les années 1920. Dans son roman *Ulysse* (1922), l'écrivain irlandais **James Joyce** a poussé l'utilisation du monologue intérieur jusqu'à son point extrême : la dernière partie du livre est la retranscription, sans ponctuation et dans un apparent désordre, des pensées de Molly Bloom. **Virginia Woolf**, dans son roman *Mrs Dalloway* (1925), évoque, elle, le flux des pensées d'une femme fébrile avant la réception qu'elle doit donner le soir, envahie par les souvenirs et les impressions que suscite en elle une promenade effectuée l'après-midi à travers Londres. Le début du roman de **William Faulkner** *Le Bruit et la Fureur* (1929) constitue aussi un monologue intérieur célèbre.

Enfin, **Nathalie Sarraute*** recourt sans cesse au monologue intérieur dans ses romans et dans son autobiographie, *Enfance** (1983). Étant donné son intérêt pour les mouvements infimes de la conscience (qu'elle appelle « tropismes ») et pour la « **sous-conversation** » qui se tisse, dans les esprits, en deçà de toute situation sociale de dialogue, elle est attirée par cette technique : l'écriture du monologue intérieur lui permet d'approcher le désordre des émotions et l'engendrement des pensées du sujet, en déjouant les conventions et les clichés de l'écriture littéraire.

→ **discours**, *Enfance*, **focalisation, monologue, récit, Sarraute**

Montaigne
(Michel de), 1533-1592

ŒUVRES
• Traduction de la *Théologie naturelle de Raimond Sebond* (1569).
• *Essais* (1680, 1688, 1695).
• *Journal de voyage en Italie* (posth. 1774, ouvrage partiellement rédigé par son secrétaire, et qui n'a pas été publié par Montaigne).

L'invention d'une forme : l'essai
Ce n'est qu'en cours de route que Montaigne décide d'intituler son œuvre *Essais*. L'essai`, en effet, n'existe pas en tant que forme littéraire, et Montaigne garde à ce terme son **sens de** « **coup d'essai** », d'**expérimentation**. Par son intitulé même, sa démarche se veut modeste, non aboutie, et nouvelle. La forme qu'il inaugure revendique d'abord une certaine **liberté**, associée à une **familiarité de ton**, proche de la conversation ou de la lettre. S'inspirant des recueils de réflexions de l'époque, Montaigne laisse vagabonder ses pensées à partir d'anecdotes, de lectures, d'expériences quotidiennes.

Montaigne lecteur des *Essais*
Faisant une large place aux citations, Montaigne, grand lecteur, enrichit son texte par des emprunts aux auteurs de l'Antiquité gréco-latine. Il dira plus tard, lorsque se sera affirmé son projet de « se peindre », que ses premiers textes « puent un peu l'étranger [*c'est-à-dire les emprunts*] ».

Mais, surtout, il enrichit son texte de ses propres remarques. Il est **lecteur autant qu'auteur de son propre texte**. Se refusant à effacer ce qu'il a écrit précédemment, Montaigne ajoute, commente, n'hésitant pas à se contredire, et appelant le lecteur à exercer son jugement, comme il le fait lui-même. Car les *Essais* sont avant tout l'essai du jugement de leur auteur, une œuvre qui refuse l'achèvement, et qui revendique sa liberté à une époque où toutes les certitudes sont ébranlées.

Montaigne sceptique ?
La difficulté à trouver une structure aux *Essais* et la juxtaposition des ajouts de leurs trois éditions successives ont poussé certains spécialistes à chercher une logique dans l'évolution de la pensée de Montaigne. Montaigne aurait ainsi été séduit par la **pensée des stoïciens**, puis par celle **des sceptiques**, et enfin par celle **des épicuriens**. Si une évolution générale se dessine en effet, elle est plus souple et plus complexe, car Montaigne a conservé toutes les strates de son texte et n'a rien renié. Cependant, sa volonté de ne pas effacer une pensée par une autre relève sans doute d'une attitude qui se méfie des certitudes : qui sait si la dernière pensée vaut mieux que la précédente ? Montaigne préfère laisser au lecteur le soin de juger. Le long texte central du livre II, l'*Apologie de Raimond Sebond*, est une **critique de la raison**. Loin de proposer la moindre doctrine, Montaigne préfère se servir de sa propre expérience pour élaborer son jugement.

m

Thèmes et termes

Dans cette œuvre foisonnante et sans ordre défini (Montaigne parle de sa « fricassée », de sa « rhapsodie » ou encore de ses « fantaisies »), des thèmes et des termes reviennent de manière privilégiée. Il en est ainsi de l'**éducation**, de la **mort** et du **suicide**, de la réflexion sur le **rôle de la coutume**, du constat de la diversité des choses et des **apparences trompeuses**, mais aussi de la légitimité de l'acte de se peindre – nullement évidente – que Montaigne défendra à maintes reprises.

Se peindre

Le projet de « se peindre », de parler de soi, qui apparaît au fil de l'écriture, est annoncé par Montaigne dans l'Avis au lecteur. **Montaigne se cherche dans l'écriture.** Il lui semble qu'il s'échappe à lui-même : écrire devient une façon de se « rassembler », ou de se découvrir, dans le mouvement de l'existence et de la pensée, dans le changement. L'essentiel, pour Montaigne, est de savoir être (à) soi, de bien vivre. Il revendique avant tout sa « bonne foi », car son projet est fondé sur une **exigence de sincérité.**

Mais parler de soi, de manière totalement profane et hors du contexte de la confession, ne serait-ce pas de la présomption ? Orgueil démesuré, dira Pascal*, car il est fort peu question de Dieu dans les *Essais*. D'autant que Montaigne n'hésite pas à se peindre dans les détails les plus concrets et triviaux de son existence, évoquant ses problèmes de santé ou abordant la sexualité en des termes souvent crus. Mais, en peignant un individu dans sa « naïveté » (c'est-à-dire dans son naturel), Montaigne cherche à **peindre l'humaine condition.**

L'humaniste

De même que Montaigne joue un rôle politique dans une époque troublée, il ose affirmer des convictions qui ne sont pas celles de son temps. Ainsi, l'un des premiers, il **s'insurge contre l'extermination des Indiens** en Amérique, il **dénonce la « question » judiciaire** qui fait de la torture un moyen légal pour instruire un procès. Sa pensée reste marquée par les désillusions d'une époque qui a vu s'effondrer les grands rêves de l'humanisme* du premier XVIe siècle.

Extrêmement lue, l'œuvre de Montaigne sera mise à l'Index* en 1676 (et le restera jusqu'en 1945).

CITATIONS

• **Sur l'acte de se peindre**

« On attache aussi bien toute la philosophie morale à une vie populaire [ordinaire] et privée qu'à une vie de plus riche étoffe : chaque homme porte la forme entière de l'humaine condition. » (*Essais*, III, 2)

« La plus grande chose du monde, c'est de savoir être à soi. » (*Ibid.*, I, 39)

REPÈRES BIOGRAPHIQUES

→ Né au château de Montaigne (Périgord) en 1533, Michel Eyquem de Montaigne est le fils aîné d'une famille de noblesse récente. Son père, imprégné des théories de la pédagogie humaniste, lui fait enseigner le latin avant le français, et assure à son fils une éducation originale qui refuse la contrainte. Montaigne est ensuite envoyé au collège de Guyenne, à Bordeaux, puis il fait des études de droit. Membre du Parlement de Bordeaux de 1557 à 1570, il y rencontre Étienne de La Boétie avec qui il se lie d'une profonde amitié, qui dure jusqu'à la mort de ce dernier en 1563. Pris dans le tourment des guerres civiles, il s'engage aux côtés des catholiques, mais avec modération. En effet la moitié de sa famille est réformée. De son mariage en 1565 naîtront six filles, dont une seule survivra.

→ En 1570, Montaigne vend sa charge de parlementaire et se retire dans sa « librairie » (sa bibliothèque), où il entreprend la rédaction des *Essais*. La première édition paraît en 1580 et comprend les volumes I et II. Mais cette « retraite » n'est pas un retrait du monde, car il continue de s'intéresser à la vie politique. Sa modération lui vaut d'être élu maire de Bordeaux en 1581, alors qu'il effectue un voyage de dix-sept mois en Italie. Réélu en 1583, il joue un rôle diplomatique entre le roi de France (Henri III) et Henri de Navarre, futur Henri IV. La deuxième édition des *Essais*, parue en 1588, enrichit les livres I et II, et leur ajoute le livre III.

→ Montaigne meurt en 1592 alors qu'il travaillait à la troisième édition des *Essais*. Marie de Gournay, admiratrice des *Essais* et que Montaigne appelle sa « fille d'alliance » (adoptive), se charge de cette troisième édition, publiée en 1595.

→ **épicurisme, essai, humanisme, Pascal, scepticisme, stoïcisme**

Montesquieu,
1689-1755

ŒUVRES PRINCIPALES

• **Roman épistolaire**: *Lettres persanes* (1721).

• **Essais philosophiques**: *Considérations sur les causes de la grandeur des Romains et de leur décadence* (1734), *L'Esprit des lois* (1748), *Défense de l'Esprit des lois* (1750).

La variété des tons

Si les *Lettres persanes** n'inaugurent pas le genre du roman par lettres, elles constituent en revanche le **premier roman épistolaire polyphonique**. Le choix du genre épistolaire* permet à Montesquieu d'aborder les sujets les plus divers et de passer d'un ton à l'autre. Les **lettres satiriques** au ton railleur (lettres 45, 48, 66, 107-110…) lui permettent de conserver une distance et de se moquer des ouvrages philosophiques de son époque tout en les pastichant (lettre 16). Elles alternent avec des **lettres au ton plus sérieux** (lettres 133-137), voire franchement grave (lettres 112-122), ce qui correspond à l'esprit même de ce roman qui entend aborder des sujets philosophiques, politiques, moraux, sous une forme romanesque distrayante.

La clarté* et la précision qui président aux *Lettres persanes* se retrouvent aussi dans *L'Esprit des lois* où la rigueur des analyses synthétiques n'exclut pas une ironie* mordante, qui met en valeur le caractère scandaleux des thèses adverses (voir « De l'esclavage des nègres », XV, 5).

Le goût pour le bonheur

De son périple européen (1728-1731), Montesquieu garde un **esprit cosmopolite** dont il s'enorgueillit, et dont il dotera Usbek, le principal héros des *Lettres persanes* qui exerce son esprit critique en France. Cette ouverture d'esprit donne à Montesquieu une hauteur de vue qui lui permet de s'élever au-dessus des coutumes particulières et des cultes nationaux, pour **rechercher les principes universels de la morale, de la politique et de la religion**. Cependant, bien qu'ayant passé une grande partie de sa vie à voyager, Montesquieu est avant tout le baron de la Brède, un notable attaché à sa province. De cet amour pour son domaine bordelais, il conserve un solide réalisme, l'attachement à la libre entreprise, la conviction que les facteurs économiques jouent un rôle considérable dans la vie et le développement des sociétés : ces **idées libérales** imprègnent son œuvre entière.

C'est aussi en partie de sa terre qu'il tient son **goût pour la modération** qui anime à la fois la conduite de sa vie et toute sa pensée politique. Moraliste*, féru de droit et de philosophie antique, il rejette les passions et prône le juste exercice de la raison, le respect de la personne humaine, la tolérance et la paix qui procurent la sérénité. L'autoportrait qu'il trace dans ses *Cahiers* révèle une aptitude singulière au bonheur. À l'instar de Montaigne*, Montesquieu cultive l'art de vivre.

Le précurseur de la sociologie

L'Esprit des lois, fruit de vingt ans de labeur, « a pour objet les lois, les coutumes et les divers usages de tous les peuples de la terre ». Son sujet « embrasse toutes les institutions qui sont reçues parmi les hommes ». En étudiant les faits pour définir des lois universelles, Montesquieu fait œuvre novatrice. Le titre même de l'ouvrage souligne l'originalité du projet : traditionnellement, la loi, expression de la volonté divine, avait une signification religieuse et morale. L'ouvrage de Montesquieu, lui, traite des **lois de la nature et des lois positives**, édictées par les hommes. Toute chose ayant sa nature propre a donc des lois qui lui sont propres. Une telle définition de la loi subordonne le cosmos à un ordre régulier et constant, sur le modèle des lois physico-mathématiques, et assujettit l'histoire au déterminisme le plus rigoureux : celui des sciences des lois de la nature. De commandement, **la loi devient un rapport**.

Mais, en même temps, envisagée sous cet angle, la loi est indissociable du droit : les faits n'acquièrent de légitimité que s'ils expriment un droit, le **droit naturel** appartient lui aussi à la nature des choses. Établissant leurs relations avec les faits, Montesquieu intègre la morale et la religion à sa réflexion sur les sociétés. Il tente de constituer une science des lois positives, de la politique et de l'histoire. Cependant, il souligne que, les hommes étant faillibles et les sociétés soumises au temps, les principes qui régissent chacune d'elles peuvent différer de l'application des lois. Loin de vouloir écrire une histoire des sociétés, il propose une nouvelle démarche philosophique, à l'origine de la sociologie moderne.

L'équilibre des pouvoirs

L'étendue d'un pays, ses moyens de communication, son climat, influent sur ses lois et sur la forme de son gouvernement. Néanmoins, pour chaque société, il n'existe que **trois types fondamentaux de gouvernement** : la **république**, la **monarchie**, le **despotisme**. Un principe particulier anime chacun d'eux : la république repose sur la vertu, la monarchie sur l'honneur, le despotisme sur la crainte. Si ce principe se corrompt, le mode de gouvernement qui en dépend disparaît.

La république appartenant surtout au passé gréco-romain, le despotisme caractérisant l'Asie, Montesquieu voit dans la monarchie la forme la plus appropriée à la politique de son temps. Pour éviter la tentation du despotisme, il préconise d'**équilibrer les pouvoirs en les séparant** : au roi le pouvoir législatif et exécutif, à un autre corps social le pouvoir judiciaire. Ce principe de séparation ne vise pas tant à réglementer définitivement le partage des pouvoirs qu'à insister sur la nécessité d'équilibrer chaque force politico-sociale. Car l'équilibre seul garantit la modération indispensable à la liberté politique, fer de lance de la pensée de Montesquieu.

CITATIONS

• **Sur la définition des lois**

« Les lois, dans la signification la plus étendue, sont les rapports nécessaires qui dérivent de la nature des choses ; et, dans ce sens, tous les êtres ont leurs lois. [...] Il y a donc une raison primitive ; et les lois sont les rapports qui se trouvent entre elle et les différents êtres et les rapports de ces divers êtres entre eux. » (*L'Esprit des lois*, I, §§ I et 4)

• **Sur l'esprit critique**

« D'ailleurs ce roi est un grand magicien : il exerce son empire sur l'esprit même de ses sujets ; il les fait penser comme il veut. [...] Il y a un autre magicien, plus fort que lui, qui n'est pas moins maître de son esprit qu'il ne l'est lui-même de celui des autres. Ce magicien s'appelle le Pape. » (*Lettres persanes*, lettre 24)

REPÈRES BIOGRAPHIQUES

➜ Né au château de la Brède, près de Bordeaux, Charles-Louis de Secondat, baron de la Brède et de Montesquieu, appartient à la noblesse de robe. Élevé chez les oratoriens, après des études de droit à Bordeaux, il devient président à mortier au Parlement de Guyenne.

➜ En 1721, sans nom d'auteur, il publie une fiction orientale, les *Lettres persanes*. L'année suivante, le succès du livre l'introduit dans les grands salons* parisiens et parmi les esprits « libéraux » du club de l'Entresol. Il vend sa charge de président. Après sa réception à l'Académie française* (1728), il entreprend un voyage documentaire à travers l'Europe, de l'Angleterre à la Hongrie, interrogeant et observant avec une insatiable curiosité, consignant notes et informations dans ses *Cahiers*.

➜ De retour à la Brède en 1731, il administre lui-même son vignoble, en même temps qu'il accumule et organise les documents qui serviront à la rédaction de *L'Esprit des lois*, publié et mis à l'Index* en 1748. Il meurt à Paris en 1755, quasiment aveugle.

➜ Diderot, *Lettres persanes*, Lumières, Rousseau, Voltaire

Montherlant
(Henry de), 1896-1972

ŒUVRES PRINCIPALES
• **Romans**: *La Relève du matin* (1920), *Les Olympiques* (1924), *Les Bestiaires* (1926), *Les Célibataires* (1933), *Les Jeunes filles* (1936-1939).
• **Théâtre**: *La Reine morte* (1942), *Le Maître de Santiago*, (1947), *Malatesta* (1954), *Port-Royal* (1954).

De l'égotisme à l'héroïsme

Montherlant partage avec Barrès, qu'il admirait, le **sentiment de la décadence et** une **philosophie égotiste**. Celle-ci cherche à conjurer par le « culte du moi » le désenchantement d'une époque jugée médiocre, impropre à la grandeur : « Je n'ai que l'idée que je me fais de moi pour me soutenir sur les mers du néant. » L'affirmation des valeurs du moi est marquée par la nostalgie de l'enfance (*La Relève du matin*), l'exaltation du corps dans l'exercice sportif ou la tauromachie, activités pratiquées par Montherlant et dans lesquelles, selon l'écrivain, l'héroïque rejoint l'esthétique (« Le style est la caresse du sport », écrit-il dans *Les Olympiques*). Cette recherche de l'énergie virile a pour envers une misogynie affichée (*Les Jeunes Filles*). Pour accomplir la transfiguration de l'action par l'art, Montherlant privilégie, dans ses récits comme dans son théâtre, des **figures héroïques**, tendues vers l'accomplissement d'un devoir difficile. Ferrante, le roi du Portugal dans *La Reine morte*, fait mettre son propre fils en prison et exécuter la femme qui lui résiste.

Le choix de **sujets historiques** (le Portugal du XIVe siècle dans *La Reine morte*, la France de Louis XIV dans *Port-Royal*) permet de donner plus de relief aux oppositions entre orgueil et médiocrité, corruption et affirmation hautaine d'une vertu stoïque, mépris du monde et recherche de la pureté (*Port-Royal*).

Le goût du néant

Si la tragédie cornélienne dont s'inspire Montherlant affirmait un sens, les tensions de son propre univers dramatique semblent ne reposer que sur du vide. Le dénouement* de ses pièces est souvent marqué par un constat d'échec. L'exécution d'Iñes de Castro dans *La Reine morte* apparaît comme un « acte inutile et funeste ». L'homme d'action est finalement un « chevalier du néant » qui accomplit un « service inutile ». La véritable gloire paraît inaccessible, rejetée dans le passé. Reste le **renoncement** : « Désormais je touche à mon but : ce but c'est de ne plus participer aux choses de la terre », s'exclame don Alavaro, dans *Le Maître de Santiago*. Ce retrait qui, dans le drame*, prend une forme religieuse est plus profondément la marque, chez Montherlant, d'un **pessimisme fondamental**.

CITATIONS

• **Sur l'aspiration à la grandeur**
« Il ne s'agit pas seulement de vivre, mais de vivre en paraissant tout ce qu'on est. Et enfin vivre ainsi n'est pas suffisant : il faut encore le vivre avec gloire. » (*Malatesta*)
• **Sur le désespoir**
« Vous aussi comme moi, vous êtes malade : votre maladie à vous est l'espérance. » (*La Reine morte*)

REPÈRES BIOGRAPHIQUES

➜ Montherlant naît dans une famille aristocratique et catholique. Engagé volontaire et blessé pendant la Première Guerre mondiale, il en célébrera les combattants fraternels. Après la guerre, il voyage en Espagne et en Afrique, publie des romans (*Les Célibataires, Les Jeunes filles*) avant de se tourner vers le théâtre : *La Reine morte* inaugure une série de pièces historiques à succès (*Le Maître de Santiago, Port-Royal*). En 1960, il est élu à l'Académie française*.
➜ En septembre 1972, menacé de cécité, Montherlant – qui voyait dans le suicide « une parcelle de liberté dans la nécessité » – préfère se donner la mort.

➜ **Corneille, scepticisme, stoïcisme**

moraliste

n. m. De morale. **Sens littéraire :** auteur qui traite de la morale (le sens apparaît en 1690), auteur qui traite des mœurs (à partir de 1762). **Sens courant :** personne qui, sans être écrivain, fait des réflexions morales. L'adjectif n'apparaît qu'à partir de 1758.

Le peintre des mœurs et de la nature humaine

Le terme « moraliste » est tardif, et postérieur aux écrits des auteurs rangés sous cette dénomination. Il comporte deux sens distincts, la **morale** (science du bien et du mal) se différenciant des **mœurs** (description des comportements). Les moralistes des XVIe et XVIIe siècles sont plus soucieux de décrire, d'analyser la morale ou les mœurs, que de donner des règles de conduite. « Moraliste » n'est donc pas synonyme de « moralisateur ». **Le moraliste se définit davantage par les sujets qu'il étudie** (la morale ou les mœurs), **que par la forme ou le ton** qu'il choisit. Montaigne* rédigeant ses *Essais*, Pascal* ses *Pensées*, La Rochefoucauld* ses *Maximes*, La Bruyère* ses *Caractères*, sont des moralistes. Au sens strict, le substantif « moraliste » est employé pour qualifier les penseurs dont les ouvrages parlent avant tout de morale ou de mœurs (et particulièrement les auteurs des XVIe, XVIIe et XVIIIe siècles). Cependant l'adjectif peut être appliqué à **tout auteur qui**, à l'intérieur d'un genre* littéraire déterminé (roman*, comédie*…), **développe une réflexion morale**. La Fontaine* dans ses *Fables*, Molière* dans ses comédies (dites de caractère et *de mœurs*), et même Mlle de Scudéry* (grâce aux « Conversations » qui agrémentent ses romans et posent des questions de morale amoureuse) sont des moralistes. Au XVIIIe siècle, les auteurs qui étudient les mœurs tendent à se définir plutôt comme « philosophes ».

➜ **classicisme, France, La Bruyère, La Rochefoucauld, Pascal**

Morand
(Paul), 1888-1976

ŒUVRES PRINCIPALES
- **Nouvelles** : *Ouvert la nuit* (1922), *Fermé la nuit* (1923), *Lewis et Irène* (1924), *L'Europe galante* (1925).
- **Romans** : *L'Homme pressé* (1941), *Le Flagellant de Séville* (1951).
- **Autobiographie** : *Venises* (1971).

Un chroniqueur amusé du XXᵉ siècle

Dandy, esthète, voyageur curieux, observateur de tout ce qui peut étonner dans une ville ou chez une femme, Morand entraîne le lecteur de ses nouvelles dans des **aventures rapides**, des voitures de course, des trains, des avions, des hôtels de luxe, un ballet de rencontres éphémères. « Homme pressé » de l'« Europe galante », il multiplie les aperçus singuliers sur la vie mondaine des Années folles, ses personnalités cosmopolites, ses modes, ses aventuriers de la fortune et de l'amour comme les héros de *Lewis et Irène*.

Le **style** de Morand est **nerveux**, spirituel, incisif. La simplicité et la clarté de sa phrase font mieux jaillir le mot rare, l'image surprenante. Il privilégie la **nouvelle*** ou le **fragment** parce qu'ils permettent des « instantanés ». Il choisit la légèreté de l'humour* sans ambitionner la profondeur psychologique. Cependant, dans les œuvres composées après la Seconde Guerre mondiale, Morand élargit son inspiration en abordant le roman historique (*Le Flagellant de Séville*) ou l'autobiographie* (*Venises*).

CITATION

- **Sur le voyageur**

« Toute existence est une lettre postée anonymement ; la mienne porte trois cachets : Paris, Londres, Venise. [...] Venise, ce n'est pas toute ma vie mais quelques morceaux de ma vie, sans lien entre eux ; les rides de l'eau s'effacent ; les miennes, pas. » (*Venises*)

REPÈRES BIOGRAPHIQUES

→ Paul Morand, diplomate et mondain qui fait de la vitesse, dans le voyage comme dans le libertinage*, un art de vivre, connaît le succès avec des récits courts et vifs : *Ouvert la nuit*, *Fermé la nuit*, *Lewis et Irène*, *L'Europe galante*. Il côtoie Proust* et Giraudoux*. En 1941, il publie *L'Homme pressé* qui reprend le thème de la vitesse mais sous l'angle de la dérision.

→ Exilé en 1944 pour collaboration, il revient à Paris en 1955. Il est élu à l'Académie française* en 1968.

→ **Nimier, nouvelle**

Musset
(Alfred de), 1810-1857

ŒUVRES PRINCIPALES
- **Poésie** : *Contes d'Espagne et d'Italie* (1830), *Un spectacle dans un fauteuil : Namouna, La Coupe et les Lèvres, À quoi rêvent les jeunes filles* (1832), *Rolla* (1833), *Les Nuits* (1835-1837).
- **Roman** : *Confession d'un enfant du siècle* (1836).
- **Théâtre** : *Les Caprices de Marianne* (1833), *Fantasio* (1834), *On ne badine pas avec l'amour* (1834), *Lorenzaccio* (1834), *Il ne faut jurer de rien* (1836), *Il faut qu'une porte soit ouverte ou fermée* (1845).

Un « enfant du siècle »

Musset a été un éternel adolescent : les héros de ses pièces et de ses récits sont des **êtres jeunes**, au seuil de l'action et du monde adulte, **en proie au doute et au refus**, déjà brisés par une blessure définitive. Le début de la *Confession d'un enfant du siècle*, roman autobiographique, analyse le mal qui voue la génération de Musset au scepticisme*, et dont on trouve trace dans son œuvre entière.

En effet, au lendemain de la Révolution et de l'Empire, le pouvoir appartient à la gérontocratie. Dans une société privée de débouchés, la jeunesse, déçue dans ses aspirations politiques, incertaine de l'utilité d'une action, incapable de trouver une consolation dans la religion, n'a d'autre avenir que le vide. Même l'amour appartient aux « illusions anciennes ». Comme le remarque Vigny*, **la figure de la femme salvatrice est absente de l'univers mussétien**. La brisure de l'image féminine est inséparable, dans l'œuvre de Musset, de la rupture de l'unité historique, et la plupart de ses héroïnes, à l'instar de la Marianne des *Caprices*, posent le problème de l'innocence ou de la culpabilité féminine. Toute vertu renvoie à un idéal passé, sans rapport avec la réalité présente.

Contaminé par la souillure ambiante, l'art pour l'art* est lui aussi condamné. La fracture de l'Histoire ne laisse d'autre choix à la jeunesse que le désespoir ou la débauche pour tromper l'ennui (*Lorenzaccio* et *Les Caprices de Marianne*). Une tonalité souvent fantaisiste, et visant à maintenir avec le monde une distance ironique et désabusée, accompagne cependant ce pessimisme.

Le masque et le double

Le masque et le double, présents dans certaines poésies de Musset, règnent surtout dans son théâtre. Ils témoignent d'une interrogation sur l'identité, une quête de l'unité du moi perdu ou menacé. En même temps, ils **dénoncent la comédie sociale** : la protection qu'offre le masque autorise le dévoilement de l'être profond. Instrument de communication, il permet aussi d'investir autrui et de le contraindre à se révéler.

Mais, parallèlement, son utilisation fait courir un risque mortel. Son joug, ses mensonges consument : Camille et Perdican (*On ne badine pas avec l'amour*) en ressentent physiquement les sinistres effets. Le masque colle à la peau et abolit la distinction entre l'être et le paraître. De l'aveu même de Lorenzo (*Lorenzaccio*), il s'avère alors le seul mode d'existence possible. Le **masque** traduit le drame du **dédoublement**, caractéristique des personnages de Musset et sensible dans l'emploi d'un *je* qui se scinde **en plusieurs voix**. *Je* dialogue avec l'autre, comme dans la *Nuit de décembre*, et la multiplication des personnages, la multiplicité des discours contradictoires recouvrent les différentes facettes d'un sujet unique, mais toujours morcelé.

La souffrance, source de la création poétique

Musset, « le plus classique et le plus romantique des poètes lyriques », n'écrit que sous le coup de l'émotion. L'absence de technicité poétique, que lui reprochera Baudelaire*, il la revendique : **tout vers doit exprimer un émoi vécu**. Pourtant, il pratique longtemps une poésie légère, spirituelle, enjouée, humoristique. Le cycle des *Nuits* marque un tournant : Musset s'y interroge sur la **dualité entre l'homme et le poète**, sur la mission créatrice de celui-ci et le renoncement à la vie que cette mission impose. La souffrance seule inspire le poète qui se doit de l'exhiber, comme le suggère la Muse de la *Nuit de mai*. Dès lors, prolifèrent les poésies sentimentales où Musset chante l'amour déçu, la douleur, les inquiétudes et les tourments personnels. En ce sens, la gravité des thèmes et la profondeur de réflexion qui animent *Rolla* en font un des sommets de sa poésie.

CITATIONS

• **Sur le masque**
« Songes-tu que ce meurtre c'est tout ce qui me reste de ma vertu ? [...] Oui, cela est certain, si je pouvais revenir à la vertu, si mon apprentissage du vice pouvait s'évanouir, j'épargnerais peut-être ce conducteur de bœuf – mais j'aime le vin, le jeu et les filles, comprends-tu cela ? » (*Lorenzaccio*, III, 3)
• **Sur la souffrance créatrice**
« Rien ne nous rend si grands qu'une grande douleur./Mais, pour en être atteint, ne crois pas, ô poète,/Que ta voix ici-bas doive rester muette./Les plus désespérés sont les chants les plus beaux,/Et j'en sais d'immortels qui sont de purs sanglots. » (*Nuit de mai*)
« Ah ! frappe-toi le cœur, c'est là qu'est le génie ! » (« À mon ami Édouard B »)

REPÈRES BIOGRAPHIQUES

→ Issu d'une famille aisée, Musset passe une enfance heureuse dans un milieu qui cultive les belles-lettres. Après de brillantes études, il envisage plusieurs carrières mais y renonce pour s'adonner à la littérature. À dix-neuf ans, il publie son premier recueil de poèmes, *Contes d'Espagne et d'Italie*, d'un romantisme tapageur, et fait figure d'enfant prodige. Il fréquente alors les cénacles de Hugo* et de Nodier* mais prend rapidement ses distances avec les romantiques, dont il ne partage pas les choix politiques après 1830. Cette année-là, sa première pièce, *La Nuit vénitienne*, essuie un échec retentissant : Musset n'écrira plus que des pièces destinées à la lecture, parmi lesquelles *Lorenzaccio** en 1834.
→ Après la mort de son père, se trouvant obligé de travailler, Musset collabore à la *Revue des Deux Mondes*. En 1833, il rencontre George Sand avec qui il vit pendant deux ans une passion tumultueuse. Jusqu'en 1838, sa production est féconde et variée.
→ Après cette date, son inspiration se tarit. Précocement vieilli par la débauche et l'alcool, sujet à des crises nerveuses de plus en plus fréquentes, souffrant d'une insuffisance aortique, sa vie est dominée par l'ennui et la lassitude. Décoré de la Légion d'honneur, élu à l'Académie française en 1852, nommé bibliothécaire de l'Instruction publique en 1853, il meurt quatre ans plus tard, dans l'indifférence générale.

→ **drame romantique, Hugo, Lamartine, Lorenzaccio, romantisme, Vigny**

mythe

n. m. Du grec *muthos*, « parole, récit ».

1. À l'origine le mythe est un récit sacré révélant une vérité et expliquant à l'homme, à travers les théogonies (histoire des dieux) et les cosmogonies (histoire du monde), son origine et sa place dans l'univers. Assez vite, dans la Grèce ancienne, la connaissance mythique s'est trouvée en position de faiblesse face à l'émergence de la connaissance rationnelle (*logos*, en grec). Le développement du christianisme, soucieux de faire triompher sa propre vérité, achèvera de porter le discrédit sur les mythes. **2.** Dans une civilisation comme la nôtre, marquée par la rationalité scientifique, le mot « mythe » a souvent un sens péjoratif : il est devenu synonyme d'histoire fausse, d'illusion ou même de mystification.

Du sacré au profane

Au fur et à mesure de l'évolution du terme, les thèmes mythiques fondamentaux (tels la naissance divine, les exploits héroïques, les descentes aux enfers, la transgression, l'initiation) ont peu à peu « émigré » dans une **production littéraire** (orale ou écrite) **de plus en plus profane** (tragédies*, épopées*, légendes, contes*). Les mythes ont donc largement alimenté la littérature.

Si le mythe a perdu toute dimension religieuse, il continue à retenir l'attention non seulement des **anthropologue**s, comme Lévi-Strauss ou Gilbert Durand (*Structures anthropologiques de l'imaginaire*, 1969), mais aussi des **psychologues** comme Freud, Jung ou Hillmann, qui trouvent dans les mythes des clefs pour déchiffrer le fonctionnement de la psyché humaine (ainsi le complexe d'Œdipe). Le **sociologue** Michel Maffesoli (*L'Ombre de Dionysos*, 1982) montre la présence du mythe de Dionysos dans la mentalité contemporaine, tandis que Gilbert Durand considère le mythe d'Hermès* comme le mythe du xxe siècle.

Mythe et littérature

Sur le plan littéraire, l'intérêt pour les mythes ne s'est jamais démenti et l'on trouve jusqu'au xxe siècle d'innombrables variations sur les grands mythes (Thésée, Orphée*, Hercule, Œdipe*, Antigone*…). **Chaque époque, chaque mouvement littéraire a ses mythes de prédilection** : Pygmalion, Narcisse*, Phénix, Actéon pour la Renaissance ; Circé, Protée et Calypso à l'âge baroque ; Psyché à l'âge classique ; Caïn, Faust* et Prométhée* pour les romantiques ; Antigone et Électre pour l'époque contemporaine.

De nombreux auteurs mettent au cœur de leur œuvre, de façon plus ou moins cryptée, une méditation sur un mythe particulier. La **lecture d'une œuvre à la lumière d'un mythe**, illustrée en particulier par Pierre Brunel (*Mythocritique*, 1992), apparaît comme l'une des voies les plus fécondes de la critique littéraire. Ainsi, par exemple, on pourra lire Nerval* à travers le mythe d'Orphée, Valéry* à travers celui de Narcisse, Camus* à travers celui de Sisyphe, Gide* à travers celui de Thésée. Michel Tournier*, quant à lui, proclame que « l'homme ne s'arrache à l'animalité que par la mythologie » (*Le Vent Paraclet*, 1977) et conçoit son entreprise romanesque comme une exploration des grands mythes.

→ **Antigone, conte, épopée, Faust, Médée, Narcisse, Œdipe, Orphée, Prométhée, symbole, tragédie**

Narcisse

La légende de Narcisse, adolescent d'une très grande beauté qui s'éprend de lui-même, a donné lieu à de nombreuses illustrations littéraires et à des interprétations divergentes, insistant tantôt sur l'aspect négatif de l'amour de soi-même, tantôt sur son aspect positif.

Le mythe : un drame de la séduction

Un oracle avait prophétisé à sa naissance que Narcisse vivrait aussi longtemps qu'il ne découvrirait pas sa propre image. Tenu à l'écart de tout miroir, il devient un adolescent d'une extraordinaire beauté. Mais il repousse toutes les avances, mêmes celles de la tendre nymphe Écho. Une telle insensibilité ne pouvait rester impunie : selon le vœu d'une de ses victimes, il est condamné à tomber follement amoureux sans pouvoir posséder l'objet de son amour. Après une journée de chasse, Narcisse, exténué, se penche sur une source pour se désaltérer. L'eau pure lui renvoie une image si parfaite qu'il s'éprend de son propre visage. Il meurt d'amour au bord de la source et bientôt, là où sa tête a reposé, pousse une fleur blanche très odorante : le narcisse.

Le narcissisme : amour et vanité

On a souvent fait de Narcisse le type même du vaniteux. De son histoire, les **moralistes**[*] ont tiré l'idée qu'**un amour de soi excessif rend incapable d'aimer** : fasciné par sa propre beauté, Narcisse est comme emmuré en lui-même et ne peut trouver le chemin qui mène vers le cœur de l'autre. Telle est « l'erreur de Narcisse », selon le mot du philosophe Louis

Lavelle : il devient « le spectateur de lui-même [...], il se regarde au lieu de vivre ». Narcisse est incapable d'accéder à une véritable connaissance de soi, laquelle passe nécessairement par la connaissance de l'autre. Le narcissisme est une impasse.

La quête de la beauté et de la connaissance

Cette interprétation du mythe de Narcisse en occulte les **aspects positifs**. Pour Freud, le **narcissisme** est une étape normale dans le développement psychique de l'individu, à condition bien sûr qu'il puisse être dépassé. Jacques Lacan a montré l'importance du stade du miroir chez l'enfant. Bachelard, dans *L'Eau et les rêves*, repère, à côté du narcissisme égoïste, un narcissisme idéalisant qui est l'expression de notre quête de la beauté, en nous comme dans le cosmos.

Sur le plan littéraire, le **mythe de Narcisse** est généralement **lié au thème du miroir et du regard**, spécialement chez les symbolistes, pour qui le miroir révèle une autre réalité. Après Mallarmé[*] (*Hérodiade*) et André Gide[*] (*Traité de Narcisse*), Paul Valéry[*] (« Fragments du Narcisse » dans *Charmes*) accorde à ce mythe une place centrale dans son œuvre et se livre à une véritable apologie de Narcisse : jusqu'à son échec final, Narcisse reste le héros de cette immense aventure émerveillée qu'est la connaissance de soi.

→ **Gide, mythe, symbolisme, Valéry**

n

narrateur

n. m. Du latin *narrator*, « celui qui raconte ».
Dans un récit, personnage fictif, distinct
de l'auteur, qui raconte les événements.

Narrateur et auteur

L'existence du narrateur et la place qu'il tient
dans une œuvre sont des éléments primor-
diaux pour comprendre les enjeux du texte et
le point de vue* selon lequel sont évoqués les
personnages et leur histoire. Le **narrateur** peut
être **confondu avec l'auteur***, c'est-à-dire avec
l'écrivain qui signe le livre, **ou** bien être totalement **dissocié de lui**. Il peut être absent, omniprésent ou n'apparaître que par moments. Il
peut être omniscient, ou bien ignorer tout ou
partie des événements et des pensées des héros.
Un épisode, une scène peuvent être racontés du
point de vue du narrateur, ou d'un personnage.
Le narrateur est tantôt extérieur à l'action, tantôt impliqué comme personnage à part entière.
De ces multiples combinaisons naît la **diversification des points de vue**.
Dans *À la recherche du temps perdu** de Marcel
Proust*, le narrateur, distinct de l'auteur, est
totalement impliqué comme personnage principal de l'action. Les faits sont en général vus
à travers son regard, qui évolue dans le temps
(il arrive donc qu'il revienne sur un événement
passé pour l'analyser à nouveau à la lumière
de l'expérience et des informations acquises
entre-temps).

→ auteur, focalisation, locuteur, narration,
personnage, Proust, roman

narratif (schéma)

n. m. Le schéma narratif voit le jour à la
suite des travaux structuralistes* de Propp
sur le conte ou de Greimas sur le schéma
actantiel*. Il décompose la structure d'un
récit en cinq étapes.

Les cinq étapes du schéma narratif

1. La **situation initiale :** elle correspond au
début du récit et présente tous les éléments
indispensables à sa compréhension. Dans les
récits au passé, le temps le plus fréquemment
utilisé pour la situation initiale est l'**imparfait**.
La **valeur** durative et **inachevée** de ce temps
(l'action est montrée en train de se dérouler,
on ignore quand elle commence et quand elle
s'achève) favorise la présentation d'une situation stable, antérieure au démarrage de l'action. *Ex.* : « *Il était une fois un sage souverain.
Il avait trois fils qu'il chérissait énormément.* »
2. L'**élément pertubateur** : appelé également
élément déclencheur, il rompt l'équilibre de
la situation initiale. Dans les récits au passé, il
est marqué par l'irruption du **passé simple**. La
valeur achevée de ce temps (l'action est déjà
terminée) le rend propre à enclencher l'action
et à la faire progresser. *Ex.* : « *Quand il sentit la
mort venir, il appela ses trois fils* ».
3. Les **péripéties** : il s'agit de l'ensemble des
événements qui surviennent après l'élément
perturbateur et des actions entreprises par le(s)
héros pour atteindre son but. *Ex.* : « *Il s'entendit
avec les marins pour qu'ils le ramènent chez lui.*
4. L'**élément de résolution** : appelé aussi **dénouement**, il met fin aux péripéties et engendre une nouvelle situation équilibrée. *Ex.* :
« *Il ouvrit le coffre et récupéra ses biens avec une
grande joie.* »
5. La **situation finale** : c'est la nouvelle situation à laquelle aboutit le récit : elle en marque
la fin. *Ex.* : « *Ils se marièrent, furent heureux, et
eurent beaucoup d'enfants.* »
Souvent utilisé pour l'analyse des nouvelles et
des contes, le schéma narratif est un concept à
manipuler avec précaution, car il peut s'avérer réducteur. De fait, les œuvres littéraires
peuvent présenter des **structures narratives**
extrêmement **variées**. Ainsi, la structure de
certains récits peut être fondée sur l'accumula-
tion*, le bouclage, le retour en arrière, la symétrie, l'enchâssement, etc. Par ailleurs, certains
récits peuvent superposer plusieurs structures :
tel est le cas de *Candide** de Voltaire.

→ actantiel (schéma), conte populaire,
diégèse, récit

narration

n. f. Du latin *narratio*, « acte de raconter ».
1. Acte par lequel on produit un récit.
2. Synonyme de récit, en particulier par
opposition à description*. **3.** Nom donné
à l'exposé des faits en rhétorique judiciaire.

La voix

La narration est l'action de narrer. Celle-ci
suppose d'abord de choisir une **voix**. Tout
romancier commence ainsi par réfléchir à
l'implication de son narrateur dans l'histoire
racontée. Choisir le *je*, comme dans *Adolphe*
(1816) de Benjamin Constant*, c'est faire ap-
partenir le narrateur au même monde que

celui de la diégèse*, d'où le terme de récit «**ho-modiégétique**» proposé par Gérard Genette dans son ouvrage *Figures III*. Si le récit est à la troisième personne, comme dans *Le Rouge et le Noir** (1830) de Stendhal*, on pourra parler de récit «**hétérodiégétique**».

Évidemment, la littérature joue des effets de voix au-delà de cette classification trop simpliste. *La Jalousie* (1957) de Robbe-Grillet* est un récit en *il* qui laisse deviner, à côté des deux personnages principaux du roman, la présence d'un troisième personnage qui est le narrateur. *Le Ravissement de Lol. V. Stein* (1965) de Marguerite Duras* semble être un récit en *il*, avant que le narrateur ne se présente soudain au milieu du livre. Inversement, *Madame Bovary* (1857) de Flaubert* commence sur un « Nous » qui va très vite disparaître complètement du texte.

On rencontre enfin des **récits enchâssés** l'un dans l'autre (il y a dans ce cas une **intradiégèse**), par exemple dans le roman du XVIII\e siècle. Et dans le vaste ensemble à la première personne qu'est *À la Recherche du temps perdu* de Proust, *Un amour de Swann* est un récit intégralement à la troisième personne, dont l'insertion se justifie par la ressemblance de Swann avec le narrateur.

Le point de vue

Narrer n'implique pas seulement le choix d'une voix ; cela amène aussi à **moduler les points de vue**. Ainsi, ce n'est pas parce que le récit* est hétérodiégétique qu'il ne peut épouser différents points de vue : la question de la voix (« qui raconte ? ») diffère en effet de la question de la **focalisation*** (« qui perçoit ? »). C'est ainsi que le début de *L'Éducation sentimentale* (1869) de Flaubert évoque d'abord le personnage de Frédéric Moreau d'un point de vue **externe** (puisque le jeune homme n'est pas tout de suite nommé), avant de le considérer du point de vue d'un narrateur **omniscient** (son nom, son proche passé, ses projets nous sont présentés), puis de nous faire entrer, par un procédé de focalisation **interne**, dans sa contemplation amoureuse de Mme Arnoux.

La distance

La question du point de vue ne se confond pas avec celle de la **distance**. Il existe en effet toute une palette de moyens par lesquels un narrateur, aussi bien homodiégétique qu'hétérodiégétique, peut indiquer sa distance **par rapport aux événements, aux paroles et aux pensées qu'il rapporte**. Lorsqu'un récit relate longuement une action, il marque sa proxi-

mité avec elle ; inversement, une ellipse* ou un sommaire marquent la distance du narrateur. Lorsque le récit rapporte les paroles ou les pensées d'un personnage en les reformulant, en les narrativisant, il est moins fidèle et donc moins proche du personnage que s'il les restituait exactement. Le narrateur peut aussi marquer sa distance en laissant poindre son ironie* ou son scepticisme.

Narration et description

On peut utiliser le terme «**narration**» **par opposition** à celui de «**description***», ce qui le rapproche des termes diégèse* ou récit*. Dans ce cas, la narration est l'exposé des différentes étapes de l'action, depuis la situation initiale jusqu'à la situation finale. On dira alors que la description marque une pause dans la narration (voir l'article «Récit»).

Mais l'analyse des textes est bien souvent amenée à reconnaître une fois encore que cette partition est simpliste. D'abord, il y a presque toujours du descriptif dans le narratif. Ensuite, et inversement, une description peut être un embrayeur narratif (par exemple, décrire un personnage laisse prévoir ce qu'il peut faire). Les expériences romanesques d'auteurs comme Claude Simon* sont des exemples limites de la manière dont le développement de la description peut devenir narration : dans *Triptyque* (1973), la matière du récit s'avère être la description d'une affiche ou d'une image de puzzle.

Une partie du discours judiciaire

Enfin, le terme « narration » peut prendre un sens plus spécifique. En rhétorique* et dans le genre judiciaire, c'est le nom donné à l'**exposé des faits qui suit l'exorde*** : la narration porte sur le **fond** ou sur les circonstances de la cause défendue. Elle procède d'une stratégie élaborée : il s'agit exclusivement de raconter, et la brièveté est exigée, mais la narration est déjà une **occasion d'argumenter** sans le montrer. D'ailleurs, il n'est pas interdit de recourir à des figures, à des effets. On retrouve trace de cette pratique de la narration judiciaire dans la littérature, par exemple dans les *Fables* (1660, 1678, 1694) de La Fontaine ou bien dans les répliques d'une pièce comme *Cinna* (1640) de Corneille, tout fait passibles d'une analyse rhétorique.

→ **description, diégèse, focalisation, monologue intérieur, récit**

naturalisme

n. m. Du latin *naturalis*, « naturel ».
Mouvement littéraire qui se développe entre les années 1865 et 1890, et dont Zola*, le chef de file, définit la doctrine dans *Le Roman expérimental* (1880) et *Les Romanciers naturalistes* (1881) : rivaliser avec la science, représenter exactement la nature ; comme le biologiste et le médecin, le romancier doit devenir un observateur et un expérimentateur. Les représentants de l'école naturaliste sont les écrivains qui se réunissent chez Zola dans sa maison de Médan et qui participent au recueil collectif de nouvelles *Les Soirées de Médan* (1880) : Huysmans*, Léon Hennique (1851-1935), Henry Céard (1851-1924), Paul Alexis (1847-1901), Maupassant*.

Réalisme et naturalisme

Les auteurs réalistes se proposaient de suivre l'exemple des **enquêtes sociales** par lesquelles on sondait, depuis les années 1830, les mystères d'une société de plus en plus diverse et complexe. C'est pour leurs capacités d'observation que Zola, dans *Les Romanciers naturalistes* (1881), reconnaît non seulement à Flaubert* ou aux Goncourt* mais aussi à Balzac* et à Stendhal* la qualité de devanciers du naturalisme.

Dans la préface de *Germinie Lacerteux* (1865), les frères Goncourt réexpriment les buts du réalisme* en expliquant que le roman doit représenter les « basses classes » et qu'il devient une « grande forme [...] vivante de l'étude littéraire et de l'enquête sociale ». Mais ils abordent le naturalisme dans le sens de Zola lorsqu'ils présentent l'étude du personnage de Germinie comme « la clinique de l'amour » ou qu'ils se réjouissent que le roman se soit « imposé les études et les devoirs de la science ».

Le « roman expérimental »

En effet, **le roman devient** véritablement **naturaliste** lorsque Zola en fait un **lieu d'expérimentation**, sur le modèle de la médecine expérimentale du physiologiste Claude Bernard (1813-1878) : la « machine individuelle de l'homme » étant bientôt connue grâce à la physiologie, Zola se propose d'**étudier cette machine purement « physique et chimique » selon ses interactions avec son milieu** : « Posséder le mécanisme des phénomènes chez l'homme, montrer les rouages des manifestations intellectuelles et sensuelles telles que la physiologie nous les expliquera, sous les influences de l'hérédité et des circonstances ambiantes, puis montrer l'homme vivant dans le milieu social qu'il a produit lui-même, qu'il modifie tous les jours, et au sein duquel il éprouve à son tour une transformation continue » (*Le Roman expérimental*, II).

D'où l'ample projet du cycle romanesque des *Rougon-Macquart*, observation détaillée de la manière dont la tare héréditaire d'une famille se manifeste à travers cinq générations et en divers milieux sociaux.

Limites et contradictions

Cependant, Zola, tout en se donnant pour sujets la folie, l'alcoolisme, la fureur sexuelle et la débauche des appétits dans un siècle jouisseur, **transgresse les limites de son projet initial** : le ton est lyrique, la narration bientôt visionnaire, nourrie des idéaux politiques de l'auteur, et les *Rougon-Macquart* deviennent une vaste fresque épique qui échappe à la rigueur scientifique.

Du reste, nombreuses sont les critiques qui peuvent être faites au projet naturaliste : la prétention même de recréer dans le roman les conditions d'une expérience de physiologie est illusoire. Maupassant, dans la Préface de *Pierre et Jean* (1888), ne se contente pas de critiquer le réalisme en expliquant que le véritable écrivain réaliste est un « illusionniste ». Il dépasse aussi le projet naturaliste lorsqu'il avance que le romancier, à force d'« observations réfléchies », n'a pas d'autre but que de nous communiquer sa « vision personnelle du monde ».

→ **Goncourt, Huysmans, Maupassant, positivisme, réalisme, Zola**

Nerval
(Gérard de), 1808-1865

ŒUVRES PRINCIPALES
• **Traductions** : *Faust* (1828), *Le Second Faust* (1840).
• **Récit de voyage** : *Le Voyage en Orient* (1851).
• **Nouvelles** : *Les Filles du feu* (1854).
• **Poésie** : *Odelettes* (1852), *Les Chimères* (1854).
• **Récits** : *Les Illuminés* (1852), *Aurélia* (1855).
• **Prose et poésie** : *Petits Châteaux de Bohème* (1853), *La Bohème galante* (1855).

Le rêve, la folie

L'œuvre de Nerval est profondément marquée par « **l'épanchement du songe dans la vie réelle** » qu'il a vécu à travers l'expérience de la folie. Tandis que dans *Sylvie* l'équilibre entre le rêve et la réalité est préservé, *Aurélia* transcrit les « étranges rêveries » du poète en proie à des hallucinations. En racontant les descentes aux enfers que sont chacune de ses plongées dans la folie, Nerval tente de déchiffrer « l'alphabet magique de l'univers », de « fixer le rêve et d'en comprendre le secret » : pour lui, le rêve, dans lequel tout devient signe* et symbole*, permet à l'esprit d'accéder directement à la connaissance de l'invisible et du surnaturel.

Sa quête mystique s'est exprimée aussi avec éclat dans *Les Chimères*, ensemble de douze sonnets* où le poète atteint la poésie pure par la magie de vers énigmatiques et pourtant puissamment suggestifs.

Femmes-étoiles, filles du feu

Sylvie, Adrienne, Angélique, Émilie, Aurélie, la déesse Isis (*Les Filles du feu*) incarnent, chacune à sa façon, la médiatrice que Nerval cherche en vain, celle qui établirait pour lui le lien entre le réel et l'au-delà. C'est toujours nimbées de lumière qu'elles apparaissent, telle Aurélie dans *Sylvie*, « belle comme le jour au feu de la rampe qui l'éclairait d'en bas, pâle comme la nuit, [...] brillant dans l'ombre de sa seule beauté. » Dans l'univers de Nerval, brillent toutes ces figures féminines flamboyantes et parfois même volcaniques.

Bien qu'il ait été longtemps oublié, Nerval est sans doute le poète français le plus purement et le plus profondément **romantique**.

REPÈRES BIOGRAPHIQUES

→ Fils d'un médecin militaire de la Grande Armée, Gérard Labrunie, né à Paris, perd sa mère très tôt. Confié à son grand-oncle, il est élevé à Mortefontaine, dans le Valois. À Paris, où il mène une vie insouciante et bohème, il se lie avec Théophile Gautier*. Fas-

ciné par l'Allemagne, il publie une traduction célèbre du *Faust* de Gœthe. En 1830, il participe à la bataille d'*Hernani*. En 1836, il s'éprend de l'actrice Jenny Colon, mais elle en épouse un autre. Cette rupture ébranle la santé mentale de Nerval qui, en 1841, passe huit mois dans une maison de santé. Son voyage en Orient (1843), au cours duquel il effectue des recherches sur les mythologies et les cultes antiques, devait témoigner de sa guérison.

→ À son retour, il reprend une activité littéraire intense entrecoupée de nouveaux voyages (Hollande et Allemagne). Mais, en 1851 puis en 1853, il doit être de nouveau interné : à Passy, dans la clinique du docteur Blanche, il écrit quelques-uns de ses textes les plus fulgurants.

→ Il meurt dans des conditions mystérieuses : à l'aube du 26 janvier 1855, on le retrouve pendu à une grille, rue de la Vieille-Lanterne, dans le quartier du Châtelet à Paris.

→ **hermétisme, occultisme, romantisme**

Neveu de Rameau (Le),
Denis Diderot, 1762-1777

RÉSUMÉ
Après trois pages de récit, *Le Neveu de Rameau* prend la forme d'un dialogue entre Moi, philosophe attaqué par Bertin et sa bande – et double imparfait de Diderot car raisonnable jusqu'à la fadeur –, et Lui, neveu du musicien Jean-Philippe Rameau (1683-1764). La conversation tourne autour des parasites (les « gueux ») qui accompagnent ou constituent la société : le Neveu, anciennement au service de la coterie qui a tourné Moi en ridicule, raconte comment il a été congédié de la table de Bertin. Il devient le « colporteur » des ridicules de ses anciens bienfaiteurs devant Moi qui ne cache pas son indignation devant un tel cynisme. Lui évoque sa participation à l'attaque contre les philosophes ; il explique que ses repas étaient la rémunération de la claque qu'il devait assurer lorsque Mlle Hus, piètre comédienne, se produisait ; il montre les ridicules privés de cette société. Cependant, le libre échange de la conversation permet au dialogue de passer d'un sujet à un autre : c'est ainsi qu'il commence par des réflexions sur le

génie et s'achève par des considérations sur la musique et le chant, en passant par un débat sur l'éducation. Le tout étant entrecoupé de pantomimes du Neveu, décrites par Moi : la pantomime du proxénète, celle du musicien, enfin et surtout la pantomime des gueux.

Contexte de l'œuvre

Au moment où Diderot commence à rédiger *Le Neveu*, les philosophes des Lumières* sont en butte à des attaques incessantes : en 1759, le Conseil du roi annule le privilège de l'*Encyclopédie** et, en 1760, la comédie de Palissot, *Les Philosophes*, moque ces derniers en général et Diderot en particulier. *Le Neveu de Rameau* est donc une **contre-attaque**.

Mais l'œuvre se fait aussi l'écho de la **querelle des Bouffons** qui, depuis 1752, mettait aux prises les partisans de la musique française et les adeptes de la musique italienne.

Écrit en 1762, plusieurs fois remanié, le texte original du *Neveu* ne sera publié qu'en 1891, après sa découverte fortuite chez un bouquiniste des quais de la Seine.

Un pot-pourri satirique

Le Neveu est une **satire* au sens latin du terme**, c'est-à-dire un ouvrage où, sans ordre ni régularité, se mélangent les sujets les plus variés, ménageant de multiples renversements d'idées, imitant en quelque sorte la démarche de l'esprit critique et, en cela, jouant pleinement de la forme du **dialogue***. Le Neveu, dont le discours a le plus de relief, est un personnage carnavalesque, un bouffon qui se plaît à subvertir la pensée, apparaissant simultanément cynique et lucide, vil et sublime.

Ce dialogue, apparemment décousu mais lié, selon Goethe, par une « chaîne d'acier qu'une guirlande dérobe à nos yeux », aborde les questions les plus graves.

Des thèmes récurrents

L'un des premiers débats aborde le **thème du génie**, et plus précisément l'immoralité des génies, tyrans de leur entourage, au regard de la valeur morale contenue dans leur œuvre même.

Un autre débat concerne l'**éducation**, thème abordé pour la première fois au début du *Neveu* quand il est question de la fille de Moi, et une seconde fois à la fin du texte quand les propos en viennent à l'éducation du fils de Lui.

Puis, à la faveur de plaisanteries sur les cours de clavecin que Lui donnait autrefois, de débats sur la manière dont il userait de son argent s'il

était riche, on passe aux **thèmes de la morale et de la satire sociale**. Au moralisme de Moi s'oppose le réalisme cynique de Lui qui refuse toute morale pour ne reconnaître que son intérêt personnel, exprimant par là même l'immoralité et l'hypocrisie de la société. Moi semble d'ailleurs ébranlé par la justesse des observations du Neveu sur les bassesses et la corruption de la société et des hommes : « Ma foi, ce que vous appelez la pantomime des gueux, est le grand branle de la terre. » Ainsi Lui, pour être l'homme le plus vil, n'en est pas moins un bouffon qui dit la vérité, et Moi confesse : « J'étais confondu de tant de sagacité, et de tant de bassesse… »

Le sujet suivant – un **débat sur la nature du chant** – permet à Diderot de reformuler les arguments qui, lors de la querelle des Bouffons, ont opposé les tenants de l'opéra français, jugé trop raisonnable, à ceux de l'opéra italien qui, plus naturel, permet à la passion de s'exprimer. Le débat est alors ramené, comme au début du dialogue, du terrain de l'art à celui de la morale, avec la remarque du philosophe qui s'interroge sur la personnalité singulière du Neveu : « Comment se fait-il qu'avec un tact aussi fin, une si grande sensibilité sur les beautés de l'art musical, vous soyez aussi aveugle sur les belles choses en morale, aussi insensible aux charmes de la vertu ? »

→ dialogue philosophique, Diderot, Lumières, satire

Nimier
(Roger), 1925-1962

ŒUVRES PRINCIPALES
• **Romans** : *Les Épées* (1948), *Le Hussard bleu* (1950), *Le Grand d'Espagne* (1950), *Les Enfants tristes* (1951), *D'Artagnan amoureux* (1962), *L'Étrangère* (1968).

Le chef de file des « hussards »

« J'appartenais à cette génération heureuse qui aura eu vingt ans pour la fin du monde civilisé », fait dire Roger Nimier à l'un des personnages du *Hussard bleu*. Ce mot amèrement ironique traduit bien le sentiment désabusé d'une jeunesse qui a rencontré l'Histoire sur les champs de bataille sanglants du printemps 1945 et qui rêve d'héroïsme sans trop y croire. La démobilisation, l'Épuration, les débuts de la guerre froide inspirent à certains écrivains contemporains de Nimier une réaction de **pessimisme** : ceux qu'on va appeler les « hussards » (Jacques Laurent, Michel Déon, Antoine Blondin, Nimier lui-même) affichent volontiers, face à la littérature engagée des années 1950 (Sartre*, Camus*), une indifférence hautaine, un **anarchisme de droite**. Ils n'hésitent pas à réhabiliter des auteurs suspects de collaboration comme Morand* ou Céline*. Ils entretiennent le **culte des valeurs stendhaliennes** : l'égotisme, la recherche du plaisir, l'élégance aristocratique du cavalier, l'ironie. Aux recherches du Nouveau Roman*, ils préfèrent une **prose** plus **classique** qui mêle, comme chez Nimier, la sobriété et l'humour* grinçant. Les héros du *Hussard bleu* ou des *Enfants tristes*, cyniques et pourtant passionnés, désinvoltes et lucides, affrontent à toute vitesse l'amour et la mort avec la même énergie et un même sentiment d'échec.

CITATION

• **Sur l'expérience de la guerre**
« Voilà vingt ans, imbéciles, que vous prépariez dans vos congrès le rapprochement de la jeunesse du monde. Maintenant vous êtes satisfaits. Nous avons opéré ces rapprochements nous-mêmes, un beau matin, sur les champs de bataille. Mais vous ne pouvez pas comprendre. » (*Le Hussard bleu*)

REPÈRES BIOGRAPHIQUES

➔ Roger Nimier de la Perrière, issu de la vieille noblesse bretonne, étudie les lettres à la Sorbonne. Admirateur de Stendhal* et de Napoléon, il s'engage, en 1944, dans le deuxième régiment des hussards, expérience dont il s'inspire dans son roman *Le Hussard bleu*. Il devient chroniqueur littéraire, directeur de collection chez Gallimard, scénariste (il écrit le scénario et les dialogues d'*Ascenseur pour l'échafaud* pour Louis Malle en 1957).

➔ En septembre 1962, il est victime d'un accident de voiture, comme Olivier, le héros des *Enfants tristes*.

➔ Céline, engagement, Giono, Morand, Stendhal

Nizan
(Paul), 1905-1940

ŒUVRES PRINCIPALES
• **Récit** : *Aden Arabie* (1931).
• **Romans** : *Antoine Bloyé* (1933), *Le Cheval de Troie* (1935), *La Conspiration* (prix Interallié 1938).
• **Essais** : *Les Chiens de garde* (1932), *Les Matérialistes de l'Antiquité* (1938), *Chronique de septembre* (1939).

L'intellectuel communiste

Nizan s'est voulu un écrivain marxiste au service du communisme et n'a cessé d'en appeler à l'**engagement*** des penseurs et des artistes dans ses conférences et ses articles de critique littéraire. *Les Chiens de garde* constituent un violent pamphlet* contre les philosophes universitaires de la IIIe République. Nizan rassemble et commente des textes des *Matérialistes de l'Antiquité*, mais se livre également à une analyse minutieuse de la crise munichoise dans *Chronique de septembre*. Accusé de trahison après sa démission du PCF, il est défendu par Sartre dans une longue préface à une réédition d'*Aden Arabie* (1960).

Le romancier engagé

L'œuvre romanesque de Nizan fait une large place à la figure paternelle sous le nom d'Antoine Bloyé, héros du roman éponyme : l'évocation de ce petit-bourgeois qui s'allie bon gré mal gré à la bourgeoisie ne va ni sans férocité, ni sans tendresse. Nizan s'efforce toujours, même dans un récit autobiographique comme *Aden Arabie*, de **replacer ses personnages dans les conditions socioéconomiques qui les déterminent**. De même, l'évocation des luttes syndicales dans *Le Cheval de Troie* coexiste avec une violente satire* de la bourgeoisie et avec des scènes plus intimistes. Cette lucidité fait de Nizan un **écrivain violemment réaliste** qui ne recule ni devant les descriptions les plus brutales, ni devant la dérision désenchantée à l'égard de sa propre jeunesse : *La Conspiration* peint sans complaisance les débuts amoureux et politiques d'un groupe d'étudiants parisiens, dont le fils d'Antoine Bloyé, qui apparaît aussi dans *Le Cheval de Troie*.

Ainsi Nizan a-t-il produit, en évitant mieux que d'autres les pièges du roman à thèse, une œuvre engagée qui intègre les nécessités du genre romanesque et le souci d'affirmer la pertinence de l'engagement communiste.

• **Sur la révolte**

« J'avais vingt ans. Je ne laisserai personne dire que c'est le plus bel âge de la vie. Tout menace de ruine un jeune homme : l'amour, les idées, la perte de sa famille, l'entrée parmi les grandes personnes. » (*Aden Arabie*)

• **Sur la révolution**

« Bloyé pensait au temps où des hommes comme eux, sortis du grand cheval de Troie des usines et des rues ouvrières, occuperaient les villes dans la nuit. » (*Le Cheval de Troie*)

REPÈRES BIOGRAPHIQUES

➜ Fils d'un cheminot, Paul-Yves Nizan se lie d'amitié avec Jean-Paul Sartre* à l'École normale supérieure. Pour échapper à une société jugée étouffante, il part en 1926 pour Aden (Yémen) où il prend la mesure de la réalité coloniale, expérience dont il tire le récit rageur d'*Aden Arabie*.

➜ À son retour il adhère au Parti communiste. Agrégé de philosophie en 1929, il est très actif au sein du PCF : candidat aux législatives de 1932, il collabore à diverses publications et manifestations communistes. Il poursuit parallèlement une carrière de romancier (*Antoine Bloyé*, *Le Cheval de Troie*), que vient couronner le prix Interallié pour *La Conspiration* (1938). Il publie divers articles de politique étrangère entre 1935 et 1939. Il démissionne du PCF en septembre 1939 après la signature du pacte germano-soviétique. Un an plus tard, il est tué sur le front.

➜ **engagement, Sartre**

Nodier
(Charles), 1780-1844

ŒUVRES PRINCIPALES

• **Contes**: *Smarra ou les Démons de la nuit* (1821), *Trilby ou le Lutin d'Argail* (1822), *La Fée aux miettes* (1832).
• **Essai**: *Du fantastique en littérature* (1830).

Un romantique

De plus en plus détaché d'un monde dont il rejette le matérialisme et la foi aveugle dans le progrès, Charles Nodier regrette un âge d'or que la décadence moderne a définitivement détruit. C'est très délibérément qu'il choisit, à partir de 1830, de tourner le dos à une réalité

sociale à laquelle il se sent étranger : bien que classique dans ses goûts, Nodier est l'un des esprits les plus profondément romantiques de sa génération, par son idéologie passéiste mais aussi par l'attention qu'il accorde au **rêve**, à l'**imaginaire** et au **fantastique***.

Très influencé par les théories illuministes du XVIIIe siècle et par le roman noir anglais, ses **contes**, **féeriques**, **fantastiques** ou **mystiques**, explorent l'univers du sommeil et des cauchemars : « Le sommeil, proclame-t-il, est l'état non seulement le plus puissant, mais le plus lucide de la pensée. »

L'imagination fantastique

Pour Nodier, « les rêves sont peut-être ce qu'il y a de plus vrai dans la vie ». Comme Nerval, mais sans sombrer dans les abîmes de la folie, il joue des intermittences entre le rêve et la réalité. Auteur de contes fantastiques, il est l'un des tout premiers à mener une **réflexion théorique sur le fantastique***, genre auquel il assigne pour fonction de protéger une société matérialiste qui, sans les « vives et brillantes chimères » des contes, risquerait d'être acculée au désespoir et au suicide.

• **Sur le fantastique**

« [*Il doit être*] l'art de parler à notre imagination en la ramenant vers les premières émotions de la vie, en réveillant autour d'elles jusqu'à ces redoutables superstitions de l'enfance que la raison des peuples perfectionnée a réduites aux proportions du ridicule. » (*Du fantastique en littérature*)

REPÈRES BIOGRAPHIQUES

➜ Né à Besançon, Charles Nodier assiste aux bouleversements d'une Révolution dont les souvenirs sanglants ne cesseront de le hanter. À l'image du *Werther* de Goethe, son héros favori, il mène une vie agitée. Après divers emplois et plusieurs voyages, il s'installe en 1813 à Paris où il est d'abord journaliste puis bibliothécaire. Son salon* réunit la jeune génération romantique sur laquelle il exerce une forte influence.

➜ Mais une rupture se produit après la révolution de 1830 : il perd son emploi de bibliothécaire, ses amis se détournent de lui pour se rassembler autour de Victor Hugo*. Après le mariage de sa fille, qui est pour lui un véritable déchirement, il se réfugiera, jusqu'à la fin de sa vie, dans l'écriture.

➜ **fantastique, occultisme, romantisme**

nœud dramatique

n. et *adj. m.* Du latin *nodus* et du grec *drama*, « action ». Événements et relations qui, au théâtre, portent l'action à son plus haut degré de tension. Le nœud dramatique est généralement défait ou tranché, c'est-à-dire résolu, au dernier acte. *Ex.* : dans *Le Cid** de Corneille*, l'action dramatique se noue au premier acte sous la forme d'un conflit entre Rodrigue et son père d'une part, et le père de Chimène, Don Gormas, d'autre part.

→ dénouement, drame

Nourritures terrestres (Les),
André Gide, 1897

RÉSUMÉ
Adressées à un inconnu, Nathanaël (« don de Dieu »), relais du lecteur, *Les Nourritures* sont divisées en huit livres composés d'une brève introduction, d'un hymne* et d'un envoi qui reprennent la même injonction : au « Jette ce livre et sors » du début répond le « Jette mon livre » de la fin. L'ouvrage juxtapose des genres* divers : récits de forme autobiographique, méditations, descriptions*, poèmes chantés par des voix différentes. Le livre VIII renvoie au livre I par son épigraphe : les grands thèmes de l'œuvre – le panthéisme, la ferveur, la liberté et la volupté – présentés au début, sont repris à la fin, associés au thème de la fuite du temps qui impose de « parler » à autrui. Le livre II évoque les « nourritures terrestres » et les voluptés qu'elles offrent à l'homme. Le livre III se compose de notes de voyage marquées par la plénitude ressentie au contact des choses. Le récit de Ménalque, éloge de la liberté, inaugure le livre IV, le plus long de l'ouvrage. Si le livre V est consacré au repos dans la campagne normande, il s'ouvre sur le thème du départ, de l'errance. La communion sensuelle avec tout l'univers (livre VI) puis les retrouvailles avec l'Afrique (livres VII et VIII) referment *Les Nourritures.*

Genèse de l'œuvre

L'idée des *Nourritures terrestres* remonte aux années 1893-1894, époque du premier voyage en Afrique du Nord de Gide. L'ouvrage est ébauché sous forme fragmentaire : deux textes, « La Ronde de la grenade » et « Ménalque », sont publiés séparément, avant l'œuvre complète achevée en février 1897. La première édition a peu d'audience auprès du public. C'est avec la seconde édition (1927) qu'interviendra le succès – doublé d'une **influence esthétique et morale considérable** –, alors même que Gide demande dans la Préface qu'on ne le juge pas sur une œuvre dont il s'est détaché et qui est présentée comme le livre de « quelqu'un qui a été malade ».

Ferveur de l'esprit et des sens

Les Nourritures sont une sorte de **manuel d'éducation**, dont la direction essentielle se trouve contenue dans le titre : tout ce qui existe de désirable se trouve dans l'existence terrestre. Dans cette perspective, il convient de saisir toute occasion de goûter les lieux, les choses et les êtres. Le **refus de tout puritanisme** va de pair avec l'exaltation des sens et de toutes les formes de volupté : « Il ne me suffit pas de *lire* que les sables sont doux ; je veux que mes pieds nus le sentent » (I, 3). La **ferveur**, condition du bonheur, est ouverture sur le monde : « À travers indistinctement toute chose, j'ai éperdument adoré » (IV, 1).
Mais cet émerveillement ne peut advenir que dans le renoncement à toute possession, qu'elle soit matérielle, spirituelle ou affective (« mon cœur, sans nulle attache sur la terre est resté pauvre », IV, 1), et dans l'intérêt à « tout le reste plus qu'à [soi] ». **Morale du dénuement, apologie du renoncement**, **effort personnel** constant **vers la liberté**, tel est le message des *Nourritures terrestres* : « Jette mon livre… Ne t'attache en toi qu'à ce que tu sens qui n'est nulle part ailleurs qu'en toi-même, et crée de toi, impatiemment ou patiemment, ah ! le plus irremplaçable des êtres » (envoi).
Dans la forme des *Nourritures* se fait jour une double influence : celle de l'orientalisme, qui rappelle tout ce que Gide doit au voyage en Afrique du Nord, et surtout celle des textes bibliques, Ecclésiaste et Cantique des cantiques.

→ **Gide**

Nouveau Roman

On regroupe sous l'appellation de Nouveau Roman une génération de romanciers apparue après la Seconde Guerre mondiale et qui se caractérise par une contestation radicale des règles traditionnelles du roman*.

Historique

Plutôt que d'une école – les nouveaux romanciers sont très différents les uns des autres – le Nouveau Roman est un **mouvement** dont les membres, qui ne suivent aucun chef de file et ne se réclament d'aucun manifeste, sont publiés par les Éditions de Minuit.

Quelques essais suffiront à donner au Nouveau Roman une consistance théorique : *L'Ère du soupçon* (Nathalie Sarraute, 1956), *Pour un nouveau roman* (Alain Robbe-Grillet, 1963), *Essais sur le roman* (Michel Butor, 1964), *Problèmes du nouveau roman* et *Pour une théorie du nouveau roman* (Jean Ricardou, 1967 et 1971).

Ont fait partie de ce mouvement : Nathalie Sarraute*, Alain Robbe-Grillet*, Michel Butor*, Jean Ricardou, Robert Pinget, Claude Ollier et Claude Simon* (consacré par le prix Nobel de littérature en 1985).

Après l'intensité de la phase polémique, le mouvement se disperse dès les années 1970, chaque romancier suivant désormais sa propre voie, certains revenant même à des formes d'écriture plus traditionnelles.

Les refus du Nouveau Roman

Les nouveaux romanciers **refusent** d'abord **de mettre leur œuvre au service d'une idéologie**, fût-elle généreuse. Séparant littérature et combat idéologique, ils prennent leurs distances avec la littérature engagée de Sartre* ou Camus*, et refusent d'exprimer une vision du monde.

Ensuite, sur le plan de l'écriture romanesque, ils **font subir au personnage une « cure d'amaigrissement »**. Réduit à une simple silhouette, parfois à une initiale ou à un pronom personnel, le personnage perd son unité et sa cohérence : aux antipodes du héros balzacien, il correspond mieux à l'anonymat de l'individu dans la société de consommation.

Enfin, les nouveaux romanciers **refusent de raconter des histoires**. Ce qu'on ne peut faire, selon eux, qu'au prix des conventions les plus éculées, en conférant une unité factice à des événements qui n'en ont pas. Les nouveaux romanciers vont donc multiplier les entorses aux règles de la narration* traditionnelle (subversion de la chronologie, confusion des voix narratives, etc.) pour mieux « enliser le récit ».

Le discrédit de la narration se fait au profit de la **description*** : les objets et les lieux sont décrits avec une extrême minutie. Mais, de même que le récit d'une histoire ne permet pas d'appréhender le réel et de l'élucider, la description des objets ne réussit qu'à les rendre plus opaques.

Prééminence de l'écriture

Une fois récusés ces piliers du roman que sont le personnage* et l'histoire, il reste l'écriture. Le **roman** n'est plus écriture d'une histoire, il devient « l'**histoire d'une écriture** ». Lire un roman, c'est assister à l'engendrement d'une écriture, à la prolifération d'un texte qui, refusant toute prétention à représenter le monde, se déploie par le simple jeu des mots (connotation*, polysémie*, métaphore*, métonymie*) dans une dynamique d'auto-engendrement.

Bilan du Nouveau Roman

Bien qu'il ait déconcerté le grand public, le Nouveau Roman – dont la dette à l'égard de quelques illustres prédécesseurs (Proust*, Joyce, Faulkner) est immense –, aura été un passionnant **laboratoire d'écriture**. Minimisant le rôle de l'individu, transformant les histoires en puzzles désordonnés, magnifiant la présence des objets, tournant en dérision le vieil humanisme*, le Nouveau Roman aura été, paradoxalement, un étonnant miroir de la société de consommation.

→ **Butor, Robbe-Grillet, roman, Sarraute, Simon**

nouvelle

n. f. Du latin *novella* (neutre pluriel de *novellus*), « choses récentes » ; au sens de « récit court », le terme vient de l'italien *novella* et date du XVᵉ siècle. **Sens strict** : une nouvelle est un récit court d'événements récents. Genre intermédiaire entre le roman* et le conte, la nouvelle est plus longue que celui-ci et plus courte que celui-là.

Nouvelle et conversation

La nouvelle française naît d'une imitation des *novellas* italiennes, dont la version emblématique est le *Décameron* (1353) de Boccace, traduit en français en 1414. C'est dans la première moitié du XVIᵉ siècle qu'apparaissent les adaptations françaises les plus intéressantes du modèle italien.

L'*Heptaméron* (posth. 1559) de Marguerite de Navarre* le suit assez fidèlement car il en reprend la structure : dix personnes (les « devisants »), retenues dans un même lieu, se racontent des histoires pour agrémenter leur attente ; chaque récit, dont la thématique est celle de l'amour et de la tromperie, est suivi d'un débat contradictoire entre les devisants, qui en discutent le sens. Aucune nouvelle ne peut se lire sans le commentaire qui suit et éclaire le récit. Il y a donc **conversation et mise en scène de la situation de narration***.

Cette structure sera moins exactement reprise par Bonaventure des Périers avec ses *Nouvelles Récréations et Joyeux Devis* (1558) ou par Noël du Fail dans ses *Propos rustiques* (1547), le modèle italien étant peu à peu abandonné dans la seconde moitié du siècle.

Les contraintes du journalisme

Au XIXᵉ siècle, la nouvelle confirme sa **relation avec l'oralité** : ainsi Maupassant*, dont le récit *Boule de Suif* paru dans *Les Soirées de Médan* (1880) demeure un modèle du genre, inscrit-il fréquemment son récit dans une conversation entre des personnages.

Le réveil du genre au XIXᵉ siècle tient surtout à l'**essor du journalisme**. Accueillant déjà sous forme de feuilletons* des fragments de romans à paraître, la presse, après 1850, favorise tout naturellement la vogue du récit court : le *Gil-Blas* publie ainsi des nouvelles de Maupassant tout comme il donne des feuillets de Zola*. La contrainte de longueur imposée par les journaux peut donc être considérée comme l'un des traits de la nouvelle occidentale à la fin du XIXᵉ siècle et au début du XXᵉ siècle.

Toutefois, cette contrainte n'est pas un critère de définition intemporel du genre : on retrouve, entre les nouvelles longues que sont *Colomba* (1840) de Mérimée* ou bien *Fortunio* (1838) de Théophile Gautier*, et les nouvelles les plus courtes de Maupassant, une disproportion qui existait déjà dans l'*Heptaméron*.

Une définition impossible ?

La distinction générique entre la nouvelle et d'autres récits (contes*, romans*, histoires) n'est pas toujours très nette. Barbey d'Aurevilly* souligne que **la nouvelle**, par rapport au roman, **préfère le vrai au vraisemblable** et évite les développements psychologiques. On peut encore opposer l'**ancrage** de la nouvelle **dans un réel récent**, au récit historique

ou à la pure fiction du conte (qui sera rattaché au merveilleux* et au fantastique*). On pourrait ainsi distinguer les nouvelles réalistes de Maupassant et un conte fantastique comme *Le Horla* (1885).

→ **Barbey d'Aurevilly, conte, feuilleton, Maupassant, Marguerite de Navarre, Mérimée, Stendhal, Villiers de L'Isle Adam**

Nouvelle Critique

Sous l'expression de « Nouvelle Critique » sont rassemblés des courants très divers de la critique contemporaine, dont le seul point commun est la remise en cause de la critique universitaire traditionnelle par le recours aux sciences humaines.

Historique

L'expression apparaît au **milieu des années 1960** lorsqu'une querelle éclate entre Raymond Picard, professeur à la Sorbonne et éminent spécialiste de Racine*, et Roland Barthes* qui vient de publier un essai (*Sur Racine*, 1963), dans lequel il propose une lecture du théâtre racinien fondée sur la psychanalyse et le structuralisme*. Au pamphlet de Picard, *Nouvelle Critique, nouvelle imposture* (1965), Barthes réplique par *Critique et vérité* (1966) et se retrouve promu chef d'une école qu'il n'avait nullement songé à fonder. C'est l'occasion pour les tenants des nouvelles approches de l'œuvre littéraire de se rassembler (colloque de Cerisy-la-Salle, 1965) et de manifester la fécondité des voies ainsi ouvertes. *Les Chemins actuels de la critique* (1966) présentent un premier bilan de ce bouillonnement d'idées. Serge Doubrovsky met un point final à la polémique avec la publication de *Pourquoi la Nouvelle Critique ?* (1966).

Depuis, on constate que les différents courants de la Nouvelle Critique se sont peu à peu imposés, y compris à l'Université, et ont amené un profond renouvellement des études littéraires : la légitimité du **recours aux sciences humaines** est acquise, de même que la **pluralité des lectures** possibles d'une œuvre.

Des voies nouvelles

La Nouvelle Critique se déploie dans des directions très diverses. La principale est issue des développements du **structuralisme** (Roland Barthes, Gérard Genette, Jean Rousset), qui privilégie le texte et les structures au détriment de l'auteur.

La **psychanalyse** fournit une méthode et des outils à la **psychocritique** (Marie Bonaparte, Charles Mauron) ainsi qu'aux travaux de Julia Kristeva et Jean Bellemin-Noël.

La **théorie marxiste** permet à Pierre Barbéris puis à Lucien Goldmann – lequel, unissant marxisme et structuralisme, fonde la **sociocritique** – de mettre en évidence les déterminations sociohistoriques qui pèsent sur la littérature.

Les travaux de Bachelard sur les quatre éléments trouvent un prolongement dans la **critique thématique** de Jean-Pierre Richard.

Enfin, à ces différents axes qui tendent vers une lecture distanciée et quasiment scientifique, il faut ajouter la **critique d'identification** qui, sans s'interdire les apports des sciences humaines, est soucieuse avant tout d'épouser la vision du monde d'un auteur, de pénétrer en quelque sorte dans sa conscience : telle est la démarche de Jean Starobinski et de Georges Poulet, qui, dans *La Conscience critique* (1971), propose une découverte de l'intérieur de tous les représentants de la Nouvelle Critique, mais aussi de leurs prédécesseurs.

→ **Barthes, critique, réception de l'œuvre, sémiologie, structuralisme**

NRF (*Nouvelle Revue française*)

La publication de la *NRF*, revue littéraire mensuelle créée autour d'André Gide[*] par Jacques Copeau, Marcel Drouin, Henri Ghéon, André Ruyters et Jean Schlumberger, débute en 1909. Dans l'entre-deux-guerres, la *NRF* s'impose comme la plus prestigieuse revue littéraire française : tous les plus grands auteurs du temps y apportent leur contribution. Confiée par les Allemands à des écrivains de la Collaboration, dont Drieu La Rochelle, la *NRF* reprend ses activités normales après la guerre, mais sans regagner sa même audience. Elle reste toutefois, aujourd'hui encore, une institution de la vie littéraire française.

La revue française par excellence
L'attention constante de la revue aux **rapports des intellectuels avec la politique** – notamment durant la période où Gide soutient l'URSS – est l'occasion de débats passionnés et de vives polémiques.

Mais, au-delà d'un objectif immédiat nettement affirmé – se dégager du symbolisme[*] finissant –, les maîtres d'œuvre de la *NRF*, persuadés de la prééminence de la France dans le domaine des lettres, font la part belle aux **auteurs nationaux**, et surtout aux **prosateurs**, dans une perspective éclectique : prépublications de romans de Gide, Malraux[*], Giono[*] ; textes de Céline[*] et de Proust[*], de Breton[*] et d'Alain…

Parallèlement, les collaborateurs de la revue assurent un **travail critique** considérable en rendant compte, à travers des « notes », de la production littéraire nouvelle, mais aussi de l'activité théâtrale, cinématographique et lyrique.

La *NRF* a également contribué activement à la connaissance de la **nouvelle littérature américaine** (Dos Passos, Faulkner, Miller, Hemingway).

Un esprit *NRF* ?
Certains collaborateurs réguliers de la *NRF* exercent sur la vie littéraire un **magistère** discret mais **puissant** : Jacques Rivière de 1919 à 1925, le critique Albert Thibaudet entre 1911 et 1936, enfin et surtout l'écrivain **Jean Paulhan** qui, de 1920 jusqu'à sa mort en 1968, conseille et soutient d'innombrables auteurs. Certains numéros spéciaux de la *NRF* font date : hommages à Paulhan, à Gide, à Martin du Gard[*].

La puissance de la revue est renforcée par la création, dès 1911, des **éditions de la *NRF***, que le gérant, Gaston Gallimard, transforme en Librairie Gallimard. De plus, l'un des cofondateurs, Jacques Copeau, fonde en 1913 le théâtre du Vieux-Colombier, qui défend une conception austère de la mise en scène au service de grands textes classiques ou de créations. On a pu alors accuser la *NRF* de faire régner la dictature d'un « esprit *NRF* », esprit qu'il est pourtant difficile de définir, à égale distance de l'engagement communiste et de l'avant-gardisme.

Les surréalistes boudent la revue, qu'ils jugent trop respectable, bien qu'elle sache accueillir des auteurs relativement marginaux comme René Daumal ou Raymond Queneau[*].

La *NRF* est restée fidèle à son ambition première : assurer la **promotion de toute œuvre nouvelle**, pourvu qu'elle soit **ambitieuse et** pour tout dire **classique**. Ce programme délibérément éclectique a assuré son succès.

→ **Gide, Malraux**

occultisme

n. m. Du latin *occultus,* « caché ». Croyance à l'existence de réalités suprasensibles qui seraient accessibles par les sciences occultes. Ensemble des théories et pratiques qui s'y rattachent. La pratique de l'occultisme suppose une initiation.

L'occultisme s'est particulièrement développé aux xviiie et xixe siècles en réaction au rationalisme* des Lumières* et au christianisme comme religion officielle. Il puise à **différentes sources** : résurgence de l'orphisme, croyances orientales, mysticisme des « illuminés », alchimie, tarots… Des écrivains comme Cazotte*, Nerval* mais aussi Hugo* n'ont pas été indifférents à certaines doctrines de l'occultisme.

→ **Orphée**

octosyllabe

n. m. Du grec *octo,* « huit », et *syllabe,* « son prononcé en une seule émission de voix ». Vers de huit syllabes.

Principaux emplois

L'octosyllabe est **le plus ancien vers français**. Remontant au xe siècle, il est très utilisé au Moyen Âge aussi bien dans les fabliaux*, le roman courtois, que dans les farces*, les mystères, la poésie didactique ou dramatique. Au xvie siècle, Ronsard* en fait un usage lyrique : « Mignonne, allons voir si la rose/ Qui ce matin avait déclose/ Sa robe de pourpre au soleil,/ A point perdu cette vesprée/ Les plis de sa robe pourprée/ Et son teint au vôtre pareil. » (*Odes,* I, 17.)

Principaux effets

La **mobilité de la coupe*** de l'octosyllabe permet une **grande liberté rythmique**. Dans ses *Fables,* La Fontaine* l'associe fréquemment à l'alexandrin* pour créer un effet de variété. Mais, le plus souvent, l'octosyllabe ne comporte pas de césure* et se dit d'un seul élan. Il convient parfaitement à l'**épanchement lyrique** : « Mon beau navire ô ma mémoire/ Avons-nous assez navigué/Dans une onde mauvaise à boire/Avons nous assez divagué/ De la belle aube au triste soir » (Apollinaire*, « La Chanson du Mal-Aimé », *Alcools**).

→ **alexandrin, décasyllabe, mètre, métrique, vers, versification**

ode

n. f. Du grec *ôdê,* « chant ». Dans la Grèce ancienne, poème lyrique chanté célébrant les athlètes vainqueurs aux jeux (Olympiques, Isthmiques…).

Le modèle de l'ode antique

Le **poète grec Pindare** (521-441 av. J.-C.) a écrit des odes pleines de grandeur épique, structurées en triades ou groupes de trois couplets : strophe, antistrophe (symétrique de la strophe) et épode (dont le rythme diffère de celui de la strophe et de l'antistrophe). Ces odes au **lyrisme*** éclatant reposent sur de larges envolées rythmiques qui mêlent en un « beau désordre » (Boileau*) apostrophes*, invocations, symboles*, souvenirs mythologiques et comparaisons* grandioses.

Le **poète latin Horace** (65-8 av. J.-C.) adapte le genre de l'ode à son inspiration plus mesurée, plus intimiste, et exprime sa vision épicurienne du monde en un lyrisme plus familier.

À la Renaissance, **Ronsard***, soucieux de restaurer le lyrisme de l'Antiquité, imite ces deux grands modèles dans ses cinq livres d'*Odes*. Glissant peu à peu vers une inspiration moins élevée, sur les traces du poète alexandrin Anacréon (VIe siècle av. J.-C.), il écrit des odelettes, chansons légères au charme précieux (*Le Bel Aubépin*, *L'Amour mouillé*).

Un poème d'éloge et de célébration

L'ode a rapidement perdu toute originalité formelle pour **ne plus se définir que par le contenu et par le ton**. Poème d'éloge et de célébration, propice à l'expression lyrique, l'ode est souvent écrite à la première et à la deuxième personne. Elle se caractérise alors par l'usage de l'apostrophe ou de l'invocation, et par de fréquentes anaphores*.

Cultivé par Malherbe* au XVIIe siècle, ce genre poétique sera très prisé par les poètes du XVIIIe siècle. Au début de sa carrière poétique, Hugo* écrit encore des odes (*Odes et poésies diverses*, 1822 ; *Odes et Ballades*, 1826), mais le genre va peu à peu tomber en désuétude, jusqu'à ce que **Paul Claudel***, dans les *Cinq Grandes Odes* (1904-1908), tout en brisant le cadre du vers et de la strophe, retrouve la vigueur rythmique et l'enthousiasme lyrique de l'ode pindarique.

→ **ballade, Claudel, lyrisme, Ronsard**

Œdipe

L'histoire d'Œdipe est une parfaite illustration de la conception tragique du destin chez les Grecs. Aristote fait d'ailleurs d'*Œdipe roi*, la tragédie* de Sophocle (403 av. J.-C.), le modèle du genre.

Le destin d'Œdipe

Le roi de Thèbes Laïos, ayant appris par un oracle que son fils le tuerait et épouserait sa mère, l'abandonne dans la montagne après lui avoir lié les chevilles, d'où le nom d'Œdipe qui, en grec, signifie « pieds enflés ».

Recueilli et élevé par Polybos, roi de Corinthe, Œdipe apprend par l'oracle de Delphes la malédiction qui pèse sur lui et décide de s'exiler. Ayant pris la route, il se heurte un jour au char de Laïos, qu'il tue après une querelle, sans savoir qu'il commet un parricide. Aux abords de Thèbes, il répond à l'énigme que le Sphinx posait aux voyageurs et débarrasse la ville du monstre. Reconnaissants, les Thébains le proclament roi et Œdipe épouse Jocaste, la veuve de Laïos, dont il ignore qu'elle est sa mère. La prédiction de l'oracle s'est donc réalisée sans qu'Œdipe, malgré ses efforts, ait pu échapper à la loi du destin.

Plusieurs années après, alors que la peste se déclare à Thèbes, Œdipe apprend avec horreur le secret de ses origines : il se crève les yeux et Jocaste met fin à ses jours. Reprenant le chemin de l'exil en compagnie de sa fille Antigone*, il meurt aux portes d'Athènes (voir Sophocle, *Œdipe à Colone*).

La signification du mythe

L'héroïsme d'Œdipe, dans sa démesure et son ambiguïté – il est à la fois un monstre et un tueur de monstre –, touche au sacré. Sa destinée tragique doit inspirer, selon Aristote, la terreur et la pitié. Elle manifeste clairement, chez Sophocle, la toute-puissance des dieux. En revanche, dans la tragédie de Corneille* (*Œdipe*, 1659), le héros affirme son libre arbitre : protestant de son innocence, il fait le choix de son propre sacrifice. Plus pessimiste, Jean Cocteau*, dans *La Machine infernale* (1934), souligne la cruelle ironie des dieux qui se jouent d'un mortel avant de l'anéantir.

La question du **degré de conscience d'Œdipe et de son sentiment de culpabilité** est éclairée par la **psychanalyse**. À partir de *L'Interprétation des rêves* (1900), Freud développe la théorie du « complexe d'Œdipe » : l'attirance de l'enfant pour le parent du sexe opposé et la rivalité avec le parent du même sexe seraient fondamentales dans la formation de la personnalité. Freud, qui voit dans la survivance pathologique des sentiments œdipiens et dans la culpabilité qui en découle le noyau des névroses, a souligné la présence des relations œdipiennes dans des œuvres majeures de la littérature comme *Hamlet* de Shakespeare ou *Les Frères Karamazov* de Dostoïevski.

→ **Antigone, tragédie**

opéra

n. m. De l'italien *opera* (neutre pluriel du latin *opus*, *-eris*, « œuvre »). **Sens strict:** pièce de théâtre entièrement chantée mêlant soli, chœurs, orchestre, et parfois danse. On distingue : 1. le genre sérieux : *opera seria* en Italie, et tragédie lyrique en France ; 2. le genre comique : *opera buffa* en Italie, opéra-comique et opérette en France, *Singspiel* en Allemagne, *zarzuela* en Espagne, qui admettent en leur sein des morceaux entièrement parlés ; 3. l'opéra-ballet qui, dans l'action, accorde une importance particulière à la danse. **Sens large :** salle de spectacle où se donnent ces œuvres.

Caractéristiques de l'opéra

Dès l'origine, l'opéra pose le problème des **rapports du texte et de la musique**. Longtemps, la solution adoptée est à peu près la même partout : après l'**ouverture**, morceau d'orchestre précédant le lever de rideau, la progression de l'action se fait dans des **récitatifs**, parties chantées dont le rythme et l'intonation sont calqués sur ceux de la parole. L'exposition des sentiments est confiée au chant dans des soli vocaux appelés **airs**, **arias ou ariosos**, et dans des ensembles (duos, trios, chœurs).

À la fin du XVIIIe siècle, Gluck estompe la différence entre aria et récitatif. Mozart, lui, augmente le nombre et l'importance des ensembles, en terminant les actes de ses opéras par de vastes compositions nommées « **finales** », qui soutiennent une action dramatique très complexe.

Au terme de cette évolution, Wagner remplace la structure morcelée par une composition en continu dont la cohésion est assurée par des motifs conducteurs ou **leitmotive**.

L'opéra en France

Sous le règne de Louis XIV, **Molière**[*] **invente l'opéra-ballet** en rattachant harmonieusement les intermèdes dansés à l'intrigue : à cette fin, il collabore étroitement avec Lully. Ce dernier codifie aussi la tragédie lyrique, tradition spécifique qui perdure avec Rameau. Toutefois, au XVIIIe siècle, l'opéra français s'essouffle face aux créations italiennes (la querelle des Bouffons oppose partisans et adversaires de l'opéra italien).

Il faut attendre **Berlioz** – boudé par ses contemporains – pour que les thèmes romantiques européens revêtent une couleur que n'obtiennent pas les opéras d'un Meyerbeer ou d'un Halévy dans leur pratique de l'effet et du spectaculaire. L'opéra français brillera encore au XIXe siècle avec Gounod, Bizet, ou encore Debussy au début du XXe siècle.

→ **drame, lyrisme, théâtre**

oraison funèbre

n. et *adj. f.* Du latin *oratio*, « discours », et *funebris* (de *funus, -eris*, « funérailles »). Discours prononcé lors des obsèques d'un personnage illustre. *Ex. : Oraison funèbre d'Henriette d'Angleterre* par Bossuet[*] (1670).

L'évolution du genre

Dans l'Antiquité, le **panégyrique**[*] exprimait l'affliction devant la mort et faisait l'**éloge solennel** du disparu. Le christianisme reprend cette tradition en l'orientant vers une perspective religieuse : la destinée que l'on célèbre devient un thème de **méditation** pour le salut des âmes (*Oraisons funèbres* de Bossuet). Le monde profane et laïque pratique aussi l'oraison funèbre pour rendre hommage à ses héros et exprimer sa foi en l'homme (les *Oraisons funèbres* d'André Malraux[*]).

Le grand siècle de l'oraison funèbre

Le XVIIe siècle porte à son plus haut niveau l'oraison funèbre grâce aux maîtres de l'éloquence[*] sacrée : Fléchier, Massillon, et surtout **Bossuet**. Comme tous les grands genres, celui de l'oraison funèbre est **codifié**. L'orateur ne peut éviter certains **passages obligés** : le rappel de la généalogie du défunt, le récit de ses hauts faits et de ses vertus, l'éloge de ses proches lorsque ceux-ci appartiennent à l'entourage du roi.

Les plus célèbres oraisons funèbres ont été prononcées devant les grands et la cour. Ce caractère mondain ne va pas sans quelques contradictions : il faut à la fois célébrer les grandeurs terrestres et appeler à renoncer aux séductions du monde, glorifier la vie du défunt et enseigner la « vanité des vanités ». Bossuet, par la puissance de son style, parvient à **concilier l'éloquence d'apparat et l'enseignement de la foi**.

Les richesses du style oratoire[*]

Dans l'oraison funèbre, les deux registres de l'éloge et de la méditation sont servis par toutes les ressources de l'art oratoire. Destinée à être prononcée en public, l'oraison funèbre, qui utilise une **langue** nécessairement **très soutenue**, très écrite, est **rythmée par l'élan et la déclamation de l'oral**. Désireux de frapper l'imagination, l'orateur fait appel aux pouvoirs de la métaphore[*] ou de l'allégorie[*]. Il sait faire alterner les mouvements lyriques et le récit des scènes dramatiques. Le lien entre les vivants et les morts est rappelé par des apostrophes[*] souvent pathétiques s'adressant à l'assistance et, par-delà la tombe, au défunt lui-même.

Aujourd'hui, cependant, en raison même du recul de la tradition de l'éloquence et de la rhétorique* dans l'enseignement et le goût modernes, l'oraison funèbre est quelque peu délaissée, malgré les réussites marquantes d'André Malraux (transfert des cendres de Jean Moulin au Panthéon, 1965).

→ **Bossuet, éloquence, oratoire (style), panégyrique**

oratoire (style)

adj. Du latin *oratorium* (du verbe *orare*, « prier »). « Oratoire » qualifie le style propre au discours prononcé en public par un orateur (prédicateur, avocat, homme politique) et visant à impressionner l'auditoire ou à le séduire par des procédés expressifs et des effets de rythme.
Ex. : les *Oraisons funèbres* de Bossuet*, les discours des orateurs révolutionnaires (Danton, Mirabeau, Robespierre) utilisent les ressources du style oratoire.

L'héritage antique
L'art oratoire provient de la tradition antique et s'inspire des **modèles latins**. Le style de **Cicéron** (Ier siècle av. J.-C.) produit un discours abondant, fondé sur la période*. Le style de **Sénèque** (Ier siècle apr. J.-C.) est plus concis, mettant en valeur des sentences*, des formules ramassées. Pour les classiques, formés à l'école de l'Antiquité, l'éloquence* est indissociable du style noble et relevé nécessaire aux grands genres littéraires, même à ceux qui ne sont pas destinés à être prononcés en public.

Malgré le discrédit où a pu tomber le style oratoire en raison de l'emphase* qui lui est souvent liée, l'œuvre d'écrivains comme Chateaubriand* et Victor Hugo* au XIXe siècle est marquée par la majesté, la force et le souffle de la tonalité oratoire.

Une rhétorique de la persuasion
Le style oratoire met en œuvre tous les procédés capables de **frapper ou** d'**émouvoir**. Par l'apostrophe*, la modalité impérative, l'exclamation, l'interrogation, le locuteur s'adresse à des destinataires, souvent fictifs, dont il sollicite l'adhésion. La fausse interrogation, celle qui contient elle-même sa réponse, est justement appelée « interrogation oratoire* ». L'indignation, l'hyperbole*, l'amplification*

qui consiste à développer une idée en y ajoutant des ornements, visent à impressionner l'auditeur, alors que les « précautions oratoires » recherchent sa bienveillance. Quant aux images et aux citations, elles ont pour fonction d'aiguiser la pensée et l'imagination du destinataire.

La cadence oratoire
Le style oratoire se caractérise par un **rythme ample et harmonieux**. La période oratoire, avec son **mouvement ascendant et** son mouvement **descendant**, se termine souvent par une figure de style qui forme la chute*. Les groupes nominaux, les groupes verbaux, les propositions s'organisent en structures binaires ou ternaires. Les procédés de construction, comme les parallélismes, les anaphores*, les antithèses* et la gradation*, structurent le discours et lui impriment un élan majestueux. Jusqu'au début du XIXe siècle, la prose française est généralement rythmée par la cadence oratoire, y compris dans le roman. Stendhal* rejettera ce modèle qu'il juge artificiel et lui préférera le tour sec, plus « vrai ». En effet on reprochera souvent au style oratoire, s'il est manié sans talent, de produire une belle harmonie mais de sonner creux.

→ **Bossuet, Danton, éloquence, Mirabeau, période, prose cadencée, rhétorique, Robespierre**

Orphée

Fils d'un roi de Thrace et de la muse Calliope, Orphée est un musicien aux pouvoirs magiques. Il nourrit, tout au long des siècles, une riche réflexion sur l'essence et les pouvoirs de la poésie, sur les rapports de l'art avec la mort.

Le mythe
la musique, l'amour et la mort
Au son de la lyre ou de la cithare, Orphée **charme de ses chants** tous ceux qui l'approchent : les hommes, les bêtes sauvages, les cours d'eau, les vents. Jason l'entraîne dans l'aventure des Argonautes : ses chants font glisser à l'eau le navire Argo, apaisent les flots et endorment le dragon qui garde la Toison d'or. C'est encore par la musique qu'Orphée séduit la nymphe **Eurydice**. Mais le jour des noces, la mariée meurt piquée par un serpent. Désespéré, Orphée descend aux Enfers. Son chant subjugue le féroce Cerbère, émeut Hadès

et Proserpine, dieux des Enfers, qui acceptent de laisser repartir Eurydice mais à une condition : qu'elle chemine derrière lui et qu'il ne regarde pas en arrière avant d'avoir regagné la lumière du jour. Mais Orphée ne peut résister, il se retourne une seconde trop tôt et Eurydice disparaît pour toujours. Inconsolable, il dédaigne toutes les femmes. Mortifiées, celles de Thrace mettent Orphée en pièces et dispersent ses membres. Décollée, emportée par les flots de l'Hèbre, **la tête et la lyre du poète continuent à chanter** et à clamer le nom d'Eurydice.

Orphée dans les lettres et les arts

Orphée est une figure emblématique qui devait inspirer de nombreux poètes et musiciens. On peut suivre toute une tradition qui, depuis Ronsard[*], se déploie jusqu'à nos jours, en passant par la poésie de Chénier[*], Hugo[*], et Nerval[*]. Au XXe siècle, on retiendra l'orphisme d'Apollinaire[*], les films de Cocteau[*] (*Orphée*, 1950 ; *Le Testament d'Orphée*, 1960), celui de Marcel Camus (*Orfeu negro*, 1959), ainsi que la méditation de Maurice Blanchot[*] sur le mythe d'Orphée dans *L'Espace littéraire* (1955).

→ **Blanchot, Cocteau, hermétisme, inspiration**

Oulipo

n. m. Acrostiche[*] syllabique de « *Ouvroir de littérature potentielle* ». L'Oulipo est un groupe de recherche fondé en 1960 par le poète Raymond Queneau[*] et le mathématicien François Le Lionnais, dont l'objectif est d'être un laboratoire des formes littéraires nouvelles. Ont participé aux activités de l'Oulipo des poètes comme Jacques Roubaud, Jean Lescure, des romanciers comme Georges Perec[*] ou Italo Calvino (*Le Château des destins croisés*, 1973).

Aux antipodes de l'idéologie romantique

La démarche expérimentale des Oulipiens repose sur une **défiance radicale à l'égard de la notion d'inspiration**[*]. L'Oulipo se situe résolument à contre-courant de l'idéologie romantique (et de son ultime avatar, le surréalisme[*]), qui fait du poète une sorte de prophète ou de mage proférant ses chants incantatoires aux limites du délire.

Se trouve également récusée la volonté de s'affranchir de toute règle pour créer librement : pour les Oulipiens, il n'y a **pas de création littéraire sans règles**. Ces dernières, loin de constituer des entraves, sont pour l'écrivain de puissants stimulants : « Au fond, proclame Georges Perec, je me donne des contraintes pour être plus libre. »

La littérature comme combinatoire

Les travaux de l'Oulipo consistent donc à **expérimenter la productivité des contraintes** – généralement gratuites – que le créateur s'impose, mais aussi à en créer de nouvelles. On retiendra les règles visant la transformation ou la transposition de textes existants, et l'invention de matrices à produire des textes. Parmi les créations les plus remarquables issues de l'Oulipo, on mentionnera *Cent mille milliards de poèmes* de Queneau (1961), deux romans de Perec : *La Disparition* (1969), gigantesque lipogramme[*] (texte écrit en évitant d'utiliser telle ou telle lettre de l'alphabet, en l'occurrence le *e*, la voyelle la plus fréquente de la langue française), et *La Vie mode d'emploi* (1978), construit à partir d'une structure mathématique et des règles du jeu d'échecs.

→ **écriture automatique, inspiration, lipogramme, Perec, Queneau, Rhétoriqueurs**

oxymore

n. m. Du grec *oxumôron*, « alliance de mots contraires » (de *oxu*, « aigu, spirituel » et *môron*, « mou, stupide »). Figure de style consistant à lier par une relation syntaxique étroite deux mots de sens opposés ou contradictoires.

Formes et effets de l'oxymore

Comme l'antithèse[*], l'oxymore est une **figure d'opposition**, mais qui rapproche des termes de sens contraires à l'intérieur d'un même groupe de mots (nom + adjectif, nom + complément du nom, nom + adverbe…). L'oxymore résulte souvent d'un jeu sur le sens propre et le sens figuré. Exemples : *un silence éloquent* ; une « gaieté de désespéré » (Barbey d'Aurevilly[*]) ; « Cette *petite grande* âme venait de s'envoler » (Hugo à propos de la mort de Gavroche dans *Les Misérables*).

Par la création d'associations inattendues, l'oxymore produit un effet de surprise. Les rapprochements opérés obligent à reconsidérer nos perceptions habituelles et les idées communément admises. Dans ce dernier cas, l'oxymore est **proche du paradoxe**[*]. Les contradictions de l'âme humaine, les incertitudes baroques, la dualité romantique ont souvent trouvé leur expression dans cette figure.

→ **antithèse, paradoxe**

Pagnol
(Marcel), 1895-1974

ŒUVRES PRINCIPALES
- **Théâtre:** *Topaze* (1928), *Marius* (1931), *Fanny* (1932), *César* (1936).
- **Autobiographie:** *La Gloire de mon père* (1957), *Le Château de ma mère* (1958), *Le Temps des secrets* (1960), *Le Temps des amours* (posth. 1977).
- **Films:** *César* (1936); *Angèle* (1934), *Regain* (1937), *La Femme du boulanger* (1938), d'après des œuvres de Giono; *Manon des sources* (1953).

Émouvoir et faire rire

Les deux recettes principales de l'extraordinaire succès de Marcel Pagnol, tant à la scène qu'à l'écran mais aussi dans ses « souvenirs », sont l'émotion et le rire. Il sait d'abord, avec une grande adresse, **exploiter le filon de la sentimentalité** : les intrigues de ses pièces, les personnages de ses films, les événements familiaux de *La Gloire de mon père* ou du *Château de ma mère* suscitent l'attendrissement, la compassion, la nostalgie de l'enfance et celle d'une société traditionnelle. Les personnages (cafetiers, boulangers, puisatiers, meuniers, instituteurs) attirent la sympathie parce qu'ils sont les héros d'une France profonde, d'une humanité moyenne, sans génie mais pleine de cœur, à l'image de César et Honorine dans la trilogie marseillaise.

Dans *Topaze*, Pagnol se fait moraliste en présentant les mésaventures burlesques puis le triomphe d'un professeur qui, d'abord naïf, finit par comprendre qu'on peut faire « honnêtement des affaires malhonnêtes ». Dans cette pièce comme dans l'ensemble de l'œuvre, l'**humour** est bien la dominante. Le parler populaire, les bons mots, les expressions méridionales, l'accent marseillais (immortalisé à l'écran par l'acteur Raimu dans la célèbre partie de cartes de *César*), les renversements de situation cocasses et une familiarité souriante donnent leur charme populaire au petit monde de Pagnol.

CITATION

- **Sur la langue populaire**

« Ce langage contient de grandes vérités scientifiques et philosophiques si l'on se donne la peine de l'examiner, d'extraire les racines des mots, de démonter les phrases toutes faites. » (*Notes sur le rire*, 1947)

REPÈRES BIOGRAPHIQUES

→ Né à Aubagne, professeur d'anglais, Pagnol abandonne l'enseignement en 1927 « pour cause de littérature ». L'année suivante, il triomphe au théâtre avec *Topaze* puis avec la fameuse trilogie marseillaise (*Marius, Fanny, César*) qui sera adaptée au cinéma. Lui-même porte à l'écran des sujets inspirés des romans de Giono (*La Femme du boulanger*) ou ses propres scénarios (*Manon des sources*).

→ Après sa réception à l'Académie française (1946), il se consacre à la rédaction de ses souvenirs d'enfance et de jeunesse à travers quatre livres : *La Gloire de mon père, Le Château de ma mère, Le Temps des secrets* et *Le Temps des amours*.

→ **cinéma et littérature, Giono, Ramuz**

palimpseste

n. m. Du grec *palimpsestos*. **Sens propre**: parchemin sur lequel on a effacé une première inscription pour en porter une seconde. **Sens figuré**: en notant que, dans un palimpseste, le texte primitif peut toujours être lu sous le nouveau texte, Gérard Genette propose d'étendre le terme à la double inscription dans les œuvres littéraires d'une œuvre nouvelle et de l'œuvre antérieure dont elle dérive et à laquelle elle se superpose.

Hypotexte et hypertexte

Dans *Palimpsestes* (Le Seuil, 1982), Genette se propose d'explorer les transformations d'un **hypotexte** (littéralement le « texte du dessous », c'est-à-dire le texte primitif : les *Fables* d'Ésope par exemple) en **hypertexte** (le « texte du dessus », celui qui découle de l'hypotexte et parfois le cache : ainsi, les *Fables* de La Fontaine* qui reprennent, en les mettant en vers et en en déformant parfois le sens, les apologues* d'Ésope). Genette parle dès lors d'une « littérature au second degré, qui s'écrit en lisant » et en parodiant, pastichant, développant, transposant, condensant des modèles antérieurs.

→ **intertextualité, parodie, pastiche, sources**

pamphlet

n. m. D'un mot anglais signifiant « brochure », lui-même dérivé du nom d'une comédie en vers latins du xiie siècle intitulée *Pamphilet*. Écrit, généralement court, de tonalité satirique, qui attaque vigoureusement un pouvoir politique ou religieux ainsi que les personnages qui l'incarnent. On appelle « pamphlétaire » un auteur de pamphlets.

Des « fusées volantes »

Le pamphlet s'inscrit dans les textes de **tonalité polémique*** et prend la forme d'une **violente satire***. L'attaque qu'il formule est généralement directe, et sa cible clairement identifiée. Il peut recourir à des arguments *ad hominem*, des raisonnements par l'absurde, des images violentes ou aux procédés plus voilés de l'ironie*.

Le pamphlet a constitué une **arme pour les philosophes du** xviiie siècle dans leur combat contre les préjugés. Ainsi, Voltaire* lance contre les jésuites une série de pamphlets destinés à les ridiculiser (*Relation de la maladie du jésuite Berthier*, 1759). Ces « fusées volantes » sont des manières de réagir rapidement à des faits d'actualité (attaques contre les philosophes, actes d'intolérance).

La **tradition** du pamphlet est **reprise au xixe siècle** par **Paul-Louis Courier** (1772-1825) qui déchaîne sa verve contre la Restauration. Après le coup d'État du 2 décembre 1851, **Victor Hugo*** écrit plusieurs pamphlets contre « Napoléon le Petit » : le recueil poétique des *Châtiments* (1853) a souvent un caractère satirique. Le *J'accuse* d'**Émile Zola*** (1898), lettre adressée au président de la République durant l'affaire Dreyfus, peut également être considéré, par la violence des attaques portées contre la hiérarchie militaire et la justice, comme un pamphlet. L'écriture des pamphlétaires passe dès lors souvent par le canal de la presse.

→ **critique, libelle, polémique, réquisitoire, satire**

panégyrique

n. m. Du latin emprunté au grec *panêguris*, « assemblée de tout le peuple ». **Sens strict**: discours public à la louange d'un personnage illustre, d'une nation, ou d'une chose et, plus spécialement, sermon faisant l'éloge d'un saint. **Sens général**: louange, apologie. **Sens péjoratif**: éloge emphatique, exagéré.

Caractéristiques du panégyrique

Discours d'apparat, le panégyrique appartient au **genre épidictique** ou démonstratif (qui consiste à louer ou à blâmer). Il a pour fonction principale de célébrer des actions et des vertus, et, à travers l'exemple célébré, d'exalter des valeurs. Pour ce faire, le panégyrique recourt à l'amplification*.

Le **panégyrique chrétien** est **hagiographique** : il évoque la vie et les actes des saints à des fins pédagogiques et morales. Ainsi, dans son panégyrique de saint François de Sales (1653), Bossuet* met en avant trois qualités du saint : « Sa science, pleine d'onction, attendrit les cœurs ; sa modestie, dans l'autorité, enflamme les hommes à la vertu ; sa douceur, dans la direction [*de conscience*], les gagne à l'amour de Notre Seigneur. »

Le panéryrique **s'apparente à l'éloge***. Mais il est toujours un discours, alors que les formes de l'éloge sont variées.

→ **amplification, oratoire (style), rhétorique**

pantoum

n. m. Mot emprunté au malais. Poème à forme fixe* originaire de Malaisie.

Principales caractéristiques

Révélé par Victor Hugo* dans une note des *Orientales* (1829), le pantoum a séduit les poètes parnassiens épris de **virtuosité technique et** de **perfection formelle**. Il a été pratiqué par Leconte de Lisle* (dans les *Poèmes tragiques*), Théodore de Banville, mais aussi par Baudelaire*. « Le pantoum, selon Théodore de Banville, s'écrit en strophes de quatre vers. Le mécanisme est bien simple. Il consiste en ceci, que le second vers de chacune des strophes devient le premier vers de la strophe suivante, et que le quatrième vers de chaque strophe devient le troisième de la strophe suivante. De plus, le premier vers du poème, qui commence la première strophe, reparaît à la fin, comme dernier vers du poème, terminant la dernière strophe » (*Petit Traité de poésie française*, 1872). Dans sa forme la plus stricte, le pantoum doit développer **deux thèmes différents**, l'un dans les deux premiers vers de chaque strophe, l'autre dans les deux derniers. À ce compte, « Harmonie du soir » (*Les Fleurs du mal*) de Baudelaire, dont voici les trois premières strophes, n'est pas un pantoum parfait, mais il en garde la puissance suggestive et incantatoire : « Voici venir les temps où vibrant sur sa tige / Chaque fleur s'évapore ainsi qu'un encensoir, / Les sons et les parfums tournent dans l'air du soir, / Valse mélancolique et langoureux vertige ! // Chaque fleur s'évapore ainsi qu'un encensoir ; / Le violon frémit comme un cœur qu'on afflige ; / Valse mélancolique et langoureux vertige ! / Le ciel est triste et beau comme un grand reposoir. // Le violon frémit comme un cœur qu'on afflige / Un cœur tendre, qui hait le néant vaste et noir ! / Le ciel est triste et beau comme un grand reposoir ; / Le soleil s'est noyé dans son sang qui se fige. »

→ **Baudelaire, formes fixes, Parnasse, rondeau**

parabole

n. f. Du grec *parabolê*, « comparaison ».
Sens restreint : récit allégorique et symbolique des livres saints (Ancien et Nouveau Testament...), dont le but est de transmettre une vérité religieuse, un enseignement moral ou spirituel.
Sens large : peut désigner tout récit allégorique à contenu moral.

Un moyen pour toucher l'imagination et la raison

La parabole utilise des réalités et des **histoires très quotidiennes** pour donner à travers elles, par une double lecture, élément par élément, une leçon sur l'existence et une règle de conduite. L'auteur y ajoute parfois un commentaire explicatif.
Comme la fable* ou l'apologue*, dont elle se distingue par son origine et sa tonalité religieuses, **la parabole habille une vérité abstraite d'images concrètes et frappantes, dans un but pédagogique**. Les paraboles de la Bible, connues d'un large public, ont souvent été réutilisées, parfois avec une signification différente. Ainsi, celle du Bon Samaritain (Évangile de Luc, 10, 29) est imitée par Pascal* pour définir l'Église (*Deuxième Provinciale*) et réactualisée par Voltaire* (*Candide*, chap. 3 : l'anabaptiste Jacques, méprisé par les chrétiens, prend la place du Samaritain, que méprisaient les juifs). Dans *Une saison en Enfer*, Rimbaud* parodie les paraboles bibliques pour manifester sa révolte et fonder une poésie en rupture avec le conformisme moral et esthétique (« Vierge folle »).

Du récit court à l'œuvre entière

Il peut arriver – surtout au XXᵉ siècle – qu'une œuvre entière soit conçue comme une **parabole sur la condition humaine ou l'Histoire**. Tel est le qualificatif, par exemple, qu'attribue Bertold Brecht à sa pièce *La Résistible Ascension d'Arturo Ui* (1941), qui, à travers une énigme policière et une bande de gangsters, retrace l'arrivée de Hitler au pouvoir : l'objectif, transmis dans un court épilogue*, est de faire comprendre au public qu'il faut ouvrir les yeux et agir pour éviter le règne du totalitarisme, cette « bête immonde ».
De même, *Rhinocéros* de Ionesco* évoque la transformation des habitants d'un village en bêtes féroces, à l'exception du petit employé Bérenger : ils figurent les masses gagnées par le totalitarisme, auxquelles seules s'opposent

quelques consciences individuelles. C'est, explique Ionesco dans *Notes et contrenotes*, « la vérité contre l'Histoire ».

→ **absurde, allégorie, apologue, comparaison, fable, symbole**

paradoxe

n. m. Du grec *para*, « contre » et *doxa*, « opinion admise ». Procédé rhétorique consistant à prendre le contre-pied d'une idée traditionnellement admise, à heurter le sens commun, souvent dans une intention provocatrice. *Ex.* : **1.** Contrairement à l'idée reçue qui oppose « fou » et « raisonnable », on dira par exemple qu'*il est fou d'être trop raisonnable et qu'il est raisonnable d'être un peu fou.* **2.** Paul Valéry* brouille l'opposition entre surface et profondeur en affirmant : « Ce qu'il y a de plus profond dans l'homme, c'est la peau ».

Fonctions du paradoxe

Dans la conversation, le paradoxe est un procédé qui permet de briller en marquant sa différence, en affichant un non-conformisme élitiste, dédaigneux du sens commun et de la normalité. Mais cela ne doit pas faire oublier que le paradoxe est un des plus puissants stimulants de la réflexion et de la pensée critique puisqu'il permet d'**ébranler les idées reçues** : « J'aime mieux être homme à paradoxes qu'homme à préjugés », dit Rousseau* dans l'*Émile*.

Le paradoxe aide souvent à **révéler une vérité inaperçue.** Selon Jean Guitton, le fondement de l'art de penser repose essentiellement sur la science du paradoxe. Qu'est-ce qu'un fou ? demande-t-il dans *L'Art de penser* : c'est un homme qui a perdu la raison, répond le sens commun, et cette définition clôt le débat. Au contraire, celles que proposent Chesterton et Anatole France* invitent à la réflexion : « Le fou est un homme qui a tout perdu excepté la raison », dit le premier ; « La raison est ce qui effraie le plus chez un fou », ajoute le second. Le paradoxe ouvre ainsi des perspectives insoupçonnées et donne à réfléchir sur ce qu'est réellement la folie.

→ **antithèse, antonyme, cliché, humour**

paratexte

n. m. Néologisme formé à partir du préfixe d'origine grecque *para*, « à côté de », et du nom *texte*. Texte qui encadre une œuvre.

Rôle du paratexte

La notion de paratexte est due au critique français Gérard Genette (*Palimpsestes*, 1981 ; *Seuils*, 1987), qui désigne par là l'**ensemble des textes encadrant** (présentant et clôturant) **le texte** proprement dit : titre, sous-titre, intertitres, préface*, épigraphe, dédicace*, avertissement, notes, postface… Ce **paratexte auctorial** (qui est le fait de l'auteur) constitue un élément essentiel du « pacte de lecture » que l'auteur passe avec son lecteur : qu'il s'agisse de la promesse du titre (thématique et/ou générique) ou des déclarations d'intention contenues dans la préface, ce sont là autant d'éléments au moyen desquels l'auteur cherche à orienter l'interprétation de son œuvre.

Le **paratexte éditorial** (nom de l'éditeur, nom de la collection, annexes, quatrième de couverture au dos de l'ouvrage…) joue également un rôle déterminant dans la réception* du texte. L'étude du paratexte rappelle que nous n'avons jamais affaire à un texte « nu » et que toute lecture d'un texte est influencée par ces éléments « périphériques » qui, pour le lecteur, constituent un « horizon d'attente ».

→ **dédicace, préface/postface, réception de l'œuvre**

Parnasse

n. m. Du grec *Parnasos*, montagne de Grèce, près de Delphes. **Sens mythologique et allégorique** : montagne où réside le dieu Apollon entouré des neuf Muses, symbole de l'inspiration* et de l'activité artistique. **Sens historique** : mouvement poétique de la seconde moitié du XIXe siècle, constitué autour de la revue *Le Parnasse contemporain* (1866), et réunissant autour du « maître » Leconte de Lisle*, Théodore de Banville, François Coppée, Catulle Mendès, Sully Prud'homme, José-Maria de Heredia* et des collaborateurs occasionnels : Baudelaire*, Verlaine*, Mallarmé*.

Une réaction contre le romantisme

Le mouvement parnassien marque d'abord une **réaction contre les excès du lyrisme*** romantique accusé dès 1852 par Leconte de Lisle de constituer « une vanité et une profanation gratuites », oublieuses des exigences du métier d'artiste et trop préoccupées d'engager l'art au service d'une cause contemporaine, politique ou sociale. Après l'échec de la révolution de 1848, les Parnassiens préfèrent fuir le présent dans la « tour d'ivoire » des poètes et dans le culte de la beauté des formes.

La doctrine de l'art pour l'art

Théophile Gautier*, initiateur du mouvement, expose dans la Préface de *Mademoiselle de Maupin* (1835), la doctrine de l'art pour l'art* qui sera le credo des Parnassiens : l'artiste est le prêtre d'une religion de la pure beauté : « Il n'y a de vraiment beau que ce qui ne peut servir à rien ; tout ce qui est utile est laid ».
Cette beauté doit avoir un triple caractère d'**impersonnalité**, d'**impassibilité** et d'**éternité**. Se trouveront ainsi éliminées les traces visibles de l'expérience personnelle de l'artiste au profit d'une poésie sereine, privilégiant le dépaysement géographique et historique grâce à une érudition qui renoue avec les grands mythes* de l'humanité.

Des artisans du vers

Enfin, la poétique parnassienne tire sa singularité de ses **exigences formelles** : le métier du poète est souvent comparé à celui du sculpteur ou de l'enlumineur médiéval qui n'atteint l'achèvement de son œuvre qu'au prix de l'apprentissage d'une technique. D'où la virtuosité d'une **poésie savante** dans ses rythmes et ses sonorités, précise voire précieuse dans ses descriptions, comme celle des sonnets d'Heredia ou de Leconte de Lisle.
Cette **tendance** du Parnasse **au formalisme** sera finalement **contestée et dépassée** par des poètes comme Baudelaire ou Verlaine, compagnons de route du mouvement à ses origines mais conscients des limites d'une expérience du langage qui tend à figer la poésie dans une froideur impersonnelle.

→ **Gautier, Heredia, Leconte de Lisle, pantoum, romantisme, symbolisme**

parodie

n. f. Du grec *parôdia* (de *para*, « à côté » et *ôdê*, « chant »). Imitation, dans une intention comique ou satirique, d'un genre sérieux, du style d'un auteur, d'une œuvre, d'une cérémonie... Bergson, dans *Le Rire*, définit la parodie comme la transposition, la dégradation du « solennel » en « familier » (l'opération inverse donnant l'héroï-comique*).

Caractéristiques de la parodie

La parodie suppose connu le modèle que l'on imite, dont elle reprend les principaux éléments en les exagérant, ou bien en les utilisant de façon décalée. Ses **principaux procédés** sont l'**hyperbole**, le **burlesque**, le **grotesque**, l'**ironie**, le macaronisme (ajout de terminaisons latines à des mots de la langue vulgaire, dans le latin de cuisine de Rabelais* ou de Molière*), le mélange des registres... Elle suppose une double lecture du texte. Ses **objectifs** sont très **variés** : ils vont du simple divertissement à la remise en cause violente d'un ordre littéraire, politique ou social.

Une source de comique inépuisable

Tous les auteurs comiques ont recouru à la parodie, que ce soit dans le roman*, la poésie* ou le théâtre*. La parodie des romans de chevalerie est un ressort essentiel du *Don Quichotte* de Cervantès ; Rabelais parodie l'épopée* (récit de la guerre picrocholine dans *Gargantua*, chap. 26 et suiv.), le langage des juges et des théologiens ; Molière parodie celui des paysans dans *Dom Juan* ; Voltaire* imite les romans picaresques dans *Candide*...
Les effets de la parodie peuvent aller du comique de farce* à l'humour* le plus fin : chez Jules Laforgue*, la parodie de grandes œuvres littéraires (*Hamlet*, par exemple) dans les *Moralités légendaires* sert à l'expression pudique du désespoir.

Une arme critique

À travers la parodie des genres sérieux (épopée, tragédie*...), les auteurs **se moquent des valeurs, de l'idéologie** qui les sous-tendent. Ainsi, dans *Gargantua* (chap. 26) comme dans *Candide* (chap. 3), la parodie des combats épiques constitue une remise en cause des faux prestiges de la guerre. De même, dans *Les Femmes savantes* et *Les Précieuses ridicules*, Molière raille la pudibonderie à laquelle aboutit la préciosité*.
La parodie vise souvent les excès de genres littéraires devenus trop figés, trop platement repris par des imitateurs sans talent, et témoigne d'une **volonté de renouvellement**. Ainsi, Scarron*, au XVIIe siècle, fait un *Virgile travesti* et un *Roman comique* (parodies de l'épopée antique et du roman idéaliste ou précieux, qui étaient alors à la mode) où il prend parti pour

le réalisme*, comme le fait également Furetière* avec *Le Roman bourgeois*. Lautréamont* dans *Les Chants de Maldoror*, Rimbaud* dans certains de ses poèmes (*Ma bohème…*) parodient les romantiques tout en inventant une poésie entièrement nouvelle.

→ antihéros, burlesque, caricature, comique, conte philosophique, Don Quichotte, Furetière, grotesque, Laforgue, pastiche, plagiat, Prévert, satire, Scarron

paronyme

n. m. Du grec *para* « à côté, près de », et *numos* « nom ». Mot proche d'un autre par sa forme et sa sonorité mais en différant par le sens. Le rapprochement volontaire de deux termes paronymes dans une même phrase produit une figure appelée « paronomase ». *Ex.*: *éruption* et *irruption* sont des paronymes.

Principaux effets

Rapprocher des mots paronymes produit un **effet d'insistance** en créant l'illusion de la répétition. Les proverbes*, les sentences*, les maximes* reposent souvent sur la paronomase : « Comparaison n'est pas raison » ; « Il faudra se soumettre ou se démettre » (Gambetta).

La **paronomase** suggère aussi que les mots rapprochés par leurs sonorités peuvent être **également associés par leurs sens** : « Certitude, servitude » (Jean Rostand).

Enfin, le jeu sur les paronymes peut servir un **effet poétique cocasse** : « Le serpent du Jeu de Paume, le serment du Jus de Pomme » (Prévert*).

→ maxime, sonorités

Pascal
(Blaise), 1623-1662

ŒUVRES PRINCIPALES
• **Traités scientifiques** : *Essai sur les coniques* (1640), *Expériences nouvelles touchant le vide* (1647), *Traité du triangle arithmétique*, (1654, publ. 1665).
• **Ouvrages philosophiques** : *Entretien avec M. de Sacy sur Épictète et Montaigne* (1655), *Pensées* (env. 1655-1662 ; 1re publ. posth. 1670), *De l'esprit géométrique et de l'art de penser* (1656-1657), *Les Provinciales* (1656-1657), *Écrits sur la grâce* (1656-1657, publ. 1779).

Plaire en polémiquant

De la première *Lettre écrite à un provincial par un de ses amis* à la dix-huitième, Pascal, qui tait son nom, fait d'une querelle théologique un **enjeu public**. Le débat porte sur la conception de la grâce : pour l'évêque d'Ypres Jansénius (1585-1638) et pour le Grand Arnauld (1612-1694), de Port-Royal*, il s'agit d'en revenir, contre les pères jésuites, à la doctrine de saint Augustin (IVe-Ve siècle), doctrine pessimiste que les jansénistes durcissent : la grâce, c'est-à-dire le salut, est gratuitement accordée par Dieu à certains hommes par l'effet de sa pure miséricorde et non pour les récompenser de quelconques mérites. L'homme n'est pas véritablement prédestiné au sens de Calvin : il conserve son libre arbitre, mais il ne peut briguer son salut comme le laissent espérer les casuistes jésuites, spécialistes de l'extinction des cas de conscience, et que *Les Provinciales* attaquent bientôt sur le terrain de la morale.

Dans ces lettres clandestines, adoptant le ton de l'**ironie*** puis de l'**indignation** ou de la **conviction passionnée**, Pascal applique déjà les règles de son *Art de persuader* (1658) : **il s'adresse à l'intelligence en décidant de plaire**, même si cette « voie de l'agrément », propre à frapper le « cœur » pour renverser « l'esprit », devrait être réservée aux choses divines.

Misère de l'homme sans Dieu

C'est cette même méthode que Pascal se propose de mettre en œuvre pour écrire son *Apologie de la religion chrétienne* : ce qui est devenu un ensemble de *Pensées* avait d'abord pour but de peindre la **misère de l'homme perdu entre l'infiniment grand et l'infiniment petit**, entre « les deux abîmes de l'infini et du néant » (*Pensées*, 72, éd. Brunschwicg), esclave des « **puissances trompeuses** » que sont l'imagination (qui engendre erreurs et peurs), l'amour-propre (qui éloigne de la vérité) ou la coutume (une seconde nature). Incapable d'atteindre la vérité ni d'édifier une quelconque justice, l'homme – et le grand plus qu'un autre – déjoue le sentiment de son néant en se « **divertissant** ».

L'homme, un « monstre incompréhensible »

Toutefois, **l'homme a une double nature** : « La grandeur de l'homme est grande en ce qu'il se connaît misérable. Un arbre ne se connaît pas misérable » (*ibid.*, 397). Ainsi, comme l'exprime l'*Entretien avec M. de Sacy*, on ne peut réduire l'homme à la misère où le voient Montaigne* et les philosophes sceptiques, de même qu'on ne peut croire seulement, avec le stoïcisme*, en une grandeur qui l'élèverait vers Dieu.

Là commence le second mouvement qu'envisageait Pascal pour son *Apologie* : il n'existe qu'une religion qui permette de comprendre cette contradiction inhérente à la nature humaine : c'est le christianisme, car il considère l'homme, « ni ange ni bête », comme une créature déchue depuis l'origine.

De la preuve à la foi
Encore faut-il présenter aux lecteurs de l'*Apologie* des **preuves de la vérité de la religion chrétienne**. La « disproportion » entre l'homme et Dieu, qu'un « chaos infini » sépare, interdit à l'homme de prouver l'existence de Dieu, contrairement à l'entreprise cartésienne. Dieu lui-même demeure caché pour éprouver l'homme. Mais il reste possible de prouver la vérité du christianisme en s'intéressant à Jésus-Christ, puisqu'il est Dieu sur terre : on s'attachera donc à retrouver dans la vie de Jésus les prophéties de l'Ancien Testament.

Il reste à croire : Pascal montre que, quitte à parier, l'**on ne peut parier que pour l'existence de Dieu**. Il recourt là, comme dans toutes les *Pensées*, aux vertus de l'**art d'agréer** : le naturel du style, l'art de la concision, du paradoxe*, de la symétrie lexicale et syntaxique. Mais son raisonnement ne s'adresse qu'à l'entendement du lecteur, malgré l'échauffement mystique du ton : il faut encore que Dieu donne au **cœur** le sentiment de la foi.

CITATIONS

• Le pari pascalien
« […] il y a ici une infinité de vie infiniment heureuse à gagner, un hasard de gain contre un nombre fini de hasards de perte, et ce que vous jouez est fini. Cela ôte tout parti [*hésitation*] partout où est l'infini et où il n'y a pas infinité de hasards de perte contre celui de gain, il n'y a point à balancer, il faut tout donner. » (*Pensées*, 233, éd. Brunschwicg)

• Sur la foi
« La foi est différente de la preuve : l'une est humaine, l'autre est un don de Dieu. » (*Ibid.*, 248)

• Sur la grandeur de l'homme
« L'homme n'est qu'un roseau, le plus faible de la nature ; mais c'est un roseau pensant.

Il ne faut pas que l'univers entier s'arme pour l'écraser : une vapeur, une goutte d'eau, suffit pour le tuer. Mais, quand l'univers l'écraserait, l'homme serait encore plus noble que ce qui le tue, parce qu'il sait qu'il meurt, et l'avantage que l'univers a sur lui, l'univers n'en sait rien. » (*Ibid.*, 347)

REPÈRES BIOGRAPHIQUES

➜ L'enfance de Pascal à Clermont-Ferrand est marquée par la mort de sa mère et par l'apparition précoce de ce que Chateaubriand* devait appeler son « effrayant génie » : à douze ans il entreprend de démontrer la trente-deuxième proposition d'Euclide, à seize ans il publie son *Essai sur les coniques*, à dix-neuf ans il invente l'ancêtre de la machine à calculer… Cette prodigieuse intelligence mathématique et scientifique soutiendra toute son œuvre.

➜ En 1646, déjà atteint de la maladie qui le laissera à demi paralysé, Pascal découvre le jansénisme* et s'y convertit. Pour tromper ses souffrances, il entame à Paris une « période mondaine » auprès du jeune duc de Roannez et du chevalier de Méré, dans les cercles dits libertins, c'est-à-dire ne pratiquant pas la religion et la regardant comme matière à débat.

➜ Le 23 novembre 1654, au cours d'une nuit de « feu » (nuit du Mémorial), Pascal a une extase mystique : c'est sa deuxième conversion, qui fait de lui un apologiste. Il fait retraite à Port-Royal, où M. de Saci est son directeur de conscience et où il se donne totalement à Dieu.

➜ Cependant, en 1656-1657, il s'engage à fond dans la lutte entre les jansénistes et les jésuites, défendant contre les seconds la conception de la grâce des premiers : *Les Provinciales* portent la polémique* devant le public avec ironie et passion. À peu près à la même date, il entreprend une *Apologie de la religion chrétienne* dont la rédaction, fragmentée par la maladie et interrompue par la fin édifiante de l'homme, a donné ce que nous appelons les *Pensées*.

➜ **Descartes, jansénisme, Montaigne, pamphlet, polémique, Port-Royal, scepticisme, stoïcisme**

p

pastiche

n. m. De l'italien *pasticcio*, «pâté» au sens propre, puis «imbroglio». Pratique d'écriture consistant à imiter, dans une intention ludique, un texte-source tiré de l'œuvre d'un écrivain reconnu.

Les règles du pastiche

L'imitation, qui doit être perceptible comme telle, **porte sur le style** : on reprend les règles d'écriture et les procédés stylistiques du texte-source, de telle sorte que le lecteur puisse lire le texte ainsi produit comme s'il était réellement de la plume de l'auteur pastiché. Entre l'auteur du pastiche et son lecteur, on peut parler d'une sorte de « contrat de pastiche » : le lecteur sait que X imite Y ; le **pasticheur et** le **pastiché** sont **identifiés ou** aisément **identifiables**. Tel est le cas des pastiches écrits par Marcel Proust[*] (*Pastiches et mélanges*, 1909) ou par Reboux et Muller (*À la manière de…*, 1907-1913).

Cependant, il existe des cas où ce contrat n'est pas respecté : le nom du pasticheur n'est pas affiché et l'on cherche à faire croire que le texte est authentique. On est alors en présence d'un **faux littéraire** (ou apocryphe[*]), où la supercherie répond à une volonté de mystification. C'est ainsi qu'est publié en 1949 un prétendu inédit de Rimbaud, *Chasse spirituelle*, publication qui n'avait d'autre but que de ridiculiser certains critiques patentés de l'époque.

Pastiche, charge, parodie

Le pastiche proprement dit, dans la mesure où il implique « une connaissance intime de l'œuvre pastichée », **vaut**, bien sûr, **hommage à l'auteur imité**. Proust y voyait même une forme supérieure de la critique littéraire, le lecteur étant tellement imprégné de la « musique » du texte qu'il peut se mettre à écrire sur le même air des paroles de son cru. Mais les inévitables décalages entre le modèle et le pastiche (auxquels le lecteur sera nécessairement sensible) produisent presque toujours une **distance ironique** plus ou moins accentuée, soulignée par la présence d'éléments anachroniques ou insolites, par l'écart entre le sujet choisi et la manière de le traiter, par la concentration excessive de traits stylistiques, voire par des calembours[*]. Il suffit alors de peu pour que l'intention satirique, mettant en exergue les tics d'écriture de l'auteur imité, prévale sur l'intention humoristique.

Si le pastiche prend des allures de caricature[*] au point de tourner en dérision le texte imité, on parlera de **charge**. Il devient alors **difficile de distinguer parodie**[*] **et pastiche** satirique, et ce, d'autant plus que les deux procédés peuvent très bien se conjuguer, la parodie intégrant des éléments des pastiches.

On retiendra que le propre de **la parodie est** d'être **toujours satirique**, ce qui n'est pas le cas du pastiche. De plus, selon Gérard Genette (*Palimpsestes*, 1982), la différence essentielle est que le pastiche procède par imitation alors que la parodie joue sur la transformation et/ou le détournement du texte.

→ **burlesque, intertextualité, Oulipo, palimpseste, parodie, plagiat**

pastorale

adj. et *n. f.* Du latin *pastoralis* (de *pastor*, «pâtre, pasteur»). **Sens général** (*adj.*) : qui concerne la vie et les mœurs des bergers (*un roman pastoral*). **Sens historique** (*n. f.*) : œuvre dramatique (xvie-xviiie siècle) mettant en scène des bergers dans un cadre bucolique ; peinture représentant des scènes bucoliques. **Sens religieux** : relatif aux pasteurs spirituels.

Origines de la pastorale

Si la poésie pastorale est très ancienne (*Idylles* de Théocrite, ive-iiie siècle av. J.-C. ; *Bucoliques* de Virgile, ier siècle av. J.-C.), la **pastorale dramatique** est un genre nouveau, qui naît en Italie à la fin du xve siècle. En France, elle connaît un très grand succès dans les années 1630 grâce aux œuvres de Hardy, Mairet et Racan. Par son respect des règles dramatiques qui sont en train d'être élaborées, la pastorale ouvre la voie au théâtre « régulier ».

Caractéristiques de la pastorale

La pastorale se caractérise avant tout par son **cadre**, qui est celui d'une **campagne bucolique**, d'une nature vierge, non corrompue par la civilisation, dans laquelle les **bergers et des bergères** fortement **idéalisés** parlent d'amour. L'originalité de la pastorale est de faire de l'amour, et surtout de l'**analyse de l'amour**, son unique préoccupation.

Les **intrigues** sont empruntées aux romans pastoraux espagnols du xvie siècle, et à *L'Astrée* d'Honoré d'Urfé[*]. Dans la pastorale dramatique, elles s'organisent en une **structure type** : un personnage A aime B qui aime C, qui aime D… Plusieurs couples d'amants forment ainsi une chaîne d'amours contrariées. Leur

amour se heurte à des obstacles extérieurs (parents), ou intérieurs (souci de l'honneur, qui amène la jeune fille à dissimuler son amour, non-réciprocité de l'amour, inconstance…).
La pastorale dramatique se définit moins comme un genre dramatique précis que comme un **cadre**, un **ton** : il y a des comédies, des tragicomédies et des tragédies pastorales.
Peuplée de bergers et de bergères, la pastorale dramatique l'est aussi de nymphes et de magiciens, qui permettent, par le recours au merveilleux*, des effets spectaculaires.

Héritage de la pastorale

Par sa thématique de l'inconstance et de la fuite, par son caractère souvent spectaculaire, la pastorale participe d'une **vision baroque*** **du monde**. Sous Louis XIV, présente dans les fêtes de cour, elle intègre musique et ballets avant de se fondre dans l'opéra* naissant.
L'influence de la pastorale a été **déterminante pour la dramaturgie* classique**. Elle a favorisé l'introduction des règles au théâtre et a permis la naissance de la comédie classique. Corneille* et Rotrou adaptent le schéma amoureux de la pastorale à un milieu d'aristocrates citadins. Par la subtilité de ses analyses du sentiment amoureux, la pastorale ouvre la voie à un **théâtre psychologique**.

→ **baroque, comédie, tragicomédie, unités (règle des trois)**

pathétique

adj. et n. m. Du grec *pathos*, « passion ».
Dans un texte, ce qui est propre à exciter des émotions intenses telles que la douleur, la pitié… En tant que tonalité littéraire, le pathétique est donc une « couleur » sombre.

Caractéristiques du pathétique

La production d'un effet pathétique résulte généralement de la combinaison de différents procédés : emploi d'un **lexique** dénotant la souffrance (en cela, le pathétique peut se mêler à une tonalité élégiaque*), présence d'une **ponctuation** forte (modalités interrogative et exclamative), utilisation de **figures** telles que la répétition*, l'hyperbole*, l'anacoluthe*…
La tonalité pathétique est prégnante dans la **tragédie*** (Racine*, dans la Préface de *Bérénice*, définit la « tristesse majestueuse » comme l'essence du plaisir tragique) et dans la **poésie lyrique**, mais elle possède aussi ses chefs-d'œuvre dans le **genre narratif** (*Lettres*

portugaises de Guilleragues ou *Manon Lescaut* de l'abbé Prévost*).
Le terme « pathos » qui, dans l'ancienne rhétorique*, désigne l'ensemble des procédés visant à susciter l'émotion, possède, dans la langue moderne, une connotation péjorative : le **pathos**, **pathétique outré**, est la caricature* du pathétique.

→ **élégiaque, lyrisme, rhétorique, tragédie, tragique**

Péguy
(Charles), 1873-1914

ŒUVRES PRINCIPALES
• **Poésie** : *Le Mystère de la charité de Jeanne d'Arc* (1910), *Le Porche du mystère de la deuxième vertu* (1911), *La Tapisserie de sainte Geneviève et de Jeanne d'Arc* (1912), *La Tapisserie de Notre Dame* (1913), *Ève* (1913).
• **Articles** : parmi ceux publiés dans *Les Cahiers de la Quinzaine*, on retiendra : *Notre patrie* (1905), *Notre jeunesse* (1910), *Victor Marie, comte Hugo* (1910), *Clio* (posth.), *L'Argent* (1913), *Note conjointe sur Descartes et la philosophie cartésienne* (1914).

Le polémiste

La **pensée** de Péguy est toujours **fortement polémique***. Esprit intransigeant, il ne ménage ni ses adversaires ni ses amis lorsqu'il estime qu'ils se trompent. Dans toute entreprise humaine, il est prêt à dénoncer les ferments de décomposition et d'avilissement qui font que les idées généreuses se dégradent : « Tout commence par *la* mystique […] et tout finit par *de* la politique. » Il refuse les compromis pragmatiques que réclame l'action : « L'essentiel est que dans chaque ordre, chaque système, la mystique ne soit point dévorée par la politique à laquelle elle a donné naissance. »
Ardent défenseur de Dreyfus aussi bien que de Jeanne d'Arc, il **s'attaque** avec **autant** de flamme **à l'anticléricalisme qu'au pacifisme**. D'une façon générale, il ne cesse de s'en prendre aux illusions du monde moderne. Mais son pessimisme ne le conduit pas à renoncer à l'espérance.

Le pèlerin de l'absolu

La marque propre de l'écrivain Péguy, c'est un inépuisable flux de paroles qui se déploie selon une logique associative, procède par digressions et suit les méandres d'une pensée à l'état naissant. D'où une **prose sinueuse et piétinante**, et une allure qu'on retrouvera dans les **amples mouvements lyriques** des *Mystères* ou des *Tapisseries* : de longs chapelets d'images accompagnent le lent cheminement de la méditation.

Le **lyrisme**[*] de Péguy, avec ses **litanies et ses répétitions incantatoires**, épouse la cadence du pèlerin qui conquiert l'horizon au rythme têtu de son pas. À la fois pèlerin, par sa quête de l'absolu, et paysan, par son contact avec la glèbe, par son émerveillement devant la « profonde houle et l'océan des blés », Péguy sait donner à son aventure des accents puissamment charnels, fidèle en cela au dogme chrétien de l'incarnation.

CITATIONS

• **Contre le préjugé**

« Il y a quelque chose de pire que d'avoir une mauvaise pensée. C'est d'avoir une pensée toute faite. » (*Note conjointe* [...])

• **Un sens à la mort**

« Heureux ceux qui sont morts, car ils vont retourner/Dans la première argile et la première terre/Heureux ceux qui sont morts dans une juste guerre/Heureux les épis murs et les blés moissonnés. » (*Ève*)

REPÈRES BIOGRAPHIQUES

→ Charles Péguy, né à Orléans, est le fils d'un menuisier et d'une rempailleuse de chaises. Enfant du peuple mais élève brillant, il entre à l'École normale supérieure en 1894. Le jeune homme, qui a perdu la foi, se passionne pour les questions sociales et la politique. Après son échec à l'agrégation, il réalise son rêve d'un « journal vrai » en fondant *Les Cahiers de la quinzaine* (1900). Il s'engage avec ardeur dans l'affaire Dreyfus aux côtés de Zola[*] et de Jaurès. Mais il se brouille bientôt avec ses amis socialistes auxquels il reproche un anticléricalisme forcené. À partir de 1905, ses positions nationalistes – de plus en plus affirmées – face à la menace allemande achèvent de le séparer des socialistes, qui restent pacifistes et internationalistes.

→ En 1907, Péguy retrouve la foi de son enfance et renoue avec l'inspiration religieuse des mystères médiévaux : sur une base dramatique assez lâche, il compose de vastes méditations lyriques dans lesquelles il fait dialoguer les grandes figures mystiques qui l'inspirent. En 1912, année où il accomplit son premier pèlerinage pédestre à Chartres, il revient à une forme poétique

plus classique avec la série des *Tapisseries*, poèmes de célébration qui, sur un rythme lent, déploient d'immenses fresques. La dernière *Tapisserie*, *Ève* (1913), atteint avec ses quelque 7 644 alexandrins[*], une taille monumentale.

→ Mobilisé le 4 août 1914, le lieutenant Péguy est tué au front le 5 septembre, au cours de la bataille de la Marne.

→ **engagement, polémique, verset**

Perceval

L'histoire de Perceval le Gallois s'inscrit dans les légendes arthuriennes et le roman courtois. Il est le héros du *Conte du Graal* de Chrétien de Troyes[*] (vers 1185) et ses aventures sont reprises dans le cycle du *Lancelot-Graal* (vers 1225).

L'apprentissage d'un chevalier

Dans le récit de Chrétien, Perceval est un « simple » : élevé par sa mère loin du monde et du métier des armes, il ignore jusqu'à son nom. Vient le temps de l'apprentissage : initié à la chevalerie par Gornemant de Goort, à l'amour par Blanchefleur, il apprend finalement le secret du Graal, le vase qu'il a aperçu dans un mystérieux château et qui contient, sous la forme d'une hostie éblouissante, le corps du Christ. Le conte s'achève chrétiennement par la communion de Perceval, le jour de Pâques. À travers les rencontres, les combats, les épreuves d'un **parcours initiatique**, Perceval, comme Yvain (*Le Chevalier au lion*) ou Lancelot (*Le Chevalier à la charrette*), se découvre lui-même (il prend conscience de son propre nom) et révèle au monde sa valeur : il peut ainsi rejoindre les chevaliers de la Table ronde auprès du roi Arthur[*], incarner les valeurs de l'amour courtois et accéder aux mystères de la foi. **Cette triple formation, sociale, sentimentale et religieuse fait le lien entre l'éthique chevaleresque et la mystique chrétienne.**

La quête du Graal

L'histoire de Perceval et de sa quête a suscité différentes « continuations ». Dans un roman anonyme du XIIIe siècle, la *Queste del saint Graal*, la dimension magique de la légende arthurienne est réinterprétée dans une perspective cistercienne : rechercher le vase sacré, c'est vouloir atteindre la grâce divine. **La chevalerie terrestre devient « célestielle »** et suppose une pureté qui va jusqu'à l'ascétisme. Perceval est finalement remplacé dans la quête par le fils de Lancelot*, Galaad, parce que celui-ci est le plus pur des chevaliers.

La légende de Perceval a été reprise au XIXᵉ siècle par Wagner dans son opéra *Parsifal* (1882), où le héros est partagé entre la femme tentatrice (Kundry) et l'aspiration à la vertu rédemptrice de la compassion.

Julien Gracq*, dans sa pièce *Le Roi pêcheur* (1948), redonne plus d'humanité à Perceval qui préfère finalement les doutes d'une aventure tout humaine aux certitudes de la sainteté.

→ **Arthur, Chrétien de Troyes, courtoisie, Lancelot, Table ronde (romans de la)**

Perec
(Georges), 1936-1982

ŒUVRES PRINCIPALES
- **Romans**: *Les Choses* (prix Renaudot 1965), *Quel petit vélo à guidon chromé au fond de la cour?* (1966), *Un homme qui dort* (1967), *La Disparition* (1969), *L'Augmentation* (1970), *Les Revenentes* (sic, 1972), *La Vie mode d'emploi* (prix Médicis 1978), *Un cabinet d'amateur* (1979).
- **Textes autobiographiques**: *La Boutique obscure* (1973), *W ou le Souvenir d'enfance* (1975), *Je me souviens* (1978).
- **Essais**: *Espèces d'espaces* (1973), *Penser/classer* (posth. 1985).

Les jeux littéraires
Des grilles de mots croisés qu'il inventait aux recherches formelles de l'Oulipo, la **virtuosité technique** est au centre de l'œuvre de Perec, avec divers jeux, dont le lipogramme* qui consiste à écrire en s'imposant de ne pas utiliser une lettre de l'alphabet (le *e* dans *La Disparition*). Cette virtuosité s'exprime aussi dans l'utilisation de la rhétorique*, comme dans *L'Augmentation* (adaptation pour le théâtre de *L'Art et la manière d'aborder son chef de service pour lui demander une augmentation*, texte paru en 1968) où chaque personnage correspond à une figure du discours. À ces jeux on peut rattacher l'intérêt pour les questions de **structure**, particulièrement net dans *Espèces d'espaces*, ou dans *La Vie mode d'emploi*, roman conçu comme celui d'une mise en abyme* et qui utilise aussi les techniques de parcours du cavalier aux échecs.

Ces **contraintes** que s'impose l'écrivain lui permettent de dégager l'œuvre de la lourdeur d'un message. De plus, elles sont fécondes et conduisent l'auteur vers le « degré zéro de la contrainte, à partir duquel tout redevient possible » (*Créations, Re-créations, Récréations*, 1973).

La valeur des choses
De nombreuses énumérations parcourent l'œuvre de Perec, celles des objets convoités par Jérôme et Sylvie dans *Les Choses* (1965), celles de *La Vie mode d'emploi* qui recense les objets et les habitants d'un immeuble. Cette volonté d'appréhender tout objet s'apparente à la **minutie du Nouveau Roman***, **mais** elle porte **aussi** une **signification politique** : en décrivant des êtres obsédés par l'avoir, englués dans « les choses », Perec conteste avec ironie la société de consommation. En effet, la précision presque maniaque de la description*, autant que le caractère hétéroclite des accumulations*, crée une distance qui permet la critique et la dénonciation sociales.

L'autobiographie
Toute l'œuvre de Perec est parcourue par la recherche autobiographique : divers ouvrages renvoient au **passé**, **personnel** (*La Boutique obscure*, *W ou le Souvenir d'enfance*) **ou collectif** (*Je me souviens*), à travers des noms qui sont autant de souvenirs d'une Histoire réduite à ses objets infimes.

CITATIONS
- **Lipogramme**
« Portons dix bons whiskys à l'avocat goujat qui fumait au zoo. » (Post-scriptum du chapitre 6 de *La Disparition*)
- **Pourquoi écrire?**
« Écrire : essayer méticuleusement de retenir quelque chose : arracher quelques bribes précises au vide qui se creuse, laisser, quelque part, un sillon, une trace, une marque ou quelques signes. » (*Espèces d'espaces*)

REPÈRES BIOGRAPHIQUES
→ Né dans un milieu modeste, Perec, après la mort de ses parents, est élevé par un oncle et une tante à Paris. Documentaliste au CNRS à partir de 1961, il se consacre surtout à la littérature. Prix Renaudot en 1965 pour *Les Choses*, il publie diverses œuvres centrées sur les jeux d'écriture et les problèmes techniques de la littérature, comme *La Disparition*. Sa participation au Collège

de pataphysique et surtout au groupe de l'Oulipo* témoigne de son intérêt pour les jeux formels.

→ Il publie aussi des textes autobiographiques (*W ou le Souvenir d'enfance*, *Je me souviens*), tout en travaillant à *La Vie mode d'emploi* et en s'intéressant au théâtre, à la musique, au cinéma (réalisation de *Un homme qui dort* [1967] en 1974). Plusieurs œuvres seront publiées après sa mort, en 1982.

→ **autobiographie, lipogramme, Oulipo**

Père Goriot (Le),
Balzac, 1834-1835

RÉSUMÉ

Jeune provincial étudiant en droit à Paris, Eugène de Rastignac s'installe à la pension Vauquer, au Quartier latin. Deux pensionnaires l'intriguent : le père Goriot et Vautrin. Il découvre bientôt que Goriot est un ancien vermicellier qui se ruine pour ses filles, Anastasie de Restaud et Delphine de Nucingen. Tandis que Mme de Beauséant, sa cousine, apprend à Rastignac que la conquête du Tout-Paris passe par celle des femmes du monde, Vautrin lui propose cyniquement d'épouser Victorine Taillefer, l'une des pensionnaires, héritière de la fortune paternelle pour peu qu'on aide son frère à mourir. Stimulé par Goriot, Eugène courtise Delphine et devient son amant. Pendant ce temps, malgré le refus d'Eugène, Vautrin commandite le meurtre du frère de Victorine. Mais, dénoncé, il est

arrêté et démasqué : Vautrin est un forçat évadé surnommé Trompe-la-Mort. Écrasé par les soucis financiers, désespéré par l'indifférence égoïste de ses filles, Goriot tombe malade. Malgré les soins prodigués par Eugène et son ami Bianchon, un étudiant en médecine, le vieillard meurt. Seul Rastignac assiste aux funérailles. Des hauteurs du cimetière du Père-Lachaise, il lance un défi à Paris : « À nous deux maintenant ».

Présentation

Dans l'architecture de *La Comédie humaine*, *Le Père Goriot* appartient aux *Scènes de la vie privée*, lesquelles font partie d'un ensemble plus vaste, les *Études de mœurs*. C'est le premier roman où Balzac institue le **procédé du retour des personnages**, clé de son univers romanesque. Il paraît en volume en 1835, après avoir été publié en quatre épisodes de décembre 1834 à février 1835 dans *La Revue de Paris*.

Dans la préface ajoutée en mars 1835, Balzac souligne la modernité de son œuvre en donnant une nouvelle définition du roman : « Ce drame n'est ni une fiction ni même un roman. *All is true…* » Le roman propose d'explorer la réalité, et Balzac invite son lecteur à une lecture réflexive sur le monde.

Un roman d'apprentissage

Aveuglé par sa passion pour ses filles, Goriot touche au sublime par son sacrifice et son agonie pathétique. Il rejoint dans sa monomanie d'autres personnages de *La Comédie humaine*, comme le père Grandet ou l'usurier Gobseck. **Roman de la paternité, *Le Père Goriot* est aussi celui de l'éducation sociale et senti-**

mentale d'un jeune provincial. Pour réussir dans la jungle qu'est Paris, il faut – comme le souligne Vautrin – non seulement maîtriser les arcanes du pouvoir, mais rejeter tout scrupule moral et tout sentiment. En ce sens, la mort de Goriot ouvre les yeux d'Eugène sur le funeste effet des passions et le libère de ses dernières illusions.

Le Paris de la Restauration
La **distribution de l'espace** participe de cette éducation : les allées et venues de Rastignac entre la pension Vauquer et ses habitants, l'aristocratique faubourg Saint-Germain, et la riche et bourgeoise Chaussée d'Antin ont une **valeur symbolique et initiatique**. Permettant au héros d'apprendre à déchiffrer les codes sociaux, à analyser les comportements, à percevoir le fabuleux pouvoir de l'argent, elles soulignent la décomposition d'un monde sur le déclin, l'individualisme outré du monde naissant et font ainsi de ce **roman** celui **de Paris**, grand théâtre de la « comédie humaine ».

→ Balzac, *Bildungsroman*, description, réalisme

période

n. f. Du grec *periodos*, de *peri*, « autour », et *hodos*, « chemin ». Aristote, dans la *Rhétorique*, définit la période comme une « phrase complexe d'une certaine ampleur formant une unité rythmique ».

Emploi et effets
Utilisée notamment dans le genre oratoire à des fins de persuasion, la période est une phrase harmonieuse dans sa composition logique et rythmique. Elle comporte parfois **trois parties** : la **protase** (mouvement ascendant), le **sommet**, et l'**apodose** (partie descendante).
Ces trois mouvements parallèles se retrouvent dans la tirade de Dom Juan sur l'inconstance amoureuse : « La belle chose de vouloir se piquer d'un faux honneur d'être fidèle, de s'ensevelir pour toujours dans une passion, et d'être mort dès sa jeunesse à toutes les autres beautés qui nous peuvent frapper les yeux ! » (Molière*, *Dom Juan*, I, 2.)

→ oratoire (style), prose cadencée

péripétie

n. f. Du grec *peripeteia*, « passage subit d'un état à un état contraire ». **Sens littéraire** : dans la dramaturgie classique, événement imprévu qui renverse le cours de l'action et accélère le dénouement*. **Sens courant** : événement, incident imprévu qui, la plupart du temps, ne modifie pas le cours des choses.

Principaux effets
Nœud essentiel de l'action dans la tragédie classique, la péripétie provoque un effet de surprise et précipite le dénouement. Ordinairement, les péripéties se situent au quatrième acte. Ainsi, dans *Phèdre*, de Racine*, c'est à l'acte IV que l'héroïne éponyme apprend l'amour d'Hippolyte pour Aricie, ce qui la conduira à causer la perte du jeune homme. En tant que changement subit et rapide de la situation, les péripéties se rencontrent aussi bien au théâtre que dans le roman ou au cinéma.

→ action, coup de théâtre, dénouement, *deus ex machina*

périphrase

n. f. Du grec *periphrasis*, « fait de parler par circonlocution ». Figure de style consistant à exprimer une notion par un groupe de plusieurs mots là où un seul suffirait. *Ex.* : **1.** « La Venise du Nord » (pour désigner Bruges). **2.** « Le jus de la treille » (pour désigner le vin, La Fontaine*, *Fables*, III, 7). **3.** « Les commodités de la conversation » (Molière*, *Les Précieuses ridicules*, sc. 9, pour désigner les fauteuils). **4.** « des appartements d'une extrême fraîcheur, dans lesquels on n'était jamais incommodé du soleil » (Voltaire*, *Candide*, chap. 6, pour désigner ironiquement, par antiphrase, une prison).

Principaux effets
Autrefois courante dans la poésie*, l'épopée*, le langage précieux ou la tragédie* pour **remplacer** des mots trop prosaïques ou **mettre en valeur** certaines notions, la périphrase sert aussi à **éviter les répétitions** (dans le style journalistique par exemple), à mettre l'accent sur une caractéristique que le terme précis peut laisser oublier. Elle peut contribuer à créer l'emphase*, ou bien, au contraire, la sur-

prise, le comique*, l'ironie*. Combinée avec la métaphore*, elle est utilisée dans les devinettes ou les énigmes*.

→ **bienséances, emphase, euphémisme, ironie, litote, métaphore, préciosité**

péroraison

n. f. Du latin *peroratio*, le verbe *peroro* signifiant « conclure ». Conclusion d'un discours.

Caractéristiques

Dans la rhétorique* traditionnelle, la péroraison désigne la **dernière partie du discours** (après l'exorde*, la narration* et l'argumentation*). Elle comporte **deux niveaux** : celui des « choses » (l'orateur résume les preuves exposées) et celui des « sentiments » (l'orateur cherche à émouvoir son auditoire).

Considérée comme le couronnement du discours, la péroraison est, pour l'orateur, l'occasion de manifester toute son éloquence*, en ayant largement recours au pathétique*.

→ **épilogue, exorde, pathétique, plaidoyer, rhétorique**

Perrault
(Charles), 1628-1703

ŒUVRES PRINCIPALES
- **Essais** : *Critique de l'opéra* (1674), *Parallèle des Anciens et des Modernes* (1688-1697).
- **Poésie** : *Saint Paulin* (1686).
- **Contes** : *Contes en vers* (1694), *Histoires ou Contes du temps passé* (1697).

Le champion des Modernes

L'œuvre théorique et littéraire de Perrault est indissociable de son **engagement dans le camp des Modernes**. Dès 1674, il se signale par la défense d'*Alceste*, l'opéra* de Quinault (*Critique de l'opéra ou Examen de la tragédie intitulée Alceste ou le Triomphe d'Alcide*), dont il cherche à démontrer la supériorité sur l'*Alceste* d'Euripide. Racine*, partisan des Anciens, y répondra dans sa Préface d'*Iphigénie* (1675). En 1686, deux œuvres de Perrault témoignent de ce même engagement partisan : son poème épique *Saint Paulin*, qui fait le choix du merveilleux chrétien contre le merveilleux païen hérité des Anciens, et son *Épître sur le génie*,

dédiée à Fontenelle*, où il affirme la supériorité des églogues de ce poète moderne sur celles de Démocrite.

Perrault s'affirme comme **chef de file des Modernes** en publiant, de 1688 à 1697, les quatre tomes de son *Parallèle des Anciens et des Modernes*, composé de cinq dialogues qui démontrent la supériorité des Modernes dans tous les domaines de l'activité humaine : les sciences et les arts (t. I, 1688), l'éloquence (t. II, 1690), la poésie (t. III, 1692), l'astronomie, la géographie, la navigation, la guerre… (t. IV, 1697), Le style même de ces dialogues – dont les interlocuteurs sont l'Abbé, porte-parole de Perrault, le Chevalier, moderne souvent extrémiste, et le Président, représentant les partisans des Anciens – illustre parfaitement la « manière » des Modernes, qui traitent de tous les sujets, y compris des sujets sérieux, avec un humour* et une légèreté caractéristiques de la conversation mondaine.

Le contexte de la Querelle et en particulier l'opposition à Boileau* déterminent la publication des œuvres de Perrault : le quatrième dialogue du *Parallèle*, consacré à la poésie, réhabilite les auteurs « assassinés » par Boileau dans ses *Satires* ; l'*Apologie des femmes* (1694) est une riposte directe à la *Satire X*, dirigée contre les femmes (majoritairement dans le camp des Modernes) ; l'*Ode au Roi* (1695) rivalise avec l'*Ode sur la prise de Namur* (1693), dans laquelle Boileau imite Pindare.

Mais si Perrault et Boileau s'opposent dans leur goût littéraire, en revanche leur amitié commune pour le Grand Arnauld, figure éminente du parti janséniste, les rapproche. C'est d'ailleurs Arnauld, plaidant pour le pardon chrétien, qui sera à l'origine de leur réconciliation officielle à l'Académie le 4 août 1694.

L'auteur des *Contes*

Pour l'époque moderne, Perrault est surtout l'auteur des *Contes*. Ils sont de deux types : les **contes en vers** (*Grisélidis, Peau d'âne* et *Les Souhaits ridicules*), parus en 1694, et les **contes en prose** (*La Belle au bois dormant, Le Petit Chaperon rouge, La Barbe bleue, Le Chat botté, Les Fées, Cendrillon* et *Riquet à la houppe*), qui paraissent en 1697 sous le nom de son fils, Pierre Darmancour.

Le choix des contes* ressortit également à l'engagement de Perrault comme Moderne. Dans la préface de ses *Contes en vers*, il affirme la **supériorité morale de ses contes sur ceux de l'Antiquité** (Pétrone, Apulée). Cette intention morale est d'ailleurs soulignée dans le titre complet de ses contes en prose : *Histoires* *ou Contes du temps passé avec des moralités.* Surtout, en empruntant la matière de ses contes à un **fonds culturel français et populaire**, Perrault marque une double rupture à l'égard de la culture antique, révérée par les partisans des Anciens. Les *Contes* de Perrault ont en effet ceci de particulier qu'ils jouent sur un **double registre**, s'adressant aussi bien à un public d'enfants qu'à un public d'adultes. Le public cultivé pouvait apprécier, derrière la simplicité de la narration, des allusions à l'actualité (telle, par exemple, dans la description du mobilier, la référence aux « sofas » dans *La Barbe bleue*) et des tournures propres à la langue précieuse (« Est-ce vous, mon Prince ? […] vous vous êtes bien fait attendre », dit la Belle au bois dormant en s'éveillant de son sommeil de cent ans…).

Humour et ironie

Perrault a donné aux contes populaires leurs lettres de noblesse en en faisant un **genre littéraire à part entière**. Sa pratique du genre se caractérise par une **distance ironique**, qui donne leur saveur particulière à ces contes apparemment naïfs. Cette distance ironique est visible à la fois dans la **rationalisation du merveilleux**[*] qu'opère Perrault (ainsi le dénouement de *Riquet à la houppe* évacue-t-il le merveilleux en présentant la métamorphose de Riquet en beau jeune homme comme le seul effet du regard amoureux) et dans le **jeu avec les moralités** (ainsi la deuxième moralité de *Cendrillon* suggère-t-elle, malicieusement, l'importance des parrains et des marraines pour l'« avancement » dans la course aux honneurs).

La multiplicité des lectures critiques qu'ont suscitées les *Contes* de Perrault confirme d'ailleurs leur richesse de sens, qui tient à un mélange assez inédit de transparence et de profondeur.

CITATION

• **Le chef de file des Modernes**

« La belle Antiquité fut toujours vénérable ;/ Mais je ne crus jamais qu'elle fut adorable./ Je vois les Anciens sans plier les genoux,/ Ils sont grands, il est vrai, mais hommes comme nous ;/ Et l'on peut comparer sans craindre d'être injuste,/ Le Siècle de Louis au beau Siècle d'Auguste. » (*Incipit* du poème *Le Siècle de Louis le Grand*)

REPÈRES BIOGRAPHIQUES

➜ Fils d'un avocat au Parlement et benjamin de quatre frères célèbres, Charles Perrault suit le parcours d'un jeune homme de bonne famille de son temps (études au collège de Beauvais, puis avocat au barreau de Paris en 1651), avant d'entamer une carrière de haut fonctionnaire (premier commis des bâtiments royaux en 1665) jusqu'en 1679. En 1672 il épouse Marie Guichon, dont il a quatre enfants qu'il élève seul après la mort de sa femme en 1678.

➜ On retiendra de sa carrière littéraire son entrée à l'Académie française[*] en 1671 et la date du 27 janvier 1687 qui le propulse champion des Modernes dans la célèbre Querelle.

→ **Anciens et Modernes (Querelle des), Boileau, conte populaire, Fénelon, Fontenelle, opéra, préciosité**

personnage

n. m. Du latin *persona*, « masque de l'acteur », d'où « rôle ». « Être de papier », le personnage est la représentation fictive, dans une œuvre littéraire, d'une personne traditionnellement dotée des caractéristiques d'un individu réel : état civil, milieu social déterminé, fonction sociale, traits de caractère. Au théâtre, le personnage est pris en charge par un comédien.

Personnage ou personne ?

Afin de susciter l'illusion du réel chez le lecteur, le romancier peut réduire la distance entre personnage et personne par le portrait, les propos rapportés, la caractérisation, l'intrusion d'un auteur jugeant les actes, les pensées et les paroles du personnage. Le lecteur tend alors à **confondre personne et personnage**.

La critique, elle, a longtemps vu dans le personnage l'adaptation littéraire de modèles existants. *Ex.* : Mme Arnoux, dans l'*Éducation sentimentale* (Flaubert), aurait été conçue d'après Mme Schlésinger. Plus récemment, à la suite de Vladimir Propp, les structuralistes[*] ont mis en évidence qu'un personnage se définit d'abord par ses **actions et** sa **fonction diégétique** (voir l'article « Actantiel (schéma) »). *Ex.* : Merlin est l'adjuvant d'Arthur dans la geste consacrée à ce dernier.

L'analyse de cette fonction diégétique, à la suite de Philippe Hamon, a mis en évidence que le personnage n'existe que **pris dans un système**, **en réseau avec d'autres personnages**. Sa caractérisation, qui commence avec son nom, est directe ou indirecte : elle peut être faite par le narrateur, d'autres personnages, le personnage lui-même ou laissée au lecteur. Aident encore à cette caractérisation : le portrait du personnage – statique, en action ou au sein d'un groupe –, le cadre spatiotemporel, le milieu dans lequel il s'inscrit, un détail emblématique (la cassette d'Harpagon dans *L'Avare* de Molière), mais aussi son discours et ses pensées. Souvent, dans le **roman**, les personnages évoluent. Parfois, ils représentent des **types humains ou sociaux** : *ex.* : Rastignac, le héros du *Père Goriot** de Balzac, symbolise le type même de l'ambitieux. Au **théâtre**, inversement, certains personnages peuvent se réduire à des **rôles**, fixés définitivement : *ex.* : les personnages de la commedia dell'arte*, Arlequin*, Colombine, Brighella… Dans ce dernier cas, le spectateur/lecteur peut difficilement confondre personne et personnage.

L'illusion référentielle

Le **parcours d'un personnage** (ses faits et gestes, ses ambitions, ses rêves…) dans le cadre d'un ensemble social constitue le **thème central** et l'axe de l'intrigue **de la majorité des romans**. Le personnage a une vie intérieure, souvent en contradiction avec les contraintes de la société, et il lui faut, soit s'adapter, soit renoncer, soit mourir. À travers son aventure personnelle, il essaie de convertir la société aux valeurs qu'il croit justes. Cette confrontation de l'individu à l'Histoire et à la société de son temps, souvent rehaussée par l'abondance des « petits faits vrais », procure au lecteur une **illusion de réalité** qui peut le conduire à s'identifier à tel ou tel personnage. Au théâtre, l'illusion réaliste est plus ou moins entretenue par le code esthétique de la mise en scène (décor naturaliste, espace vide…).

Avec la perte de sens consécutive à la Seconde Guerre mondiale, il semble impossible de continuer à « copier » la réalité. Les mots ne renvoient plus aux choses mais au langage même et à son vide. Le **Nouveau Roman*** comme le **théâtre de l'absurde*** déconstruisent ainsi la notion traditionnelle de personnage et de héros*.

L'expression d'une vision du monde

Quelle que soit l'option choisie, analyser un personnage sous un seul de ces angles ne suffit pas : le réduire à une fonction, c'est négliger son épaisseur psychologique et risquer d'empêcher l'identification du lecteur avec le personnage. Ne considérer que sa psychologie, c'est oublier son rôle narratif. Ne voir en lui que le miroir d'une société, c'est négliger la part de l'imaginaire en littérature. Fluctuante et polyforme, la notion de personnage recouvre tous ces aspects. Au théâtre comme dans un récit, tout personnage accomplit une action (ne rien faire est aussi une action), dans une situation donnée, à un moment donné, dans une société donnée. C'est pourquoi le personnage (ou son absence, ou sa voix éclatée) porte toujours, d'une manière ou d'une autre, une **vision fictionnelle du monde et de la société**, même lorsque l'écrivain entend dépeindre le réel (Balzac, Flaubert et les naturalistes*). Déterminé par le contexte politique, économique, socioculturel de l'œuvre, par la personnalité de l'écrivain qui l'a imaginé, le personnage, en ce sens, est conçu à partir du réel. Mais il dépasse ces déterminations : il est le **support d'une vision du monde** dans laquelle le lecteur/spectateur se projette et qui enrichit son expérience de vie.

→ actanciel (schéma), antihéros, héros, personnification, narratif (schéma)

personnification

n. f. Du latin *persona*, « masque ». Procédé consistant à prêter à un être non humain, à un objet, ou encore à une notion, une abstraction, les sentiments, le comportement ou le discours d'un humain. *Ex.* : **1.** « Un Mourant, qui comptait plus de cent ans de vie,/ Se plaignait à la Mort que précipitamment/ Elle le contraignait de partir tout à l'heure [...] » (La Fontaine*, « La Mort et le Mourant », *Fables*,). **2.** « Bois, bien que perdiez tous les ans/ En hiver vos cheveux plaisants,/ L'an d'après qui se renouvelle/ Renouvelle aussi votre chef [...] » (Ronsard*, « Quand je suis vingt ou trente mois », *Odes*). **3.** « Éternité, néant, passé, sombres abîmes/ Que faites-vous des jours que vous engloutissez ?/ Parlez : nous rendrez-vous ces extases sublimes/ Que vous nous ravissez ? » (Lamartine*, « Le Lac », *Méditations poétiques*.)

Emploi et effets

La personnification consiste en une **analogie*** entre un élément non humain et un élément humain. L'**anthropomorphisme** en est un effet particulier. L'**allégorie***, telle qu'on la trouve dans les lais médiévaux (où les vices et les vertus se combattent dans l'esprit des personnages) ou dans les fables*, est l'une des destinations de la personnification.

Les **effets** en sont **divers** : elle permet d'exprimer une familiarité entre l'homme et son environnement, ou bien de traduire sa passivité, ou encore de le montrer circonscrit par des forces agissantes et conscientes. Elle peut avoir un caractère sacré : les dieux de la mythologie gréco-latine sont des personnifications d'éléments naturels ou de sentiments.

Les **marques** de la personnification sont **diverses** :
– on s'adresse à l'élément (exemples 2 et 3) ;
– on le fait parler (dans la suite de la fable de l'exemple 1) : il y a dans ce cas prosopopée* ;
– on met souvent une majuscule à l'élément considéré (exemple 1) ;
– l'élément prend la position de sujet d'un verbe réservé aux humains (métaphore* sur « ravissez », dans l'exemple 3)…

→ **allégorie, métaphore, métonymie, symbole, synecdoque**

pétrarquisme

n. m. Du nom du poète italien *Pétrarque* (1304-1374), qui chante son amour pour Laure dans les poèmes du *Canzoniere*, marqués par un lyrisme triste exprimé dans une langue imagée. **Sens strict** : style de poésie amoureuse qui imite la manière du *Canzoniere* de Pétrarque, l'un des modèles des poètes français du XVIᵉ siècle (Scève*, Du Bellay*, Ronsard*…). **Sens large** : préciosité* excessive des sentiments et de leur expression ; « pétrarquiser » signifie exprimer des sentiments factices dans une langue affectée.

Les thèmes lyriques

L'**amour** est la **thématique centrale du pétrarquisme**, amour largement idéalisé, dans lequel la beauté spirituelle et la beauté physique se combinent harmonieusement, associées à la nature, lieu de la contemplation amoureuse et du souvenir de l'aimée. L'amour naît par surprise, d'un regard qui blesse le cœur, il paralyse les sens, ce qui permet à l'âme de s'élever vers la contemplation.

Les hasards de l'amour trouvent leurs **correspondants symboliques dans la nature** : ainsi, l'hiver est lié à l'abandon de l'amant, le printemps à la présence de la femme aimée ; la tempête développe l'image des tourments amoureux ; la recherche d'un lieu écarté répond au désir d'isolement de l'amant désespéré… En effet, la poésie pétrarquiste s'attache à décrire l'amour douloureux voué à une dame unique et inaccessible, dont l'insensibilité blesse l'amant qui souffre de tourments contradictoires.

Ces **thèmes**, récurrents dans la poésie du XVIᵉ siècle, sont **renouvelés par** les poètes de **la Pléiade***, soucieux de se dégager de l'imitation*, alors même qu'ils reprennent certains éléments stylistiques du pétrarquisme.

Le style pétrarquisant

Le **sonnet***, forme empruntée à Pétrarque et introduite dans la poésie française par Clément Marot*, connaît un succès considérable au XVIᵉ siècle, sa brièveté convenant particulièrement bien pour ciseler l'expression du sentiment amoureux.

Cependant, c'est surtout par certains procédés stylistiques que le pétrarquisme se caractérise et, en particulier, par l'omniprésence des **images** qui concernent toutes les étapes de l'amour. Certaines sont récurrentes : on retrouve l'**allégorie*** de la flèche décochée par le dieu Amour chez du Bellay et Ronsard, celle de l'animal blessé — chevreuil ou oiseau — ainsi que celle du venin chez tous les poètes de la Pléiade. L'idéalisation de la femme, comparée à un ange, se fait jour à travers une succession de **comparaisons*** : les cheveux d'or, le teint de lis, les lèvres de rose, la lumière d'une beauté radieuse qui éclipse celle de l'aurore chez du Bellay.

L'**antithèse*** est la figure favorite du pétrarquisme : l'amant pétrarquiste est tourmenté par des sentiments contradictoires (feu et glace, lumière et obscurité). Ainsi, l'amour lui-même est évoqué par le combat des larmes et des flammes, et Maurice Scève évoque la bataille de l'amour et de la haine (*Délie*, XLIII). Pour peindre l'excès – d'amour, de désespoir –, les pétrarquistes recourent à l'**hyperbole*** et l'amant, chez Ronsard, est atteint de « mille traits ».

→ **allégorie, comparaison, du Bellay, métaphore, Ronsard, sonnet**

Phèdre,
Jean Racine, 1677

RÉSUMÉ

Acte I. Hippolyte, fils de Thésée, va quitter Trézène pour retrouver son père disparu depuis six mois et fuir Aricie qu'il aime en secret, malgré l'interdiction de son père. Phèdre, seconde épouse de Thésée, avoue à sa confidente* Œnone sa passion pour Hippolyte, son beau-fils. La nouvelle de la mort de Thésée modifie la situation : aimer Hippolyte n'est plus un crime. Phèdre reprend espoir.

Acte II. Hippolyte déclare son amour à Aricie, secrètement amoureuse du jeune homme. Cependant Phèdre ne peut s'empêcher de révéler sa passion à Hippolyte, et cherche à le séduire en lui faisant miroiter le trône. Devant l'horreur que manifeste Hippolyte, Phèdre lui arrache son épée et tente de se donner la mort. Œnone la sauve. Soudain une rumeur arrive : Thésée serait vivant.

Acte III. Désespérée à l'idée qu'Hippolyte puisse parler, Phèdre se laisse fléchir par l'idée d'Œnone de calomnier son beau-fils : l'épée conservée sera la preuve qu'il a voulu violenter sa belle-mère. Thésée paraît : l'accueil de Phèdre est glacial, et Hippolyte demande à son père l'autorisation de quitter Trézène sans attendre.

Acte IV. Œnone calomnie Hippolyte. Thésée appelle les foudres de Neptune sur son fils. Phèdre s'apprête à innocenter son beau-fils mais, apprenant de la bouche de Thésée l'amour partagé d'Hippolyte et d'Aricie, elle décide par jalousie de le laisser mourir. Puis elle maudit et chasse Œnone.

Acte V. Hippolyte et Aricie décident de fuir ensemble. Survient Thésée à qui la jeune fille tente d'ouvrir les yeux. Il décide alors d'interroger Œnone, mais on lui apprend qu'elle s'est suicidée et que Phèdre se meurt. Au moment où Thésée implore Neptune d'épargner Hippolyte, arrive Théramène qui relate au père l'affreuse fin de son fils. Phèdre, qui s'est empoisonnée, confesse la vérité à son époux et meurt à ses pieds.

La cabale de Phèdre

Intitulée d'abord *Hippolyte*, puis *Phèdre et Hippolyte*, et enfin *Phèdre*, la tragédie de Racine, représentée le 1er janvier 1677 à l'Hôtel de Bourgogne, reçoit les éloges de Boileau* qui en vante la beauté dans sa *VIIe Épître*. Malgré la cabale montée par les ennemis de Racine emmenés par la duchesse de Bouillon – qui fait jouer parallèlement la *Phèdre et Hippolyte* d'un obscur Pradon –, la tragédie de Racine finit par triompher.

Les sources antiques

Des tragédies consacrées par **Sophocle** et **Euripide** (IVe siècle av. J.-C.) au mythe de Phèdre, seul a été conservé l'*Hippolyte porte-couronne* du second, dont Racine garde la scène de l'aveu à la nourrice et celle de la malédiction. À la *Phèdre* de **Sénèque** (Ier siècle), Racine reprend l'importance du personnage de Phèdre, et divers épisodes dont le suicide de l'héroïne. Les textes anciens font de Phèdre une victime de la vengeance des dieux. Racine, dans une perspective janséniste, souligne plutôt chez l'héroïne la **conscience de sa faute**, alors même qu'elle est en proie à la **fureur** de sa passion. Le **lexique de la morale** se retrouve tout au long de la tragédie et, de manière significative, le mot « pureté » est le dernier de la pièce. *Phèdre* a donc des accents manifestement chrétiens et la pièce peut être analysée comme une interrogation sur la grâce refusée à l'héroïne.

Le personnage de Phèdre

Le personnage de Phèdre domine l'œuvre, même si Hippolyte présente avec elle certaines analogies : tous les deux sont victimes d'une **passion interdite** qu'ils vivent comme une souffrance, qui leur fait oublier leur devoir, et dont ils finissent par mourir. Cependant, l'intrigue parallèle met en évidence l'importance de Phèdre : toute la pièce s'articule autour de sa vie et de sa mort. Chaque événement nouveau la raccroche à la vie et chaque parole accroît sa **culpabilité** : l'aveu à Œnone, l'aveu à Hippolyte, la machination contre celui-ci puis contre Aricie. Ainsi, le discours de Phèdre, entre raison et folie, atteint une grandeur proprement tragique. La mort seule la délivre, dernier acte de résistance à la **fatalité**, à la divinité qui utilise tous les autres personnages – et notamment Thésée – contre elle.

La postérité de Phèdre

Considérée comme l'une des pièces maîtresses de Racine, constamment jouée, *Phèdre* inspirera notamment l'Anglais Swinburne (*Phaedra*, 1866) et l'Italien d'Annunzio (*Fedra*, 1909), sans compter les musiciens et auteurs de musiques de ballet, dont Massenet et Honegger.

→ **jansénisme, Racine, tragédie**

phonème

n. m. Du grec *phônêma*, « son de la voix ».
Élément sonore du langage articulé.

Classification des phonèmes

La **phonétique**, partie de la linguistique qui étudie les phonèmes, les classe en voyelles orales ([a], *ou* noté [u]…), voyelles nasales (*an* noté [ã]…), consonnes ([b], [k], [t]…), semi-consonnes ([j] comme dans yeux…).

D'autres distinctions sont opérées entre les phonèmes selon le point d'articulation du son : le palais → voyelles et consonnes palatales, la gorge → consonnes gutturales, les lèvres → consonnes labiales, etc. ; le mode d'articulation : l'ouverture de la bouche → voyelles ouvertes ou fermées, la façon dont l'air s'écoule à travers les cavités de la bouche ou du nez → consonnes occlusives, vibrantes, nasales, etc. ; les sonorités : sourdes/sonores.

L'**étude des phonèmes**, de leurs échos, de leur accentuation, de leur répartition dans la phrase ou le vers, est une **partie essentielle de la prosodie**[*].

→ **prosodie, sonorités**

picaresque

adj. ou n. m. De l'espagnol *picaro*, « aventurier ». Genre littéraire apparu au xvie siècle en Espagne avec *La Vie de Lazarillo de Tormes* (1554). Un roman picaresque raconte les aventures d'un *picaro*, jeune homme marginal, gueux, rusé et ambitieux. D'Espagne le genre passe en France puis dans toute la littérature européenne. Il disparaît à la fin du xviiie siècle après avoir donné naissance au roman de mœurs et au roman réaliste. *Ex.*: en France, *Gil Blas de Santillane* (1715-1735), de Lesage[*], et *Le Paysan parvenu* (1735), de Marivaux[*], sont des romans picaresques.

Un antihéros

Le *picaro* correspond à la réalité sociale de l'Espagne du xvie siècle qui comptait bon nombre de vagabonds et de chômeurs. Comme type littéraire, le personnage picaresque naît surtout en **réaction contre l'idéalisme des romans de chevalerie**. De naissance douteuse, parfois enfant trouvé, sans nom, fripon et voleur, le *picaro* est un **antihéros**[*] dont les aventures opposent à l'honneur aristocratique et au sentimentalisme romanesque désincarné la « morale » concrète des nécessités matérielles.

Errance et formation

Le roman picaresque se déroule au gré de l'itinéraire qu'accomplit le héros. Ses pérégrinations comme valet, parasite, mendiant, ses réussites ou ses échecs qui le mettent au contact de tous les milieux présents sur le « théâtre du monde », donnent lieu à une **satire**[*] **sociale** exploitée dans des scènes souvent grivoises ou burlesques[*]. La satire du clergé est la plus fréquente, mais sont aussi raillées aussi les tares de la médecine, de la justice, de la société en général, dans laquelle le « marginal » rêve pourtant de s'intégrer.

À l'itinéraire géographique et social correspond aussi un parcours personnel. Comme le personnage se construit à travers ses expériences, on peut dire du roman picaresque qu'il est un **roman de formation** (*Bildunsgroman*).

Les conventions de la narration

Les errances de son héros confèrent au récit picaresque une **structure cumulative**, reposant sur une série de péripéties[*] juxtaposées ou, en accord avec le goût baroque[*], sur des histoires indépendantes et des **récits dans le récit**. La vraisemblance[*] est rarement garantie. Pourtant, ce type de roman se présentant toujours comme une autobiographie[*], l'unité est plus ou moins préservée par le narrateur, le *picaro* lui-même, assagi ou parfois « arrivé » et prêt à partager avec son lecteur ses réflexions sur le destin et la liberté des hommes.

> **antihéros, autobiographie, Bildunsgroman, Lesage, satire**

Pieyre de Mandiargues

(André), 1909-1991

ŒUVRES PRINCIPALES
- **Poésie**: *L'Âge de craie* (1961).
- **Nouvelles**: *Le Musée noir* (1946), *Mascarets* (1971).
- **Romans**: *Le Lis de mer* (1956), *La Motocyclette* (1963), *La Marge* (prix Goncourt 1967).

Une œuvre confidentielle

L'œuvre d'André Pieyre de Mandiargues pâtit visiblement d'un oubli injuste. L'atmosphère souvent morbide de ses récits, le raffinement extrême de l'écriture en réserve la lecture, semble-t-il, à un public restreint.

André Pieyre de Mandiargues a créé, au **carrefour du romantisme, du fantastique et de l'érotisme**, un univers où la réalité est sans cesse débordée et subvertie par l'onirisme, dans une prose poétique étincelante. L'empreinte du romantisme allemand et des peintres surréalistes qu'il a fréquentés, tels Chirico ou Léonor Fini, se lit dans ses romans, et plus encore dans ses nouvelles où il réussit, en alliant les fantasmes et la description méticuleuse des détails les plus extravagants, à faire naître « un climat propice à la transfiguration des phénomènes sensibles ». L'**écriture** de Mandiargues, **raffinée** jusqu'à la préciosité*, déploie les arabesques d'un style qui vise à créer un véritable envoûtement.

Le musée noir de l'érotisme

Dans des récits dont la structure narrative reste toujours sobre et classique, il décrit les jeux dangereux du désir et de la mort, de l'amour et de la cruauté. Sous la poussée du merveilleux, le réel vacille et souvent bascule, libérant le désir et les forces troubles de l'imaginaire. Le « pouvoir magnétique » des lieux et des objets (souterrain, autoroute, moto) déchaîne l'irruption d'une **imagerie à la fois sensuelle et sanglante**.

Les récits de Mandiargues, dont les protagonistes sont souvent des jeunes femmes, conjuguent, dans une atmosphère étouffante, une imagination fantastique débordante et un érotisme provocant voire sulfureux, aux limites parfois de la perversité.

CITATION

« Des paons coiffés d'or et des lézards crêtés de vert et de violet faisaient mille tours dans l'intervalle des rideaux, en traînant des chariots de nacre où s'affairaient de petits lions rouges, vifs autant que des souriceaux. Les arbres de la forêt venaient battre au pied du lit comme une mer de jade, mais les échos du nocturne couraient dans l'alcôve avec des reflets de perle, portant les amants comme sur l'eau d'un lac tranquille entre des montagnes sombres. » (*Le Musée noir*)

REPÈRES BIOGRAPHIQUES

➜ Né à Paris dans une famille aisée, André Pieyre de Mandiargues, passionné par les romantiques allemands et l'archéologie, commence des études de lettres. Il voyage beaucoup, en Europe et dans l'Orient méditerranéen. Après la guerre, il rencontre André Breton* et se joint momentanément au groupe surréaliste. En 1946, il publie *Le Musée noir*, un recueil de nouvelles fantastiques et érotiques, où se lit son intérêt pour la peinture et l'influence surréalistes.

➜ Critique d'art, mais aussi traducteur, il poursuit une carrière littéraire féconde, publiant poèmes, nouvelles et romans. Parmi ceux-ci, *La Motocyclette* et *La Marge* atteindront un large public et seront portés au cinéma. Il revient au récit court avec *Mascarets* en 1971. Il meurt en 1991.

➜ **fantastique, Gracq, surréalisme**

plagiat

n. m. Du latin *plagiarius* ou *plagiator* (« voleur d'homme »). **1.** Acte de reprendre une œuvre de l'esprit sans en citer l'auteur ni respecter ses droits. **2.** Le résultat de cette reprise. Plagier, c'est s'approprier les phrases, les idées, le travail d'un auteur sans le mentionner.

Plagiat et réécritures

Il n'est guère d'œuvre qui, inconsciemment ou non, explicitement ou non, ne se nourrisse d'écrits antérieurs. S'inspirer d'auteurs passés a même fondé plusieurs mouvements littéraires, à la Renaissance, au siècle du classicisme* avec la redécouverte des auteurs antiques, puis lors de la querelle des Anciens et des Modernes*. **Tout écrivain** (Montaigne*, Molière*, Racine*, Dumas*, et tant d'autres) **reprend des idées, des histoires, des phrases de ses prédécesseurs.** Alexandre Dumas, par exemple, crée au XIXᵉ siècle des romans d'aventure et d'épée haletants à partir d'un matériau fait de mémoires et de chroniques des XVIᵉ et XVIIᵉ siècles.

Le plagiat se situe à un autre niveau : il constitue une **imposture intellectuelle et sociale**. Il est vrai qu'il n'est pleinement ressenti et jugé (y compris par les tribunaux) comme tel qu'à partir du moment où s'affirme juridiquement le droit d'auteur, revendiqué dès le XVIIIᵉ siècle puis entré dans la loi. Mais le plagiat doit être **clairement distingué des formes** véritablement **créatives de réécriture** que sont le détournement héroï-comique* ou burlesque*, la parodie*, le pastiche*.

Une contrefaçon parfois difficile à détecter

Sans s'y assimiler, le plagiat est considéré de nos jours comme un **équivalent de la contrefaçon** pour les produits manufacturés. L'article 335-3 du Code de la propriété intellectuelle le définit comme « toute reproduction, représentation ou diffusion, par quelque moyen que ce soit, d'une œuvre de l'esprit en violation des droits d'auteur, tels qu'ils sont définis et réglementés par la loi ». Le plagiat est susceptible de donner lieu à des sanctions civiles et pénales. Diderot* l'assimile au « délit le plus grave qui puisse se trouver dans la République des Lettres ». Mais la **frontière entre inspiration, réutilisation créative et volonté de tromper sur l'origine est parfois ténue**. Le plagiat suscite donc régulièrement des accusations ou des procès retentissants. Les moyens techniques modernes qui permettent à la fois de le pratiquer (le « couper-coller » paresseux) et de le détecter (recherche par comparaison avec d'autres textes sur Internet) lui confèrent une constante actualité.

→ **burlesque, héroï-comique, parodie, pastiche**

plaidoyer

n. m. Du verbe *plaider.*

Sens strict : alors que la plaidoirie, qui a toujours pour cadre le prétoire, est un discours technique relevant de l'éloquence judiciaire, le plaidoyer est un discours prononcé face à un auditoire dans le contexte d'une controverse publique, pour défendre, sur un ton généralement passionné, une personne, une idée ou une cause.
Sens large : tout ouvrage – ou partie d'ouvrage – consacré à la défense d'une cause mais non destiné à être prononcé oralement sous la forme d'un discours. Il pourra s'agir aussi bien d'un essai*, d'un passage de roman que d'une tirade* dans une pièce de théâtre.

La spécificité du plaidoyer
Texte polémique visant à défendre, le plaidoyer s'oppose aux textes polémiques dont l'objectif est l'attaque : le réquisitoire*, qui est proprement une mise en accusation (le *J'accuse* de Zola*, au cours de l'affaire Dreyfus), et le pamphlet* qui se distingue par sa violence satirique. On notera cependant que tout plaidoyer recèle une attaque implicite, et se peut révéler être une attaque déguisée : ainsi, faire l'éloge de la tolérance, c'est implicitement s'en prendre à l'intolérance.
Le plaidoyer est un **texte argumentatif** dans lequel la situation d'énonciation revêt une importance primordiale. On sera attentif aux enjeux, à l'implicite, à la présence d'un destinataire souvent double : la personne que l'on défend et les personnes contre lesquelles on la défend. Si la solidité et la pertinence des arguments sont de rigueur, le succès d'un plaidoyer tient au moins autant à l'**art de persuader** qu'à l'**art de convaincre**. L'orateur doit frapper l'imagination, toucher la sensibilité, avec toutes les ressources de l'éloquence* et parfois même du lyrisme*.

Le plaidoyer dans la littérature
Comme tous les textes polémiques, le plaidoyer se rencontre aux époques où le **débat politique, idéologique, ou philosophique, est intense**, où se développe une littérature de combat importante. C'est le cas au XVIIIe siècle, siècle des philosophes où, si le discours d'attaque et de dénonciation prédomine, on trouve de nombreux textes de Rousseau*, Montesquieu*, Diderot* et Voltaire*, dont l'objectif est de défendre une idée (la liberté, la tolérance) ou une personne (Calas, le chevalier de La Barre). La période révolutionnaire est riche en discours politiques et de grands orateurs tels Mirabeau*, Danton* ou Robespierre* se sont illustrés dans l'art oratoire.
Au XIXe siècle, de grands écrivains qui ont joué un rôle politique important (Lamartine* ou Hugo*, par exemple) ont laissé des discours remarquables, telle la défense du drapeau tricolore contre le drapeau rouge par Lamartine.

→ **apologie, pamphlet, panégyrique, polémique**

platonisme et néoplatonisme

n. m. De *Platon* (philosophe grec du v-ive siècle av. J.-C.) et du grec *neos*, « nouveau ».
Sens philosophique : **1.** Le platonisme est la philosophie de Platon et de ses disciples. **2.** Le néoplatonisme est l'ensemble des doctrines philosophiques inspirées de Platon qui se sont développées à Alexandrie au IIIe siècle apr. J.-C.
Sens littéraire : le néoplatonisme désigne les courants littéraires, artistiques ou philosophiques imprégnés de la philosophie de Platon, qui rayonnent sur l'Europe de la Renaissance. En effet, grâce aux écrits de l'Italien Marsile Ficin, le XVIe siècle redécouvre la philosophie de Platon, auquel

le Moyen Âge avait préféré Aristote, et en retient trois aspects principaux : la connaissance, le langage, l'amour, tout en leur faisant subir quelques métamorphoses.

Une théorie de la connaissance

Selon Platon (allégorie* de la Caverne dans *La République*), l'âme est enfermée dans le corps comme dans un tombeau et ne peut accéder au monde des Idées – le seul monde réel – qu'en parvenant à dépasser l'illusion des sens. Par la « **réminiscence** », l'âme se souvient du monde des essences qu'elle a quitté en « tombant » dans un corps.

Les poètes de la Pléiade* empruntent à Platon l'**image du corps-prison**, des ténèbres, **qui s'oppose à la clarté du monde des Idées auquel l'âme aspire**. Cette conception inspire les dernières strophes de ce sonnet de *L'Olive* (1550) de du Bellay* : « Que songes-tu, mon âme emprisonnée ?/ Pourquoi te plaît l'obscur de notre jour,/ Si pour voler en un plus clair séjour/ Tu as au dos l'aile bien empennée ?// Là est le bien que tout esprit désire,/ Là le repos où tout le monde aspire,/ Là est l'amour, là le plaisir encore.// Là, ô mon âme, au plus haut ciel guidée/ Tu y pourras reconnaître l'Idée/ De la beauté, qu'en ce monde j'adore. »

Une théorie du langage et de la poésie

Dans le *Cratyle*, Platon suggère que **le lien qui unit le mot à la chose qu'il désigne n'est pas arbitraire**. À la Renaissance, cette théorie favorise le goût des étymologies fantaisistes mais aussi celui des anagrammes* qui révèlent, derrière un nom propre, une idée (le titre du recueil de Maurice Scève*, *Délie*, est peut-être l'anagramme de *l'idée*).

Dans le *Phèdre*, Platon assimile la poésie à une « fureur », une extase, qui ravit l'âme du poète. Cette **conception du poète inspiré** se retrouve chez les poètes de la Pléiade mais aussi, au XIXe siècle, dans la figure du « poète-mage » de Hugo*.

Une théorie de l'amour

La théorie de l'amour, qui s'exprime principalement dans le *Banquet* de Platon, est celle qui inspire le plus la littérature de la Renaissance. Celle-ci en retient surtout des expressions et des images.

Selon Platon, **l'amour** est la force qui pousse l'âme à s'élever vers le monde des Idées, pour contempler le divin. Il **est lié à une démarche de la connaissance**. Expression d'un manque que l'individu cherche à combler auprès d'un autre, l'amour doit se perfectionner progres-

sivement. L'amour est d'abord suscité par la beauté des corps, puis par la beauté de l'âme, avant de l'être par la beauté en soi, qui est aussi le bien et le bon. L'amour le plus parfait est celui qui a dépassé le corps : c'est l'**amour platonique**.

La conception platonicienne de l'amour est un **idéalisme**. Dans la littérature des XVIe et XVIIe siècles, il s'exprime par quelques **motifs récurrents**. L'amour naît du spectacle de la beauté, et donc du **regard**, véritable lieu commun de la poésie amoureuse du temps. L'**image du cœur prisonnier** qui s'envole vers sa dame est fréquente, tout comme l'expression du manque et du désir de fusion avec l'objet aimé. Le goût des métaphores*, comme celui des antithèses* qui expriment la dualité de l'homme (partagé entre son corps charnel et son âme divine), caractérise l'interprétation poétique du platonisme.

Un fait littéraire

Cette conception de l'amour, comme la *fin'amor* médiévale, reste avant tout un fait littéraire, **sans rapport avec la réalité**. Elle reflète cependant un **idéal de comportement** entre hommes et femmes qui s'oppose à une certaine brutalité des mœurs, et où la sexualité est loin d'être bannie. Elle inspire la poésie*, notamment celle de Maurice Scève* et de la Pléiade, mais aussi le roman* avec Marguerite de Navarre* et Honoré d'Urfé*. Avec le pétrarquisme*, le platonisme est l'un des deux modèles dominants du discours amoureux au XVIe siècle.

→ humanisme, pétrarquisme, Pléiade, Scève, Urfé (Honoré d')

Pléiade (la)

n. f. Du grec *pleias, pleiados*, « constellation de sept étoiles ». **Sens historique : 1.** Groupe de sept poètes grecs d'Alexandrie (IIIe siècle av. J.-C.). **2.** Au XVIe siècle, la Pléiade – dont l'appellation première est « Brigade » – désigne un groupe de sept écrivains et poètes constitué autour de l'helléniste Dorat, principal du collège de Coqueret à Paris. En 1556, ses membres sont du Bellay*, Ronsard*, Baïf, Pontus de Tyard, Belleau, Jodelle, Peletier du Mans. Les idées du groupe sont exposées dans le manifeste* *Défense et Illustration de la langue française*, rédigé par du Bellay en 1549.

Des influences diverses et leur utilisation

Formés à l'école de Dorat, les élèves de Coqueret lisaient dans le texte les œuvres latines et grecques, notamment les poètes. Ils connaissaient particulièrement Pindare, Horace (dont Ronsard adaptera en français les *Odes épicuriennes* et qui inspirera ses premiers recueils originaux), les élégiaques, mais aussi les penseurs comme Platon dont la philosophie de l'Idée est reprise par du Bellay. De plus, le travail sur les textes donne aux étudiants une solide formation linguistique. La connaissance de l'italien les familiarise avec des poètes comme l'Arioste et surtout Pétrarque, qu'ils admirent pour avoir donné à la littérature moderne italienne l'éclat des lettres anciennes. **C'est un éclat semblable que la Pléiade aspire à donner au français.**

La littérature antique donne lieu à de nombreuses traductions et imitations. Mais, pour la Pléiade, **l'imitation* n'est pas une pure reproduction du texte utilisé** : elle est une appropriation à partir de laquelle le poète recrée une œuvre originale, autant par son travail que par son inspiration*. Sorte d'Orphée* moderne, le poète n'est plus l'amuseur médiéval mais un chercheur d'immortalité.

L'écriture poétique

L'« illustration » de la langue passe par l'**enrichissement du lexique** : les poètes utilisent des mots rares et vieillis (« ajourner »), dialectaux ou techniques. Ils inventent des mots nouveaux, composés comme en grec (la « Terre Porte-Grains »), formés par l'adjonction d'un préfixe ou d'un suffixe (Ronsard utilise de nombreux diminutifs en -*ette*), ou encore empruntés aux langues anciennes. Ils réinventent une syntaxe inspirée du latin et du grec : ainsi, l'adjectif remplace l'adverbe ou est substantivé. Le **style**, **très recherché**, se caractérise par une profusion de comparaisons*, de métaphores*, d'allégories*, destinées à exprimer l'érudition du poète autant qu'à stimuler l'imagination du lecteur.

La renaissance des formes

Les formes poétiques médiévales – rondeaux*, ballades*... – sont rejetées au profit des formes antiques, notamment celles de l'**ode*** et de l'**épopée***, et surtout au profit du **sonnet*** repris de Pétrarque et déjà introduit en France par Marot*.

Parallèlement, en métrique*, on ne recherche plus la virtuosité technique du Moyen Âge, mais davantage l'**harmonie et la musicalité** :

de là le choix de l'alternance entre rimes masculines et féminines, et surtout celui de l'**alexandrin*** qui prend le pas sur le décasyllabe*.

→ alexandrin, Bellay (du), comparaison, imitation, métaphore, ode, Ronsard, sonnet

poème en prose

n. m. Poème non versifié, écrit en prose. Ce genre poétique, apparu au XIXe siècle, s'inscrit dans le mouvement romantique de contestation des règles traditionnelles et de rejet des formes fixes*. Son avènement a été préparé par une longue tradition d'écriture illustrée par Fénelon*, Rousseau* et Chateaubriand* entre autres : celle de la **prose poétique**. Le poème en prose s'en distingue en ce qu'il constitue une unité organique autonome, généralement brève, alors que la prose poétique est au service d'un projet qui la dépasse, comme l'essai* ou le roman*. Le poème en prose se veut avant tout poésie*.

L'ambition de Baudelaire

C'est en lisant *Gaspard de la nuit* (1841), d'**Aloysius Bertrand***, que **Baudelaire*** a l'idée du poème en prose : « Quel est celui d'entre nous qui n'a pas, dans ses jours d'ambition, rêvé le miracle d'une prose poétique, musicale sans rythme et sans rime, assez souple et assez heurtée pour s'adapter aux mouvements lyriques de l'âme, aux ondulations de la rêverie, aux soubresauts de la conscience ? » Pour Baudelaire, le poème en prose, sans « queue ni tête » mais où tout est à la fois « queue et tête », est le **genre qui convient le mieux à la « description de la vie moderne » et de ses discordances.**

Poésie et prose

Avec le poème en prose, l'idée se fait jour que la poésie n'est pas liée à des contraintes formelles, à une métrique* et à une prosodie*. Ce genre, ambigu par définition, exige donc que soit clarifiée l'essence de la poésie. Pour ne pas se confondre avec la prose, le poème doit rester un **objet esthétique complexe qui, par les sons, les rythmes* et les suggestions, organise un univers cohérent et dense.** À la différence de la prose, toujours portée par son mouvement en avant, d'un point vers un autre, le poème se soustrait à l'écoulement du temps et forme « au milieu de la fuite même des choses, une flaque d'éternité » (Jacques

Rivière) : rarement narratif, **le poème en prose propose des tableaux et rejette tout ce qui peut ressortir à un raisonnement ou à une explication.**

Enfin, il obéit au principe de **discontinuité** établi par Baudelaire et parfaitement explicité par Pierre Reverdy[*] : « Le poète pense en pièces détachées, idées séparées, images formées par contiguïté ; le prosateur s'exprime en développant une succession d'idées qui sont déjà en lui et qui restent logiquement liées. Il déroule. Le poète juxtapose et rive, dans les meilleurs des cas, les différentes parties de l'œuvre dont le principal mérite est précisément de ne pas présenter de raison trop évidente d'être ainsi rapprochées. »

La poéticité de la prose

On considère généralement que, s'il a ouvert l'une des voies les plus originales de la poésie moderne, Baudelaire est resté en dessous de ses ambitions. Il reviendra à ses successeurs Lautréamont[*], Rimbaud[*] ou les surréalistes, d'exploiter toutes les possibilités du poème en prose.

Les uns, comme **Rimbaud** et plus tard **René Char**[*], tireront du poème en prose des **éclats fulgurants** : « J'ai tendu des cordes, de clochers en clochers ; des guirlandes de fenêtres en fenêtres ; des chaînes d'or d'étoiles en étoiles, et je danse » (Rimbaud, *Les Illuminations*). D'autres, à la suite de **Max Jacob**[*] (*Le Cornet à dés*, 1917), ouvriront le poème à l'**univers quotidien**, voire trivial, pour en révéler, par le choc des images ou par l'onirisme, les aspects insolites. C'est au cœur même de la banalité quotidienne qu'ils font jaillir la poésie. Sur cette voie, **Francis Ponge**[*] ira jusqu'à récuser la notion même de poésie.

À travers toutes ces expériences, c'est la distinction entre prose et poésie qui se dissout et perd son sens. Mais ce qui dans tous les poèmes en prose demeure proprement poétique, c'est la volonté de tous les poètes de soustraire leur parole à toutes les formes aliénantes du langage tout fait, modelé par les codes sociaux, et de **redonner au langage toute sa puissance créatrice.** C'est par là, justement, que le poème en prose échappe au simple prosaïsme.

→ **Baudelaire, Bertrand, Char, Lautréamont, poésie, Ponge, prose cadencée, Rimbaud, rythme**

poésie

n. f. Du grec *poiêsis*, dérivé du verbe *poiein*, « faire, créer ». Phénomène universel grâce auquel tous les peuples ont essayé de fixer leur mémoire bien avant l'invention de l'écriture, la poésie est un genre difficile à définir. Liée à l'origine à la religion, elle a cessé peu à peu d'être une parole sacrée qui dit la vérité du monde et fonde la communauté pour devenir une forme littéraire spécifique, aisément reconnaissable – jusqu'au XIXe siècle du moins – à la disposition du texte en vers[*].

De la poésie classique...

Dans la tradition classique, la poésie est d'abord une manière de dire. À la limite, on aboutit à une **conception ornementale** selon laquelle la poésie dit la même chose que la prose[*], mais d'une façon plus agréable, grâce aux règles strictes qu'elle s'impose. C'est ce qui explique le rejet de la poésie au XVIIIe siècle : on n'y voit qu'un fatras de contraintes inutiles et ridicules qui empêchent l'expression claire des idées.

... à la poésie moderne

Au XIXe siècle, les poètes romantiques réhabilitent la poésie en jetant les bases de sa conception moderne : **aventure du langage**, elle est tout autant une **expérience ontologique**. La poésie est d'abord une interrogation radicale sur le langage. Refusant la transparence et l'utilitarisme du langage de communication qui vise à transmettre un message le plus efficacement possible, la poésie, bien qu'ouverte sur le monde, commence par se préoccuper de la matérialité du langage pour en exhiber à la fois l'opacité et les multiples virtualités. Le poète « **considère les mots comme des choses et non comme des signes** » (Sartre[*]) : il s'intéresse à leur forme, à leur sonorité, à leur charge de sensualité. Par le travail sur la langue, chaque poète moderne tend à créer son propre langage.

La poésie devient ainsi une « sorcellerie évocatoire » (Baudelaire[*]), une « alchimie du verbe » (Rimbaud[*]), par laquelle le poète tente une expérience fondamentale. « Poète est celui-là qui rompt pour nous l'accoutumance » (Saint-John Perse[*]). L'expérience poétique conduit à un type spécifique de connaissance et de présence au monde. Le poète – qu'il pense avoir réussi ou s'être égaré dans une impasse – vit une véritable **aventure spirituelle** : parfois, il vise à retrouver une harmonie perdue, comme Saint-John Perse ; parfois, il doit constater l'irrémédiable divorce entre l'être et le monde, l'impuissance de la poésie à transformer le monde et la vie, comme l'aurait voulu Rimbaud.

Aujourd'hui, alors que les recherches les plus diverses sont tentées, que la distinction même entre prose et poésie se trouve contestée, il semble que la poésie conserve en propre d'être une interrogation et une **expérimentation sur le langage**, en même temps qu'une **interrogation sur le rapport au monde que l'homme tisse à travers le langage**. Par là, la poésie est restée fidèle à sa vocation philosophique, celle qu'Aristote lui reconnaissait déjà dans sa *Poétique*.

→ **inspiration, métrique, poème en prose, poétique, vers, versification**

poétique

n. f. Du verbe grec *poiein*, « faire ». **1.** Art de composer des vers. **2.** Théorie interne de la littérature. **3.** Ensemble des choix littéraires effectués par un écrivain.

L'art de composer des vers
Dans son sens premier, la poétique désigne l'art de composer des vers. L'ouvrage de référence, qui a servi de modèle à tous les **arts poétiques** ultérieurs, est la *Poétique* d'Aristote (vers 340 av. J.-C.), qui traite de l'imitation* (*mimêsis*) en vers. En ce sens, la poétique et la rhétorique* se distinguent par leur objet respectif : la poésie* pour l'une, la prose* pour l'autre. Au XXe siècle, le poète Paul Valéry* élargit le domaine de la poétique en redonnant au terme son **sens étymologique de « faire »**, « **créer** » : la poétique englobe « tout ce qui a trait à la création ou à la composition d'ouvrages dont le langage est à la fois la substance et le moyen ».

Une théorie interne de la littérature
Élevée au rang d'art du langage en général, la poétique désigne ainsi une théorie interne de la littérature. C'est en ce sens également que Roman Jakobson, qui appartient à l'école des formalistes russes, affirme que l'objet de la poétique est la « **littérarité*** », c'est-à-dire la réponse à la question : « Qu'est-ce que la littérature ? »

Les choix littéraires d'un écrivain
Enfin, dans le vocabulaire de la critique moderne, la poétique peut aussi désigner l'ensemble des choix littéraires que fait un écrivain (genres*, composition, style, thèmes). Dans ce dernier sens, on peut donc parler de la **poétique d'un romancier**.

→ **art poétique, imitation, littérarité, rhétorique, unités (règle des trois), Valéry**

pointe

n. f. Du bas latin *puncta*, « pointe » ; vient également du vocabulaire de l'escrime car, au fleuret, le « coup de pointe » parachève les passes. **1.** Trait d'esprit, jeu de mots ou expression piquante qui orne la conversation ou marque la fin d'un poème, d'une épigramme*, d'un conte*. **2.** En raison de son emploi trop fréquent dans la poésie et la conversation du XVIIe siècle, le terme devient péjoratif, et désigne un trait d'esprit d'une recherche affectée. Dans *Le Misanthrope* (I, 2), Molière* se moque du sonnet* du précieux Oronte, qui se termine ainsi : « Belle Philis, on désespère/Alors qu'on espère toujours » (voir aussi, dans *Les Précieuses ridicules*, l'impromptu de Mascarille).

Principaux effets
La pointe doit surprendre le lecteur ou l'auditeur par son ingéniosité qui témoigne de la vivacité d'esprit et de l'habileté de l'auteur, qu'il s'agisse, par exemple, de célébrer l'amour ou de se moquer d'autrui : « L'autre jour au fond d'un vallon/ Un serpent piqua Jean Fréron./ Que pensez-vous qu'il arriva ?/ Ce fut le serpent qui creva » (Voltaire*).

→ **chute, épigramme, préciosité**

polémique

adj. et n. f. Du grec *polemikos*, « relatif à la guerre » (de *polemos*, « guerre »). **Adjectif**: qualifie une œuvre, un esprit, un style qui critique, attaque ou discute avec vivacité et agressivité. **Nom féminin**: débat entre adversaires qui s'affrontent par écrit. *Ex.*: **1.** L'œuvre *polémique* de Voltaire*, d'Octave Mirbeau*, de Mauriac* journaliste. **2.** Une *polémique* a éclaté au sujet de la réforme de l'orthographe.

p

Les genres polémiques

Dans l'Antiquité et à l'âge classique, l'esprit polémique s'est exprimé principalement dans la **satire***, poème en vers dénonçant les vices de l'époque sur un ton mordant, parfois léger. Le **pamphlet***, écrit engagé et au ton cinglant, et les **libelles***, courts pamphlets à caractère diffamatoire, sont devenus une arme de prédilection, principalement dans le combat des Lumières.

Le genre polémique nécessite une riposte rapide, un grand esprit d'à-propos. Depuis le développement de la presse au XIXᵉ siècle, la polémique a investi le **journalisme**. Le procédé de la **lettre ouverte** permet, dans un article présenté comme une lettre, d'attaquer sur un sujet d'actualité un adversaire individuel ou collectif.

La tonalité polémique

On reconnaît la tonalité polémique à l'**emploi de figures*** **spécifiques**. L'**ironie*** crée un décalage comique entre le ton utilisé et le sujet visé. Sous la forme de l'antiphrase*, elle brouille la frontière entre ce que l'on dit et ce que l'on veut faire comprendre, et elle sollicite la complicité du lecteur. Plus agressives, l'**hyperbole***, les **exagérations**, l'outrance verbale frappent les esprits et mettent en pièces les idées de l'adversaire. Le **paradoxe***, les jeux de mots, les antithèses* apportent le soutien d'un style brillant. Toute la **variété des marques de l'énonciation** est également déployée : les indices personnels, les apostrophes* à destination de l'adversaire, les termes évaluatifs, manifestent l'engagement* du polémiste.

Les armes du combat

Un des principaux moyens d'action du polémiste réside dans la **mauvaise foi**, la **fausse naïveté** qui lui fait interpréter de manière erronée les idées qu'il attaque ou feindre de ne pas les comprendre. Une autre tactique consiste à **faire valoir la raison**, le bon sens, la clarté*, face à ce que l'on fait apparaître comme confus ou extravagant chez l'adversaire. Le polémiste peut aussi **ridiculiser** ceux qu'il attaque en utilisant leurs propres arguments pour les retourner contre eux. On peut ajouter à cette panoplie l'**accusation**, la dépréciation systématique, la calomnie même, procédés contestables mais tolérés puisqu'ils sont propres au genre.

→ **ironie, libelle, pamphlet, satire**

polysémie

n. f. Du grec *poly*, « plusieurs » et *sêmeion*, « signe ». Un mot est dit « monosémique » lorsqu'il a un sens univoque et stable (c'est le cas de nombreux termes techniques ou scientifiques, tels *alcalin, isocèle, burin, trusquin*). Il est dit « polysémique » lorsque plusieurs signifiés correspondent au même signifiant. Les mots les plus courants et les plus fréquents, qui n'ont cessé, conformément à la loi d'économie, de se charger de sens nouveaux, sont aussi les plus fortement polysémiques. C'est l'environnement sémantique, syntaxique et contextuel qui permet de choisir parmi les sens possibles d'un mot. *Ex.* : **1.** Cocteau* joue sur la polysémie du verbe *réfléchir* en énonçant : « Les miroirs feraient bien de *réfléchir* un peu avant de renvoyer les images. » **2.** On ne confondra pas *subir une opération* (chirurgie), *apprendre les quatre opérations* (calcul), *mener une opération* (stratégie militaire), *lancer une opération* (publicité).

Polysémie et homonymie

La polysémie implique que les différents sens d'un mot conservent un **minimum de traits communs** qui justifient leur regroupement dans le dictionnaire sous une seule entrée. Si les sens, à partir d'une origine commune (*voler : oiseau/voleur ; grève : se promener sur la grève/faire grève*), ont tellement **divergé** que l'on perçoit les mots comme différents, ils feront l'objet de deux entrées différentes et on parlera alors d'**homonymie**.

La **frontière** entre les deux notions n'est **pas toujours très nette**, et il peut être difficile de savoir si on a affaire à plusieurs mots différents ou à plusieurs sens d'un seul mot. Tel est le cas du verbe *décliner* : *décliner* un nom latin, *décliner* son nom, *décliner* un honneur, le soleil *décline*.

Antonymes et synonymes

L'observation des synonymes*, des antonymes* ou des termes dérivés permet, le cas échéant, de lever l'ambiguïté : **un mot aura autant de synonymes et d'antonymes que de significations diverses**. Ainsi, *appréhender un voleur*, c'est l'*arrêter* ; *appréhender une chose*, c'est la *redouter* (synonymes). L'adjectif *frais* s'oppose à *rassis* dans *pain frais*, à *tiède* dans *eau fraîche*, à *fatigué* dans *se sentir frais et dispos* (antonymes). *Décollage* et *décollement* renverront à deux sens différents du verbe *décoller* (mots dérivés).

Dans la création littéraire, le jeu sur la polysémie des mots tient souvent une place importante, ce qui implique une lecture attentive à la pluralité des sens possibles.

→ **antonyme, connotation, homonyme, sémantique, synonyme**

Ponge
(Francis), 1899-1988

ŒUVRES PRINCIPALES
- **Poésie**: *Le Parti pris des choses* (1942), *Proêrmes* (1948), *La Rage de l'expression* (1952), *Le Savon* (1967), *Le Nouveau Recueil* (1967), *La Fabrique du pré* (1971), *Comment une figue de paroles et pourquoi* (1977).
- **Essais**: *Le Grand Recueil* (1961), *Pour un Malherbe* (1965).

Une poésie antipoétique

Refusant la conception traditionnelle de la poésie et de l'inspiration*, et resté insensible au surréalisme*, Francis Ponge a suivi une voie très personnelle. **Poète, il écrit d'abord contre la poésie.** Il lui reproche ses complaisances pour le pathos, pour les mollesses du lyrisme*. Mais outre la poésie « patheuse », il rejette l'instrument qui s'offre à lui, ce langage aliéné, vicié par tout ce qu'il charrie de paroles toutes faites et conventionnelles : « Hélas, pour comble d'horreur, à l'intérieur de nous-mêmes, le même ordre sordide parle, parce que nous n'avons pas à notre disposition d'autres mots ni d'autres grands mots (ou phrases, c'est-à-dire d'autres idées) que ceux qu'un usage journalier dans ce monde grossier depuis l'éternité prostitue » (*Proêmes*). « Les paroles, dit-il encore, sont toutes faites et s'expriment : elles ne m'expriment point. » Il importe donc de « parler contre les paroles » (*ibid.*).

Tel est le point de départ de la poésie pongienne : faire de chacun de ses textes une « bombe à multiples retardements ». **Rejetant le lyrisme, il s'intéresse aux choses.** Quant au langage, il n'aura de cesse de le « vidanger » pour « fonder sa propre rhétorique ».

Le « parti pris des choses »

Poète matérialiste, revendiquant l'héritage d'Épicure et de Lucrèce, Ponge décide d'**échapper aux pièges de la subjectivité et**

de l'effusion, en portant toute son **attention sur les objets**, y compris les plus triviaux : cageot, lessiveuse, pomme de terre…

Mais il ne s'agit pas de s'abandonner à une contemplation mystique qui aboutirait à la fusion entre le sujet et l'objet : il s'agit d'aller à la rencontre de l'objet pour retrouver le « choc émotionnel provoqué par la première rencontre », pour retrouver un certain regard, net, précis, dans une entreprise de lucidité. En **évitant aussi bien le piège réaliste que le piège lyrique**, le poète se propose de retrouver dans les choses « un million de qualités inédites ».

Un compte tenu des mots

Le « parti pris des choses » ne se sépare pas d'un compte tenu des mots : « Pour qu'un texte puisse […] prétendre rendre compte d'une réalité du monde extérieur, il faut qu'il atteigne d'abord à la réalité dans son propre monde, le monde des textes, lequel connaît d'autres lois » (*Pour un Malherbe*). C'est en nommant les choses avec les mots que le poète appréhende le réel ; c'est donc en **jouant**, de façon jubilatoire et souvent humoristique, **de toutes les ressources des mots** (étymologie*, sonorités*, jeux de mots, polysémie*), qu'il pourra révéler toute la richesse et toute la complexité des choses.

Dans la plus pure tradition classique, celle de Malherbe*, Ponge **glorifie le travail de l'écriture** et même s'efforce de l'exhiber. En déployant autour de l'objet tout un réseau d'analogies* qui fourniront de cet objet un **équivalent verbal**, Ponge invite son lecteur à une « leçon de choses » qui est en fait une leçon de lecture (leçon = lecture), et qui débouche souvent sur une application inattendue, comme on peut le voir dans « L'Huître » (*Le Parti pris des choses*), où le texte se fait huître, avec son extérieur, son intérieur et enfin sa perle rare.

CITATION
- **Sur les mots et les choses**
« Ô ressources infinies de l'épaisseur des choses, rendues par les ressources infinies de l'épaisseur des mots ! » (*Proêmes*)

REPÈRES BIOGRAPHIQUES
→ Né à Montpellier, Francis Ponge passe une enfance heureuse à Avignon puis à Caen, la ville de Malherbe*. Son adolescence se termine par deux échecs cuisants : il se révèle incapable de prononcer un seul mot lorsqu'il passe l'oral de sa licence de philosophie puis, peu après, à l'oral de l'École

normale supérieure. Il commence à écrire mais reste en marge des milieux littéraires et du mouvement surréaliste (il n'y adhérera qu'en 1930, très brièvement).

➔ Obligé de prendre un emploi salarié aux messageries Hachette, il connaît une vie difficile. En 1937, il adhère au Parti communiste. Pendant la guerre, il participe à la Résistance et publie *Le Parti pris des choses*. Après la Libération, il quitte le PC et entame, pour dix ans, une carrière d'enseignant.

➔ Écrivain désormais reconnu, il donne de nombreuses conférences en France et à l'étranger. Sa retraite en 1962 lui permet de se consacrer totalement à son œuvre, une œuvre sans concession que des prix viennent couronner tardivement.

➔ **calligramme, existentialisme, Guillevic, inspiration**

Port-Royal

Nom de l'abbaye féminine de Port-Royal-des-Champs dans la vallée de Chevreuse, puis de son annexe, faubourg Saint-Jacques, à Paris, qui devient le foyer du jansénisme* dans les années 1635.

Historique de Port-Royal

C'est en 1609 que la mère Angélique Arnauld réforme l'abbaye de Port-Royal-des-Champs, en faisant retour à la pureté de la règle cistercienne et à une **morale austère** qui attire rapidement des adeptes. En 1625, les religieuses s'installent faubourg Saint-Jacques, à Paris. Port-Royal devient le haut lieu du jansénisme lorsque l'abbé de **Saint-Cyran** (1581-1643) prend la direction spirituelle du couvent.

Une nouvelle communauté se forme à Port-Royal-des-Champs, celle des **Solitaires**, jansénistes laïcs et érudits qui ont choisi de se retirer du monde pour mener une vie d'étude et de contemplation. Les Solitaires se consacrent également à l'éducation des enfants, grâce aux **Petites Écoles**, fondées en 1638. Le jeune Racine* y est formé.

Mais Saint-Cyran, hostile à l'absolutisme monarchique et à Richelieu, est emprisonné de 1638 à 1643. Ce premier conflit avec le pouvoir royal n'empêche pas l'abbaye de prospérer. Dans les années 1650-1660, une querelle théologique autour de **cinq propositions** attribuées à Jansénius, auteur de l'*Augustinus*, oppose les jansénistes aux jésuites et à Rome.

Pascal* prend la défense de Port-Royal dans ses *Provinciales*. Les religieuses de Port-Royal refusent de signer le formulaire condamnant les cinq propositions ; elles sont excommuniées et les Petites Écoles dispersées.

En 1669, la « paix clémentine », imposée par le pape Clément IX, met un terme provisoire au conflit, et Port-Royal devient un **lieu de travail et de ferveur brillant**, mais aussi d'**opposition politique**. La persécution reprend dix ans plus tard. Nicole et Arnauld, les deux principales figures de Port-Royal, s'exilent en 1679. Louis XIV ayant décidé d'en finir, il disperse les religieuses en 1709 et fait détruire le couvent de Port-Royal-des-Champs en 1710.

Par ses démêlés avec le pouvoir et par sa longue résistance, Port-Royal est devenu le **symbole d'une certaine liberté de conscience, d'un refus de l'autoritarisme** quel qu'il soit.

L'œuvre intellectuelle de Port-Royal

Le succès de Port-Royal tient à la qualité de ses penseurs. **Pierre Nicole** (l'un des « Solitaires ») publie des *Essais de morale* (1671-1678) et, avec **Antoine Arnauld** (jeune frère de la mère Angélique et adepte de la philosophie de Descartes), la *Logique ou l'Art de penser* en 1662 ; Arnauld et Lancelot composent la *Grammaire générale et raisonnée* (1660). Cependant le plus célèbre écrivain gagné à la cause de Port-Royal reste **Pascal**, dont les *Provinciales* sont publiées anonymement en 1656-1657.

La pensée janséniste a aussi des **adeptes dans le milieu mondain**. Ainsi, Mme de La Sablière installe son salon dans le voisinage de Port-Royal de Paris. Le jansénisme a profondément **influencé les œuvres des moralistes* classiques** (La Rochefoucauld*, Mme de Lafayette*, La Bruyère*).

➔ **jansénisme, La Rochefoucauld, Pascal, Racine**

portrait

n. m. De l'ancien français* *portraire*, « dessiner ». À l'origine, le portrait est une notion rhétorique*. Dans le genre démonstratif, il est un élément essentiel pour orienter le discours dans le sens de l'éloge ou du blâme. À partir de la rhétorique, le portrait s'est diffusé dans la littérature, et principalement dans le genre romanesque.

Formes du portrait

En tant que genre littéraire, le portrait connaît son âge d'or au XVIIᵉ siècle : on le pratique dans les salons (en présence de l'intéressé) et on le retrouve sous la plume des historiens, des mémorialistes, des moralistes* et des romanciers. Le portrait obéit alors à un ensemble de **conventions précises** : s'ouvrant sur un **portrait physique** (prosopographie), de la tête aux pieds, il est **complété par un portrait moral** (éthopée). Il peut aussi être double – c'est le genre du parallèle – et en action.

Dans le **roman précieux**, notamment ceux de Madeleine de Scudéry*, le portrait constitue un véritable morceau de bravoure : c'est un excursus (il interrompt le récit) qui donne lieu à un portrait idéalisé fortement stéréotypé. Les portraits de La Bruyère*, eux, reprennent le **genre du caractère** (portrait moral) hérité de Théophraste : évaluatifs et satiriques, ils dénoncent les travers, les ridicules, les vices, comme le font également les *Satires* de Boileau*.

Fonctions du portrait

Dès l'Antiquité, le portrait repose sur les principes de la **physiognomonie**, c'est-à-dire sur une loi d'analogie entre l'intérieur et l'extérieur, le portrait physique étant le reflet du portrait moral.

Au XIXᵉ siècle, sous l'influence des travaux de Lavater (*Physiognomonie*, 1775-1778), on retrouve cette même conception dans les portraits de Balzac* et de Zola*. Mais, loin d'être un simple ornement, le portrait d'un personnage, dans le roman réaliste du XIXᵉ siècle, est intégré au récit : il remplit une **fonction explicative** ; l'aspect extérieur du personnage, sa tenue vestimentaire, son appartenance sociale, son origine familiale, son tempérament sont autant d'indices, fournis par le narrateur*, qui rendent compte de son comportement.

Le XXᵉ siècle, depuis le surréalisme* jusqu'au Nouveau Roman*, a jeté le **discrédit sur** ce type de **portrait psychologique**. À l'opposé des modèles antérieurs, pléthoriques, le portrait, dans le roman moderne, tend vers le laconisme, participant du processus plus général qu'est l'érosion du personnage.

→ **La Bruyère, Nouveau Roman, rhétorique, Scudéry (Mlle de)**

positivisme

n. m. Du bas latin *positivus*, « qui repose sur quelque chose ». **Sens philosophique** : doctrine élaborée par Auguste Comte (1798-1857), qui fonde toute connaissance sur l'observation et l'étude scientifique des faits. **Sens littéraire** : attitude consistant à imiter la méthode de l'examen scientifique dans la fiction, ou à commenter les œuvres comme si elles étaient des phénomènes naturels.

Le positivisme d'Auguste Comte

Dans la première moitié du XIXᵉ siècle, les progrès de la science et la foi dans l'« avenir de la science » (Renan) incitent à penser, non seulement que la seule connaissance fiable repose sur l'attachement aux faits, c'est-à-dire aux phénomènes qui se manifestent dans la nature (**positivisme**), mais aussi que tout effort de connaissance doit adopter la méthode, universellement valable, de la science (**scientisme**). Dans son *Discours sur l'esprit positif* (1844), Auguste Comte annonce que son objectif est « la simple recherche des lois, c'est-à-dire des relations constantes qui existent entre les phénomènes observés ». L'idée est que la connaissance des lois naturelles permettra ensuite de prévoir les phénomènes.

Les applications littéraires de l'esprit positiviste

Les **écrivains naturalistes** sont **positivistes et scientistes dans l'intention**, puisqu'ils prétendent soumettre leurs personnages et l'évolution de leurs intrigues à la **méthode expérimentale** utilisée en physiologie par Claude Bernard (1813-1878). Dans *Le Roman expérimental* (1880), Zola* définit le naturalisme* comme « la formule de la science moderne appliquée à la littérature ». En se proposant d'étudier les manifestations d'une tare héréditaire chez chacun des membres de la descendance Rougon-Macquart, Zola est déterministe comme l'est Auguste Comte lorsqu'il parle de « lois naturelles ».

La **critique littéraire** de l'époque prend le même pli : Hippolyte Taine (1828-1893) étudie les œuvres comme des organismes dont l'apparition est déterminée par la « race » de l'écrivain, le « milieu » dans lequel il vit ou auquel il s'adresse, et le « moment » de la rédaction, ce qui lui permet d'abord d'établir des filiations entre les auteurs et surtout de définir leur singularité en identifiant leur « faculté maîtresse ».

Les détracteurs du positivisme

Baudelaire[*] est le premier à condamner l'illusion positiviste et ses corollaires, le rationalisme[*] et le matérialisme, au nom de la sensibilité. En 1857, dans ses *Notes nouvelles sur Edgar Allan Poe*, il précise que « **la poésie** ne peut pas, sous peine de mort ou de défaillance, s'assimiler à la science ou à la morale ; elle **n'a pas la vérité pour objet**, elle n'a qu'elle-même ». Il n'aura de cesse de manifester son mépris pour la pensée de son siècle, accusé de « fatuité ».

Plus généralement, le **positivisme** est **contredit par la littérature symboliste** (Mallarmé[*], Laforgue[*], Corbière[*] mais aussi Verlaine[*] et Rimbaud[*]), qui rend sensible l'existence de contrées inexplorées dans la conscience et annonce l'âge de la psychanalyse. De même, l'**essor du genre fantastique**[*], qui fait de l'inexplicable son principal ressort (Barbey d'Aurevilly[*], Villiers de L'Isle-Adam[*]), ainsi que le **retour du religieux** (Huysmans[*]) permettent de dire que l'esprit positiviste décline, en même temps que le naturalisme, à partir de 1890.

→ **Baudelaire, fantastique, naturalisme, symbolisme, Zola**

préciosité

n. f. Du latin pretiositas, « de grand prix ».
Sens général : dès le xve siècle, le mot possède un sens positif exprimant la valeur (au sens propre et au sens figuré) et un sens péjoratif (au sens figuré) désignant une attitude maniérée, pleine d'affectation.
Sens littéraire : phénomène social et littéraire qui connaît son apogée en France dans les années 1650-1660, et qui se caractérise par une recherche de distinction et de raffinement parfois excessive.

Un idéal de distinction

La préciosité, telle qu'elle se développe au xviie siècle, est avant tout un **idéal de comportement**. Cet idéal se fonde sur l'**honnêteté** et la **galanterie** (qui est un art de plaire), et se caractérise par son souci de distinction, de raffinement dans le langage et dans les mœurs (particulièrement dans l'amour). Il s'élabore dans les salons, dont le plus important est celui de Mlle de Scudéry[*].

Une éthique amoureuse

La préciosité se fonde avant tout sur une **conception épurée de l'amour**. Héritière du néoplatonisme[*] (de *L'Astrée* d'Honoré d'Urfé[*] notamment), et de la courtoisie[*] médiévale, elle repose sur l'idéalisation et le respect de la femme, que l'amant précieux doit longuement courtiser, sans rien en exiger. L'amour précieux est une « union des esprits » ; platonique, il rejette le corps et le désir charnel.

La relation amoureuse est donc le thème favori des discussions précieuses : des « questions d'amour » et des « maximes d'amour » aboutissent à une **véritable casuistique amoureuse**, dont la meilleure expression se trouve dans les romans et les « conversations » de Mlle de Scudéry (sa carte de Tendre[*] a connu un immense succès). Mais la préciosité comporte également une **revendication féministe** : les précieuses condamnent la soumission de la femme dans le mariage, et discutent de divorce, voire d'union libre.

Pureté du langage et préciosité littéraire

Soucieuse de « noblesse » (d'esprit), la préciosité refuse les mots bas et grossiers, et recourt souvent aux **périphrases**[*]. À la recherche d'expressions brillantes, qui témoignent d'un « bel esprit », elle affectionne les **pointes**[*]. Dans sa volonté d'idéalisation, elle raffole des **superlatifs** et des **hyperboles**[*].

Les précieux ont cultivé les **genres mondains** (lettres, dialogues[*], poésies de forme brève comme le sonnet[*], le madrigal[*], l'épigramme[*]) ; ils ont admiré les *Lettres* de Voiture, les tragédies du grand Corneille[*] (pour leur héroïsme) et de son frère Thomas, les romans de Mlle de Scudéry.

La préciosité n'étant pas une école littéraire, elle n'a pas donné de chefs-d'œuvre. Mais **son influence a été grande**. Elle a lancé la mode des portraits[*] et développé le goût de l'analyse du cœur amoureux. Son influence se retrouve dans *La Princesse de Clèves* de Mme de Lafayette[*], qui semble développer des « questions d'amour » (une femme doit-elle aller à un bal alors que l'homme qu'elle aime n'y va pas ?), et jusque dans les *Maximes* de la Rochefoucauld[*].

Les « précieuses ridicules »

La préciosité suscite de **violentes réactions** de la part des contemporains. Les précieuses sont accusées d'être des « jansénistes de l'amour », de fausses prudes ou des « coquettes ». Leur **sophistication langagière** (rejet des « syllabes sales », dans un mot comme *confesse* par exemple…) a été moquée par Molière[*] dans ses *Précieuses ridicules* (1659). Mais ce dernier s'est précisément attaqué aux femmes qui contrefaisaient les précieuses, les imitant mal et avec excès. On a parfois voulu rattacher la préciosité au baroque[*]. Elle échappe en réalité aux catégories du baroque et du classicisme[*].

→ baroque, bouts-rimés, classicisme, courtoisie, marivaudage, néoplatonisme, Scarron, Scudéry (Mlle de), Tendre (carte de)

préface

n. f. Du latin *præfari*, « dire d'avance ». Texte placé au début d'un ouvrage qui sert à le présenter au lecteur.

Formes de la préface
La préface qui peut prendre la forme d'un « avertissement au lecteur », d'une dédicace, **appartient au paratexte[*] de l'œuvre** et a pour but d'en expliquer voire d'en justifier certains aspects, qu'il s'agisse du fond ou de la forme. Le premier recueil des *Fables* de La Fontaine[*] est ainsi introduit par plusieurs textes préfaciels : une épître[*] dédicatoire en prose à Monseigneur le Dauphin, fils de Louis XIV , une préface proprement dite, où l'écrivain définit le genre de la fable[*] et justifie sa propre entreprise poétique ; un récit de la vie d'Ésope ; et une dédicace en vers, toujours adressée au Dauphin.

Fonctions de la préface
Certaines préfaces se présentent comme des **plaidoyers[*]** lorsque l'œuvre a subi des critiques voire la censure[*] : tel est le cas de la Préface du *Tartuffe[*]* de Molière[*] en 1669, ou encore de la préface consacrée par Jean-Paul Sartre[*] (en 1960) à un livre injustement oublié, *Aden Arabie* (1931), de Paul Nizan[*]. Les préfaces se présentent parfois, au-delà de l'introduction à une œuvre particulière, comme de **véritables manifestes[*] d'un genre, d'un mouvement ou d'une poétique[*]** : la *Préface de Cromwell* de Victor Hugo[*] (1827) est le plus célèbre manifeste du drame romantique[*] ; de même, la Préface de *Mademoiselle de Maupin* de Gautier[*] (1835) lui permet d'exposer sa conception de l'art pour l'art[*].
Préfaces et **postfaces** (lorsque le texte est placé à la fin de l'ouvrage) offrent enfin, dans les

éditions de textes classiques ou modernes, une place au **commentaire critique**. Que ces éléments paratextuels soient ou non l'œuvre de l'auteur du livre, ils font toujours le lien entre écrivains et lecteurs.

→ paratexte, préambule, prologue, réception de l'œuvre

préromantisme

n. m. Terme créé *a posteriori*, vers 1900, pour désigner un courant de sensibilité qui s'est développé de 1760 à 1820 environ, et qui, en se démarquant du rationalisme[*] des Lumières[*], jugé trop desséchant, et en privilégiant l'émotion, l'imagination, le rêve et les sentiments, annonce le romantisme[*].

Avant la Révolution
Alors que, durant la même période, le romantisme commence à s'affirmer vigoureusement dans des pays comme l'Angleterre (James Macpherson, auteur d'*Ossian*, 1780 ; William Cooper, Robert Burns, William Blake, Wordsworth) ou l'Allemagne (où apparaît le mouvement *Sturm und Drang* : Novalis, Schiller, Goethe, auteur de *Werther*, 1774), la sensibilité romantique tarde à s'imposer en France. Un **tournant** se marque cependant **vers 1760**. Le plaisir des larmes et de l'attendrissement qui se manifeste dans la **comédie larmoyante** (1730-1750) aura prélude à une réhabilitation des sentiments et de la passion dans les œuvres de Diderot[*], de Rousseau[*] (*La Nouvelle Héloïse*, 1761) ou de Bernardin de Saint Pierre[*] (*Paul et Virginie*, 1787). « Ah mon Dieu ! que la passion m'est naturelle et que la raison m'est étrangère ! » s'écrie Mlle de Lespinasse. Avec Rousseau, en particulier, se développe un tout nouveau sentiment de la nature (*Rêveries du promeneur solitaire*, 1782).

Après la Révolution
La Révolution a sans doute retardé l'éclosion du romantisme français et il faut attendre les premières années du xixe siècle pour qu'apparaissent des œuvres marquées par la sensibilité nouvelle, celles de **Mme de Staël[*]** (*De l'Allemagne*, 1813), de Benjamin **Constant[*]** (*Adolphe*, 1816), de **Sénancour[*]** (*Oberman*, 1804) et surtout celle de François-René de **Chateaubriand[*]**. C'est à lui que l'on doit l'expression la plus remarquable du « **mal du siècle** » : avec *René* (1802), récit partiellement

autobiographique, il donne le ton à toute une génération. « L'imagination est riche, abondante et merveilleuse : l'existence pauvre, sèche et désenchantée. On habite avec un cœur plein, un monde vide, et sans avoir usé de rien, on est désabusé de tout », écrit-il dans *Le Génie du christianisme* (1802).

Un profond sentiment de solitude et d'ennui, une vision du monde désenchantée et mélancolique, la recherche d'une communion avec la nature et la quête de paysages désolés en harmonie avec leur état d'âme, le goût de l'introspection, qui s'exprime dans des œuvres à caractère autobiographique, font de Constant, Sénancour et Chateaubriand les **précurseurs du romantisme**.

→ **Chateaubriand, Constant, Lumières, rationalisme, romantisme, Sénancour, Staël (Mme de)**

prétérition

n. f. Du latin *præteritio*, « omission ».
Paradoxe rhétorique par lequel un locuteur dit ce qu'il prétend ne pas dire.
Ex. : **1.** *Il est incompétent, pour ne pas dire idiot.* **2.** *Monsieur Durand, pour ne pas le nommer...* **3.** Dans la deuxième scène du *Misanthrope* de Molière*, Alceste critique sévèrement les vers d'Oronte en sa présence, tout en s'en défendant et en prétendant parler d'une tierce personne :
« ORONTE. – Est-ce qu'à mon sonnet vous trouvez à redire ? ALCESTE. – Je ne dis pas cela ; mais, pour ne point écrire,/ Je lui mettais aux yeux comme, dans notre temps,/ Cette soif a gâté de fort honnêtes gens. ORONTE. – Est-ce que j'écris mal ? et leur ressemblerais-je ? ALCESTE. – Je ne dis pas cela ; mais enfin, lui disais-je,/ Quel besoin si pressant avez-vous de rimer ? »

Principaux effets

La prétérition peut permettre l'ellipse* d'un raisonnement long et difficile ; elle peut encore consister à répéter un énoncé qu'on prétend ne pas vouloir reprendre. Dans tous les cas, il s'agit d'une **contradiction entre l'énoncé** (le contenu) **et l'énonciation** (l'action de parler) qui semble tenir d'abord de l'atténuation mais, comme cela est souvent le cas, procure aussitôt l'effet contraire – d'ailleurs, la prétérition consiste souvent à souligner un euphémisme* (ex. 1).

→ **euphémisme, litote**

Prévert
(Jacques), 1900-1977

ŒUVRES PRINCIPALES
• **Poésie** : *Paroles* (1946), *Histoires* (1946), *Spectacle* (1951), *La Pluie et le beau temps* (1955), *Fatras* (1966), *Choses et Autres* (1967).

Une poésie du quotidien

Jacques Prévert a réussi à créer une **poésie authentiquement populaire**, alors qu'en général la poésie s'adresse plutôt à un public restreint. Il le doit d'abord à ses **thèmes** : il puise son inspiration dans la rue, dans la vie quotidienne, traquant sous la grisaille la fantaisie qui transfigure la banalité de l'existence. Il le doit aussi à sa poésie amoureuse qui exalte une **vision libertaire de l'amour** et à sa **veine satirique** très virulente. Son tempérament profondément anarchiste le porte en effet à dénoncer toutes les formes de pouvoir, celui de l'argent comme celui des institutions : école, famille, armée, religion, et à défendre les exploités, les opprimés, les marginaux et les exclus.

Un virtuose du langage

Cette poésie débordante de vitalité, de fantaisie et de gouaille est libertaire jusque dans son écriture : Prévert s'est affranchi de toutes les règles traditionnelles (ponctuation, métrique) pour créer une **poésie proche de la langue orale et marquée par un goût prononcé pour l'anaphore* et l'énumération**. S'il se défie de l'imagerie surréaliste et de sa gratuité, il est un extraordinaire virtuose du jeu avec les mots. Pour Prévert, mettre du jeu dans les mots est le moyen le plus efficace pour **déstabiliser l'ordre établi**, infiltré au cœur même du langage, et faire passer un souffle de liberté.

CITATION
• **Sur la solitude**
« Qui est là/ Personne/ C'est simplement mon cœur qui bat/ Qui bat très fort/ À cause de toi/ Mais dehors/ La petite main de bronze sur la porte de bois/ Ne bouge pas/ Ne remue pas/ Ne remue pas seulement le petit bout du doigt. » (*Histoires*)

REPÈRES BIOGRAPHIQUES
→ L'enfance de Prévert, né à Neuilly-sur-Seine, est marquée par ses problèmes scolaires de mauvais élève. Dès l'âge de quinze ans, il doit travailler pour gagner sa vie. Après la guerre, il fréquente les surréalistes

jusqu'en 1928, date à laquelle il est exclu du groupe par André Breton*.

➜ À partir de 1930, Prévert se consacre à des activités littéraires multiples : poésie*, chanson* (avec Kosma), théâtre* (avec le groupe *Octobre*) et cinéma (avec son frère Pierre, et des metteurs en scène comme Jean Renoir et Marcel Carné). Il écrit le scénario de quelques-uns des chefs-d'œuvre du cinéma tels que *Quai des brumes* (Carné, 1938) ou *Les Enfants du paradis* (Carné, 1943).

➜ En 1945, il rassemble dans *Paroles* les poèmes qu'il écrit depuis une quinzaine d'années. Le recueil obtient un grand succès public. Tout en travaillant pour le cinéma, il continuera de publier des poèmes.

➜ **calembour, satire, surréalisme**

Prévost
(dit l'abbé), 1697-1763

ŒUVRES PRINCIPALES

• **Romans-mémoires**: *Mémoires et Aventures d'un homme de qualité* (1728-1731), *Manon Lescaut* (1731), *Histoire de Monsieur Cleveland* (1731-1738), *Histoire d'une jeune Grecque moderne* (1740).

Un romancier de la passion et de l'ambiguïté

La vocation romanesque de l'abbé Prévost trouve à s'illustrer dans le **genre du roman-mémoires**. Les *Mémoires et Aventures d'un homme de qualité*, dont *Manon Lescaut* constitue le septième et dernier livre, *Cleveland*, *Le Doyen de Killerine* (1745-1740) et l'*Histoire d'une jeune Grecque moderne* sont autant de romans à la première personne, porteurs des interrogations métaphysiques de leur auteur quant à la possibilité de concilier l'amour et la morale religieuse.

Le **choix de la focalisation interne*** fait de ces récits des chefs-d'œuvre d'**ambiguïté**. Ainsi, le célèbre récit de des Grieux, histoire d'un « fripon » et d'une « catin » selon les termes de Montesquieu*, s'apparente à un plaidoyer* *pro domo* aux accents pathétiques qui vise à gommer l'immoralité de ses actes (vol, assassinat…). Les aventures du héros valent essentiellement par leur impact sur une sensibilité extraordinaire : « Les personnes d'un caractère plus noble peuvent être remuées de mille façons différentes ; il semble qu'elles aient plus de cinq sens, et qu'elles puissent recevoir des idées et des sensations qui passent les bornes ordinaires de la nature. » (*Manon Lescaut.*) Aussi, au-delà de la condamnation classique des passions, qui constitue la morale explicite de Prévost, ses romans réhabilitent-ils la **passion amoureuse** comme **expérience centrale de la vie** humaine, tout en étant marqués par un pessimisme qui constate l'impossibilité du bonheur.

CITATION

• **Sur l'amour**
« Fatale passion ! Hélas ! N'en connaissez-vous pas la force, et se peut-il que votre sang qui est la source du mien, n'ait jamais ressenti les mêmes ardeurs ! L'amour m'a rendu trop tendre, trop passionné, trop fidèle, et peut-être trop complaisant pour les désirs d'une maîtresse toute charmante ; voilà mes crimes ! En voyez-vous là quelqu'un qui vous déshonore ? » (*Manon Lescaut*, des Grieux à son père)

REPÈRES BIOGRAPHIQUES

➜ Jusqu'en 1742, André-François Prévost mène une vie aventureuse, oscillant entre l'Église et le monde : ses fugues successives – en 1712, il s'engage dans l'armée ; en 1728, il s'enfuit en Angleterre ; en 1740, il disparaît à nouveau, ruiné et compromis dans un scandale – sont restées célèbres.

➜ Vivant de sa plume, Prévost est un auteur particulièrement fécond. On lui doit un périodique, *Le Pour et le Contre* (1733-1740), de nombreux romans-mémoires, dont l'*Histoire du Chevalier des Grieux et de Manon Lescaut* qui lui vaut sa gloire littéraire, la traduction des romans de Richardson (*Pamela*, 1742 ; *Clarisse Harlowe*, 1751) ainsi qu'une monumentale *Histoire des voyages* (1746-1759).

➜ **pathétique**

Prométhée

Incarnant le destin de l'homme dans ses espoirs et ses combats, le mythe de Prométhée, héros bienfaiteur et civilisateur de l'humanité, a connu, dès l'Antiquité, une extraordinaire fortune, aussi bien littéraire que philosophique.

La légende de Prométhée

Fils du Titan Japet et de l'Océanide Clymène, et cousin germain de Zeus, Prométhée dupe le maître de l'Olympe avec habileté par deux fois. Une première fois, chargé d'arbitrer un conflit entre les dieux et les hommes pour connaître la part d'un bœuf immolé devant revenir à chacun lors d'un sacrifice, il en donne les meilleurs morceaux aux hommes et laisse la mauvaise part aux dieux. Furieux d'avoir été trompé, Zeus prive les hommes du feu mais, pour la seconde fois, Prométhée vient au secours des hommes : il dérobe le feu à la forge d'Héphaïstos et le leur rend.

Le châtiment de ce second défi va s'avérer terrible pour le Titan comme pour les humains. À ces derniers Zeus envoie une femme, **Pandore**, porteuse d'une jarre (ou d'une boîte) contenant tous les maux qui dès lors devaient affecter l'homme : peines, fatigues, maladies, mort… Quant à Prométhée, il est enchaîné sur un rocher où un aigle vient tous les jours lui dévorer le foie qui repousse sans cesse.

Selon certaines légendes, Prométhée est délivré par Héraklès (Hercule) qui tue le rapace et il se réconcilie avec Zeus.

Les interprétations du mythe

Dès l'Antiquité, le mythe* de Prométhée connaît une fortune extraordinaire, et suscite des **interprétations contradictoires**. Pour le poète grec Hésiode (VIIIe siècle av. J.-C.), Prométhée, en désobéissant aux dieux, a fait le **malheur des hommes** désormais chassés de l'âge d'or. Au contraire, pour le dramaturge Eschyle (525-455 av. J.-C.), Prométhée est le **bienfaiteur de l'humanité**. Dans sa tragédie* *Prométhée enchaîné*, il fait du Titan le représentant d'une justice supérieure à celle de Zeus, qui est présenté comme un tyran. Prométhée a donné aux hommes non seulement le feu civilisateur mais aussi l'étincelle de la pensée (les nombres, les lettres, les arts, la médecine et la divination).

Dès lors **Prométhée** est **associé à la croyance dans le progrès** : grâce à lui l'homme devient « prométhéen », c'est-à-dire confiant dans sa propre action et son pouvoir créateur. C'est l'image qu'en retiennent les romantiques. Pour l'Allemand Goethe (*Prometheus*, 1773) comme pour l'Anglais Shelley (*Prométhée délivré*, 1820), pour Michelet* comme pour Hugo*, Prométhée représente la liberté pour l'homme de créer son propre destin et de se révolter contre toutes les oppressions.

Des auteurs comme **Gide*** (*Prométhée mal enchaîné*, 1899) **et Camus*** (*Prométhée aux enfers*, 1946) ont donné au mythe un **éclairage contemporain** : le premier critique par la dérision la « dévorante croyance au progrès » incarnée par Prométhée ; le second craint plutôt, au lendemain de la Seconde Guerre mondiale, que les hommes n'aient oublié le message de Prométhée, celui qui refuse de séparer le matériel et le spirituel, le feu qui nourrit et celui qui éclaire : « Si nous devions nous résigner à vivre sans la beauté et la liberté qu'elle signifie, le mythe de Prométhée est un de ceux qui nous rappelleront que toute mutilation de l'homme ne peut être que provisoire et qu'on ne sert rien de l'homme si on ne le sert pas tout entier. »

→ **Camus, Gide, mythe, romantisme, tragédie**

prose cadencée

n. et *adj. f.* De l'italien *cadenza* (du latin *cadere*, « tomber »). Prose caractérisée par une recherche portant sur le rythme, sur la cadence des phrases. Il s'agit d'obtenir tantôt un effet de régularité ou de symétrie par le retour et l'agencement des mêmes groupes rythmiques, tantôt un effet de progression, de gradation par l'élargissement et l'amplification du rythme, tantôt encore un effet de chute*. Cette recherche sur le rythme* est fréquente dans l'éloquence oratoire* (Bossuet*, Fénelon*), dans la prose poétique (Rousseau*, Sénancour*, Chateaubriand*) ou dans le poème en prose* (Baudelaire*).

Rythmes et effets de la prose cadencée

Pour étudier le rythme de la prose, on observe le **découpage de la phrase** : on compare la longueur des segments, on met en évidence l'alternance des segments longs et courts, ou encore l'organisation des segments dans un ordre croissant, décroissant, cumulatif, binaire ou ternaire.

Rythme binaire : « Il [*le roi*] peut tout sur les peuples ;/ mais les lois peuvent tout sur lui » (Fénelon, *Télémaque*).

Rythme ternaire : « Un brouillard couvrit les Alpes,/ quelques pics isolés sortaient seuls de cet océan de vapeur ;/ des filets de neige éclatante, retenus dans les fentes de leurs aspérités, rendaient le granit plus noir et plus sévère » (Sénancour, *Oberman*). Là, le troisième segment est lui-même segmenté selon un rythme ternaire par les virgules. L'allongement des segments produit un effet de gradation.

Effet cumulatif : « Qu'il fallait peu de chose à ma rêverie ! une feuille séchée que le vent chassait devant moi, une cabane dont la fumée s'élevait dans la cime dépouillée des arbres, la mousse qui tremblait au souffle du nord sur le tronc d'un chêne, une roche écartée, un étang désert où le jonc flétri murmurait !» (Chateaubriand, *René*.) À la recherche rythmique s'ajoute là l'harmonie des sonorités (*i, élè* : « séchée », « fumée », « dépouillée », « écartée »).

Effet de parallélisme : « Est-ce là le grand arbre qui portait son faîte jusqu'aux nues ? Il n'en reste plus qu'un tronc inutile. Est-ce là le fleuve qui semblait devoir inonder toute la terre ? Je n'aperçois plus qu'un peu d'écume » (Bossuet, *Sermon sur l'ambition*).

→ **éloquence, période, poème en prose, rythme**

prosodie

n. f. Du grec *prosôdia*, « accent, quantité dans la prononciation ». **Sens large** : caractères rythmiques et mélodiques des sons dans un texte littéraire. **Sens restreint** : étude de ces caractères, en particulier dans la poésie.

La prosodie étudie notamment les jeux d'homophonie (allitérations[*], assonances[*], rimes[*]) et de rythme[*] dans un poème, mais aussi les intonations, l'accentuation du texte prononcé au théâtre.

→ **allitération, assonance, métrique, phonème, rime, sonorités, versification**

prosopopée

n. f. Du grec *prosopôn*, « personne ». Figure de rhétorique consistant à faire parler un absent, un mort, un inanimé, une abstraction. *Ex.* : la « prosopopée de Fabricius » dans le *Discours sur les sciences et les arts*, où Rousseau[*] donne la parole à un citoyen Romain qui déplore la décadence de l'Empire, exprimant par là sa propre réprobation devant le luxe, source de corruption des mœurs.

Principaux effets

La prosopopée relève du discours en ce qu'elle présente toujours les marques d'une énonciation : « Romains, hâtez-vous de renverser ces amphithéâtres… » (Rousseau, *Discours sur les sciences et les arts*). Les marques du discours confèrent à la prosopopée un fort pouvoir de **dramatisation**.

Servant généralement un projet argumentatif, la prosopopée permet aussi de faire entendre l'**autorité d'une « voix »**, favorable ou opposée à la thèse soutenue : ainsi, la prosopopée de la Nature dans *La Maison du berger* permet à Vigny[*] d'opposer l'insensibilité hautaine de la nature à la fragilité humaine.

La prosopopée, qui appartient au **style sublime**[*], peut être aussi ramenée à une **tonalité plus familière** : ainsi le poème « La Pipe » dans *Les Fleurs du mal*[*] de Baudelaire[*] (« Je suis la pipe d'un auteur »). Cet effet de décalage peut aller jusqu'à la parodie[*].

→ **allégorie, personnification, rhétorique**

Proust
(Marcel), 1871-1922

ŒUVRES PRINCIPALES
- **Proust avant *La Recherche*** : *Les Plaisirs et les Jours* (1896), *Jean Santeuil* (posth. 1952).
- ***À la recherche du temps perdu*** : *Du côté de chez Swann* (1913), *À l'ombre des jeunes filles en fleurs* (1918), *Le Côté de Guermantes* (1920-1921), *Sodome et Gomorrhe* (1921-1922), *La Prisonnière* (1923), *Albertine disparue* (1925), *Le Temps retrouvé* (1927).
- **Textes critiques** : *Pastiches et Mélanges* (1919), *Contre Sainte-Beuve* (publ. posth. 1954).

La religion de l'art

Toute l'œuvre de Marcel Proust est traversée par une **réflexion sur l'art et sur l'écriture**. On peut même voir, dans *La Recherche*, la mise en scène du processus créateur.

Celui que l'on avait pu prendre pour un mondain superficiel refuse que l'art soit réduit à un divertissement d'esthète. L'**art** permet de dépasser les médiocrités de l'existence pour accéder à la **révélation de la « vraie vie »**. L'œuvre n'est pas un bel objet, elle est avant tout le prisme qui nous permet d'entrer au cœur d'une vision singulière du monde. L'écrivain n'est pas un raconteur d'histoires, il est d'abord celui qui, par la création d'un style, restitue un univers spirituel : le monde réel qui est proposé à l'artiste s'avère être, même dans ce qu'il a de plus insignifiant, le chemin qui le conduira vers la révélation de l'essence des choses.

Le réel transfiguré

Ainsi se trouve remise à sa place toute prétention réaliste : **le but n'est pas de reproduire la réalité mais de la dépasser**. Certes, le romancier, comme tout artiste, est un observateur aigu du réel. Et Proust, grand admirateur de Saint-Simon* et de Balzac*, sait peindre, avec une extraordinaire pénétration et une verve satirique très mordante, la comédie humaine à laquelle il assistait dans les milieux mondains qu'il fréquentait. Mais l'art du romancier, c'est précisément de transfigurer la réalité insignifiante et décevante, non pour en présenter une image fallacieusement embellie, mais pour y montrer une complexité de rapports qui rend à l'univers son « prix infini ». La **métaphore*** **proustienne**, par sa capacité à déployer des réseaux analogiques, a été l'outil même de cette transfiguration.

Le roman de la création romanesque

L'œuvre de Marcel Proust marque une date capitale dans l'histoire du roman et témoigne de la mutation que subit ce genre. Dans *La Recherche*, se trouvent **remis en cause les piliers du roman traditionnel** : l'unité du personnage romanesque et la trame narrative. L'œuvre, plus que jamais, est présentée comme « *work in progress* » (Joyce), travail en cours d'élaboration. Le lecteur n'est pas convié à lire une histoire mais à assister à l'éclosion d'une vocation littéraire. C'est cette extraordinaire **mise en scène du processus créateur** qui fait de *La Recherche* l'un des sommets de la littérature du xxᵉ siècle.

→ *À la recherche du temps perdu*, analogie, métaphore, pastiche, symbolisme

proverbe

n. m. Du latin *proverbium*. **1.** Formule brève et frappante exprimant une vérité d'expérience ou un conseil de sagesse pratique et populaire, commun à tout un groupe social. Stylistiquement, il se caractérise par la présence d'archaïsmes, de rimes, de verbes au présent de l'indicatif, à l'impératif ou à l'infinitif, l'absence d'article ou d'antécédent. **2.** Petite comédie illustrant un proverbe. *Ex.* : 1. « Chose promise, chose due » ; « Les chiens aboient, la caravane passe » (proverbe d'origine arabe). 2. *Comédies et proverbes* d'Alfred de Musset*.

Usages et rôle des proverbes

D'origine populaire, parfois littéraire (des citations des *Fables* de La Fontaine* en ont fourni plusieurs), le proverbe exprime une **vérité de bon sens**, une règle pratique ou morale de portée générale.

On le trouve dans des **contextes très variés** : textes des moralistes* (La Fontaine), comédies* ou romans* mettant en scène des personnages issus du peuple (Molière*), poésie de la vie quotidienne. Il arrive cependant que l'on dénonce l'immoralité ou l'irrationalité des proverbes, qui souvent se contredisent entre eux : « J'aime peu les proverbes en général, parce que ce sont des selles à tous chevaux ; il n'en est pas un qui n'ait son contraire, et, quelque conduite que l'on tienne, on en trouve un pour s'appuyer. » (Musset, « Emmeline », *Nouvelles*.)

Rabelais* et Molière se moquent des personnages qui emploient des proverbes pour masquer leur manque total d'idées véritables et personnelles (voir la harangue de Janotus, truffée de proverbes et de locutions latines dans *Gargantua*, chap. 19).

Au xxe siècle, les **poètes surréalistes et Jacques Prévert*** renouvellent l'emploi des proverbes en jouant à les illustrer avec ironie, à les déformer pour aboutir à un sens absurde, ou à en inventer de nouveaux : « Il faut battre sa mère pendant qu'elle est jeune » (Paul Éluard* et Benjamin Péret, *152 proverbes mis au goût du jour*).

→ **aphorisme, La Fontaine, maxime, Rabelais, sentence**

Quasimodo

Personnage du roman de Victor Hugo*, *Notre-Dame de Paris* (1831). Enfant trouvé, adopté par l'archidiacre Claude Frollo qui en fait le sonneur de cloches de Notre-Dame, sourd, bossu, borgne et boiteux, Quasimodo sauve la belle bohémienne Esméralda, injustement accusée. Comprenant que Frollo a livré la jeune fille à la justice, il précipitera le prêtre du haut des tours de Notre-Dame. Les principales scènes où intervient Quasimodo, le concours de grimaces, la fête des fous, le supplice du pilori, l'enlèvement d'Esméralda qu'il protège dans l'asile sacré de la cathédrale, l'attaque des truands qu'il repousse seul, font du bossu de Notre-Dame un personnage inoubliable, qu'ont encore popularisé des gravures et de nombreuses adaptations cinématographiques.

Le monstre

Corps et esprit « manqués », **être hybride** « ni homme, ni animal, […] plus foulé aux pieds et plus difforme qu'un caillou », Quasimodo est l'« à peu près » que suggère l'étymologie de son nom. Il annonce les personnages de monstres du roman hugolien, Triboulet le bouffon contrefait, le héros défiguré de *L'homme qui rit*, et tous les parias, exclus en raison de leur difformité physique.

En lui se réalise aussi un principe de l'esthétique hugolienne, l'**alliance du sublime* et du grotesque***, revendiquée dans la *Préface de Cromwell* comme une « féconde union » des contraires. Le monstre à figure de gargouille se montre en effet sublime de compassion et d'audace.

Une figure de la rédemption

Le couple que forment l'affreux bossu et la gracieuse Esméralda emprunte au **mythe de la Belle et la Bête**. Comme la Bête, Quasimodo finit par révéler, sous le masque de son horrible apparence, la beauté de son âme. Rendu méchant par la moquerie des hommes, il sera transfiguré et sauvé par l'amour. Il rejoint, dans le thème hugolien de la rédemption, les proscrits, les condamnés, tendus vers leur réhabilitation et leur rachat. Il oppose aux lois de la fatalité, de l'*anankê*, le pouvoir obscur de la métamorphose.

Un symbole de la subversion

Élu « pape des fous » au début du roman, Quasimodo se situe du côté du grotesque, du mardi gras, de l'inversion des valeurs, du **renversement de l'ordre établi**. Une puissance de subversion habite son esprit pourtant engourdi et soumis. Enfermé dans son corps difforme, dans sa surdité, dans la carapace de pierre de Notre-Dame, c'est un prisonnier qui parvient à libérer ses forces et son génie propre.
On peut considérer Quasimodo comme le **symbole du peuple**. Encore victime de ses maladresses, « instinctif et sauvage », écrasé mais puissant, il fait peur et fascine. Le châtiment qu'il fait subir au prêtre Frollo, son « père » et son maître, peut être compris comme la colère du peuple en devenir, qui réclame justice en brisant l'oppression et les fanatismes du monde ancien.

→ **conte populaire, grotesque, Hugo, mythe, sublime**

quatrain

n. m. Du latin *quattuor*, «quatre». Strophe de quatre vers, dont les rimes[*] sont généralement croisées ou embrassées. Les mètres du quatrain peuvent être semblables ou différents : dans ce dernier cas, ils comportent en général deux vers courts et deux vers longs, plus rarement trois vers longs et un vers court.

Emploi du quatrain

Les quatre vers du quatrain forment un groupe uni, ce qui explique qu'il peut constituer un **poème en soi**. Sa forme brève convient aux épigrammes[*] (voir, dans l'article «Épigramme», celle de Voltaire[*] sur Fréron), aux épitaphes, aux acrostiches[*].

Il est plus fréquemment utilisé comme **forme strophique** dans des poèmes, que ceux-ci soient ou non à forme fixe[*]. La récurrence des quatrains, si les vers en sont de même longueur, imprime au poème un rythme régulier et équilibré, comme chez Aragon[*] («Le Musée Grévin»).

Effets du quatrain

Le quatrain est une **strophe essentielle des ballades[*] et des sonnets[*]**. Dans la ballade, l'envoi est un quatrain lorsque les strophes[*] sont de huit vers ; il constitue une sorte de conclusion au poème, sous forme de demande adressée à un destinataire[*]. Dans le sonnet, les deux premières strophes sont des quatrains qui développent le premier thème du poème.

→ **ballade, quintil, sonnet, tercet, vers, versification**

Queneau
(Raymond), 1903-1974

ŒUVRES PRINCIPALES
- **Romans** : *Le Chiendent* (1933), *Zazie dans le métro* (1959), *Les Fleurs bleues* (1965).
- **Poésie** : *Chêne et chien* (1937), *L'Instant fatal* (1948), *Cent Mille Milliards de poèmes* (1961).
- **Proses** : *Exercices de style* (1947).
- **Essai** : *Bâtons, chiffres et lettres* (1965).

Une écriture expérimentale

L'œuvre de Raymond Queneau apparaît comme une vaste entreprise expérimentale fondée sur le projet de **créer une langue littéraire proche de la langue parlée**. Il s'agit de dégager la littérature qui s'écrit aujourd'hui de sa gangue classique. Grand admirateur de Céline[*], Queneau cherche à renouveler la langue littéraire en y introduisant les audaces syntaxiques de la langue orale ou l'invention verbale de l'argot.

L'orthographe elle-même est remise en cause : l'écriture phonétique, en particulier dans *Zazie dans le métro*, lui permet de souligner avec humour l'écart qui s'est creusé entre l'oral et l'écrit.

Une vaste combinatoire

Cette passion pour la langue va de pair avec une **conception ludique de l'écriture**. Mais Queneau ne donne pas libre cours au jeu et à la fantaisie à la manière des surréalistes. Chez lui, le plaisir de jouer avec les mots est toujours lié à une **volonté expérimentale** qui travaille à partir des règles linguistiques et littéraires (*Exercices de style*).

Poésie ou roman, l'œuvre n'est pas le fruit de l'inspiration[*] («L'inspiration qui consiste à obéir aveuglément à une impulsion est en réalité un esclavage») mais le produit d'un jeu réglé complexe. Pour le fondateur de l'Oulipo, l'écriture est une combinatoire d'autant plus féconde qu'elle obéit à des **contraintes formelles** exigeantes. Si le hasard est parfois convoqué, c'est dans le cadre d'un dispositif très rigoureux, comme dans *Cent Mille Milliards de poèmes*. Ce formalisme revendiqué vise à **désacraliser l'objet littéraire** et aboutit à une œuvre marquée par un scepticisme[*] serein, dans laquelle le jeu est toujours très sérieux.

CITATION
- **Parodie**

«L'être ou le néant, voilà le problème. Monter, descendre, aller, venir, tant fait l'homme qu'à la fin il disparaît. Un taxi l'emmène, un métro l'emporte, la tour n'y prend pas garde, ni le Panthéon. Paris n'est qu'un songe, Gabriel n'est qu'un rêve [...], Zazie le songe d'un rêve [...] et toute cette histoire le songe d'un songe, le rêve d'un rêve, à peine plus qu'un délire tapé à la machine par un romancier idiot.» (*Zazie dans le métro*)

REPÈRES BIOGRAPHIQUES
→ Raymond Queneau naît au Havre dans une famille de merciers. Après avoir renoncé à poursuivre ses études de philosophie, il adhère au mouvement surréaliste en 1924 et gagne sa vie à partir de 1927 comme em-

ployé de banque. L'année 1929 est marquée par sa rupture avec André Breton*.

→ Il commence à écrire des romans où il explore les possibilités de la langue orale. Ses activités littéraires l'occupent bientôt entièrement. Après la guerre, il écrit des dialogues de films, prend la direction de l'« Encyclopédie de la Pléiade », chez Gallimard, entre à l'académie Goncourt et au « Collège de pataphysique ». Il est par ailleurs l'un des animateurs de l'Oulipo*. Le grand public le découvre avec son roman *Zazie dans le métro*.

→ **cinéma et littérature, lipogramme, Oulipo, Perec, sonnet**

quintil

n. m. Du latin *quintus*, « cinq ». Strophe de cinq vers comportant le plus souvent trois rimes féminines et deux rimes masculines, ou inversement, selon un schéma variable. Le quintil est isométrique ou hétérométrique.

Emploi du quintil

Dans les poèmes à forme fixe*, le quintil est utilisé comme troisième strophe du rondel, envoi dans le chant royal et certaines ballades*, première et dernière strophe de certains rondeaux*. Mais il est également employé dans des suites de strophes.

Effets du quintil

Strophe impaire, le quintil induit un **effet de déséquilibre**, sensible par la rime* : dans le cas d'un schéma rimique ababa, l'ajout d'une **finale dominante**, employée pour la troisième fois, crée un écho supplémentaire. Ainsi,

dans « La Chanson du Mal-Aimé » (*Alcools**) d'Apollinaire* : « Mon beau navire ô ma mémoire/Avons-nous assez navigué/Dans une onde mauvaise à boire/Avons-nous assez divagué/De la belle aube au triste soir », la reprise de la rime en -*oir* insiste sur la douceur et la mélancolie contenues dans la triple sonorité finale.

→ **ballade, distique, formes fixes, quatrain, rondeau, tercet, vers, versification**

quiproquo

n. m. Du latin *quid pro quod*, « quelque chose à la place de quelque chose ». **Sens premier** : méprise qui entraîne qu'une personne qui prend une chose est prise pour une autre. **Sens dérivé** : situation qui en découle. *Ex.* : dans *Le Jeu de l'amour et du hasard* de Marivaux*, un quadruple travestissement engendre une longue suite de quiproquos, les maîtres prenant les maîtres pour des valets et réciproquement.

Effets du quiproquo

Le quiproquo révèle souvent une difficulté de communication qui peut aller jusqu'à l'absurde* (comme chez Ionesco* ou Beckett*). C'est, au théâtre, un **puissant ressort du comique** : Bergson souligne qu'il naît du décalage entre deux degrés de compréhension de la situation (celui des personnages et celui du public).

Le quiproquo peut également être **pathétique** : ainsi, chez Corneille*, dans l'acte V du *Cid**, Chimène croit à tort que celui qu'elle aime est mort en voyant Don Sanche apporter l'épée de Rodrigue au roi.

→ **absurde, comédie, comique**

Rabelais
(François), vers 1494-1553

ŒUVRES PRINCIPALES
• **Romans**: *Pantagruel* (sous le nom d'Alcofribas Nasier, 1532), *Gargantua* (1534), le *Tiers Livre* (1546), le *Quart Livre* (éd. complète 1552), le *Cinquième Livre* (posth. 1564, authenticité incertaine).

Le gigantisme

Gargantua et *Pantagruel* évoquent les aventures souvent grossières de deux géants confrontés à des questions d'ordre pédagogique, religieux, militaire, social… Rabelais s'inspire des *Grandes Chronicques,* roman populaire de la tradition médiévale relatant les aventures du « grand et énorme géant Gargantua* ». Mais si l'auteur garde les effets comiques du grossissement, le merveilleux*, les anecdotes chevaleresques de la tradition, le thème du gigantisme prend chez lui un autre sens : **il représente l'idéal spirituel et les ambitions intellectuelles de son temps.**

Gargantua et Pantagruel symbolise en effet le pouvoir de l'homme sur la nature et sa puissance sans limite, sa capacité – grâce au « pantagruélion » (le chanvre) – de « visiter les sources des grêles, les bondes des pluies et les forges des foudres ; […] envahir les régions de la Lune […] et nos déesses prendre pour femmes » (*Tiers Livre*), et donc d'égaler les dieux. Ainsi, Rabelais s'adresse à la fois au public populaire des *Chronicques* de Gargantua et au public lettré des humanistes.

L'humanisme

Le **gigantisme symbolise**, en matière d'éducation, l'**idéal d'un savoir total**. La célèbre lettre de Gargantua à son fils Pantagruel (*Pantagruel*, chap. 8), les textes relatifs à l'éducation de Gargantua décrivent un enseignement comportant toutes les disciplines : les langues et la pensée anciennes, la musique, les sciences – notamment les sciences naturelles et la médecine – l'étude des textes sacrés, les exercices du corps et des armes. La pédagogie, fondée sur la réflexion et la pratique plus que sur la mémorisation, la place faite à l'hygiène par le médecin respectueux des fonctions naturelles du corps qu'est Rabelais, traduisent aussi la nouveauté de l'éducation humaniste.

L'importance donnée à la lecture des textes anciens et des textes sacrés, de même que la satire* des miracles et la caricature* des pratiques religieuses anciennes, témoigne de l'évangélisme de Rabelais, doctrine condamnée par l'Église officielle. Rabelais propose un **programme d'éducation** qui puisse conduire un prince de la Renaissance à l'exercice responsable du pouvoir. Gargantua organise ainsi, à travers l'**abbaye de Thélème** (*Gargantua*, chap. 52-58), une **société utopique** qui repose sur le culte de la beauté et de la bonté lié à la foi dans l'homme de l'humanisme de la Renaissance. Par ailleurs, l'épisode de la guerre picrocholine souligne l'absurdité des guerres de conquête, et ne justifie que la guerre défensive.

Enfin, l'**importance des voyages** est représentative de la pensée humaniste en ce qu'ils sont à la fois ouverture à d'autres sociétés et quête de la vérité humaine. L'oracle de la Dive Bouteille (*Tiers Livre*) donne à cette recherche une réponse symbolique que l'on peut interpréter : le savoir est essentiel pour accéder à la vérité.

Le comique

Largement lié au gigantisme, le comique rabelaisien utilise le contraste entre la taille des géants et le monde où ils se meuvent : ainsi, dès sa naissance, Gargantua est allaité par 17 913 vaches ; ainsi, sa jument « pissa [*et*] en fit sept lieues de déluge ».

La **caricature** est également sensible dans la présentation de certains personnages, comme Janotus de Bragmardo (*Gargantua*, chap. 19) ou de catégories tels les Chicanous du *Tiers Livre*.

Dans la veine du comique populaire, Rabelais explore toute la gamme de la **farce*** et de la **gauloiserie** : les plaisanteries de Panurge qui fait éclater des sortes de pétards ou de Gargantua qui noie la foule des Parisiens sous des flots d'urine devant Notre-Dame relèvent de la grosse farce d'écolier.

La langue de Rabelais

Quant à la langue de Rabelais, elle est à l'aune de cette démesure. Le style, varié, fait **alterner dialogue quotidien et période*** **rhétorique**, par exemple dans le discours de Gallet à Picrochole. Le vocabulaire, d'une grande richesse, s'inscrit dans les célèbres **listes** rabelaisiennes qui énumèrent les jeux de Gargantua, au nombre de 217 (chap. 22), les différentes façons de qualifier le « couillon » (*Tiers livre*, chap. 26 et 28), les livres de la librairie de Saint-Victor (*Pantagruel*, chap. 7). Les **jeux sur les mots et les sonorités**, comme celles des paroles gelées du *Quart Livre* (chap. 55-56), manifestent aussi la fantaisie rabelaisienne.

instinct et aiguillon qui toujours les pousse à faits vertueux et retire [*met à l'abri*] de vice [...]. » (*Ibid.*, chap. 57)

➜ **comique, conte populaire, Gargantua, humanisme**

Racine
(Jean), 1639-1699

Andromaque (1667), *Britannicus* (1669), *Bérénice* (1670), *Bajazet* (1672), *Mithridate* (1673), *Iphigénie en Aulide* (1674), *Phèdre* (1677), *Esther* (1689), *Athalie* (1691).
▪ **Comédie** : *Les Plaideurs* (1668).

Les sujets raciniens : histoire et mythologie

Racine emprunte ses sujets essentiellement à la **mythologie et** à l'**histoire grecques**, mais son inspiration puise aussi dans l'**histoire romaine** (*Britannicus*), et plus exceptionnellement dans l'**histoire contemporaine orientale** (*Bajazet*). Il s'inspire de sources connues qu'il exploite librement au nom de la vraisemblance* : Euripide, Virgile pour la mythologie ; Tacite, Suétone pour l'Histoire ; la Bible pour la tragédie sacrée. D'ailleurs, les différents types de sujets s'interpénètrent : ainsi, *Iphigénie* reprend le thème du sacrifice d'Abraham, ce qui donne à l'œuvre une unité thématique qui s'ajoute à l'unité géographique du monde méditerranéen.

Les héros, dans cet univers, existent non seulement en tant qu'**individus mais aussi** en tant que **personnages responsables** dans la cité ou dans la famille : ainsi, Agamemnon est à la fois le père d'Iphigénie et le chef des Grecs, double statut qui crée le tragique*.

Le conflit tragique

La thématique dominante du théâtre de Racine est le **tragique de la condition humaine**.

Le héros racinien est souvent le **jouet d'un amour passionnel irrésistible**, vécu dans la jalousie. Cette passion lui fait abdiquer tout devoir moral : Roxane oublie qu'elle est mariée (*Bajazet*) ; tout respect de l'autre : Néron rappelle son pouvoir à Junie (*Britannicus*) ; tout sens politique : Pyrrhus propose un renversement d'alliance (*Andromaque*) ; toute dignité : Phèdre s'humilie devant Hippolyte (*Phèdre*). Mais cet amour est **voué à l'échec**, et le pouvoir politique que les personnages mettent au service de leur passion n'empêche pas cet échec, d'autant plus douloureux qu'il arrive que l'être aimé vive ailleurs un amour partagé : Phèdre se heurte au couple formé par Hippolyte et Aricie, Néron à celui de Junie et Britannicus.

Cet empire des passions s'explique par le fait que les héros raciniens sont **mus par le destin** et n'ont aucune liberté : cette vision janséniste, profondément pessimiste, explique aussi chez les personnages certaines constantes qui transcendent leur diversité. D'une part, la violence de la passion se superpose à une **faiblesse psychologique** : les héros sont incapables de se

dominer et ils exercent sur autrui une toute-puissance cruelle. D'autre part, leur malheur est souvent amplifié par la conscience qu'ils en ont, développée dans une **analyse lucide**. Cette faiblesse et cette lucidité humanisent les personnages. Enfin, seule la mort permet au héros racinien d'échapper à la souffrance.

Ce théâtre de la passion a aussi une **visée morale** : Racine affirme que la peinture des vices ne peut que les faire haïr. Cependant, il s'en dégage surtout l'idée religieuse du désespoir de l'homme abandonné par Dieu.

Une conception classique de la tragédie

Si, dans la Préface de *Bérénice*, Racine affirme que « la principale règle est de plaire et de toucher », il n'en suit pas moins l'essentiel des règles classiques.

Il sacrifie certains détails historiques à la **vraisemblance** : ainsi, chez Euripide, le fils d'Andromaque n'est pas le fils d'Hector, mais celui de Pyrrhus. L'invention de Racine est liée à la volonté de retrouver la vérité du personnage : il est plus crédible qu'Andromaque soit attachée au fils d'Hector qu'à celui de son vainqueur.

L'**action** est à la fois **unique et dépouillée**, car « l'invention consiste à faire quelque chose de rien » (Préface de *Bérénice*) : ainsi l'argument de *Bérénice* réside dans les trois mots de Tacite, *invitus invitam dimisit* (« il la renvoya malgré lui, malgré elle »). Au service de l'unité d'action, le petit nombre de personnages, la simplicité de l'intrigue et surtout sa **concentration sur un moment de crise**, qui permet la peinture intérieure des passions. L'action progresse « par degrés vers sa fin », le tragique étant fondé sur le caractère inexorable de cette progression, malgré une apparente indécision à l'acte IV.

L'unité dramatique est renforcée par l'**unité de ton, de temps et de lieu** : l'antichambre est un lieu clos et d'autant plus étouffant qu'à l'extérieur réside le danger : ainsi Néron épie Junie et Britannicus dans la chambre voisine.

La poésie racinienne

Dès ses premiers essais poétiques, Racine est attentif à la **clarté de l'expression** et il exclut la fantaisie baroque.

Mais c'est surtout à l'intérieur même des tragédies que s'exprime la poésie, particulièrement dans les monologues* lyriques classiques ou dans les passages épiques, puisque Racine renonce aux stances* dès sa seconde tragédie et que la poésie chantée des chœurs, d'inspiration biblique, n'apparaît qu'avec *Esther* et *Athalie*.

La **poésie lyrique**, liée en général au thème de l'amour, utilise largement le vocabulaire de l'émotion douloureuse et traduit la passion, notamment par l'originalité des coupes* : « Dans un mois, dans un an, comment souffrirons-nous, / Seigneur, que tant de mers me séparent de vous » (*Bérénice*, IV, 5).

Quant à la **grandeur de l'épopée***, elle se trouve surtout dans des **narrations** qui privilégient l'amplification* par l'utilisation des pluriels et du vocabulaire de la grandeur : ainsi du récit de Théramène (*Phèdre*, V, 6).

CITATIONS

• Sur le héros tragique

« Il faut donc qu'ils [*les personnages*] aient une bonté médiocre, c'est-à-dire une vertu capable de faiblesse, et qu'ils tombent dans le malheur par quelque faute qui les fasse plaindre sans les faire détester. » (Préface d'*Andromaque*)

• Sur la conception de la tragédie

« Ce n'est point une nécessité qu'il y ait du sang et des morts dans une tragédie : il suffit que l'action en soit grande, que les acteurs en soient héroïques, que les passions y soient excitées, et que tout s'y ressente de cette tristesse majestueuse qui fait tout le plaisir de la tragédie. [...] Il n'y a que le vraisemblable qui touche dans la tragédie. » (Préface de *Bérénice*)

« Le vice y est peint partout avec des couleurs qui en font connaître et haïr la difformité. » (Préface de *Phèdre*)

REPÈRES BIOGRAPHIQUES

→ Né à la Ferté-Milon en 1639, orphelin à quatre ans, Racine est élevé par les religieuses des Petites Écoles de l'abbaye de Port-Royal-des-Champs. Élève des jansénistes jusqu'en 1658, il est marqué par leur rigueur et sensibilisé à la littérature et à la culture de l'Antiquité. À Paris, où il mène une vie mondaine (1658-1661), Racine s'essaie à la poésie. Envoyé à Uzès par sa famille, inquiète de ses désordres, il n'y obtient pas le bénéfice ecclésiastique espéré et revient à Paris en 1663, où il fait représenter ses deux premières pièces (*La Thébaïde* et *Alexandre*). Il se brouille avec ses amis jansénistes qui attaquent le « faiseur de romans » et le « poète de théâtre » (1666) qu'il est devenu.

→ C'est alors que commence la période la plus féconde de sa carrière. Entre 1667 et 1677, il fait représenter huit tragédies. Protégé par le roi, il supplante son rival

Corneille* et obtient d'éclatants succès. Homme de cour, Racine mène alors une vie privée agitée : il est l'amant de ses deux interprètes favorites, la Du Parc, qui crée *Andromaque*, puis la Champmeslé. En 1677 cependant, une cabale fait tomber *Phèdre*. Racine renonce alors au théâtre et renoue avec les jansénistes.

→ Nommé historiographe du roi en 1677, il épouse la même année la petite-fille d'un notaire parisien. Père d'une nombreuse famille, il mène désormais une vie bourgeoise marquée par une piété austère. Ses dernières pièces, *Esther* et *Athalie*, sont des tragédies bibliques commandées à des fins pédagogiques par Mme de Maintenon pour les demoiselles de Saint-Cyr. Il écrit encore des *Cantiques spirituels*, un *Abrégé de l'histoire de Port-Royal*, et mène une vie pieuse et édifiante jusqu'à sa mort en 1699.

→ bienséances, classicisme, héros, imitation, jansénisme, Port-Royal, tragédie, unités (règle des trois)

Radiguet
(Raymond), 1903-1923

ŒUVRES
• Poésie: *Les Joues en feu* (1920).
• Théâtre: *Les Pélicans* (1921).
• Romans: *Le Diable au corps* (1923), *Le Bal du comte d'Orgel* (posth. 1924).

L'analyse des sentiments

Certes, les deux romans de Radiguet ont, à l'époque, choqué par le ton et les thèmes choisis. Cependant, au-delà du caractère provocateur pour l'ordre moral de ces récits, c'est l'analyse psychologique de sentiments amoureux complexes qui intéresse surtout Radiguet, **désireux d'égaler les grands classiques** et, en particulier, Choderlos de Laclos* et Mme de La Fayette*, dont il s'inspire visiblement. Ainsi, le héros du *Diable au corps* découvre la jalousie d'une façon inattendue et pleine d'ironie, puisque l'amant est jaloux du mari trompé… Dans *Le Bal du comte d'Orgel*, le thème principal est l'incommunicabilité entre les êtres malgré l'amour qui les lie.

Un moraliste désenchanté

Dans sa volonté d'imiter les moralistes des XVIIe et XVIIIe siècles, Radiguet multiplie dans ses romans les **sentences*** et les **maximes*** sur la vie, avec le ton d'un homme d'expérience, détaché de ses personnages, et parfois même cynique ou ironique : « Dans l'extrême jeunesse, l'on est trop enclin, comme les femmes, à croire que les larmes dédommagent de tout » (*Le Diable au corps*).

Il peint également, en des phrases courtes et incisives, avec quelques détails bien choisis, des **portraits satiriques** de ses contemporains, comme en son temps La Bruyère* : « La princesse d'Austerlitz était magnifique, elle, sous ce bec de gaz, dont l'éclairage lui convenait mieux que celui des lustres. Elle évoluait entourée de voyous, autant à l'aise que si elle eût toujours vécu en leur compagnie » (*Le Bal du comte d'Orgel*). Au pessimisme sur l'amour s'ajoute la satire des snobismes et des bassesses d'une société riche et insouciante.

CITATION

• Sur le modèle classique

« Roman où c'est la psychologie qui est romanesque. Le seul effort d'imagination est appliqué là, non aux événements extérieurs, mais à l'analyse des sentiments [...]. Atmosphère utile au déploiement de certains sentiments, mais ce n'est pas une peinture du monde ; différence avec Proust. Le décor ne compte pas. » (Radiguet, à propos du *Bal* ; fiche retrouvée par Cocteau.)

REPÈRES BIOGRAPHIQUES

→ Dès quinze ans, Raymond Radiguet écrit et fréquente les milieux artistiques et littéraires de l'avant-garde parisienne (peintres cubistes, Apollinaire*, Max Jacob*, et surtout Cocteau*, dont il devient le protégé). Il publie un recueil de poèmes, d'articles et de dessins, *Les Joues en feu*. Son premier roman, *Le Diable au corps*, lancé par l'éditeur Grasset avec les méthodes publicitaires modernes, fait scandale par l'évocation d'amours adultères entre un tout jeune homme et la femme d'un soldat parti au front durant la Première Guerre mondiale.

→ Bien qu'il se lie avec le groupe des surréalistes, l'écriture de Radiguet reste très classique, comme le confirme son second roman, *Le Bal du comte d'Orgel*, adaptation moderne d'une autre histoire d'adultère (*La Princesse de Clèves* de Mme de La Fayette*) : une femme mariée, Mahaut, finit par avouer à son époux l'amour qu'elle éprouve pour le jeune François de Séryeuse. Le *Bal* parut un an après la mort de Radiguet, emporté par la typhoïde.

→ Sa précocité, son talent, son anticonformisme et sa disparition brutale à l'âge de vingt ans l'ont souvent fait comparer à Rimbaud*, mais contrairement au « poète aux semelles de vent », Radiguet n'a pas apporté d'innovation majeure en littérature.

→ **classicisme, ironie, Laclos, La Fayette (Mme de), Stendhal**

Ramuz
(Charles-Ferdinand), 1878-1947

ŒUVRES PRINCIPALES
• Romans : *Passage du poète* (1923), *Joie dans le ciel* (1925), *La Grande Peur dans la montagne* (1926), *Derborence* (1936).

La poésie du tragique

Les romans de Ramuz se ressentent de sa vision tragique du monde. Celle-ci se manifeste le plus souvent dans le destin collectif d'une petite communauté paysanne, frappée par une catastrophe naturelle ou l'irruption d'un élément maléfique : effondrement de la montagne, malédiction pesant sur les troupeaux… Les régions montagnardes où les conditions de vie sont des plus rudes et des plus primitives, où les habitants sont en contact étroit avec la nature dans leur lutte pour la survie, constituent pour l'écrivain un terrain privilégié qui lui permet de **montrer l'homme vrai**, ramené à ses valeurs les plus authentiques.

En s'attachant à ce qu'il y a de plus particulier, la vie rurale du « vieux pays » du Valais, ses coutumes, ses superstitions, Ramuz **rejoint l'universel, les mythes**, l'épopée des hommes confrontés mais aussi unis face aux forces du monde.

Un écrivain « primitif »

Cherchant à rendre la sensation brute et le jaillissement de la parole primitive, Ramuz adopte une **écriture fruste et cependant très travaillée**. La musique et la couleur de ses romans sont celles du parler paysan qu'il reproduit tout en le transposant poétiquement. Le narrateur* s'efface, se confond avec les personnages, ou le plus souvent avec un « nous » collectif, pour laisser les sentiments et les pensées se dire, dans leur désordre, leur saveur, leur dépouillement, leur force originelle. Écriture rude, violente, inattendue et d'une poésie puissante, que sa musicalité transforme parfois en incantation.

• **Le vigneron**

« Il est grand, il est maigre [...] il se tient face à la vigne qui vient d'en haut, levant la tête, les mains autour du fossoir, sous le soleil, contre la terre ; et il est lui-même la terre où seulement l'esprit vivrait. » (*Passage du poète*)

REPÈRES BIOGRAPHIQUES

→ Né à Lausanne en Suisse, C.-F. Ramuz, après des études de lettres, commence une carrière dans l'enseignement mais, à 24 ans, il y renonce pour se rendre à Paris où il écrit ses premiers romans. Il fréquente les artistes de Montparnasse et milite pour le renouveau de la littérature suisse d'expression française en publiant de nombreux articles. En juillet 1914 Ramuz rejoint le canton de Vaud et, en 1918, Igor Stravinsky met en musique son *Histoire du soldat*.

→ Pendant les trente dernières années de sa vie, sans quitter la Suisse terrienne et montagnarde où il puise son inspiration, Ramuz mûrit paisiblement son œuvre, écrivant essais et articles, et surtout ses romans majeurs où s'exprime son union profonde avec la nature et les hommes.

→ **Giono**

Rastignac

Personnage que Balzac*, conformément à son idée du retour des personnages, fait figurer dans vingt-quatre romans de *La Comédie humaine*, en particulier dans *La Peau de chagrin* (1831), *Le Père Goriot* (1835), *La Maison Nucingen* (1838), *Illusions perdues* (1839-1843), *Le Député d'Arcis* (1847). Un « Rastignac » désigne désormais, dans le langage commun, le type du jeune homme ambitieux.

L'apprenti

Rapidement décrit dans la première partie du *Père Goriot*, Rastignac y est présenté entre Goriot et Vautrin, c'est-à-dire entre ses deux pères de substitution possibles. La suite du roman donnera au personnage toute son importance puisque la narration suit son point de vue*.

La figure de Rastignac est donc centrale, et c'est en cela que *Le Père Goriot* fait partie des romans dits d'apprentissage. Balzac fait arriver à Paris ce jeune noble charentais à la même date que lui, en 1819, moment où la société de la Restauration peut paraître pesante aux jeunes enflammés. Elle éblouit pourtant Rastignac, et il n'aura de cesse d'y faire son chemin, en tirant parti de sa parenté avec la vicomtesse de Beauséant et en utilisant les femmes – en l'occurrence Delphine de Nucingen, l'une des filles de Goriot – pour arriver à ses fins.

Un anti-Lucien de Rubempré ?

Rastignac **ressemble** donc **à Lucien de Rubempré**, autre jeune provincial ambitieux qui apparaît dans *Illusions perdues*. Mais Lucien, d'abord poète puis journaliste à succès, finira par échouer, tandis que Rastignac réussira avec éclat : présenté comme un viveur, « paresseux comme un homard », dans *La Peau de chagrin*, il sera plus tard, dans *Le Député d'Arcis*, le ministre et pair de France de *La Comédie humaine*, homme à trois cent mille livres de rentes, arrivé grâce à Delphine et époux de la fille de celle-ci…

Rastignac est donc la **personnification de l'ambition récompensée**. Autre différence : si Lucien a du génie, Rastignac n'en a aucun, sauf peut-être, après ses premières déconvenues dans les antichambres et les salons, un certain sens de l'à-propos dans la conversation.

Une figure de l'ambition

La conscience de Rastignac est-elle pure ? Même s'il n'en profite pas, il laisse, dans *Le Père Goriot*, tuer le fils Taillefer et il est amoureux d'une Delphine qui causera la mort de son propre père. Car **Rastignac**, héros d'une « comédie humaine » impitoyable, **subordonne tout à son ambition**. À la fin du *Père Goriot* son apprentissage est terminé parce que ses illusions sont perdues, comme l'indique le passage qui le décrit dans *La Maison Nucingen* : « Dès son début à Paris, Rastignac fut conduit à mépriser la société tout entière. Dès 1820, [...] il regardait le monde comme la réunion de toutes les corruptions, de toutes les friponneries. [...] Il ne croyait à aucune vertu, mais à des circonstances où l'homme est vertueux. » Peut-être Rastignac est-il un moraliste jeté dans un monde odieux, mais sa morale personnelle en pâtira : « L'égoïsme arma de pied en cap ce jeune noble. »

Rastignac est l'une des figures d'ambitieux les plus marquantes dans le roman du XIXe siècle. Prompt à se fondre dans le monde pour y progresser, il réussit là où un Julien Sorel, resté « plébéien », échouera. Conscient de ses calculs et n'ayant pas abandonné toute noblesse d'âme, Rastignac se distingue aussi de Bel-Ami, tout entier résumé par son surnom.

→ Balzac, *Bildungsroman*, Maupassant, Stendhal

rationalisme

n. m. Du latin *rationalis* (de *ratio* « calcul »), apparu au XIXᵉ siècle, le terme ne désigne pas une doctrine précise mais qualifie un ensemble de doctrines philosophiques différentes, qui accordent une importance prééminente à la raison.

Le primat de la raison

Le rationalisme pose que **la réalité est intelligible et que la vérité est accessible à la raison** (il s'oppose au scepticisme*). Il attribue à la raison la capacité de fonder la morale (Kant) et d'établir la vérité : toute connaissance certaine vient de la raison (indépendamment de l'expérience sensible), les principes rationnels sont innés (Platon, Descartes*). Le rationalisme **s'oppose à l'empirisme**, doctrine philosophique selon laquelle la connaissance provient de l'expérience, et donc des sens (Locke, Hume).

Le rationalisme des Lumières

On appelle aussi rationalisme l'attitude des penseurs qui ont proclamé leur **croyance en la raison naturelle** (humaine). C'est le cas des philosophes français du XVIIIᵉ siècle. S'opposant au mysticisme, à la superstition, à toute forme de révélation et à tout ce qui ne trouve pas d'explication rationnelle (les miracles), le rationalisme a souvent eu pour **corollaires** le **déisme** (qui admet l'existence d'un Dieu mais qui rejette les religions révélées, comme chez Voltaire*) ou le **matérialisme*** (athéisme de Diderot*).

Rationalisme et théologie

Dans le domaine théologique, le rationalisme est la démarche qui, depuis Thomas d'Aquin, cherche à **allier la raison et la foi**, à interpréter les dogmes religieux à la lumière de la raison, ou à refuser, en matière religieuse, ce qui est contraire à la raison naturelle. Le rationalisme théologique **s'oppose au fidéisme** (selon lequel la vérité est fondée sur la révélation, sur la foi).

→ **Diderot, Lumières, scepticisme, Voltaire**

réalisme

n. m. Du latin *realis*, « réel » (de *res*, « chose, réalité »). **Sens général** : le réalisme caractérise une œuvre qui cherche à représenter la réalité telle qu'elle est. À ce titre, nombre d'œuvres anciennes sont au moins partiellement réalistes, comme les fabliaux médiévaux. Au XVIIᵉ siècle, en peinture, le réalisme s'oppose au maniérisme, comme chez Vermeer ou Le Nain ; en littérature, il s'oppose au romanesque, comme chez Furetière*. **Sens historique** : courant artistique de la seconde moitié du XIXᵉ siècle qui revendique la liberté de traiter des sujets de la vie réelle et contemporaine. Ce sont l'*Après-dîner à Ornans* (1849) et l'*Enterrement à Ornans* (1850-1851), de Courbet, qui déclenchent la « bataille réaliste » : un cénacle de peintres et d'écrivains se forme autour du peintre, parmi lesquels Champfleury (recueil d'articles *Le Réalisme*, 1857) et Duranty (fondateur de la revue *Le Réalisme*, 1856-1857) qui se font les théoriciens du mouvement.

L'inspiration réaliste

Lié aux mouvements politiques et particulièrement à la révolution de 1848, ainsi qu'aux mutations économiques et sociales (développement des banques, valorisation de l'argent, intérêt pour les sciences et techniques, industrialisation, importance croissante du prolétariat), **le réalisme**, influencé par le positivisme*, **s'oppose à la fois au romantisme*** dont l'idéalisme paraît fade et mensonger, **et à l'académisme classique** qui semble formel, sclérosé et embourgeoisé.

Les réalistes puisent leurs **thèmes d'inspiration dans la vie réelle**, dans l'ordinaire et le quotidien, et particulièrement celui des **classes populaires**, longtemps dédaignées par la littérature. De ces petits commerçants, employés, ouvriers, la photographie naissante donne une vision exacte : l'esthétique réaliste recherche la même sincérité. De tels sujets font scandale : en 1857, *Madame Bovary*, de Flaubert*, est condamné pour son « réalisme grossier et offensant pour la pudeur ».

Le document

Pour rendre compte du réel, **les romanciers réalistes**, comme plus tard les naturalistes, **s'appuient avant tout sur le document** qui sert en quelque sorte de caution à l'œuvre. Document constitué de **sources livresques** : ainsi, pour décrire l'empoisonnement d'Emma ou l'opération du pied-bot dans *Madame Bovary*, Flaubert consulte plusieurs traités médicaux. Mais document constitué aussi de véritables **enquêtes sur le terrain**, de **repérages** (au sens cinématographique du terme) : Flaubert dans ses *Carnets de travail*, les Goncourt dans leur *Journal*, Zola[*] dans ses *Carnets d'enquête* emmagasinent toutes les choses vues, préalable essentiel au travail romanesque.

À l'intrigue et à l'analyse psychologique traditionnelles, les romanciers réalistes substituent l'**étude du milieu et l'observation clinique**. Le personnage devient un type représentatif de la réalité sociale et historique contemporaine : ainsi, dans *L'Éducation sentimentale*, Frédéric est vu comme le produit de son époque. Cette méthode, qui relève de l'objectivité scientifique, se prolonge et **s'approfondit avec le naturalisme**[*].

La nécessaire stylisation

Mais la recherche de la « reproduction exacte, complète, sincère du milieu social » (Champfleury, *Le Réalisme*) se heurte à la **nécessité de la stylisation romanesque**, comme le rappelle Maupassant[*] dans la Préface de *Pierre et Jean*. Le réel observé doit être **recréé** par l'écriture – on connaît le labeur harassant de Flaubert –, la fonction du roman étant de proposer un monde parallèle qui soit le **reflet du monde réel**.

La restitution de la réalité à laquelle s'attelle le roman réaliste suppose essentiellement une **recherche stylistique** : le retrait du narrateur, l'effort d'impersonnalité visent l'objectivité. Sur le plan de l'écriture, la recherche du mot juste, l'attention aux détails et à la forme (questions du point de vue[*] et de la description[*]), est primordiale, particulièrement chez Flaubert.

→ **Balzac, Flaubert, Goncourt, Huysmans, Maupassant, naturalisme, roman, Zola**

réception de l'œuvre

n. f. Du latin *receptio* (de *recipere*, « recevoir »). Accent mis sur la lecture, et donc sur la relation texte-lecteur, et non plus seulement sur l'écriture de l'œuvre, sur la vision de l'auteur.

La relation texte-lecteur

Les études littéraires ont eu pour principal objet l'écriture, jusqu'à ce que des chercheurs, au cours des années 1970, mettent l'accent sur la lecture. Dans son ouvrage *Pour une esthétique de la réception* (1978), Hans Robert Jauss, constatant qu'une œuvre ne survit qu'à travers ses lecteurs, se propose d'**analyser la relation texte-lecteur**.

L'« horizon d'attente »

Pour Jauss, l'histoire littéraire est d'abord l'histoire de la lecture : elle doit étudier la façon dont une œuvre est « **reçue** » **par le public**, et observer l'évolution des réactions de celui-ci à travers le temps. Jauss s'intéresse d'abord à la première lecture de l'œuvre. Si l'on veut évaluer la nouveauté et l'impact du texte au moment de sa parution, il faut **s'interroger sur les horizons d'attente** du public et se demander quelles normes esthétiques conditionnent la lecture au moment de la publication. L'horizon d'attente est en effet un cadre général de compréhension qui se constitue à partir des connaissances littéraires des lecteurs, de leurs expériences de lecture antérieures. Toute œuvre joue avec cet horizon d'attente du public, soit qu'elle s'y conforme, soit qu'elle le contrarie.

La lecture, acte individuel

Membre comme Jauss de l'école de Constance, Wolfgang Iser s'interroge lui aussi, dans *L'Art de la lecture* (1976), sur le phénomène de la lecture mais pour analyser l'acte individuel de lire. Dans une démarche voisine, Umberto Eco (*Lector in fabula*, 1979) examine comment une œuvre programme sa réception.

Toutes ces recherches, auxquelles on pourrait ajouter celle de Michel Picard (*La Lecture comme jeu*, 1986) ont le mérite de rappeler que toute œuvre est inachevée et que le lecteur joue un rôle déterminant dans l'élaboration du sens.

→ **auteur, intertextualité**

récit

n.m. Du latin *recitare*, « lire à haute voix ».
Représentation d'une action ou d'une suite
d'actions par le langage.

Le compte rendu d'une intrigue

Compris dans son sens le plus simple, le récit est l'exposé des transformations qui permettent de passer d'une situation initiale à
une situation finale. Certains analystes du récit montrent ainsi que la plupart des histoires
peuvent être schématisées selon **cinq étapes** :
1. équilibre initial ; 2. rupture de l'ordre ; 3. action ; 4. conséquence de l'action ; 5. état final
d'équilibre.

Le récit **rend** donc **compte d'une action**,
d'une intrigue, qui peut être divisée en épisodes (dont la vitesse d'enchaînement définit
le rythme du récit) et qui, après d'éventuelles
péripéties (un épisode qui vient contredire
l'épisode précédent) ou rebondissements (un
épisode qui renouvelle radicalement le sens de
l'action), aboutit à un dénouement. Dans cette
acception, le mot récit est **synonyme de diégèse*** : il désigne ce qui, dans l'énoncé considéré, est essentiellement narratif.

Récit et description

Comme le souligne le critique Gérard
Genette dans le chapitre de *Figures II* intitulé
« Frontières du récit », il est **difficile de trouver
du récit à l'état pur.**

Presque toujours, un récit vient s'enrichir
d'éléments qui ne racontent pas à proprement
parler, mais qui apportent des informations
sur le cadre (notamment visuel) de l'action
ainsi que sur les personnages : **la description***
se mêle à la narration*. Dans les romans du
XIXe siècle, en particulier, la description peut
envahir plusieurs pages (voir la description de
la pension Vauquer et le portrait de sa propriétaire au début du *Père Goriot* de Balzac*,
1834-1835). Mais, à bien y regarder, le moindre
adjectif, le moindre verbe d'une phrase de récit peuvent apporter une information d'ordre
descriptif. Conclusion : tout récit ou presque
comporte de la description. Mais celle-ci reste
vassale du récit : elle a notamment une fonction explicative. À l'inverse, quand les nouveaux romanciers (Robbe-Grillet*, Simon*)
ont tenté de donner plus d'autonomie à la description, ils ont eu tendance à y réintroduire du
récit, à la narrativiser.

Récit et discours

Le linguiste Émile Benveniste, dans *Problèmes
de linguistique générale*, fait la **distinction
entre discours*** **et récit** (ou histoire). Dans le
discours, ce qui est dit est ancré dans le présent
de l'énonciation : usage du pronom personnel *je*, d'adverbes comme *ici* ou *aujourd'hui*,
ou encore du présent, du passé composé et du
futur. Le **récit**, en revanche, est caractérisé par
l'emploi de la troisième personne, par le changement des adverbes de temps ou de lieu (*demain* devient *le lendemain*), et par des temps
comme le passé simple ou le plus-que-parfait.
Cette distinction linguistique, qui épouse la
distinction entre subjectivité et objectivité,
peut être transposée en littérature : elle nous
amène alors à ranger la poésie lyrique, le roman épistolaire ou encore l'autobiographie
du côté du discours, tandis qu'un roman à la
troisième personne, qui s'efforcerait d'**effacer toute trace de subjectivité du narrateur**
(mettons *Thérèse Raquin* de Zola, 1867), ten-
drait au récit pur.

Cependant, **discours et récit s'interpénètrent
toujours**. En effet, un **discours peut raconter** (voir les lettres où Valmont évoque les
derniers développements de sa conquête de
Mme de Tourvel dans *Les Liaisons dangereuses**
de Laclos [1782]). Inversement, un **récit peut
contenir du discours** : c'est le cas lorsqu'il
laisse percevoir un jugement du narrateur (une
proposition au présent de vérité générale dans
un passage de Balzac*) ou lorsqu'il inclut un
dialogue. Dans ce dernier cas, tout dépend cependant de la manière dont sont rapportés les
propos dans le récit : le discours indirect et le
discours indirect libre relèvent du récit, tandis
que le discours direct et le monologue intérieur
relèvent du discours.

Le récit et le temps

Raconter des faits s'inscrit dans un temps :
le **temps de la narration**. Ce temps n'est pas
identique au temps de la chose racontée :
– tout d'abord, le récit peut adopter un **ordre**
qui n'est pas celui des faits : il peut ne pas être
chronologique. Il peut notamment raconter
après coup ce qui s'est déroulé avant, comme
dans les romans policiers (on parle alors d'**ana-
lepse**), et inversement il peut raconter ce qui va
se dérouler après (**prolepse**) ;
– ensuite, le récit peut moduler sa **vitesse** par
rapport à l'action racontée. Dans un dialogue,
le temps de la narration concorde avec celui
de la fiction : le récit donne alors lieu à une
scène*. Mais le récit peut aller plus lentement
que l'action évoquée, pouvant s'appesantir sur

un moment crucial ou faire des digressions, jusqu'à faire une **pause,** comme cela se passe dans une description. Inversement, quelques lignes peuvent suffire à résumer des événements qui se sont étalés dans le temps : le récit est alors un **sommaire,** plus ou moins rapide. Cas limite de cette rapidité : le récit omet une période entière, comme les 17 ans qui, dans *Aurélien* d'Aragon* (1944), séparent l'épilogue* du reste du roman : il s'agit alors d'une **ellipse***.

→ **description, diégèse, ellipse, narration, rythme (du récit), scène, schéma narratif**

récit de voyage

n.m. Genre* centré sur la relation d'un voyage précis, en général réel, effectué par l'auteur, qui en expose la description et les péripéties afin de faire partager cette expérience à un ou des lecteurs, souvent identifiés et proches de lui par la culture, dans le but d'instruire, de persuader et souvent aussi de divertir.

Origine et formes du récit de voyage

Le récit de voyage trouve son origine dans les **récits d'exploration** de l'Antiquité (Hérodote, *Histoires*), du Moyen Âge (*Devisement du monde* de Marco Polo, 1299) et de l'époque des Grandes Découvertes (Jacques Cartier, *Voyages au Canada* [trois voyages entre 1534 et 1542] ; Robert Challe, *Journal d'un voyage fait aux Indes orientales* en 1690-1691 ; Louis-Antoine de Bougainville, *Voyage autour du monde*, 1771, pour ne citer que des Français). Mais très vite s'y joignent des œuvres sur des voyages moins lointains, liés notamment à la pratique du « **grand tour** » d'Europe (Allemagne, Suisse, et surtout Italie) en vogue chez les élites européennes au XIXe siècle, qui y voient un moyen de formation des jeunes gens, et bientôt au « **tourisme** » naissant. Écrit par des explorateurs, des missionnaires, des commerçants, des exilés, des scientifiques, des ethnologues, des journalistes, des écrivains et autres artistes, ou par de simples voyageurs soucieux de témoigner, le récit de voyage présente des **formes variées** : récit à la première personne, journal intime ou carnet de route, autobiographie*, lettre(s). Les **thèmes** abordés, tout aussi **divers**, couvrent l'histoire, la géographie, la linguistique et l'ethnologie. Le récit alterne narration*, descriptions*, dialogues*, réflexions, mêlant tous les registres* littéraires.

Entre curiosité et « regard éloigné »

Les récits de voyage ont connu une **très grande vogue** du XVIe au XXe siècle, auprès d'un public européen curieux de connaître des paysages et des peuples lointains et différents qu'en l'absence de tout moyen audiovisuel ou cinématographique, seuls dévoilaient l'écriture, le dessin, la peinture ou les objets rapportés. **Curiosité intellectuelle, curiosité artistique,** mais aussi désir de rêver qui s'épanouit dans l'**exotisme** cultivé par un Pierre Loti.

Les plus grands noms s'y sont essayés : Montaigne* dans le *Journal de voyage en Italie par la Suisse et l'Allemagne*, Chateaubriand* avec l'*Itinéraire de Paris à Jérusalem* (1811), Stendhal*avec les *Mémoires d'un touriste* (1838), mais aussi Victor Hugo*, George Sand*, Nerval*, Flaubert*, tandis que certains en ont fait leur veine favorite (Cendrars*)… Au XXe siècle, s'ajoute souvent au genre une **fonction de dénonciation,** par exemple d'injustices coloniales ou de totalitarismes, qui l'apparente au reportage (Albert Londres, *Terre d'ébène* 1929 ; *Voyage au Congo, Retour du Tchad, Retour de l'URSS* d'André Gide entre 1927 et 1936).

Une source inépuisable d'inspiration

Le récit de voyage a **fortement nourri la réflexion philosophique** des humanistes et des Lumières*, **l'imaginaire** des romantiques et plus largement, de nombreux romanciers, ainsi que l'art (orientalisme et extrême-orientalisme dans l'ameublement, la décoration…). Il s'apparente parfois à l'épopée* (l'*Odyssée*, matrice de tout voyage…), sans en avoir toutes les caractéristiques. Il a inspiré des voyages imaginaires (*Histoire comique des Estats et empires de la Lune* et *Histoire comique des Estats et empires du Soleil* de Cyrano de Bergerac*), des œuvres de science-fiction* (Jules Verne*…), des contes philosophiques (*Candide* de Voltaire*), la poésie (Baudelaire*, « Le Bateau ivre » de Rimbaud*…), le merveilleux*, et même des « voyages immobiles » (Ponge*).

L'un des exemples les plus marquants de la **frontière parfois ténue** entre le récit de voyage et d'autres genres est le *Supplément au Voyage de Bougainville* de Diderot*, qui, à partir des informations sur les Tahitiens découverts par l'explorateur, propose un dialogue philosophique sur la condition humaine, la morale et l'organisation sociale, s'appuyant sur le mythe du « bon sauvage* ».

→ **bon sauvage, Candide, Cendrars, description, Diderot, exotisme, merveilleux, Montaigne, péripétie, picaresque, roman, Ulysse**

registre

n. m. Du latin *regesta*, « choses reportées », d'où catalogue, registre. **1. Registre (ou niveau) de langue** : niveau d'expression, familier, courant, ou soutenu. **2. Registre littéraire (ou tonalité)** : choix d'un ton (le registre est le ton découlant d'un choix et non le choix d'un ton) correspondant à des catégories consacrées associées parfois à un genre* littéraire (ex. : le tragique est un registre, la tragédie* le genre dans lequel ce registre s'exprime).

Les registres de langue

Chacun d'entre nous s'exprime, selon son milieu social, les circonstances ou ses émotions, en adoptant, volontairement ou non, un registre de langue familier, courant ou soutenu. L'écrivain maîtrise ces registres et les utilise de multiples façons.

Il peut jouer sur **un ou plusieurs registres de langue dans une même phrase** ou une même page. Ainsi, Louis-Ferdinand Céline* relatant dans *Voyage au bout de la nuit* (1932) l'arrivée d'un messager, mêle dans la même phrase registre soutenu et registre populaire : « À l'instant même, arriva vers nous au pas de gymnastique, fourbu, dégingandé, un cavalier à pied (comme on disait alors) avec son casque renversé à la main, comme Bélisaire, et puis tremblant et bien souillé de boue, le visage plus verdâtre encore que celui de l'autre agent de liaison. Il bredouillait et semblait éprouver comme un mal inouï, ce cavalier, à sortir d'un tombeau et qu'il en avait tout mal au cœur. » Souvent, l'auteur **adapte le registre au statut social** de ses personnages. C'est ce que fait Marivaux* pour distinguer maîtres et valets dans ses comédies, tout en créant parfois des personnages ambigus comme le Dubois des *Fausses Confidences* (1737), capables de passer habilement d'un registre à l'autre. Cette adaptation du registre au statut social est caractéristique du réalisme* en littérature.

Les registres littéraires

Un écrivain peut aussi chercher à **toucher la sensibilité du lecteur** à travers des **tonalités** correspondant à la fois à une intention et à des codes rhétoriques particuliers. Par exemple, exprimer des sentiments avec poésie pour le registre lyrique*, amplifier êtres et choses pour le registre épique* : dans le premier cas, l'auteur cherche à émouvoir ; dans le second, à provoquer admiration et enthousiasme. Les registres littéraires correspondent à des nuances complexes, expérimentées et codifiées par des traditions, des courants, des genres : comique*, tragique*, didactique*, élégiaque*, épique, fantastique*, merveilleux*, humoristique*, ironique*, lyrique, oratoire*, pathétique*, polémique*, et leur mélange, comme le burlesque*, l'héroï-comique*…

Un registre littéraire utilise des registres de langue mais aussi des formes de récit, des **figures de style** récurrentes. Ainsi, pour le registre épique : l'hypotypose*, l'hyperbole*, la gradation*, l'accumulation*, la personnification*, le champ lexical du combat…

Si certains chefs-d'œuvre privilégient un registre littéraire (le tragique chez Racine), le propre d'une grande œuvre est d'**associer différents registres**. Ainsi le *Dom Juan* de Molière*, s'il présente un registre comique conforme à la tradition de la comédie*, comporte aussi des passages pathétiques dans les supplications d'Elvire et presque tragiques dans le dénouement.

Jouer avec les registres

Enfin, les registres de langue et les registres littéraires peuvent susciter des **jeux littéraires**, comme ceux de l'Oulipo, dont le plus emblématique reste les *Exercices de style* de Raymond Queneau*, qui, à partir d'une intrigue mince (une légère altercation dans un autobus), en proposent de multiples versions.

→ **burlesque, héroï-comique, parodie, Queneau, récit de voyage, roman, surréalisme**

Régnard
(Jean-François), 1655-1709

ŒUVRES PRINCIPALES
• **Arlequinades** : *Arlequin, homme à bonne fortune* (1690), *Mezzetin aux Enfers* (1693), *Attendez-moi sous l'orme* (1693), *La Foire Saint-Germain* (en collaboration, 1695).

- **Grandes comédies**: *Le Joueur* (1696), *Le Distrait* (1697), *Le Légataire universel* (1708).
- **Récit de voyage**: *Voyages* (posth. 1731).

Des arlequinades...

Régnard a d'abord écrit des arlequinades pour la **Comédie-Italienne**, parfois en collaboration (*La Foire Saint-Germain* par exemple). Ces **petites pièces** privilégient le jeu scénique, intègrent des chansons et des danses, et se caractérisent par une fantaisie verbale et une bouffonnerie que Régnard conservera dans ses pièces de forme classique.

... aux grandes comédies

Dès 1694 il se tourne vers la **Comédie-Française**, pour laquelle il compose des pièces en un acte et en prose (*Attendez-moi sous l'orme*), avant de se lancer dans la grande comédie classique, en cinq actes et en vers, avec *Le Joueur*.

Le Joueur est, comme le *Distrait*, une **comédie de caractère** : Valère est un joueur impénitent, malgré les promesses qu'il a faites à Angélique, qui l'aime. Après de nombreux retournements de situation au gré des gains et des pertes de Valère, Angélique finira par épouser le sage Dorante. Mais la peinture du caractère de Valère reste peu approfondie, et la pièce est surtout l'occasion de déployer une **verve bouffonne**, grâce notamment à des **personnages fortement typés** (le marquis ridicule, la bourgeoise Mme La Ressource).

Le plus grand succès de Régnard, *Le Légataire universel*, est une réjouissante **comédie d'intrigue** qui s'inspire largement du *Malade imaginaire* de Molière.

Par son sens du comique, parfois farcesque, par son inventivité verbale et sa fantaisie, Régnard, adepte du franc rire, apparaît comme le **successeur de Molière** : « Qui ne se plaît avec Régnard n'est pas digne d'admirer Molière », écrit Voltaire*. Cet esprit comique se retrouve jusque dans son récit de voyage en Laponie, où la description des mœurs est souvent l'occasion de railleries.

CITATION

> « GÉRONTE. – Votre époux, vous laissant mère et veuve à vingt ans,/ Ne vous a pas laissé, je crois, beaucoup d'enfants ?
>
> CRISPIN. – Rien que neuf ; mais le cœur tout gonflé d'amertume,/ Deux ans encore après j'accouchai d'un posthume.
>
> LISETTE. – Deux ans après ! voyez quelle fidélité !/ On ne le croira pas dans la postérité. »
> (*Le Légataire universel*, III, 6)

REPÈRES BIOGRAPHIQUES

→ Né dans une famille de riches marchands qui lui font donner une excellente éducation, Régnard hérite, à la mort de son père, d'une immense fortune. Il se met alors à voyager, à Constantinople et jusqu'en Laponie (dont il tirera un récit de voyage). Lors d'un voyage en Italie, en 1678, il est fait prisonnier par les pirates barbaresques. Vendu comme esclave à Alger, il est libéré contre rançon. Cette aventure lui inspirera un récit romanesque, *La Provençale* (1731).

→ En 1683, il achète une charge de trésorier de France, qui lui fait accéder à la noblesse de robe. Devenu sédentaire, il se lance dans l'écriture dramatique. Il écrit d'abord de courtes pièces pour la Comédie-Italienne, avant de composer des comédies de facture classique pour la Comédie-Française*. Son *Légataire universel* connaît un grand succès.

→ Après Molière*, Régnard est l'un des auteurs comiques les plus joués aux XVIIIe et XIXe siècles.

→ comédie, commedia dell'arte, Molière, tragicomédie

rejet, contre-rejet

n. m. Du latin *rejicere*, « rejeter ». On appelle « rejet » et « contre-rejet » des formes d'enjambement* où, la limite du vers et celle de la phrase ne concordant pas, un élément déborde dans le vers suivant (rejet) ou dans le vers précédent (contre-rejet). *Ex.* :

1. Rejet : « Et dès lors, je me suis baigné dans le Poème / De la Mer, infusé d'astres, et lactescent » (Rimbaud*, « Le Bateau ivre ») ; au sens strict, le rejet est le groupe qui commence le second vers.

2. Contre-rejet : « Souvenir, souvenir, que me veux-tu ? *L'automne* / Faisait voler la grive à travers l'air atone » (Verlaine*, *Poèmes saturniens*) ; au sens strict, le contre-rejet est le groupe qui termine le premier vers.

Principaux effets

Les termes constituant le rejet et le contre-rejet sont **isolés**, à la fois **par leur place** et par la ponctuation, et ils sont ainsi **mis en valeur**. Chez Ronsard* (*Institution pour l'adolescence du Roi très chrétien Charles IX*) : « Or, Sire, imitez Dieu, lequel vous a donné/Le sceptre, et vous a fait un grand Roi couronné », le rejet souligne le terme « sceptre », et met l'accent sur la puissance attribuée au roi par Dieu.

Chez les romantiques s'ajoute la volonté de **casser la rigidité de l'alexandrin** classique pour créer un effet de **familiarité ou** de **surprise** par la rupture rythmique, comme dans *Hernani**, de Hugo* : « Serait-ce déjà lui ?/ (*On frappe un nouveau coup.*) C'est bien à l'escalier/ *Dérobé.* »

→ **enjambement, métrique, versification**

Renard
(Jules), 1864-1910

ŒUVRES PRINCIPALES
• **Romans** : *L'Écornifleur* (1892), *Poil de carotte* (1894).
• **Proses** : *Histoires naturelles* (1896). *Journal* (posth. 1925).

L'humour rosse

Jules Renard n'a cessé, comme ses maîtres La Fontaine* et La Bruyère*, de scruter avec un regard aigu et sans complaisance le comportement des êtres. Chez lui, l'**humour** est le masque que se donne une **sensibilité très vive**, douloureusement marquée par les blessures affectives subies dans l'enfance, comme en témoigne son roman *Poil de carotte*, largement autobiographique : « Dès qu'on nous embrasse, il est bon de prévoir tout de suite l'instant où nous serons giflés. » L'important est de ne pas être dupe et de débusquer l'hypocrisie, la méchanceté et la bêtise, sans s'épargner soi-même : « J'arrive à me défier de ma défiance ». Une telle exigence d'autocritique devient vite fatale à la création littéraire puisque tout sentiment, toute pensée sont suspectés aussitôt qu'apparus.
Mais l'humour a aussi pour fonction de donner à notre **regard sur le monde** une fraîcheur inattendue et proprement **poétique**. Qu'est-ce qu'une araignée ? « Une petite main noire et poilue crispée sur des cheveux » (*Histoires naturelles*). Poète, Jules Renard est toujours à l'affût de **rapprochements étonnants** : un nuage et un paquet de linge sale, un papillon et un billet doux…

Une esthétique de l'instantané

L'acuité du regard va de pair avec une esthétique de la densité, de la justesse et de la précision. Le domaine de Jules Renard, c'est celui de l'**instantané**, du **croquis**. Son écriture tend à la **formule ciselée**, à l'**aphorisme***, à la **pointe***. Même dans ses romans, il évite les développements. Son espace, c'est la note, la phrase et donc le discontinu.
Par l'humour et la fantaisie, Renard cherche toujours à provoquer chez le lecteur ce que Sartre* appelle la « **rêverie minute** », qui ouvre des abîmes dans le quotidien.

CITATION
• **Sur l'humour**
« Humour : pudeur, jeu d'esprit – c'est la propreté morale et quotidienne de l'esprit. » (*Journal.*)

REPÈRES BIOGRAPHIQUES
➜ Après une enfance campagnarde, Jules Renard quitte la Nièvre pour Paris, où il commence une double carrière de journaliste et d'écrivain. Il fréquente les milieux littéraires mondains et connaît bientôt le succès avec la publication de *L'Écornifleur* en 1892 et de *Poil de carotte* en 1894. Notable des lettres, il partage sa vie entre Paris et la Nièvre. L'humoriste mordant dissimule un homme de cœur : il prend le parti de Dreyfus puis soutient les idées socialistes de Jaurès.
➜ Il meurt prématurément à quarante-six ans, emporté par l'artériosclérose.

→ **aphorisme, humour**

réplique

n. f. Du latin *replicare*, « replier, renvoyer ».
Sens général : réponse dans une discussion (marquant souvent une opposition).
Au théâtre : ce qu'un acteur doit dire après qu'un autre a cessé de parler. Élément du dialogue.

Principales caractéristiques

1. La longueur des répliques est très variable : d'un mot à plusieurs dizaines de vers ou de lignes (voir tirade*).
2. L'enchaînement des répliques se joue parfois sur un mot : « SILVIA. – Songe à ce que c'est qu'un mari. LISETTE. – Un mari ? c'est un mari ; vous ne devriez pas finir avec ce mot-là, il me raccommode avec tout le reste » (Marivaux*, *Le Jeu de l'amour et du hasard*, I, 1).
3. Lorsque, dans un dialogue, les interlocuteurs se répondent vers par vers, on parle de **stichomythie**.
4. Pierre Larthomas souligne, dans *Le Langage dramatique*, que la dernière réplique donne parfois à la pièce tout son sens, comme le « Je

ne vous aime pas, Marianne ; c'était Cœlio qui vous aimait », dans *Les Caprices de Marianne* de Musset*.

→ **dialogue, interruption, monologue, tirade**

représentation théâtrale

n. et *adj. f.* Du latin *repræsentationem*, du verbe *repræsentare*, « rendre présent ». **Sens courants : 1.** action de donner un spectacle de théâtre devant un public ; **2.** ce spectacle lui-même. **Sens philosophique :** pour Aristote, dans sa *Poétique*, le théâtre est une *mimêsis*, représentation et imitation* sur scène d'une action inventée, en vue d'une catharsis*, une purgation des passions.

Le théâtre : texte et représentation

Si le théâtre*, dans une tradition scolaire inspirée de l'Antiquité, est considéré comme un genre littéraire au même titre que le roman ou la poésie, il s'en distingue essentiellement en ce que le texte théâtral n'est conçu, à quelques exceptions près, qu'en vue d'un spectacle qui suppose « la collaboration triple d'un auteur, des interprètes et du public » (M. Descotes). **Le théâtre**, comme son étymologie l'indique, **est à voir** et si le texte d'une pièce peut être lu, cette lecture doit s'accompagner de la représentation imaginaire des personnages en action. La représentation théâtrale elle-même est dès lors moins la reproduction sur scène d'un texte qui lui préexisterait que la création et la présentation d'un **spectacle vivant** dont le texte prononcé par les acteurs n'est qu'un élément parmi d'autres. Le texte de théâtre présuppose et appelle d'ailleurs la représentation (et non l'inverse), non seulement par sa forme – généralement dialoguée –, mais aussi par la présence en son sein des **didascalies*** qui précisent la manière dont l'auteur a souhaité voir représenter sa pièce. Encore faut-il préciser que ces didascalies laissent aux créateurs du spectacle une grande part de liberté dans la conception et la réalisation de ses éléments matériels et dans le jeu des comédiens.

La **dialectique entre le texte de théâtre et sa représentation** se retrouve dans la distinction **entre auteur et metteur en scène** mais aussi **entre personnage** (dans la fiction racontée par le texte) **et comédien** (chargé de lui prêter son corps et sa voix). En confondant ces diffé-rents niveaux, les mises en abyme*, le « théâtre dans le théâtre » (*Les Acteurs de bonne foi* de Marivaux) invitent à méditer sur le pouvoir d'illusion de la représentation théâtrale. Celle-ci est un moment éphémère mais susceptible d'être répété (même si deux représentations deux soirs de suite de la même pièce ne seront jamais identiques). Qu'est-ce finalement qu'une pièce de théâtre si ce n'est la somme de ses représentations, variables au cours du temps selon les interprétations de ses metteurs en scène successifs, des acteurs qui lui donnent vie et de ses spectateurs ? On parlera du *Dom Juan* de Molière mais aussi du *Dom Juan* de Louis Jouvet, de Patrice Chéreau ou de Jacques Lassalle.

Partenaires et vocabulaire de la représentation théâtrale

La représentation théâtrale est un ensemble complexe d'éléments sonores et visuels qui sont autant de signes disposés par les différents créateurs du spectacle pour être déchiffrés par le public. On distinguera l'**espace scénique** (la scène virtuelle telle que le texte permet de l'imaginer) et le **lieu scénique** (l'espace concret créé par un **scénographe** et investi par les **comédiens**). Entre les deux prend place le travail du **metteur en scène** qui conçoit et dirige la représentation. Dans le spectacle, les **déplacements des acteurs**, les **jeux de lumière** mis en œuvre par l'éclairagiste, la présence et la **circulation des objets** prennent une valeur symbolique. Les **costumes** situent la pièce dans le temps – ou hors-temps –, individualisent les personnages ou les rattachent à une condition sociale déterminée. La **voix des acteurs**, leurs expressions, leur maquillage, leurs **gestes,** la danse et la **musique** ou les ressources de l'**image**, fixe ou en mouvement, projetée sur scène participent également à la représentation pour créer, selon les cas, un « **effet de réel** », une illusion de vérité, ou des décalages, des « **effets de distanciation*** » (B. Brecht) destinés à surprendre et à faire réfléchir le spectateur.

→ **abyme (mise en), catharsis, distanciation, imitation, personnage, scénographie, théâtre**

réquisitoire

n. m. Du latin *requirere*, « requérir ».
Sens strict : acte écrit de *réquisition*, accusation prononcée en audience par un procureur. **Sens littéraire** : discours, passage d'une œuvre ou bien œuvre intégrale mettant en accusation une personne ou une idée.

Le procès

Les *Philippiques*, prononcées par Démosthène contre Philippe de Macédoine (IVe siècle av. J.-C.) ou les *Catilinaires*, dirigées par Cicéron contre Catilina (en 63 av. J.-C.), sont d'anciens et célèbres exemples de réquisitoires : les premières ont même donné naissance à un nom commun, synonyme de « diatribe ».

Le réquisitoire est donc **d'abord un discours**, d'où l'usage qui pourra en être fait au théâtre : dans *Le Mariage de Figaro* de Marivaux*, le plaidoyer de Marceline (III, 16) se transforme en réquisitoire contre le genre masculin et le personnage prend un ton « exalté » : « Hommes plus qu'ingrats, qui flétrissez par le mépris les jouets de vos passions, vos victimes ! »

Ce dernier exemple invite à deux remarques supplémentaires. D'une part le réquisitoire est **prononcé devant un public**, que l'accusé soit désigné à la deuxième personne, ou bien, comme dans le procès de Meursault (Camus*, *L'Étranger**), à la troisième personne. D'autre part, le réquisitoire, ressortissant par définition au ton polémique, adopte une **formulation violente**, comme l'indique le discours indirect libre dans ces vers de La Fontaine* : « Un Loup, quelque peu clerc, prouva par sa harangue/ Qu'il fallait dévouer [latin *devovere*, « immoler en sacrifice »] ce maudit animal,/ Ce pelé, ce galeux, d'où venait tout leur mal. » (« Les Animaux malades de la peste », *Fables*, VII, 1.)

L'auteur procureur

Les exemples qui précèdent sont des réquisitoires délégués par l'auteur à un personnage dans un passage d'œuvre.

Mais **une œuvre peut constituer en soi un réquisitoire** d'une part **contre une idée**, comme *Le Dernier Jour d'un condamné* (1832), de Victor Hugo*, qui réclame l'abolition de la peine de mort ; d'autre part **contre un homme**, comme *Les Châtiments* (1853), du même Hugo, dirigés contre Napoléon III.

Il apparaît là que le réquisitoire se confond avec la dénonciation, et l'on pourrait penser à le rapprocher du pamphlet* ou du libelle*. Ce serait oublier que le réquisitoire est avant tout un **texte argumentatif**, donc rigoureux, alors que le pamphlet, obéissant à une intention satirique, peut relever d'une argumentation de mauvaise foi, et que le libelle, comme celui du curé Pierre Roullé contre Molière à propos du *Tartuffe*, n'est qu'un argumentaire *ad hominem*.

→ **argumentation, harangue, libelle, pamphlet, plaidoyer, polémique, satire**

Restif de La Bretonne (Nicolas), 1734-1806

ŒUVRES PRINCIPALES
• **Romans** : *Le Paysan perverti* (1775), *La Découverte australe par un homme volant* (1781), *La Paysanne pervertie* (1785), *L'Anti-Justine* (1798).
• **Témoignage** : *Les Nuits de Paris* (1788-1794).
• **Autobiographie** : *La Vie de mon père* (1779), *Monsieur Nicolas* (1794-1797).

L'observateur et le réformateur

Comme Mercier, dont il fut l'ami, Restif porte un **témoignage réaliste sur son temps**, et signale les **réformes à entreprendre** : réformer l'éducation, humaniser les hôpitaux et les prisons, réduire la pollution urbaine, encourager l'agriculture, soulager le travail des ouvriers, prendre garde à la lassitude du peuple, qui laisse présager la Révolution. Il exprime ces idées dans des essais (*Le Mimographe* [1770], *Le Gynographe* [1777], *Le Thesmographe* [1789]…) et dans certains passages de ses autres ouvrages (*Les Nuits de Paris*).

Son originalité, cependant, est qu'il est sans doute le seul écrivain du XVIIIe siècle qui **décrit de l'intérieur** les basses classes de la société, dont il est lui-même issu. Là où Mercier se contentait, dans les *Tableaux de Paris*, d'établir une typologie des filles de petite vertu, Restif – notamment dans *Les Nuits de Paris* qui sont un pendant des *Tableaux* – décrit crûment la chute morale et les viols collectifs subis par les femmes, tout en peignant aussi leurs plaisirs. Il y ajoute les méfaits des petites crapules, la vie difficile des mendiants.

L'autobiographie

Vers la fin de sa vie, Restif se lance dans l'autobiographie (*La Vie de mon père, Monsieur Nicolas*), qui lui permet de rendre compte directement, sans les détours de la fiction, de l'évolution d'un individu partagé entre une aspiration à la pureté morale et une attirance irrésistible pour la sexualité, qui va chez lui jusqu'à l'obsession et à l'étalage complaisant de la pratique de l'inceste avec ses propres filles. Il tente ainsi de **surpasser Rousseau**, qui a été le premier à dévoiler dans ses *Confessions* les détails de sa vie amoureuse.

On redécouvre aujourd'hui l'œuvre de Restif comme un **élément important du libertinage*** et une étape intéressante **du genre autobiographique**, malgré ses défauts (insuffisance du travail du style, répétitions lassantes de scènes érotiques).

REPÈRES BIOGRAPHIQUES
___

→ Né dans une famille de paysans, Restif devient ouvrier typographe à Auxerre, puis s'établit à Paris. Sa vie se partage entre une sensualité débordante et l'écriture (romans, essais, autobiographie, récits utopiques…). Remarqué pour son roman *Le Paysan perverti*, il fréquente Louis-Sébastien Mercier*, Beaumarchais*, quelques salons* littéraires, mais son caractère ombrageux, ses frasques, plusieurs livres jugés scandaleux par leur immoralité ainsi que ses difficultés financières, en font un marginal, dont la vieillesse s'enfonce peu à peu dans les fréquentations crapuleuses, l'obsession de l'inceste et la pauvreté.

→ Restif collectionne les femmes et les ouvrages, s'inspirant souvent des premières pour rédiger les seconds, qu'il s'agisse de romans* (*Le Paysan perverti, La Paysanne pervertie, L'Anti-Justine* où il oppose à Sade* un érotisme sans cruauté), d'autobiographies* (*La Vie de mon père, Monsieur Nicolas*), d'essais* (*Le Pornographe* [1769] propose une réforme de la prostitution).

→ L'un de ses thèmes préférés est la peinture de la déchéance d'êtres jeunes et naïfs, avec une opposition entre la campagne (lieu de la nature et donc de la moralité) et la ville (lieu de la dépravation) qui rappelle Rousseau*. Mais la principale caractéristique de Restif est de se poser comme auteur ou personnage d'une honnêteté et d'une moralité exemplaires, éternel redresseur de torts, tout en relatant avec complaisance les pires turpitudes et débauches d'autrui,

au point qu'on le soupçonne en réalité d'y avoir largement participé. Cette ambiguïté le distingue de Sade qui, lui, revendique clairement sa fascination pour le mal.

→ **autobiographie, libertinage, Lumières, Mercier, Rousseau**

Retz
(cardinal de), 1613-1679

ŒUVRES

• **Récit** : *La Conjuration du comte de Fiesque* (œuvre de jeunesse, publiée seulement en 1665).
• *Mémoires* (réd. 1675-1679, publ. 1717).

Un témoignage romanesque

Écrivant ses mémoires* à soixante ans, Retz bénéficie du recul de l'expérience pour peindre une période complexe, marquée par les guerres civiles, les alliances des nobles et du peuple révoltés contre le pouvoir de la dynastie régnante. Il affiche donc une **volonté de réalisme historique**, mais il évoque aussi, dans le même temps, sa propre jeunesse d'acteur engagé dans ces luttes, avec ses gloires et ses échecs. À la **spontanéité du style et du rythme** – il revit les événements avec une mémoire et une passion intactes, et affirme ne raconter que sur les instances d'une amie proche, à laquelle il s'adresse sur un ton familier et intime – s'ajoute une **partialité** qui fait douter qu'il ait joué le rôle qu'il s'attribue. Car Retz, en particulier durant les épisodes les plus violents de la Fronde, se met toujours en avant : « Tout le monde me suivit, et j'en eus besoin, car je trouvai cette fourmilière de fripiers tout en armes. Je les flattai, je les caressai, je les injuriai, je les menaçai : enfin je les persuadai. Ils quittèrent les armes, ce qui fut le salut de Paris. » Certains épisodes des *Mémoires* sont **dignes d'un roman d'aventures** (Dumas* dans *Vingt Ans après*, Stendhal* dans *La Chartreuse de Parme* se sont inspirés de son évasion de la forteresse de Nantes).

Le **projet autobiographique d'illustration et de justification d'un destin individuel** n'empêche pas la présence d'anecdotes humoristiques, de dialogues vifs, où se mêlent grandiose et comique.

Le regard du moraliste

Retz moraliste* se signale par l'**acuité de ses portraits***, la **satire* lucide** des motivations humaines, l'**ironie* mordante**. Avec une perfidie où chaque mot est une flèche, mais aussi une fine observation psychologique, il règle ses comptes. La Rochefoucauld* est ainsi jugé prétentieux et insuffisant : « Il a voulu se mêler d'intrigue, dès son enfance, et dans un temps où il ne sentait pas les petits intérêts, qui n'ont jamais été son faible ; et où il ne connaissait pas les grands, qui, d'un autre sens, n'ont pas été son fort. Il n'a jamais été capable d'aucune affaire, et je ne sais pourquoi ; car il avait des qualités qui eussent suppléé, en tout autre, celles qu'il n'avait pas. »

On trouve aussi chez Retz des **maximes** **de grand moraliste** : « On est plus souvent dupe par la défiance que par la confiance. » Il sait également s'élever à l'**analyse politique**, montrant les excès de l'absolutisme, ou bien les mouvements de foule qui conduisent aux barricades. À la fin des *Mémoires*, il souhaite d'ailleurs que son œuvre serve d'enseignement à un jeune seigneur, qui est peut-être le petit-fils de son interlocutrice.

CITATION

• **Sur l'autobiographie**
« La fausse gloire et la fausse modestie sont les deux écueils que la plupart de ceux qui ont écrit leur propre vie n'ont pu éviter. » (Première page des *Mémoires*)

REPÈRES BIOGRAPHIQUES

➔ Né à Montmirail (Champagne) dans une famille d'origine florentine, Paul de Gondi, cardinal de Retz, a de l'ambition, ce qui le mène, sans vocation religieuse, à la carrière ecclésiastique, mais l'entraîne aussi dans d'innombrables intrigues politiques. Il complote contre Richelieu, ce qui ne l'empêche pas de devenir adjoint de l'archevêque de Paris, puis cardinal.

➔ Durant la période troublée de la Fronde (1648-1652), il se pose en adversaire de Mazarin, séduit le peuple par ses libéralités, joue subtilement les intermédiaires entre les différents partis, et échoue : Mazarin, qui triomphe, l'envoie en prison. Il s'enfuit de façon rocambolesque en Italie, obtient le pardon de Louis XIV (1661), et se retire sur sa terre de Lorraine, dont il sort parfois pour des missions diplomatiques.

➔ À partir de 1675, il rédige ses *Mémoires*, qui ne paraîtront que bien après sa mort, et après celle de Louis XIV, que gênait ce témoignage sur les origines de son pouvoir.

➔ autobiographie, confession, ironie, moraliste, portrait, sentence

Reverdy
(Pierre), 1889-1960

ŒUVRES PRINCIPALES
• **Recueils poétiques** : *La Lucarne ovale* (1916), *Les Ardoises du toit* (1918), *Le Gant de crin* (1927), *Sources du vent* (1929), *Flaques de verre* (1929), *Le Chant des morts* (1948).
• **Essai** : *Le Livre de mon bord* (1948).

« L'épaisseur murée de la matière »

L'univers de Reverdy est marqué par le malaise que le poète éprouve face à une réalité étouffante, opaque et hostile. Il se sent **prisonnier d'une matière qui dresse un mur**, « ce mur si lisse, si épais, si haut, si calme... cet effroyable mur ». Parfois, en proie à une forte sensation de vide et d'absence, le poète se perçoit comme un homme assis derrière une vitre qui le sépare irrémédiablement de la vie et rend plus lancinant l'appel d'un ailleurs dont il essaie de capter les signes : rayons de lumière, éclairs déchirant l'obscurité, bruits explosant dans le silence. Mais les obscurités et le silence ont toujours le dernier mot.

Dans un espace morcelé, perçu à travers des sensations feutrées, le poète tente inlassablement de tracer un chemin qui, parfois, de façon fugace, débouche dans la lumière.

Le tourbillon des mots et des images

Pour dire cette expérience du dénuement intérieur, de l'évanescence et de l'inconsistance du réel, une **écriture dépouillée** s'impose : **phrase minimale** domine, avec un vocabulaire sobre.

Le morcellement du monde se traduit par la juxtaposition et par un **rythme haché**, souvent **matérialisé par une disposition typographique** qui désorganise le tissu du poème. Par l'image, « qui naît du rapprochement de deux réalités plus ou moins éloignées » et qui sera d'autant plus forte que « les rapports des deux réalités rapprochées seront lointains et justes », la poésie essaie de jouer avec les débris du monde pour capter quelque reflet du réel absent. Mais les mots ne réussissent qu'à dire le manque, l'absence : l'absolu reste hors de leur portée.

CITATION

• **Sur le rien**
« Le monde s'efface/ Au point où je disparaîtrai/ Tout s'est éteint/ Il n'y a même plus de place/ Pour les mots que je laisserai. » (*Sources du vent*)

REPÈRES BIOGRAPHIQUES

→ Pierre Reverdy naît à Narbonne. En 1940, il gagne Paris. Installé à Montmartre, il fréquente l'avant-garde poétique et artistique, celle qui, autour d'Apollinaire*, de Max Jacob*, et de Picasso, invente le cubisme et lutte pour « l'esprit nouveau ». Poète et typographe, il découvre les ressources de la mise en page du poème.

→ Cependant, après une période très féconde, il prend ses distances avec le milieu littéraire et se retire à l'abbaye de Solesmes en 1926. Son inquiétude spirituelle n'en fait pas vraiment un converti mais la solitude délibérément choisie lui permet de poursuivre sa quête intérieure et son œuvre.

→ analogie, surréalisme

Évolution du rôle de la rhétorique

L'histoire de la rhétorique épouse les différents âges de la culture occidentale (Athènes, Rome, Moyen Âge, âge classique…). Elle joue, en particulier, un **rôle de premier plan dans la littérature classique** qui a largement transposé ses catégories et ses procédés.

Si le XIXᵉ siècle a eu tendance à la restreindre à un répertoire de figures, la tendance actuelle correspond, au contraire, à sa réhabilitation comme objet d'histoire et comme outil d'enseignement, permettant l'étude et la maîtrise des deux composantes majeures de tout discours : les **arguments pour convaincre** (*probare*) et les **procédés pour émouvoir** (*movere*).

→ amplification, éloquence, oratoire (style), pathétique

rhétorique

n. f. Du latin *rhetorica*. Art de persuader ou art de bien dire.

La persuasion et l'art de bien dire

Il existe **deux définitions** de la rhétorique. La première met l'accent sur la **persuasion** : « La rhétorique est la faculté de considérer, pour chaque question, ce qui peut être propre à persuader » (Aristote, *Rhétorique*). La seconde définit la rhétorique comme l'**art de bien dire** et insiste sur la moralité de l'orateur qui est, selon Cicéron, *vir bonus, dicendi peritus* (« homme de bien, habile à parler »).

On retiendra de ces deux définitions que **la rhétorique désigne essentiellement l'art du discours**, qu'elle envisage comme un acte de communication mettant en jeu un locuteur, dont la crédibilité est fonction de ses vertus (*ethos*), et un auditoire, dont il convient d'émouvoir les passions (*pathos*).

Cinq parties et trois genres

Traditionnellement, la rhétorique comprend **cinq parties** : l'*inventio* : la recherche des arguments ; la *dispositio* : l'organisation des arguments ; l'*elocutio* : le style, et notamment le recours aux figures de style* ; la *memoria* : la mémorisation du discours ; l'*actio* : la diction et les gestes de l'orateur. Elle s'applique à **trois grands genres** : le **judiciaire**, qui comprend l'accusation et la défense ; le **délibératif**, qui comprend l'exhortation et la dissuasion ; le **démonstratif** (ou **épidictique**), qui comprend l'éloge et le blâme.

Rhétoriqueurs

n. m. pl. Du grec *rhêtor*, « orateur », puis « maître d'éloquence », et *rhêtorikê*, « art oratoire ». Les Grands Rhétoriqueurs, ou Rhétoriqueurs, désignent un groupe de poètes de la fin du XVᵉ siècle et du début du XVIᵉ siècle (Jehan Marot, Octavien de Saint-Gelais, Jean Meschinot, Jean Molinet, Guillaume Crétin, Lemaire de Belges…).

Le triomphe de la poésie formelle

Les Rhétoriqueurs conservent les formes héritées du Moyen Âge (ballade*, rondeau*, virelai, chant royal…) mais poussent à leur extrême la **recherche technique** (rimes*, jeux de mots, allégories*, rythme*) et la **perfection formelle**. Leur travail porte surtout sur la **rime** : rime équivoquée, rime formant calembour, invention de la « ballade balladante » qui présente un système de suites de rimes à la fin et au milieu du vers.

Poètes de cour, ils traitent des **thèmes traditionnels** (amour, éloge du roi, satire*…). En raison de leur virtuosité, qui semble parfois masquer une réflexion angoissée sur le sens de l'existence, ils sont présentés comme des **précurseurs de la poésie baroque***.

→ baroque, Marot

Rimbaud
(Arthur), 1854-1891

ŒUVRES PRINCIPALES
- **Poésie** : *Poésies* (1870-1871), *Une saison en enfer* (1873), *Illuminations* (1873-1875).
- **Lettre** : *Lettre du voyant* (à Paul Demeny, 15 mai 1871).

Un rebelle énigmatique
La vie d'Arthur Rimbaud reste profondément énigmatique. Adolescent **révolté**, il écrit une **œuvre fulgurante**, exceptionnelle. Mais, inexplicablement, au bout de quatre ans, il renonce définitivement à la poésie pour mener une vie d'aventurier qui se révélera décevante.

Rimbaud aura traversé l'existence en réfractaire et sa révolte, ses échecs sublimes ou vils, sa soif d'absolu font de ce « poète maudit », une des figures les plus fascinantes du XIXᵉ siècle. Les grandes aventures poétiques du XXᵉ siècle, du surréalisme* aux recherches de Ponge*, lui sont d'une façon ou d'une autre redevables.

La poésie, expérience des limites
À sa façon, Rimbaud reste fidèle au projet de Baudelaire* : « Plonger au fond du gouffre, Enfer ou Ciel, qu'importe ?/Au fond de l'Inconnu pour trouver du nouveau » (« Le Voyage », *Les Fleurs du mal*).

Il fait en effet de l'expérience poétique une aventure dans laquelle le poète, au prix de **tous les dérèglements**, s'abandonne à **tous les vertiges** et au risque de la folie, pour révéler un univers aux « richesses inouïes ». C'est dans les parages de l'hallucination et du délire qu'il conduit son « bateau ivre » pour un voyage qui lui laissera le goût amer de la désillusion.

Une poésie visionnaire
La poésie de Rimbaud, souvent marquée par un dynamisme violent et par l'allégresse des départs matinaux, est une **poésie visionnaire, qui joue des synesthésies* et fusionne les plans de la réalité** pour déclencher des délires vertigineux : « Je voyais très franchement une mosquée à la place d'une usine […] des calèches sur les routes du ciel, un salon au fond d'un lac » (« Alchimie du verbe »).

Dense, brûlante, abrupte, l'écriture de Rimbaud est particulièrement apte, qu'il s'agisse de vers ou de poèmes en prose*, à déployer les visions sauvages qui transforment son esprit en « opéra fabuleux », emporté par une ivresse cosmique : « J'ai tendu des cordes de clocher à clocher, des guirlandes de fenêtre

à fenêtre ; des chaînes d'or d'étoile à étoile, et je danse » (*Illuminations*).

CITATIONS
- **Sur la voyance**

« […] je est un autre. » (*Lettre du voyant*)
« Je dis qu'il faut être *voyant*, se faire *voyant*. Le poète se fait *voyant* par un long, immense et raisonné *dérèglement de tous les sens.* » (*Ibid.*)

REPÈRES BIOGRAPHIQUES

→ Né à Charleville, Rimbaud connaît une enfance difficile : ses parents se séparent en 1861 et sa mère lui donne une éducation très stricte. Il fait de très bonnes études et trouve chez son professeur de rhétorique, Georges Izambard, aide et encouragement pour sa vocation de poète. Mais l'époque est troublée : à la guerre contre la Prusse en 1870 succède la Commune en 1871. Rimbaud fait plusieurs fugues, rencontre le poète Paul Verlaine* et commence à publier des poèmes.

→ Séduit par l'adolescent, Verlaine abandonne sa femme pour vivre avec Rimbaud une vie de bohème, orageuse et dissolue, qui les conduit en Belgique et à Londres. En 1873, une violente dispute éclate entre les deux poètes et Verlaine blesse de deux coups de pistolet son ami qui vient de lui annoncer son intention de rompre. La même année, la publication d'*Une saison en Enfer* est mal accueillie.

→ Rimbaud décide alors de renoncer à la littérature. Après plusieurs voyages en Europe, il part pour l'Abyssinie où pendant onze ans il va faire du commerce et du trafic d'armes. Une tumeur au genou le contraint à rentrer en France en 1891. Il est amputé d'une jambe à Marseille mais son cancer se généralise et il meurt emporté par la gangrène en novembre 1891, à l'âge de trente-sept ans.

→ **poème en prose, symbolisme, synesthésies, Verlaine**

rime

n. f. Du francique *rim*, « série, nombre ».
Reprise d'un même phonème* (ou de plusieurs) à la fin de deux vers (au moins).

La richesse des rimes

On distingue les **rimes féminines** (terminées par un *e* muet au singulier et au pluriel) et les **rimes masculines** (toutes les autres). Dans la poésie classique, on ne peut faire rimer un mot masculin et un mot féminin.

La rime est dite **pauvre** (ou assonancée) lorsqu'on répète seulement la voyelle finale (nas*eau*/cerv*eau*) ; **suffisante** si on reprend la voyelle finale et la consonne qui suit (*âme*/ *lame*) ; **riche** si elle est constituée d'une consonne, d'une voyelle et d'une consonne (ch*eval*/r*ival*).

Au-delà de trois phonèmes, on parle de rime **léonine**, et de rime **équivoquée** si, trop riche, la rime tourne au calembour : « Ah tombe *neige*/ Tombe et que *n'ai-je*/ Ma bien-aimée entre mes bras (Apollinaire*).

À l'extrême, on obtient des **distiques*** **holo-rimes** (vers rimant intégralement) : « Dans ces meubles laqués, rideaux et dais moroses,/ Danse, aime, bleu laquais, ris d'oser des mots roses » (cité par Henri Morier, *Dictionnaire de poétique et de rhétorique*, 1975).

L'agencement des rimes

La combinaison des rimes est un facteur important de l'harmonie d'une strophe*. On distingue les rimes **plates ou suivies** (aa, bb, cc…), les rimes **croisées** (abab), les rimes **embrassées** (abba) et les rimes **redoublées** (le même son est reproduit plus de deux fois).
Souvent, l'homophonie de la rime, loin d'être un simple écho sonore, tend à établir une équivalence de sens.

L'usage moderne de la rime

Si la rime a pu constituer une contrainte féconde dans la poésie classique, romantique ou parnassienne, son usage est **contesté** dès le XIXe siècle. Verlaine raille « ce bijou d'un sou/ Qui sonne creux et faux ».

Dans la **poésie moderne**, la libération du vers poussant les poètes à privilégier le rythme* et le jeu sur les sonorités* au détriment de la rime, son **usage** est **irrégulier** : ou bien elle disparaît, ou bien elle est utilisée librement et de manière diversifiée.

→ **allitération, assonance, calembour, Malherbe, sonorités, vers, versification**

Robbe-Grillet
(Alain), 1922-2008

ŒUVRES PRINCIPALES
• **Romans** : *Les Gommes* (1953), *Le Voyeur* (1955), *La Jalousie* (1957), *Projet pour une révolution à New York* (1970), *Topologie d'une cité fantôme* (1976), *La Reprise* (2001) ; à caractère autobiographique : *Le miroir qui revient* (1985), *Angélique ou l'enchantement* (1988), *Les Derniers Jours de Corinthe* (1994).
• **Essai** : *Pour un nouveau roman* (1963).
• **Films** : *L'Immortelle* (1963), *Trans-Europ Express* (1966), *Glissements progressifs du plaisir* (1974), *La Belle Captive* (1983).
• **Scénario** : *L'Année dernière à Marienbad* (1961, réalisation Alain Resnais).

« Pour un nouveau roman »

Comme Nathalie Sarraute*, Alain Robbe-Grillet considère dans les années 1950 que le roman traditionnel, par exemple le roman balzacien, n'est pas à la hauteur de ses prétentions au réalisme et à la psychologie. Mais, contrairement à elle, l'idée d'une exploration plus approfondie de l'intimité lui semble une illusion. Un roman comme *La Jalousie*, paru la même année (1957) que *La Modification* de Michel Butor et la réédition de *Tropismes* de Nathalie Sarraute, manifeste parfaitement les principes du roman tel que Robbe-Grillet l'entend :
– **refus de l'intrigue linéaire** : la narration se place tantôt en amont, tantôt en aval d'un événement central (la descente en ville des personnages de Franck et A…), en répétant en outre une même description (celle d'un mille-pattes qu'on écrase sur un mur). Ce récit a-

chronologique se présente donc comme un jeu de construction, une œuvre de montage ;
– **refus du personnage et de la psychologie** : ce sont pour l'auteur des survivances du roman à l'ancienne, de « vieux mythes de la profondeur » qui caractérisent le « roman bourgeois ». Les personnages sont laissés à l'interprétation du lecteur, d'où, par exemple, le prénom incomplet du personnage féminin (A…) ;
– **réduction du narrateur à une pure optique** : refusant de faire de la voix narrative une instance qui projetterait du sens sur ce qui l'entoure, Robbe-Grillet en fait un pur descripteur. Cet effet répond à l'idée qu'« autour de nous, défiant la meute de nos adjectifs animistes ou ménagers, les choses *sont* là », déclare l'auteur, alors que « toute notre littérature n'a pas encore réussi à en entamer le plus petit coin, à en amollir la moindre courbe ».

Les fondements de cette esthétique

À travers les caractéristiques de *La Jalousie*, on perçoit la révolution que Robbe-Grillet voulait accomplir dans l'art du roman. D'abord, substituer au récit linéaire classique un récit répétitif et a-chronologique, en forme de tableau à entrées multiples, ou encore refuser tout investissement psychologique du lecteur sur le personnage, c'est vouloir instituer un **véritable partenariat entre l'auteur et le lecteur**, au lieu de l'identification ou de l'évasion que nous apprécions souvent dans sa lecture : ici, lire devient un jeu dont le lecteur n'est pas la dupe mais le partenaire.

Ensuite, cette esthétique de la description répond à un véritable **impératif philosophique** : il s'agit de suggérer par la littérature le « il y a » des choses et d'éviter que la description projette un sens sur le monde matériel. C'est pour cela que Robbe-Grillet préconise « l'adjectif optique, descriptif, celui qui se contente de mesurer, de situer, de limiter, de définir ». Selon lui, cette écriture descriptive indique « le chemin difficile d'un nouvel art romanesque ». On comprend pourquoi le romancier s'est ensuite tourné vers le cinéma dans les années 1960 et 1970. Ses films sont attentifs à la résistance du réel et se montrent sans cesse en train d'en percer la matière. Surtout, le recours au cinéma exprime l'idée que se fait Robbe-Grillet de la **voix narrative** : elle est **hors-champ**, comme la caméra.

Les ambiguïtés du projet

En tout cela s'exprime la volonté de libérer la littérature de l'« humanisme » ou du « tragique », mots péjoratifs chez Robbe-Grillet

comme chez Sarraute. Mais, comme l'ont remarqué les critiques, le projet d'une **description totalement désinvestie de toute subjectivité**, d'un « chosisme » total, est un **projet impossible**.

Ainsi, le jeu que développe un roman comme *La Jalousie* autour du narrateur est à double sens. On a d'abord l'impression d'une évocation, en focalisation* externe, de Franck (le voisin) et A… (la femme). Mais la description répétée des trois sièges disposés dans le patio ou de trois verres d'apéritif dénonce la présence d'un troisième personnage : le mari-narrateur, qui scrute les signes du possible adultère des deux autres. Le double sens que contient le titre (la jalousie peut désigner à la fois le store derrière lequel le narrateur épie et la passion qui l'anime) montre bien le caractère réversible du projet : le tragique et l'humain font bel et bien retour dans l'objectivisme délibéré de la narration.

Le dernier Robbe-Grillet

Faut-il lire les œuvres des années 1980 et 1990 en fonction des principes proclamés trente ans auparavant ? On pourrait le croire, quand Robbe-Grillet intitule le premier tome de sa **trilogie autobiographique** *Le miroir qui revient*, ou bien lorsqu'il écrit : « Je n'ai jamais parlé d'autre chose que de moi. Comme c'était de l'intérieur on ne s'en est guère aperçu. » Il y aurait donc à la fois **opposition et continuité**.

Mais cette trilogie, qui raconte successivement les origines idéologiques de la famille, les fantasmes sexuels du scripteur et la mort d'Hubert de Corinthe, projection possible de l'auteur dans la série, a sa ligne propre. Surtitrée « Romanesques » (retour au romanesque ? contestation de l'autobiographie au moment même où elle s'écrit ?), elle interroge la genèse du moi et la diversité du sujet.

REPÈRES BIOGRAPHIQUES

➜ Alain Robbe-Grillet fait son entrée dans la vie littéraire française avec *Les Gommes* et surtout avec *Le Voyeur*, qui obtient en juin 1955 le prix des Critiques et suscite de fortes protestations. Par ses manifestes sur le roman, et sa position de directeur littéraire des Éditions de Minuit, Alain Robbe-Grillet est apparu comme le chef de file de ce qu'on a baptisé en 1957 le « Nouveau Roman* ».

➜ En effet, aux côtés de l'ouvrage de Nathalie Sarraute intitulé *L'Ère du soupçon* (1956), son recueil d'études *Pour un nouveau roman* constitue une définition importante de l'esthétique du mouvement. Il a illustré les mêmes idées dans sa carrière de réalisateur de cinéma. Mais ses dernières œuvres, autobiographiques, semblent se démarquer de ses premiers principes.

➜ **Butor, Nouveau Roman, Sarraute, Simon**

Robespierre
1758-1794

Un orateur implacable

Robespierre n'a pas l'éloquence* fougueuse d'un Danton*. C'est un **orateur précis, froid**, parfois ironique, qui accable ses adversaires par une argumentation sans faille. Ses meilleurs discours, toujours écrits, très travaillés, d'une redoutable habileté, se présentent comme des « rapports » à l'ambition didactique, conçus pour saper toute forme de résistance aux deux principes dont il se fait l'infatigable défenseur : la souveraineté de la nation, la guerre aux ennemis de la Révolution.

Nourri des idées de Rousseau*, celui qu'on surnomme « **l'Incorruptible** » sait aussi émouvoir par sa foi en la vertu et le sens religieux qu'il attache aux événements. Au-delà de l'Assemblée ou des clubs où il intervient, c'est à l'opinion publique que Robespierre s'adresse pour la conquérir.

REPÈRES BIOGRAPHIQUES

➜ Né à Arras dans une famille appartenant à la noblesse de robe, Maximilien de Robespierre fait ses études à Paris avant de devenir avocat dans sa ville natale. Élu député du tiers état en 1789, il prend une part active à l'Assemblée constituante et se rend bientôt maître du Club des jacobins devant lequel il prononcera en quatre ans près de cinq cents discours.

➜ Chef des montagnards, l'aile gauche de la Convention, membre du Comité de salut public, il contribue à mettre en place la Terreur de 1793. Il procède à l'élimination des Indulgents (qui demandaient la fin de la Terreur) et institue le culte de l'Être suprême. Mais, le 9 thermidor an II

(27 juillet 1794), un complot met fin à la dictature de la vertu qu'il prétendait imposer. Robespierre est guillotiné le lendemain, la mâchoire brisée après une tentative de suicide.

➜ **Danton, éloquence, Mirabeau, oratoire (style)**

Robinson

Créé en 1719 à partir d'un fait réel par l'écrivain et journaliste anglais Daniel Defoe, le personnage de Robinson Crusoé est devenu un mythe universel extrordinairement populaire. La vie de Robinson, naufragé sur une île déserte, propose une expérience imaginaire, teintée d'exotisme* et d'héroïsme, et particulièrement riche d'enseignements sur la capacité de l'homme à affirmer sa liberté et à affronter la solitude et la nature sauvage tout en restant civilisé.

L'exilé industrieux

Héros du premier roman moderne, le Robinson Crusoé de Defoe représente l'homme moyen de l'Angleterre du XVIIIe siècle. Jeté sur une terre inhabitée, il déploie, malgré les obstacles matériels, l'**énergie du conquérant** afin de recréer sur son île un monde conforme à son éducation d'homme blanc, chrétien, individualiste et pragmatique. Il **transmet** cette éducation au « sauvage » Vendredi, selon l'idéologie colonialiste de l'époque.

Rentré parmi les hommes après ce long exil, Robinson préfère repartir sur les mers, désormais nostalgique de l'île dont il est inséparable.

Un récit pédagogique

Rousseau* voit dans *Robinson Crusoé* « **le plus heureux traité d'éducation naturelle** ». Il en fait « l'amusement et l'instruction » de son élève dans *Émile ou de l'Éducation* (1762), parce que l'histoire de Robinson ramène l'humain à ses besoins fondamentaux, à une liberté antérieure à l'apparition de l'homme social, qui se déploie dans la pratique d'activités manuelles en vue d'un bonheur simple et vrai.

La valeur pédagogique de cette expérience est également soulignée par Jules Verne* dans *L'École des Robinsons* (1882) ou *L'Île mystérieuse* (1882).

De Robinson à Vendredi

Dans *Vendredi ou les Limbes du Pacifique*
(1972), Michel Tournier[*] **renverse la relation** entre Robinson, héros industrieux de la
civilisation occidentale, prisonnier de sa solitude et de ses préjugés, et Vendredi, le « sauvage ». C'est Vendredi qui devient le maître
de Robinson dans un apprentissage solaire et
aérien de la vie naturelle, à la faveur duquel
chacun reconquiert sa liberté.

→ **bon sauvage, mythe, Tournier, Verne**

Rolland
(Romain), 1866-1944

ŒUVRES PRINCIPALES
• **Théâtre** : *Théâtre de la Révolution* (*Danton*,
1900 ; *Le Quatorze-Juillet*, 1902), *Tragédies
de la foi* (1913).
• **Romans** : *Jean-Christophe* (10 t., 1903-
1912), *Colas Breugnon* (1914), *L'Âme
enchantée* (4 t., 1922-1933).
• **Recueil d'articles** : *Au-dessus de la mêlée*
(1915).

La réflexion sur l'Histoire

L'Histoire, passée ou récente est pour Romain
Rolland un **thème de prédilection**. Ses
drames ont pour cadre l'Antiquité, le Moyen
Âge, la Renaissance italienne ou la Révolution
française. Cherchant à atteindre une vérité morale et philosophique, le dramaturge peint le
conflit entre les passions et les intérêts personnels et collectifs, présente ses rêves de justice et
d'harmonie, mais aussi une vision pessimiste
de l'idéal révolutionnaire.
Son roman *Jean-Christophe* décrit l'Europe
d'avant 1914, menacée et déchirée, où les
conflits laissent présager la guerre, que Rolland
ne cessera de **dénoncer** (*Clérambault*, 1920).
Jean-Christophe porte en lui tous les **sentiments de fraternité et de sympathie universelles** de l'auteur. Héros solitaire, il représente
la vie en lutte contre la haine, la décadence et
la destruction.

L'ambition poétique et musicale

Dans *Jean-Christophe*, Romain Rolland, admirateur de Beethoven et de Wagner, raconte
l'histoire d'un musicien de génie ; c'est l'occasion pour lui de lier la critique musicale à la
réflexion idéologique, et de s'interroger sur le
rapport des peuples à leur musique nationale.
Mais le romancier a une autre ambition : écrire

un **roman musical**, où tous les thèmes soient
intimement liés les uns aux autres. Dans les
passages les plus poétiques de l'œuvre, le lyrisme[*] et les vers blancs chantent l'âme amoureuse de la vie.
La poésie prend, dans tous les romans de
Rolland, une **dimension épique**. Mais l'épopée[*] est moins celle d'un groupe que celle
d'une **conscience fraternelle** qui accède à
l'amour et à la paix. Soucieux d'authenticité,
Rolland fait alterner lyrisme, épopée et réalisme[*], et n'hésite pas à recourir au prosaïsme
et au pittoresque verbal (*Colas Breugnon*).

CITATION
• **Sur le roman musical**
« La matière du roman musical doit être le
sentiment, et de préférence le sentiment
dans ses formes les plus générales, les plus
humaines, avec toute l'intensité dont il est
capable. » (Lettre à M. von Meysenburg,
1890)

REPÈRES BIOGRAPHIQUES
→ Historien, normalien, membre de l'École
française de Rome, Romain Rolland se
passionne pour la littérature, la musique et
les beaux-arts. Collaborateur régulier des
Cahiers de la Quinzaine de Péguy[*], revue
dans laquelle il publie *Jean-Christophe*, il
voit sa notoriété grandir en France comme
à l'étranger. En 1914, il s'installe à Genève
et travaille pour la Croix-Rouge ; en 1914-
1915, il condamne la guerre dans *Au-dessus
de la mêlée*. En 1916, il obtient le prix Nobel
de littérature.
→ Persuadé que la révolution sociale est
inéluctable, Romain Rolland est cependant
heurté par la violence des communistes
russes. C'est alors vers l'Inde qu'il se tourne,
convaincu que les civilisations indienne et
occidentale sont promises à une alliance
harmonieuse en raison de leur complémentarité. Il rencontre Gandhi, Nehru et Tagore.
→ Il s'inscrit au Parti communiste en 1930
et, en 1935, rencontre Gorki et Staline. Résidant à Vézelay pendant la Seconde Guerre,
il fréquente assidûment Claudel[*] et tente
de trouver dans la religion un apaisement.

→ **Claudel, Péguy**

Romains
(Jules), 1885-1972

ŒUVRES PRINCIPALES
• **Poésie**: *La Vie unanime* (1904).
• **Romans**: *Les Copains* (1913), *Les Hommes de bonne volonté* (27 t., 1932-1946).
• **Théâtre**: *Knock ou le Triomphe de la médecine* (1923).

L'unanimisme

Jules Romains élabore très tôt le principe fondateur de toute son œuvre, l'**unanimisme** : à travers la ville moderne se réalise une **sorte de communion des êtres dans une âme collective**, dont l'artiste doit se faire le truchement. L'expression de la vie unanime et collective inspire aussi bien le récit burlesque d'un gigantesque canular organisé par une bande de camarades (*Les Copains*), que l'évocation des répercussions de la *Mort de quelqu'un* (1911), les nouvelles de *Sur les quais de la Villette* (1914), ou des poèmes.
L'unanimisme conduit naturellement Romains à privilégier certains **thèmes : la politique et le rapport de l'individu à l'Histoire, l'amitié**, et bien sûr **la ville**, lieu rêvé pour l'épanouissement des sentiments unanimes.

Les Hommes de bonne volonté

Romains prévoit dès 1923 de donner sous ce titre l'œuvre majeure de l'unanimisme. Les 27 volumes des *Hommes de bonne volonté* témoignent d'une **ambition encyclopédique** : peindre vingt-cinq ans de l'histoire de la France (1908-1933), dans une fresque qui n'oublie aucune classe sociale, aucune force politique, aucun type d'individu.
Cette entreprise complexe n'engendre aucune monotonie car Jules Romains **utilise toutes les tonalités**, du comique* au tragique*, **tous les genres littéraires de la prose** (lettres*, monologue intérieur*, récit*, dialogues*, etc.), mais en les soumettant à une **composition rigoureuse**, fuguée, simultanéiste. Une relative **unité** est fournie par le récit d'une amitié entre deux intellectuels, Jerphanion et Jallez ; par l'évocation de Paris, véritable personnage du roman ; par une méditation sur l'Histoire où dominent le souci de saluer les hommes de paix et de bonne volonté, et celui de témoigner de l'horreur de la guerre (*Verdun*, t. VII des *Hommes de bonne volonté*).

CITATION
• **Sur l'unanimisme**
« Une salle de théâtre pleine de spectateurs, une rue bondée de peuple ne sont pas seulement un assemblage matériel de parties que l'espace rapproche, et qui restent par ailleurs indépendantes. [...] le théâtre, la rue, en eux-mêmes, sont, chacun, un tout réel, vivant, *doué d'une existence globale et de sentiments unanimes* » (« Les sentiments unanimes et la poésie », article de 1905)

REPÈRES BIOGRAPHIQUES

→ Louis Farigoule naît en 1885 à Saint-Julien-Chapteuil, en Auvergne, mais passe son enfance à Paris. Ce normalien destiné à l'enseignement, agrégé de philosophie en 1906, se consacre surtout à sa vocation littéraire, adoptant dès 1902 le pseudonyme de Jules Romains.
→ C'est en octobre 1903, rue d'Amsterdam, à Paris, qu'il a l'intuition fondamentale de sa poétique* : l'unanimisme, qui lui inspire des poèmes (*L'Âme des hommes*, 1904), un conte (*Le Bourg régénéré*, 1906). Le groupe littéraire de l'Abbaye, de Georges Duhamel, publie en 1908 son recueil de vers *La Vie unanime*. Il entame alors une carrière aussi féconde que variée, composant des romans (*Les Copains* ; *Lucienne*, 1922), et des comédies, dont le célèbre *Knock* : il devient un dramaturge internationalement reconnu.
→ Européen convaincu et militant du rapprochement franco-allemand, il participe après la guerre aux congrès des Pen-clubs et à diverses missions diplomatiques. En 1932 il entame la rédaction des *Hommes de bonne volonté*. Le dernier des 27 volumes de cette somme romanesque paraît en 1946, année où Jules Romains entre à l'Académie française. Il poursuit dès lors une brillante carrière internationale, jusqu'à sa mort en 1972.

→ roman

roman

n. m. Du latin *romanus*, « romain ». **1.** Langue vulgaire parlée durant le Haut Moyen Âge, par opposition à la langue savante qu'était le latin. **2.** Genre littéraire : les premiers romans, au XIIe siècle, sont des récits en langue vulgaire, traduits de récits antiques. Genre difficile à définir, le roman est un récit fictif, en prose, s'étendant sur une certaine durée.

Un genre libre

Absent de tous les arts poétiques* – même s'il existe des romans grecs et latins dès le Iᵉʳ siècle apr. J.-C. –, le roman est un genre qui va se développer en toute liberté, adoptant une grande diversité de formes. C'est un **récit, en prose** (l'octosyllabe* des romans de Chrétien de Troyes* est un premier pas vers la prose), **d'une certaine longueur** (par opposition à la nouvelle*), **qui raconte une histoire** (qui se développe dans le temps) **fictive** (mais entretenant un certain rapport avec la réalité, par opposition au conte* et au mythe*). À la définition restrictive des romans par Huet au XVIIᵉ siècle : « fictions d'aventures amoureuses écrites en prose avec art pour le plaisir et l'instruction des lecteurs », on peut opposer celle, plus large, de Baudelaire : « un genre bâtard dont le domaine est vraiment sans limites ».

Le roman et la morale

Jusqu'au XIXᵉ siècle, le roman est un **genre dénué de dignité**, placé tout en bas de la hiérarchie des genres. D'emblée contesté, il fait l'objet de parodies*, la plus célèbre étant le *Don Quichotte* (1605-1615) de Cervantès. Favorisant l'amour et l'imagination, le roman est futile, voire dangereux, aux yeux des moralistes* (Rousseau*, dans la préface de sa *Nouvelle Héloïse*, en déconseille la lecture aux jeunes filles). Les romanciers se défendront longtemps en revendiquant une visée morale et instructive – qu'elle soit positive : le roman héroïque du XVIIᵉ siècle enseigne la civilité – ou négative : la peinture des passions est une mise en garde adressée au lecteur, comme dans *Manon Lescaut* de l'abbé Prévost*.

Roman et réalité

Le roman – et notamment le roman héroïque du début du XVIIᵉ siècle – a longtemps été critiqué pour ses invraisemblances. Les **antiromans** ou **romans comiques** (Scarron*, Sorel*) s'en sont moqué et ont cherché à peindre une réalité plus quotidienne. Les **histoires**, refusant le nom de roman, ont tenté de se rapprocher de la réalité (historique, comme dans *La Princesse de Clèves* de Mme de Lafayette*) sans pour autant verser dans la satire* et le burlesque* des romans comiques. De cette double veine est né le roman moderne de mœurs et d'analyse. **C'est au XIXᵉ siècle que le roman devient un genre dominant et reconnu**. Le philosophe Hegel le définit alors comme « une moderne épopée bourgeoise ». Les romanciers prétendent faire concurrence à l'état civil

(Balzac*), décrire la réalité de manière presque ethnologique (Zola* et le naturalisme*), ou peindre la « vraie vie » (Proust*). Mais la « réalité » que peint le roman n'est jamais qu'une fiction habilement construite par l'auteur. Diderot* l'avait déjà montré dans *Jacques le Fataliste*, en exhibant son narrateur en train de composer une histoire.

Le **modèle du roman réaliste est remis en question au XXᵉ siècle**, dès *Les Faux-Monnayeurs* de Gide*, et plus encore par le Nouveau Roman* (Sarraute*, Robbe-Grillet*). S'attaquant à la construction du personnage* comme à l'omniscience du narrateur*, le Nouveau Roman* explore des voies inédites : dans *La Modification* de Michel Butor*, le personnage est désigné par « vous ».

Un genre protéiforme

La liberté du genre a donné naissance à de nombreux types de romans. Les classifications varient selon les critères choisis (formels ou thématiques).

On peut ainsi **classer les romans** selon leur **mode narratif** (roman à la première ou à la troisième personne ; roman épistolaire), ou selon leur **contenu** (sujet, cadre, ton), lequel les inscrit souvent dans une époque, voire dans un courant littéraire (le roman courtois du Moyen Âge, le roman héroïque ou le roman comique du XVIIᵉ siècle, le roman naturaliste du XIXᵉ siècle…).

D'**autres catégories** sont à la fois plus générales – elles traversent les époques – et plus floues selon la définition restreinte ou élargie que l'on donne des termes. Ainsi, le **roman d'analyse** se concentre sur l'investigation psychologique d'un ou plusieurs personnages (*L'Astrée*, d'Honoré d'Urfé*, en est le premier exemple majeur, mais l'analyse psychologique est présente dans la plupart des romans).

Classification selon le contenu

Le **roman d'apprentissage** ou *Bildungsroman** narre l'évolution et la transformation d'un personnage par sa découverte de la société (Rastignac dans *Le Père Goriot* en est l'exemple type mais le *Conte du Graal* évoquait déjà l'apprentissage de Perceval*).

Le **roman d'aventures** a une extension plus ou moins large selon le sens que l'on donne au mot « aventures ». En effet, si la plupart des romans content des aventures (péripéties amoureuses, voyages…), l'expression désigne plus particulièrement les romans, parfois assimilés à de la littérature populaire, où les rebondissements de l'action, souvent alliés à la découverte d'espaces inconnus, jouent un rôle essentiel et sollicitent le courage du héros (*L'Île au trésor* [1883] de Stevenson, *Le Tour du Monde en 80 jours* de Jules Verne*). La psychologie y est moins développée que l'action, parfois violente ou extraordinaire. Le roman policier, le roman noir, ou le roman de science-fiction peuvent apparaître comme des genres dérivés du roman d'aventures.

Le **roman historique** donne aux personnages et aux événements de l'Histoire un rôle essentiel dans le récit (Alexandre Dumas*, *La Reine Margot*).

En réalité, ces catégories, que les œuvres mêlent le plus souvent, sont surtout utiles pour **mettre en évidence des dominantes**. Ainsi, *La Princesse de Clèves*, dont Mme de Lafayette revendiquait le caractère historique, est davantage un roman d'analyse. *L'Éducation sentimentale* de Flaubert* peut être considéré comme un roman d'apprentissage, de même que *Splendeurs et misères des courtisanes* de Balzac, mais le premier est aussi un roman historique, et le second s'intègre dans un projet beaucoup plus vaste d'étude des mœurs.

Les sous-genres du roman

Parmi les **sous-genres** actuellement en vogue, on peut citer le **roman policier***, l'**heroic fantasy**, ou l'**autofiction**, laquelle mélange éléments autobiographiques* et fiction. L'extrême **plasticité du genre** explique la propension du roman à s'annexer d'autres genres (théâtre, essai et même poésie).

→ **autobiographie**, *Bildungsroman*, **conte, épistolaire (genre), épopée, feuilleton, incipit, mémoires, narration, naturalisme, Nouveau Roman, nouvelle, personnage, picaresque, réalisme, récit**

Roman de la Rose,
Guillaume de Lorris (v. 1230) et Jean de Meung (v. 1275)

RÉSUMÉ

Dans la **première partie** du roman, due à **Guillaume de Lorris**, le narrateur raconte un songe, fait cinq ans plus tôt et qui s'est depuis réalisé. Un matin de mai, le rêveur découvre un verger paradisiaque où dansent de somptueuses figures. Se mirant dans la fontaine de Narcisse, il aperçoit dans le reflet un bouton de rose. Voulant s'en approcher, il est immédiatement percé de flèches par Amour. Bel-Accueil (qui incarne l'une des réactions de la Rose) lui permet de sentir le parfum de celle-ci, mais Danger s'interpose, tandis que Jalousie érige aussitôt un château dans lequel Bel-Accueil est enfermé.

La **seconde partie** du roman, due à **Jean de Meung**, décrit le siège du château, qui finira par être incendié par Vénus, et, surtout, rapporte les discours, conseils ou mises en garde des différentes figures allégoriques du roman : Ami, Malebouche, la Vieille, Faux-Semblant, Nature, Genius... L'Amant finit par posséder la Rose, après avoir été promis à un paradis s'opposant point par point au Verger d'amour...

L'œuvre

Premier « classique » de la littérature française, le *Roman de la Rose*, roman allégorique de plus de 21 000 vers, est l'œuvre en ancien français* la plus lue et la plus citée du Moyen Âge. Conservé dans plus de trois cents manuscrits, il n'a – fait exceptionnel pour l'époque – presque pas été modifié par les copistes.

L'auteur de la première partie de l'œuvre, **Guillaume de Lorris**, n'est connu que par une citation de Jean de Meung, clerc érudit précisant qu'il continue l'œuvre de Guillaume quarante ans après. Le premier *Roman de la Rose*, long de 4 000 octosyllabes* et écrit vers 1230, est un récit allégorique d'inspiration courtoise. La très longue suite de **Jean de Meung** en change radicalement l'esprit et assure le succès de l'œuvre, devenue une véritable « somme » du savoir du XIIIe siècle.

Guillaume de Lorris, poète courtois

Le roman de Guillaume, onirique et aristocratique, s'inspire à la fois de la lyrique des troubadours* (la *fin'amor*), des motifs narratifs du roman (quête, représentation de la psychologie

sous forme de débat entre Raison, Amour…),
et de l'allégorie* savante (songe, personnifications*). Le poème est un « art d'aimer » mis
en roman, une initiation amoureuse narrée à
la première personne.

Jean de Meung, penseur et philosophe

Avec Jean de Meung, les discours prennent le
pas sur l'action, et le roman devient la mise en
scène d'un **savoir encyclopédique** abordant
tous les problèmes du temps (sujets scientifiques comme l'astronomie ou l'optique,
débats sur le libre arbitre…). L'inspiration
courtoise disparaît au profit d'un discours
parfois cynique ou misogyne, lequel déclen-
chera la Querelle du *Roman de la Rose* dans
les années 1400. L'**ironie***, souvent présente,
déconstruit les idéologies trompeuses, comme
celle de l'amour courtois qui masque la réalité
du désir. La fin du poème est une description
grivoise de la défloration de la Rose à travers la
métaphore filée* du pèlerinage.

Le sens de l'œuvre de Jean de Meung est **multiple et subversif** (glorification du désir physique, de l'instinct, de la nature ; nostalgie d'un
âge d'or d'avant les institutions et les codes…),
et la plupart des lecteurs ont sans doute moins
cherché à le saisir dans sa globalité qu'à glaner
dans le foisonnement encyclopédique du texte.
Le succès du *Roman de la Rose* s'est perpétué
jusqu'au XVIIIe siècle.

→ allégorie, ancien français, courtoisie,
personnification, roman, troubadour

Roman de Renart,
vers 1170-1250

RÉSUMÉ

Ensemble d'histoires écrites entre 1170
et 1250 qui ont pour protagonistes des
animaux, et dont l'agencement varie selon
les éditions. L'un des fils directeurs du
Roman est constitué par la longue guerre
qui oppose Renart au loup Isengrin, à
la suite notamment du viol de la louve
Hersent par Renart. S'intercalent toute
une série d'aventures fondées sur le
motif de la quête (de nourriture le plus
souvent) et sur la ruse. Vols, viols, coups,
mutilations, déguisements et tromperies
abondent, mettant en scène aussi bien
des animaux que des hommes (paysans,
moines, prêtres…). Les méfaits de Renart
l'amènent à être à plusieurs reprises traduit

en justice à la cour du roi Noble (le lion).
Assiégé dans son château de Maupertuis
ou en fuite, recueilli dans un couvent ou
chassé pour vol, incité par un ermite à
aller se confesser auprès du pape, déguisé
en jongleur, se faisant passer pour mort,
apprenant la magie à Tolède, né d'un coup
de baguette d'Ève… les aventures de Renart
se multiplient et se répètent d'autant
mieux que le texte ne garde pas trace des
différentes mutilations des personnages.

Les sources du *Roman de Renart*

Le *Roman de Renart* n'acquiert son titre qu'au
XIIIe siècle. Si celui-ci marque avant tout un
choix linguistique (celui du roman*), il témoigne également de la volonté d'**unifier une
œuvre** fondamentalement hétéroclite **autour
de son personnage principal**. Le *Roman* se compose d'une suite de récits appelés « **branches** »
(27 environ), qui réunissent, dans un ordre
variable selon les manuscrits, des contes plus
ou moins longs, en octosyllabes* rimés. Des
auteurs (environ une vingtaine, dont Pierre de
Saint-Cloud), on ne sait presque rien.
Héritier des fables gréco-latines de l'Antiquité,
de textes latins des Xe-XIIe siècle (dont l'*Ysangri-
mus* du clerc Nivard), mais aussi de la tradition
orale populaire, le *Roman de Renart* se singu-
larise par le fait que les animaux n'y sont pas
des symboles ou des allégories, et par l'**absence
d'intention pédagogique**. La **finalité** de ces
histoires est avant tout **comique**.

Une épopée animale

Centré sur le goupil, dont le nom propre Renart
dans le *Roman* a fini, du fait de la popularité
du personnage, par devenir un nom commun,
l'œuvre met également en scène d'autres animaux, tout aussi individualisés (Brun l'ours,
Tibert le chat, Hersent la louve, Chantecler le
coq…). L'originalité du texte tient au **mélange
du monde animal et du monde humain sans
que les animaux perdent jamais leur nature
première** (Renart est un baron avec un château mais il chasse les poules…). C'est cette
caractéristique qui fait que reviennent en permanence le motif de la ruse, de la tromperie,
mais aussi le corps (nourriture, sexualité). Ce
qui n'empêche pas Renart d'être aussi habile à
parler qu'un clerc.

Rusé, fourbe, couard, voleur, Renart attire cependant la **sympathie** lorsqu'il se joue avec
cynisme de personnages sots, prétentieux,
mesquins ou lâches. Il incarne toutes les figures
de la transgression et de la *renardie*, cette perversion des règles que *renardise* même le texte.

En effet, le *Roman de Renart* est aussi un **jeu de réécritures** : variations d'un épisode à l'autre à l'intérieur de l'œuvre, pastiches* ou parodies* d'œuvres courtoises ou épiques (le jugement à la cour du roi, le siège de Maupertuis). Le caractère hétéroclite et merveilleux du texte permet toutes les libertés, sans qu'elles puissent jamais être ramenées à un sens unique, satirique, ni même à une intention autre que celle de montrer le désordre du monde et, surtout, de faire rire.

L'œuvre a connu un immense succès au Moyen Âge, avant d'être redécouverte au milieu du XIXe siècle.

→ **chanson de geste, courtoisie, farce, fable, parodie, pastiche, roman, satire**

roman policier

n.m. L'adjectif « policier » vient du bas latin *politia*, lui-même issu du grec *politeia* (de *polis*, « cité »), mots désignant le gouvernement de la cité. On parlait au XIXe siècle de roman « judiciaire » (du latin *judiciarius*). Roman mettant en scène un crime ou une disparition et son élucidation par un enquêteur, lequel tend à occuper la place de héros.

Développement du genre et principaux auteurs

Le genre policier naît au XIXe siècle conjointement aux États-Unis, en France et en Grande-Bretagne. Du côté américain, certaines « histoires extraordinaires » d'**Edgar Poe**, et tout particulièrement *Double assassinat dans la rue Morgue* (1841), marquent l'origine du genre. En France, le premier représentant de ce qu'on appelle alors le « roman judiciaire » est **Émile Gaboriau**, avec par exemple *L'Affaire Lerouge* (1865). Il sera suivi en Grande-Bretagne par **Arthur Conan Doyle**, auteur de la série des Sherlock Holmes, une soixantaine de romans écrits entre 1887 et 1927 qui font de lui le maître du *detective novel* (voir *Le Chien des Baskerville*, 1901).

Au début du XXe siècle, le genre est illustré en France par des auteurs comme **Gaston Leroux**, avec le personnage de l'enquêteur Joseph Rouletabille (voir *Le Mystère de la chambre jaune*, 1907) ou encore **Maurice Leblanc**, créateur d'Arsène Lupin. Un peu plus tard, dans les années 1920 à 1950, la romancière anglaise **Agatha Christie**, créatrice des détectives Hercule Poirot ou Miss Marple, développe avec virtuosité toutes les possibilités du genre.

Pendant ce temps, une veine policière particulière se développe aux États-Unis depuis la Première Guerre mondiale : la veine du **roman noir**, qui met en scène un détective *hard boiled* (un « dur à cuire ») tentant de mener l'enquête dans un monde où les notables et la justice sont souvent aussi corrompus que la pègre est violente. Cette veine est initiée par **Dashiel Hammet** (*Moisson rouge*, 1929 ; *Le Faucon maltais*, 1930), qui a pour héritiers **Raymond Chandler** (*Le Grand sommeil*, 1939) ou l'Anglais **James Hadley Chase**, et plus près de nous des romanciers de série noire (la collection du même nom est née chez Gallimard en 1945) comme **Jean-Patrick Manchette**, **Didier Daeninckx** ou **James Ellroy**.

Mais le roman noir n'est pas tout le roman policier, qui demeure un **genre assez divers** : les romans de **Georges Simenon***, qui mettent en scène le commissaire Maigret, se concentrent plutôt sur l'analyse psychologique et sociale des personnages ; les romans de **Léo Mallet**, qui mettent en scène le détective Nestor Burma, sont de ton plus léger et plus ludique ; les romans de **Chester Himes** ou **Frédéric Dard** (créateur de San Antonio) sont nettement humoristiques.

Structure du roman policier

Il n'est pas si facile de définir le roman policier type mais on peut au moins affirmer que le récit est intégralement mobilisé par l'élucidation d'un ou de plusieurs crimes ou disparitions et tendu par le suspense de cette enquête. Il existe certes des romans policiers (chez Agatha Christie ou Boileau-Narcejac) sans un seul détective pour mener cette investigation mais, le plus souvent, le roman policier implique tout de même :

– **un crime**, que le romancier peut raconter d'emblée (dans ce cas, le récit montre comment l'enquêteur dévoile la vérité par la logique) ou qu'il peut au contraire reconstituer à la fin (c'est le cas chez Gaboriau, où les retours en arrière [analepses] peuvent être fort longs) ;

– **un enquêteur**, qui est différent du justicier du roman populaire du XIXe siècle (Monte Cristo chez Dumas ou Rodolphe chez Eugène Sue) parce qu'il est détaché de la situation : les commissaires de Gaboriau, aussi bien que Sherlock Holmes, Hercule Poirot ou Rouletabille, conservent un recul scientifique envers les crimes sur lesquels ils enquêtent. Dans ce décalage entre froideur naturaliste du détective et passion criminelle résident l'ironie

du roman policier et sa propension à l'étude de mœurs.

Jeux narratifs et focalisation

Le genre policier a séduit romanciers et lecteurs par la **variété des jeux narratifs** qu'il permettait autour de ces simples données. Du XIXᵉ au XXᵉ siècle, le récit policier expérimente des cas limites : *Double assassinat dans la rue Morgue*, *Le Mystère de la chambre jaune*, ou *Dix petits nègres* (Agatha Christie, 1939) jouent tous trois du caractère énigmatique d'un assassinat commis dans un lieu clos (île, chambre fermée de l'intérieur).

De même, le roman policier aime les **effets de focalisation*** : que les histoires de Sherlock Holmes soient racontées du point de vue de Watson permet à Conan Doyle de dissimuler au lecteur, jusqu'à la fin, les progrès de l'enquête. Parfois, c'est un comble : le narrateur est le meurtrier, comme dans *Le Meurtre de Roger Ackroyd* (1926) d'Agatha Christie. Il n'est donc pas étonnant que les théoriciens du récit, tel Roland Barthes (« Analyse structurale des récits », 1966), se soient intéressés à certains romans policiers, comme *Cinq heures vingt-cinq* (1931) d'Agatha Christie, qui « triche » en empruntant le point du vue d'un témoin sans dire tout de suite qu'il est aussi le meurtrier.

Le roman policier pourrait donc apparaître comme un genre où la virtuosité narrative l'emporte sur la qualité stylistique… s'il ne se trouvait au contraire des romans où l'**analyse psychologique et sociale** (Simenon) ou bien la **vigueur linguistique** (argot des San Antonio) divertissent le lecteur de la pure et simple enquête.

Ramifications et limites du genre

Le problème devient de savoir quelles sont exactement les **limites** du genre policier. Car on s'aperçoit que ses structures ont pu, en retour, influencer l'écriture du roman en général. Elles ont même pu nourrir des œuvres à valeur de manifeste. Ainsi, *Les Gommes* (1955) et *La Jalousie* (1957) de Robbe-Grillet*, deux œuvres emblématiques du Nouveau Roman*, s'alimentent de manière évidente à la tradition du roman policier : la première met en scène un détective et joue autour de la dynamique de l'enquête ; la seconde fait du narrateur subjectif, d'abord insoupçonné du lecteur, l'espion silencieux d'un adultère.

Inversons le raisonnement : le récit d'enquête n'est-il pas l'un des tout premiers ressorts de la littérature ? Lorsqu'il étudie le genre du roman policier, le critique Jacques Dubois remonte ainsi au **mythe d'Œdipe**, histoire fondatrice d'un enquêteur-meurtrier à laquelle se rattacheraient certains romans d'Agatha Christie que nous avons évoqués. Le roman policier entre dès lors dans le genre plus vaste du **roman de la quête**, quête d'une vérité sur soi à laquelle le roman du crime donne toute son intensité, comme dans *Crime et châtiment* (1866) de Dostoïevski. Un roman du crime comme *La Bête humaine* (1889) de Zola, au-delà des codes et structures du roman policier que l'auteur refuse d'ailleurs ironiquement, prétend bien délivrer une vérité sur l'homme.

En fait, le roman policier est un genre qui est devenu **autonome** à partir du XIXᵉ siècle, tout en continuant d'entretenir des relations avec le reste de la littérature. En France, dans les années 1860, le roman judiciaire naît d'une diversification du roman populaire qui fait émerger aussi le roman d'aventures, le roman scientifique, le roman rustique, etc. À partir de là, le roman policier va occuper une **position médiane** entre littérature populaire et littérature élitaire (ses auteurs sont reconnus), en fécondant l'une et l'autre et en nourrissant abondamment le cinéma.

→ **feuilleton, focalisation, mélodrame, narration, Œdipe, roman, Simenon**

romantisme

n. m. De l'anglais *romantic*. **Historique du mot** : le terme « romantique » apparaît au XVIIe siècle, signifiant alors, avec une nuance péjorative, « romanesque ». Au XVIIIe siècle, sous l'influence de l'anglais *romantic*, qui qualifie les paysages pittoresques, le mot perd sa connotation péjorative, avant que Mme de Staël*, en 1810, lui donne sa signification proprement littéraire, en référence à l'allemand *romantisch* : est « romantique » ce qui s'écarte des normes fixées par le classicisme*, pour s'inspirer des beautés qui lui sont antérieures (comme le gothique) ou extérieures (comme les littératures allemande ou anglaise). Ce sens devient courant vers 1824 pour désigner les tendances novatrices du siècle.

Le romantisme dans l'histoire

Le mot romantisme recouvre trois réalités distinctes.

1. Au **sens étroit**, il s'agit d'un **mouvement littéraire et artistique** qui naît en 1820, année où apparaissent les *Méditations poétiques* de Lamartine*, et qui connaît son apogée en 1830, avec le triomphe d'*Hernani** de Victor Hugo*. Les années suivantes voient l'éclatement progressif du mouvement. On retient généralement la date de 1843, année de l'échec des *Burgraves* (Hugo), comme terme de l'aventure romantique, même si quelques-uns des grands chefs-d'œuvre romantiques sont largement postérieurs à cette date.

2. Dans un **sens plus large**, le romantisme caractérise une **évolution des idées et de la sensibilité** qui apparaît comme une **réaction au classicisme et au rationalisme** du Siècle des Lumières*. On peut alors parler d'un siècle romantique qui, grosso modo, s'étendrait de 1770 à 1870.

3. Enfin, à la suite de Georges Gusdorf, on peut voir dans le romantisme une **vision du monde particulière**, au caractère transhistorique, mais analogue à celle qui s'est imposée au XIXe siècle.

Le mouvement romantique apparaît en premier lieu comme un mouvement – à la fois politique et esthétique – de réaction contre un classicisme sclérosé et contre une société où le poète ne trouve plus sa place. Cette réaction prend des colorations diverses, voire contradictoires.

À l'origine, le romantisme est le fait d'aristocrates attachés à l'ordre ancien, que la Révolution française a privés de leur fonction sociale et politique traditionnelle. Peu à peu, cependant, le romantisme va s'infléchir : tandis que les uns s'installent dans le refus de la révolution industrielle qui bouleverse la société, d'autres évolueront vers une vision plus progressiste de la société.

Le romantisme comme vision du monde

La révolte : le romantisme est d'abord une attitude de refus à l'égard du monde tel qu'il est, une révolte contre l'ordre des choses : « J'étouffe dans l'univers », écrivait déjà Rousseau*. Cette insatisfaction radicale à l'égard du présent, qu'on va appeler le « **mal du siècle** », éclate dès les premières années du XIXe siècle et Chateaubriand*, en écrivant *René* (1802), devient le porte-étendard de toute une génération. Les romantiques se tournent avec prédilection vers les grandes figures mythiques de la révolte : Caïn, Satan, Faust* ou Prométhée*.

Au rationalisme du Siècle des Lumières, on oppose les fastes de l'**imagination**, les vibrations de la **sensibilité** : tout ce qui emporte l'homme hors de ses limites (rêve, passion, folie) est préféré au sens de l'équilibre, de l'harmonie et de la mesure propre au classicisme. Au lieu d'imposer sa loi au monde qui l'entoure et à la nature, l'homme romantique s'enivre de s'abandonner aux forces qui le dépassent et d'entrer en communion avec cette nature qui pour lui n'est pas un objet mais un sujet.

La **fascination pour l'irrationnel** se traduira, chez certains, par un regain d'intérêt pour la religion et, pour d'autres, par un goût prononcé pour l'ésotérisme et en particulier pour l'illuminisme. C'est dans ce contexte que se développe un genre nouveau : le **fantastique***(Nodier*, Cazotte*).

La conscience déchirée : l'homme romantique, dont les aspirations à l'infini se heurtent aux limites étroites du monde, est un être de démesure qui oscille de l'exaltation la plus frénétique au désespoir le plus tragique. Pour la conscience malheureuse, **deux attitudes** sont **possibles**. Tantôt le héros romantique **se replie sur lui-même** pour échapper à un monde où « l'action n'est pas la sœur du rêve » (Vigny*).

Tantôt la révolte se traduit par une **volonté** prométhéenne **de transformer le monde** : ainsi, des poètes comme Lamartine ou Hugo infléchissent le romantisme vers un progressisme politique et social.

La place du poète : dans tous les cas, qu'il reste tourné vers l'aventure intérieure ou qu'il s'ouvre au monde, le romantisme aura eu pour ambition de « réaliser une régénération de toute l'existence, comme l'avait proclamé Novalis » (Eichendorff), ce qui en fait autre chose qu'un simple phénomène littéraire. **Le poète** assume une vision nouvelle : penseur, visionnaire, prophète, il **guide l'humanité**, « puissant et solitaire », à l'image du Moïse de Vigny.

Sur le plan littéraire, les romantiques revendiquent la **totale liberté du créateur** : toutes les atteintes au goût classique, toutes les transgressions des règles et des conventions sont les bienvenues, et on s'autorise le mélange des genres, des tons ou des registres.

Le romantisme au-delà du romantisme ?

Par extension, le mot romantisme est employé pour désigner toute vision du monde qui se caractérise par le **sentiment d'une crise de la civilisation**, la nostalgie d'un accord heureux mais définitivement rompu avec le monde, l'impatience face aux limites de la condition humaine, la révolte contre une société où triomphent l'utilitarisme et la rationalité positiviste, et, enfin, la volonté de rendre toute leur place au rêve, à l'imaginaire et à la poésie.

→ **baroque, classicisme, préromantisme, surréalisme, symbolisme**

rondeau

n. m. De *rondel,* danse médiévale (du latin *rotundus,* « rond »). Poème médiéval à forme fixe*, fondé sur la répétition et associé, à l'origine, à la ronde, danse en cercle. *Ex.* : « Le temps a laissé son manteau / De vent, de froidure et de pluie, / Et s'est vêtu de broderie, / De soleil luisant, clair et beau. // Il n'y a bête ni oiseau / Qu'en son jargon

ne chante ou crie : / « Le temps a laissé son manteau / De vent, de froidure et de pluie. » // Rivière, fontaine et ruisseau / Portent, en livrée jolie, / Gouttes d'argent d'orfèvrerie ; / Chacun s'habille de nouveau : / Le temps a laissé son manteau. » (Charles d'Orléans*, « Le Printemps », orthographe modernisée.)

Caractéristiques du rondeau

Construit sur **deux rimes***, le rondeau est composé de **trois strophes*** liées par une sorte de refrain : les deux premiers vers de la première strophe sont repris à l'intérieur de la deuxième, tandis que la troisième se termine par le premier vers de la première strophe ; le rondeau a de la sorte une **structure circulaire**. Une des variantes du rondeau est le **rondel**.

La vogue du rondeau

Très prisé au **Moyen Âge** – on en trouve le premier exemple chez Adam de la Halle au XIIIe siècle –, le rondeau appartient au **lyrisme*** **de cour**, et il est pratiqué par tous les poètes des XIVe et XVe siècles, parmi lesquels Christine de Pisan, Eustache Deschamps, Guillaume de Machaut. Il connaît son apogée au XVe siècle avec Charles d'Orléans (voir exemple ci-dessus).

Au XVIe siècle, **Clément Marot*** perpétue la tradition médiévale savante en écrivant des rondeaux et des ballades* qui satisfont son penchant pour la virtuosité et le badinage précieux. Toujours écrits sur deux rimes, ses rondeaux reposent sur la règle suivante : le premier hémistiche* du premier vers est repris en refrain à la fin de la deuxième et de la troisième strophe.

→ **ballade, Charles d'Orléans, formes fixes, lyrisme, Marot, pantoum, troubadours**

Ronsard
(Pierre de), 1524-1585

ŒUVRES PRINCIPALES
• **Recueils poétiques** : *Odes,* livres I à IV (1550) ; *Odes,* livre V, *Les Amours* (« de Cassandre ») [1552] ; *Hymnes* (1555) ; *Continuation* et *Nouvelle Continuation des Amours* (« de Marie ») [1556] ; *Élégie sur les troubles d'Amboise, Élégie contre les bûcherons de la forêt de Gastine* (1560) ; *Institution pour l'adolescence du roi Charles IX* (1561) ; *Discours sur les misères de ce temps* et *Continuation du Discours des misères*

(1562) ; *Réponse aux injures et calomnies de je ne sais quels prédicants et ministreaux de Genève* (1563) ; *Élégies, mascarades et bergeries* (1565) ; *La Franciade,* livres I à IV (1572) ; *Sonnets pour Hélène* (1578) ; *Derniers Vers* (posth. 1586).

L'influence de l'Antiquité

L'enseignement de Dorat et ses relations avec les humanistes, futurs membres de la Pléiade, ont sensibilisé Ronsard à la langue et à la culture grecques et romaines. Il puise son inspiration, notamment celle de sa poésie amoureuse, chez des poètes comme Catulle et Ovide. Sa philosophie du *Carpe diem* est empruntée à l'**épicurisme***.

Il évoque également, comme dans l'*Hymne de Pollux et de Castor*, des héros de la mythologie grecque, et l'épopée* de *La Franciade* fait référence à l'*Énéide* de Virgile. De **très nombreuses allusions à l'Antiquité** parsèment l'œuvre ronsardienne : la nature bruit des Nymphes, des Satyres, du Zéphyre… Un poème des *Amours de Cassandre* (IV) renvoie aux personnages et aux lieux de la guerre de Troie. Sur le plan formel, la structure des *Odes* est empruntée à **Pindare**.

Les thèmes lyriques

Étroitement liés à la pensée épicurienne, les principaux thèmes lyriques de l'œuvre de Ronsard gravitent autour du **problème du temps**.

La **destruction et la mort du vivant** sont sensibles dans les pièces « Sur la mort de Marie » ainsi que dans les *Derniers vers*, mais on trouve dès les *Odes* (« Mignonne, allons voir si la rose… ») l'image de la rose éphémère, symbole de fragilité. L'évocation est beaucoup plus crue dans les *Derniers vers*, notamment dans l'« Autoportrait » où le poète décrit « un squelette […]/ Décharné, dénervé, démusclé, dépulpé ». Si, dans les derniers textes, la mort est acceptée, voire, dans les *Hymnes*, « heureuse et profitable », elle engendre en général la douleur liée au sentiment d'une perte définitive. Seule **la nature**, dans son perpétuel renouvellement, présente l'image d'une jeunesse éternelle, alors même qu'elle est soumise à des cycles qui en détruisent les éléments.

La fuite du temps invite à **profiter des plaisirs amoureux**, et cet appel est présent dans de nombreux sonnets des *Amours* : « Pour c'aimez-moi pendant qu'êtes belle » (pièce retranchée des *Amours*). Une **sensualité discrète**, liée à l'amour, s'exprime dans l'appréhension, tout épicurienne, d'une nature généreuse, pourvoyeuse de nourriture et de vin, comme dans cette *Ode* (II, 2) imitée d'Horace : « Corydon […]/ Fais rafraîchir la bouteille […]/ Achète des abricots… »

Le poète des princes

Poète officiel dès 1558, sous Henri II puis sous Charles IX à partir de 1560, riche et adulé, Ronsard écrit de la **poésie de cour**, comme le *Sonnet sur le cœur du feu Roi très chrétien Henri II*. *La Franciade* célèbre la fondation imaginaire de la dynastie des Valois.

L'**hostilité de Ronsard à la Réforme** s'exprime dans les *Discours*, toujours en alexandrins*, de plus en plus véhéments, utilisant volontiers la prosopopée* (la France dans la *Continuation*) et les scènes imagées (l'exorcisme du loup-garou dans la *Réponse*). Le poète veut témoigner de « […] l'extrême malheur dont notre France est pleine […]/D'une plume de fer sur un papier d'acier ».

Le rôle et le travail du poète

Proche des grands, le poète joue auprès d'eux un rôle de conseiller et de guide, légitimé par le fait qu'il est inspiré. Il est donc témoin et acteur dans les événements de son temps, qui acquièrent par lui l'immortalité. De même, la poésie confère l'immortalité à ceux qu'elle célèbre, roi ou femme aimée.

D'autre part, en dehors des textes engagés, de nombreux textes intimes, en particulier ceux de la poésie amoureuse, ne renvoient pas tant à une expérience personnelle qu'à un **travail littéraire**. Les *Amours de Cassandre* sont inspirés de Pétrarque ; les poèmes « Sur la mort de Marie », consacrés en partie à Marie de Clèves, aimée d'Henri III, sont une œuvre de commande. Le travail du poète est donc essentiel.

Un poète de la variété

Les **formes**, les **registres** et les **thèmes** de la poésie de Ronsard sont extrêmement **variés**. Si *Les Amours* de 1552 sont fidèles à la rhétorique et à la thématique du **pétrarquisme***, Ronsard trouve un ton plus personnel et plus varié dans les recueils lyriques suivants. **Épicurisme*** et **naturalisme*** caractérisent son style dans la *Continuation des Amours* et la *Nouvelle Continuation*. Dans les *Hymnes*, il s'essaie au **lyrisme philosophique**. Les *Discours* marquent son **engagement** dans la crise politique et morale de son temps. Le recueil des *Derniers vers* est consacré à la **mort**. C'est ce poète de la variété qu'on redécouvre aujourd'hui, surtout pour son œuvre lyrique.

CITATIONS

• Sur le *carpe diem*

« Donc, si vous me croyez, mignonne, / Tandis que votre âge fleuronne / En sa plus verte nouveauté, / Cueillez, cueillez votre jeunesse : / Comme à cette fleur la vieillesse / Fera ternir votre beauté.» *(Odes)*

• Sur le temps et la mort

« Le temps s'en va, le temps s'en va, ma Dame, / Las ! le temps non, mais nous nous en allons, / Et tôt seront étendus sous la lame.» *(Continuation des Amours)*

• Sur l'engagement

« Madame, je serais ou du plomb ou du bois, / Si moi que la nature a fait naître François, / Aux races à venir je ne contais la peine / Et l'extrême malheur dont notre France est pleine» *(Continuation du Discours des misères de ce temps)*

REPÈRES BIOGRAPHIQUES

➜ Né dans une famille noble du Vendômois, Ronsard passe toute son enfance au milieu de la nature. Page des enfants de François Ier, il voyage (notamment en Écosse). La surdité qui le frappe à l'âge de quinze ans lui barre la carrière militaire à laquelle il était destiné. Aussi reçoit-il les ordres mineurs, ce qui va lui permettre de vivre de bénéfices ecclésiastiques.

➜ Il adapte les *Odes épicuriennes* d'Horace avant d'entrer, en 1545, au collège de Coqueret, à Paris, où il suit les cours de l'helléniste Dorat avec Baïf et du Bellay*. Avec ce dernier, il participe à l'élaboration du recueil *Défense et Illustration de la langue française* qui paraît en 1549. L'année suivante, les quatre premiers livres des *Odes*, toujours inspirées d'Horace, sont diversement appréciés. En 1552, le recueil des *Amours de Cassandre* regroupe des sonnets pétrarquisants selon la mode de l'époque. La gloire alors naissante de Ronsard est amplifiée par des œuvres de facture plus simple, regroupées dans la *Continuation des Amours* et la *Nouvelle Continuation des Amours*, inspirées par une jeune paysanne, Marie Dupin. Parallèlement, il aborde dans les *Hymnes*, composés en alexandrins*, une poésie plus grave et méditative. Chef de file de la Pléiade*, « prince des poètes », poète officiel de la cour, comblé de faveurs et de biens, Ronsard compose diverses pièces de circonstance.

➜ Quand débutent les guerres de Religion, il s'engage aux côtés des catholiques dans ses *Discours*. Après l'échec de *La Fran-*

ciade, épopée à la manière de l'*Énéide* dont seuls paraissent les quatre premiers livres en 1572, Ronsard, remplacé par le poète Desportes dans la faveur du nouveau roi Henri III (1574), s'éloigne de la vie publique pour remanier les éditions de ses œuvres. Il revient à une poésie plus personnelle qui chante encore l'amour (*Sonnets sur la mort de Marie* et *pour Hélène*, 1578) et médite sur la mort en composant les *Derniers Vers*, publiés après sa mort. Lorsqu'il s'éteint en 1585, il est célébré dans toute l'Europe.

➔ **élégie, épicurisme, épique, épopée, hymne, ode, pétrarquisme, Pléiade, sonnet**

Rostand
(Edmond), 1868-1918

ŒUVRES PRINCIPALES

• Théâtre: *Le Gant rouge* (1888), *Les Romanesques* (1894), *La Princesse lointaine* (1895), *La Samaritaine* (1897), *Cyrano de Bergerac* (1897), *L'Aiglon* (1900), *Chantecler* (1910), *La Dernière Nuit de Don Juan* (posth. 1921).

• Poésie: *Les Musardises* (1890), *Le Vol de la Marseillaise* (posth. 1919).

L'héritier du romantisme

« Imprégné de Hugo et de Banville » (F. Sarcey), Rostand garde à ses grandes pièces **la plupart des éléments du drame romantique** * : la forme en cinq actes et en alexandrins*, l'action insérée dans l'Histoire (le XVIIe siècle dans *Cyrano*, le Premier Empire dans *L'Aiglon*), le mélange du sublime* et du grotesque* : ainsi, l'entrevue douloureuse avec Roxane (*Cyrano*, II, 6) succède à des épisodes comiques avec Ragueneau et la duègne. Les irrégularités de la versification*, la fréquence des images, le lyrisme* de Cyrano* rappellent la verve et la liberté du drame romantique. Enfin, comme le héros romantique, Cyrano vit dans la souffrance de l'impossible amour ou de l'impossible pouvoir.

Le patriotisme

Cependant, le succès de Rostand s'explique surtout par le fait que ses **héros sont les porte-parole du sentiment national français**, dont on sait l'importance entre 1870 et 1914 : au siège d'Arras, Cyrano, dressé contre les Espagnols, exalte le pays natal et revendique « l'honneur d'être une cible ».

Dans *L'Aiglon*, l'ancien grognard Flambeau rappelle la gloire de l'Empire et pousse le duc « au premier rendez-vous que [*lui*] donne la France » (V, 1). Le héros de *Chantecler* est le coq gaulois.

Les principaux personnages du théâtre de Rostand apparaissent donc comme des symboles du patriotisme.

Un théâtre brillant

Le théâtre d'Edmond Rostand ne cherche **pas** à faire passer **de message**. Privilégiant le spectacle, il cherche surtout à **plaire**.

Une construction dramatique rigoureuse, les brusques ruptures, comme la mort de Christian dans *Cyrano*, ménagent l'attente du spectateur. L'**écriture** est **variée** : les accumulations* de la tirade du nez, les images de celle des « Non, merci » dans *Cyrano* (I, 4 et II, 8), le récit de Flambeau dans *L'Aiglon* jouent sur le registre épique et baroque, jusqu'au néologisme (« délarbiné », *L'Aiglon*, III, 7). Cette tonalité contraste avec la douceur lyrique des duos d'amour.

La **même diversité** se retrouve **dans la scénographie*** : les scènes de foule, les déplacements indiqués par les didascalies* créent un mouvement et une vivacité que renforcent les changements de décor et d'éclairage. Cette esthétique brillante confère au théâtre de Rostand un lustre – que symbolise l'ode au soleil de *Chantecler* – dont le succès auprès du public ne se dément pas.

CITATION

• Sur le sentiment national
« – Approche, Bertrandou le fifre, ancien berger ;/ Du double étui de cuir tire l'un de tes fifres,/ Souffle, et joue à ce tas de goinfres et de piffres/ Ces vieux airs du pays, au doux rythme obsesseur,/ Dont chaque note est comme une petite sœur,/ Dans lesquels restent pris des sons de voix aimées,/ Ces airs dont la lenteur est celle des fumées/ Que le hameau natal exhale de ses toits,/ Ces airs dont la musique a l'air d'être en patois !... »
(*Cyrano de Bergerac*, IV, 3)

REPÈRES BIOGRAPHIQUES

→ Issu de la bourgeoisie cultivée, Rostand fait de brillantes études à Marseille, puis à Paris. Sa première pièce, *Le Gant rouge*, un vaudeville* en quatre actes, ne tient que quinze représentations. En 1890, il épouse la poétesse Rosemonde Gérard et publie *Les Musardines*, recueil poétique qui recueille peu d'audience.

→ C'est avec *Les Romanesques*, comédie en vers donnée par la Comédie-Française en 1894, qu'il connaît enfin le succès. Rostand, par ailleurs dreyfusard, fait jouer ensuite, avec succès, deux pièces écrites pour Sarah Bernhardt : *La Princesse lointaine* (1895) et *La Samaritaine* (1897). Mais c'est le triomphe inattendu de *Cyrano de Bergerac* au théâtre de la Porte-Saint-Martin le 28 décembre 1897, qui le rend célèbre.

→ Fort du succès de *Cyrano*, il écrit *L'Aiglon*, pièce créée en 1900, avec Sarah Bernhardt dans le rôle-titre. Nouveau triomphe pour Rostand dont la popularité est immense. Cependant, malade et dépressif, il se retire dans sa maison du Pays basque. En 1901, il est élu à l'Académie française. En 1910, *Chantecler*, qui met en scène des animaux à la manière de La Fontaine*, est un échec. Son ultime pièce, *La Dernière Nuit de Don Juan*, n'est représentée qu'en 1921, trois ans après la mort de l'écrivain, emporté par la grippe espagnole en décembre 1918.

→ **Cyrano, drame romantique, romantisme**

Rotrou
(Jean de), 1609-1650

ŒUVRES PRINCIPALES
• Tragédies: *Hercule mourant* (1634, publ.1636), *Le Véritable Saint Genest* (1637, publ.1639).
• Comédie: *Les Sosies* (1636, publ.1638).
• Tragicomédie: *Laure persécutée* (1637, publ.1639).

Une œuvre protéiforme

Rotrou a publié douze comédies*, dix-sept tragicomédies*, et six tragédies*. Son œuvre se caractérise par sa **variété** : comédies et tragi-comédies inspirées de la pastorale* (*La Célimène*), de Plaute (*Les Captifs*), des Italiens (*La Sœur*). Il est le premier en France à s'intéresser à la *comedia* espagnole (*La Belle Alphrède*). Il contribue à la renaissance de la tragédie à l'antique avec *Hercule mourant*, pièce inspirée de Sénèque.

Son écriture est marquée par un **romanesque débridé** (combats, reconnaissances, rebondissements d'une action souvent compliquée…), un **réalisme*** consistant à montrer sur scène les actes les plus violents, et un **lyrisme*** tendant à la préciosité.

Une esthétique de la démesure et de l'ambiguïté

L'**esthétique** de Rotrou est fondamentalement **baroque***. Elle témoigne de l'**instabilité** d'un monde dont les apparences sont trompeuses, et qui se caractérise par l'**excès**. Viols, meurtres, suicides, scènes scabreuses abondent dans son œuvre. Dans *Crisante*, l'héroïne, violée, décapite son bourreau et revient sur scène jeter la tête aux pieds de son mari avant de se tuer.

Mais Rotrou joue aussi de tous les **ressorts dramatiques de l'illusion** : travestissements, fausses morts, folie, théâtre dans le théâtre. Dans *La Belle Alphrède*, l'héroïne, enceinte et déguisée en homme, secourt un jeune homme attaqué par des pirates qui s'avère être son amant, avant de retrouver son père, disparu depuis quatorze ans… Dans *La Sœur*, deux amants se font passer pour frère et sœur. Dans *L'Hypocondriaque*, le héros devient fou et se croit mort. Dans *Le Véritable Saint Genest*, l'acteur, incarnant un martyr du christianisme, se prend à son jeu et se convertit.

Une dramaturgie personnelle

Le **théâtre** de Rotrou est le plus souvent **irrégulier**. Alors que les règles des trois unités*, de la vraisemblance* ou des bienséances* s'imposent peu à peu au théâtre, Rotrou ne s'y plie que ponctuellement, notamment dans ses dernières tragédies.

Ses premières pièces adoptaient le décor multiple et recouraient au spectaculaire, les dernières s'orientent vers l'unité de lieu. Mais l'évolution n'est pas systématique, la dramaturgie de Rotrou se caractérisant avant tout par sa **liberté**, laquelle fait aujourd'hui sa modernité.

CITATION

« Ce monde périssable et sa gloire frivole/ Est une comédie où j'ignorais mon rôle ; [...]/ Ce jeu n'est plus un jeu, mais une vérité/ Où par mon action je suis représenté [...] » (*Le Véritable Saint Genest*, IV, 7, v. 1303-1304 et 1325-1326).

REPÈRES BIOGRAPHIQUES

→ L'un des auteurs dramatiques les plus importants du XVIIe siècle après Corneille, Racine et Molière, Jean Rotrou est né en 1609 à Dreux, dans une famille de la bourgeoisie. Après des études de droit, devenu avocat au parlement de Paris, il se consacre surtout au théâtre. Sa première pièce date de 1628. Très tôt attaché à la troupe de l'Hôtel de Bourgogne en tant que « poète à gages »,

il doit se soumettre à un rythme de production intense et ne peut publier ses œuvres lui-même, contrainte dont il se libérera en 1636. En 1635 il fait partie, avec Corneille, du groupe des Cinq Auteurs chargés de travailler sous la direction de Richelieu. À partir de 1639, il s'installe comme magistrat à Dreux et fonde une famille. Il écrit à un rythme moins soutenu, mais c'est l'époque de ses plus grands chefs-d'œuvre. Il meurt en 1650 de la fièvre pourprée (sorte de peste), ayant refusé de quitter la ville pour continuer à assurer sa charge.

→ De la cinquantaine de pièces qu'il a écrites, trente-cinq nous sont parvenues. La vie comme le style de cet auteur prolifique se confond avec le règne de Louis XIII. Tombé dans l'oubli avec le triomphe du classicisme, Rotrou est redécouvert dans la deuxième moitié du XXe siècle, en même temps que le baroque.

→ **baroque, bienséances, classicisme, comédie, Corneille, tragédie, tragicomédie, unités (règle des trois), vraisemblance**

Rouge et le Noir (Le),
Stendhal, 1830

RÉSUMÉ

Première partie. Julien Sorel, fils d'un charpentier, est engagé comme précepteur chez le maire royaliste de Verrières, M. de Rênal. Sa timidité et sa jeunesse attendrissent Mme de Rênal, dont il devient l'amant. Une lettre anonyme dénonce l'adultère à M. de Rênal qui, craignant un scandale, renvoie Julien. Après un séjour de trois ans au séminaire de Besançon, le jeune homme est envoyé à Paris comme secrétaire du marquis de La Mole, aristocrate « ultra ». **Deuxième partie.** Ambitieux et fervent admirateur de Napoléon, Julien, qui a gagné la confiance et l'estime du marquis, parvient à se faire une place dans le monde brillant de l'aristocratie. Parallèlement, il entretient une liaison orageuse avec la fille du marquis, Mathilde et, après maintes péripéties, semble arriver à ses fins : anobli et nommé lieutenant de hussards grâce au marquis, il est sur le point d'obtenir son consentement pour épouser sa fille, enceinte de lui. Mais arrive une lettre de Mme de Rênal, qui dénonce l'arrivisme de

Julien. Celui-ci galope jusqu'à Verrières et, en pleine messe, tire sur Mme de Rênal qu'il blesse. Au cours de son procès, il revendique sa culpabilité, tandis que ses deux amantes tentent vainement de le sauver. Condamné à mort, il goûtera en prison quelques instants de bonheur avec Mme de Rênal, qui meurt trois jours après lui.

Une « Chronique de 1830 »

Tel est le sous-titre du *Rouge et le Noir*, roman qui se déroule sous la Restauration (1815-1830), au cours des six derniers mois du règne de Charles X. **L'intrigue du roman s'inspire d'un fait divers récent** : le procès d'Antoine Berthet, fils d'un artisan, séminariste condamné par les assises de l'Isère pour avoir tué dans l'église de son village son ancienne maîtresse, épouse du notable chez qui il avait été autrefois précepteur.

Roman et Histoire

Chronique et critique de la société française sous la Restauration, *Le Rouge et le Noir* inscrit l'Histoire dans le roman, en mettant aux prises un jeune homme pauvre et ambitieux avec une société qui lui barre la route.

Roman d'apprentissage, *Le Rouge et le Noir* pose le problème de la réussite individuelle dans une société aux castes figées, attachées à leurs privilèges et craignant une nouvelle révolution. L'**hésitation entre** la carrière militaire (**habit rouge**) **et** la carrière ecclésiastique (**habit noir**) **symbolise la difficulté** pour un homme du peuple à s'élever par son mérite dans l'échelle sociale. Aussi la découverte de la haute société provinciale et celle de l'aristocratie parisienne, ponctuées chacune par une aventure amoureuse de nature différente, structurent-elles le roman. Entre les deux, le passage au séminaire souligne la **toute-puissance de l'Église** et le danger que représente la Congrégation.

Le **masque d'hypocrite** dont se couvre Julien se révèle alors être une **nécessité** pour tout ambitieux. Héros de l'énergie, il veut modeler sa vie selon l'idéal napoléonien : au tribunal, il passe du statut d'accusé à celui d'accusateur de la société et de représentant de la jeunesse, et à la fin du roman il parvient à la **fusion idéale du destin et du bonheur**, son exécution prenant valeur de consécration.

→ *Bildungsroman*, chronique, réalisme, Stendhal

Rousseau
(Jean-Jacques), 1712-1778

ŒUVRES PRINCIPALES
• **Œuvres philosophiques** : *Discours sur les sciences et les arts* (1750), *Discours sur l'origine et les fondements de l'inégalité* (1755), *Lettre à d'Alembert sur les spectacles* (1758), *Du contrat social* (1762), *Émile ou de l'Éducation* (1762).
• **Opéra** : *Le Devin du village* (1752).
• **Roman** : *La Nouvelle Héloïse* (1761).
• **Œuvres autobiographiques** : *Les Confessions* (1765-1770 ; publ. : livres I-VI, 1782 ; livres VII-XII, 1789), *Rousseau juge de Jean-Jacques, dialogues* (1772-1776), *Rêveries du promeneur solitaire* (1776-1778 ; publ. 1782).

Les écrits philosophiques

C'est en rendant visite à Diderot embastillé au fort de Vincennes que Rousseau lit dans le *Mercure de France* le sujet mis au concours par l'académie de Dijon pour son prix de morale : « Si le rétablissement des sciences et des arts a contribué à corrompre ou à épurer les mœurs ». Dans l'exaltation, il rédige son *Discours sur les arts et les sciences*, où il montre que **les progrès de la civilisation engendrent la décadence morale**, et qui gagne le prix.

Il approfondit sa réflexion dans le *Discours sur l'origine et le fondement de l'inégalité parmi les hommes* que complète l'*Essai sur l'origine des langues*. Il y décrit le processus de dégradation par lequel « l'homme de la nature », libre, solitaire et heureux, en parfaite harmonie avec la nature, devient « l'homme de l'homme », dépravé et malheureux. Cette déchéance est due à l'apparition de l'**organisation sociale** qui, **fondée sur la propriété**, **crée l'inégalité** et avec elle, la lutte entre les individus, les classes, les États. Ce que les philosophes appellent le progrès de la civilisation constitue en fait une « décrépitude de l'espèce ». Désormais l'homme est pris entre la nature (bonne) et la culture (néfaste).

Pour dépasser cette contradiction, Rousseau envisage **deux solutions**. **La première, politique,** évoquée dans le *Contrat social*, concerne le citoyen et **développe un projet de société** : chacun aliène librement ses droits à la volonté générale, fondée sur l'intérêt commun. En retour, l'État protège personnes et biens, et œuvre au développement intellectuel et moral de chacun. La loi, identique pour tous, garantit l'égalité et la liberté individuelle. La théorie de la souveraineté inaliénable de la volonté générale, qui trouve sa seule expression dans la république, fait de Rousseau le chantre de la démocratie. **Liée étroitement à la première, la seconde** solution, évoquée dans l'*Émile*, concerne l'homme et **propose un projet pédagogique.** L'éducation doit développer chez l'enfant, indépendamment des lois propres à un pays, les principes d'une sociabilité fondée sur la raison, le langage et la moralité, qui le prépare à vivre dans une communauté régie par les principes du *Contrat social*. La morale prend appui sur la vertu que donne la pratique d'une religion naturelle : hostile tant au fanatisme intolérant de toute Église qu'à l'athéisme, luxe pour nantis, mais confiant en la conscience, « instinct divin » qui renferme « un principe inné de justice et de vertu », Rousseau prêche pour une **religion du cœur,** garant de l'existence de Dieu. Il institue aussi la **pédagogie moderne :** toute éducation doit s'effectuer en respectant la psychologie spécifique de l'enfant, et différemment selon les sexes.

L'œuvre romanesque :
La Nouvelle Héloïse

Rousseau s'engage dans ce qu'il écrit et ce qu'il écrit engage sa vie : il trouve dans la réforme de son existence la force de sa persuasion, et dans l'écriture, la consolation à ses maux. Ainsi, pour résoudre une grave crise intérieure, il rédige *La Nouvelle Héloïse,* **roman par lettres** qui constitue le plus grand succès romanesque du xviiie siècle.

Au **roman d'amour** entre Julie et Saint-Preux, il superpose un **roman philosophique et moral** où l'on débat du mariage, de la société, de la religion, de l'éducation, de la mort, véritable somme des idées de Rousseau. Cependant, la mort de Julie, impuissante à soumettre ses sentiments à la raison, soulève le problème de l'échec de l'utopie privée qu'est la communauté de Clarens.

L'œuvre autobiographique

Après 1761, les attaques dont il est l'objet incitent Rousseau à se justifier en dévoilant sa vraie nature dans le récit autobiographique des *Confessions* où, par l'attention qu'il porte à la sexualité enfantine et le rôle qu'il donne à l'enfance dans la formation de la personnalité, il **annonce la psychanalyse.** Puis, dans les *Dialogues,* intitulés *Rousseau juge de Jean-Jacques,* il tente de répondre sous forme analytique, et parfois délirante, à la question « Qui suis-je ? » L'apaisement vient

pourtant, et s'exprime dans les *Rêveries du promeneur solitaire* qui inaugurent une nouvelle forme littéraire, la **prose poétique,** et que la mort interrompt. Homme de tous les paradoxes, sujet de polémiques innombrables, **Rousseau noue avec son lecteur une nouvelle relation,** fondée sur le partage de sentiments et d'émotions communs à tous les hommes, qui préfigure la littérature moderne.

CITATIONS

- **Sur le projet autobiographique**
« Je forme une entreprise qui n'eut jamais d'exemple et dont l'exécution n'aura point d'imitateur. Je veux montrer à mes semblables un homme dans toute la vérité de la nature ; et cet homme, ce sera moi. » (*Les Confessions,* livre I)
- **Sur l'instinct moral**
« Conscience ! Conscience ! instinct divin, immortelle et céleste voix ; guide assuré du bien et du mal, qui rend l'homme semblable à Dieu, c'est toi qui fais l'excellence de sa nature et la moralité de ses actions ; sans toi je ne sens rien en moi qui m'élève au-dessus de bêtes, que le triste privilège de m'égarer d'erreurs en erreurs à l'aide d'un entendement sans règle et d'une raison sans principe. » (« Profession de foi du Vicaire savoyard », *Émile,* livre IV)

REPÈRES BIOGRAPHIQUES

→ Né à Genève le 28 juin 1712 dans une famille d'artisans, Rousseau perd sa mère le 8 juillet. D'abord élevé par son père, l'enfant est placé en pension, puis en apprentissage. Maltraité, il s'enfuit de Genève à l'âge de seize ans et mène une vie errante, en exerçant divers métiers pour subsister. Son seul point d'attache est la demeure de sa protectrice, Mme de Warens, chez qui il se dote en autodidacte d'une solide culture.

→ En 1742, ayant mis au point un nouveau système de notation musicale, il décide d'aller tenter sa chance à Paris. Il se lie d'amitié avec Condillac et Diderot* puis part pour Venise comme secrétaire de l'ambassadeur de France. En 1745, il revient à Paris, accompagné de Thérèse Levasseur, une lingère quasi illettrée avec laquelle il s'est mis en ménage et dont il aura cinq enfants, qu'il abandonnera aux Enfants-Trouvés. En 1749, il participe à l'*Encyclopédie** dont il rédige les articles sur la musique.

→ Après la publication du *Discours sur les sciences et les arts,* qui le rend célèbre, Rousseau décide de réformer sa vie : il se retire du monde, refuse une pension royale, et assure sa subsistance en copiant de la musique. La reprise de sa vie errante, la rupture avec les encyclopédistes et tous ses hôtes successifs, une intense production littéraire marquent les vingt années suivantes.

→ Cependant, l'*Émile* – qui déchaîne une véritable tempête – et le *Contrat social* sont condamnés au bûcher et, le 9 juin 1762, un mandat d'arrestation est lancé contre Rousseau. Persuadé que Diderot et ses anciens amis se sont ligués contre lui et se sentant menacé par un complot universel, il entreprend, pour se justifier, la rédaction des *Confessions*. En 1778, il trouve refuge à Ermenonville, où il meurt le 2 juillet. En 1794, les cendres de Rousseau sont transférées au Panthéon.

→ **autobiographie, *Confessions* (Les), Diderot, Lumières, Montesquieu, rêverie, Voltaire**

Rutebeuf,
mort en 1285

ŒUVRES PRINCIPALES
- **Théâtre** : *Le Miracle de Théophile* (1262).
- **Roman** : *Renart le Bestourné* (1261) ?
- **Complaintes** : *Complaintes d'outre-mer, La Complainte Rutebeuf* (1261-1262 ?), *Le Mariage Rutebeuf, La Pauvreté Rutebeuf, Dit des ribauds de grève.*

Le jongleur

Rutebeuf est le plus célèbre des jongleurs du Moyen Âge, ces poètes itinérants qui ont joué un grand rôle dans la diffusion de la **littérature bourgeoise** (par opposition aux troubadours* qui sont liés à la littérature courtoise) et dont l'élite portait le nom de « ménestrels ». En tant que jongleur, Rutebeuf se caractérise par une **verve satirique** extrêmement mordante qui s'exerce surtout **contre les ordres religieux**, dont l'emprise sur la société de l'époque est très forte. Il s'attaque en particulier aux moines mendiants, qui pullulent dans un Paris transformé en « une véritable capucinière ». Il stigmatise leur hypocrisie, leur appétit de pouvoir, leur hargne contre les maîtres de l'Université et contre ces amuseurs publics que sont les jongleurs.

Le poète lyrique

Le lyrisme* de Rutebeuf porte les marques de la littérature bourgeoise. Outre une vive misogynie très sensible dans *Le Mariage Rutebeuf*, c'est avec un **réalisme** des plus directs qu'il exprime la détresse, l'amertume d'un poète pauvre en proie aux difficultés du quotidien. La **complainte** prend des accents poignants lorsqu'au dénuement s'ajoute la solitude.

Mais, autre trait de la littérature bourgeoise, Rutebeuf conserve toujours une pointe d'**humour*** et de l qui lui permet de rire de ses malheurs. La plainte s'émaille alors de jeux de mots, de calembours* et d'acrobaties verbales.

CITATION

- **La satire des ordres religieux**
« Tant d'Ordres avons déjà / Ne sais qui les songea ; / Mais Dieu ne les fréquente / Ni ne sont ses amis. / Papelards et béguins / Ont le siècle sali. // Béguines tant avons / Qui ont de larges robes ; / Dessous leurs robes font / Ce que pas ne vous dis. // Papelards et béguins / Ont le siècle sali. » (*La Chanson des Ordres*)

REPÈRES BIOGRAPHIQUES

→ La vie de Rutebeuf reste à peu près inconnue. Son nom lui-même n'est qu'un surnom (*rustebuef*, « rude bœuf » ou « bœuf vigoureux »).

→ D'origine champenoise, il mène à Paris une carrière de jongleur sous le règne du roi Louis IX (Saint Louis). Une vie matérielle difficile (surtout lorsque le roi, son principal protecteur, est parti en croisade) ne l'empêche pas de composer une œuvre abondante et variée où l'on trouve des fabliaux*, du théâtre (*Le Miracle de Théophile*), des pamphlets*, des vies de saints mais aussi de la poésie lyrique.

→ **fabliau, lyrisme, Rhétoriqueurs, rondeau**

rythme

n. m. Du grec *rhuthmos*, «mouvement régulier et mesuré». Dans la poésie française, le rythme du vers dépend du jeu des accents toniques. La lecture explicite ce rythme en plaçant l'accent tonique puis la coupe* (qui suit immédiatement la syllabe accentuée), découpant ainsi le vers en plusieurs mesures. *Ex.*: «La moisson / de nos champs / lassera / les faucilles // Et les fruits / passeront / la promes / se des fleurs» (Malherbe).

Le rythme du vers

Tandis que le **vers classique** vise une **régularité des rythmes** (rythme ternaire : 4 + 4 + 4 ; rythme binaire : 3 + 3// 3 + 3) et marque nettement la césure*, les poètes vont chercher à assouplir ce moule (menacé de monotonie) et à jouer sur l'irrégularité.

Ainsi, dans « Le Dormeur du val », Rimbaud* crée un malaise en introduisant un **rythme irrégulier dans une strophe à l'atmosphère idyllique** : « Un soldat *jeu*/ne, bouche ou*ver*/te, tête *nue* (4 + 4 + 4),/Et la *nu*/que baign*ant*/ dans le *frais*/cresson *bleu* (3 + 3) + (3 + 3),/ *Dort* ;/il est éten*du*/dans l'*her*/be, sous la *nue* (1 + 5) + (2 + 4),/*Pâ*/le dans son lit *vert*/où la lu*miè*/re *pleut* (1 + 5) + (4 + 2). »

Le rythme de la prose

Le rythme, organisation du mouvement de la phrase, est une propriété de tout discours, qu'il soit en vers ou en prose.

Cependant, pour la prose, il n'obéit pas aux mêmes règles : un prosateur doit même éviter de couler sa phrase dans un rythme propre à la poésie. Le rythme de la prose repose sur la **longueur des segments déterminée par les accents d'intensité**. Voici, par exemple, comment Joseph Pineau (*Le Mouvement rythmique en français*, Klincksieck, 1979) analyse une phrase de *Manon Lescaut* qui se développe selon un rythme croissant : « Son esp*rit*, son *cœur*,/ sa dou*ceur* et sa beau*té* /, formaient une cha*î*ne si *forte* et si char*man*te / que j'avais *mis* tout mon bon*heur* à n'en sortir ja*mais*, »

➜ **prose cadencée, vers, versification**

Sade
(marquis de), 1740-1814

ŒUVRES PRINCIPALES
• **Romans** : *Julie ou les Infortunes de la vertu* (1791), *Aline et Valcour* (1795), *La Philosophie dans le boudoir* (1795), *La Nouvelle Justine* (1795), *Histoire de Juliette* (1797), *Les Cent Vingt Journées de Sodome* (posth. 1904).
• **Nouvelles** : *Les Crimes de l'amour* (1800).

Une apologie de la cruauté

Sade tranche sur ses contemporains et les choque, qu'ils soient nostalgiques de l'Ancien Régime ou philosophes des Lumières*, car il reprend ces deux idéaux en les pervertissant. On trouve ainsi chez lui l'expression véhémente d'un **athéisme radical et dégagé des valeurs humaines** reconnues tant par les déistes (Voltaire*) que par d'autres athées (d'Holbach, Diderot*). Partant, comme Rousseau* et bien d'autres philosophes de l'époque, de l'idée novatrice d'une opposition entre la nature, foncièrement bonne, et la civilisation, qui pervertit l'homme, il l'analyse différemment.

En effet, si, pour Sade, **la nature** est la valeur suprême, il la conçoit comme l'**empire de la violence** : « La cruauté, loin d'être un vice, est le premier sentiment qu'imprime en nous la nature. [...] Il serait donc absurde d'établir qu'elle est une suite de la dépravation [...] ; nous naissons tous avec une dose de cruauté que la seule éducation modifie » (*La Philosophie dans le boudoir*, 3ᵉ dialogue). Son idéal est donc le retour de la société au pouvoir du plus fort.

Il distingue, en outre, **deux sortes de cruauté** : celle qui assimile l'homme aux bêtes féroces, qu'il méprise, et celle qui, née de l'intelligence, se déploie en supplices raffinés qui permettent au fort d'obtenir des plaisirs extrêmes et variés. De plus, chez Sade, le plus fort est toujours un membre de l'aristocratie ou du haut clergé, exerçant le double pouvoir qui lui vient de son rang supérieur et d'une éducation systématique et élitiste à toutes les formes du mal.

La sexualité, expression supérieure du mal

La cruauté étant la valeur suprême, l'éducation doit former l'individu à pratiquer la cruauté la plus raffinée, inséparable, chez Sade, de la sexualité. Son sujet favori est donc l'**initiation d'une jeune fille noble, par des libertins, à toutes les ressources de l'art de la sexualité**. Si la jeune fille refuse cette dépravation, elle en devient la victime, et ne récolte que la pauvreté et les douleurs (*Justine ou les Malheurs de la vertu*) ; qu'elle s'y prête, et elle entre dans la caste des plus forts, jouissant de la richesse et du plaisir (*Histoire de Juliette*).

L'œuvre de Sade offre donc une découverte systématique de l'imaginaire sexuel, un **catalogue de pathologies** où se joignent sensualité et tortures physiques, et auquel la science moderne n'a presque rien ajouté.

Un moraliste et un précurseur

Les idées de Sade ont fini par le faire reconnaître comme un **véritable moraliste** – au sens où il donne des règles de vie et d'organisation de la société – et un **précurseur**, notamment **du surréalisme***, **de la psychiatrie et de la psychanalyse**, dans la mesure où il dévoile, pour la première fois de façon aussi fouillée, des perversions, des formes de folie d'ordinaire absentes ou allusives dans la littérature et les sciences.

Des qualités littéraires très inégales

L'écriture de Sade présente certaines faiblesses. En effet, de ses ouvrages, composés d'une suite de dissertations philosophiques entrelardées de scènes pornographiques répétitives, liées par une intrigue souvent pleine de contradictions, d'invraisemblances, de pauvreté d'imagination, naît souvent l'**ennui**. *Les Cent Vingt Journées de Sodome*, par exemple, ne sont qu'une fastidieuse suite de crimes. Avec les mêmes ambitions qu'un Voltaire* dans ses contes philosophiques*, Sade n'atteint pas dans ses romans la même perfection formelle.

Son art s'exprime plutôt dans les passages où il réussit à rendre pleinement l'**ambiguïté du mal**. Comme Laclos* dans *Les Liaisons dangereuses*, il fascine en provoquant des sentiments extrêmes et contradictoires : résurgence de notre inconscient face à l'exploration des pulsions sexuelles, dégoût et révolte devant l'exploitation des victimes et la misère humaine des bourreaux, réduits à des automates du crime.

Ce qui, aujourd'hui encore, dérange profondément et intéresse, c'est l'**extraordinaire liberté** avec laquelle les personnages et les intrigues de Sade incarnent ces contradictions, poussant à son extrême le genre du roman noir et la provocation face à l'ordre moral nécessaire à toute société.

CITATION

• **Sur la cruauté**

« La cruauté, bien loin d'être un vice, est le premier sentiment qu'imprime en nous la nature ; l'enfant brise son hochet, mord le téton de sa nourrice, étrangle son oiseau, bien avant que d'avoir l'âge de raison. » (*La Philosophie dans le boudoir*)

REPÈRES BIOGRAPHIQUES

➜ Issu de la noblesse provençale par son père, et des Bourbons par sa mère, Donatien-Alphonse-François de Sade partage son enfance entre la Provence (où l'éduque son oncle, un abbé débauché) et Paris (études au collège jésuite de Louis-le-Grand). Il participe à la guerre de Sept Ans, puis épouse en 1763 Mlle de Montreuil, fille d'un riche bourgeois parlementaire.

➜ Peu après sa vie bascule : de sordides affaires de mœurs, la haine de sa belle-mère, qui ne lui pardonne pas l'infamie jetée sur sa famille, des conflits politiques avec le gouvernement de la Terreur, l'ordre moral du Consulat qui désapprouve ses ouvrages, l'envoient à plus de cinq reprises en prison, où il passera vingt-huit ans de sa vie et rédigera la plus grande partie de ses œuvres. Il participe à la Révolution aux côtés des sans-culottes extrémistes, mais refuse de voter l'instauration de la Terreur et s'oppose à la peine de mort.

➜ Son exaltation du mal, tant théorique que pratique, l'isole de tout mouvement et de tout soutien, et fait de Sade, pour plusieurs siècles, un écrivain maudit.

➜ **Breton, fantastique, libertinage, Lumières, Restif de La Bretonne, Rousseau, surréalisme**

Saint-Amant,
1594-1661

ŒUVRES

• **Poésie**: *Solitude* (ode, 1629), *Œuvres* (1629-1661), *Rome ridicule* (poème burlesque, 1649). *Moïse sauvé* (épopée chrétienne, 1653).

Une œuvre poétique diverse et originale

Désireux de plaire à son public, ne se souciant d'aucune règle et refusant toute imitation, Saint-Amant exerce son talent très personnel dans des genres différents, le plus souvent **comiques et burlesques**, comme les satires* et les poèmes bachiques. Il a aussi un **sentiment très vif de la nature** qui, dans l'ode intitulée *Solitude*, finit par se déployer dans une vision **fantastique**. Il écrit enfin des poèmes de circonstance, des textes religieux, une épopée* chrétienne, *Moïse sauvé*.

Un poète des sens

Épicurien et bon vivant, Saint-Amant consacre plusieurs poèmes à la sensualité. Dans les évocations de sa vie de bohème, les beuveries sont croquées en termes vigoureux et imagés : dans « La Crevaille », Bacchus voit les buveurs « mordre… braire… grimacer… se tordre ». Son goût pour les agapes en compagnie des « goinfres » lui inspire des poèmes comme « Le Melon » où, avec un réalisme savoureux, il chante la bonne chère. « Le Paresseux » est un éloge humoristique de la paresse voluptueuse.

D'autre part, plusieurs poèmes d'amour qui célèbrent les parties du corps féminin (« Madrigal », 1643), sont déjà marqués par la préciosité*.

Le baroque

La **sensibilité à la nature** est un autre aspect de la poésie de Saint-Amant. Il en retient surtout l'**aspect instable**, qui s'exprime dans les thèmes de l'eau (la mer, les torrents, la pluie), du mouvement du jour (le soleil levant) et des saisons, auxquelles quatre sonnets* sont consacrés. Ces choix traduisent le caractère baroque de l'œuvre.

Le baroque transparaît aussi dans le **goût pour l'imaginaire et le fantastique***, qui s'expriment dans des visions d'univers inversés, et des hallucinations souvent morbides : « Dans ces lieux remplis de ténèbres/ […] y branle le squelette horrible […] » (*Solitude*).

La richesse de l'écriture

Saint-Amant privilégie la vision, c'est-à-dire **toute forme de description***. Scènes de cabaret et caricatures dans les textes satiriques utilisent la métaphore*, la pointe*, l'accumulation* et s'expriment dans un **registre familier**, parfois cru, souvent comique.

En revanche, l'évocation presque picturale de certaines scènes de *Moïse sauvé* appelle un **style noble et soutenu**. Dans l'évocation de la nature, Saint-Amant se soucie du détail et de la musicalité sans négliger les effets de surprise.

CITATION

• **Sur le melon**
« […]/ Qui vit jamais un si beau teint !/ D'un jaune sanguin il se peint ;/ Il est massif jusques au centre,/ Il a peu de grains dans le ventre,/ Et ce peu là, je pense encor/ Que ce soient autant de grains d'or ;/ Il est sec ; son écorce est mince ;/ Bref, c'est un vrai manger de prince […] » (« Le Melon »).

REPÈRES BIOGRAPHIQUES

➜ Après des études succinctes, Marc-Antoine Girard, « sieur de Saint-Amant », fils d'un marin rouennais, mène une vie aventureuse. Il s'embarque pour des voyages qui le mèneront « tant en l'Europe qu'en l'Afrique et qu'en l'Amérique ». Lorsqu'il séjourne à Paris, ce libertin, au service du duc de Berry et ami de Théophile de Viau*, mène une vie dissipée et fréquente les salons*.
➜ La carrière littéraire qu'il poursuit depuis 1627 lui vaut d'être élu à l'Académie française en 1634. Parallèlement, il participe aux campagnes et aux ambassades des grands personnages auxquels il est attaché, avant de passer au service de la reine de Pologne en 1650 puis de revenir à Paris, où il meurt en 1661.

➜ **baroque, burlesque, épopée, humour**

Saint-Exupéry
(Antoine de), 1900-1944

ŒUVRES PRINCIPALES
• **Romans**: *Courrier Sud* (1929), *Vol de nuit* (1931).
• **Récits**: *Terre des hommes* (1939), *Pilote de guerre* (1942).
• **Conte**: *Le Petit Prince* (1943).

L'écrivain des hauteurs

Dans sa vie comme dans son œuvre, Saint-Exupéry a toujours cherché à prendre de la hauteur. C'est tout d'abord l'expérience de l'aviateur qui inspire les pages héroïques de *Courrier Sud* et de *Vol de nuit* (1931). Romans où sont exaltées, avec lyrisme*, les valeurs du courage et de l'entraide. L'écrivain y introduit aussi, comme Malraux* le fera dans L'Espoir, la vision aérienne, le « regard des Dieux » qui donne à l'homme un sentiment de grandeur et un autre point de vue sur le monde (on a d'ailleurs pu reprocher à Saint-Exupéry sa mystique du chef, son élitisme).

La méditation sur l'homme moderne

Mais la grandeur a pour envers la fragilité de la condition humaine, menacée par la défaillance de la machine dont l'homme ne doit pas être esclave. Cette **réflexion sur l'homme moderne** est développée dans les récits de *Terre des hommes*. Saint-Exupéry **mêle** en effet de plus en plus **au reportage littéraire sur l'aventure de l'aviation une méditation plus vaste et parfois pessimiste** : il s'inquiète des conséquences de la société de masse, de sa vulgarité, de ses préoccupations matérialistes qui tuent, dans sa fleur, la « belle promesse de la vie ». Reste pour tout Mozart en herbe, pour le « petit prince » que l'écrivain voit dans chaque enfant la part du rêve et de l'esprit : « Seul l'Esprit, s'il souffle sur la glaise peut créer l'homme » (*Terre des hommes*).

• **Sur l'enfance**

« Voici Mozart enfant, voici une belle promesse de la vie. Les petits princes des
légendes n'étaient point différents de lui :
protégé, entouré, cultivé, que ne saurait-il
devenir ! [...] Mais il n'est point de jardinier pour les hommes. Mozart enfant sera
marqué comme les autres par la machine
à emboutir. [...] Ce qui me tourmente [...]
c'est un peu dans chacun de ces hommes,
Mozart assassiné. » (*Terre des hommes*)

REPÈRES BIOGRAPHIQUES

→ De naissance aristocratique, Saint-Exupéry a très jeune la passion de l'aviation.
Pilote dans l'armée puis à la Compagnie
générale aéronautique, il côtoie Mermoz
et Guillaumet.

→ Son premier roman, *Courrier Sud*, retrace l'épopée de l'Aéropostale entre Toulouse et l'Amérique du Sud. En 1936-1937,
il est correspondant de guerre en Espagne.
En 1940, il est pilote dans l'armée de l'air
puis, après avoir séjourné aux États-Unis,
rejoint les armées alliées et accomplit des
missions aériennes en Méditerranée. C'est
lors d'un de ces vols qu'il est porté disparu
le 31 juillet 1944.

→ **Malraux**

Saint-John Perse,
1887-1975

ŒUVRES PRINCIPALES

• **Poésie**: *Images à Crusoë* (1909), *Éloges*
(1911), *Anabase* (1924), *Exil* (1944), *Vents*
(1946), *Amers* (1957), *Oiseaux* (1963),
Chant pour une équinoxe (1971).
• **Conférence**: *Discours de Stockholm* (1960).

Les « grandes intumescences du langage »

La poésie de Saint-John Perse se distingue
entre toutes par l'**ampleur de la vision et** son
lyrisme solennel. Sa langue poétique, assez
proche du verset claudélien, se prête aussi
bien aux formules lapidaires qu'aux vastes or-
chestrations polyphoniques propres à exprimer les rythmes cosmiques du vent et de la
mer. Embrassant les millénaires en un survol
intemporel, ouverte sur les horizons les plus
larges, emportée vers tous les ailleurs, la vision
persienne s'exprime avec la solennité hiéra-
tique d'un **oracle**, avec une constante hauteur
de ton renforcée par l'abondance d'**images
énigmatiques**, par la **précision savante du**
vocabulaire et par le goût des **tournures ar-
chaïsantes**. Cette vision conquérante, qui se
veut « adhésion totale à ce qui est », embrasse
le monde avec ferveur et avidité, dans un élan
et un dynamisme proprement épiques.

La phrase, riche en exclamations, en apostrophes* et en impératifs, est constamment
soulevée par un souffle puissant et retrouve
souvent la tonalité triomphale de l'**hymne**
pindarique. Impérieuse, rythmée avec vigueur, usant de toutes les ressources de l'assonance* et de l'allitération*, la poésie de
Saint-John Perse se fait volontiers lancinante
et incantatoire.

La célébration du monde

Le poète s'empare du monde avec une **jubilation sensuelle et** un parti pris d'**optimisme**
qui écartent toute perspective tragique, même
lorsque le néant, la mort et l'abîme dressent
leur menace. Il trouve l'éternel dans l'éphémère : « Nous qui mourrons peut-être un jour
disons l'homme immortel au foyer de l'instant. » Il ne redoute pas l'abîme : « L'abîme
infâme m'est délice, et l'immersion, divine ».
Il s'exalte des tumultes et des tourbillons du
devenir universel qui ne font qu'attiser en lui
un puissant vouloir-vivre : « [...] mon avis est
que l'on vive !/Avec la torche dans le vent, avec
la flamme dans le vent,/Et que tous les hommes
en nous si bien s'y mêlent/et se consument,/
Qu'à telle torche grandissante s'allume en nous
plus de clarté. » (*Vents.*)

Pour Saint-John Perse, le monde est inépuisable et la tâche du poète est d'en **dresser l'inventaire** pour en perpétuer à travers le temps
les étranges beautés. C'est l'œuvre entière du
poète qui pourrait porter le titre d'*Éloges*, car
il n'aura cessé de **célébrer toute chose**, de la
plus infime à la plus grandiose, avec un regard
perpétuellement émerveillé.

Un dynamisme cosmique

Au cœur de la poésie persienne se déploie un
dynamisme puissant qui pousse le poète sur
des chemins d'errance et de conquête, et le propulse vers tous les horizons. Poète du mouvement, Saint-John Perse s'enchante du contact
avec les éléments meubles que peuvent animer
de puissants mouvements tourbillonnaires :
pluies, vents, sables et neige. La **mer** reste
pour lui l'image la plus forte de la **puissance
cosmique** : c'est l'énorme respiration de la mer
qui se donne à entendre à travers sa poésie.

• Sur la nature de la poésie

« Par la pensée analogique et symbolique, par l'illumination lointaine de l'image médiatrice, et par le jeu de ses correspondances, sur mille chaînes de réactions et d'associations étrangères, par la grâce enfin d'un langage où se transmet le mouvement même de l'Être, le poète s'investit d'une surréalité qui ne peut être celle de la science. » (*Discours de Stockholm*)

REPÈRES BIOGRAPHIQUES

→ De son vrai nom Alexis Saint-Léger Léger, Saint-John Perse naît à la Guadeloupe dans une famille de planteurs dont les affaires périclitent et qui décide de rentrer en France en 1899. Tout en faisant des études de droit, il commence à écrire et se lie avec les écrivains de la *NRF*[*], tels Valéry[*] et Gide[*], qui l'aide à publier *Éloges* (1911).
→ Paul Claudel[*], qu'il rencontre en 1914, l'encourage à entrer dans la carrière diplomatique. Il découvre alors la Chine, où il écrit un vaste poème épique en dix chants, *Anabase*, qu'il publie sous son pseudonyme. À son retour en France, il occupe des fonctions importantes au ministère des Affaires étrangères et renonce à la littérature.
→ Hostile au régime hitlérien dès 1933, il devra s'exiler aux États-Unis en 1940. C'est alors qu'il se remet à écrire. Après la guerre, il se consacrera entièrement à son œuvre, couronnée en 1960 par le prix Nobel de littérature.

→ hymne, prose cadencée, verset

Saint-Pierre
(Bernardin de), 1737-1814

ŒUVRES PRINCIPALES
• **Récit**: *Voyage à l'île de France* (1773).
• **Essais**: *Études de la nature* (1784-1788), *Harmonies de la nature* (1796, publ. 1815).
• **Romans**: *Paul et Virginie* (1788), *La Chaumière indienne* (1790).

Des Lumières au romantisme

Arrivé tardivement à la littérature, Bernardin de Saint-Pierre y jette, non sans maladresse, ses idéaux religieux et philosophiques. Ses essais pour prouver l'existence de Dieu et la bonté de la nature, source pour lui de tout bien, sont naïvement démarqués, en moins convaincant,

de Rousseau. Il fait rire les intellectuels mais plaît au grand public, qu'enchante surtout son roman d'amour exotique, *Paul et Virginie*.

Il faut cependant lui reconnaître d'avoir été un grand **précurseur du romantisme**[*] dont **il annonce plusieurs thèmes** : la description[*] lyrique et précise des paysages d'un nouveau monde, la mélancolie devant les ruines, une conception sublime et tragique de l'amour.

Le grand roman de la fin du siècle

Rousseau avait marqué son temps par un roman novateur et ambitieux, *La Nouvelle Héloïse* (1761). Vingt-sept ans plus tard Bernardin de Saint-Pierre, avec *Paul et Virginie*, fait une miniature à succès, elle aussi imprégnée d'**utopie**[*] **philosophique et** du **sentiment de la nature**. Virginie, fille d'une noble déchue, et Paul, bâtard d'une paysanne, sont élevés ensemble par leurs mères et un couple de serviteurs noirs dans un coin retiré de l'île de France. Vivant comme frère et sœur, mais unis par un début d'amour, ils sont brutalement séparés par l'intervention d'une riche parente de Virginie, qui la réclame auprès d'elle, voulant à tout prix faire sa fortune et la marier. Pendant que Paul se désespère, Virginie s'étiole en France. Elle finit par rentrer à l'île de France, mais son navire fait naufrage sous les yeux de sa famille et de Paul, qui ne lui survivent que quelques mois. **Parabole**[*] **sur les méfaits de la civilisation urbaine**, source du mal et du malheur, **et sur les bienfaits de son contraire, la nature**, ce roman est touchant malgré ses outrances simplistes (Virginie aurait pu être sauvée, mais elle préfère mourir plutôt que de se dévêtir et de se jeter à l'eau), et annonce *Atala* de Chateaubriand[*].

• Sur la société idéale

« J'ai désiré réunir à la beauté de la nature, entre les tropiques, la beauté morale d'une petite société. Je me suis proposé aussi d'y mettre en évidence plusieurs grandes vérités, entre autres celle-ci, que notre bonheur consiste à vivre suivant la nature et la vertu. » (Préface de *Paul et Virginie*)

REPÈRES BIOGRAPHIQUES

→ Né au Havre dans une famille bourgeoise, Henri Bernardin de Saint-Pierre s'embarque à douze ans sur un voilier vers la Martinique, dont il revient dégoûté des voyages et de la mer… Cependant, après des études d'ingénieur, son caractère instable et ses rêves utopiques le lancent dans douze ans d'aventures (1759-1771) : il voyage en Allemagne, à Malte, en Russie, en Pologne, à l'île de France (l'actuelle île Maurice) où il reste deux ans. Il s'attribue faussement des diplômes scientifiques, tente en vain de fonder une colonie agricole égalitaire en Russie, accomplit des missions diplomatiques secrètes, fait la guerre… sans arriver à se stabiliser.

➡ De retour à Paris, il se lance dans la littérature, fréquente les salons, devient le disciple de Rousseau*, se rend célèbre par ses *Études de la nature*. Célébrité qui s'accroît avec la publication de *Paul et Virginie*, qui figure dans le dernier tome des *Études de la nature*.

➡ Il participe à la Révolution, comme élu de son district puis de la Convention, mais reste modéré. Il occupe des fonctions publiques (intendant du Jardin des plantes et du Cabinet d'histoire naturelle, puis professeur de morale républicaine à l'École normale supérieure), est nommé à l'Institut, où il défend le déisme contre les athées. Rallié à l'Empire, il termine son existence en notable.

➡ **bon sauvage, Chateaubriand, exotisme, Lumières, préromantisme, romantisme, Rousseau**

Saint-Simon,
1675-1755

ŒUVRES
• *Mémoires* (posth. 1829-1830).
• **Études, essais :** *Lettre anonyme au Roi* (1712), *Mémoire sur les formalités de la renonciation* (1712), *Parallèle des trois premiers rois Bourbons* (1746).

Une certaine conception de la monarchie

Fier de son titre de duc et de sa pairie, dignité censée l'élever au rang de conseiller permanent du roi, Saint-Simon **désapprouve l'absolutisme**. D'autant que l'exercice exclusif du pouvoir par Louis XIV se double de la nomination de ministres et d'intendants bourgeois (Colbert) qui privent la haute aristocratie de ses prérogatives. S'ajoute à cela le fait que les enfants de Louis XIV et de sa favorite Mme de Montespan, tous légitimés, bouleversent les enjeux de pouvoir. La régence du duc d'Or-

léans ne satisfait pas non plus les espoirs de Saint-Simon. Les *Mémoires* livrent donc la **vision pessimiste de l'Histoire** d'un grand seigneur qui assiste, impuissant, au déclin de sa caste.

L'art de l'eau-forte

Bien que les *Mémoires* soient en partie fondés sur un effort documentaire, et sur des confidences faites *a posteriori* à l'auteur, ils conservent toujours la puissance du **témoignage**. Saint-Simon se fait **juge des événements** auxquels il redonne vie et force, tels ceux de l'année 1715, qui voit mourir Louis XIV. Le **trait** est souvent **cruel**, dont la concision tient dans l'expressivité et la puissance d'évocation visuelle des métaphores* choisies. On retiendra la vivacité des **portraits négatifs** de Mme de Maintenon, du duc de Noailles ou du maréchal de Villars…

Le style de Saint-Simon émerveille par la **fulgurance des rapports de sens par-delà la syntaxe**. La phrase suivante, extraite du célèbre récit de la mort du Grand Dauphin (faste pour la cabale du duc de Bourgogne dont Saint-Simon faisait partie), peut en donner une idée : « Mon premier mouvement fut de m'informer à plus d'une fois, de ne croire qu'à peine au spectacle et aux paroles, ensuite de craindre trop peu de cause pour tant d'alarme, enfin de retour sur moi-même par la considération de la misère commune à tous les hommes, et que moi-même je me trouverais un jour aux portes de la mort. » (*Mémoires*, III.) Phrase difficile par ses parallélismes de construction entre des syntagmes de nature grammaticale différente, mais dont tous les membres ramènent au « moi-même », agité de sentiments contradictoires devant l'événement : « Je sentais malgré moi un reste de crainte que le malade en réchappât, et j'en avais une extrême honte. » (*Ibid.*)

CITATION
• **Sur le style de Saint-Simon**
« Il faut vivre Saint-Simon […] Personne, sauf Montaigne, n'a eu cette lame en pointe, cette encre noire. La plume de notre duc trouait la feuille. Il "assenait" (le terme est de lui) ses regards. » (Jean Cocteau)

REPÈRES BIOGRAPHIQUES
➡ Malgré son titre de duc et pair – ou en vertu de ce titre –, Louis de Rouvroy, duc de Saint-Simon, n'a pas rendu au roi Louis XIV le service des armes que son rang ordonnait puisqu'il n'a combattu que

de 1693 à 1702. Le jeune duc n'a pas vingt ans lorsque le spectacle de la cour commence d'inspirer la rédaction de premières notes. Il désapprouve la forme qu'a prise la monarchie. Tandis que la mort du Grand Dauphin en 1711 lui est favorable, celle du duc de Bourgogne en 1712, auquel il était attaché et dont il attendait beaucoup, nuit à ses ambitions.

➜ Lorsque le duc d'Orléans, son ami d'enfance, devient régent à la mort de Louis XIV, Saint-Simon est chargé de l'octroi des places, puis il est nommé ambassadeur en Espagne. En 1723, la mort du Régent le ramène à ses *Mémoires*. Réécrits de 1739 à 1750, ils sont un commentaire acéré et circonstancié de la période 1693-1723.

→ **La Fontaine, mémoires, portrait, Retz**

salons littéraires

n. m. pl. De l'italien *salone*, « grande salle ». Réunion régulière, généralement chez une femme, d'une société d'intellectuels et d'artistes comprenant les principaux écrivains de l'époque ou d'un mouvement littéraire. Ce sens du mot salon est attesté pour la première fois chez Mme de Staël*, mais la pratique existait depuis plusieurs siècles.

La tradition des salons littéraires

Imitant les cercles rassemblés autour des rois ou des grands seigneurs depuis l'Antiquité, les salons ont souvent une **fonction sociale** : ils servent au prestige des hôtes. Certains d'entre eux ont exercé une réelle influence en accueillant les **débats entre intellectuels**.

Parmi les salons les plus célèbres, on peut citer : au XVIIᵉ siècle, le salon de Madeleine de Scudéry*, fréquenté par Mme de Sévigné*, La Rochefoucauld*, Mme de La Fayette* ; au XVIIIᵉ siècle, ceux de Mme du Deffand et de Julie de Lespinasse, fréquentés par les encyclopédistes ; au XIXᵉ siècle, celui de Charles Nodier* où se réunissaient les romantiques, celui d'Edmond de Goncourt*, celui de Zola* où se retrouvaient les naturalistes comme Huysmans* et Maupassant*.

Les salons offrent souvent un **sujet de satire** aux écrivains : **Molière** s'en moque dans *Les Femmes savantes* et *Les Précieuses ridicules*, de même que **Proust** dans *À la recherche du temps perdu*.

→ **préciosité**

Sand
(George), 1804-1876

ŒUVRES PRINCIPALES
• **Romans** : *Indiana* (1832), *Mauprat* (1837), *Consuelo* (1842), *La Mare au diable* (1846), *La Petite Fadette* (1849), *François le Champi* (1850).
• **Autobiographie** : *Histoire de ma vie* (1854).

Idéalisme et engagement*

L'engagement généreux de George Sand en faveur des humbles rejoint celui d'autres romantiques comme Hugo* ou Lamartine*. « Je tiens au peuple autant par le sang que par le cœur », affirme-t-elle.

Son idéal fraternel est largement inspiré par le christianisme social de Lamennais et par le socialisme utopique des saint-simoniens. Elle cherche à **concilier une sorte de mystique du progrès et de la liberté, et une véritable action militante**. Celle-ci prend une forme politique lorsqu'elle fonde, pendant la révolution de 1848, le journal *La Cause du peuple* (titre repris en 1970 par Jean-Paul Sartre*).

Elle s'exprime aussi dans sa création littéraire : George Sand y défend notamment le **droit des femmes à la dignité** contre l'hypocrisie et les conditionnements de la société (*Indiana*). L'opposition romantique entre la passion absolue et les obstacles moraux et sociaux qui en menacent l'expression et la pureté s'exprime, dans des romans comme *Mauprat*, avec une particulière violence.

À l'atmosphère dramatique et flamboyante de ces récits, s'oppose l'idéalisme sentimental de ses « romans champêtres ».

La poésie des « romans champêtres »

Le **thème**, cher à Rousseau*, **de la « bonne nature »** imprègne largement les récits que George Sand consacre au monde paysan de sa province de cœur, le Berry. Elle y développe avec lyrisme* une **utopie*** : dans l'« Avertissement au lecteur » de *La Mare au diable*, elle affirme son **rêve de réconciliation sociale** en soulignant que « la mission de l'art est une mission de sentiment et d'amour ». Elle prend ainsi ses distances avec le réalisme* d'un Balzac* ou d'un Eugène Sue*. Elle préfère atténuer les antagonismes sociaux en imaginant le mariage de François le Champi, le bâtard, l'exclu, et d'une riche paysanne. La même sentimentalité optimiste inspire *La Mare au diable*. Le **paysage**, dans ces nouvelles, devient un **personnage de l'histoire**, qui adoucit les contours de la réalité en la nimbant de ses brumes, de ses reflets d'eau mystérieux, de ses sous-bois obscurs. Par leur dépouillement, leur fin généralement heureuse, la naïveté de leurs personnages, ces récits courts célèbrent la simplicité de la vie aux champs, dans ses rythmes naturels et ancestraux.

CITATION

• La protestation féministe

« J'ai écrit *Indiana* avec le sentiment non raisonné, il est vrai, mais profond et légitime, de l'injustice et de la barbarie des lois qui régissent encore l'existence de la femme dans le mariage, dans la famille et la société. » (*Indiana*, Préface de 1842)

REPÈRES BIOGRAPHIQUES

➔ Fille d'un officier de la Grande Armée, Aurore Dupin est élevée assez librement par sa grand-mère à Nohant, dans le Berry. Après s'être séparée de son mari, elle mène une vie indépendante et devient la maîtresse de l'écrivain Jules Sandeau, d'où le nom qu'elle prend pour pseudonyme et dont elle signe son premier roman, *Indiana*. Défrayant la chronique par sa liberté d'esprit et de mœurs, elle a une liaison mouvementée avec Musset* puis avec Chopin et réunit autour d'elle, à Paris ou à Nohant, musiciens et écrivains romantiques. Idéaliste, elle célèbre la passion dans *Consuelo* et les valeurs du monde rural dans ses « romans champêtres » (*La Mare au diable*, *La Petite Fadette*, *François le Champi*).
➔ Dès 1836 elle adhère aux idées du socialisme humanitaire de Pierre Leroux, puis s'enthousiasme pour la révolution de 1848. Après le coup d'État de 1851, elle se retire à Nohant où elle rédigera l'*Histoire de ma vie*.
➔ À sa mort, en 1876, Flaubert*, son ami, rend hommage « à ce qu'il y avait de féminin dans ce grand homme ».

→ **engagement, Musset, romantisme, utopie**

Sarraute
(Nathalie), 1900-1999

ŒUVRES PRINCIPALES
• Romans : *Tropismes* (1939), *Portrait d'un inconnu* (1948), *Martereau* (1953), *Le Planétarium* (1959), *Les Fruits d'or* (1963), *Entre la vie et la mort* (1968), *Disent les imbéciles* (1976), *Tu ne t'aimes pas* (1989), *Ici* (1995).
• Théâtre : *Le Silence*, *Le Mensonge* (créés à la scène en 1967) ; *Isma*, *C'est beau*, *Elle est là* (créés en 1970, 1975 et 1980) ; *Pour un oui ou pour un non* (1982).
• Essai : *L'Ère du soupçon* (1956).
• Autobiographie : *Enfance* (1983).

Le moi et les tropismes

En publiant *Tropismes* en 1939, Nathalie Sarraute livre un mot qui va permettre de décrire son écriture. Ses romans relèvent d'une psychologie minutieuse, attachée à la **description des infimes inflexions de pensée** qui font passer un être d'un sentiment à un autre. La formulation de ces « tropismes » montre que l'**événement le plus prosaïque** – une discussion sur l'art imprudemment entamée devant un grand-père étranger à ce domaine, l'achat d'un vêtement, la visite d'un proche, etc. – peut représenter un **enjeu majeur**. Qu'Alain Guimiez, dans *Le Planétarium*, néglige le plat que lui a préparé sa belle-mère, et la conscience de celle-ci est bouleversée : « Il est parti, il n'y a plus personne, c'est une enveloppe vide, le vieux vêtement qu'il a abandonné dont elle serre un morceau entre les dents » – détresse dont Gisèle, la fille, sauvera sa mère.
Le **cadre** des romans et des pièces de Nathalie Sarraute, comme de son autobiographie, est **toujours intime** (famille ou groupe d'amis, comme dans *Tu ne t'aimes pas*), ce qui rend la dramatisation des débats intérieurs et du rapport à autrui d'autant plus frappante. Cette attention pour les « tropismes » implique une **conception particulière du moi**, dont le récit autobiographique *Enfance** semble étudier la genèse, un moi à la fois résistant et hésitant, singulier tout en étant sous l'influence de l'entourage, contraint par l'usage social tout en conquérant sa liberté par la lecture et l'écriture.

La « sous-conversation »

D'un livre ennuyeux que lui avait prêté son père, la narratrice d'*Enfance* dit : « Je m'évadais des longues descriptions de prairies vers les tirets libérateurs, ouvrant sur le dialogue. »

Il semble que tous les romans de Nathalie Sarraute aient été écrits pour satisfaire l'enfant qu'elle a été. Puisque le moi est instable, ébranlé par des glissements selon une sorte de tectonique des pensées, **la narration change très souvent de point de vue***, passe aisément du discours direct à la narration à la troisième personne, est interrompue par des points de suspension qui traduisent la fragilité et les hésitations des personnages.

Surtout, le récit adopte volontiers la **forme du dialogue***. Mais il ne s'agit pas seulement d'un dialogue aux protagonistes bien identifiables, comme dans *Le Planétarium* ; le dialogue peut naître entre **deux voix du moi**, comme dans *Tu ne t'aimes pas* ou dans *Enfance*. Cette incessante conversation intérieure sous-tend les conversations prononcées : il existe une « sous-conversation » qui révèle les hâtes, les remords et les hantises des personnages. La frontière est donc ténue entre la prose narrative et le théâtre de Sarraute. Et c'est par là aussi que son œuvre se présente comme une **réflexion sur le langage**, sur la recherche et le choix des termes, sur les périls que la parole recèle.

Nathalie Sarraute, théoricienne du roman

À cette conception du moi et du langage correspond une **critique tranchée du roman traditionnel** : dans son recueil d'essais *L'Ère du soupçon* (1956), Nathalie Sarraute **reproche** au personnage de type balzacien, à l'intrigue traditionnelle et à la prétention au réalisme* des romanciers du XIXᵉ siècle, de simplifier l'être et la réalité, et **de ne pas tenir compte de leur complexité**. Elle rejoint Valéry*, les surréalistes, Sartre* ou encore les théoriciens du Nouveau Roman dans la critique du pacte romanesque classique, jugé illusoire. Toutefois, si Nathalie Sarraute soutient avec Alain Robbe-Grillet* que le roman traditionnel n'est pas réaliste comme il le prétend, elle s'oppose à lui en expliquant que plus de réalisme s'obtient par l'exploration des profondeurs psychologiques, en l'occurrence des « tropismes », c'est-à-dire de ce qui est vécu mais n'est pas exprimé.

Cette **exploration du moi** a, selon elle, déjà été amorcée par les romanciers du monologue intérieur* (Joyce, Woolf), ou encore par Henry James, Proust*, Gide* ou Kafka, chez lequel elle identifie déjà le *je* du Nouveau Roman, un « être sans contours, indéfinissable et invisible, qui n'est rien et qui n'est le plus souvent qu'un reflet de l'auteur lui-même », cet être qu'elle laisse parler dans ses romans.

CITATION

• **Sur les tropismes**

« Ce sont des mouvements indéfinissables qui glissent très rapidement aux limites de notre conscience ; ils sont à l'origine de nos gestes, de nos paroles, des sentiments que nous manifestons, que nous croyons éprouver et qu'il est possible de définir. » (Préface à *L'Ère du soupçon*.)

REPÈRES BIOGRAPHIQUES

→ Nathalie Sarraute naît en Russie à Ivanovo-Voznessensk. Après la séparation de ses parents, son enfance se partage entre la Russie, où est resté son père et Paris, où elle vit avec sa mère.

→ Elle mène parallèlement une carrière d'avocat (jusqu'en 1940), de critique et d'écrivain, et est associée dans les années 1950 au Nouveau Roman*. Elle obtient le Prix international de littérature pour *Les Fruits d'or* (1963) et la publication d'*Enfance* (1983), œuvre autobiographique, connaît un grand succès.

→ Butor, *Enfance*, monologue intérieur, Nouveau Roman, Robbe-Grillet, Simon

Sartre
(Jean-Paul), 1905-1980

ŒUVRES PRINCIPALES
• **Romans** : *La Nausée* (1938), *Les Chemins de la liberté* (3 tomes, 1945-1949).
• **Nouvelles** : *Le Mur* (1939).
• **Théâtre** : *Les Mouches* (1943), *Huis clos* (1944), *Les Mains sales* (1948).
• **Philosophie** : *L'Être et le Néant* (1943).
• **Autobiographie** : *Les Mots* (1964).
• **Critique** : *L'Idiot de la famille* (1971-1972, étude consacrée à Flaubert).

L'écrivain philosophe

De formation philosophique, Sartre prend connaissance dès 1933 de la phénoménologie de Husserl, héritier de Descartes*, où il entrevoit la possibilité d'**ouvrir la philosophie** à la totalité de l'existence humaine, **à un retour aux choses, à la vie concrète**. C'est pourquoi le meilleur roman sartrien (*La Nausée*) évoque en des termes presque philosophiques la crise existentielle de son héros, Antoine Roquentin, tandis que les analyses les plus célèbres de *L'Être et le Néant* sont illustrées d'exemples presque romanesques.

De même, les œuvres dramatiques et la trilogie romanesque des *Chemins de la liberté* s'attachent toujours à replacer l'homme dans une situation concrète, historique, sociale et politique, celle des années 1938-1940. Et c'est bien **l'homme** qui reste l'**objet privilégié de la philosophie sartrienne**, de *L'Imagination* (1936) à la *Critique de la raison dialectique* (1960), essai qui propose une anthropologie politique tentant la synthèse de l'existentialisme et du marxisme.

On peut voir dans les volumineuses monographies consacrées à Jean Genet* (*Saint Genet comédien et martyr*, 1952) et à Gustave Flaubert* (*L'Idiot de la famille*), essais d'une critique totalisante, le prolongement de cette réflexion humaniste dont l'ampleur a dominé l'après-guerre en France et dans de nombreux pays.

L'unité du projet sartrien

La diversité de cette œuvre en action est impressionnante : articles, nouvelles, romans, pièces de théâtre, essais philosophiques… Sensible à sa condition d'écrivain issu d'une bourgeoisie qu'il exècre, Sartre **rompt** très vite **avec l'idéalisation de l'art** qui transparaît dans *La Nausée*. Tous ses personnages, qu'il s'agisse du théâtre ou du roman, sont des êtres jetés dans une **existence problématique** dont Sartre décrit les aléas : l'**angoisse**, la **responsabilité** privée ou politique, l'**homme menacé dans sa liberté**, aussi bien par autrui que par l'inauthenticité de son rapport à lui-même (c'est la « mauvaise foi » sartrienne).

L'écrivain ne peut être un pur regard sur le monde. Il est et doit être **responsable** : marqué par sa relative impuissance face à l'Occupation, **Sartre se veut un militant** arpentant tous les chemins de la liberté. S'il est l'homme des *Mots*, ces mots sont au service d'un **humanisme révolutionnaire** (*L'existentialisme est un humanisme*, 1946).

C'est ainsi que, **dramaturge, romancier ou essayiste, Sartre aborde les grands problèmes de son temps** : l'engagement* (*Les Mouches, Les Mains sales*), le racisme (*La Putain respectueuse*, 1946), l'attitude des hommes devant la montée du péril dans l'immédiat avant-guerre (*Le Sursis*, tome II des *Chemins de la liberté*), l'antisémitisme (*Réflexions sur la question juive*, 1946), l'anticommunisme (*Nekrassov*, 1955).

CITATION
• **Pour un humanisme responsable**
« L'écrivain "engagé" sait que la parole est action : il sait que dévoiler c'est changer et qu'on ne peut dévoiler qu'en projetant de

changer. Il a abandonné le rêve impossible de faire une peinture impartiale de la société et de la condition humaine. L'homme est l'être vis-à-vis de qui aucun être ne peut garder l'impartialité, même Dieu. » (*Qu'est-ce que la littérature ?* 1948)

REPÈRES BIOGRAPHIQUES

➜ Né en 1905 dans une famille bourgeoise, orphelin de père à quinze mois, Jean-Paul Sartre est un brillant élève. Lycéen à Louis-le-Grand (Paris), il devient l'ami de Paul Nizan*. En 1924, il entre à l'École normale supérieure, où il se lie avec Simone de Beauvoir*. Agrégé de philosophie, il se fait connaître du grand public avec un roman, *La Nausée*, et un recueil de nouvelles, *Le Mur*. Il entame une œuvre de critique littéraire considérable (réunie dans les dix volumes de *Situations*, à partir de 1947).

➜ Pendant l'Occupation, tout en poursuivant une œuvre philosophique remarquée (dont le chef-d'œuvre reste *L'Être et le Néant*, 1943), Sartre donne au théâtre *Les Mouches* et *Huis clos*. C'est après la Libération que Sartre et Simone de Beauvoir, sa compagne, deviennent célèbres. Reconnu comme le chef de file de l'existentialisme*, il crée une revue mensuelle, *Les Temps modernes*, ouverte au reportage, au témoignage, à la littérature et à la philosophie.

➜ Après 1960, Sartre n'écrit plus de fiction – il n'achèvera jamais *Les Chemins de la liberté* – ni d'œuvre philosophique au sens strict. Conséquent avec ses idées, il met sa notoriété au service de ses causes qui lui semblent justes : opposant farouche au gaullisme, il entame après la guerre un compagnonnage houleux avec le Parti communiste, mais s'en éloigne après l'intervention soviétique à Budapest (1956). Il se lance dans la lutte anticoloniale, notamment durant la guerre d'Algérie. Il soutient les mouvements d'émancipation des pays du tiers-monde, se rendant en Chine, à Cuba, au Brésil, en Égypte.

➜ La publication en 1964 des *Mots*, texte autobiographique, lui vaut un succès considérable. La même année, le prix Nobel lui est attribué : fidèle à son rejet de tout honneur académique, il le refuse. En mai 68 il se rapproche de plusieurs mouvements d'extrême gauche et donne en 1971-1972 une monumentale étude sur Flaubert, *L'Idiot de la famille* (près de 3 000 pages).

➡ Frappé par la cécité en 1973, il ne peut plus écrire. Il meurt à Paris le 15 avril 1980 : 50 000 personnes assistent à son enterrement.

→ **Beauvoir (Simone de), engagement, existentialisme, Nizan**

satire

n. f. Du latin *satira*, « macédoine, mélange ». **Sens restreint** : dans la littérature latine, œuvre en vers mêlant les formes, les genres*, les tons, les mètres*, et critiquant la corruption des mœurs. On redécouvre la satire à la fin du Moyen Âge et à la Renaissance. **Sens large** : toute œuvre ou passage d'une œuvre, quel qu'en soit le genre, qui attaque les vices, les ridicules des contemporains de l'auteur, ou qui contient une critique politique, sociale, religieuse, idéologique.

Caractéristiques de la satire

La satire, prise **au sens restreint**, est **en vers et** appartient au **genre oratoire**. Ses procédés les plus habituels sont les métaphores* et épithètes injurieuses, l'accumulation*, l'hyperbole*, l'apostrophe*, l'anaphore*. Apparus dès l'Antiquité, **certains types moraux ou sociaux** sont repris et réactualisés par les auteurs des XVIe et XVIIe siècles : le poète sans talent et pique-assiette, le courtisan, les prostitué(e) s, les avocats grandiloquents et âpres au gain… La satire contient souvent, aussi, l'affirmation, contre un adversaire littéraire, d'un art poétique*. Elle critique rarement de front le système politique.

Prise **au sens large**, en revanche, la satire peut porter sur **tous les sujets** et apparaître dans n'importe quelle œuvre, même si certains genres lui sont dévolus (comédie*, épigramme*, fable*, fabliau*, conte philosophique*…).

Postérité de la satire latine

La satire latine comprenait **deux veines** : celle des *Satires* de **Juvénal**, violentes et flamboyantes, et celle des *Satires* d'**Horace**, plus souriantes.

Les classiques français (Boileau*) sont plus proches de la satire horacienne que les auteurs baroques (Régnier) et que les romantiques, qui explorent surtout les ressources du grotesque* présent dans la satire juvénalienne (*Les Châtiments* de Hugo*). La **satire politique**, absente chez Régnier et Boileau, apparaît dans la

Satire ménippée, rédigée en 1594 par un groupe de pamphlétaires protestants, et s'épanouit chez Hugo*.

La satire des moralistes

Au XVIIe siècle, en raison de la force de la censure* et du statut des écrivains, dont la subsistance et le succès dépendent de la faveur du Prince et de quelques seigneurs, **la satire vise avant tout les mœurs** et, conformément à l'idéal classique, elle utilise des **types humains universels** (l'avare, le pédant, le misanthrope…). Ceux qui sortent de ces limites restent dans la clandestinité (anonymat de Pascal* pour *Les Provinciales*, qui attaquent directement les jésuites et l'intolérance religieuse ; non-publication des *Mémoires* du cardinal de Retz* avant la mort de Louis XIV) ou bénéficient de la protection du roi parce qu'ils attaquent ses ennemis du moment (Molière*, dans *Dom Juan* et *Le Tartuffe*, vise les libertins et le parti dévot, qui, pour Louis XIV, représentent un danger).

Par ailleurs, la satire est contenue également dans sa forme : **confinée dans des genres déterminés** – fable, comédie, roman réaliste, satire au sens restreint –, elle subit les **règles de la bienséance***.

La satire des philosophes

Avec le **mouvement des Lumières***, en revanche, les écrivains **remettent en cause les fondements mêmes du pouvoir** : critique de l'absolutisme, de l'inégalité sociale, et surtout, rupture avec la religion, qui peut aller jusqu'à l'athéisme. Parallèlement, ils renouent avec la fantaisie, la gauloiserie et la violence de la satire rabelaisienne, avec la **parodie*** et le **mélange des genres**. Voltaire* crée même un nouveau genre satirique, le **conte philosophique**.

La satire aux XIXe et XXe siècles

Le théâtre et le roman modernes perpétuent la tradition classique de la **satire sociale et morale** (reprise du type de l'avare dans *Eugénie Grandet* de Balzac* ; satire du bourgeois enrichi et borné, du noble imbu de sa supériorité, du provincial chez Balzac, Stendhal*, Proust*…), mais y ajoutent la **satire politique** (contre les ultras dans *Lucien Leuwen*, de Stendhal, par exemple), et de **nouvelles cibles** (la bêtise et le bovarysme chez Flaubert* ; la société de consommation chez Boris Vian* et Georges Perec*…).

Les horreurs des deux guerres mondiales et des régimes totalitaires, jointes à la découverte des profondeurs de l'inconscient et de la folie, suscitent des **satires qui débouchent sur l'imaginaire, le grotesque et l'absurde***, avec des paraboles* tragicomiques (Ionesco*, Beckett*, Aymé*, Vian, Prévert*…).

→ **absurde, antihéros, Boileau, burlesque, comédie, comique, conte philosophique, critique, épigramme, fable, fabliau, farce, grotesque, ironie, libelle, moraliste, pamphlet, Scarron**

saynète

n. f. De l'espagnol *sainete*, diminutif de *sain*, « graisse » (par référence à la *farce*). **À l'origine**: petit intermède bouffon du théâtre espagnol joué pendant les entractes. **Par extension**: petite pièce comique composée d'une seule scène.

→ **comédie**

Scarron
(Paul), 1610-1660

ŒUVRES PRINCIPALES
• **Épopée** · *Virgile travesti* (1648-1652).
• **Théâtre**: *Dom Japhet d'Arménie* (1653).
• **Roman**: *Le Roman comique* (1651-1657).

La veine burlesque

L'œuvre de Paul Scarron, contemporaine du règne de Louis XIII et de la Fronde, est placée tout entière sous le signe du burlesque*, registre* dont il n'est pas l'inventeur mais qu'il va illustrer avec éclat dans une époque marquée par le courant libertin, la préciosité* et le mouvement baroque*.

Héritier de Rabelais et de Marot, Scarron incarne un **courant** joyeusement **irrévérencieux** dont on retrouvera des échos chez Voltaire et Diderot. Il cultive le registre burlesque qui consiste à **traiter dans le style bas des sujets nobles**, auxquels on réservait en principe le style élevé.

En accord avec l'**esprit baroque** mais aussi avec l'**esprit frondeur** des libertins, Scarron évite cependant de s'aventurer sur le terrain politique, même si on a pu le soupçonner d'être en 1651 l'auteur de *La Mazarinade*, pamphlet* féroce contre Mazarin.

La charge contre l'épopée

Genre noble par excellence, l'épopée* est la première cible de Scarron. Il obtient un franc succès en 1648 avec son *Virgile travesti*. Substituant l'**octosyllabe***, léger et rapide, au trop solennel alexandrin*, Scarron **use de toutes les ressources de la parodie*** pour mettre en pièces l'œuvre de Virgile. L'usage de la langue familière, l'outrance, un réalisme* trivial dans la description, la transformation des héros épiques en bourgeois grotesques, la multiplication des anachronismes (qui transfèrent dans l'Antiquité les mœurs et les coutumes du XVIIe siècle) sont les armes les plus efficaces du « travestissement » burlesque.

Le burlesque au théâtre et dans le roman

Le théâtre se prête particulièrement bien aux jeux de la fantaisie et du burlesque. Scarron utilise souvent le **personnage du bouffon** pour tourner les maîtres en dérision. L'art de la **caricature*** se donne libre cours, beau langage et beaux sentiments sont démystifiés.

Son œuvre la plus célèbre, ***Le Roman comique***, narre les aventures d'une troupe de comédiens en voyage. L'intrigue, assez mince, sert de prétexte à une série de rencontres pittoresques et bouffonnes. Dès les premières phrases, ce sont le style noble et l'idéalisation propres au roman précieux qui sont tournés en ridicule grâce à d'efficaces ruptures de ton. Parmi les multiples personnages dont l'œuvre foisonne se détache Ragotin, petit avocat prétentieux, difforme, incorrigible coureur de jupons, mauvais poète et qui échoue toujours lamentablement dans ses entreprises. L'écriture se distingue par sa verve, sa virtuosité et son rythme rapide. Par de fréquentes interventions du narrateur, Scarron met plaisamment en lumière les ficelles de la composition romanesque.

CITATION

« Le soleil avait achevé plus de la moitié de sa course, et son char, ayant attrapé le penchant du monde, roulait plus vite qu'il ne le voulait. Si ses chevaux eussent voulu profiter de la pente du chemin, ils eussent achevé ce qui restait de jour en moins d'un demi-quart d'heure […]. Pour parler plus humainement et intelligiblement, il était entre cinq et six quand une charrette entra dans les Halles du Mans. » (*Le Roman comique*)

➜ Né à Paris en 1610, Scarron embrasse la carrière ecclésiastique pour ses aspects lucratifs tout en fréquentant les milieux littéraires. Il mène bientôt la vie joyeuse d'un jeune libertin. Mais en 1638 il contracte un rhumatisme tuberculeux incurable. Paralysé, assailli par la souffrance et les soucis d'argent, il épouse cependant en 1652 la petite-fille du poète Agrippa d'Aubigné (la future Mme de Maintenon), que ce mariage sauve du couvent.

➜ Il continue à mener une vie mondaine en recevant dans son salon les beaux esprits de l'époque et les grands seigneurs libertins. Son intense production littéraire lui permet d'obtenir pensions et droits d'auteur. Touchant à tous les genres, il écrit, sous ses airs de dilettante, des œuvres très maîtrisées. Doué d'une verve éblouissante, maniant tous les procédés de la satire* et de la comédie*, il devient le maître du burlesque et règne de 1665 à 1675 sur la scène parisienne. L'avènement du classicisme* fera tomber son œuvre dans un injuste discrédit.

➜ **baroque, burlesque, caricature, parodie, préciosité, satire**

scénario

n. m. De l'italien *scenario*, « décor » (de *scena*, « scène »). **Sens premier** : action, canevas écrit d'une pièce de théâtre ; par extension, plan de l'intrigue d'un roman, d'une histoire. **Sens moderne** : texte décrivant dans ses grandes lignes l'action d'un film et comportant des indications techniques et les dialogues.

Roman et cinéma

L'intrigue de nombreux romans fournit les matériaux de scénarios pour le cinéma. Certains écrivains contemporains, comme **Marguerite Duras*** et **Alain Robbe-Grillet***, ont écrit eux-mêmes des scénarios. « Je me mis donc à écrire, seul, non pas une "histoire", mais directement ce que l'on appelle un *découpage*, c'est-à-dire la description du film image par image tel que je le voyais dans ma tête, avec, bien entendu, les paroles et les bruits correspondants », rapporte Robbe-Grillet, scénariste du film d'Alain Resnais, *L'Année dernière à Marienbad* (1961).

➜ **action, cinéma et littérature, intrigue**

scène

n. f. Du grec *skênê* (« tente ») qui désignait la construction légère édifiée sur la scène des théâtres grecs. **Sens propre** : espace où se déroule la représentation d'une pièce de théâtre ou d'un opéra, par opposition à l'espace réservé au public. **Sens figuré** (dans une pièce de théâtre) : division d'un acte dont le début et la fin sont généralement déterminés par l'entrée ou la sortie d'un personnage. Lorsqu'on change de décor à l'intérieur d'un même acte, on parle plutôt de « tableau ». Les auteurs modernes ont souvent renoncé à la division en scènes, jugée artificielle parce qu'elle ne correspond pas forcément à un changement de situation.

➜ **acte, action (dramatique), dénouement, exposition, monologue, scénographie**

scénographie

n. f. Du grec *skênê* et *graphia*, « dessin de la scène ». **Sens originel** : art de représenter un décor en perspective : ainsi les scénographies de Palladio dans le théâtre de Vicence en Italie. **Sens actuel** : conception et étude des éléments matériels d'un spectacle théâtral.

Principales fonctions

Les études scénographiques portent notamment sur la valeur décorative et symbolique du matériel scénique (décors, meubles, accessoires, costumes, éclairages) mais aussi sur le « décor sonore » (musique de scène) de l'espace théâtral.

La scénographie distingue le **théâtre à l'italienne**, ses toiles peintes déployées verticalement donnant l'illusion de la profondeur par l'effet de la perspective, sa machinerie permettant des effets de merveilleux* (comme l'apparition de monstres ou de dieux), et le **théâtre contemporain**, ses effets de distanciation*, ses volumes et ses accessoires, qui s'offrent à l'interprétation du spectateur et qui mettent en valeur le travail d'expression corporelle de l'acteur. « Il [*le décor*] est pour le comédien un véritable partenaire. » (A. Pierron, *Le Théâtre*.)

➜ *deus ex machina*, **distanciation, scène, théâtre**

scepticisme

n. m. Du grec *skeptikos*, « observateur ».
Sens strict : doctrine philosophique grecque inspirée de Pyrrhon et Sextus Empiricus (IVe siècle av. J.-C.), selon laquelle l'homme ne peut atteindre aucune certitude métaphysique, et doit donc pratiquer le doute. **Sens large** : attitude intellectuelle consistant à s'opposer aux dogmatismes et aux opinions reçues, et à soumettre toute connaissance à l'examen critique et à l'expérience.

Caractéristiques du scepticisme

Constatant les illusions des sens, les jugements contradictoires portés dans de nombreux domaines, et l'impossibilité de prouver la véracité d'une proposition et de ses prémisses, **les sceptiques prônent le doute généralisé**, et la recherche d'un bonheur réduit à l'absence de trouble (**ataraxie**).

Redécouvert à la Renaissance, le scepticisme va influencer les intellectuels durant plusieurs siècles. En matière religieuse, il peut aboutir au refus des dogmes officiels de l'Église et des guerres de Religion qu'ils entraînent (Montaigne*). Il conduit au **déisme** (Voltaire*), voire à l'**athéisme** (les libertins, Diderot*).

Plus largement, le scepticisme **inspire** aussi bien **le mouvement baroque** (absence de certitude, caractère changeant de l'homme, jeux entre apparence et illusion) que **l'esprit des Lumières***, qui soumet tout (politique, morale, sciences) à l'examen de la raison.

→ épicurisme, Fontenelle, Lumières, Montaigne, stoïcisme

Scève
(Maurice), 1501 ?-1564 ?

ŒUVRES PRINCIPALES
• **Poèmes** : *Blasons* (1536-1539), *Délie, objet de la plus haute vertu* (1544), *Saulsaye, églogue de la vie solitaire* (1547), *Microcosme* (1562).

L'amour et l'hermétisme

Maurice Scève, l'un des plus éminents représentants de l'**école lyonnaise** avec Louise Labé*, est à la fois l'**héritier des Grands Rhétoriqueurs***, par son goût du jeu verbal et de l'allégorie*, **et du poète italien Pétrarque**, pour l'inspiration amoureuse.

Dans ses *Blasons*, l'exploration du corps féminin fait plus de place à la sentimentalité et à la préciosité* qu'à la description anatomique. Sa **conception pétrarquisante de l'amour** apparaît dans son chef-d'œuvre, *Délie* : la femme est d'autant plus idéalisée qu'elle est inaccessible ; elle suscite un violent débat intérieur qui s'exprime souvent sous la forme d'**allégories**. L'amour est d'abord un combat, contre l'autre mais aussi contre soi-même : « Mais je sentis ses deux mains bataillantes/ Qui s'opposaient aux miennes travaillantes. » (*Délie*.)

Dans l'espace carré et clos de chaque dizain, se répète inlassablement le trajet de l'expérience amoureuse dans sa totalité contradictoire.

Le microcosme et le macrocosme

Conformément à la conception cosmologique des philosophes du Moyen Âge, **l'exploration du microcosme doit donner accès à la compréhension du Grand Tout**. Cette conception est développée dans le très ambitieux poème cosmologique *Microcosme* où Maurice Scève montre comment, à partir d'un germe, d'un point extrêmement concentré, se déploie l'infinie diversité du réel dans un mouvement irrésistible d'expansion : l'humanité tout entière était présente dans le premier homme. Le microcosme ne cesse d'engendrer le macrocosme.

REPÈRES BIOGRAPHIQUES

→ Maurice Scève naît à Lyon dans une riche famille bourgeoise. Il reçoit une formation intellectuelle très poussée qu'il aurait achevée par des études en Italie. Mais, négligeant les perspectives d'une brillante carrière, il préfère se consacrer à la poésie. On ignore tout de ses activités entre 1520 et 1530. C'est vers cette date qu'on retrouve sa trace en Avignon, où il participe aux recherches archéologiques entreprises pour retrouver le tombeau de la Laure de Pétrarque, morte dans la ville deux siècles plus tôt.

→ De retour à Lyon, il participe, en 1536, au concours de blasons* lancé par Clément Marot*. Il semble que ce soit en 1536 qu'il rencontre la jeune poétesse Pernette du Guillet dont il tombe passionnément amoureux mais qui en épouse un autre. C'est elle qui lui inspire *Délie, objet de plus haute vertu*, recueil de 449 dizains (poèmes de dix vers). À la mort de Pernette, en 1545, il se retire à la campagne.

→ Éclipsée par celle des poètes de la Pléiade*, l'œuvre de Maurice Scève n'a été vraiment redécouverte qu'au XXe siècle.

> « Libre vivais en l'Avril de mon âge/ De cure exempt sous celle adolescence,/ Où l'œil, encor non expert de dommage,/ Se vit surpris de la douce présence/ Qui par sa haute, et divine excellence/ M'étonna l'Âme, et le sens tellement/ Que de ses yeux l'archer tout bellement/ Ma liberté lui a toute asservie ; Et dès ce jour continuellement/ En sa beauté gît ma mort et ma vie. » (*Délie*, dizain 5).

→ **allégorie, blason, Pléiade (la), Rhétoriqueurs**

science-fiction

n. f. De l'anglais *science-fiction*. La science-fiction comprend l'ensemble des œuvres (livres, films, BD...) qui prennent pour thème « non la réalité telle qu'elle nous apparaît, mais celle que nous pouvons commencer à imaginer à partir des données les plus avancées de la science » (Marc Soriano). La science-fiction appartient au domaine du « merveilleux », au sens que Tzvetan Todorov donne à ce terme, puisqu'elle nous place dans un monde inconnu, jamais vu parce qu'à venir, un univers dont nous acceptons par convention le caractère fictif.

La naissance du genre
À l'aube du XIXᵉ siècle, l'Anglaise Mary Shelley, en racontant dans son roman *Frankenstein* (1818) la création par un savant d'un être à l'apparence humaine mais aux passions animales, inaugure un courant fécond d'œuvres qui **effacent la frontière rassurante** tracée par la raison entre science et magie, nature et surnature, l'homme et Dieu (ou le diable).

L'**image ambiguë du savant et de ses pouvoirs** caractérise souvent la science-fiction, ambiguïté révélatrice des espoirs mais aussi des craintes mis dans la science. En effet, **d'un côté, la science-fiction fait rêver** comme chez Jules Verne*, maître incontesté du genre au XIXᵉ siècle. Mais, **de l'autre, elle inquiète**, comme chez R. L. Stevenson (*L'Étrange Cas du Docteur Jekyll et de M. Hyde*, 1885) ou H. G. Wells (*L'Île du docteur Moreau*, 1896). Villiers de l'Isle Adam* éclaire, dans l'*Ève future* (1886), les impasses du savoir et de la technique dans la création de nouveaux êtres.

Notons qu'avant le développement du genre (au sens strict) à partir du XIXᵉ siècle, de nombreux ouvrages d'anticipation ou de prospection avaient manifesté, sur un mode parfois utopique, le rêve d'un monde transformé par le progrès scientifique (*La Cité du Soleil* de l'Italien Campanella, 1602 ; ou *La Nouvelle Atlantide* de l'Anglais Bacon, 1627).

L'épanouissement du genre
La science-fiction, qui s'est épanouie **au XXᵉ siècle** sous **différentes formes** (« littérature » de grande consommation, films à grand spectacle et à effets spéciaux), **reprend** généralement des personnages et des thèmes déjà apparus au siècle précédent : hommes dotés de pouvoirs démesurés ou dépassés par leurs inventions, guerres impitoyables avec des envahisseurs venus d'autres mondes…

Dans cette abondante production, se distinguent quelques classiques : *Cœur de chien* (1925) de Mikhaïl Boulgakov, *Ravage* (1943) de René Barjavel, *Chroniques martiennes* (1950) de Ray Bradbury, *Les Animaux dénaturés* de Vercors* (1952).

→ **merveilleux, utopie, Verne, Villiers de L'Isle-Adam**

scolastique

n. f. Du grec *skholastikos* (de *skholê*, « école »). **Sens strict** : philosophie et théologie enseignées à l'Université durant le Moyen Âge. La scolastique se préoccupait essentiellement de concilier la raison et la foi, en s'appuyant notamment sur Aristote. **Sens large** (péjoratif) : théories et méthodes d'enseignement privilégiant le raisonnement formel et l'abstraction, aux dépens de la clarté* et de la réflexion.

Caractéristiques de la scolastique

Fondé essentiellement sur l'étude de la métaphysique à travers les textes des seuls théologiens reconnus par les autorités de l'Église (et non par l'étude directe de la Bible), l'enseignement scolastique, délivré en latin médiéval et symbolisé par la Sorbonne, portait également sur la rhétorique* (art du discours et de l'argumentation).

Au XVIe puis au XVIIe siècle, l'héritage scolastique, rénové par les jésuites, s'oppose aux thèses théologiques nouvelles : protestantisme, jansénisme*.

Un sujet de satire

La scolastique apparaît dans la littérature surtout à travers les **critiques de fond** (hégémonie d'un dogme et querelles abstraites débouchant sur l'intolérance religieuse) **et de forme** (appel à la mémoire et à la virtuosité formelle plutôt qu'à une véritable réflexion) qui lui sont **adressées à partir de la Renaissance**.

Rabelais* en fait la **caricature** dans *Gargantua* et *Pantagruel*, en opposant à la scolastique une éducation fondée sur la connaissance directe des textes et des langues antiques, l'apprentissage des langues modernes, l'observation de la nature, l'hygiène et le sport, une religion simple. **Montaigne*** fait de même (« De l'institution des enfants », *Essais*, I, 26), en mettant l'accent sur l'importance de la formation morale et de l'esprit critique. **Pascal*** dans *Les Provinciales*, **Voltaire*** dans *Candide** (chap. 6) raillent les raisonnements vides et dangereux de la Sorbonne et de l'université de Lisbonne.

→ **Gargantua et Pantagruel, Montaigne, Rabelais**

Scudéry
(Madeleine de), 1607-1701

ŒUVRES PRINCIPALES
• **Romans** : *Artamène ou le Grand Cyrus* (10 vol., 1649-1653), *Clélie, histoire romaine* (10 vol., 1654-1660).
• **Œuvre morale** : *Conversations morales* (1686).

Du roman héroïque à l'univers des salons

Les premiers romans de Georges et Madeleine de Scudéry s'inscrivent dans la veine du **roman héroïque baroque**, version en prose de l'épopée*. Mais, dès le milieu du *Grand Cyrus*, et plus encore avec *Clélie*, le roman prend ses distances avec le genre héroïque et tend davantage à exposer un **code de galanterie**, à travers la **peinture de la société des salons***.

Le succès du *Grand Cyrus* et de *Clélie* provient en partie de ce que les lecteurs y retrouvent, derrière une intrigue antique – perse ou romaine –, des contemporains célèbres. Dans le premier de ces deux très longs **romans à clés**, Artamène est le Grand Condé (illustre frondeur), Mandane, l'intrigante Mme de Longueville, et Sapho, la sage Mlle de Scudéry. La société des « samedis » se reconnaît dans certaines « conversations » de *Clélie*, qui reproduisent celles des habitués du salon et qui portent avant tout sur l'amour et sur le respect (la « gloire ») de la femme.

Sapho, reine de Tendre

Mlle de Scudéry, en fine moraliste*, procède à l'« **anatomie du cœur amoureux** ». Elle établit entre les sentiments d'infinies distinctions dont la subtilité échappe au lecteur moderne, qui ne retient plus guère que la célèbre **carte de Tendre***, publiée dans le premier volume de *Clélie*. Celle dont la vertu était louée par tous ses contemporains et dont l'histoire a retenu l'amitié tendre avec Pellisson, prône un **amour épuré**, fondé sur la « gloire » de la femme et sur le rejet des sens. Cette conception de l'amour contient un **plaidoyer féministe** souvent novateur.

Une précieuse

L'écriture de Mlle de Scudéry abuse des adjectifs hyperboliques en -able et des périphrases. Mais cette « admirable fille », idéaliste sans être prude, n'est une précieuse que si l'on ôte à ce terme la connotation péjorative qu'il possède depuis *Les Précieuses ridicules* de Molière*.

La **finesse d'analyse** de Mlle de Scudéry, la subtilité de ses distinctions et de ses définitions ont largement influencé les moralistes de la deuxième moitié du siècle, de Mme de Lafayette à La Bruyère*.

REPÈRES BIOGRAPHIQUES

→ Orpheline d'une famille de petite noblesse ruinée, Mlle de Scudéry est élevée par son oncle, qui lui donne une instruction assez remarquable pour une femme de son époque. Ses premiers romans sont écrits en collaboration avec son frère, Georges de Scudéry, qu'elle finit par surpasser.

→ À partir de 1650, son salon éclipse celui de l'Hôtel de Rambouillet qui dominait jusqu'alors la vie culturelle. Les « samedis » de celle que l'on appelle « Sapho » accueillent les adeptes de la préciosité*, mais reçoivent également La Rochefoucauld*, Mme de Lafayette* et Mme de Sévigné*. De 1649 à 1663, Mlle de Scudéry publie de très longs romans qui connaissent un immense succès, puis elle entreprend d'écrire des « histoires » beaucoup plus brèves et de publier séparément plusieurs volumes de *Conversations morales*.

→ Figure dominante de la seconde moitié du XVIIe siècle, Mlle de Scudéry est la première femme de lettres française. Elle a manqué de peu d'être élue à l'Académie française.

CITATION

• Sur l'amour précieux

« Enfin [...] je veux un amant sans vouloir un mari, et je veux un amant qui, se contentant de la possession de mon cœur, m'aime jusqu'à la mort, car si je n'en trouve point de cette sorte, je n'en veux point. » (*Artamène ou le Grand Cyrus*)

→ **baroque, préciosité, roman, Tendre (carte de)**

sémantique

n. f. Du grec *sêmantikos*, de *sêmainein*, « signifier ». Branche de la linguistique qui, contrairement à la sémiologie* et à la sémiotique qui s'occupent du signifiant*, s'intéresse au sens des mots, c'est-à-dire au fonctionnement du signifié*.

L'objet de la sémantique

Le signifié d'un mot est constitué par l'ensemble de ses **sèmes**, ou traits sémantiques. Par exemple, le signifié de *canapé* est constitué par plusieurs sèmes : siège + pour plusieurs personnes + avec dossier + avec accoudoirs + avec des pieds. L'objet de la sémantique est donc, d'une part, d'analyser la façon dont se construit la signification des mots et, d'autre part, de décrire la façon dont est structuré le lexique. Elle prend en compte les phénomènes de synonymie*, d'antonymie*, d'homonymie*, de polysémie*, de connotation*.

La sémantique structurale

Alors que la sémantique traditionnelle étudie l'évolution des significations dans une perspective diachronique*, la **sémantique structurale**, à la suite des travaux de Ferdinand de Saussure, met l'accent sur la **dimension synchronique***. L'évolution de la recherche a conduit à dépasser la sémantique du mot dans le sens d'une **sémantique de la phrase**, pour prendre en compte le fait que c'est dans le cadre syntaxique de la phrase qu'un mot prend son sens. Par ailleurs, la sémantique tend à se rapprocher de la **pragmatique**, discipline qui étudie et analyse les actes de langage dans le cadre de la communication.

→ **antonyme, connotation, homonyme, polysémie, sémiologie, symbole, synonyme**

sémiologie

n. f. Du grec *sêmeion*, « signe » et *logos*, « science ». Issue d'une très ancienne interrogation philosophique sur les liens unissant les signes et la réalité à laquelle ils renvoient, la sémiologie s'est constituée en science à partir des recherches de Ferdinand de Saussure sur la langue. Celui-ci définit la sémiologie comme la « science qui étudie la vie des signes au sein de la vie sociale ».

Sémiologie et sémiotique

Les deux termes sont souvent utilisés indifféremment. Lorsqu'on les distingue expressément, deux cas se présentent. Certains opposent la **sémiologie**, qui a pour objet le **domaine du langage** (le langage proprement dit, mais aussi les mythes, les discours, l'image en peinture, au cinéma, etc.) et la **sémiotique**, qui étudie toute **communication sociale**, y compris non verbale, le langage n'étant alors qu'un cas particulier. Dans le domaine français, on oppose en principe la sémiologie, science générale des signes, à la sémiotique, science des signes dans un domaine particulier (sémiotique de la publicité, de la mode…), ce qui implique des méthodologies appropriées à leur objet.

Applications de la sémiologie

Pour Saussure, le signe linguistique, résultat de l'association d'un signifiant* et d'un signifié*, est arbitraire et purement conventionnel, à la différence de l'indice. La sémiologie s'est intéressée en priorité au **signifiant** et à la **forme des messages**. D'où une orientation formaliste, qui s'est concrétisée dans la **linguistique structurale**. Le principe fondamental est qu'un signe ne produisant du sens que dans ses rapports avec un autre, on ne peut étudier les signes que dans un cadre structuré par des oppositions.

La linguistique a fourni un **modèle d'analyse aux sciences humaines** (anthropologie, sociologie, psychologie), et les a profondément influencées depuis les années 1950. L'analyse sémiologique s'est également étendue aux messages non verbaux, tels le système de la mode ou les habitudes alimentaires. Dans le domaine des arts, on a pu employer les outils de la sémiologie pour analyser la peinture, la musique, le cinéma ou la bande dessinée.

Du côté de la littérature, la sémiologie a trouvé ses prolongements dans l'**analyse des textes littéraires**, en particulier avec les travaux de Greimas, de Mounin, de Barthes* ou d'Umberto Eco.

→ **locuteur, sémantique, signifiant et signifié, structuralisme, symbole**

Semprun
(Jorge), né en 1923

> **ŒUVRES PRINCIPALES**
> • **Romans** : *Le Grand Voyage* (1963), *La Deuxième Mort de Ramon Mercader* (prix Femina 1969).
> • **Méditation autobiographique** : *L'Écriture ou la Vie* (1994).
> • **Scénarios de films** : *Z* (réalisation Costa-Gavras, 1968), *L'Aveu* (réalisation Costa-Gavras, 1970), *L'Attentat* (réalisation Yves Boisset, 1972).

L'engagement d'une vie et d'une œuvre

Nourri de philosophie et des grandes œuvres de la littérature européenne, Jorge Semprun, **intellectuel et homme d'action**, a combattu tous les totalitarismes. Confronté dès sa jeunesse au fascisme, il a embrassé la cause communiste, promesse d'un monde meilleur et plus juste. S'il a vu la défaite des fascismes, il a vécu douloureusement la dérive vers le totalitarisme des régimes communistes.

Toute son œuvre, aussi bien littéraire que cinématographique, est une **réflexion sur les grandes catastrophes politiques et idéologiques du XXe siècle**, et en particulier sur le pervertissement de l'idéal communiste. Ainsi, dans *La Deuxième Mort de Ramon Mercader*, par une terrible ironie* de l'Histoire, le héros, jeune militant communiste enthousiaste, finit sa vie comme gardien de prison dans le pays de Castro, tandis que les démocraties populaires se changent en sanglantes dictatures policières (*L'Aveu*).

Peut-on écrire après Buchenwald ?

Comme Primo Levi ou le philosophe Theodor Adorno, Jorge Semprun s'est trouvé confronté, au sortir de l'horreur des camps nazis, à la radicale **impossibilité de dire l'indicible** pour un public qui ne voulait pas en entendre parler. C'est au bout d'une « amnésie volontaire » de seize ans qu'il se sentira prêt à évoquer ces années terribles. Écrivain, il refuse de s'en tenir au niveau du simple témoignage : à ses yeux, seule la littérature est capable, par la fiction, de mettre des mots sur l'indicible. Dans *Le Grand Voyage*, qui raconte la déportation du narrateur vers Buchenwald, le récit linéaire du voyage est subtilement entrecoupé de retours en arrière et de passages où le narrateur apparaît, d'avance, en rescapé de l'univers concentrationnaire :

glissant du présent au passé ou à l'avenir, le récit prend une épaisseur temporelle saisissante.

La littérature et le mal

Le drame de l'écrivain face au mal absolu se double d'une interrogation vertigineuse sur l'art, la littérature et la philosophie. Retourné à Buchenwald en 1992, Jorge Semprun s'interroge sur le pouvoir de l'écriture face à la mort dans *L'Écriture ou la Vie*, un livre qui entretisse souvenirs personnels et réflexions sur les grands écrivains et philosophes contemporains. Cette méditation, commencée avec l'« expérience de la mort vécue » qu'a été la déportation, lui a certes donné la force de survivre à « l'enfer organisé », mais elle reste béante sur cette énigme absolue : comment Weimar, la ville de Goethe, a-t-elle pu devenir, avec Buchenwald, un des hauts lieux de la barbarie ? Comment le plus grand philosophe allemand du xxᵉ siècle, Heidegger, a-t-il pu garder un silence total sur l'horreur nazie malgré les instances du philosophe Jaspers et du poète Celan ? Comment l'Allemagne, pays riche des plus grands noms de la culture universelle, a-t-elle pu devenir celui de la Shoah ?

Pour dire son expérience, pour s'approcher d'une vérité inaccessible à la seule sincérité, Semprun a su inventer une **langue incisive**, souvent **inquiète et tourmentée**, une écriture qui, en jouant dans un « désordre concerté » de multiples détours, raccourcis et digressions, était la seule à pouvoir rendre sensible l'effort de reconstruction du passé.

CITATION

> « J'ai pensé que mon souvenir le plus personnel, le moins partagé... celui qui me fait être ce que je suis... qui me distingue des autres [...] qui brûle dans ma mémoire d'une flamme d'horreur et d'abjection... d'orgueil aussi... c'est le souvenir vivace, entêtant de l'odeur du four crématoire : fade, écœurante... l'odeur de chair brûlée sur la colline de l'Ettersberg... » (*L'Écriture ou la Vie*)

REPÈRES BIOGRAPHIQUES

→ La vie de Jorge Semprun, écrivain espagnol d'expression française, est intimement liée aux grandes tragédies du xxᵉ siècle. Exilé aux Pays-Bas puis en France pendant la guerre civile espagnole, il fait de brillantes études de philosophie à Paris puis rejoint la Résistance dans un maquis de Bourgogne en 1942, aux côtés des communistes.

Déporté à Buchenwald en 1943, il y reste jusqu'à la libération du camp en 1945.

→ Lors de son retour à la vie civile, il découvre l'impossibilité d'écrire sur les camps de concentration. Membre du Parti communiste espagnol depuis 1942, il participe depuis la France à la lutte contre le régime franquiste. Exclu en 1962, il se consacre alors à l'écriture et publie en 1963 le roman qui le révèle au public : *Le Grand Voyage*. À la mort de Franco, il sera brièvement ministre de la Culture dans le gouvernement socialiste espagnol.

→ Parallèlement à son œuvre littéraire, couronnée par de nombreux prix – notamment le Femina en 1969 pour *La Deuxième Mort de Ramon Mercader* –, il a écrit de nombreux scénarios de films, pour Costa-Gravas et Yves Boisset entre autres. Il a été élu à l'académie Goncourt en 1996.

→ cinéma et littérature, engagement

Sénancour,
1770-1846

ŒUVRES PRINCIPALES
- **Romans** : *Oberman* (1804), *Isabelle* (1833).
- **Essais** : *De l'amour* (1806), *Observations critiques sur le Génie du christianisme* (1816).

Le mal du siècle

Paru deux ans après *René*, *Oberman* est l'œuvre d'un athée, déchiré entre l'héritage de Voltaire* et l'illuminisme de Saint-Martin, entre les lumières de la raison et le monde nocturne des rêves. La **vision du monde** de Sénancour est profondément **tragique et désespérée** : son héros, incapable de donner du sens à sa vie, traîne un ennui incurable. Sa soif d'absolu et d'harmonie ne lui procure que de brefs instants d'exaltation et bute sur le divorce entre le rêve et la réalité : « J'ai le droit de refuser de servir la société. Je ne me révolte pas, je sors. »

Cette expérience du **désenchantement**, de la « lente agonie du cœur », est l'une des plus fortes expressions du mal du siècle.

Le rêveur des Alpes

Pour Oberman (étymologiquement « l'homme des hauteurs »), **la nature est un refuge**. Fuyant un « monde déplorable », il découvre avec ravissement la « beauté sublime » des montagnes suisses. Les cimes des Alpes lui offrent, âpre et désolé, le paysage minéral – rocs, granits, grès, sables – qui convient à son cœur solitaire : « Insensiblement des vapeurs s'élevèrent des glaciers et formèrent des nuages sous mes pieds. L'éclat des neiges ne fatigua plus mes yeux, et le ciel devint plus sombre et plus profond. Un brouillard couvrit les Alpes, quelques pics isolés sortaient seuls de cet océan de vapeur. » (*Oberman*, lettre VII.)

Mais l'exaltation d'Oberman est toujours très vite submergée par l'impression que son cœur est « flétri et desséché comme s'il était dans l'épuisement de l'âge refroidi ».

CITATION

• Sur le mal d'Oberman

« Il me faut des illusions sans bornes, qui s'éloignent pour me tromper toujours. [...] Je veux un bien, un rêve, une espérance enfin qui soit toujours devant moi, au-delà de moi, plus grande que mon attente elle-même, plus grande que tout ce qui passe. Je voudrais être toute intelligence, et que l'ordre éternel du monde... » (*Oberman*, lettre XVIII)

REPÈRES BIOGRAPHIQUES

➔ Étienne Pivert de Sénancour, né à Paris, est élevé d'une façon austère par des parents âgés. Enfant solitaire, il se réfugie dans la lecture. La découverte de la nature, à Fontainebleau, sera pour lui un véritable éblouissement. En août 1789, alors que son père tente de le contraindre à entrer au séminaire, il s'enfuit et gagne la Suisse où il veut retrouver les paysages chers à Rousseau*.

➔ Sa vie sera une suite de désillusions : il est ruiné par la Révolution, son mariage tourne vite à l'échec et ses premières œuvres, mais aussi *Oberman* (1804), restent méconnues. Il lui faudra attendre 1833 pour que Sainte-Beuve tire de l'oubli *Oberman*, son chef-d'œuvre. La génération romantique découvre alors en lui un précurseur.

→ **Chateaubriand, préromantisme, prose cadencée, romantisme**

Senghor
(Léopold Sédar), 1906-2001

ŒUVRES PRINCIPALES
• Poésie : *Chants d'ombre* (1945), *Hosties noires* (1948), *Éthiopiques* (1956), *Nocturnes* (1961), *Élégies majeures* (1979).

• Essais : *Négritude et humanisme* (1964), *Négritude et civilisation de l'universel* (1977), *Ce que je crois : négritude, francité et civilisation de l'universel* (1988).

De la négritude au métissage
Élevé au **carrefour des traditions africaines et de la culture française**, Senghor a combattu pour l'émancipation des peuples colonisés sans renier les valeurs universalistes de l'humanisme européen.

Son univers poétique est placé sous le signe du **métissage**. S'il revendique sa négritude, c'est en la dépassant dans la greffe d'une culture sur l'autre, une greffe qui permet au métis d'**assimiler au lieu d'être assimilé** et lui assure sa supériorité : « Supériorité, parce que liberté, du métis qui choisit où il veut, ce qu'il veut pour faire, des éléments réconciliés, une œuvre exquise et forte » (*Négritude et humanisme*).

Ainsi, écrire dans une langue qui lui est étrangère n'empêche pas le poète d'**exprimer, loin de tout exotisme* et de tout pittoresque facile, la nature et l'âme africaines**. Le moment de la négritude n'est cependant qu'une étape qui doit conduire, par le métissage, vers un humanisme véritablement universel.

Orphée noir
Dans son *Anthologie de la nouvelle poésie nègre et malgache*, publiée en 1948 avec la célèbre préface de J.-P. Sartre intitulée « Orphée* noir », Senghor met en valeur l'**importance du rythme pour les poètes africains** : c'est « l'élément le plus vital du langage ». Si l'Afrique est présente au cœur du poème avec tous ses vocables spécifiques (*palétuvier*, *kaïcedrat*, *kana*...), c'est essentiellement la respiration de la langue, « régulière ou spasmodique », ample ou haletante, qui représente « l'apport de la poésie nègre au demi-siècle ».

Le **verset***, qu'il reprend à Claudel* et à Saint-John Perse*, fournit à Senghor la forme la plus propre à faire entendre, dans toute sa richesse rythmique, la voix profonde de l'Afrique.

CITATIONS

• Sur l'amour

« Ah tu crois que je ne l'ai pas aimée/ Ma Négresse blonde d'huile de palme à la taille de plume/ Cuisse de loutre en surprise et de neige du Kilimandjaro/ Seins de rizières mûres et de collines d'acacias sous le Vent d'Est/ Nolivé aux bras de boas, aux lèvres de serpent-minute/ Nolivé aux yeux de constellation [...]. » (« Chaka », *Éthiopiques*)

• **Sur le rythme**

« Le pouvoir de l'image analogique ne se libère que sous l'effet du rythme. Seul le rythme provoque le court-circuit poétique [et] transmue le cuivre en or, la parole en *verbe*. » (Postface d'*Éthiopiques*)

REPÈRES BIOGRAPHIQUES

→ Léopold Sédar Senghor naît à Joal, au Sénégal, en 1906. Excellent élève, il fait ses études à Dakar puis à Paris, où il obtient une agrégation de grammaire à la Sorbonne et rencontre Aimé Césaire* et Léon Damas avec qui il fonde la revue *L'Étudiant noir*. Il devient professeur mais la Seconde Guerre mondiale éclate et il passe deux ans de captivité en Allemagne.

→ À la Libération, Senghor publie ses premières œuvres poétiques et commence une carrière politique. Député du Sénégal à l'Assemblée constituante en 1945, la décolonisation fera de lui, en 1960, le premier président de la République du Sénégal. Il continue à publier de nombreux essais politiques et littéraires et participe à la fondation de la francophonie*.

→ En 1980, il se retire de la vie politique sénégalaise. Premier Noir à entrer à l'Académie française en 1983, il passe les dernières années de sa vie en Normandie, où il décède en 2001.

→ **Césaire, exotisme, francophonie, verset**

sens propre et sens figuré

n. et adj. m. Du latin *sensus*, de *sentire*, « sentir ». Le **sens propre** d'un mot est son sens premier (ou sens littéral). C'est à partir de ce sens que, son emploi s'étendant à d'autres domaines, le mot prend **un ou des sens figuré(s)**. On dit alors qu'il est **polysémique**. Ainsi, le mot *bélier*, qui désigne au sens premier le mâle de la brebis, est devenu, par métaphore*, le nom d'une machine de guerre propre à battre en brèche une muraille.

Le sens propre et le (ou les) sens figuré(s) **coexistent le plus souvent** : employés dans des contextes différents, ils sont généralement distingués, sauf lorsqu'un auteur de calembours* ou un poète **joue sur les deux sens**, pour attirer l'attention sur l'ambiguïté d'un mot ou d'une expression. C'est ainsi que Francis Ponge*, pour décrire l'intérieur d'une huître, parle d'un « firmament » de nacre, jouant sur le sens propre (« soutien », « appui ») et le sens figuré (« voûte céleste ») du mot *firmament*.

→ **calembour, métaphore, polysémie**

sentence

n. f. Du latin *sententia*.
Sens strict : phrase brève exprimant une pensée morale, une règle de conduite.
Sens judiciaire : synonyme de « verdict ».

Sentence et maxime

On donne usuellement ces deux mots pour synonymes alors que la **maxime***, en tant que *maxima sententia*, c'est-à-dire « sentence la plus générale », est une **sorte de cas particulier de la sentence**. Du fait de sa généralité, la maxime peut être écrite pour elle-même, comme les *Maximes* (1665) de La Rochefoucauld*, qui sont l'équivalent des « remarques » ciselées par La Bruyère* dans ses *Caractères* (1688-1696).

En revanche, la **sentence a un contexte** : telle phrase **extraite** d'un sermon* de Bossuet* est une sentence, et certaines moralités des *Fables* de La Fontaine* sont des sentences. Ce dernier exemple est d'ailleurs révélateur de la distinction sentence/maxime : La Fontaine, privilégiant le récit lorsqu'il compose un apologue*, fait tout pour que ses moralités en soient difficilement détachées, comme s'il ne voulait pas qu'elles deviennent de sèches maximes.

Les exemples classiques cités précédemment montrent que la sentence est une **forme prisée des moralistes***. Il convient de remarquer que ce genre peut donc être associé à une impression de sévérité, qu'on n'aura pas nécessairement à la lecture de l'aphorisme* (Cioran, Nietzsche) – l'adjectif « sentencieux » a d'ailleurs une connotation péjorative, suggérant que la sentence relève parfois d'une affectation de gravité.

Caractéristiques formelles de la sentence

La sentence est **syntaxiquement autonome**. Elle n'est ni coordonnée, ni subordonnée, ni reliée par un adverbe de phrase à la proposition précédente ou suivante. Ses pronoms ne renvoient pas au contexte. Une fois extraite, rien ne la distingue plus de la maxime :

« Rien n'est plus dangereux qu'un ignorant ami ;/Mieux vaudrait un sage ennemi. » (La Fontaine, « L'Ours et l'Amateur des jardins », *Fables*, VIII, 10.)

Par ailleurs, la sentence recourt aux **pronoms, adjectifs et articles indéfinis** ainsi qu'au présent gnomique, c'est-à-dire au **présent de vérité générale** ; mais l'utilisation seule de ce présent ne suffit pas à créer une sentence s'il n'y a pas de message moral.

Enfin, la sentence est une **phrase déclarative**. Exceptionnellement exclamative, elle est très fréquemment **formulée à la troisième personne**, beaucoup plus rarement à la deuxième : « Laissez dire les sots : le savoir a son prix. » (La Fontaine, « L'Avantage de la science », *Fables*, VIII, 19.) Ce dernier exemple permet de formuler deux conclusions essentielles : **la sentence est brève et rythmiquement bien balancée**.

→ aphorisme, didactique, maxime, sermon

sermon

n. m. Du latin *sermo*, « discussion ». **Sens strict** : discours prononcé en chaire par un prédicateur, sur un sujet religieux. **Sens péjoratif** : discours ennuyeux et moralisant. Au Moyen Âge, les *Sermons joyeux* constituent un genre dramatique burlesque, qui parodie les sermons religieux dans un latin macaronique farci d'obscénités (*Sermon de saint Andouille*).

Un genre codifié

Toujours composé de la même façon, le sermon comprend une **introduction** (l'**exorde**[*]), un **développement** en deux ou trois points, et une **conclusion** (la **péroraison**[*]). Le sermon classique se caractérise par son **éloquence**[*].

Même s'il est entièrement rédigé, le sermon reste une prestation orale, et comporte de ce fait une **part de théâtralité** : il laisse la place à l'improvisation et s'accompagne de gestes. Il doit avant tout **émouvoir** son public, auquel il s'adresse constamment, comme le fait **Bossuet**[*], le plus célèbre prédicateur du Grand Siècle : « Vous serez peut-être étonnés que je vous adresse à la mort pour être instruits de ce que vous êtes ; et vous croirez que ce n'est pas bien représenter l'homme, que de le montrer où il n'est plus. Mais, si vous prenez soin de vouloir entendre ce qui se présente à nous dans le tombeau, vous accorderez aisément

qu'il n'est point de plus véritable interprète ni de plus fidèle miroir des choses humaines. » (Bossuet, *Sermon sur la mort*.)

Un discours autonome

Le sermon, à l'époque classique, est beaucoup plus long que ce que l'on appelle sermon aujourd'hui, qui est prononcé pendant la messe. C'est un discours autonome (une **sorte de conférence**), qui n'entre pas dans le cadre de la messe.

Prononcés lors de fêtes religieuses, les sermons sont annoncés à l'avance dans un calendrier. Le sermon doit « **édifier** » les fidèles, leur apporter des connaissances liturgiques, les rappeler à leurs devoirs religieux ; il aborde aussi des problèmes de morale.

→ Bossuet, exorde, oraison funèbre, oratoire (style), panégyrique, péroraison, rhétorique

Sévigné
(Madame de), 1626-1696

ŒUVRE
• *Lettres*, écrites sur une trentaine d'années à partir de 1671, publiées à partir de 1726.

Une marquise sans histoire

Exceptionnel destin d'écrivain que celui de cette marquise discrète, située aux marges du premier cercle de la cour, et dont la vie ne recèle aucun événement remarquable. Alors que tant de rimeurs, chroniqueurs, auteurs de théâtre ou romanciers de la même époque sont tombés dans l'oubli, la correspondance privée de Mme de Sévigné a été désignée par la postérité comme l'**une des œuvres majeures du** XVIIe **siècle**.

Un témoignage d'époque

Même si ce n'en est pas l'intérêt le plus marquant, les lettres de Mme de Sévigné, avant les *Mémoires* (1694-1750) de Saint-Simon, offrent un **panorama social et moral du** XVIIe **siècle**. Y sont relatées la vie quotidienne parisienne et provinciale, la chronique[*] de la cour, les anecdotes mondaines, la mode. Ainsi que la politique (révoltes en Bretagne), les interrogations religieuses ou métaphysiques (Mme de Sévigné a des contacts avec le jansénisme[*]). Sans oublier la vie artistique : l'épistolière lit tout ce qui paraît, voit au théâtre les pièces de Molière[*], Corneille[*], Racine[*]… telle une journaliste moderne, mais avec le **recul du** moraliste*, et la verve railleuse qu'autorise la correspondance privée.

Une autobiographie

Les *Lettres* composent aussi une **autobiographie*** originale, écrite au jour le jour, sans la volonté de justification historique qui caractérise les *Mémoires* de son contemporain le cardinal de Retz, par exemple. Mme de Sévigné continue les *Essais* de Montaigne* et annonce Rousseau*. On trouve en outre dans ses *Lettres* un sentiment de la nature (perceptible à travers de nombreuses notations sur les paysages, selon les saisons, l'heure du jour), qui annoncent les romantiques.

L'illustration et le dépassement d'un genre littéraire

Madame de Sévigné maîtrise les règles du **genre épistolaire***, telles que théorisées et pratiquées alors par Guez de Balzac, Vincent Voiture*, les salons* qu'elle fréquente, à partir de modèles antiques et contemporains. Capable de rédiger une « relation » (c'est-à-dire un compte rendu sous forme de récit), elle en a laissé de brillantes et de célèbres : le mariage de la Grande Mademoiselle, le suicide de Vatel. Mais elle se démarque par une **esthétique de la négligence et de la mobilité**, mêlant maximes*, narrations*, réflexions religieuses, déclarations d'amour, sur **tous les tons**, du plus grave au plus comique, voire au parodique.

Son point de vue est celui de l'élite du Grand Siècle, qui a façonné notre vision de la littérature. L'écriture lui est **une raison, un plaisir et non un moyen** financier **de vivre**. Le succès posthume de son œuvre – qui n'a pas été conçue comme telle –, tient à cette position, et son originalité, à ses motivations. Pour séduire sa fille, la marquise use de **tous les registres***, y compris la recréation littéraire de la conversation intime à bâtons rompus, la chaleur de la narration* sur le vif, l'abandon et l'introspection. Proust* (*À l'ombre des jeunes filles en fleur*) admire sa façon, qu'il compare à celles d'Elstir et de Dostoïevski, de présenter « les choses, dans l'ordre de nos perceptions, au lieu de les expliquer d'abord par leur cause ».

Les *Lettres* valent aussi par une **créativité linguistique** sans cesse renouvelée : mots, formules, portraits, traits piquants…

L'amour et l'absence

À travers ses lettres, la marquise **construit avec sa fille un couple idéal, qui se nourrit de l'absence**. C'est le manque qui permet l'utopie, la déification de « la plus jolie fille de France », l'expression d'un sentiment passionné que la cohabitation n'autorise guère, voire rendrait (rendait ?) pesant. La mère amoureuse utilise tous les moyens rhétoriques, y compris les soupirs et les cris du cœur. Cet amour singulier connaît des limites, des traverses : il arrive que Françoise résiste à l'emprise maternelle. La marquise s'élève alors aux **plaintes** de la religieuse portugaise (*Lettres portugaises*, roman d'amour épistolaire* paru en 1669), aux **accents raciniens** (Bérénice et Titus séparés par le mariage de raison du second). Mais, chez Mme de Sévigné, à l'expression du sentiment, s'ajoutent les soucis et les plaisirs liés à la réception des courriers, à l'éducation des petits-enfants, à la gestion des intérêts sociaux et financiers.

Le continuel aller retour entre ces dimensions fait des *Lettres* un **roman d'amour** que Jean-Jacques Rousseau*, à travers un couple plus classique, mais pimenté par la différence de milieu social, voulut égaler dans *La Nouvelle Héloïse*. La marquise annonce aussi, en faisant entrer dans la littérature l'amour maternel, les **relations complexes** entre mère et fille, George Sand*, Colette*, Annie Ernaux*.

REPÈRES BIOGRAPHIQUES

➔ Après une éducation typiquement féminine mais soignée (latin, italien), Marie de Rabutin-Chantal épouse le marquis de Sévigné, gentilhomme breton. Un duel le rend veuve à vingt-cinq ans (1651). Recherchée pour sa grâce et sa gaîté par divers soupirants (son cousin Bussy, Turenne, le prince de Conti, le surintendant Fouquet…), elle a deux enfants, Françoise et Charles. Elle fréquente le salon précieux de l'hôtel de Rambouillet, Mme de La Fayette* et La Rochefoucauld*, Pomponne, Coulanges… et la cour.

➔ Les *Lettres* sont nées de la séparation d'avec Françoise, qu'elle adulait, après le mariage de celle-ci avec le comte de Grignan, nommé lieutenant général en Provence. Quand elle n'écrit pas de Paris, la marquise rédige de sa propriété des Rochers en Bretagne. Les rares rencontres entre les deux femmes, pas toujours enthousiastes, ponctuent la correspondance.

CITATIONS

• Sur son style

« Vous savez que je n'ai qu'un trait de plume ; ainsi mes lettres sont fort négligées, mais c'est mon style, et peut-être qu'il fera

autant d'effet qu'un autre plus ajusté. »
(Lettre du 27 septembre 1671)
• **Sur son amour pour sa fille**
« Je vous cherche toujours, et je trouve que tout me manque, parce que vous me manquez. » (Lettre du 5 octobre 1673)

→ **biographie, classicisme, épistolaire, moraliste, narration, style**

signe

n. m. Du latin *signum*. **Sens commun** : chose perçue permettant de vérifier l'existence d'une autre chose à laquelle elle est liée (*le teint comme signe d'une bonne santé*).
Linguistique : association conventionnelle d'une partie sensible ou signifiant* (sons, lettres) et d'une partie abstraite ou signifié*.

L'« arbitraire du signe »

En linguistique, les mots écrits ou prononcés sont des signes dont le **signifiant** (réalité graphique et acoustique) **et** le **signifié** (signification) **sont indissociablement liés**. Ce lien entre les deux parties du signe est **purement conventionnel** (à l'exception des **onomatopées** puisque, dans ce cas, la réalité sonore du mot imite ce que le mot désigne). Pour souligner cette convention (variable selon les langues qui, à un même signifié, associent des signifiants différents), Ferdinand de Saussure parle de l'« arbitraire du signe ».

→ **calligramme, poésie, sémiologie, signifiant et signifié**

signifiant et signifié

n. m. Du latin *significare*, « faire connaître par un signe ». **1.** Le **signifiant** est la forme même du mot. Celle-ci peut être exprimée par les sons à l'oral, par les lettres à l'écrit : ainsi, le signifiant du mot « épée » est transcrit [epe] dans l'alphabet phonétique. **2.** Le **signifié** est le sens du mot, ce qu'il désigne : une épée est une « arme faite d'une lame d'acier pointue fixée à une poignée munie d'une garde ». L'association entre signifiant et signifié est arbitraire et varie d'une langue à l'autre (« épée » se dit *Degen* en allemand).

Utilisation du signifiant

Le signifiant prédomine dans l'invention ou l'utilisation de certains mots, comme les **onomatopées**, dont les sonorités mêmes renvoient à une réalité : ainsi *clic* évoque un bruit net par la place et le redoublement de la gutturale. Le langage joue sur le signifiant dans tous les procédés qui utilisent les sonorités : **allitération***, **assonance***, **paronomase** (*cf.* Paronyme).

Utilisation du signifié

Le signifié prédomine dans certaines formes d'écrit comme le **calligramme*** : le signifiant dessine graphiquement le sens du mot, qui est ainsi doublement signifié.
Le signifié a deux aspects, **dénotatif et connotatif** (voir les articles « Dénotation » et « Connotation »).
La **métaphore*** et la **comparaison*** jouent essentiellement sur le signifié.

L'arbitraire du signe

Le caractère arbitraire du lien entre signifiant et signifié peut être mis en évidence par le remplacement d'un terme par un autre. Ce type de jeu, fondement de la pièce *Un mot pour un autre* de Jean Tardieu*, est aussi utilisé par les surréalistes.

→ **allitération, assonance, calligramme, comparaison, connotation, métaphore, paronyme, surréalisme, Tardieu**

Simenon
(Georges), 1903-1989

ŒUVRES PRINCIPALES
• **Romans** (parmi les plus souvent cités) : *Le Chien jaune* (1928), *Les Fiançailles de Monsieur Hire* (1933), *L'homme qui regardait passer les trains* (1938), *L'Affaire Saint-Fiacre* (1938), *La Veuve Couderc* (1942), *La neige était sale* (1948), *Maigret aux assises* (1959).
• **Autobiographie** : *Pedigree* (roman autobiographique, 1943), *Mémoires intimes* (1981).

Une reconnaissance tardive

La fécondité hors norme de Georges Simenon (près de 430 titres) a longtemps valu à l'auteur des *Maigret* d'être relégué dans la catégorie des romanciers populaires. Pourtant, si l'on excepte la littérature « alimentaire » des années 1920, Simenon a constamment affi-

S

ché son souci d'être reconnu comme un grand romancier, parvenant même à se faire publier chez Gallimard, dans la collection de la *NRF**. Devenu célèbre grâce au **roman policier***, genre alors peu prisé, Simenon se voit considéré comme un écrivain produisant une œuvre de qualité pour un vaste public, hommage qui portait en lui-même ses restrictions. Il réussira cependant à donner ses lettres de noblesse au roman policier et son œuvre connaîtra une double consécration. **Consécration populaire** d'abord : produite à près de 500 millions d'exemplaires, traduite en 55 langues, l'œuvre fait l'objet de nombreuses adaptations pour le cinéma et la télévision. **Consécration littéraire** ensuite, en 2003 et 2009, avec l'entrée en trois volumes d'une sélection de ses œuvres dans la prestigieuse collection de la Pléiade.

Une veine policière originale

Les romans policiers de Simenon, de facture classique, écrits dans une langue très sobre (on a parlé d'un « style sans style »), ne se distinguent pas par la complexité ou l'ingéniosité de l'intrigue*. **Privilégiant l'analyse psychologique**, l'auteur explore le mystère de vies souvent routinières, soudain bousculées par l'irruption du destin. À la double temporalité du roman policier, celle du crime et celle de l'enquête, Simenon ajoute celle, plus lointaine, de l'enfance ou de l'adolescence : elle permet de comprendre pourquoi la vie d'individus quelconques bascule dans l'irréparable.

La **création d'une atmosphère**, d'un « climat », prend le pas sur l'intrigue et le suspense. La technique descriptive dissémine au fil du texte des notations sensorielles, qui peu à peu créent l'atmosphère recherchée.

Un policier mythique

La série doit son succès au personnage du **commissaire Maigret**, dont le lecteur épouse le point de vue, partageant ses humeurs et ses réflexions. L'homme ne paie pas de mine : fonctionnaire petit bourgeois, il mène la vie rangée d'un Français moyen. Ses origines plébéiennes, ses complets un peu ternes, son solide appétit font de lui un homme sympathique mais ordinaire : il n'a rien d'un héros*. Seul signe distinctif : sa pipe qui, au gré des émissions de fumée, traduit ses états d'âme. Maigret est cependant un **policier atypique** : ses méthodes d'investigation sont fondées sur une rare capacité d'empathie envers les êtres. Lucide mais bienveillant, c'est un **policier passionné par l'exploration des âmes** plutôt qu'un logicien habile à débrouiller les énigmes.

CITATION

« Cela signifiait en somme que les personnages du drame venaient pour lui [*Maigret*], de cesser d'être des entités ou des pions, ou des marionnettes, pour devenir des hommes. Et ces hommes-là, Maigret se mettait dans leur peau. Il s'acharnait à se mettre dans leur peau. Ce qu'un de ses semblables avait pensé, avait vécu, avait souffert, n'était-il pas capable de le penser, de le revivre, de le souffrir à son tour ? » (*Maigret à New York*, 1917)

REPÈRES BIOGRAPHIQUES

→ Né à Liège en 1903, Georges Simenon affiche des ambitions littéraires précoces qui le conduisent dès 1922 à Paris où il publie, sous dix-sept pseudonymes, près de 120 romans dans lesquels il sacrifie aux conventions de la littérature populaire.

→ En 1929 apparaît le personnage qui fera son succès, le commissaire Maigret. Il sera jusqu'en 1972 (avec une interruption de 1933 à 1942) le héros d'une série de 76 romans policiers.

→ Ami d'André Gide, Simenon ambitionne d'accéder à la « vraie littérature ». Il écrit alors des romans psychologiques qu'il qualifie de « romans durs ». Grand voyageur, il vit au Canada et aux États-Unis entre 1945 et 1955.

→ À son retour, Simenon s'installe définitivement en Suisse. Ayant mis un terme à la série des *Maigret*, il couronne son œuvre par la rédaction de ses *Mémoires intimes*. Ses dernières années sont assombries par la maladie et le suicide de sa fille. Il meurt en 1989.

→ **cinéma et littérature, mémoires, roman policier**

Simon
(Claude), 1913-2005

ŒUVRES PRINCIPALES
• **Romans** : *Le Vent* (1957), *L'Herbe* (1958), *La Route des Flandres* (1960), *Le Palace* (1962), *Histoire* (1967), *La Bataille de Pharsale* (1969), *Les Corps conducteurs* (1971), *Triptyque* (1973), *Leçon de choses* (1975), *Les Géorgiques* (1981), *L'Invitation* (1987), *L'Acacia* (1989), *Le Jardin des plantes* (1997).

• **Essais**: *Orion aveugle* (1970). *Discours de Stockholm* (1986, prononcé à l'occasion de la remise du prix Nobel).

Le « magma » textuel

Très déconcertants au premier abord, **les romans de Claude Simon subvertissent** délibérément **la chronologie et la trame narrative du récit classique** : dans un monde absurde, il serait impensable de conférer, par les artifices du récit, une cohérence à des faits qui n'en ont pas. D'où une chronologie non linéaire où passé, présent et futur s'entremêlent au gré d'une mémoire fragmentaire.

L'écriture de Claude Simon, avec son attention au monde concret, élémentaire, se déploie dans un **jeu de reprises et de variations**, totalement confiante dans le pouvoir associatif des mots. Tout parcours linéaire d'un début vers une fin se trouve récusé au profit d'une progression proliférante, qui multiplie les jeux d'échos. La phrase elle-même prolifère et étire de longues coulées verbales, riches en reprises, parenthèses et séries de participes présents. L'auteur emploie le terme de « magma » pour caractériser cette **écriture en ébullition** qui multiplie les associations les plus inattendues, selon une esthétique souvent qualifiée de baroque*.

La guerre, la terre

Si l'objectif n'est plus de raconter au sens classique du terme, le romancier conserve l'ambition d'exprimer une vision du monde et de l'Histoire. Son écriture, morcelée, disloquée, cherche à présenter dans sa vérité profonde un univers ravagé par les soubresauts de l'Histoire. Les **guerres** reviennent en effet d'œuvre en œuvre comme un **thème obsédant**, de la bataille de Pharsale à la Grande Guerre ou à la débâcle de 1940. Rien n'échappe au désastre, ni la société, ni les couples qui se désagrègent, ni les individus promis à la déchéance, ni les corps qui pourrissent.

C'est l'énorme **désordre du monde** qui est donné à voir, à toucher, à sentir. Au soldat qui laboure la terre au canon, qui ouvre ses tranchées dans l'humus, répond, dans *Les Géorgiques*, la figure de l'agriculteur. Mais pour l'homme aux prises avec l'Histoire, l'agriculture n'apporte aucun apaisement car elle le soumet aux cycles implacables de la **nature** : il reste confronté sans recours à la violence primordiale, celle qui est inscrite aussi bien dans la nature que dans la nature humaine.

• **Sur la création**
« Je ne connais pour ma part d'autres sentiers de la création que ceux ouverts pas à pas, c'est-à-dire mot après mot par le cheminement de l'écriture. » (*Orion aveugle*, préface)
« L'un après l'autre les mots éclatent comme autant de chandelles romaines, déployant leurs gerbes dans toutes les directions. Ils sont autant de carrefours où plusieurs routes s'entrecroisent. » (*Ibid.*)

REPÈRES BIOGRAPHIQUES

→ Claude Simon, né à Madagascar en 1913, passe son enfance à Perpignan. Orphelin très jeune, il fait des études de peinture et parcourt l'Europe. Il séjourne en particulier à Barcelone, dans l'Espagne républicaine.
→ Mobilisé en 1939, il fait l'expérience d'une guerre absurde : c'est à cheval qu'il doit se battre contre les blindés allemands. Fait prisonnier en 1940, il s'évade et commence à écrire. Après la guerre, il partage son temps entre Paris et ses vignes de Salses, dans le Roussillon.
→ L'écrivain trouve rapidement sa propre voie et, en 1957, les Éditions de Minuit, qui publient *Le Vent*, l'accueillent parmi les Nouveaux Romanciers. Sa vie est dès lors ponctuée par la publication de ses romans. Le prix Nobel de littérature vient couronner en 1985 l'ensemble de son œuvre. Il meurt en 2005.

→ **exergue, Nouveau Roman**

sonnet

n. m. De l'italien *sonnetto*, « chansonnette ». Poème à forme fixe* dont l'invention a longtemps été attribuée à la poésie provençale. En effet, dans le langage des troubadours*, le mot sonnet désignait toute poésie lyrique accompagnée par un instrument de musique. Il aurait en fait été élaboré au XIIIe siècle par l'école sicilienne avant de se répandre largement en Europe au XVIe siècle.

Le sonnet, de la Renaissance à la préciosité

Mentionné en France chez Jean Bouchet en 1524, le sonnet est popularisé par Clément Marot* et Mellin de Saint-Gelais, tandis qu'en Italie, Pétrarque en fait le mode d'expression

S

privilégié de la poésie amoureuse. Ce sont les **poètes de la Pléiade**[*] qui vont lui donner ses lettres de noblesse, du Bellay[*] inventant la forme qui va s'imposer en France.

Composé de **deux quatrains**[*] et de **deux tercets**[*], le sonnet se termine souvent par une **chute**[*], le dernier vers offrant un trait brillant ou une image riche. Le mètre en est généralement l'**alexandrin**[*], parfois le décasyllabe[*]. Dans le sonnet régulier, la disposition des rimes obéit à une règle stricte : abba, pour les quatrains (rimes embrassées), et ccd, eed ou ccd, ede pour les tercets (deux rimes plates, suivies de quatre rimes embrassées ou croisées). Malgré l'hostilité de Malherbe[*], le sonnet connaît une **grande vogue au XVIIe siècle** et tout particulièrement **chez les poètes précieux** (tel Voiture dont les sonnets, comme *La Belle Matineuse* ou le *Sonnet d'Uranie*, sont matière à querelles littéraires). Il faudra le coup porté par Molière[*] dans *Le Misanthrope* (critique du sonnet d'Oronte) pour lui faire perdre son crédit.

Le sonnet chez les modernes

Le sonnet sera néanmoins à l'honneur chez les poètes jusqu'**au XIXe siècle**, où les symbolistes et les Parnassiens (Heredia[*], Sully Prudhomme) apprécient sa rigueur formelle, tandis que d'autres, comme Baudelaire[*] – par exemple dans « La Musique » (*Les Fleurs du mal*[*]) –, prennent des libertés avec les règles habituelles.

Tombé en désuétude **au XXe siècle**, malgré quelques réussites brillantes (Valéry[*], Aragon[*], Cocteau[*]), le sonnet retrouve cependant la faveur de quelques poètes (tel Alain Bosquet) lassés des excès du vers-librisme. Parfois il est repris pour satisfaire des **intentions parodiques** : c'est le cas du sonnet « Les Gorges froides », de Robert Desnos[*] (*C'est Les bottes de sept lieues cette phrase : « Je me vois »*, 1926). Parfois encore, sa forme très codifiée offre un **terrain d'expérience** privilégié. C'est ainsi que les membres de l'Oulipo[*] inventent le « sonnet irrationnel », « poème de quatorze vers [*d'où le substantif sonnet*], dont la structure s'appuie sur le nombre *pi* [*d'où l'adjectif irrationnel*] ». Raymond Queneau[*], de son côté, dans *Cent Mille Milliards de poèmes* exploite d'une façon ludique les règles du sonnet : il propose au lecteur de composer ses propres sonnets à partir d'un système combinatoire de dix fois quatorze vers.

→ **formes fixes, Oulipo, Parnasse, pétrarquisme, Pléiade, rime, vers**

sonorités

n. f. pl. Du latin *sonoritas*, « qualité du son ». Le mot, unité lexicale porteuse d'une signification, est aussi un matériau sonore dont les propriétés intéressent tout écrivain et plus particulièrement les poètes. En réalité, l'attention aux qualités sonores d'un mot ou d'un texte n'est pas propre à la poésie. On la rencontre dans toute forme de discours, en particulier dans les proverbes, les slogans politiques ou publicitaires. On retrouve là la fonction poétique du langage qui, selon Jakobson, « met en évidence le côté palpable des signes ».

La création d'échos phoniques

En poésie, l'attention aux sonorités déborde le problème de la rime[*] pour s'étendre à l'ensemble du texte. Le poète vise en effet à créer des échos phoniques par la répétition sensible de phonèmes[*] et la constitution de véritables **réseaux sonores** qui donnent au poème sa coloration auditive par les **allitérations et** les **assonances**. Il peut ainsi jouer sur les qualités propres du matériau sonore et plus précisément sur les oppositions des sons graves/aigus (*ou/i*), ouverts/fermés (*a/i*), sourds/sonores (*k, p, t/g, b, d*).

La valeur symbolique des sonorités

La tentation a souvent été grande d'attribuer à chaque phonème un symbolisme propre. S'il paraît illusoire de chercher à établir un symbolisme stable et universel des phonèmes – en dehors, peut-être, des onomatopées –, il est légitime, en revanche, d'étudier comment, dans un poème donné, le travail textuel **motive** les réseaux de sonorités et leur confère une valeur symbolique, laquelle dépendra étroitement du contexte sémantique et syntaxique propre au poème.

→ **allitération, assonance, harmonie imitative, rime, rythme**

Sorel
(Charles), v. 1600-1674

ŒUVRES PRINCIPALES
(Charles Sorel a écrit plus de 41 ouvrages, sans compter ceux dont l'attribution reste incertaine.)
• **Romans** : *Histoire de Cléagénor et Doristée* (1621), *Le Berger extravagant* (« antiroman »,

1627), *Polyandre* (1648), *La Vraie Histoire comique de Francion* (1623 : 7 livres, 1633 : 12 livres).

• **Nouvelles** : *Les Nouvelles françaises* (1623), *La Maison des jeux* (1642).

• **Essais** : *Histoire de la monarchie française* (1629), *Pensées chrétiennes* (1634), *La Science universelle* (1634-1644), *La Bibliothèque française* (1664), *De la connaissance des bons livres* (1671).

L'*Histoire comique de Francion*

Après avoir suivi la mode des romans héroïques (*Histoire amoureuse de Cléagénor et Doristée*), Sorel se tourne avec *Francion* vers le genre de l'« histoire comique ». Le terme « comique » s'oppose à « héroïque » et annonce une peinture – souvent critique – de la vie ordinaire.

À travers les aventures amoureuses de Francion, jeune noble désargenté, le roman offre un tableau extrêmement vivant des mœurs sous le règne de Louis XIII. Le roman **mêle tous les tons**, y compris une gaillardise qui ne craint ni la grossièreté ni les allusions directes à la sexualité, et que Sorel atténuera dans les éditions postérieures face aux exigences nouvelles de bienséance*. Le roman **met en scène toutes les catégories sociales**, des prostituées aux juges corrompus, des poètes aux pédants de collège… La **satire*** reste avant tout **sociale**, dénonçant les vices et les ridicules des hommes. Héritier de Rabelais¹ comme du **roman picaresque** espagnol, *Francion* est parfois qualifié de roman « réaliste ». Cependant, s'il se moque avec une verve bouffonne de l'idéalisme des romans héroïques de l'époque, *Francion* n'en reprend pas moins certains de leurs procédés (quête de la bien-aimée.

Les autres œuvres

Sorel avait déjà fait preuve d'innovation en 1623 en publiant des *Nouvelles françaises* qui, bien avant Segrais et Mme de Lafayette*, dont les personnages portent des noms français, et non plus grecs. *Le Berger extravagant* se présente comme un « antiroman » et **parodie les fictions héroïques ou pastorales** (*L'Astrée*). *La Bibliothèque française* est une **bibliographie critique** qui passe en revue toute la production en langue française des XVIe et XVIIe siècles, des ouvrages de grammaire, de morale ou d'histoire, aux romans et à la poésie. Sorel compose ainsi l'une des premières grandes histoires littéraires modernes.

Soulier de satin (Le),
Paul Claudel, publ. 1924

RÉSUMÉ

« La scène de ce drame est le monde. » Plusieurs intrigues entrecroisées transportent le spectateur d'un continent à l'autre, dans le désert ou au milieu de l'océan. On y rencontre un Chinois, un Père jésuite, une Négresse, un Sergent napolitain. L'unité est assurée par un lien historique et thématique, la destinée de l'Espagne au Siècle d'Or, partagée entre ses trois vocations : la conquête d'un monde nouveau en Amérique, incarnée par Don Rodrigue ; l'appartenance charnelle à l'Afrique, exprimée par Doña Prouhèze et Don Camille ; la victoire du catholicisme en Europe, représentée par le Vice-Roi et Doña Musique. Mêlées à cette aventure collective, deux histoires d'amour se détachent : l'une, heureuse, est la rencontre presque miraculeuse, au-delà de tous les obstacles, de Musique et du Vice-Roi ; l'autre, douloureuse, est la séparation, consentie au terme d'un serment mystique, de Prouhèze et de Rodrigue.

Une somme dramatique

Le Soulier de satin, dans sa version intégrale, date des années 1919-1924. C'est une « action espagnole en quatre journées », de dimension considérable, dont Claudel accepte de réécrire une « version abrégée pour la scène », représentée pour la première fois à la Comédie-Française* en 1943. Malgré le resserrement de l'action, la pièce conserve sa démesure, son **ambition d'un théâtre total** et peut être considérée comme l'aboutissement de la création dramatique de Claudel.

La pièce est une **œuvre testament**. Testament dramatique, testament humain, testament religieux, trois dimensions qui n'en sont qu'une chez Claudel.

Le testament dramatique

Dramatiquement, *Le Soulier de satin* réunit toutes les influences dont Claudel s'est imprégné lors de ses lectures et dans ses voyages : le verset* biblique, la tragédie* grecque, les légendes chinoises, le nô japonais, Shakespeare et, bien sûr, le baroque* espagnol du Siècle d'Or. Le drame mêle le tragique et le cocasse. Tous les moyens d'expression sont convoqués : dialogue*, monologue* lyrique, adresse burlesque* au public, jeux d'ombre, mime et chant. Le surnaturel* prend la parole en la personne de l'Ange gardien de Prouhèze ou sous la forme de saint Jacques. La lune elle-même commente l'action.

Le message humain

Claudel lui donne force dans le **thème de la conquête**, de la possession, de la mise en valeur de l'univers ; il est **incarné** principalement **par Rodrigue**, conquistador héroïque parvenu au titre de vice-roi des Indes orientales. Mais l'homme est appelé à une destinée supérieure et c'est dans le **renoncement** qu'il l'accomplit : à la fin du drame, le vieux Rodrigue, dépouillé

de tout son pouvoir, trouve dans l'oubli de lui-même la suprême liberté.

Le drame religieux

Il se noue autour de l'**idée de sacrifice**. Prouhèze et Rodrigue savent qu'ils sont à jamais l'un à l'autre, mais un serment les oblige à vivre pour toujours séparés. Prouhèze ne peut pas trahir son devoir envers son mari. À titre de promesse, elle confie l'un de ses souliers de satin à la Vierge : « Quand j'essayerai de m'élancer vers le mal, que ce soit avec un pied boiteux ! »

Le drame du renoncement culmine dans le **sacrifice mystique** consenti dans la deuxième partie : Prouhèze renonce à Rodrigue pour sauver le renégat Don Camille, son second mari, qui sera damné si son âme n'est pas rachetée par celle de sa femme. Ainsi s'opère chez Claudel la **communion des saints** qui rend tous les hommes solidaires dans l'œuvre du salut.

→ baroque, Claudel, drame, surnaturel, tragédie, verset

Soupault
(Philippe), 1897-1990

ŒUVRES PRINCIPALES
• **Textes automatiques** : *Les Champs magnétiques* (avec Breton, 1919).
• **Poésie** : *La Rose des vents* (1920), *Westwego* (1922), *Georgia* (1926), *Odes* (1946), *Sans phrases* (1953).

Un surréaliste très indépendant

Auteur prolixe et protéiforme, Philippe Soupault est resté avant tout un **poète** même si son œuvre poétique est plutôt mince. Bien qu'il ait participé en première ligne aux extravagances du premier surréalisme*, Philippe Soupault écrit une **poésie** assez éloignée du surréalisme orthodoxe et plus **proche** en fait **de Reverdy et d'Apollinaire**. Cette poésie, très intérieure, même lorsqu'elle prend l'apparence d'une invitation au voyage, comme dans *Westwego*, reste sobre et méfiante à l'égard de la pacotille des images artificiellement produites.

Un solitaire mélancolique

L'univers de Soupault conjugue le **désenchantement et la fantaisie**. Trop lucide pour faire carrière, peu soucieux d'accomplir son œuvre et professant « qu'il faut être délibérément un raté », il choisit l'inachèvement. Chez lui, la fantaisie et les jeux verbaux masquent toujours un fond de désespoir – meilleur moyen de préserver sa liberté. Grand voyageur, il a promené un **regard mélancolique** sur le monde et en particulier sur les villes, dont il a toujours passionnément écouté le souffle.

CITATION

• **Sur l'errance mélancolique**

« [...] mais ce soir je suis seul je suis Philippe Soupault/je descends lentement le boulevard Saint-Michel/je ne pense à rien/ je compte les réverbères que je connais si bien [...]. » (« Toutes les villes du monde », *Westwego*)

REPÈRES BIOGRAPHIQUES

➜ Philippe Soupault naît à Chaville, près de Paris, dans une famille appartenant à la grande bourgeoisie. Solitaire, très marqué par la mort de son père, l'enfant se réfugie dans la lecture et découvre la poésie de Rimbaud*, de Reverdy* et d'Apollinaire*. La guerre de 14-18 renforce en lui un sentiment de révolte et il choisit bientôt, au grand désespoir de sa famille, de se consacrer à la littérature.

➜ En 1918, il rencontre Breton* et Aragon*, avec lesquels il fonde la revue *Littérature*. Il fait l'expérience de l'écriture automatique* en écrivant en collaboration avec Breton *Les Champs magnétiques* (1919). Très engagé dans le mouvement surréaliste naissant, il préserve cependant son indépendance d'esprit, ce qui lui vaudra d'être exclu dès 1926. Il devient directeur de revue, journaliste, romancier, essayiste, traducteur, dramaturge, producteur de radio. Il meurt en 1990 dans un relatif oubli.

→ dadaïsme, surréalisme

sources

n. f. Du latin *surgere*, « s'élever, jaillir ». On parle des « sources » d'une œuvre littéraire pour évoquer les auteurs et les textes originaux dont s'est inspiré l'auteur de l'œuvre en question.

Hypotexte et hypertexte

Rechercher des sources (on parle aussi d'étudier la genèse d'une œuvre) suppose qu'on ne considère pas le texte comme un objet clos mais comme une **partie d'un ensemble** plus vaste : Genette parle d'« **architexte** » et y inclut « types de discours, modes d'énonciation, genres littéraires, etc. » L'inscription – ou l'occultation – de la source, c'est-à-dire du texte original dans le texte étudié, relève de l'**intertextualité***.

Renouvelant l'étude traditionnelle des sources, **Genette** propose dans *Palimpsestes* d'appeler « **hypotexte** » le texte sur lequel « se greffe » un texte postérieur (appelé « **hypertexte** »), dont il donne pour exemples l'*Énéide* de Virgile et l'*Ulysse* de Joyce, hypertextes de l'*Odyssée* d'Homère (hypotexte). Parmi les relations entre le texte et sa source (hypotexte et hypertexte), Genette étudie notamment les différentes formes de la **parodie*** et du **pastiche***.

→ intertextualité, parodie, pastiche

Staël
(Germaine de), 1766-1817

ŒUVRES

• **Essais** : *De l'influence des passions* (1796), *De la littérature considérée dans ses rapports avec les institutions* (1800), *De l'Allemagne* (1813), *Considérations sur la Révolution française* (posth. 1818), *Dix années d'exil* (posth. 1821).
• **Romans** : *Delphine* (1802), *Corinne* (1807).

La dame de Coppet

La pensée de Germaine de Staël est indissociable de celle du **groupe de Coppet** dont elle fut **l'âme et l'animatrice**. Grâce à elle, Coppet, lieu d'exil, devient un espace d'échanges et de réflexion exceptionnel : tous les courants d'idées, toutes les nationalités, toutes les religions s'y côtoient sans se déchirer. Coppet est aussi le foyer ardent de l'opposition libérale à Napoléon.

Un écrivain résolument moderne

Les écrits de Mme de Staël sont de deux natures : des réflexions philosophiques et politiques d'une part, des romans d'autre part, ce qui correspond à sa **distinction entre la littérature d'idées et la littérature d'imagination**. Différence redoublée par l'**opposition** qu'elle établit **entre Anciens et Modernes, Nord et Midi** : la littérature moderne doit évoluer avec son temps et non imiter l'Antiquité ; il existe deux Europes antagonistes, celle du Nord et celle du Midi, et donc deux types de littérature. Celle-ci entretient en effet un rapport étroit avec les institutions sociales et la politique. Perfectible, la littérature a besoin de liberté pour progresser et **l'écrivain doit guider l'humanité**. Cette réflexion sur la littérature s'articule sur la relativité du goût, variable selon les mœurs, la sensibilité et les usages des nations.

Précurseur de la littérature comparée, Mme de Staël **ouvre la voie au romantisme**[*] avec *De l'Allemagne* : dénonçant la perfection rigide et stérilisante du classicisme[*], elle prône une littérature qui puise ses sources dans le sol français et qui se fonde sur l'imagination, l'expression des sentiments personnels, l'épanchement de l'âme.

Son engagement en faveur de la liberté de pensée et ses revendications féministes confèrent à l'œuvre de Mme de Staël une singulière modernité.

CITATION

• **Sur le destin des femmes**

« Il arrivera, je le crois, une époque quelconque, où des législateurs philosophes donneront une attention sérieuse à l'éducation que les femmes doivent recevoir, aux lois civiles qui les protègent, aux devoirs qu'il faut leur imposer, au bonheur qui peut leur être garanti ; mais dans l'état actuel, elles ne sont, pour la plupart, ni dans l'ordre de la nature, ni dans l'ordre de la société. Ce qui réussit aux unes perd les autres ; les qualités leur nuisent quelquefois, quelquefois les défauts leur servent ; tantôt elles sont tout, tantôt elles ne sont rien. Leur destinée ressemble, à quelques égards, à celle des affranchis chez les empereurs : si elles veulent acquérir de l'ascendant, on leur fait un crime d'un pouvoir que les lois ne leur ont pas donné ; si elles restent esclaves, on opprime leur destinée. » (*De la littérature...*)

REPÈRES BIOGRAPHIQUES

→ Fille du banquier suisse Necker – futur ministre de Louis XVI –, Germaine de Staël fréquente dès son adolescence, dans le salon[*] maternel, les philosophes des Lumières[*]. Elle épouse en 1786 le baron de Staël-Holstein, ambassadeur de Suède à Paris, et ouvre à son tour un salon.

→ En 1792, malgré ses sympathies pour la Révolution, elle est contrainte d'émigrer et, après plusieurs pérégrinations, va finalement s'établir au château de Coppet, sur les bords du lac Léman. En 1794, elle rencontre Benjamin Constant[*], avec qui elle vivra quinze ans durant une liaison tumul-

tueuse. De retour à Paris en 1795, elle mise sur Bonaparte qui ne l'apprécie guère. Son salon, que fréquentent Mme Récamier et Chateaubriand[*], devient de plus en plus brillant.

→ Cependant, le Directoire se méfie d'elle. Revenue à Coppet, elle se sépare de son mari en 1800, et s'adonne à la littérature. Entre 1804 et 1813, en butte à l'hostilité de Napoléon et condamnée à l'exil, elle se partage entre l'Italie, l'Allemagne, l'Autriche, Coppet, l'Angleterre. En 1810, elle épouse en secret John Rocca, un jeune officier genevois. Elle s'allie aux Bourbons après la chute de Napoléon, et meurt prématurément en 1817.

→ **Chateaubriand, Constant, romantisme**

stances

n. f. De l'italien *stanza*, « repos » ; par extension : « suite de vers avec repos final ». Poèmes lyriques d'inspiration grave (religieuse, morale ou élégiaque) apparus au XVIᵉ siècle.

Une forme poétique classique...

C'est au XVIIᵉ siècle que le genre connaît sa plus grande faveur. Il est pratiqué par Desportes, Malherbe[*] et Racan. qui publie en 1618 ses *Stances sur la retraite* où il médite sur la vanité du monde et sur les bonheurs simples de la vie rustique. Corneille[*], de son côté, fait un usage particulier des stances.

Dans le **théâtre cornélien**, en effet, les stances forment des sortes de **pauses dans l'action dramatique** : elles permettent au héros[*], seul en scène, de se livrer à un **monologue**[*] intense, dans une forme poétique plus souple, où l'alexandrin[*] alterne avec d'autres mètres[*]. La variété des rythmes[*] et des rimes[*] permet au **lyrisme**[*] de s'exprimer avec toute l'intensité des sentiments dans un instant de crise. Parmi les réussites les plus éclatantes de Corneille, on citera les **stances de Polyeucte** (*Polyeucte*, IV, 2) **et** celles **de Rodrigue** (*Le Cid*[*], I, 6). Partagé entre son amour pour Chimène et l'impérieuse nécessité de venger l'honneur familial, Rodrigue laisse éclater son désespoir : « Percé jusques au fond du cœur/ D'une atteinte imprévue aussi bien que mortelle,/ Misérable vengeur d'une juste querelle,/ Et malheureux objet d'une injuste rigueur,/ Je demeure immobile, et mon âme abattue/ Cède au coup qui me tue./ Si près de voir mon feu récompensé,/ Ô Dieu, l'étrange peine !/ En cet affront mon père est l'offensé,/ Et l'offenseur le père de Chimène ! »

... reprise au XIXᵉ siècle

À la fin du XIXᵉ siècle, pour marquer ses distances avec les excès du mouvement symboliste dont il avait été l'une des figures de proue, **Jean Moréas** publie *Stances* (1899-1901), recueil de courtes pièces où il renoue, en des vers d'une facture toute classique, avec l'inspiration haute et grave qui était le propre des stances en leur forme première.

→ dilemme, élégie, lyrisme, strophe

Stendhal,
1783-1842

ŒUVRES PRINCIPALES

• **Essais** : *Histoire de la peinture en Italie* (1817), *Rome, Naples et Florence* (1817), *De l'amour* (1822), *Racine et Shakespeare* (1823), *Promenades dans Rome* (1829).
• **Romans** : *Armance* (1827), *Le Rouge et le Noir* (1830), *Lucien Leuwen* (1832-1835), *Chroniques italiennes* (1837-1839), *La Chartreuse de Parme*, (1839), *Lamiel* (1840).
• **Autobiographie** : *Souvenirs d'égotisme* (1832), *Vie de Henry Brulard* (1835-1836).

De Beyle à Stendhal

Au cœur des préoccupations stendhaliennes, on trouve l'**introspection et la connaissance de soi**. Celle-ci allant de pair avec la connaissance de la société, il vaut mieux, pour plaire à autrui et échapper aux sarcasmes dus à l'incompréhension, se cacher derrière un masque hypocrite. Aux tendres âmes uniquement on peut se dévoiler, sur son journal on peut consigner les détours du moi dans sa course au bonheur. Beyle s'adonne régulièrement à cette tâche, amoncelant sans le savoir les matériaux de son œuvre future.

En 1817 paraît *Rome, Naples et Florence*, le premier livre que Beyle signe sous le pseudonyme de Stendhal. Son **égotisme**, cet art de vivre esthétique et moral fondé sur le plaisir, l'éloignement du vulgaire et l'approfondissement de la connaissance de soi, **nourrit la création romanesque** de Stendhal. Ses **personnages** sont dotés de l'énergie à l'épreuve de laquelle seulement ils peuvent savoir ce qu'ils valent. Mystérieux pour autrui, ils s'expliquent à eux-mêmes, comme Julien Sorel (*Le Rouge et le Noir**) et deviennent transparents pour

le lecteur. Quant au **narrateur*** anonyme et ironique des romans stendhaliens, il manifeste, par ses intrusions au beau milieu du récit, le goût de l'écrivain pour une **présence masquée**. Selon Jean Starobinski, Beyle cherche à trouver « la formule de son unité permanente dans l'autobiographie* (*Vie d'Henry Brulard, Journal, Souvenirs d'égotisme*) ; dans la pseudonymie et la fiction romanesque, il se fuit lui-même ». Beyle et Stendhal recouvrent les deux faces d'une même quête identitaire.

La « stendhalie »

L'univers imaginaire de Stendhal accorde une **place privilégiée à l'Italie**. C'est volontairement qu'il accrédite la légende familiale d'une ascendance maternelle italienne. Dans plusieurs de ses ouvrages, il chante l'Italie de la Renaissance et des Carbonari. Il adapte même d'anciennes *Chroniques italiennes*, histoires d'amour et de mort (1839). Mythifiés par les souvenirs et les rêves de Stendhal, le climat, les paysages, la tranquille beauté de ses lacs, la musique, la peinture, font de l'Italie le **pays de l'utopie stendhalienne**. Là l'énergie individuelle peut s'épanouir, là fleurissent les aventures exaltantes, les imprévus charmants, les passions grandioses. La douce lumière rayonnante dans laquelle baigne l'Italie participe grandement à l'atmosphère de bonheur qui règne dans *La Chartreuse de Parme*. Comme Fabrice, le héros du roman, on peut y jouir de soi et du monde sans se soucier d'autrui ni de la société. L'Italie est le **lieu du plaisir de vivre et de l'amour** : son image s'entremêle étroitement avec celle de la femme aimée.

Chez Stendhal, cependant, les personnages féminins sont systématiquement dédoublés et entretiennent avec le héros une **double relation**. L'une s'orne de la **tendresse maternelle**, comme avec Mme de Rênal (*Le Rouge et le Noir*) ou la Sanseverina (*La Chartreuse de Parme*), l'autre se révèle plus **mordante et cruelle** comme avec Mathilde de La Mole (*Le Rouge et le Noir*). Mais toutes deux se rejoignent dans leur amour pour le même homme et leur rivalité s'efface dans leurs efforts pour le sauver.

L'ironie et la morale

Si, comme dans *Lucien Leuwen*, il n'hésite pas à recourir à la **satire*** d'une société provinciale étriquée, Stendhal privilégie l'**ironie*** à l'égard de ses héros sans toutefois se départir d'une bienveillance qui montre que leurs erreurs ou leurs illusions ne résultent nullement de leur médiocrité. Cette ironie, tout en visant à séduire le lecteur, **marque entre l'au-**

teur et sa fonction un **écart analogue à celui qui doit exister entre l'être et le paraître**. Elle est donc **liée à la morale** beyliste : la nécessaire hypocrisie ne doit jamais compromettre les vertus individuelles de ceux qui peuvent ôter leur masque à des moments privilégiés et se donner à voir dans tout leur naturel. Il en est ainsi dans l'épisode du « Chasseur vert » de *Lucien Leuwen*, où s'exprime l'amour entre Lucien et Mathilde de Chasteller. Le primat du bonheur l'emporte sur les contraintes et les bassesses d'une société matérialiste, préoccupée d'intérêts mesquins et dénuée de cette noblesse du cœur et de l'esprit que Stendhal situe idéalement en Italie et dans laquelle il voit les marques de la véritable aristocratie.

Voulant « marcher droit à l'objet », son **style** se donne comme modèle la **sécheresse du Code civil**, sans négliger la **légèreté de la conversation** ni le **sublime lyrique** de la poésie du bonheur.

CITATION

• **Sur la quête de l'identité**

« Je me suis assis sur les marches de San Pietro et là j'ai rêvé une heure ou deux à cette idée. Je vais avoir cinquante ans, il serait bien temps de me connaître. Qu'ai-je été, que suis-je, en vérité je serais bien embarrassé de le dire. » (*Vie de Henry Brulard*)

REPÈRES BIOGRAPHIQUES

→ Stendhal, de son vrai nom Henri Beyle, naît à Grenoble en 1783. À l'âge de sept ans, il perd sa mère qu'il adorait. De son enfance solitaire et mélancolique, entre un père abhorré, une tante abominée, un précepteur exécré, il conserva l'horreur de la monarchie et de la religion.

→ En 1799, passionné par les mathématiques, il part à Paris présenter le concours de Polytechnique mais, une fois sur place, il renonce à son projet. S'il rêve de conquérir la gloire et l'amour, il assure son pain quotidien en commençant une carrière administrative. En 1800, il participe à la campagne d'Italie et, sous l'Empire, est nommé auditeur au Conseil d'État. La chute de Napoléon en 1814 ruine ses ambitions politiques mais lui permet de regagner l'Italie où il commence à écrire véritablement.

→ Expulsé d'Italie en raison de ses idées libérales, il rentre en France et s'engage dans la bataille romantique par la publication, en 1823, de *Racine et Shakespeare*. Son premier roman, *Armance*, paraît en 1827. Suivront les *Promenades dans Rome* en 1829 et *Le Rouge et le Noir* en 1830. Ses difficultés

matérielles le contraignent à accepter un poste de consul à Civitavecchia. Les années qui suivent voient s'accumuler les ouvrages, dont plusieurs resteront inachevés (*Lucien Leuwen*, la *Vie de Henry Brulard*, *Lamiel*). La *Chartreuse de Parme*, qu'il dicte en quelques semaines, paraît en 1839.

→ Stendhal meurt à Paris, dans la rue, d'une attaque d'apoplexie, en 1842. La « chasse au bonheur » et ses amours, quelquefois comblées, malheureuses souvent, auront été, de son aveu même, la principale affaire de sa vie.

→ **Balzac, ironie, réalisme, romantisme, *Rouge et le Noir (Le)***

stichomythie

n. f. Du grec *stikkos*, « vers » et *muthos*, « parole ». Au théâtre, succession de courtes répliques entre deux personnages, comprenant chacune un vers* ou un hémistiche* (en prose, une courte phrase ou un syntagme). *Ex.* : « PHILINTE. – Qu'est-ce donc ? Qu'avez-vous ? ALCESTE. – Laissez-moi, je vous prie. PHILINTE. – Mais encor dites-moi quelle bizarrerie... ALCESTE. – Laissez-moi là, vous dis-je, et courez vous cacher. PHILINTE. – Mais on entend au moins les gens sans se fâcher. ALCESTE. – Moi je veux me fâcher, et ne veux point entendre. » (Molière, *Le Misanthrope*, I, 1.)

Fonctions de la stichomythie

La stichomythie est née du théâtre grec, avec Sophocle surtout, qui, le premier, choisit de disposer les personnages par paires. Ce **mode d'échange rapide**, **vers à vers**, correspond le plus souvent aux **temps forts** de l'action dramatique. Il prend la forme d'un **duel verbal** pour dire le conflit (Sophocle, *Antigone*, la célèbre « scène des lois », épisode II) ou la rivalité, que celle-ci soit tragique (Racine, *Britannicus*, III, 8) ou comique (Molière, *Les Femmes savantes*, Vadius/Trissotin, III, 3).

Dans le duo amoureux, la stichomythie exalte la **communion** ou l'**affrontement des cœurs**, ou encore le **déchirement de l'adieu** (*Le Cid*, Chimène/Rodrigue, III, 4).

Dans tous les cas, la construction serrée du dialogue* permet de faire jouer comme en écho les reprises de termes, les antithèses*, les parallélismes.

→ **antithèse, dialogue, hémistiche, réplique, théâtre, vers**

stoïcisme

n. m. Du grec *stoikos*, de *stoa*, « portique »,
lieu où enseignait Zénon à Athènes.
Doctrine philosophique fondée par le Grec
Zénon de Citium (IVe-IIIe siècle av. J.-C.)
et systématisée par son élève Chrysippe
(IIIe siècle av. J.-C.). Les plus grands
stoïciens des deux premiers siècles de l'ère
chrétienne sont les Latins Sénèque, Épictète
et Marc Aurèle.

Caractéristiques du stoïcisme

Pour les stoïciens seule existe la matière, dont
le monde (inerte) et Dieu (actif et intelligent)
sont les deux aspects. Dieu organise l'univers
matériel selon les lois de la raison (le *logos*),
sans se soucier des hommes, qui doivent se
plier à ces lois pour atteindre la paix de l'âme
(ataraxie) et le bonheur. Le sage est donc celui qui choisit, librement, de supporter avec
indifférence tout ce qui ne dépend pas de lui,
d'accepter la souffrance morale et physique
ainsi que la mort, de mépriser les richesses et
la gloire, de servir sa patrie par son courage, sa
loyauté, et sa justice.
Redécouverte à la Renaissance, cette sagesse
exigeante a très fortement inspiré des écrivains
comme Montaigne* (ses *Essais* font l'éloge de
Caton d'Utique, considéré comme le symbole
même du stoïcisme romain), Corneille* ou
Vigny*.

→ **Corneille, épicurisme, Montaigne,
   scepticisme, Vigny**

strophe

n. f. Du grec *strophê*, « évolution du chœur »
(de *strephein*, « tourner »). **Sens primitif** :
première des trois parties de la récitation
d'un chant par le chœur antique (la
strophe était suivie de l'antistrophe et de
l'épode). **Sens moderne** : ensemble de vers
défini par sa disposition dans la page (les
strophes sont séparées par des blancs),
le groupement des mètres* (égaux ou
alternés), la disposition des rimes*. *Ex.* :
« Tu plongerais dans la luzerne / Ton blanc
peignoir, / Rosant à l'air ce bleu qui cerne
/ Ton grand œil noir. » (Rimbaud*, « Les
Réparties de Nina ».) Dans ce quatrain*, le
croisement des rimes (abab) correspond à
l'alternance des mètres* (8/4/8/4).

Types de strophes

On distingue les strophes de 2 vers (**distique**),
de 3 vers (**tercet**), de 4 vers (**quatrain**), de
5 vers (**quintil**), de 6 vers (**sizain**), de 7 vers
(**septain**), de 8 vers (**huitain**), de 10 vers
(**dizain**).

Principales fonctions

Souvent une strophe constitue une **unité pour
le sens**. Lorsqu'une même strophe revient régulièrement dans un poème ou dans une chanson, on parle de **refrain**.

→ **ballade, distique, quatrain, quintil, rime,
   rondeau, sonnet, tercet**

structuralisme

n. m. Du latin *structura*, de *struere*,
« construire ». Méthode d'analyse qui
privilégie l'étude des structures qui
organisent le domaine à étudier (langue,
parenté, mythe).

La linguistique et la notion de structure

Le structuralisme est un **courant issu de la
linguistique***, qui a profondément marqué les
sciences humaines (psychanalyse, sociologie,
anthropologie) dans les années 1960. Il trouve
son origine dans les recherches du linguiste genevois **Ferdinand de Saussure** (*Cours de linguistique générale*, 1916) qui visaient à mettre
en évidence des structures dans le langage.
La notion de structure repose sur l'idée que,
dans un discours donné, **un élément n'a de
sens que par ses relations avec les autres**
et que, corrélativement, toute modification
d'un élément entraîne une modification de
l'ensemble : « Chaque système, étant formé
d'unités qui se conditionnent mutuellement,
se distingue des autres systèmes par l'agencement interne de ces unités, agencement qui en
constitue les structures » (Jacques Benveniste,
Problèmes de linguistique générale, 1966).
Conséquence de cette perspective : lorsqu'on
étudie un ensemble, on le considère comme
**un système clos et stable, dans sa dimen-
sion synchronique, en évacuant sa dimension historique** (ou diachronique*).

L'approche structurale en littérature

Dans le domaine littéraire, l'approche structurale, illustrée par les travaux de **Roman
Jakobson** (1896-1982), conduit à **aborder le
texte comme un ensemble clos sur lui-même**
dans une perspective immanentiste **qui tient**

pour négligeables les données externes. Autre conséquence : les structures, dont on découvre qu'elles régissent aussi bien l'inconscient (Jacques Lacan) que « les structures élémentaires de la parenté » ou les mythes* (Claude Lévi-Strauss) échappent au sujet de l'écriture et conduisent à **minimiser** le rôle de ce dernier, voire à l'éliminer.

L'apport du structuralisme

Le structuralisme a contribué au **renouvellement de l'approche des textes**, en lui apportant notamment une base scientifique. Son apport principal reste d'avoir montré que **le sens est toujours un effet**.

Cependant, sans renier les avancées du structuralisme, de nombreux théoriciens, conscients de ses limites, ont cherché à le dépasser. C'est ainsi qu'on a repris sur de nouvelles bases la réflexion sur les rapports de l'œuvre avec son époque (**sociocritique**), avec son auteur (**psychocritique**), avec les autres textes (**intertextualité***). Se sont développées aussi les **recherches sur l'énonciation** (présence du sujet dans le texte) **et sur la lecture** (rapport intersubjectif).

→ linguistique, Nouvelle Critique, sémiologie

style

n. m. Du latin *stilus*, « poinçon servant à écrire sur des tablettes de cire ». **1.** Manière de parler, de composer, d'écrire, de pratiquer un art, définie par un ensemble de caractères formels : le style de l'écrivain. **2.** Manière propre à un genre, une époque, un groupe d'écrivains : style de l'épopée, style classique.

Le style comme qualité de la forme

Avant le XIXᵉ siècle, le terme s'emploie surtout pour désigner la qualité de la forme, acquise par l'étude et déterminée par l'emploi de procédés rhétoriques. Il existe une **hiérarchie** des styles : le **style noble** rejette les mots considérés comme vulgaires, le **style bas** utilise des mots communs.

Le style doit **convenir au thème traité** : ainsi, le style utilisé par Ronsard* dans ses poèmes est différent suivant la femme à laquelle il s'adresse, plus recherché pour la noble Cassandre, plus simple pour la jeune Marie.

Le style comme marque d'une individualité

Sur ce premier sens se greffe l'idée d'**expression personnelle** : « Le style est l'homme même » (Buffon). Pour Marivaux*, le style est la « figure exacte » des pensées, il se veut naturel et indépendant des règles. Dès lors, le mot évoque non seulement des caractéristiques formelles mais aussi une **vision du monde**. Selon Proust*, « le style, pour l'écrivain aussi bien que pour le peintre, est une question non de technique mais de vision ».

Ainsi, pour peindre la misère ouvrière, Zola* utilise des termes crus, des couleurs contrastées, une phrase qui épouse les mouvements des personnages. À la transparence de la langue qu'il revendique en écrivain réaliste s'ajoute souvent une dimension fantastique, voire mythique et épique : la chose devient alors le symbole de l'oppression, comme le Voreux dans *Germinal* ou l'alambic dans *L'Assommoir*, exprimant la vision d'un monde en proie à un destin tragique.

De façon générale, le style marque la **présence de l'auteur* dans l'œuvre**, par sa manière personnelle d'écrire : selon Genette, « le style est l'aspect du discours ». Le mot a aussi un sens qualitatif : l'expression « avoir du style » est valorisante. Le style révèle un auteur au lecteur : étudier le style, c'est donc étudier à la fois l'œuvre et l'auteur.

Le style comme manière propre à un genre ou à un mouvement

Le style peut aussi être défini comme l'**ensemble des caractères formels associés à une époque ou à un genre** particulier. Ainsi le **style de l'épopée** est marqué par l'hyperbole*, les pluriels, le recours fréquent à l'alexandrin*. La **tragédie*** se caractérise par le **style noble**, au contraire de la comédie*. Plus largement, le **style classique** témoigne d'une stricte économie de moyens (lexique, thèmes, organisation de l'œuvre…) en vue d'un effet de naturel et d'intensité.

Le **romantisme*** rompt avec ces principes et propose une **esthétique nouvelle** qui mélange les styles, à la fois noble et bas, grotesque* et sublime* dans une même œuvre.

Les **œuvres actuelles** brouillent souvent ces représentations et rendent inopérante toute tentative de classification des styles, terme aujourd'hui utilisé plutôt dans le domaine de la mode.

→ auteur, registre, rhétorique

stylistique

n. m. et *adj.* Du latin *stilus*, « poinçon servant à écrire sur des tablettes de cire », et de l'allemand *Stylistik*. **1.** Étude des procédés de langage (qui souvent s'écartent de l'énoncé le plus simple et le plus logique ou le plus usuel) permettant d'exprimer la nature, les intentions, l'affectivité du locuteur : on parle alors de **stylistique générale**. **2.** Étude de l'œuvre d'un écrivain pour mettre en lumière, à travers ses procédés privilégiés (figures* de style, rythme*, champs lexicaux*, ordre des mots…), l'originalité d'expression, la structure propres à son œuvre et à son univers : on parle alors de **stylistique littéraire**. **3.** (*adj.*) Relatif au style et à la stylistique : on parle de l'analyse stylistique d'un roman, de l'unité stylistique d'une œuvre. *Ex.* : en français, l'usage correct veut généralement que l'adjectif épithète succède au substantif, mais la langue poétique privilégie l'antéposition : « Un soir qui traîne au fil d'un lambeau voyageur/De ma *docile* enfance un effet de rougeur » (Paul Valéry*, *La Jeune Parque*, v. 187-188).

Intérêt de la stylistique

Les choix effectués parmi tous les moyens offerts par la langue (ordre des mots, figures de style, expressions, rythme, temps et modes verbaux…) sont révélateurs des personnages et de l'auteur, mais aussi de l'influence que ce dernier veut avoir sur les émotions et les idées du lecteur.

La stylistique s'intéresse surtout aux **écarts par rapport aux usages courants**. Ainsi, chez Marcel Proust*, la fréquente postposition de la principale après de nombreuses subordonnées crée un effet d'attente et attire l'attention sur les descriptions ou sur les hypothèses énumérées par le narrateur.

→ **linguistique, poétique**

sublime

adj. et *n. m.* Du latin *sublimis*, « élevé, suspendu dans les airs » (sous l'effet de la chaleur pour les alchimistes du Moyen Âge). **Sens général** : caractère de ce qui est placé très haut dans la hiérarchie des valeurs morales et esthétiques et qui est dès lors voué à l'admiration. **Sens littéraire** : le sublime désigne, au XVIIᵉ siècle, le ton, le style propres aux sujets élevés. Pour les classiques, c'est le ton qui convient au climat héroïque de la tragédie*.

Un autre type de sublime

La **contestation romantique** des modèles esthétiques du classicisme* ne se propose pas d'éliminer le sublime mais de l'**unir à son contraire : le grotesque***. Hugo* souligne, dans la *Préface de Cromwell*, que le sublime, « beauté pure et universelle », produit toujours la même impression et « peut fatiguer à la longue ».

Il propose alors de joindre le grotesque au sublime « comme moyen de contraste », comme « terme de comparaison », et de faire surgir, à la manière de Rubens dans ses tableaux, au milieu de personnages ou de spectacles grandioses, « quelque hideuse figure de nain de cour ». Le « sublime moderne » y gagnerait, selon Hugo, « quelque chose de plus pur, de plus grand, de plus sublime enfin que le beau antique ».

→ **classicisme, drame romantique, grotesque, Hugo, Quasimodo, tragédie**

Sue
(Eugène), 1804-1857

ŒUVRES PRINCIPALES
• **Romans** : *Les Mystères de Paris* (1842-1843), *Le Juif errant* (1844-1845), *Les Mystères du peuple* (1850-1857).

Le roman-feuilleton

Dans ses romans-feuilletons, Eugène Sue fait la synthèse de différentes inspirations et de différents genres : le **roman noir** à la mode anglaise du début du siècle et ses sombres intrigues, le **roman de mœurs** au climat mélodramatique, le **roman d'aventures**, ses rebondissements et ses mystères. Il peut ainsi offrir à un large public une vaste gamme d'émotions. Pour tenir son lecteur en haleine, il joue sur le découpage en épisodes imposé par la publication en feuilleton*. Il crée, dans *Les Mystères de Paris*, un héros masqué et chevaleresque, Rodolphe, grand-duc de Gerolstein, incarnation du courage et de la générosité, qu'il lance dans le gouffre tortueux et fascinant de la grande ville.

Le roman social

Cependant, sous le pittoresque des descriptions du Paris des ouvriers, des prostituées et des brigands, se dessine la **préoccupation sociale** de l'écrivain, son projet de mettre en lumière les maux dont souffre le peuple et la corruption des nantis. Le langage de la rue entre dans la littérature avec ses tournures imagées, ses déformations, son invention. Victor Hugo s'en inspirera dans *Les Misérables*.

Manichéen, gentiment optimiste dans ses dénouements heureux, le roman-feuilleton d'Eugène Sue n'en réussit pas moins à **concilier le divertissement populaire et l'étude sociale**.

CITATION

• **Sur l'œuvre d'Eugène Sue**
« Écrite au courant de la plume [...], hétéroclite, boursouflée de coups de théâtre, d'une psychologie simpliste [son] œuvre [...] a les qualités de ses défauts : une imagination intarissable, un réel pouvoir de conviction, une grande générosité de cœur. » (Jacques Brosse)

REPÈRES BIOGRAPHIQUES

➜ Aide-chirurgien dans la marine, Eugène Sue voyage en Méditerranée et aux Antilles. Ses premiers romans évoquent la vie des gens de mer (*Kernoch le pirate*, 1830 ; *La Cucaratcha*, 1834) ou des sujets historiques (*Jean Cavalier ou les Fanatiques des Cévennes*, 1841). Mais c'est avec ses romans-feuilletons *Les Mystères de Paris* et *Le Juif errant* qu'il obtient un extraordinaire succès populaire. « Des malades ont attendu la fin des *Mystères* pour mourir », écrivait Gautier*.

➜ Adepte du socialisme utopique de Fourier, Eugène Sue est élu député de Paris en 1848. Il finit ses jours en exil, chassé comme Hugo* par le coup d'État du 2 décembre 1851.

➔ **Dumas, feuilleton, Hugo, mélodrame**

Supervielle
(Jules), 1884-1960

ŒUVRES PRINCIPALES
• **Poésie** : *Débarcadères* (1922), *Gravitations* (1925), *Les Amis inconnus* (1934), *La Fable du monde* (1938), *Oublieuse mémoire* (1949).
• **Roman** : *Le Voleur d'enfants* (1926).
• **Nouvelles** : *L'Enfant de la haute mer* (1929).

« Je suis simple comme le jour »

Pour l'essentiel, l'œuvre de Supervielle est contemporaine du mouvement surréaliste, mais elle a **échappé à toute forme d'influence**. Le poète a suivi sa voie propre, préférant aux « transes » de l'inspiration* le travail minutieux d'un « petit horloger » du vers. Sa poésie vise à la simplicité, à la transparence, grâce à une syntaxe claire et un certain « cœfficient de prose ». D'où une tonalité immédiatement reconnaissable de « **chant chuchoté** » (selon le mot de Jaccottet*), **intime et fraternel** lors même que le poète embrasse la mer et le ciel tout entiers. Quant au romancier, il privilégie les intrigues déroutantes qui accordent une large place à l'enfance (*Le Voleur d'enfants*).

Nuit du dehors, nuit du dedans

Supervielle excelle à **conjuguer l'immensité et l'intimité, le dedans et le dehors, le proche et le lointain**. Intime, sa poésie n'est pas intimiste, elle est toujours accordée aux plus vastes horizons. Pas d'antinomies dans cet univers où s'organisent d'incessants échanges, dans un éclat de « matins du monde ». Ainsi le cosmos s'humanise, tandis qu'on découvre, logé dans l'intimité du corps, « à l'abri dans les profondes températures de l'homme » (*La Fable du monde*), tout un cosmos avec ses astres et ses vertiges. Avec la même familiarité, on passe d'un règne à l'autre, et l'on se retrouve au cœur du monde animal ou du monde végétal, de plain-pied, en accord avec cette réalité autre. Toujours étonnée, toujours inquiète, hantée par le sentiment de la finitude, la poésie de Supervielle ne cesse de chuchoter les merveilles de la « terre [*qui*] chante ».

CITATION

• **Dedans et dehors**
« Dehors, dedans, ce sont des mondes/ Dont les silences se répondent./ Ils forment les profonds miroirs/ Échangeant jusqu'à leurs espoirs/ Et dans sa ruisselante grotte/ Le ciel étoilé en chuchote. » (*Oublieuse mémoire*)

➜ Né à Montevideo (Uruguay), Jules Supervielle perd accidentellement ses parents à l'âge de huit mois. Il est élevé par son oncle et sa tante avec ses cousins, dont il croira jusqu'à l'âge de dix ans qu'ils sont ses parents et ses frères et sœurs. Après la guerre de 14-18, il s'installe à Paris et connaît une période très féconde sur le plan de la création poétique. Il publie également des romans et des contes. Il se trouve en Uruguay quand la Seconde Guerre mondiale éclate.

➜ S'il continue à écrire après son retour en France en 1946, la fin de sa vie est assombrie par de graves problèmes de santé. Il reçoit le Grand Prix de l'Académie française en 1955.

→ surréalisme

surréalisme

n. m. Du mot *surréel*, inventé par Apollinaire pour définir le domaine poétique.
Sens historique : mouvement littéraire et artistique qui s'est développé en France après la Première Guerre mondiale.

La fondation du mouvement

Fondé par **André Breton**[*] **et Philippe Soupault**[*] (*Les Champs magnétiques*, 1919), dans le sillage du dadaïsme de Tristan Tzara[*], le surréalisme **s'inscrit dans le mouvement de révolte** suscité par le traumatisme d'une guerre qui a signé la faillite des valeurs du rationalisme[*] et de l'humanisme[*] occidental. Le mouvement va se cristalliser autour de la personnalité d'André Breton qui prend dès 1921 ses distances avec le dadaïsme et fait paraître en 1924 le *Manifeste du surréalisme*. Le groupe rassemble des poètes comme Robert Desnos[*], René Crevel, Paul Éluard[*], Louis Aragon[*], Michel Leiris[*] et Benjamin Péret.

Les surréalistes se lancent dans des recherches qui ont explicitement pour but de **réinventer la vie** et ils n'ont que mépris pour la littérature. Très influencés par la pensée de Freud, dont ils sont les premiers lecteurs en France, ils pratiquent l'**écriture automatique**[*] par laquelle ils prétendent accéder au cœur des processus psychiques, en dehors de tout contrôle de la raison. Leur quête est celle du **surréel**, c'est-à-dire d'une **réalité supérieure mais néanmoins secrètement présente dans notre monde**.

L'engagement politique

À partir de 1925, les surréalistes **se rapprochent de la pensée marxiste** et adhèrent au Parti communiste en 1927. Au mot d'ordre de Rimbaud[*] : « Changer la vie », ils ajoutent celui de Marx : « Il ne s'agit plus de comprendre de monde, il s'agit de le transformer ». Cet engagement politique va déclencher des crises violentes à l'intérieur du groupe et conduire à l'exclusion de poètes comme Desnos ou Leiris. Mais Breton lui-même quitte bientôt le PC, alors qu'Aragon se met totalement à son service. Ce qui entraînera bientôt une rupture définitive entre les deux poètes.

Tandis que le surréalisme étend son influence à la **peinture** (Max Ernst, Giorgio de Chirico, Francis Picabia, Salvador Dali) et au **cinéma** (Luis Buñuel), le groupe se disperse peu à peu. Cependant le mouvement survivra après la guerre, jusqu'à la mort de Breton en 1966.

La révolution surréaliste

Le surréalisme est l'**un des ultimes prolongements du romantisme**[*]. On y retrouve le même fond de révolte contre la condition humaine et contre la dictature de la raison, la même volonté de réhabiliter l'imaginaire et l'univers des rêves. Plus encore que les romantiques, les surréalistes font de l'amour et de la sexualité une expérience extrême indissociable de la connaissance poétique.

Sous l'influence de la psychanalyse, ils accordent une large place à l'**exploration de l'inconscient** et sont particulièrement attentifs aux signes que **le hasard** adresse discrètement au poète. Ils jettent un **regard neuf sur le réel** : hostiles au réalisme borné, ils savent déchiffrer dans les rapprochements insolites l'émergence d'une réalité autre, supérieure, inaccessible au plat rationalisme. Poètes de l'insolite, les surréalistes ont été particulièrement **sensibles à toutes les formes d'humour**[*] (voir l'*Anthologie de l'humour noir*, d'André Breton).

Une pratique du langage novatrice

Pour les surréalistes, le **langage poétique** doit devenir l'**instrument d'une libération de l'esprit**. Rompant délibérément avec les exigences aliénantes et appauvrissantes d'une logique obtuse, ils tentent, au moyen de l'**écriture automatique** et de l'**image**, de faire surgir les merveilles que recèle le monde quotidien : « C'est du rapprochement en quelque sorte fortuit [*de*] deux termes qu'a jailli une lumière particulière, *lumière de l'image*, à laquelle nous nous montrons infiniment sensibles. La valeur de l'image dépend de la beauté de l'étincelle

obtenue ; elle est, par conséquent, fonction de la différence de potentiel entre les deux conducteurs » (Breton, *Manifeste du surréalisme*, 1924).

La **poésie** n'est plus un langage plus ou moins bien rimé et rythmé, c'est un **langage total** déclenchant une libération illimitée de l'être et tendant à une réconciliation de l'homme avec le monde.

→ Breton, cadavres exquis, Dada, écriture automatique, humour, Lautréamont, Rimbaud

symbole

n. m. Du grec *sumbolon*, de *sun*, « avec » et *bolein*, « jeter, lancer ». Dans la Grèce antique, le *sumbolon* est un objet coupé en deux, dont deux hôtes conservent chacun une moitié, les deux parties rapprochées (*sumballein*, « assembler ») servant de signe de reconnaissance. Différent des signes qui reposent sur l'association arbitraire et conventionnelle d'un signifiant* et d'un signifié*, le symbole présuppose une homogénéité entre les deux. C'est un signe concret (souvent un élément naturel comme les pierres, les métaux, les arbres, les fleurs...) qui renvoie toujours à une réalité d'un autre ordre, que ne peuvent atteindre ni les sens, ni les concepts. Cette réalité ne saurait trouver de meilleure expression ni de meilleure manifestation qu'en ce signe concret, dont la fonction est précisément de rendre sensible ce qui ne l'est pas : « L'image de la roue peut, par exemple, nous suggérer le concept d'un soleil *divin*, mais à ce point notre raison est obligée de se déclarer incompétente, car l'homme est incapable de définir un être *divin* [...] C'est parce que d'innombrables choses se situent au-delà des limites de l'entendement humain que nous utilisons constamment des termes symboliques pour représenter des concepts que nous ne pouvons ni définir ni comprendre pleinement [...]. » (Jung.)

Fonctions du symbole

Le symbole a par nature une **fonction de médiateur** : il établit des **liens entre des réalités séparées**, le ciel et la terre, la matière et l'esprit, la conscience et l'inconscient. Il relie l'homme au monde en permettant, selon le mot de Pierre Emmanuel*, « une osmose continuelle de l'intérieur et de l'extérieur ». Essentielle pour la psyché humaine, la dimension symbolique implique de la part de chaque individu une participation affective plutôt qu'une compréhension d'ordre intellectuel et logique. Le symbole a également une **fonction de lien social** : toute communauté se fonde sur un ensemble de symboles sans lesquels la communication avec autrui serait impossible.

Lecture des symboles

Exclu du champ des recherches linguistiques en raison de ses dimensions extralinguistiques mais aussi du fait de ses liens traditionnels avec une conception religieuse du monde ou avec l'idéologie romantique, les symboles relèvent d'une **lecture spécifique**.

Chaque symbole se caractérise par la **richesse foisonnante du signifié**, par la multiplicité de ses résonances et par son ambiguïté (tout symbole a une face nocturne et une face diurne). La dimension symbolique appelle une **interprétation herméneutique**, c'est-à-dire une lecture visant, non pas une connaissance analytique et conceptuelle, mais plutôt une amplification qui active toutes les résonances du symbole.

→ allégorie, analogie, hermétisme, Maeterlinck, occultisme, signe, symbolisme

symbolisme

n. m. Du grec *sumbolon*, de *sumballein*, « jeter ensemble ». **Sens historique** : mouvement littéraire et artistique de la fin du XIXᵉ siècle.

L'école symboliste

Si le mot est employé pour la première fois en 1886 par Jean Moréas dans un article manifeste publié par *Le Figaro*, le symbolisme, qui prolonge le décadentisme* et s'est donné pour maîtres Baudelaire*, Verlaine* et Mallarmé*, englobe des **poètes** et des artistes qui ont marqué les **années 1880-1900** : Jean Moréas, Gustave Kahn, René Ghil, Maurice Maeterlinck, Émile Verhaeren*, Henri de Régnier. Appartiennent aussi au symbolisme des **peintres** comme Puvis de Chavannes, Odilon Redon, Gustave Moreau, des **musiciens** tels que Fauré, Ravel ou Debussy, qui met en musique des œuvres de Mallarmé (*L'Après-midi d'un faune*) et de Maeterlinck (*Pelléas et Mélisande*).

Dès 1895, le mouvement entrera en crise tant divergent les trajectoires individuelles. Le symbolisme dépérit de ses excès qui le conduisent aux limites de la mystification, de l'autoparodie et de l'artificialité. Dans la mouvance symboliste, on notera la présence plus ou moins lointaine et passagère de Paul Valéry*, d'André Gide*, de Paul Claudel* et de Marcel Proust*.

Caractéristiques du symbolisme

L'intense foisonnement d'idées et de tentatives auxquelles le symbolisme a donné lieu permet difficilement de dégager un système clair et cohérent. On peut cependant relever un certain nombre de constantes qui donnent son unité au mouvement.

1. C'est d'abord la volonté de **rompre avec le positivisme*** scientiste et matérialiste de l'époque (et avec le naturalisme* qui en découle sur le plan littéraire), de **réhabiliter une approche sensible** de la réalité qui permette de retrouver ce qu'il y a en elle d'ineffable et secrète harmonie. À la description*, on préfère **la suggestion et l'allusion** qui préservent le mystère. On ne peut atteindre le mystère des choses qu'en explorant les réseaux de correspondances*, de synesthésies*, de symboles* et d'analogies* qui se tissent dans l'univers. D'où l'intérêt pour les mythologies, l'ésotérisme ou l'hermétisme*, et la fascination pour la musique et la mythologie wagnériennes.

2. C'est ensuite une **philosophie pessimiste** et désenchantée de l'existence, typique de la fin du XIXᵉ siècle, où se lit l'influence du philosophe allemand Schopenhauer.

3. C'est enfin, à la suite de Mallarmé, la volonté de **créer un langage** radicalement différent de la prose de « l'universel reportage » (Mallarmé), un langage **apte**, par la force suggestive de l'image et par sa musicalité, **à appréhender la réalité secrète qui se dissimule derrière les apparences**. L'aboutissement de ces recherches sera la création du vers libre.

On notera aussi que les symbolistes font un **usage nouveau du symbole** : alors que dans la conception classique, la symbolique est objective, conventionnelle (valable pour tous) et stable (ainsi fait-on de la colombe le symbole de la paix), les symbolistes entourent le symbole d'un halo d'ambiguïté et de mystère qui ouvre le champ à des interprétations multiples.

Influence du symbolisme

Si, dans ses outrances, il apparaît souvent très daté, le symbolisme n'en aura pas moins ouvert les voies de la modernité et permis une **réflexion** radicalement **neuve** sur ce que sont la poésie et la littérature. C'est de cette prise de conscience que procèdent les œuvres de Valéry, de Gide et de Proust mais aussi une large part de la création poétique du XXᵉ siècle.

→ analogie, bohème, correspondances, décadentisme, hermétisme, Maeterlinck, romantisme, symbole, synesthésies

synecdoque

n. f. Du grec *sunekdekhomai*, « comprendre à la fois ». Figure proche de la métonymie*, avec substitution d'un mot à un autre mot, le rapport entre les deux termes étant un rapport d'inclusion. *Ex.* : synecdoque de la partie pour le tout (*une voile* pour *un navire*), du tout pour la partie (*avoir une bonne cave* pour *du bon vin*), de la matière pour l'objet (*le fer* pour *l'épée*), du pluriel pour le singulier (*envoyer ses amitiés*).

Principaux effets

Fréquemment utilisée dans la communication comme le montrent les exemples donnés ci-dessus, la synecdoque permet de **raccourcir l'expression**, de **l'enjoliver** ou de **la renforcer**. Comme la métonymie, la synecdoque **fait image**. Elle donne du réel une vision fragmentée : « Je ne regarderai ni l'*or* du soir qui tombe, / Ni les *voiles* au loin descendant vers Harfleur » (Hugo*, *Les Contemplations**). Elle crée aussi un effet de flou impressionniste : « […] on voyait seulement les trous des bouches noires, chantant *La Marseillaise* » (Zola*, *Germinal**).

→ **comparaison, métaphore, métonymie**

synérèse

n. f. Du grec *sunairêsis*, « rapprochement ». En versification*, procédé phonétique consistant à prononcer deux voyelles contiguës en une seule syllabe. *Ex.* : « Bon dîner, de l'argent, un rendez-vous – un duel ! » (Hugo*, *Ruy Blas*, v. 1847) : *duel* se prononce [dy l] et non [dy- l].

La synérèse permet facilement au poète de diminuer le vers d'une syllabe. Utilisée aussi à des fins expressives, elle durcit le mot en l'abrégeant.

→ **diérèse, vers, versification**

synesthésies

n. f. pl. Du grec *syn*, « avec » et *aisthêsis*, « sensation ». Phénomène d'association par lequel s'établissent des correspondances* entre les cinq sens (ouïe, vue, odorat, toucher, goût). Perceptibles dans le langage courant, les synesthésies sont à l'origine de nombreuses métaphores* lexicalisées : une *voix chaude* (ouïe et toucher) un *son mat* (ouïe et vue). Dans la littérature, elles offrent aux poètes et aux écrivains un champ d'exploration extrêmement riche. Baudelaire* en a fait la base de sa poétique* (voir le sonnet* « Correspondances » dans *Les Fleurs du mal*).

Leur emploi en poésie

Grâce aux synesthésies, les sensations **s'appellent**, **se rejoignent**, **se superposent**, gagnant en richesse et en complexité. La sensation de froid s'allie à la couleur noire dans le vers de Baudelaire : « Bientôt nous plongerons dans les froides ténèbres » (« Chant d'automne », *Les Fleurs du mal*).

L'éclat de la rosée, mariant l'eau, le feu et la lumière, a quelque chose d'humide et de brûlant dans cet oxymore* de Verlaine* : « Le soleil du matin [*pailletait*] chaque fleur d'une humide étincelle » (« Après trois ans », *Poèmes saturniens*).

Dans *L'Azur* de Mallarmé*, le poète, hanté et tourmenté par un idéal de beauté inaccessible, exprime son malaise en mêlant les sensations auditives, tactiles et visuelles : « […] j'entends [*l'Azur*] qui chante/dans les cloches […]. Et du métal vivant sort en bleus angélus ».

Leur emploi dans la prose

Peut-être est-ce **Marcel Proust*** qui a le mieux su jouer sur le « clavier incommensurable » des sens, en particulier lorsque, décrivant la musique de Vinteuil, il oppose le « rougeoyant quatuor » à la « blanche sonate » (*La Prisonnière*), ou lorsqu'il évoque la fameuse petite phrase du musicien.

Pour Proust, c'est en **orchestrant un paysage de sensations**, riche en échos et en résonances, qu'un artiste – musicien, peintre ou poète – nous permet de voyager vers l'univers singulier qu'il est le seul à connaître et de « voler d'étoile en étoile ». Ainsi se trouve confirmé le rôle essentiel de la sensation dans la création littéraire : grâce aux sensations, par un processus souvent proche de la métaphore, se tissent au cœur des textes de **complexes réseaux de sens**.

→ **analogie, Baudelaire, correspondances, métaphore, symbole**

synonyme

n. m. Du grec *sun*, « avec », et *onuma*,
« nom ». Mot qui a le même – ou
pratiquement le même – sens qu'un autre
mot. Les synonymes appartiennent à la
même classe grammaticale. *Ex.* : *courageux*
a pour synonymes *brave, vaillant, valeureux,
preux*. Leur emploi enrichit le style et
permet d'éviter les répétitions.

→ **analogie, antonyme**

syntaxe

n. f. Du grec *sun*, « avec » et *taxis*, « ordre,
arrangement ». Littéralement, « ordre
d'un ensemble ». La syntaxe désigne
l'organisation de la phrase, les règles
qui régissent l'ordre des mots et l'étude
de ces règles.

La grammaire traditionnelle distingue la
morphologie qui étudie les mots indépendamment de leur rapport dans la phrase, et la
syntaxe qui traite de la combinaison des mots
dans la phrase (par exemple des problèmes de
l'accord en genre et en nombre).
La linguistique[*] préfère distinguer la **phonologie**
qui étudie les phonèmes de la langue, et la
syntaxe qui considère les unités linguistiques
du discours (mots, groupes de mots, propositions) et les fonctions qui leur sont attachées.

→ **linguistique**

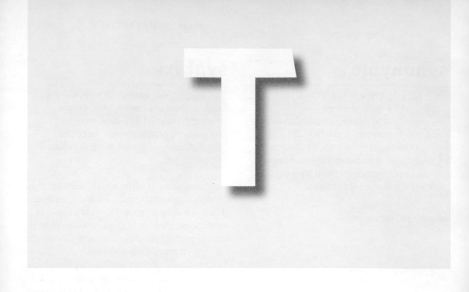

Table ronde (romans de la)

L'expression désigne les romans du Moyen Âge qui narrent les aventures des chevaliers du roi Arthur*. On parle également de *romans arthuriens* (lesquels incluent le cycle du Graal), ou de *romans bretons*.

La Table ronde et l'invention du roman

La Table ronde apparaît pour la première fois dans le *Roman de Brut* (1155), du clerc anglo-normand Wace. Dans sa chronique légendaire des rois de Grande-Bretagne, Wace évoque la création, par le **roi Arthur**, d'une table autour de laquelle ne peuvent s'asseoir que ses meilleurs chevaliers, sans ordre de préséance. Mais c'est Chrétien de Troyes* qui, le premier, va faire de la Table ronde le cadre structurant d'une œuvre proprement romanesque, centrée sur la cour d'Arthur et les valeurs qu'elle incarne : la **prouesse chevaleresque** et la **courtoisie***.

Une symbolique multiple

Chez Wace, l'évocation de la Table ronde était une façon de concurrencer le prestigieux modèle de Charlemagne et de ses douze pairs. Chez Chrétien, la Table ronde est essentiellement honorifique, symbole de l'appartenance à l'élite de la chevalerie. Au XIIIᵉ siècle, une interprétation chrétienne en est proposée : dans la *Quête du Saint-Graal*, la Table ronde représente le monde ; instituée par Merlin, elle est la troisième table après celle de la Cène (où a lieu le dernier repas du Christ), et celle du Saint-Graal, mystérieux objet d'origine celtique devenu, dans les textes postérieurs à Chrétien de Troyes, la coupe qui aurait recueilli le sang du Christ sur la croix. **De politique et courtoise, la Table ronde acquiert ainsi une signification cosmique et religieuse.** S'y trouve le Siège périlleux, où ne pourra s'asseoir que le meilleur chevalier du monde et le plus pur (Galaad, fils de Lancelot). Les places autour de la Table Ronde sont en nombre variable, et potentiellement aussi infinies que les aventures elles-mêmes.

Les chevaliers de la Table ronde : une liste ouverte

Wace et Chrétien avaient dressé plusieurs listes des chevaliers de la Table ronde. Celle-ci accueille ainsi, selon les textes, des chevaliers plus ou moins connus : **Gauvain**, neveu du roi, **Keu le sénéchal**, **Yvain**, **Lancelot**, **Perceval**, **Galaad** mais aussi Gaheriet, Bohort… S'ils adhèrent aux valeurs arthuriennes qu'ils sont censés promouvoir, ces héros, nettement individualisés, ne sont pas exempts de défauts. Keu, médisant, est régulièrement vaincu au combat ; Gauvain est souvent présenté comme un galant.

Un genre à l'image de la Table ronde

À la fois **clos et ouvert**, tel apparaît le genre des romans arthuriens. La fin du règne d'Arthur étant déjà programmée, les romans ultérieurs se développent dans les interstices des précédents, qu'il s'agisse de mener à son terme l'histoire du Graal (inachevée dans le *Conte du Graal* de Chrétien), d'évoquer des personnages jusque-là secondaires, ou de raconter l'enfance des héros.

Au début du XIIIᵉ siècle, le *Merlin* (roman parfois attribué à Robert de Boron) met en scène

Merlin, personnage aux pouvoirs surnaturels, conseiller du père d'Arthur, et qui joue un rôle essentiel dans l'avènement du roi Arthur et de la Table ronde. À la même époque, quatre *Continuations* en vers poursuivent le texte de Chrétien, en se centrant sur les **personnages de Gauvain et de Perceval**. Les grands cycles en prose du XIIIe siècle développent l'**histoire de Lancelot** (le très long *Lancelot en prose* [1215-1235] se termine par *La Quête du Saint-Graal* et *La Mort le Roi Artu*) **ou de Tristan**, intégré dans le monde arthurien. Des personnages nouveaux deviennent les héros de romans parfois plus malicieux (*Le Bel Inconnu*), voire parodiques.

Les romans de la Table ronde ont connu un immense succès. Traduits et imités en Europe, ils **évoluent vers le roman de chevalerie** à la fin du Moyen Âge. Discrédités à la Renaissance, ils sont remis à l'honneur au XIXe siècle par le romantisme.

→ **Arthur, Chrétien de Troyes, courtoisie, Lancelot, Perceval, roman**

Tardieu
(Jean), 1903-1995

ŒUVRES PRINCIPALES

• **Poésie** : *Le Fleuve caché* (1933), *Accents* (1939), *La Tension invisible* (1943), *Jours pétrifiés* (1947), *Monsieur, Monsieur* (1951), *Une voix sans personne* (1953), *Formeries* (1976), *Margeries* (1985).
• **Théâtre** : *Ce que parler veut dire ou le Patois des familles* (1955), *Théâtre de chambre* (1955-1965), *Poèmes à jouer* (1960).
• **Proses** : *Pages d'écriture* (1967), *La Part de l'ombre* (1972).

La mise en scène du langage

Pour Jean Tardieu, le théâtre est un laboratoire qui lui permet de faire des **expériences sur le langage**. Son objectif est de faire le tour des formes théâtrales en interrogeant toutes les situations de communication et tous les usages de la langue.

Dans ses pièces, généralement courtes, prédomine l'**intention parodique**. C'est par l'humour*, en effet, que le dramaturge débusque dans le langage de tous les jours l'absurdité, l'arbitraire ou l'illusion : « Il faut se méfier des mots, ils sont toujours trop beaux, trop rutilants et leur rythme vous entraîne, toujours

prêt à vous faire prendre un murmure pour une pensée. » (*Pages d'écriture.*)

L'énigme du fleuve caché

Dans son œuvre poétique, Tardieu poursuit la même entreprise : « Aller au bord du non-sens, faire bouger les mots, les allumer, les éteindre, les forcer à produire des étincelles jamais vues. »

Mais il s'agit aussi de **s'approcher du secret du monde**, un secret aussi fascinant que ces « fleuves cachés » qui hantent la mémoire du poète : « Toute ma vie est marquée par l'image de ces fleuves [*le Rhône et la Valserine*], cachés ou perdus au pied des montagnes. Comme eux, l'aspect des choses, pour moi, plonge et se joue entre la présence et l'absence. Tout ce que je touche a sa moitié de pierre et sa moitié d'écume. » (*La Part de l'ombre.*) Être poète, pour Jean Tardieu, c'est raviver sans cesse cette **secrète inquiétude** qui naît au contact de l'énigme du monde.

CITATION

« Tous nos livres, toutes nos actions ne sont remplis que du fracas des jours. Pourtant ce qui nous gouverne — instincts, imagination, rêves, passions, pouvoir créateur — plonge dans une ombre sans contrôle. Nous implorons, nous espérons la lumière, alors que, par un effet contradictoire, cette obscurité qui nous terrifie nous alimente puissamment. » (*Obscurité du jour*, 1974)

REPÈRES BIOGRAPHIQUES

→ Jean Tardieu est né dans le Jura, d'une mère musicienne et d'un père artiste peintre. Après des études de lettres à la Sorbonne, il se consacre à l'écriture et publie des œuvres poétiques dont le caractère insolite attire l'attention. Il travaille d'abord dans l'édition puis, après la guerre, il entre à la Radiodiffusion française où il crée le « club d'essai et centre d'étude » de la RTF.
→ Puis il vient au théâtre, avec de nombreuses pièces qu'il qualifie de « drames-éclairs », où les personnages, agités de problèmes minuscules, ne tirent leur existence que de la « comédie du langage », de la fantaisie poétique de leurs propos.

→ **absurde, Ionesco, Ponge, théâtre**

Tartuffe ou l'Imposteur,
Molière, 1669

RÉSUMÉ

Acte I. Orgon, un riche et grand bourgeois, a recueilli chez lui un prétendu saint homme, Tartuffe, par lequel Mme Pernelle (la mère d'Orgon) et lui sont littéralement envoûtés. Rentré de la campagne, Orgon n'a cure que de son cher Tartuffe sans se préoccuper le moins du monde de sa femme, Elmire, qui vient d'être malade.

Acte II. Puis il annonce à sa fille, Mariane, sa décision de la marier à Tartuffe. Dorine, la servante, décide d'agir pour empêcher le mariage, en utilisant Elmire pour laquelle Tartuffe semble « avoir douceur de cœur ».

Acte III. Dorine organise un tête-à-tête entre Tartuffe et Elmire, au cours duquel l'hypocrite fait une déclaration d'amour à Elmire. Damis, le fils d'Orgon, bondit alors de sa cachette et va tout révéler à son père. Orgon refuse de croire Damis, le chasse, et donne à Tartuffe, son « frère », non seulement sa fille, mais aussi... sa fortune.

Acte IV. Cléante, le frère d'Elmire, ne parvient pas à convaincre Tartuffe de réconcilier le père et le fils. Orgon, de son côté, s'obstine. Il est donc décidé de lui mettre sous les yeux la fourberie de son hôte : Orgon, caché sous la table, assistera à un second entretien entre Elmire et Tartuffe. Enfin désabusé, Orgon chasse Tartuffe qui emporte avec lui la donation et une mystérieuse cassette.

Acte V. Orgon est désespéré : la cassette contenait des papiers compromettants sur les activités d'ami à lui pendant la Fronde. Paraissent alors un huissier envoyé par Tartuffe pour signifier à Orgon l'ordre d'expulsion, puis Tartuffe lui-même qui, accompagné d'un exempt, vient aider à l'arrestation d'Orgon. Mais c'est l'imposteur qui est arrêté : le roi a reconnu en Tartuffe un escroc notoire et pardonné à Orgon d'avoir aidé un ami durant la Fronde. La donation est annulée et Orgon récupère ses biens. Le mariage entre Mariane et Valère sera célébré.

Le scandale du *Tartuffe*

Le sujet même du *Tartuffe*, qui attaque la religion dans une société profondément chrétienne, explique le scandale déchaîné par

Molière. Après sa création à Versailles le 12 mai 1664, les dévots obtiennent l'interdiction du **premier *Tartuffe***, pièce en trois actes, malgré un premier placet présenté au roi par Molière.

La **seconde version de la pièce**, en cinq actes (1667), qui s'intitule *L'Imposteur* et où Tartuffe s'appelle Panulphe, est également interdite malgré un second placet de l'auteur et la *Lettre sur la comédie de l'Imposteur*, écrit anonyme favorable à la pièce. En 1669, enfin autorisé par Louis XIV, la pièce triomphe au Palais-Royal.

L'affrontement de deux philosophies

À partir d'un **schéma formel** qui met en scène **deux camps**, celui d'Orgon et de Mme Pernelle dominé par la personnalité de Tartuffe, et celui de Valère, Mariane, Dorine, Elmire, camp de l'amour et de la raison, Molière, en se gardant de toute interprétation équivoque, **dénonce** les méfaits et les dangers de **l'hypocrisie**, de **la fausse dévotion**, tout en conservant à la pièce son **caractère comique**.

Une entrée en scène retardée

L'**entrée en scène tardive de Tartuffe**, qui n'apparaît qu'à l'**acte III**, intensifie l'attente et la curiosité. Elle permet d'identifier d'emblée le personnage : ses premières paroles – « Laurent, serrez ma haire avec ma discipline » – manifestent son hypocrisie, par l'excès de dévotion qu'elles trahissent et par l'opposition avec la description qu'en a fait Dorine à la scène 4 de l'acte I (« Gros et gras, le teint frais et la bouche vermeille »).

Ces précautions traduisent la volonté de Molière de se **prémunir contre toute lecture fallacieuse**, qui laisserait penser que l'attaque est dirigée contre les vrais dévots. De plus, au dénouement[*], le rôle providentiel de l'exempt, qui représente l'autorité royale et montre que rien n'échappe à celle-ci, permet à l'auteur de se mettre en quelque sorte sous la protection du Prince.

Les ravages de l'hypocrisie

L'hypocrisie de Tartuffe est un moyen au service de ses appétits terrestres et elle est fondamentalement **destructrice**.

D'abord, elle aveugle par son ostentation même. La fausse dévotion autorise tous les excès contraires à la raison : Orgon exerce sur sa famille une autorité dévoyée, sous couvert d'une religion qu'il pratique à outrance.

Ensuite, l'hypocrisie engendre des conflits entre Orgon et Elmire, entre Mariane et Valère, et conduit à la **désagrégation de la cellule familiale**, et donc du groupe social que la famille symbolise. Malgré l'intervention royale *in extremis*, l'**hypocrisie** est nettement désignée comme **danger politique**, d'autant que la cohésion sociale est fondée sur la foi jurée.

Enfin, l'hypocrisie contamine aussi ceux qui l'approchent. Elmire, par exemple, l'utilise contre Tartuffe en feignant la passion. Ainsi se trouve mise à mal, ne serait-ce que pour un temps, la droiture des personnages les plus francs.

Une pièce comique

Cependant, même si l'œuvre expose et dénonce un grave problème moral et social, *Le Tartuffe* reste une **comédie**. Les **procédés de la farce** maintiennent le rire : soufflets et coups de bâton, comique de situation (Orgon caché sous la table), comique de mots (la répétition obsessionnelle de « Le pauvre homme », 1, 4), personnage de Mme Pernelle dont les gestes et le langage sont d'une efficacité comique assurée (I, 1).

Si l'on a pu faire remarquer que la tragédie du mensonge est constamment latente, Orgon et Mme Pernelle, victimes de l'imposteur, sont essentiellement antipathiques, d'où les effets comiques liés à leur situation. Enfin, comme toute comédie, la pièce se termine heureusement, par un mariage.

→ **comédie, farce, Molière**

Tel Quel

Revue trimestrielle fondée en 1960 par plusieurs jeunes écrivains dont Philippe Sollers, *Tel Quel* est l'une des dernières grandes revues de l'avant-garde, doublée à partir de 1963 d'une collection aux Éditions du Seuil. Autour des contributions d'un petit groupe de collaborateurs réguliers (Julia Kristeva, Marcelin Pleynet, Denis Roche, Philippe Sollers), *Tel Quel* a ouvert ses colonnes aux travaux d'auteurs et de critiques parmi les plus inventifs de leur temps.

Une histoire sinueuse et mouvementée

L'histoire de *Tel Quel* abonde en exclusions, polémiques et retournements d'alliances, et n'est pas séparable de la chronique d'une intelligentsia très parisienne. Au-delà des anecdotes (brouille, en 1963, avec l'un des fondateurs, Jean Edern Hallier), des controverses (accusations de terrorisme intellectuel et d'obscurité), *Tel Quel* apparaît comme un **lieu de réflexion et de création important entre 1960 et 1982**. Le titre de la revue est emprunté à Nietzsche (« Je veux le monde et je le veux TEL QUEL ») et fait aussi songer au titre d'un ouvrage de Paul Valéry[*]. De fait, dès les premières années, la revue s'affirme comme résolument éclectique. Rompant à la fois avec l'engagement[*] prôné par les sartriens et l'individualisme des « hussards » (*cf.* Nimier), elle se veut avant tout une **revue de littérature** : « Ce qu'il faut dire aujourd'hui, c'est que l'écriture n'est plus concevable sans une claire prévision de ses pouvoirs, un sang-froid à la mesure du chaos où elle s'éveille, une détermination qui mettra la poésie à la plus haute place de l'esprit » (éditorial du n° 1 de *Tel Quel*).

À partir de 1968 (parution d'un volume de textes théoriques, *Théorie d'ensemble*), la revue est perçue comme la **tribune du structuralisme**[*] (contributions de Michel Foucault, de Jacques Lacan). Le Groupe d'études théoriques, émanation du comité de rédaction de la revue, se rallie au maoïsme entre 1970 et 1974, avant de renier cette idéologie. La revue adopte alors une démarche plus résolument féministe et psychanalytique, non sans accorder la plus grande attention à la théologie catholique et à la Bible. En 1982, Philippe Sollers met fin à l'aventure *Tel Quel* et, en 1983, crée une nouvelle revue, *L'Infini*.

Un laboratoire

La revue *Tel Quel* a toujours su s'assurer la collaboration d'intellectuels éminents, de Roland Barthes[*] au philosophe Jacques Derrida, tout en contribuant à la connaissance d'auteurs importants, français ou étrangers, qu'elle publie ou commente : Francis Ponge[*], Ezra Pound, Antonin Artaud[*], Georges Bataille[*].

Si différents les uns des autres qu'aient pu être les participants à l'aventure de *Tel Quel*, la revue est restée fidèle à quelques principes : volonté d'inscrire la pratique de la littérature dans un projet révolutionnaire ; méfiance à l'égard de la poésie « poétique » ; souci de mener de front l'analyse théorique et la production littéraire en prêtant attention aussi bien à la philosophie du langage qu'à la littérature la plus expérimentale.

→ **Nouvelle Critique**

Tendre (carte de)

n. m. De l'adjectif *tendre*. Au xviie siècle, tendresse, sentiment tendre.

La carte du pays de Tendre

Des romans de Mlle de Scudéry[*], on ne retient plus guère aujourd'hui que la carte de Tendre, qui connut un énorme succès au moment de son élaboration. Intégrée dans le premier volume de *Clélie*, la carte est à l'origine un jeu mondain, improvisé durant l'un des samedis de la célèbre Sapho. Cette **carte allégorique des sentiments amoureux**, si elle n'est pas la première du genre, a contribué à lancer une mode : de nombreuses cartes, parfois parodiques, voient le jour à la même époque.

La carte de Tendre se présente avant tout comme une « **morale d'amitié** » (au xviie siècle, le terme *amitié* a un sens beaucoup plus large qu'aujourd'hui et signifie « affection »). **Trois fleuves symbolisent les « causes » de la tendresse** : « Inclination » (penchant spontané et involontaire, l'inclination aboutira à l'amour passion du roman classique), « Reconnaissance » (gratitude) et « Estime » (connaissance des mérites de l'autre). Ils permettent, depuis « Nouvelle amitié » (nouvelle rencontre), d'atteindre respectivement les villes de « Tendre-sur-Inclination », « Tendre-sur-Reconnaissance » et « Tendre-sur-Estime ». Pour parvenir à cette dernière, par exemple, il faut passer par un certain nombre de villages, dont « Grand Esprit », « Jolis Vers », « Sincérité », « Respect », tout en évitant les

écueils de « Négligence » et de « Légèreté », et sans tomber dans le « Lac d'Indifférence »...
Ces trois fleuves se perdent dans la « Mer dangereuse », au-delà de laquelle se trouvent les « Terres inconnues » (l'amour et ses désirs), que la chaste Clélie refuse d'évoquer. Qui voudra y aller le fera à ses risques et périls.

La tendresse

Certains contemporains de Mlle de Scudéry lui ont attribué le mérite d'avoir inventé un sentiment nouveau, celui de l'amour tendre. D'autres n'y ont vu qu'un changement de mot, pour une réalité toujours identique, et se sont moqués de cet amour précieux qui niait la réalité des sens et du désir. Il reste que la tendresse proposait un **idéal sentimental fait de complicité et de respect**, débarrassé de la violence de la passion, qui a certainement inspiré l'amitié de Mme de Lafayette[*] et de La Rochefoucauld[*].

→ **préciosité, Mlle de Scudéry**

tercet

n. m. Du latin *tertius*, « troisième ». Strophe de trois vers, généralement employée en série.

Caractéristiques et effets

Si l'on admet que la strophe se caractérise par un système complet de vers[*] **sur le plan des rimes**[*], c'est-à-dire sans rime en suspens, **le tercet n'est pas une strophe cohérente**. Dans cette perspective, les deux tercets du sonnet[*] formeraient en fait un sizain construit sur deux rimes plates suivies de rimes embrassées ou croisées (ccd eed, ou ccd ede).

Certains poèmes en tercets (chez Gautier[*], Heredia[*]) composent des **rimes tiercées** selon l'enchaînement suivant : aba bcb cdc ded... : chaque rime isolée dans un tercet est reprise au début et à la fin du tercet suivant. Ces poèmes à la manière italienne se terminent par un vers isolé selon le schéma suivant : mnmn. Le schéma rimique de ce type de poème peut varier : chez Nerval[*], « Le Point noir » est rimé aab ccb... Ces décalages créent un déséquilibre et un mouvement qui font basculer les contenus d'une strophe à l'autre, exprimant l'**indécision**, le **flou**.

→ **quatrain, quintil, sonnet, vers, versification**

théâtre

n. m. Du grec *theatron*, « théâtre, lieu où l'on représente des œuvres dramatiques ». **Sens strict** : représentation sur scène d'une œuvre théâtrale. On distingue différents types de pièces : la tragédie*, la comédie*, le drame*, le mélodrame*, le vaudeville*. **Sens large** : salle de spectacle.

Un théâtre de masques

Le théâtre trouve son origine dans les cérémonies religieuses orgiaques organisées dans l'Antiquité en l'honneur des dieux de la nature. La **tragédie** naît en Grèce et connaît son apogée au Ve siècle avant Jésus-Christ avec **Eschyle, Sophocle, et Euripide**. La **comédie** est un peu plus tardive mais, de l'importante production d'alors, il ne nous reste que quelques pièces d'**Aristophane** (485 ?-385 ? av. J.-C.) **et de Ménandre** (340 ?-292 ? av. J.-C.).

Après avoir connu un déclin, la tragédie réapparaît au **Moyen Âge** dans la représentation des **passions** et des **mystères** relatant la vie du Christ et des saints. Parallèlement, le théâtre comique perdure dans les foires avec les **farces*** et les **soties**, où le sot profite de son masque de fou pour donner son avis sur la politique. Paganisme et chrétienté font alors bon ménage. C'est à la **Renaissance** que l'Église entreprend sa croisade contre le théâtre, tandis que se forment en Italie les premières troupes de comédiens itinérants et que naissent les premières salles permanentes. C'est aussi à cette époque que triomphe la **commedia dell'arte***, dont l'influence sur la comédie se ressent encore aujourd'hui.

Mais, quelle que soit la forme adoptée, de l'Antiquité à l'âge classique, un même élément unit le plus souvent les différents genres : le **masque**, recouvrant toujours le visage des comédiens.

Le théâtre en France

La **tragédie** renoue avec ses origines à la Renaissance, avec Jodelle (1532-1573) et Garnier* (1544-1590). Elle s'épanouit au XVIIe siècle avec Corneille* et Racine*. Malgré les efforts de Voltaire*, elle décline au siècle suivant et fait place au **drame bourgeois***. Venu d'Angleterre avec *Le Marchand de Londres* de Lillo, le drame bourgeois est mis à la mode par Diderot* et connaît le succès avec Beaumarchais*. Sébastien Mercier* et Pixérécourt (1773-1844) popularisent le drame bourgeois, qui devient **mélodrame**.

Issu de cette double influence, le **drame romantique*** naît au XIXe siècle sous la plume de Hugo*, bientôt imité par Dumas* et Musset*. Depuis 1920, la tragédie reprend vie d'abord avec Claudel*, puis autour des **mythes antiques** avec Giraudoux*, Anouilh*, et Sartre*. Elle s'alimente de l'**absurde*** né après-guerre avec Camus*, Ionesco* et Beckett*.

Quant à la comédie, son succès ne cesse de s'affirmer : Molière*, Marivaux* sont toujours joués, tandis que le **vaudeville** et la **comédie de boulevard** ont fait leur apparition avec Labiche* et Feydeau*. Fait nouveau : plus qu'à la nature des pièces, le théâtre contemporain accorde une place particulière aux metteurs en scène.

Le théâtre oriental

Le théâtre oriental est un **art symboliste** : un battement de cil, un changement de couleur, tout est signifiant. Le public s'enchante de formes diverses : le théâtre d'ombres, les mystères tibétains. Au Japon perdurent les formes traditionnelles du **nô**, drame court qui traduit une conception religieuse et aristocratique de l'existence, et du **kabuki**, « art du chant et de la danse », issu du théâtre de marionnettes, d'inspiration à la fois réaliste et épique.

Hormis le théâtre d'ombre, l'islam n'admet que le **téazieh** persan qui commémore le martyre des descendants de Mahomet.

Le théâtre occidental

Cervantès (1547-1616), Lope de Vega (1562-1635), Calderón (1600-1681) font triompher le **théâtre espagnol** ; Alfieri (1749-1803), Carlo Gozzi (1720-1806) et Carlo Goldoni (1707-1793), le **théâtre italien**.

Outre-Manche, Marlowe (1564-1593) inspire Shakespeare (1564-1616), encore universellement joué. Influencés par le Norvégien Ibsen, les Irlandais Oscar Wilde (1854-1900), George Bernard Shaw (1856-1950), William Butler Yeats (1865-1939) font la satire de l'hypocrisie sociale.

En **Allemagne**, Schiller (1759-1805) et Goethe (1749-1832) préfigurent le drame romantique. Après l'école expressionniste, Bertold Brecht (1898-1956) promeut une nouvelle forme théâtrale en jouant sur la distanciation.

Le **théâtre russe**, qui s'affirme au XIXe siècle, est représenté principalement par Gogol (1809-1852), Tourgueniev (1818-1883), et Tchekhov (1860-1904).

Partout dans le monde, sous tous ses aspects, le théâtre reste vivant. Partout l'émotion théâtrale naît de la rencontre d'un public avec un texte intériorisé et joué par des acteurs physiquement présents sur scène.

→ **actanciel (schéma), acte, comédie, commedia dell'arte, drame, monologue intérieur, représentation théâtrale, stances, tragédie, tragicomédie, vaudeville**

theatrum mundi

Locution latine signifiant « théâtre du monde ».

Le théâtre, double du monde

Le thème du « théâtre du monde » est un **topos hérité de la philosophie antique.** Pour les stoïciens, le monde est un théâtre sous le regard de Dieu : l'homme est l'acteur inconscient d'une pièce dont Dieu est à la fois l'auteur et le spectateur. Au dénouement de la pièce (la mort), Dieu juge si les hommes ont bien rempli le rôle que leur a assigné la Providence. Le thème a comme **corollaire** celui de « **la vie est un songe** » : la comédie que jouent les hommes n'a pas plus de réalité que le rêve ; le monde n'est qu'apparences par rapport à la réalité supérieure qu'est Dieu.

La vie, double du songe

La double thématique du monde comme théâtre et de la vie comme songe va connaître une **grande fortune dans le théâtre baroque des xvie et xviie siècles**, où elle donne lieu à une méditation sur la brièveté et la vanité de la vie. On la trouve chez Shakespeare (*La Tempête*, 1611), Calderón (*La vie est un songe*, 1633 ; *Le Grand Théâtre du monde*, 1645) et Corneille* (*L'Illusion comique*, 1636). Associé à la structure dramatique du **théâtre dans le théâtre**, le thème du *theatrum mundi* crée un jeu de miroirs complexe : le théâtre dans le théâtre réfléchit l'image du monde comme théâtre, il exhibe son caractère éphémère et illusoire.

Le *theatrum mundi* et les moralistes

Le *theatrum mundi* est également un **thème privilégié de la littérature morale**. Il permet à des auteurs comme Bossuet* (*Sermon sur la mort*, 1662) et La Bruyère* de rappeler que l'homme ne fait que passer sur le théâtre du monde – thème de l'*homo viator* (l'« homme voyageur ») – et qu'il convient donc de mépriser les valeurs mondaines (honneurs, richesses).

De nos jours, le thème du *theatrum mundi* prend la forme laïcisée de la « comédie sociale » : le monde est un théâtre sur lequel chaque homme joue un rôle, porte un masque qui recouvre son véritable visage.

→ **baroque, Corneille, moraliste**

tirade

n. f. Du latin populaire *tirare*, « extraire, tirer ». Au théâtre, longue réplique qu'un personnage dit d'un trait à un interlocuteur, contrairement au monologue qui n'est pas censé s'adresser au spectateur. La présence de cet interlocuteur, ses réactions muettes, entraînent une évolution de la tirade.

Fonctions de la tirade

La tirade est souvent **informative** : elle renseigne l'interlocuteur mais aussi le public sur l'action et les personnages. À ce titre, elle est fréquente dans les scènes d'exposition* : ainsi, dans *L'École des femmes* de Molière*, Arnolphe expose sa conception de l'éducation des filles. Dans cette fonction d'information, elle se confond parfois avec le **récit** (récit de Théramène dans *Phèdre* de Racine*, V, 6).

La tirade peut aussi être **argumentative** : elle cherche alors à convaincre l'interlocuteur par le raisonnement : dans *L'École des femmes* (IV, 8), Chrysalde tente ainsi de persuader Arnolphe de son erreur.

La tirade peut enfin avoir une **fonction dramatique**, dans la mesure où elle apporte des indications sur l'action : celle dans laquelle Pyrrhus donne à Andromaque le choix entre le mariage et la mort de son fils prépare sa propre perte (Racine, *Andromaque*, III, 7).

→ **monologue, théâtre**

Tournier
Michel (né en 1924)

ŒUVRES PRINCIPALES

• **Romans**: *Vendredi ou les Limbes du Pacifique* (Grand prix de l'Académie française 1967), *Le Roi des Aulnes* (prix Goncourt 1970), *Les Météores* (1975), *Vendredi ou la Vie sauvage* (1977), *Gaspard, Melchior et Balthazar* (1980).
• **Essais**: *Le Vent Paraclet* (1977), *Le Vol du vampire* (1981). *Le Miroir des idées* (1994).

• **Contes et nouvelles**: *Le Coq de bruyère*
(1978). *Pierrot ou les Secrets de la nuit*
(1979), *Le Médianoche amoureux* (1989).

Roman, mythe et anthropologie

Michel Tournier accomplit sa vocation de philosophe en **réécrivant à sa façon les grands
mythes*** **universels** : ces fictions fascinantes
lui permettent d'entraîner le lecteur dans un
cheminement proprement **initiatique** au
cours duquel sont soulevés les grands problèmes philosophiques, avec une insistance
particulière sur les jeux de la norme et de la
perversion, et une interrogation inépuisable
sur l'identité sexuelle.

Mais le romancier ne tombe pas dans le piège
du roman à thèse. Tournier reste un **provocateur qui**, avec une jubilation libertaire et subversive, introduit sans cesse le doute dans les
certitudes, **ébranle les idées reçues et conteste
les normes**. Dans *Vendredi ou les Limbes du
Pacifique*, il réécrit le mythe inventé par Daniel
Defoe en donnant au jeune Noir la prééminence sur son maître Robinson, subvertissant
ainsi les idées reçues concernant le rapport
« sauvage »/civilisé et la croyance naïve en la
supériorité de la civilisation européenne.

L'imaginaire dans tous ses états

Refusant en bloc les innovations du Nouveau
Roman, Michel Tournier choisit une **forme
romanesque très classique**, plus adaptée à son
ambition : faire jaillir l'ironie philosophique
sans renoncer à l'épaisseur charnelle de la fiction. Sa plus grande réussite reste d'avoir su
conjuguer la réflexion philosophique et l'exploration richement **sensuelle des territoires
de l'imaginaire**. Il fait la part belle à la poésie
des éléments, exprimant aussi bien la fascination de la boue et des profondeurs telluriques
que l'extase solaire et aérienne, sous le signe
d'Éole et d'Ouranos.

Le monde de l'enfance, si perméable à l'univers des mythes et des contes, n'a cessé de fasciner le romancier qui est allé jusqu'à réécrire
son *Robinson* pour le jeune public. Dans toute
sa création romanesque mais aussi dans ses
contes, Tournier accorde en effet une **large
place au personnage de l'enfant**, scrutant
son univers dans toute son étrange complexité.

CITATIONS

• **L'union avec l'arbre**
« Un souffle tiède fit frémir les frondaisons.
*La feuille poumon de l'arbre, l'arbre poumon
lui-même, et donc le vent sa respiration*,
pensa Robinson. Il rêva de ses propres

poumons déployés au-dehors, buisson de
chair purpurine, polypier de corail vivant,
avec des membranes roses, des éponges
muqueuses... Il agiterait dans l'air cette exubérance délicate, ce bouquet de fleurs charnelles, et une joie pourpre le pénétrerait par
le canal du tronc gonflé de sang vermeil. »
(*Vendredi ou les Limbes du Pacifique*)

• **Sur la fonction de l'écrivain**
« L'écrivain a pour fonction naturelle d'allumer par ses livres des foyers de réflexion, de
contestation, de remise en cause de l'ordre
établi. Inlassablement, il lance des appels
à la révolte, des appels au désordre. » (*Le
Vent Paraclet*)

REPÈRES BIOGRAPHIQUES

➜ L'enfance de Michel Tournier, né à Paris, est marquée par ses problèmes de santé
ainsi que par la découverte de l'Allemagne.
Son échec à l'agrégation de philosophie, en
1949, le conduit à renoncer à l'enseignement. Il travaille pour la radio et commence
à écrire.

➜ Après le succès de *Vendredi ou les Limbes
du Pacifique* et du *Roi des Aulnes*, il se
consacre entièrement à l'écriture, publiant
des romans et des essais, ainsi que de nombreux contes pour les enfants. Michel Tournier est membre de l'académie Goncourt
depuis 1972.

➜ **mythe, Robinson, roman, utopie**

tragédie

n. f. Du latin *tragœdia* (du grec *tragôidia*, de
tragos, « bouc »). **Sens strict**: au XIVe siècle:
« récit d'événements funestes ». À partir de
1550, le mot désigne un genre dramatique
précis, d'abord emprunté à l'Antiquité, puis
codifié au XVIIe siècle: « pièce de théâtre
en vers mettant en scène des événements
funestes arrivés à de grands personnages ».
Sens figuré: événement funeste.

La tragédie antique: terreur et pitié

La tragédie est née à Athènes au VIe siècle
avant J.-C. Alternant le chant du chœur et le
dialogue des acteurs, c'est une œuvre lyrique et
dramatique. Elle met en scène un malheur arrivé à de très hauts personnages, dont l'histoire
est en général empruntée à l'épopée*. Selon la
Poétique d'Aristote, la tragédie, en suscitant
chez le spectateur **terreur et pitié**, doit permettre la **purgation des passions** (**catharsis**).

La tragédie grecque a connu son apogée au Vᵉ siècle avec **Eschyle, Sophocle et Euripide**, mais le genre perdure durant toute l'Antiquité gréco-romaine. Le plus illustre représentant de la tragédie latine est **Sénèque**.

La tragédie humaniste

En France, la tragédie renaît dans les années 1550, avec la **redécouverte** par la Renaissance **de l'Antiquité gréco-latine** et sous l'influence de l'Italie. La tragédie humaniste s'inspire de Sénèque ou de l'histoire biblique (*Les Juives* [1583] de Robert Garnier*), et se fonde sur la déploration d'un malheur plus que sur l'action d'un héros. Au début du XVIIᵉ siècle, la tragédie se complaît dans l'horreur et la brutalité, qui seront peu à peu effacées de la scène par l'introduction des bienséances* à partir des années 1635.

La tragédie classique

Les **années 1635** sont celles du véritable développement de la tragédie : celle-ci devient peu à peu « **régulière** », adoptant les **règles** des unités*, de la vraisemblance* et des bienséances*, notamment sous l'impulsion de Corneille*.

La tragédie classique se définit avant tout comme un genre codifié avec précision : c'est une **pièce en cinq actes et en vers qui met en scène des personnages de très haut rang** (rois et princes), **s'exprimant dans un ton élevé, et dont l'action intéresse l'État**. Le sujet est emprunté à l'histoire antique (romaine chez Corneille) ou biblique (*Athalie* de Racine*), ou encore à la mythologie (*Phèdre*, *Andromaque* de Racine). Si le dénouement n'en est pas systématiquement funeste (*Cinna*, de Corneille, se termine bien), la mort y rôde toujours.

La tragédie classique se fonde sur le **conflit entre la passion amoureuse et la raison politique** : ce qui pèse désormais sur le héros classique est **moins le destin**, qui accablait le héros antique, **que son devoir** (chez Corneille), **ou sa passion**, assimilée à une fatalité intérieure (chez Racine).

Héritage de la tragédie

Au XVIIIᵉ **siècle**, la tragédie demeure le **genre noble par excellence**. Mais, ne parvenant pas à se renouveler, malgré les efforts de Voltaire* (le plus grand auteur tragique du siècle), elle cesse de correspondre aux attentes de la société. Au XVIIIᵉ siècle, le **drame* bourgeois**, théorisé par Diderot* et, au XIXᵉ siècle, le **drame romantique*** la remplaceront.

Au XXᵉ siècle, la tragédie **n'existe plus en tant que genre dramatique**. Giraudoux* qualifie sa pièce *La guerre de Troie n'aura pas lieu* de « comédie tragique », et l'*Antigone* d'Anouilh* est plus proche du drame que de la tragédie. Le sentiment tragique qui se fait jour, prend la forme d'une **angoisse existentielle chez Beckett***, du **sentiment de l'absurde*** **chez Camus***. **Sartre***, quant à lui, oppose à une tragédie de la destinée une **tragédie de la liberté** (*Les Mouches*). Cependant, ces diverses tentatives ne donnent pas naissance à un genre tragique moderne.

En effet, le genre de la tragédie est né de conditions sociales, politiques et religieuses particulières, dans la confrontation de conceptions anciennes et nouvelles du droit et de la morale, du divin et de l'individu. Et ses trois âges d'or sont le Vᵉ siècle grec, l'époque élisabéthaine en Angleterre, et le XVIIᵉ siècle français.

→ bienséances, catharsis, classicisme, comédie, Corneille, drame, Garnier, Racine, tragicomédie, tragique, unités (règle des trois), vraisemblance

tragicomédie

n. f. Du latin *tragicomœdia* (pour *tragico-comœdia*). **Histoire littéraire** : genre dramatique qui connaît un vif succès en France au tournant des XVIᵉ et XVIIᵉ siècles. Pièce à sujet romanesque, qui met en scène des personnages de rang élevé, où se mêlent divers tons (tragique*, pathétique*, et parfois comique*) et dont le dénouement* est généralement heureux.

Un genre moderne

La tragicomédie naît en Europe dans le dernier tiers du XVIᵉ siècle. Contrairement à la tragédie* et à la comédie*, c'est un **genre moderne**, qui n'a **pas d'antécédents dans l'Antiquité**. Mettant en scène des personnages animés par de violentes passions, dans une intrigue riche en actions et en rebondissements, et privilégiant les effets spectaculaires, elle connaît un vif succès populaire, contrairement à la tragédie et à la comédie humanistes.

L'**âge d'or** de la tragicomédie française se situe dans la décennie **1630-1640**, sous Louis XIII. Le genre décline à partir de 1660, lorsque s'affirment la comédie et la tragédie classiques, et disparaît vers 1670. Alexandre Hardy, Georges de Scudéry, Mairet, Rotrou, mais aussi Corneille*, ont composé de nombreuses tragicomédies.

Une tragédie à fin heureuse ?

La tragicomédie est un genre difficile à définir. Selon certains théoriciens du XVIIᵉ siècle, **elle serait un genre mixte, empruntant à la tragédie** le caractère sérieux du sujet, le rang élevé des personnages et la gravité des périls encourus, **à la comédie** certaines scènes burlesques et un dénouement heureux. Elle serait ainsi une tragédie à fin heureuse.

En réalité, la tragicomédie recourt très peu au comique (la comédie elle-même n'est pas nécessairement comique), la tragédie revendique rapidement la possibilité d'une fin qui soit autre que la mort (il suffit qu'il y ait péril de mort) et certaines tragicomédies finissent mal.

Un genre « irrégulier » ?

Un autre critère pour définir la tragicomédie pourrait être son caractère « irrégulier », ouvertement revendiqué par certains dramaturges. Elle manifeste en effet une **grande liberté à l'égard des règles de la tragédie**, multipliant les lieux et les actions (souvent invraisemblables) selon une **esthétique de la discontinuité**. Une certaine fantaisie y règne. Cependant, dès 1630 (avec *Clitandre* de Corneille*), la tragicomédie tend à devenir régulière et à se rapprocher peu à peu de la tragédie.

Romanesque et esthétique baroque

La tragicomédie se distingue surtout par son **caractère romanesque**. La plupart de ses sujets sont empruntés aux romans (la première tragicomédie française, *Bradamante* [1582], de Garnier*, s'inspire du roman de l'Arioste, le *Roland furieux*). Elle met en scène des amants dont l'amour est contrarié par des obstacles divers : jalousie d'un rival, opposition d'un père ou d'un prince tyrannique…

Les **intrigues** sont extrêmement **compliquées** : violences, enlèvements, naufrages, combats, duels, travestissements, reconnaissances, coups de théâtre*… Une abondance d'**événements spectaculaires** (faisant souvent intervenir le merveilleux* et la magie), d'**aventures** et d'**actions extraordinaires** dans lesquelles le hasard joue un rôle important, captivent l'attention du spectateur. La tragicomédie relève de ce point de vue de l'**esthétique baroque***.

Héritage de la tragicomédie

La **querelle du *Cid*** en 1637 est révélatrice des ambiguïtés du genre. Corneille intitule sa pièce « tragicomédie » en 1636, puis « tragédie » en 1648. Le goût est désormais davantage aux tragédies et aux comédies qu'aux tragicomédies. Cependant la tragédie classique a retenu de la tragicomédie un certain sens de l'action, qui manquait à la tragédie humaniste de la fin du XVIᵉ siècle.

→ **baroque, comédie, Corneille, Garnier, Rotrou, tragédie**

tragique

adj. Du grec *tragôidia*, de *tragos*, « bouc ». Tonalité particulière d'un texte, qui s'oppose à *comique* et se distingue de *dramatique* et de *pathétique*.

De la tragédie au tragique

La **tonalité tragique** est à mettre **en relation avec la tragédie***, genre dramatique dont elle tire sa coloration particulière et qui met en scène un héros* luttant contre le destin. Pour ce héros, broyé par des forces qui le dépassent, il n'y a d'issue que dans la mort. Placé dans une situation extrême, prisonnier de contradictions insolubles, il est cependant sommé d'agir. Il est souvent poursuivi par un profond sentiment de culpabilité, lors même qu'il s'interroge sur la part de liberté qui est la sienne. La conscience tragique est une **conscience déchirée**, divisée contre elle-même.

L'émotion suscitée par la tragédie est très différente de celle provoquée par le drame*, qui ne prend en compte que la dimension psychologique et vise à émouvoir le spectateur en l'apitoyant sur les malheurs du héros. La **pitié** qu'on ressent pour le héros tragique a une dimension **métaphysique**.

La tonalité tragique

Dans un récit – théâtre ou roman –, une scène peut être qualifiée de « tragique » lorsqu'elle répond aux critères fondamentaux suivants : le héros, victime du destin, est condamné au malheur. Généralement, ses contradictions ne peuvent trouver de solution que dans la mort. **La scène tragique peut donc ne pas comporter d'action, le tragique résidant alors dans la situation elle-même.** Ainsi, dans *L'Étranger** (1942) de Camus*, la dernière nuit de Meursault, qui attend son exécution, a des résonances tragiques : le lecteur est invité à méditer sur la condition humaine et découvre que tout être vivant est par nature un condamné à mort.

En revanche, dans *Les Misérables** (1862) de Victor Hugo*, la scène où Gavroche* affronte la mitraille en chantant ne peut être qualifiée de tragique. Car la mort, à elle seule, ne définit pas le tragique. Gavroche, qui se bat pour une certaine idée de la liberté, sait pourquoi il meurt. **Il est victime des soldats et non du destin.** Cette scène intense où le héros défie la mort, est en réalité une scène dramatique.

La tonalité tragique s'exprime, **tantôt de façon très oratoire***, avec emphase*, en recourant à l'hyperbole* et à l'antithèse*, **tantôt de façon plus contenue** et plus sobre, sur le mode de la litote*.

→ absurde, dramatique, pathétique, tragédie

traité

n. m. Du latin *tractatus.* Ouvrage didactique dans lequel un sujet, une discipline, un art, une science sont abordés de manière systématique. *Ex.*: Fénelon*, *Traité de l'éducation des filles* (1687); Voltaire*, *Traité sur la tolérance* (1763); Aragon*, *Traité du style* (1928).

→ didactique

Tristan et Iseult

La légende de Tristan et Iseult vient de Bretagne, c'est-à-dire des Celtes. Il ne subsiste aucun ouvrage complet de leur histoire, qui n'a pu être reconstituée qu'à partir de versions médiévales, allemande ou scandinave. En français, ce sont deux textes tronqués, en vers, qui ont fourni l'essentiel de l'histoire de Tristan et Iseult: celui de Béroul et celui de Thomas (2ᵉ moitié du XIIᵉ siècle).

Un mythe fécond
Héros d'un mythe fondamental, celui de la **passion fatale et mortelle**, Tristan et Iseult ont inspiré de nombreux poètes courtois (XIIᵉ siècle), tels Marie de France* (*Lai du chèvrefeuille*), **Béroul** et **Thomas**. L'œuvre de ces deux derniers a fourni l'essentiel de l'histoire de Tristan et Iseult mais il n'en reste que des fragments.

L'immense succès du mythe au Moyen Âge suscite d'innombrables **variations** (telles les *Folies Tristan*) mais aussi des **répliques**. Ainsi Chrétien de Troyes* propose-t-il dans *Érec et*

Énide (vers 1165) et dans *Cligès* (vers 1184) une vision diamétralement opposée de l'amour.

Le philtre d'amour
Neveu du roi Marc de Cornouaille, tout auréolé de ses exploits chevaleresques, Tristan est chargé d'aller chercher en Irlande celle que le roi doit épouser : la belle aux cheveux d'or, Iseult la Blonde. Sur le bateau du retour, les deux jeunes gens **boivent par erreur le philtre** destiné à unir Marc et Iseult dans un amour sans fin. Irrésistiblement emportés par la passion, Tristan et Iseult se cachent dans la forêt de Morrois pendant trois ans. Le roi Marc, un jour de chasse, découvre les amants endormis mais il les épargne et laisse un signe de son passage (et de son pardon) : son épée, son anneau et son manteau.

Les amants décident de se séparer : Tristan, banni de Cornouaille, passe au service du duc de Petite Bretagne dont il épouse la fille, Iseult aux Blanches Mains. Mais, sous divers déguisements, il rend de fréquentes visites à Iseult la Blonde. Blessé par une arme empoisonnée et ne pouvant être guéri que par Yseult la Blonde, Tristan envoie le fidèle Kaherdin chercher la reine. S'il ne la ramène pas, son bateau arborera une voile noire (on reconnaît ici une trace du mythe de Thésée). Par jalousie, Iseult aux Blanches Mains annonce à son mari que la voile est noire et Tristan meurt désespéré, sans avoir revu Iseult. Celle-ci, qu'une tempête a retardée, arrive trop tard et meurt de douleur contre le corps de son amant.

Le mythe de l'amour-passion
Victimes de leur folle passion, Tristan et Iseult demeurent un couple mythique **dont la légende s'est perpétuée** à travers le temps. On retiendra le *Tristan et Iseult* de Richard Wagner (1865) et le film de Jean Delannoy, *L'Éternel Retour* (scénario et dialogues de Jean Cocteau*, 1943), qui transpose l'histoire dans un contexte contemporain.

Selon Denis de Rougemont (*L'Amour et l'Occident*, 1939), Tristan et Iseult et Don Juan* sont les deux grands mythes* qui ont façonné notre imaginaire amoureux. Les deux amants incarnent l'archétype de l'amour-passion, transgressant normes sociales et interdits, et incompatible avec le mariage. Un goût secret du malheur semble entretenir la flamme amoureuse dans un vertige qui ne peut conduire qu'à la mort.

→ **Arthur, Chrétien de Troyes, Don Juan, dramatique, tragique**

Tristan l'Hermite
(François, dit), 1601-1655

ŒUVRES PRINCIPALES
• **Poésie** : *La Mer* (1628), *Les Plaintes d'Acante* (1633), *Les Amours de Tristan* (1638), *La Lyre du sieur Tristan* (1641).
• **Théâtre** : *Marianne* (1636), *Penthée* (1637), *La Mort de Sénèque* (1644), *La Mort de Chrispe* (1644), *Osman* (1647), *Le Parasite* (comédie, 1653).
• **Roman** : *Le Page disgracié* (1642).

Un poète mélancolique

La production poétique de Tristan l'Hermite est extrêmement riche. *Les Plaintes d'Acante*, qui contiennent l'ode* du « Promenoir des deux amants », lui assurent immédiatement la reconnaissance du public. S'il retient de Malherbe* le souci de la **clarté* et** de la **rigueur**, il emprunte à la poésie italienne (celle de Giambattista Marino) son caractère **brillant et sensuel**. Il se rapproche de Théophile de Viau par la **tonalité** souvent **mélancolique** de sa poésie, qui s'exprime, bien avant les romantiques, dans la peinture de la nature.

Le précurseur de Racine

Marianne, tragédie jouée en 1636 par la troupe du Marais, rencontre un très vif succès, le genre de la tragédie étant alors en train de renaître. Si la pièce comporte de nombreux aspects baroques, comme l'outrance du personnage d'Hérode, elle **annonce le classicisme*** par l'unité d'action et par l'attention portée à la psychologie.
Les tragédies de Tristan l'Hermite, qui mettent en scène des personnages dominés par leurs passions, expriment un **pessimisme dont Racine* s'inspirera**. L'Illustre-Théâtre, la troupe fondée par Molière* en 1643, fait appel au dramaturge pour lui confie deux tragédies inédites : *La Mort de Sénèque* (1644), puis *La Mort de Chrispe* (1644).

Un roman autobiographique

Le Page disgracié est un **récit d'enfance**, à la première personne, présenté comme vrai (sous des noms fictifs, c'est une forme d'autobiographie* romancée) : « Je n'écris pas un poème illustre, où je me veuille introduire comme un Héros ; je trace une histoire déplorable, où je ne parais que comme un objet de pitié, et comme un jouet des passions, des astres et de la Fortune. [...] C'est une fidèle copie d'un

lamentable original, c'est comme une réflexion de miroir. »
Le roman retrace l'**initiation** difficile mais souvent comique d'un enfant qui découvre le monde de la cour. À ses espiègleries succèdent des aventures malheureuses qui le mènent en Angleterre et en Norvège. Décrivant les mœurs de l'époque, *Le Page disgracié* **s'inspire du roman picaresque*** espagnol comme des « histoires comiques », sans toutefois aller aussi loin que Sorel* dans la diversité des tons et dans la gaillardise. Souvent drôle, *Le Page* n'échappe cependant pas à la mélancolie, si caractéristique de l'œuvre de Tristan l'Hermite.

CITATION

> • **Sur la poésie de la nature**
> « [...] Douce et plaisante solitude, / Vous connaissez l'inquiétude / Que me donne un mal si pressant. / Combien de fois le jour en vous contant ses charmes, / Ai-je troublé vos eaux avec l'eau de mes larmes, / Et percé de mes cris votre bois innocent ? »
> (« Plainte de l'illustre pasteur », *La Lyre*)

REPÈRES BIOGRAPHIQUES

→ D'une famille noble mais pauvre, François l'Hermite devient à cinq ans « gentilhomme d'honneur » du fils bâtard d'Henri IV. Une histoire de duel à treize ans l'oblige à fuir à l'étranger. En 1621 il entre au service de Gaston d'Orléans, frère du roi, qu'il suivra dans son exil, puis à celui d'Henri de Guise. Joueur, il est toujours à la recherche de protecteurs. À vingt-cinq ans, il prend le nom de Tristan, fréquente les milieux littéraires, devient l'ami des libertins (Théophile de Viau*).

→ Il connaît la gloire littéraire avec son recueil de poésies, *Les Plaintes d'Acante*, et surtout avec sa tragédie* *Marianne*. *Le Page disgracié*, roman en partie autobiographique, obtient un succès modeste. Il entre à l'Académie française en 1649. Un sentiment de mélancolie, d'inquiétude désenchantée, imprègne toute son œuvre littéraire.

→ baroque, Malherbe, picaresque, roman, Saint-Amant, Sorel, tragédie, Viau

troubadour

n. m. De l'ancien provençal *trobador*, du verbe *trobar* « trouver, composer ». Poète et compositeur de langue d'oc (sud de la France) aux XIIe et XIIIe siècles. **Style ou genre troubadour**: style qui, aux XVIIIe et XIXe siècles, s'inspire de la littérature, de l'histoire ou de l'art médiéval (la tragédie troubadour au XVIIIe siècle).

Troubadours et trouvères

Leur nom définit d'emblée les troubadours comme des auteurs-compositeurs « trouvant », c'est-à-dire inventant, des poèmes accompagnés de mélodies, destinés à être chantés. **Inventeurs de la poésie lyrique en langue vulgaire**, ils sont aussi à l'origine de la **doctrine courtoise de la *fin'amor*** ou « amour parfaite » (voir l'article « Courtoisie »).

Le premier troubadour dont les œuvres nous soient parvenues est un grand seigneur, Guillaume IX, duc d'Aquitaine et comte de Poitiers (1071-1127). Les troubadours étaient en général attachés à une cour, et d'origines sociales variées. Il y eut quelques femmes troubadours : les *trobairitz*.

Vers 1150, l'influence des troubadours se transporte dans le **nord de la France** (mais aussi en Allemagne, dans le nord de l'Italie et en Espagne) : les **trouvères**, dont le premier connu est Chrétien de Troyes*, héritent, en les modifiant, de la thématique et des formes poétiques des troubadours. Ils composent en **langue d'oïl**.

Le « grand chant courtois »

La forme adoptée par les troubadours pour chanter la *fin'amor* est la **canso** (« chanson* »), poésie très **sophistiquée et** extrêmement **formelle**. D'inspiration aristocratique, elle revendique parfois un caractère hermétique (le *trobar clus*).

La *canso* se compose de 4 à 8 strophes. Le plus souvent le poème se termine par une strophe plus courte de moitié, la ***tornada***, qui contient le *senhal*, sorte de pseudonyme par lequel le troubadour désigne le destinataire du poème, généralement sa dame. Toutes les strophes d'une *canso* ont une structure métrique, une disposition de rimes et une mélodie identiques, mais chaque chanson est, du point de vue formel et mélodique, unique : la **chanson courtoise est avant tout un travail de variations formelles à partir de motifs récurrents**.

En effet, la chanson courtoise ne vise pas à exprimer un sentiment spontané ou personnel ; elle se construit à partir de lieux communs. S'ouvrant généralement sur le **motif du retour du printemps**, la **reverdie**, la *canso* se continue par la **requête d'amour de l'amant-poète à sa dame, qui ne répond pas** : les troubadours chantent « l'amour de loin ».

Les autres formes pratiquées par les troubadours

Troubadours et trouvères n'ont pas écrit que des chants d'inspiration courtoise. Six des onze poèmes de Guillaume d'Aquitaine sont d'inspiration **comique** ou obscène. Ils se sont aussi adonnés à des poèmes de forme et d'inspiration plus **populaires**, comme les pastourelles et les chansons de toile ou d'aube, ou à des poèmes d'inspiration **politique**.

Expansion et déclin

La chanson courtoise connaît son **apogée aux XIIe et XIIIe siècles**. La croisade albigeoise, entreprise pour réprimer l'hérésie cathare qui s'était développée dans le sud de la France, porte un coup sévère à la brillante civilisation d'oc. Au nord, le « grand chant courtois » perdure jusqu'au XIVe siècle.

La radicale nouveauté de la doctrine amoureuse de la *fin'amor* et la complexité formelle de la poésie qui la chante, parfaitement aboutie dès les premières chansons, posent avec acuité le problème des **origines** de la lyrique courtoise. Celles-ci restent **mystérieuses**. Des influences ont été recherchées du côté de la poésie latine ou arabe, sans que l'on puisse conclure.

→ **chanson, Chrétien de Troyes, courtoisie, Lancelot, Tristan et Iseult**

Tzara
(Tristan), 1896-1963

ŒUVRES PRINCIPALES
- **Poésie**: *Vingt-Cinq Poèmes* (1918), *Le Cœur à gaz* (1922), *L'Homme approximatif* (1931), *Où boivent les loups* (1933), *Le Poids du monde* (1951).
- **Essais**: *Manifeste Dada* (1918), *Sept Manifestes Dada* (1924).

La révolte dadaïste

Le premier Tzara est un poète révolté qui rejette avec la plus extrême véhémence toutes les formes de la civilisation occidentale, dont les horreurs de la Grande Guerre signent la faillite. Sa condamnation des prétendues valeurs humanistes n'épargne pas la littérature, et son projet initial est de discréditer définitivement l'institution littéraire à coup de scandales et de provocations. Dans ses premières œuvres, il **désintègre systématiquement le langage**, allant jusqu'à écrire des textes composés de syllabes, de consonnes, de voyelles ou de cris inarticulés. Le nom même de Dada*, choisi en ouvrant le dictionnaire au hasard, témoigne de cette **volonté de non-sens**. Par ses audaces radicales, Tzara **ouvrait la voie aux surréalistes**.

Tzara après le dadaïsme

Après avoir rompu avec les surréalistes, Tzara, revenant à une conception plus classique du jeu littéraire, écrit une poésie proche des exigences surréalistes et qui se caractérise d'abord par une volonté d'**explorer l'inconscient** en utilisant la méthode des **associations spontanées**. Il y exprime une vision du monde paroxystique, dans laquelle les forces de destruction deviennent la promesse d'une régénération. Son inspiration s'élargira encore lorsqu'il découvre, au cours de la guerre l'Espagne, la fraternité qui lie les combattants.

CITATION

• **Sur la dérision et l'affirmation de la vie**
« Liberté : Dada Dada Dada hurlement de couleurs crispées entrelacement des contraires et de toutes contradictions, des grotesques, des inconséquences : la Vie. » (*Septième Manifeste Dada*)

REPÈRES BIOGRAPHIQUES

→ Samuel Rosenstock, poète zurichois d'origine roumaine, prend le pseudonyme de Tristan Tzara en 1915. Alors que la guerre fait rage, il fonde le mouvement Dada pour exprimer, par la violence verbale et la dérision, sa révolte contre la société. Après avoir publié le *Manifeste Dada* en 1918, il rejoint à Paris ceux qui vont bientôt fonder le mouvement surréaliste.

→ Cependant, des divergences ne tardent pas à se faire jour. Les surréalistes se fatiguent du négativisme systématique de Tzara qui, de son côté, rejette les choix politiques de ses amis. Après la rupture avec les surréalistes, Tzara poursuit son œuvre poétique, évoluant vers une poésie toujours aussi révoltée mais plus lyrique. La guerre d'Espagne puis la Seconde Guerre mondiale l'amènent à rejoindre les communistes et à développer une poésie plus engagée.

→ **Dada, surréalisme**

Ubu

Ubu, création collective d'élèves du lycée de Rennes à la fin du XIXe siècle, doit son existence littéraire à Alfred Jarry* (1873-1907). Le personnage apparaît dans plusieurs de ses pièces, *Ubu roi* étant la plus importante. La pièce a été montée pour la première fois au théâtre de l'Œuvre de Lugné-Poe, le 10 décembre 1896.

Nom et généalogie

Lorsque Jarry arrive en 1888 au lycée de Rennes, il prend connaissance de toute une **littérature potache** inspirée par le professeur de physique Félix Hébert, spécialiste des tourbillons aériens, dont le nom connaît de multiples altérations jusqu'au *Ubu* final, exigé par la rime intérieure dans la *Chanson du décervelage* : « Hourra, cornes-au-cul, vive le Père Ubu ! » La malléabilité du nom dans *Ubu roi*, avérée par la contraction de « Mère Ubu » en « Rbue » ou encore par le pluriel « les Ubs », montre que Jarry n'entend pas arracher le personnage à la **chanson de geste**, toujours en évolution, **des cours de récréation**.

On retrouve Ubu dans *Ubu enchaîné*, *Ubu cocu* ou encore *Ubu sur la butte*, cette dernière pièce n'étant qu'une version abrégée du **texte central de la geste ubuesque**, *Ubu roi*, où l'on voit Ubu massacrer le roi de Pologne pour lui prendre son trône, purger le royaume de tous ses nobles, financiers et magistrats, ne plus régner que pour recueillir l'impôt, avant de s'enfuir devant le tsar qui veut punir l'usurpateur.

Un symbole

La puissance d'Ubu a pour principes la « **physique** », la « **phynance** » et la « **merdre** ». Le personnage, qui apparaît en scène dans *Ubu roi* en criant son juron favori, matérialise à tout moment ses appétits inférieurs par son verbe : muni du « croc à finances », du « ciseau à oneilles » et du « petit bout de bois », il menace ses sujets et ne vit que pour sa « **gidouille** » (son ventre), **réceptacle mégalomane** de tout l'or, de toute la nourriture et de toute la « merdre » du monde.

Pour jouer cet usurpateur itinérant et couard, que l'écrivain Catulle Mendes estimait fait « de l'éternelle imbécillité humaine, de l'éternelle luxure, de l'éternelle goinfrerie, de la bassesse de l'instinct érigée en tyrannie », Lugné-Poe conseillait à son acteur Gémier de le considérer comme « une machine à broyer les humanités ». Ainsi le personnage, « énorme parodie malpropre de Macbeth », pouvait-il **préfigurer les pires tyrans du XXᵉ siècle**.

Une révolution théâtrale
Au lycée de Rennes, la pièce originelle, *Les Polonais*, était jouée avec des marionnettes, tout comme *Ubu sur la butte*. La geste ubuesque tient donc de **Guignol** : comme l'explique Jarry, le théâtre doit être l'art des « masques impersonnels », des « abstractions qui marchent ».
Il existe un fort contraste entre le fantoche qui joue le personnage et l'idée qu'il porte. Si bien que Jarry, qui a d'abord mis Ubu sur une scène pour **s'opposer au théâtre naturaliste**, a du même coup dépassé le théâtre symboliste.

→ **absurde, Jarry, naturalisme, surréalisme, symbolisme**

Ulysse

Le héros de l'*Odyssée* d'Homère (VIIIᵉ siècle av. J.-C.) ne nous ouvre pas seulement les routes du voyage : il est d'abord l'homme « aux mille tours », ceux d'une navigation incertaine mais ceux aussi de la « prudence avisée » – la *mêtis* des Grecs –, laquelle le rend digne de sa protectrice, la déesse Athéna.

Ulysse, voyageur et poète
Roi d'Ithaque, fils de Laërte et d'Anticlée, époux de Pénélope et père de Télémaque, Ulysse quitte son île pendant vingt ans : les dix premières années, il guerroie devant Troie dans les rangs des Grecs dont il assure la victoire grâce au stratagème du cheval de bois ; les dix années suivantes, des dieux et des vents contraires l'empêchent de rejoindre Ithaque. Recueilli par les Phéaciens, le voyageur, devenu **poète de sa propre « odyssée »** (le mot renvoie à son nom, *Odusseus* en grec), raconte à ses hôtes ses aventures chez les Cyclopes, dans l'île de la magicienne Circé ou dans celle de la nymphe Calypso. Il rentre enfin dans son île où, usant de ruses, il se venge des prétendants de Pénélope, est reconnu par sa famille et rétabli dans son pouvoir.

La *mêtis* d'Ulysse
Héros de l'endurance, Ulysse est aussi maître d'une **sagesse qui touche** souvent **à la ruse**. Apte à changer d'identité pour tromper ses ennemis, l'« ingénieux Ulysse » s'adapte aux circonstances, prouve son intelligence technique (en construisant le cheval de Troie ou le radeau qui l'emporte loin de Calypso) et rivalise en subtilité avec les magiciennes et les sirènes. Il **incarne**, jusque dans la vengeance, **la mesure et**, chez les tragiques grecs, **l'art du discours** propre à séduire les foules (Euripide, *Les Troyennes*). Son voyage représente l'expérience d'un homme qui, « plein d'usage et de raison » (Du Bellay*), maîtrise à la fois le temps (par la patience) et l'espace (par la technique), malgré les incertitudes de la destinée et la puissance des dieux.
Le découvreur de mondes qui, dans l'*Odyssée*, va jusqu'aux Enfers, n'a pas manqué d'inspirer les voyageurs du réel et de l'imaginaire : ainsi, Jules Verne* fait du **capitaine Némo** dans *Vingt Mille Lieues sous les mers* (1870) ou de **Philéas Fogg** dans *Le Tour du monde en quatre-vingts jours* (1873) de **modernes Ulysses**, tandis que James Joyce, dans son roman *Ulysse* (1922), souligne, à travers le vagabondage de **Léopold et Molly Bloom** dans les rues de Dublin et dans leurs monologues intérieurs, les espaces infinis parcourus par la pensée, le langage et le rêve humains.

→ **Fénelon, mythe, Verne**

unités
(règle des trois)

n. f. plur. Du latin *unitas*. Règle du théâtre classique formulée dans les années 1630 par les « doctes », en particulier Chapelain et l'abbé d'Aubignac. S'appuyant sur l'impératif de vraisemblance*, elle impose que l'action évite les intrigues secondaires (**unité d'action**), qu'elle soit restreinte à vingt-quatre heures (**unité de temps**) et se déroule en un seul lieu (**unité de lieu**) : « Qu'en un lieu, en un jour, un seul fait accompli/ Tienne jusqu'à la fin le théâtre rempli. » (Boileau*, *Art poétique*, 1674.) La règle des trois unités a pour objectif de réduire l'écart entre la sphère de l'action représentée et celle de la représentation théâtrale jusqu'à les confondre pour atteindre l'illusion parfaite.

De Corneille à Racine

Le **premier XVIIᵉ siècle** se caractérise par une **relative liberté à l'égard de la règle des trois unités**. Ainsi, dans *Le Cid** (Corneille*, 1637), l'amour de l'Infante pour Rodrigue introduit une intrigue secondaire parallèle à l'action principale ; le duel contre don Gomès, l'assaut contre les Maures et le duel contre don Sanche semblent devoir dépasser une journée ; l'action se déroule tantôt sur la place publique, tantôt dans le palais du roi, tantôt dans l'appartement de l'Infante, tantôt dans la maison de Chimène. C'est dans le **second XVIIᵉ siècle** que **le code classique triomphe** avec l'éclatante réussite de la **tragédie racinienne**, dont l'action commence toujours *in medias res*, c'est-à-dire au moment où la crise est ouverte, et s'accomplit promptement en quelques heures (voir *Phèdre**, *Mithridate* ou *Bajazet*).

Le refus des règles

Avec les romantiques et au nom de la liberté de l'art, les règles classiques volent en éclat. Le **drame romantique** *s'oppose* non seulement **aux bienséances** *mais aussi **aux trois unités**, accusées de nuire à ce qui les fonde, la vraisemblance, et d'ôter tout souffle épique au théâtre : « Croiser l'unité de temps à l'unité de lieu comme les barreaux d'une cage, et y faire pédantesquement entrer, de par Aristote, tous ces faits, tous ces peuples, toutes ces figures que la providence déroule à si grandes masses dans la réalité ! c'est mutiler hommes et choses, c'est faire grimacer l'histoire. » (Hugo*, *Préface de Cromwell*, 1827.) Ainsi, dans *Hernani**(Hugo, 1830), on se déplace beaucoup (on passe de la province espagnole d'Aragon à Aix-la-Chapelle, où se trouve la crypte du tombeau de Charlemagne) et l'action se déploie sur plusieurs mois.

→ **bienséances, Corneille, drame romantique, *Hernani*, Racine, tragédie, vraisemblance**

Urfé
(Honoré d'), 1567-1625

ŒUVRES PRINCIPALES
• **Poésie** : *La Siréine* (1604).
• **Roman** : *L'Astrée* (1607-1627).

Un roman pastoral

S'inspirant de la *Diana* de l'Espagnol Montemayor, ***L'Astrée*, roman-fleuve de plus de cinq mille pages**, relève de la tradition pastoral. L'intrigue se déroule au Vᵉ siècle de notre ère dans une Gaule imaginaire et dans la région du Forez où coule le Lignon. Dans ce cadre champêtre, de jeunes nobles, déguisés en bergers, qui ont fui le tumulte de la vie mondaine, passent leur temps à aimer et à discuter de l'amour. Le roman est **centré sur les amours d'Astrée et de Céladon**. Celui-ci, chassé par celle-là qui le croit infidèle, se jette dans le fleuve qui l'emporte. Sauvé par Galathée, Céladon se réfugie au fond des bois. Pour qu'il puisse revoir sa bergère, le druide Adamas imagine un stratagème : déguisé en fille, Céladon devient Alexis et peut à nouveau partager avec ravissement l'intimité d'Astrée, qui le croit mort. Après de nombreuses péripéties, les deux amants finiront par se marier. À cette intrigue centrale s'ajoutent de **nombreuses histoires secondaires** mettant elles aussi en scène des couples d'amoureux. *L'Astrée*, comme l'indique son titre – *Les Douze Livres d'Astrée […] où par plusieurs histoires, et sous personnes de Bergers, et d'autres, sont déduits les divers effets de l'honnête amitié* –, est une véritable « **somme** » d'amour.

L'« honnête amitié »

La conception de l'amour qui domine dans le roman est celle de l'« **honnête amitié** » – amitié signifiant à l'époque « amour ». S'inspirant des thèses néoplatoniciennes*, la pensée de d'Urfé distingue l'amour vertueux, maîtrisé par la raison, qui désire le bien de l'autre et se fonde sur l'estime, des bassesses du désir charnel. Mais la **sensualité** est loin d'être absente de *L'Astrée*, et les caresses d'Alexis-Céladon et d'Astrée ne sont pas dénuées d'ambiguïté. Trop parfait d'emblée, et trop inspiré par la poétique personnelle de l'auteur, le roman suscita d'autant moins d'imitations que le climat social et politique de la France de l'époque se prêtait davantage à un romanesque exaltant l'héroïsme. Le véritable continuateur d'Honoré d'Urfé sera Mlle de Scudéry*.

CITATION

• **Sur le pur amour**
« L'amour jamais ne se prend aux choses méprisables, mais toujours aux plus rares, plus estimées et plus relevées. » (*L'Astrée*)

REPÈRES BIOGRAPHIQUES

→ Issu d'une vieille famille noble du Massif central. Honoré d'Urfé passe sa jeunesse au château de La Bastie, dans les riants paysages du Forez qui constitueront le cadre de son roman *L'Astrée*. Dans la guerre civile qui déchire la France, d'Urfé, fervent catholique, s'engage aux côtés des Ligueurs qui combattent le roi Henri III, accusé d'avoir transigé avec les protestants. Fait prisonnier deux fois par les troupes royales, il s'exile en Savoie en 1595, où il écrit ses *Épîtres morales*. En 1600 il épouse sa belle-sœur, son amour d'adolescence, Diane de Châteaumorand.

➜ La Savoie s'étant réconciliée avec Henri IV, d'Urfé rentre à Paris, où il fréquente l'hôtel de Rambouillet et devient l'ami de Malherbe*. Il entreprend alors la rédaction de *L'Astrée*, qui va durer plus de quinze ans et qui fera les délices du Grand Siècle, de Mlle de Scudéry* à La Rochefoucauld*. Il est emporté par une pneumonie lors d'une campagne militaire contre l'Espagne, sans avoir terminé *L'Astrée*, dont la quatrième partie sera achevée par son secrétaire, Baro.

→ **baroque, platonisme/néoplatonisme, pastorale, roman, Scudéry (Mlle de)**

utopie

n. f. Selon les uns, du grec *topos*, « lieu », et *ou*, « non », c'est-à-dire « lieu qui n'existe pas » ; selon d'autres, du grec *topos* et *eu*, « bien », c'est-à-dire « lieu où tout est bien ». Mot créé par Thomas More (1478-1535) pour désigner l'île fictive où il situe sa république idéale. On range sous cette dénomination des récits très divers, dont le propos est de présenter des pays imaginaires remarquables par leur organisation politique et sociale.

Historique du genre

Le **genre remonte à l'Antiquité** et, parmi les premières utopies, on trouve les jardins d'Alkinoos dans l'*Odyssée*, l'île des Bienheureux d'Hésiode, la *République* de Platon. Avec le triomphe du christianisme, l'imaginaire utopique est détourné vers les images du Paradis et de la Jérusalem céleste. Au **Moyen Âge**, il s'épanouit dans les mouvements millénaristes. La découverte du Nouveau Monde, à l'aube

de la **Renaissance**, déclenche une floraison d'utopies parmi lesquelles on retiendra l'*Éloge de la folie* (1511) d'Érasme, *Utopia* (1526) de Thomas More, *La Cité du soleil* (1623) de Campanella, *La Nouvelle Atlantide* (1627) de Bacon, sans oublier l'abbaye de Thélème de Rabelais* dans *Gargantua* (1534).

À la **fin du** xviie **siècle**, le courant utopique est représenté par les *Histoires comiques des États et Empires de la Lune* (1657) de Cyrano de Bergerac*, le *Télémaque* (1699) de Fénelon*. Au xviiie **siècle**, il l'est par les « Bons Troglodytes » des *Lettres Persanes* (1721) de Montesquieu*, le royaume d'Eldorado du *Candide* (1758) de Voltaire*, *L'Arcadie* (1781) de Bernardin de Saint-Pierre*.

La passion politique colore les **trois grandes utopies du** xixe **siècle** : *Le Nouveau Christianisme* (1825) de Saint-Simon, construit autour d'un projet scientifique et industriel ; *Le Voyage en Icarie* (1842) d'Étienne Cabet ; *Le Nouveau Monde amoureux* (1845), aux accents libertaires, de Charles Fourier.

Au xxe **siècle**, alors que la **science-fiction** prend pour une part le relais de l'utopie, on voit fleurir des **contre-utopies**, comme *Le Meilleur des mondes* (1932) d'Aldous Huxley et *1984* de George Orwell (publ. 1949), qui toutes démontrent que l'échec de l'utopie est inscrit au cœur même du genre.

Fonctions et limites de l'utopie

En offrant l'image d'un monde idéal, l'utopie a souvent une **portée subversive**. Car elle contient nécessairement une critique implicite du monde tel qu'il est et de la société telle qu'elle fonctionne. De plus, elle a pour principale fonction de proposer de nouvelles valeurs, une nouvelle organisation de la cité, un « progrès ».

Cependant, nombre d'utopies, au lieu de libérer l'imaginaire, se caractérisent par une **rationalisation délirante** des modes de vie et de la société : « La nouvelle terre qu'on nous annonce affecte de plus en plus la figure d'un nouvel enfer », note le philosophe Cioran (*Histoire et Utopie*, 1960).

→ **fantastique, science-fiction**

Valéry
(Paul), 1871-1945

ŒUVRES PRINCIPALES
- **Poésie**: *La Jeune Parque* (1917), *Le Cimetière marin* (1920), *Album de vers anciens* (1920), *Charmes* (1922).
- **Récits**: *La Soirée avec Monsieur Teste* (1895), *Monsieur Teste* (1926).
- **Essais**: *Introduction à la méthode de Léonard de Vinci* (1895), *Variété* (t. I-IV, 1924-1954), *Tel quel I* et *II* (1941-1943), *Cahiers I* et *II* (posth. 1973-1974).
- **Théâtre**: *Mon Faust* (1945).

Un athlète de l'intellect

Après sa « nuit de Gênes », Paul Valéry s'impose de sacrifier toute affectivité pour ne plus s'intéresser qu'à l'intellect et à son fonctionnement. Cinquante années durant, il consacrera les premières heures de ses journées à une véritable gymnastique intellectuelle dont témoigne la masse énorme de ses *Cahiers*. Toute sa vie, Valéry scrutera, sous le signe de Narcisse[*], le **fonctionnement de la pensée**, cherchant inlassablement à augmenter les pouvoirs de la conscience, dans le souci de **la plus totale lucidité**.

Cette passion de l'intelligence, loin de le conduire à l'élaboration d'un système ambitieux, s'est concrétisée en une **œuvre résolument fragmentaire**, plus soucieuse de développer des intuitions dans leur jaillissement que de les coordonner dans une vaste synthèse.

Fortement imprégné de culture classique et ayant établi son domaine de spéculation dans l'intemporel, Paul Valéry est resté **très distant et très méfiant à l'égard des grands mouvements artistiques et philosophiques** qui ont marqué son époque : ni le surréalisme[*], ni le marxisme, ni le cubisme, ni la psychanalyse n'ont trouvé grâce à ses yeux.

Le théoricien de la poésie

Poète **néoclassique**, profondément **antiromantique**, Valéry n'a cessé de s'interroger sur cette activité de l'intellect très particulière qu'est la création poétique. Admirateur d'Edgar Poe et de son poème *Le Corbeau*, il **récuse la figure** douteuse **du poète inspiré** : « J'aimerais mieux écrire en toute conscience et dans une entière lucidité quelque chose de faible, que d'enfanter, à la faveur d'une transe et hors de moi-même, un chef-d'œuvre d'entre les plus beaux. » (« Lettre sur Mallarmé », *Variété II*.)

Pour Valéry, la **poésie** est un **exercice de la pensée parmi d'autres** et le poète doit maîtriser aussi bien l'art des mots que les effets qu'il peut produire. Toute son œuvre critique (*Variété*) et poétique peut être lue elle-même comme une réflexion sur l'acte créateur et sur l'émergence de l'œuvre.

Le poète de la lumière méditerranéenne

Une telle passion de l'intelligence et de la théorie aurait pu engendrer une poésie abstraite, ayant la sécheresse d'un exercice ou d'une démonstration. Or il n'en est rien. Loin d'être aride, la poésie de Valéry est **richement sensuelle** : virtuose dans l'art des rythmes et des timbres, le poète s'est forgé une langue poétique harmonieuse et rayonnante, particulièrement propre à évoquer le paysage méditerranéen et sa lumière. La « fête de l'intellect » se conjugue sans contradiction avec la fête des sens.

• **Sur le métier de poète**

« Les dieux, gracieusement, nous donnent pour rien tel premier vers ; mais c'est à nous de façonner le second, qui doit consonner avec l'autre, et n'être pas indigne de son aîné surnaturel. Ce n'est pas trop de toutes les ressources de l'expérience et de l'esprit pour le rendre comparable au vers qui fut un don. » (« Au sujet d'Adonis », *ibid.*)

• **Sur la liberté du lecteur**

« *Il n'y a pas de vrai sens d'un texte*. Pas d'autorité de l'auteur. Quoi qu'il ait *voulu dire*, il a écrit ce qu'il a écrit. Une fois publié, un texte est comme un appareil dont chacun peut se servir à sa guise et selon ses moyens ; il n'est pas sûr que le constructeur en use mieux qu'un autre. » (« Au sujet du Cimetière marin », *Variété III*)

REPÈRES BIOGRAPHIQUES

➜ Paul Valéry, né à Sète, manifeste très tôt une curiosité quasi universelle qui l'amène à s'intéresser aussi bien aux mathématiques qu'à la poésie. Il fait des études de droit qui le conduiront à une carrière au ministère de la Guerre. Bien que faisant tout pour y échapper, sa vocation littéraire se dessine de bonne heure : dès le début des années 1890, il fréquente Pierre Louÿs, Gide* et Mallarmé*, et participe aux fameux mardis de l'auteur de l'*Après-midi d'un faune* organise dans son salon* de la rue de Rome.

➜ L'année 1892 est marquée par une crise sentimentale qui se double d'une crise intellectuelle et spirituelle, au cours de la fameuse « nuit de Gênes ». Valéry décide alors de renoncer à la création littéraire pour se consacrer entièrement aux mathématiques et aux spéculations philosophiques. C'est l'insistance de ses amis qui le décide à revenir au travail poétique et à publier les 511 vers de *La Jeune Parque* en 1917.

➜ À partir de 1922, libre de tout emploi salarié, Valéry vit de sa plume, multipliant les conférences et les discours. Élu à l'Académie française en 1925, il devient professeur au Collège de France en 1937. À sa mort, l'homme de lettres officiel qu'il est devenu aura droit à des funérailles nationales.

➔ **inspiration, Narcisse, symbolisme**

Vallès
(Jules), 1832-1885

ŒUVRES PRINCIPALES
• **Trilogie autobiographique** : *Jacques Vingtras* : *L'Enfant* (1879), *Le Bachelier* (1881), *L'Insurgé* (1886).

Émancipation personnelle et révolution

L'œuvre de Vallès consiste essentiellement en une **trilogie romanesque à caractère autobiographique*** (*L'Enfant*, *Le Bachelier*, *L'Insurgé*), qui retrace l'enfance, la formation et l'engagement révolutionnaire de Jacques Vingtras, héros animé par le **sentiment de l'insoumission, de la révolte**, dans sa vie personnelle (contre des parents petits-bourgeois aigris par leurs ambitions déçues, dont la peinture est sans indulgence) comme dans son engagement politique.

Vallès l'insurgé **refuse la contrainte**, dont le coup d'État du 2 décembre 1851 est une expression nationale ; il refuse aussi **la notion de rang social** si âprement entretenue par sa mère, lorsqu'il se compte parmi « tous ceux/Qui, victimes de l'injustice sociale,/Prirent les armes contre un monde mal fait [...] » (dédicace de *L'Insurgé*). Mais l'élan révolutionnaire de Vallès a **pour fin l'insurrection même** : sa seule pensée est de restaurer la solidarité et d'abattre les institutions, il n'appartient à aucune tendance du socialisme, même si son *Cri du Peuple* évoque *La Voix du peuple*, le journal fondé par Proudhon.

Initiales J. V.

Peut-on parler d'autobiographie lorsque Jules Vallès devient Jacques Vingtras ? Le changement de nom, la simplification de la situation familiale qui va jusqu'au symbole, contredisent la définition stricte de l'autobiographie. Mais la trilogie *Jacques Vingtras* va rechercher si précisément dans l'enfance les motifs de la révolte, laisse entendre une voix si puissante et si passionnée, rend compte si fidèlement des retenues en étude, de la recherche d'une place ou des mouvements de la rue, qu'elle atteint la **sincérité absolue**.

L'effet le plus frappant est, pour tous les soulèvements auxquels Vallès a pris part depuis 1848 jusqu'à la Commune, la **superposition de la révolte personnelle et de l'insurrection collective** : dans *L'Insurgé*, le moi n'est pas seulement identifié par la foule, entouré par elle, objet de mille apostrophes, il semble aussi se ressourcer dans la lutte collective voire l'exprimer tout entière.

L'écriture insurgée

Cet effet tient en particulier au style de la trilogie : le **présent de narration** prédomine, jusqu'à devenir un présent d'énonciation ; le tableau est vivant ; les **phrases** sont **brèves**, héritées du style du journaliste et polémiste qu'a été Vallès de 1857 à sa mort ; les **exclamations** fusent et avivent le texte, jusqu'à communiquer la modalité exclamative aux phrases du récit les moins susceptibles d'une ponctuation expressive : « Il fait grand soleil, un temps doux ! » (*L'Insurgé*, début du chap. 33). À leur tour, l'exaltation du *je*, le recours à l'exclamation altèrent la syntaxe, encouragent la **phrase sans verbe** : « Demain ! » (début du chap. 30). C'est ce **style animé**, cette syntaxe altérée qui incitent à entendre la trilogie comme une parole autobiographique plutôt qu'à la lire comme un récit.

CITATION

• La parole de la révolte

« J'ai toujours été l'avocat des pauvres, je deviens le candidat du travail, je serai le député de la misère ! Tant qu'il y aura un soldat, un bourreau, un prêtre [...], un fonctionnaire irresponsable, un magistrat inamovible, tant qu'il y aura tout cela à payer, peuple, tu seras misérable. » (Vallès aux législatives de 1861)

REPÈRES BIOGRAPHIQUES

➜ Durant toute son enfance, malheureuse et pauvre, Jules Vallès a souffert de l'étroitesse d'esprit de ses parents et de leur manque d'affection. Il commence sa vie de « réfractaire » à l'âge de seize ans en participant aux événements de 1848 à Nantes. Existence qu'il poursuit bientôt à Paris où il ne manque aucune occasion de participer à l'opposition de la rue et de la presse à Louis-Napoléon Bonaparte. Journaliste prolifique, il fonde en 1867 son propre journal, *La Rue*, ce qui lui vaut d'affronter la censure* et d'être emprisonné.

➜ Son heure politique arrive en 1871 : il est nommé délégué de la Commune et exalte l'esprit de résistance dans son célèbre journal *Le Cri du Peuple*, ce qui fait de lui l'un des chefs de l'insurrection. Après la Semaine sanglante, Vallès, condamné à mort par contumace, Vallès doit s'enfuir. De 1872 à 1879, en Belgique puis en Angleterre, il commence à écrire sa trilogie autobiographique dont il termine le dernier tome, *L'Insurgé*, lorsqu'il rentre à Paris.

➜ Les funérailles de cet ardent défenseur de la cause du peuple, le 16 février 1885, seront suivies par soixante mille personnes.

→ **autobiographie, engagement**

vaudeville

n. m. Du mot normand *vaudevire*, « chanson de circonstance ».

Historique du vaudeville

Au **sens ancien**, le vaudeville est une **petite chanson** gaie, dont les couplets ont tous la même mélodie et pour cette raison très populaire. Connu depuis le XVe siècle, le genre a évolué pour devenir **satirique**.

Dès le XVIIIe **siècle**, les **pièces** du théâtre de la foire sont **entremêlées de chansons et de ballets**. Ces comédies « avec vaudevilles », très populaires, vont donner naissance à l'opéra-comique et à un genre nouveau : le vaudeville. Le finale du *Mariage de Figaro** de Beaumarchais, dont le dernier vers : « Tout finit par des chansons » est passé en proverbe, relève du genre de la comédie-vaudeville.

Au XIXe **siècle**, parallèlement à l'ascension sociale de la bourgeoisie, le vaudeville fleurit dans les salles des Grands Boulevards (d'où l'expression « **théâtre de boulevard** ») où il connaît un succès sans pareil. Ce sont des comédies d'intrigue aux scénarios simplistes et stéréotypés, brodant souvent autour du thème de l'adultère et privilégiant des effets comiques appuyés.

Aujourd'hui, le terme tend à désigner toute pièce légère et divertissante, fertile en intrigues et en rebondissements, menée sur un rythme étourdissant.

→ **comédie, farce, Courteline, Feydeau, Labiche, théâtre**

Vercors
(1902-1991)

ŒUVRES PRINCIPALES
• **Romans et nouvelles**: *Le Silence de la mer* (1942), *La Marche à l'étoile* (1943), *L'Impuissance* (1944), *Ce jour-là* (écrit durant la guerre), *Les Armes de la nuit* (1946), *Les Animaux dénaturés* (1952).
• **Théâtre**: *Zoo ou l'assassin philanthrope* (adaptation des *Animaux dénaturés*, 1964).
• **Essais**: *Questions sur la vie à Messieurs les biologistes* (1973), *Les Chevaux du temps* (1977), *Cent Ans d'histoire de France* (3 t., 1981-1984).

L'écrivain de la Résistance
Dans *Le Silence de la mer*, un vieil homme et sa fille, contraints d'héberger un officier allemand durant l'Occupation, s'enferment dans un silence absolu que leur hôte, cultivé et courtois, tente en vain de briser. Ce silence, **image de la Résistance**, symbolise l'**impossibilité de toute fraternité avec l'ennemi** même si une culture commune nous en rapproche.

Le **thème des problèmes moraux posés par la guerre** se retrouve dans tous les textes de Vercors à cette époque. Parfois exprimé de façon allusive : dans *Ce jour-là*, un petit garçon est brusquement confié à une vieille voisine par son père qui va disparaître. Parfois accompagné d'une réflexion philosophique : *L'Impuissance* dénonce la vanité de l'art ; les *Armes de la nuit* montrent comment la torture fait perdre toute son humanité à l'homme.

La **simplicité du style**, la **narration à la première personne** assurent aux textes de Vercors un succès considérable, qui ne se dément pas après la guerre, comme en témoigne l'adaptation cinématographique du *Silence de la mer* par Jean-Pierre Melville en 1949.

La réflexion sur l'homme
Autre thème central de l'œuvre de Vercors, la **réflexion sur l'essence de l'homme** est abordée dans la fable des *Animaux dénaturés*, qui cherche à définir en quoi l'homme est homme et en quoi il est encore animal (« des animaux dénaturés, voilà ce que nous sommes »). Ce questionnement se poursuit à travers divers essais, dont *Questions sur la vie à Messieurs les biologistes* où l'écrivain, dans une perspective existentialiste, insiste sur la **nécessité de l'engagement**[*] **et de l'action** qui seuls permettent à l'homme d'échapper au tragique de sa condition.

CITATION
• **Sur l'homme**
« L'humanité n'est pas un état à subir. C'est une dignité à conquérir. Dignité douloureuse. » (*Les Animaux dénaturés*)

REPÈRES BIOGRAPHIQUES
➔ Ingénieur électricien de formation, Vercors (pseudonyme de Jean Bruller) est aussi dessinateur et peintre. Il publie (sous son patronyme) plusieurs recueils de dessins, et notamment, en 1928, *Vingt et Une Recettes de mort violente*. Membre très actif de la Résistance – son pseudonyme est le nom du célèbre maquis du Vercors –, cofondateur en 1941 des Éditions de Minuit, il se fait connaître avec *Le Silence de la mer*, publié clandestinement en 1942. L'année suivante paraît *La Marche à l'étoile*.
➔ Après 1945, Vercors, existentialiste, puis communiste jusqu'en 1956, poursuit son œuvre littéraire avec différents textes qui ont pour thème la condition de l'homme déchiré par l'existence (*Les Animaux dénaturés*). Enfin, Vercors s'intéresse aussi à l'histoire et publie, entre 1981 et 1984, les trois tomes de *Cent Ans d'histoire de France*.

→ cinéma et littérature, engagement, nouvelle, science-fiction

Verhaeren
(Émile), 1855-1916

ŒUVRES PRINCIPALES
• **Poésie**: *Les Flamandes* (1883), *Les Campagnes hallucinées* (1893), *Les Villes tentaculaires* (1895), *Les Forces tumultueuses* (1902), *La Multiple Splendeur* (1906).

« La vie ardente et contradictoire »
Le **symbolisme** de Verhaeren a une tonalité particulière : puissamment lyrique, il conjugue un **naturalisme**[*] souvent brutal à une imagination tout imprégnée de la **tradition mystique et** des **paysages humides de la Flandre**, qui suscitent en lui l'obsession de posséder l'horizon. Le monde intérieur avec ses troubles et ses gouffres trouve des échos dans les forces secrètes du cosmos.

Mais le poète est tout aussi sensible à la beauté violente des nouveaux paysages industriels. Avant Apollinaire[*] et Cendrars[*], il **fait entrer l'âge moderne dans le poème**, avec ses grandes métropoles (ses « villes tentaculaires ») et sa révolution industrielle. La véhémence de ses évocations et son lyrisme[*] teinté de fantastique, font de Verhaeren l'**un des rares représentants de l'esthétique expressionniste** en poésie.

Le poète de l'énergie

Cette poésie, où se croisent le tumulte des **énergies cosmiques** et le **halètement des villes industrieuses**, vise à faire éclater la « multiple splendeur » du monde, en une célébration enthousiaste qui n'exclut pas la puissance dramatique lorsqu'elle doit évoquer les forces en conflit. C'est un véritable souffle d'énergie qui traverse l'univers de Verhaeren, avec un dynamisme tourbillonnant qui mêle les forces transformatrices de l'homme à celles du cosmos.

CITATION

• **L'arbre**

« J'allais vers lui les yeux emplis par la lumière./ Je le touchais, avec mes doigts, avec mes mains,/ Je le sentais bouger jusqu'au fond de la terre [...]/ Et j'appuyais sur lui ma poitrine brutale,/ Avec un tel amour, une telle ferveur,/ Que son rythme profond et sa force totale/ Passaient en moi et pénétraient jusqu'à mon cœur. » (*La Multiple Splendeur*)

REPÈRES BIOGRAPHIQUES

➜ Émile Verhaeren, né en Belgique au bord de l'Escaut, écrit ses premiers vers à quatorze ans. Après des études de droit, il collabore à diverses revues littéraires et artistiques. Il s'intéresse à la peinture, découvre les idées socialistes, et affirme sa vocation de poète avec la publication des *Flamandes*. Dès lors Verhaeren se consacre entièrement à la poésie : il devient l'une des figures de proue du symbolisme[*] belge et sa notoriété dépasse vite les frontières.

➜ Mais les années 1887-1891 sont pour le poète des années noires : il traverse une grave crise intérieure dont il ne sortira qu'avec l'aide de celle qui devient sa femme en 1891, le peintre Marthe Massin. Il se tourne alors vers une inspiration résolument optimiste, exaltant la capacité de l'homme à transformer le monde.

➜ Son œuvre qui comprend une trentaine de recueils et quelques pièces de théâtre, s'interrompt brutalement en novembre 1916 : Verhaeren meurt tragiquement en gare de Rouen, happé par un train.

➜ **Maeterlinck, symbolisme**

Verlaine
(Paul), 1844-1896

ŒUVRES PRINCIPALES
• **Poésie**: *Poèmes saturniens* (1866), *Fêtes galantes* (1869), *La Bonne Chanson* (1870), *Romances sans paroles* (1874), *Sagesse* (1880), *Jadis et Naguère* (1884), *Parallèlement* (1889).

« De la musique avant toute chose »

« Et pour cela préfère l'impair ». Si Verlaine explore toute la gamme des mètres[*] pairs dans l'« Art poétique », le plus célèbre poème de *Jadis et Naguère*, il affirme sa **préférence pour le mètre impair** qui, par sa souplesse et le déséquilibre qu'il introduit, permet d'**échapper à la symétrie**. Ainsi, il expérimente l'**heptasyllabe**[*] qui convient à la légèreté et au marivaudage des *Fêtes galantes* (« Mandoline »). Parallèlement, les **rythmes**[*] verlainiens rompent avec les balancements classiques : scansion atypique, nombreux enjambements[*], ambiguïté des coupes[*], où Claudel[*] voit « une ondulation, une série de gonflements et de détentes ». La syntaxe, fluide, échappe elle aussi aux conventions.

La musicalité s'exprime également dans les **sonorités**[*] : Verlaine refuse l'alternance des rimes masculines et féminines, préfère à la rime même des systèmes d'assonances[*] et d'allitérations[*], des sonorités qui se font écho, des rimes intérieures, tout en cherchant parfois la **dissonance**.

La « chanson grise »

Loin de toute construction intellectuelle, la poétique[*] verlainienne, « où l'Indécis au Précis se joint », est faite de **sensations et** de **suggestions**, rendues par une forme et des tonalités fluides.

Cette **esthétique imprécise** est rendue par le **lexique de l'indécision** (retour de certains adverbes comme « un peu », « vaguement », « quasiment ») et de fréquentes interrogations. On retrouve cette tonalité affaiblie dans le **flou des couleurs** (« le bois jaunissant », *Poèmes saturniens* ; le « rose » et le « gris » du soir, *Romances sans paroles*), les **sons en sourdine** (« la chanson [...] pleure », dans *Sagesse*), les **odeurs douces** (« l'odeur fade du réséda » dans les *Poèmes saturniens*), le **recours aux diminutifs** (« tremblote », « seulette »). De même, l'**automne**, époque intermédiaire, est la saison de prédilection du poète.

Cette imprécision, cet affaiblissement des tonalités, ainsi que la fusion entre les sensations (dans *Sagesse*, la chanson devient « un frisson d'eau sur de la mousse »), rattachent la poésie verlainienne à l'**esthétique impressionniste**. Enfin, la transposition des sentiments en sensations pures fondent le **symbolisme**[*] de l'œuvre.

« Il pleure dans mon cœur »

Les **larmes**, signes de souffrance, sont l'une des composantes de l'univers verlainien – pleurs du poète ou pleurs du monde (« Le vent profond/ Pleure […] », *Romances sans paroles*).

Dès les *Poèmes saturniens*, Verlaine se place sous le signe de **Saturne**, la « fauve planète », dans laquelle il voit la marque d'une « influence maligne », ce qu'indique également le titre de deux des parties du recueil : « Melancholia » et « Paysages tristes ». Cette mélancolie inquiète se retrouve dans les recueils suivants, même si, dans *La Bonne Chanson*, elle est donnée surtout comme un souvenir et, dans *Sagesse*, comme rédemptrice.

Cette tristesse est sans doute à mettre en relation avec la personnalité complexe de Verlaine, toute tendue entre des **aspirations contraires**. D'un côté la **sensualité**, l'érotisme des *Fêtes galantes* et de *Parallèlement* (« Printemps », « Laeti et errabundi »). De l'autre, l'**aspiration à la spiritualité** dans les poèmes de l'amour innocent de *La Bonne Chanson* et dans ceux de l'amour divin de *Sagesse*. D'un recueil à l'autre, l'évocation des paysages traduit bien cette tension : ainsi, « Le ciel est, par-dessus le toit/ Si bleu, si calme ! » de *Sagesse* contraste avec l'atmosphère sensuelle du « soir très lourd de septembre » de *Parallèlement*.

Le ricanement verlainien

Le désenchantement, la fêlure de l'univers verlainien s'expriment souvent dans le **ricanement**. Dès « Monsieur Prudhomme » (*Poèmes saturniens*) Verlaine dénonce ironiquement la société de son temps. Il se moque aussi de la morale qu'il enfreint constamment, et de lui-même, « épave éparse à tous les flots du vice », dans une **dérision** et une **autodérision** particulièrement sensibles dans l'érotisme grinçant du recueil *Parallèlement*.

CITATIONS

▪ **Sur Dieu et Satan**
« Les faux beaux jours ont lui tout le jour, ma pauvre âme,/ Et les voici vibrer aux cuivres du couchant./ Ferme les yeux, pauvre âme, et rentre sur-le-champ :/ Une tentation des pires. Fuis l'infâme. » (*Sagesse*, I, VII)

▪ **La mélancolie verlainienne**
« Il pleure sans raison/ Dans ce cœur qui s'écœure./ Quoi ? nulle trahison ?.... / Ce deuil est sans raison.// C'est bien la pire peine/ De ne savoir pourquoi/ Sans amour et sans haine/ Mon cœur a tant de peine ! » (« Ariettes oubliées », *Romances sans paroles*, III)

REPÈRES BIOGRAPHIQUES

➙ Né en 1844, très choyé par sa mère, Verlaine abandonne ses études après le baccalauréat pour devenir employé de bureau et se consacrer à une passion déjà ancienne, la poésie. Familier des Parnassiens[*], dont l'éditeur publie ses *Poèmes saturniens*, il collabore à *L'Art*, où paraît sa longue étude sur Baudelaire. Très affecté par la mort de sa cousine Élisa en 1867, le poète se met à boire. Dans le recueil des *Fêtes galantes* qui paraît deux ans plus tard, se font jour une mélancolie inquiète et des accents poétiques nouveaux. Ses fiançailles avec Mathide Mauté lui procurent un « vaste et tendre apaisement » dont *La Bonne Chanson* se fait l'écho. Cependant, l'absinthe, les troubles de la Commune et, surtout, la rencontre de Rimbaud[*] en septembre 1871 vont très vite avoir raison de cette tranquillité.

➙ Avec le « Satan adolescent », Verlaine se lance dans une liaison orageuse et des pérégrinations exaltées qui les conduisent en Belgique et en Angleterre, jusqu'au drame du 10 juillet 1873 : à Bruxelles, il blesse Rimbaud de deux coups de revolver. Il est incarcéré durant deux ans à Mons. Écrits en prison, les textes de *Romances sans paroles* s'inspirent de son aventure avec Rimbaud ou en appellent au pardon de Mathilde. Peu avant sa libération, il a opéré une conversion morale et mystique, qui se reflète dans les poèmes de *Sagesse*. Et quand il sort, Verlaine est – du moins momentanément – radicalement changé. Pendant quatre ans, il mène une vie tranquille. Puis il regagne Paris où il retombe dans l'alcool et la violence.

➙ À la mort de sa mère (1886), il se retrouve sans ressources. Malgré une reconnaissance tardive – la jeune génération symboliste le prend comme chef de file et il est sacré « prince des poètes » à la mort de Leconte de Lisle[*] –, il mourra dans une misère et une déchéance totales le 8 janvier 1896.

➙ **coupe, heptasyllabe, mètre, métrique, Parnasse, Rimbaud, symbolisme**

Verne
(Jules), 1828-1905

ŒUVRES PRINCIPALES

• **Romans :** *Cinq Semaines en ballon* (1862), *Voyage au centre de la terre* (1864), *Vingt Mille Lieues sous les mers* (1869), *Le Tour du monde en quatre-vingts jours* (1873), *L'Île mystérieuse* (1874).

Roman du voyage et « roman de la science »

Jules Verne réalise dans son œuvre le voyage que son père l'a empêché d'entreprendre lorsque, âgé de onze ans, il voulut s'engager comme mousse sur un bateau en partance pour l'Inde. Au-delà de l'anecdote personnelle, le rêve de l'ailleurs définit un XIXe siècle avide d'exotisme* et de connaissance. Le roman vernien **réunit** précisément **la pérégrination dans des espaces inconnus et le déploiement encyclopédique du savoir moderne**. Il est bien un « tour du monde ».

Le héros vernien est un aventurier, parfois un savant (comme le professeur Lidenbrock dans *Voyage au centre de la terre*), souvent un personnage en voie d'apprentissage que le voyage va former. Le **parcours** accompli, généralement sous la forme d'une boucle qui revient à son point de départ (*Le Tour du monde en quatre-vingts jours*), est **pédagogique autant que spatial**. Jules Verne entend « résumer toutes les connaissances géographiques, géologiques, physiques, astronomiques, amassées par la science moderne ». Pour cela il exploite des ouvrages de vulgarisation, témoigne des avancées et des incertitudes de la science, multiplie les développements explicatifs et offre à son public – le plus jeune notamment – un espace de découverte et de rêve.

Des voyages imaginaires et mythiques

Si, chez Jules Verne, l'aventure prend son origine dans des territoires connus, elle explore bien souvent des **mondes ignorés** (la profondeur des mers, de la terre et du ciel). Cette échappée imaginaire garde toujours une apparence de réalité puisque les héros l'entreprennent grâce à des moyens techniques présentés comme possibles même s'ils ne sont, à l'époque, qu'à l'état de projets (le sous-marin, la fusée). Le roman vernien donne par là ses lettres de noblesse à la littérature de **science-fiction*** (dite d'anticipation).

Cependant, s'il se tourne vers l'avenir, le roman vernien rejoint aussi les **plus anciens mythes*** :

l'épopée du capitaine Némo (*Vingt Mille Lieues sous les mers*) est une nouvelle « odyssée ».

Quant à ses **descriptions**, elles relèvent, par leurs **motifs récurrents** (le souterrain, la grotte, le gouffre), d'un imaginaire personnel qui devait fasciner les surréalistes.

Une vision du monde ambiguë

Le regard porté par Jules Verne sur l'histoire et le monde contemporains se caractérise par son ambiguïté. Dans la première partie de son œuvre, il affiche un **optimisme convaincu** dans les progrès du savoir et manifeste un idéal humanitaire inspiré de l'utopie* saint-simonienne (en faisant, par exemple, du capitaine Némo un défenseur des droits de l'homme). Même s'il reste marqué par les préjugés de son temps et que son cosmopolitisme se trouve limité par une caractérisation simpliste des différences nationales et culturelles.

Dans la dernière partie de sa vie, la rivalité des puissances coloniales, les menaces de guerre, les utilisations dangereuses du pouvoir scientifique lui inspirent une **vision plus pessimiste** de l'avenir de l'homme.

CITATION

• **Sur la science**

« La science est faite d'ereurs, mais d'erreurs qu'il est bon de commettre, car elles mènent peu à peu à la vérité. » (*Voyage au centre de la terre*)

REPÈRES BIOGRAPHIQUES

→ Fils d'un avoué nantais, Jules Verne, destiné à prendre la succession de son père, délaisse ses études de droit, auxquelles il préfère le théâtre (il compose diverses pièces). À Paris, il devient agent de change mais se passionne surtout pour la physique, la géographie et les découvertes scientifiques ouvrant sur la possibilité d'un monde nouveau. Soutenu par l'éditeur Jules Hetzel, il abandonne la voie du vaudeville* qu'il avait d'abord empruntée, pour se lancer, en 1862, dans la rédaction du « roman de la science » : ses *Voyages extraordinaires dans les mondes connus et inconnus* comprendront soixante-cinq volumes dont le premier, *Cinq semaines en ballon*, connaît un succès immédiat et dont il va poursuivre l'écriture durant quarante ans.

→ Riche et célèbre, Jules Verne se replie pourtant, à la fin de sa vie, dans une solitude inquiète qui transparaît dans le pessimisme de ses dernières œuvres.

→ **science-fiction, utopie**

vers

n. m. Du latin *versus*, participe passé du verbe *vertere*, « retourner ». Unité de base du poème, le vers est constitué par le retour à la ligne selon des règles définies par la métrique*.

Les différents mètres

On classe les vers selon leur mètre*. Les principaux mètres utilisés sont l'**alexandrin*** (12 syllabes), qui s'est largement imposé et qui est le plus codifié ; le **décasyllabe*** (10 syllabes), le plus ancien des vers français et longtemps en concurrence avec l'alexandrin ; l'**octosyllabe*** (8 syllabes), très usité dans la poésie lyrique. Ce n'est que très exceptionnellement que des poètes ont essayé des mètres supérieurs à l'alexandrin.

Les **mètres très courts**, qui donnent une impression de légèreté, sont **rarement utilisés** (voir cependant *Djinns*, de Victor Hugo*), sauf dans la chanson ou mêlés à des vers plus longs. On parle de **vers libres** quand un poète combine à son gré différents mètres. Le vers libre est caractéristique de la poésie moderne (Apollinaire*, Reverdy*, Éluard*).

Mètres pairs et mètres impairs

On distingue les vers pairs et les vers impairs. Alors que les premiers prédominent largement, les vers impairs ont souvent été réservés à la chanson*, en particulier l'**heptasyllabe*** (7 syllabes). Rompant avec les cadences habituelles et avec la symétrie, le vers impair semble rester en suspens comme si l'oreille attendait une syllabe de plus.

De cette **irrégularité**, les poètes ont tiré des effets d'une grande musicalité, tels Baudelaire* (« L'Invitation au voyage », *Les Fleurs du mal*) ou **Verlaine*** (« Art poétique », *Jadis et Naguère*), qui fait du vers impair la base de son art poétique.

→ **diérèse, enjambement, mètre, métrique, rejet/contre-rejet, rime, rythme, sonorités, versification**

verset

n. m. Du latin *versus*, participe passé du verbe *vertere*, « retourner ». **Sens premier**: à l'origine, dans les textes sacrés (comme la Bible ou le Coran), le verset est une subdivision du paragraphe. **Sens moderne**: le mot a été repris à la fin du XIXᵉ siècle pour désigner une forme particulière d'unité poétique, souvent plus longue que le vers et au rythme plus ample.

Caractéristiques du verset

Le verset se distingue du vers libre, lequel, bien que libéré des contraintes du mètre* et de la rime*, reste proche du vers régulier par ses dimensions. **Reposant sur une unité de sens ou de souffle**, le verset peut se déployer sur **plusieurs lignes** pour épouser le jaillissement de la parole.

L'usage moderne du verset

Le verset fournit à **Paul Claudel*** (1868-1955) la forme poétique souple qu'il peut adapter à son rythme respiratoire, dans ses mouvements de dilatation et de contraction, selon l'émotion qu'il veut exprimer. Son souffle puissant s'y déploie à loisir pour **transcrire les grands rythmes cosmiques** : « Et puis de nouveau l'amarre larguée, un coup de timbre aux machines, le break-water que l'on double, et sous mes pieds / De nouveau la dilatation de la houle ! / Ni / Le marin, ni / le poisson qu'un autre poisson à manger / Entraîne, mais la chose même et tout le tonneau et la veine vive, / Et l'eau même, et l'élément même, je joue, je resplendis ! je partage la liberté de la mer omniprésente ! » (*Cinq Grandes Odes.*)

Au XXᵉ siècle, d'autres poètes suivront l'exemple de Claudel, tel **Saint-John Perse*** qui trouve dans le verset un cadre idéal pour son inspiration à la fois épique et cosmique.

→ **Claudel, poème en prose, prose cadencée, Saint-John Perse**

versification

n. f. Du latin *versus*, participe passé du verbe *vertere* (« retourner ») et *facere*, « faire ». Ensemble des principes qui règlent la mise en forme des vers. Étudier la versification, c'est observer le parti que le poète a tiré de ces règles et, le cas échéant, les libertés qu'il s'est octroyées.

Les règles de la versification

Elles concernent la **mesure du vers** (problèmes du *e* muet, du hiatus*, de la diérèse*, de la synérèse*), le **rythme*** (accentuation, place des coupes*, diversité des rythmes), le **jeu des sonorités*** (rime*, assonances*, allitérations*), le **rapport du vers à la phrase** (enjambement*, rejet*, contre-rejet*).

Alors que ces règles sont très strictes dans la poésie traditionnelle, les poètes ont pris de plus en plus de **libertés** avec elles, surtout depuis le romantisme[*], au point d'aboutir au **vers libre** des symbolistes ou même au **poème en prose**[*]. Un texte non versifié peut donc être poétique. Inversement, il est des textes versifiés qui ne sont pas des textes de poésie (par exemple, les pièces de théâtre en vers de Molière[*]).

→ **alexandrin, allitération, assonance, ballade, diérèse, enjambement, hiatus, mètre, métrique, rejet, rime, rondeau, rythme, sonnet, vers, verset**

Vian
(Boris), 1920-1959

ŒUVRES PRINCIPALES
- **Romans**: *J'irai cracher sur vos tombes*, *Vercoquin et le plancton* (1946), *L'Écume des jours*, *L'Automne à Pékin* (1947), *Les Fourmis* (1949), *L'Herbe rouge* (1950), *L'Arrache-cœur* (1953).
- **Essai**: *En avant la zizique* (1948).
- **Théâtre**: *L'Équarrissage pour tous* (1950), *Les Bâtisseurs d'empire* (1959), *Le Goûter des généraux* (posth. 1962).
- **Poésie**: *Cantilènes en gelée* (1950), *Je voudrais pas crever* (posth. 1962).

Un usage inédit du langage

Boris Vian explore avec un plaisir évident le **rapport entre les mots et les choses**, en particulier dans *L'Écume des jours*, son roman le plus célèbre. S'il montre l'éclatement, la mauvaise foi du langage, et apprend au lecteur à se méfier des mots, il lui apprend aussi à jouer avec eux et ainsi à transformer la réalité.

Refusant les figures de style et prenant au pied de la lettre des expressions toutes faites, il déforme certains mots ou crée des mots-valises comme celui de « pianocktail ». Multipliant calembours[*], canulars, contrepèteries, il fait jaillir de l'insolence du ton la musique du langage.

Un univers contrasté

Boris Vian fait vivre sans complaisance un **univers cruel**, le nôtre. L'inhumanité des hommes comme des institutions, l'aliénation par le travail ou l'idéologie, l'angoisse de la maladie, l'absurdité de la mort hantent son œuvre. Mais **en même temps**, il dote ses héros d'une **tendresse et** d'une **pureté** totales, transfor-

mant ainsi en chant d'amour et en hymne à la vie ce qui pourrait être un champ d'horreurs et de morts.

CITATION

• **Un étrange instrument : le pianocktail**
« [À] chaque note [...] je fais correspondre un alcool, une liqueur ou un aromate. La pédale forte correspond à l'œuf battu et la pédale faible à la glace. Pour l'eau de Seltz, il faut un trille dans le registre aigu. Les quantités sont en raison directe de la durée : à la quadruple croche équivant le seizième d'unité, à la noire l'unité, à la ronde la quadruple unité. » (*L'Écume des jours*)

REPÈRES BIOGRAPHIQUES

→ Né à Ville-d'Avray en 1920, Boris Vian poursuit des études de philosophie avant d'obtenir en 1942 un diplôme d'ingénieur de l'École centrale. Malade depuis son enfance, il jouit frénétiquement de la vie : figure du Saint-Germain-des-Prés des années d'après-guerre, il joue du jazz des nuits entières, fréquente les existentialistes, se lie avec Queneau[*] et son Collège de pataphysique. Ses activités sont multiples : outre la mécanique automobile, il peint des toiles surréalistes, apprend à jouer de la trompette, devient critique musical, directeur artistique, chanteur, acteur de cinéma, traducteur, poète, dramaturge, romancier.

→ Son premier roman, *J'irai cracher sur vos tombes*, un pastiche des romans noirs américains publié sous le pseudonyme de Vernon Sullivan, fait scandale. Si, dans la suite de l'œuvre, la violence et la sexualité présentes dans *J'irai cracher sur vos tombe* sont atténuées, un ton provocateur, teinté d'humour noir et imprégné de désespoir, inspire l'ensemble de la production de Boris Vian.

→ La mort l'emporte à trente-neuf ans, alors qu'il achevait un livret d'opéra, *Le Mercenaire*.

→ **absurde, Prévert, Queneau**

Viau
(Théophile de), 1590-1626

ŒUVRES PRINCIPALES
• **Tragédie** : *Pyrame et Thisbé* (1621).
• **Poésie** : *Œuvres poétiques* (*Odes* et *Élégies* publiées dans des recueils collectifs, 1621-1624).

Le libertinage spirituel et littéraire

Le libertinage* de Viau repose sur un **mélange contradictoire d'épicurisme* et de christianisme**. Son idéal esthétique synthétise lui aussi plusieurs contradictions. S'il récuse en effet la doctrine de l'imitation* et adopte une inspiration et un rythme très personnels, il reprend des thèmes antiques issus d'Horace, Tibulle, Catulle ou Ovide, et admire Malherbe*, sans suivre aveuglément ce théoricien du vers et de la langue : « Imite qui voudra les merveilles d'autrui,/Malherbe a très bien fait, mais il a fait pour lui » (« Élégie à une dame »).

La nature

La nature est présente chez Viau à la fois comme le **fondement de ses idées philosophiques et littéraires**, et comme un **thème de prédilection**. Qu'il peigne les saisons, des paysages ou des animaux, ses talents descriptifs (sensations, lumière, mouvements et détails) se joignent au lyrisme* devant la beauté des sites et des êtres, comme le montrent ses poèmes « L'Hiver » ou « Le Matin ».

Le sentiment de l'amitié

Comme Montaigne* ou La Fontaine*, Viau est attaché au sentiment de l'amitié. **Plusieurs de ses odes***, parmi les plus **naturelles** et les plus **intimes**, **lui sont consacrées**, et en retracent toutes les nuances : inquiétude devant la maladie de l'ami, expression d'une confiance heureuse, douleur quand les persécutions politiques écartent de lui certains proches (« À son ami Chiron », « Remerciement à Corydon », « La Maison de Sylvie », « Lettre à son frère »).

L'évocation de l'amour

Elle mêle les souvenirs des **lieux communs du pétrarquisme***, les **thèmes de la poésie baroque** (constance et inconstance par exemple), **et une expression plus personnelle**, inspirée de sa propre expérience (douleur de l'absence, jalousie) et marquée par la sensualité : « Je baignerai mes mains folâtres / Dans les ondes de tes cheveux » (ode « La Solitude »).

CITATION
• **Pour un art libre**
« Je ne veux point unir le fil de mon sujet,/ Diversement je laisse et reprends mon objet,/ Mon âme imaginant n'a point la patience/ De bien polir les vers et ranger la science :/ La règle me déplaît, j'écris confusément ;/ Un bon esprit ne fait rien qu'aisément. » (« Élégie à une dame »)

REPÈRES BIOGRAPHIQUES
➜ La vie de Théophile de Viau, de petite noblesse huguenote et cadet de Gascogne, est celle d'un héros de roman. Après avoir rompu avec son père, il s'engage comme poète à gages dans une troupe d'acteurs ambulants, combat auprès des protestants contre les troupes royales, et devient finalement le majordome d'un aristocrate de la cour de France (1615-1619).
➜ Le reste de sa vie sera partagé entre son succès d'écrivain talentueux protégé par de hauts personnages, et des persécutions dues, en ces périodes d'intolérance et de guerres religieuses, à ses idées (mais aussi sans doute à ses amitiés politiques). Car Viau fut successivement (ou parallèlement) protestant, athée, puis catholique (il se convertit en 1622).
➜ Exilé en 1619, condamné à être brûlé vif en 1623 pour avoir participé à un recueil poétique jugé trop licencieux (*Le Parnasse satyrique*), emprisonné puis banni en 1625, il meurt peu après de maladie, à trente-six ans.

➜ baroque, élégie, épigramme, La Fontaine, libertinage, lyrisme, Malherbe, Montaigne, ode, pétrarquisme

Vigny
Alfred de (1797-1863)

ŒUVRES PRINCIPALES
• **Poésie** : *Poèmes antiques et modernes* (1826), *Les Destinées* (posth. 1864).
• **Roman** : *Cinq-Mars* (1826).
• **Théâtre** : *Chatterton* (1835).
• **Récits** : *Servitude et grandeur militaires* (1835).
• **Journal** : *Journal d'un poète* (posth. 1867).

Le Vigny « moraliste »

L'œuvre d'Alfred de Vigny est, dans sa diversité, l'une des plus hautes expressions du **romantisme**[*]. Dans son *Journal d'un poète*, il affirme : « Ce que je suis partout (je crois), c'est **moraliste et dramatique de forme** ».

Moraliste, Vigny l'est en effet dans l'écriture de récits et de drames[*] dont les héros développent leur méditation sous la forme du monologue[*] (*Chatterton*). Il l'est encore dans le recueil des *Destinées*, sous-titré « Poèmes philosophiques », où s'articulent récits allégoriques en vers et « **leçons** » **condensées en une sentence**[*] : « Seul le silence est grand ; tout le reste est faiblesse » (*Les Destinées*, « La Mort du loup »).

La pensée de Vigny moraliste est marquée par un **pessimisme fondamental** qui naît d'abord de l'expérience du monde moderne dont il déplore le matérialisme et l'égoïsme, ennemis de l'« Esprit ». Mais ce constat négatif prend une **dimension plus générale** : dans les *Destinées*, Vigny présente une peinture tragique de la solitude de l'homme, abandonné par Dieu (« Le Mont des oliviers ») et ne pouvant trouver, ni dans une nature indifférente à ses peines (« La Maison du berger »), ni même dans l'amour, l'allégement de son fardeau.

Le Vigny « dramatique »

Cette vision du monde s'exprime souvent dans des **oppositions dramatiques** : *Chatterton* confronte un jeune poète idéaliste à une société vulgairement mercantile ; le poème « La Mort du loup » décrit, dans une allégorie[*], l'affrontement entre la servilité du monde des hommes et la liberté héroïque du solitaire. Ces **antithèses**[*] sont renforcées dans les *Destinées* par la structure même des alexandrins[*], des strophes[*] dont Vigny manie en maître les rythmes majestueux.

Les tensions entre les différents poèmes du recueil sont une dernière illustration dramatique des combats que se livrent dans l'âme de Vigny le désespoir et la croyance en un progrès.

Vigny, « antique et moderne »

Les **contradictions** de l'écrivain sont celles **de la génération romantique**, prise entre la nostalgie de l'ancien monde et l'espoir d'une régénération de l'humanité. D'un côté, chez Vigny, s'affirme en effet une tendance au **stoïcisme**[*] qui lui fait dire : « J'aime la majesté des souffrances humaines » (« La Maison du berger ») et « J'aime ceux qui se résignent sans gémir et portent bien leur fardeau » (*Journal*). Dans d'autres textes, il marque plutôt sa **confiance**

dans la capacité des hommes à changer leur destin grâce au progrès de la science (*Les Destinées*, « La Bouteille à la mer »).

Il place finalement sa foi dans le **règne de l'esprit**, « L'IDÉAL du poète et des graves penseurs » (« L'Esprit pur », dernier poème des *Destinées*), seul capable de faire le **lien entre le monde antique et le monde moderne** et d'attester la grandeur de l'homme. Cet idéal prend naturellement pour Vigny la forme de la poésie : « La beauté de la pensée a pour fin la poésie la plus parfaite qui est le plus grand effort de la pensée conservé par les langues. » (*Journal d'un poète.*)

Villiers de L'Isle-Adam,
1838-1889

ŒUVRES PRINCIPALES
- **Nouvelles** : *Contes cruels* (1883), *Tribulat Bonhomet* (1887).
- **Roman** : *L'Ève future* (1886).
- **Théâtre** : *Le Nouveau Monde* (1880), *Axël* (posth. 1890).

L'expression de la révolte

Tempérament aristocratique et idéaliste, Villiers proclame sa **haine des valeurs contemporaines et du monde moderne.** L'un de ses personnages, Tribulat Bonhomet, « agrégé de physiologie », positiviste et petit-bourgeois, lui permet de fustiger la bêtise universelle et les impasses auxquelles mène le matérialisme, tandis que *L'Ève future* dénonce l'illusion scientiste.

Dans les *Contes cruels*, la révolte et le désespoir de l'écrivain s'expriment à travers une cruauté morale mise en valeur par l'**humour noir et** une **dérision** féroce. Rejetant le réalisme[*] et les réalistes, « ces éternels provinciaux de l'Esprit humain », Villiers veut révéler une réalité supérieure.

L'idéalisme mystique

Influencé par les romantiques allemands et français, par Hegel, et par l'occultisme[*], Villiers est un **mystique en quête d'absolu.** *Axel*, son « testament » littéraire, est un drame[*] qui fait la synthèse de ses différentes inspirations. Profondément marquée par l'esthétique wagnérienne, cette œuvre, qui montre l'amour plus fort que la mort et assigne à l'autre monde la valeur la plus haute, illustre les préoccupations métaphysiques de l'écrivain.

L'**écriture lyrique** de Villiers se veut exempte de toute trivialité, privilégiant le mot rare et l'expression symbolique des idées. Constamment préoccupée de **noblesse et** d'**élévation**, elle se donne pour tâche de **faire tenir l'infini dans les mots** et assigne à la poésie le devoir d'atteindre l'idéal.

CITATION

- **L'idéal contre la littérature**

« Si je pense magnifiquement, on trouve *littéraire* ce que j'écris. Ce n'est pourtant que ma pensée clairement dite – et non point de la littérature, laquelle n'existe et n'est *que la clarté* de ce que je pense. » (*Fragments*)

REPÈRES BIOGRAPHIQUES

➔ Né dans une très ancienne famille aristocratique ruinée par la Révolution, Jean-Marie Auguste, comte de L'Isle-Adam, se sent très tôt des ambitions littéraires. Il quitte sa Bretagne natale pour s'installer à Paris où il fréquente les milieux artistiques et rencontre Baudelaire[*], Gautier[*] et Mallarmé[*]. Ses premières tentatives poétiques passent pratiquement inaperçues.

➔ Cependant, avec ses drames *Elën* (1865) et *Morgane* (1866), il se fait une réputation auprès des gens de lettres et participe au *Parnasse contemporain*. En 1869, il se rend en Suisse, chez Wagner, dont il est un fervent admirateur. Sa notoriété dans les milieux symboliste et décadent, l'admiration qu'il suscite chez Léon Bloy ou Huysmans[*] ne compensent malheureusement pas ses échecs auprès du grand public.

➔ Il meurt dans la solitude et l'indigence, mais reçoit des funérailles décentes grâce à la générosité de ses amis.

➢ **Baudelaire, Huysmans, Gautier, Mallarmé, Mirbeau, occultisme**

Villon
(François), v. 1431-v. 1463

ŒUVRES
- **Poésie** : *Le Lais* (1456), *Le Testament* (1461), *Poésies diverses* (1457-1463).

Le poète et sa légende

La disparition mystérieuse de Villon, les facettes contradictoires de sa personnalité, l'éclat de météore de ses œuvres ont contribué à alimenter la légende du **poète mauvais garçon.** Voyou au cœur pur, ribaud sensuel et débauché mais traversé d'élans mystiques, poète délicat ou joyeusement carnavalesque, faible devant toutes les tentations mais préservant dans les aventures les plus sordides une candeur presque enfantine, la figure énigmatique de Villon n'a cessé d'exercer une véritable fascination.

On trouve dans son œuvre aussi bien le **ton de l'élégie**[*] pour célébrer la beauté des « Dames du temps jadis », que le **réalisme**[*] le plus direct pour évoquer les bouges, les truands et les filles de joie, ou encore les **accents tragiques** les plus poignants lorsque se profile le spectre de la mort. La **satire**[*], l'**ironie**[*] et l'**humour**[*] macabre servent de paravents aux blessures secrètes de l'âme.

Face aux gibets

L'œuvre de Villon – quelque trois mille vers au total – apparaît comme un **défi**, tantôt malicieux, tantôt grave, **à la mort**. Dans *Le Lais* (= legs), incertain de l'avenir qui l'attend, Villon procède, sur le mode parodique et burlesque, à l'attribution de ses biens (« souliers vieux », « coquille d'un œuf »).

Il trouve, dans *Le Testament*, un autre ton, moins badin, âpre parfois et souvent pathétique, pour déployer sa verve lyrique et faire le bilan de sa vie. L'homme a connu la prison, la torture, il sait sa vie menacée. S'il reprend la **tradition du testament fictif et plaisant**, c'est avec les accents de vérité d'un homme qui a traversé les pires épreuves. La perspective de la mort, un fond d'innocence qui avive en lui le sentiment d'avoir gâché sa vie, expliquent la sincérité de ses élans de piété, lorsqu'il s'adresse à Jésus ou à Notre-Dame pour obtenir le pardon.

L'œuvre de Villon, qui se clôt sur la bouleversante marche funèbre de la *Ballade des pendus*, reste à jamais béante sur le mystère de sa mort.

Un lyrisme savant et raffiné

Le lyrisme* de Villon s'est coulé dans les formes poétiques de son époque (en particulier huitains d'octosyllabes* et ballades*), mais c'est en virtuose qu'il **joue de la versification*** et de toutes les ressources d'une **langue dense** qui n'hésite pas à mêler la **poésie la plus raffinée** à la **verve populaire**.

Villon est d'autre part l'**héritier des Grands Rhétoriqueurs*** par son goût des **jongleries verbales** (calembours*, acrostiches*, jeux de mots) : celles-ci renforcent un côté carnavalesque très présent dans la deuxième partie du *Testament*, où défilent en une procession bouffonne tous les personnages détestés avec lesquels le poète règle ses comptes.

La plus grande réussite de Villon réside cependant dans la magie du rythme* et les charmes d'une **poésie très musicale** : il a su trouver les accents tantôt élégiaques, tantôt déchirants, qui convenaient pour traduire la détresse d'un être ambivalent et divers confronté à la brutalité du destin.

CITATION

• **Le mauvais garçon**

« Hé ! Dieu, se j'eusse étudié / Au temps de ma jeunesse folle, / Et à bonnes mœurs dedié, / J'eusse maison et couche molle. / Mais quoi ? je fuyoïë l'école, / Comme fait le mauvais enfant. / En écrivant cette

parole, / À peu que le cœur ne me fend. » (*Le Testament*)

REPÈRES BIOGRAPHIQUES

→ Né à Paris dans une famille très pauvre et bientôt orphelin de père, François de Montcorbier est élevé à partir de l'âge de huit ans par Guillaume de Villon, chapelain et professeur de droit, dont il prend le nom. Son « plus que père » le prépare à devenir clerc et Villon est reçu bachelier en 1449 avant d'obtenir sa maîtrise ès arts en 1452.

→ Mais l'étudiant glisse déjà sur une mauvaise pente. Il hante les tavernes, tue un prêtre en 1455 au cours d'une rixe. Malgré les « lettres de rémission » obtenues pour ce crime, il doit se cacher. Commence alors pour Villon une vie d'errance, ponctuée de vols et de séjours en prison. Condamné à mort en 1462, il s'attend à être pendu et compose sa célèbre *Ballade des pendus*. En janvier 1463, le jugement est cassé mais il est banni pour dix ans de la ville de Paris. On perd alors toute trace de son existence.

→ **acrostiche, ballade, lyrisme, Rhétoriqueurs**

Vinaver
(Michel), né en 1927

ŒUVRES PRINCIPALES

• **Romans** : *Lataume* (1950), *L'Objecteur* (1951).
• **Textes critiques** : *Compte rendu d'Avignon* (1987), *Écritures dramatiques* (1993), *Écrits sur le théâtre* : t. I (1982), t. II (1998).
• **Théâtre** : *Les Coréens* (1956), *Par-dessus bord* (1969), *À la renverse* (1979), *L'Ordinaire* (1981), *Les Voisins* (1984), *11 septembre 2001* (2002).

Un théâtre en prise sur l'actualité

À quelques exceptions près, les pièces de Vinaver mettent en scène l'actualité : guerre de Corée, guerre d'Algérie, ballets politiques des politiciens de la IVᵉ République, faits divers, attentats terroristes du 11 septembre 2001. Les médias, avec le thème de la télé-réalité, l'économie, le marketing constituent un autre pan non négligeable de son œuvre dramatique. Singulière, son œuvre dramatique ne relève ni d'un théâtre du quotidien, auquel on l'a souvent assimilée, ni d'un théâtre militant. Il refuse de faire tenir à ses personnages des discours politico-didactiques (pour lui « le volontarisme dans l'art est mutilant »), mais il ne cesse d'**interroger le réel**, de le démonter. Son théâtre rend compte des événements déterminants de notre époque, assumant par là sa fonction civique et éducative.

À partir de *Par-dessus bord*, vaste fresque d'une cinquantaine de personnages sur la concurrence et la production, Vinaver scrute inlassablement le **monde de l'entreprise** : il met au jour les mécanismes souterrains du capitalisme international et leurs interactions, tant sur les rapports humains au sein de l'entreprise que dans la vie privée. Il révèle une dialectique toujours à l'œuvre entre l'action de l'individu sur le monde et celle du monde sur l'individu.

Un théâtre novateur

Si Vinaver fait œuvre novatrice par le choix de ses sujets – c'est la première fois que les arcanes du fonctionnement de l'entreprise deviennent sujets de pièces de théâtre –, il ouvre aussi de nouvelles voies dans l'écriture dramatique, dans la dramaturgie, dans les formes et les modes du jeu théâtral qu'il explore inlassablement. Sa dramaturgie relève d'une **esthétique du décentrage de l'action et de la discontinuité**, dont l'**entrelacs** est la figure emblématique : entrelacs des répliques, des voix, de différents points de vue sur une même situation, de la construction narrative et de la succession des scènes ou des tableaux. L'entrelacs donne à voir l'entre-deux d'un monde en décomposition et d'un monde en recomposition. Écrire, pour Vinaver, « c'est essayer de donner consistance au monde et à moi dedans ».

Fragmentaire, son écriture se lit comme une **partition musicale polyphonique**, avec des chœurs comme celui des *Huissiers*, des indications rythmiques, des pauses, des silences, des crescendo. Ainsi la structure de *L'Ordinaire* fait songer à celle d'une fugue et celle de *11 septembre 2001* à un oratorio. L'**absence de ponctuation** caractérise aussi la majorité de ses pièces, de même que l'**ironie*** , « équivalent dans l'écriture de la décharge électrique ».

Novateur, Vinaver l'est aussi dans ses **écrits critiques** sur le théâtre. Il crée de nouveaux outils d'analyse des textes théâtraux et distingue deux modes de progression dramatique entre « pièce-machine » et « pièce-paysage », selon que l'action avance par enchaînement de cause(s) et d'effet(s) ou par juxtaposition d'éléments discontinus.

« Bush. – Bonjour sur mes ordres l'armée des États-Unis a commencé des frappes
Ben Laden. – Voici l'Amérique frappée par Dieu tout-puissant en un de ses organes vitaux
Bush. – Nous somme soutenus dans cette opération par la volonté collective du monde entier
Ben Laden. – De sorte que ses plus grands édifices sont pulvérisés par la grâce de Dieu à qui va notre gratitude » (*11 septembre 2001*)

REPÈRES BIOGRAPHIQUES

→ Né en France en 1927, issu d'une famille d'immigrés russes et juifs, Vinaver – de son vrai nom Michel Grinberg – fuit le nazisme et passe les années de guerre aux États-Unis. Il s'engage en 1944 dans l'armée de libération française et publie son premier roman, *Lataume*, grâce à Camus*.

→ Bachelor of Arts de l'université du Connecticut, licencié ès lettres à la Sorbonne, il entre à la Gillette Company (dont il devient un cadre dirigeant en Italie puis en France). Il écrit sa première pièce, *Aujourd'hui ou les Coréens*, à l'automne 1955, et poursuit parallèlement ses deux carrières d'industriel et d'écrivain jusqu'en 1986, malgré une interruption de dix ans.

→ À partir de 1986, il dispense des cours d'études théâtrales à l'université de Paris-VIII. En 1987, il publie *Le Compte rendu d'Avignon*, dans lequel il défend le statut littéraire du texte théâtral contre la suprématie des metteurs en scène. Ses pièces sont pourtant montées par nombre d'entre eux (Cantarella, Françon, Lassalle, Planchon, Schiaretti, Serreau, Vitez…) et lui-même a mis en scène récemment, seul ou en collaboration, trois d'entre elles : *À la Renverse*, *Iphigénie Hôtel*, *L'Ordinaire*.

→ Auteur de traductions, de textes critiques, et d'une quinzaine de pièces, Vinaver, depuis 1993, est régulièrement joué à la Comédie-Française où *Les Coréens* ont inauguré la nouvelle salle restaurée du Vieux-Colombier.

→ **Koltès, Lagarce, théâtre**

Voltaire,
1694-1778

ŒUVRES PRINCIPALES
- **Tragédie** : *Œdipe* (1718).
- **Épopée** : *La Henriade* (1728).
- **Essai historique** : *Le Siècle de Louis XIV* (1738).
- **Contes** : *Zadig ou la Destinée* (1748), *Micromégas* (1752), *Candide ou l'Optimisme* (1759), *L'Ingénu* (1767), *La Princesse de Babylone* (1758).
- **Œuvres philosophiques** : *Lettres philosophiques* (1734), *Essai sur les mœurs* (1756), *Traité sur la tolérance* (1763), *Dictionnaire philosophique* (1764).

La réflexion philosophique

De Voltaire on retient surtout l'engagement contre l'injustice, la guerre, la tyrannie politique, l'intolérance et le fanatisme religieux, tous combats fondés sur des conceptions politiques, religieuses et sociales correspondant à l'esprit des Lumières*. Attiré par la métaphysique, Voltaire est rapidement déçu par ses limites : répondre aux questions de la vraie nature de Dieu et de l'homme, de l'immortalité de l'âme, des relations entre l'âme et le corps, de l'origine du mal lui paraît dépasser l'intelligence humaine. Il constate, en outre, que les différentes thèses s'affrontent avec un fanatisme qui conduit aux guerres de religion. Voltaire se contente donc d'être **déiste**, et se soucie avant tout du **bonheur des hommes sur terre**, à travers des valeurs morales mais aussi à travers le bien-être matériel que peuvent apporter la paix, les sciences, les techniques et l'art.

S'il fustige constamment les aspects négatifs des religions (querelles théologiques, constitution d'un clergé tout-puissant, sectaire et souvent intempérant, superstition, mais aussi conception élitiste du salut et pessimisme de chrétiens comme Pascal*), il en retient quelques principes moraux universels : **l'amour du prochain, la tolérance, l'assistance aux pauvres, le refus de la guerre**.

Politiquement, il admire le **régime parlementaire anglais**, qui garantit les droits et les libertés individuelles, et une certaine forme de reconnaissance du mérite de chacun. Il en présente les avantages aux Français dans ses *Lettres philosophiques*. L'exemple de l'Angleterre lui montre également les bienfaits qu'apportent le commerce et le travail, que la tradition catholique et féodale considérait comme méprisables car trop liés aux aspects matériels de la vie.

Cependant, il ne pense pas que tous les peuples puissent assumer un tel régime, et il met plutôt sa confiance dans un **roi puissant mais éclairé**, un **prince philosophe**, seul capable d'imposer la paix civile et internationale, ainsi qu'un État de droit. Dans ses œuvres, Voltaire présente son idéal à travers une histoire revisitée et idéalisée (*Le Siècle de Louis XIV*), ou bien à travers l'utopie* (l'Eldorado dans *Candide*) et la fantaisie (*Zadig*).

L'engagement*

Contrairement à Rousseau*, Voltaire n'a pas élaboré de théorie politique novatrice, capable d'inspirer les futurs révolutionnaires. C'est par ses **engagements concrets et efficaces contre les injustices de l'Ancien Régime, contre l'intolérance et les guerres** qu'il a influencé son temps, et qu'il continue d'être riche d'enseignements pour le nôtre.

Par ses livres, ses pamphlets*, ses lettres*, ses actions publiques, Voltaire part résolument en guerre contre les injustices (dénonciations abusives, procès expéditifs). Il **dénonce la torture** subie par les suspects (affaire du chevalier de La Barre), **révèle plusieurs erreurs judiciaires**, et obtient la réhabilitation de Calas en 1765. Son *Traité sur la tolérance*, ses articles pour l'*Encyclopédie*, son *Dictionnaire philosophique* mais aussi ses *Contes* (l'Ingénu, par exemple, est abusivement enfermé à la Bastille) ont largement contribué à changer les mentalités et à préparer les réformes. Il en est de même pour ses **combats contre l'emprise et les excès des religieux** ou des courtisans, l'**inégalité sociale** entraînée par la prééminence injustifiée des nobles.

L'inventeur du conte philosophique

L'efficacité de Voltaire est due à une grande capacité de vulgarisation, qui lui fait préférer les **textes courts et incisifs**, avec un **recours** fréquent **à la fiction** où il peut joindre plaisir et enseignement. Il se révèle en outre un **maître** inégalé **de l'ironie***, dont il explore toutes les possibilités avec virtuosité. Génie grâce auquel il invente un genre littéraire nouveau, le **conte philosophique***, où se mêlent allègrement fantaisie narrative et propos philosophiques. Paradoxalement, c'est surtout par ses *Contes* – que lui-même considérait comme un divertissement littéraire de moindre importance – que Voltaire est passé à la postérité, alors que ses tragédies ou ses essais historiques, où il se montre plus conventionnel, restent moins lus. À la dénonciation directe, rationnelle, Voltaire substitue le **détour par l'émotion et le rire**, bien plus puissants que tous les exposés didactiques. Le lecteur **s'identifie** aux héros positifs des contes, et prend conscience des abus de la société contemporaine : il épouse la surprise ingénue des personnages devant les injustices du monde, il rejette le modèle proposé par les héros négatifs, dont les positions et les comportements sont soigneusement caricaturés, et se laisse conquérir par les formules frappantes de l'ironie voltairienne. On citera, par exemple, l'émouvant récit du nègre de Surinam dans *Candide*, ou la dénonciation de l'absurdité de la guerre dans *Micromégas*.

CITATIONS

▪ **Sur les méfaits de la métaphysique**
« Le sang a coulé [...] pour des arguments de théologie, tantôt dans un pays, tantôt dans un autre, pendant cinq cents années presque sans interruption, et ce fléau n'a duré si longtemps que parce qu'on a toujours négligé la morale pour le dogme. » (*Essai sur les mœurs*, conclusion)

▪ **Sur le travail**
« Le travail éloigne de nous trois grands maux : l'ennui, le vice, et le besoin. » (*Candide*, chap. 30).

▪ **Sur l'engagement de l'écrivain**
« J'écris pour agir. » (lettre à Jacob Vernes, 15 avril 1767).

REPÈRES BIOGRAPHIQUES

➔ Né à Paris d'un père notaire, François Marie Arouet, dit Voltaire, est éduqué chez les jésuites. Il étudie le droit, fréquente les libertins, et commence très jeune à écrire des poèmes satiriques contre le Régent, qui lui valent un séjour de onze mois à la Bastille (1717-1718).

➔ En 1718 il prend le pseudonyme de Voltaire afin de mieux échapper à la censure*, et connaît un grand succès avec sa tragédie d'*Œdipe*. Il a alors vingt-quatre ans, il est fêté, reçu à la cour et chez les grands quand éclate, en janvier 1726, la querelle avec le chevalier de Rohan, qui l'oblige à s'exiler en Angleterre, où il découvre avec enthousiasme un régime de liberté.

➔ De retour en France en 1728, il retrouve la place qui était la sienne avant l'affaire de Rohan. En 1734 il publie ses *Lettres philosophiques*, qui font l'éloge du régime de la monarchie constitutionnelle anglaise et déclenchent aussitôt les foudres du Parlement qui les condamne au feu, et leur auteur à la Bastille. Il se réfugie alors en Lorraine, à Cirey, chez Émilie du Châtelet,

femme brillante et savante qui devient sa maîtresse. Il y passera le meilleur de son temps jusqu'en 1744, écrivant des œuvres historiques (*Le Siècle de Louis XIV*, l'*Essai sur les mœurs*) et correspondant avec le roi de Prusse, Frédéric II, qui lui paraît le modèle du roi philosophe.

➔ En 1744, il se laisse tenter par la cour de Versailles, mais Louis XV – qui n'aime pas Voltaire – le disgracie en 1747. Il s'exile alors à Sceaux, chez la duchesse du Maine, qu'il distrait en transposant ses déconvenues de courtisan dans *Zadig ou la Destinée* (1747). Puis il retourne à Cirey où il découvre l'infidélité de Mme du Châtelet.

➔ Après la mort de celle-ci, il cède aux instances de Frédéric II qui l'invitait depuis longtemps à Berlin, et quitte Paris en juin 1750. Mais Frédéric n'est pas le despote éclairé qu'il attendait et au rêve philosophique succède la désillusion, puis le conflit. En 1755, Voltaire achète une propriété près de Genève, Les Délices. Le tremblement de terre de Lisbonne lui inspire un poème et des écrits pessimistes. En 1756, il publie l'*Essai sur les mœurs*, ouvrage historique ambitieux qui met en évidence le progrès des civilisations et la relativité des coutumes. Il s'engage également dans le combat de l'*Encyclopédie*, publie *Candide*, et déménage dans l'immense domaine de Ferney, près de la frontière suisse, en 1760.

➔ Voltaire va y passer les dix-huit dernières années de sa vie, y recevant des visiteurs de l'Europe entière et entretenant une correspondance monumentale avec tout ce que l'époque compte de grands personnages et d'intellectuels. Il écrit des contes (*L'Ingénu*, *La Princesse de Babylone*) et le *Dictionnaire philosophique portatif* (1764). Il lance le combat philosophique contre l'intolérance et obtient la réhabilitation du protestant Calas, condamné sans preuves pour le meurtre de son fils, affaire qui lui inspire le *Traité sur la tolérance* (1763) ; ce sont ensuite l'affaire Sirven et celle du chevalier de La Barre (1766).

➔ En février 1778, à 83 ans, Voltaire fait un retour triomphal à Paris, où il meurt le 30 mai de la même année. En 1792, au milieu d'une foule enthousiaste qui voit en lui l'un des pères de la Révolution, ses cendres seront transférées au Panthéon.

➔ *Candide ou l'Optimisme*, censure, conte philosophique, dictionnaire, *Encyclopédie*, engagement, ironie, Lumières, parodie, Rousseau

V

Voyage au bout de la nuit,
Céline, 1932

RÉSUMÉ

Ferdinand Bardamu, le héros-narrateur, étudiant en médecine engagé sans réfléchir en 1914, découvre avec épouvante les horreurs de la guerre. Blessé et traumatisé à vie par la peur, il est soigné à Paris dans divers services hospitaliers et voit que la guerre profite surtout à ceux qui ne la font pas. Sur le plan sentimental, il va d'échec en échec. Réformé, il s'embarque pour l'Afrique où il fait l'expérience de l'ignominie de la colonisation avant de travailler comme gérant dans une compagnie de la forêt tropicale, poste où il succède à un certain Robinson qu'il a déjà rencontré à la guerre. Malade, il est embarqué à demi-mort sur une étrange galère et se retrouve à New York, dans une pauvreté et une solitude totales. À Détroit, la générosité d'une prostituée, Molly, le délivre de son travail infernal à l'usine Ford. Mais, poussé par le besoin d'en « savoir toujours davantage », il la quitte et rentre à Paris. Devenu médecin, il exerce à Rancy, une banlieue triste où il mène une vie difficile. Il retrouve Robinson qui, après avoir tenté d'assassiner la vieille Mme Henrouille, est momentanément aveugle. Bardamu le soigne et l'engage à partir à Toulouse. Déprimé, Bardamu quitte Rancy, fait de la figuration dans un spectacle, séjourne à Toulouse, avant de rentrer près de Paris où il exerce de nouveau la médecine dans un hôpital psychiatrique. Robinson est tué par sa fiancée, furieuse qu'il l'ait abandonnée. Sa mort plonge Bardamu dans une noire mélancolie.

Le renouvellement du récit romanesque

Vraisemblablement rédigé à partir de 1929, *Voyage au bout de la nuit* paraît en 1932 et obtient le prix Renaudot. Lors de sa parution, Céline définit son roman en ces termes : « L'homme nu, dépouillé de tout, même de sa foi en lui. C'est ça mon livre. »

Œuvre en **rupture avec l'esthétique romanesque du début du XXe siècle** qui faisait de la subjectivité la clé et la finalité de la représentation du monde, le *Voyage* **revient au réalisme*** dont il reprend certains procédés. Il est aussi généralement considéré comme le **premier roman de l'absurde***, dont se souviendront Sartre* (le personnage de Roquentin dans *La Nausée*) et Camus* (celui de Meursault dans *L'Étranger**).

La voix narratrice

Roman brutal, violent dans sa forme et son contenu, le *Voyage au bout de la nuit* marque, dans son titre même, l'**échec de Bardamu**, travaillé par le besoin de comprendre le « pourquoi qu'on est là » et celui « d'en savoir toujours

davantage ». Dans le *Voyage*, **une seule voix se fait entendre**, celle du **héros-narrateur**[*], représentant des « pauvres de partout » : c'est son regard ou ses commentaires qui nous rapportent tous les autres points de vue[*]. Cela lui confère une fonction de témoin qui dénonce puissamment le mal qu'il découvre autour de lui et souligne que la guerre est partout et la mort partout à l'œuvre : « La vérité de ce monde c'est la mort. Il faut choisir, mourir ou mentir ». De fait, omniprésente dans le roman, la mort se retrouve jusque dans le regard des femmes aimées.

Une écriture révolutionnaire

Le lecteur d'aujourd'hui mesure mal ce qu'avait de révolutionnaire le style de Céline, lors de la parution du *Voyage* en 1932. L'écrivain **brise** en effet **toutes les normes en vigueur dans la langue écrite**. Revendiquant un style « antibourgeois », il puise largement dans la **langue parlée populaire**, dans l'argot, il s'écarte des règles syntaxiques… Cependant, cette écriture aussi vivante que la parole n'a rien de spontané. Elle est le fruit d'un travail très élaboré mêlant l'inventivité, une profonde connaissance du parler populaire, la recherche permanente d'une « petite musique » visant à **abolir la distance entre le mot et l'émotion**.

Céline a le projet de tout dire, de s'imposer comme l'homme du parler vrai, de détruire les mythes, et d'abord à celui de la guerre de 1914 dont il dénonce les horreurs et l'absurdité. Mais ce projet comporte un risque : la profération de l'innommable. Ainsi, déjà présent dans le manuscrit d'une œuvre antérieure, la pièce de théâtre *L'Église*, l'antisémitisme de Céline semble plus camouflé qu'absent dans le *Voyage*.

→ **absurde, existentialisme, réalisme, Sartre**

vraisemblance (et vérité)

n. f. Du latin *verisimilis*. Règle de la représentation littéraire, en particulier de la dramaturgie[*] classique, qui fait primer l'impression de vérité sur l'artifice et sur la vérité même. Peu importe que l'action dramatique soit vraie ou non, il suffit qu'elle soit *crédible* : « Jamais au spectateur n'offrez rien d'incroyable : / Le vrai peut quelquefois n'être pas vraisemblable. / Une merveille absurde est pour moi sans appas : / L'esprit n'est point ému de ce qu'il ne croit pas. » (Boileau[*], *Art poétique*, chant III, 1674.)

Évolution de la notion de vraisemblance

Au xviie siècle, les doctes se recommandent de la *Poétique* d'Aristote – qui, entre autres, proscrit l'impossible ou l'irrationnel dans la fiction – pour imposer la règle de la **vraisemblance**, qui **sert de fondement à la règle des trois unités**[*] de la dramaturgie classique. C'est au nom de l'exigence de vraisemblance que les détracteurs de Corneille[*], lors de la querelle du *Cid*[*] (1638), sont amenés à dénoncer l'invraisemblance du mariage de Chimène avec Rodrigue, meurtrier de son père.

Au xixe siècle, dans le roman réaliste et naturaliste, ce parti pris du vraisemblable se transformera en **exigence de vérité**. Toutefois, certains auteurs comme Maupassant[*] dénonceront vite cette prétention pour en revenir à l'idée de vraisemblable, estimant que tout écrivain n'est qu'un « illusionniste » : « Faire vrai consiste donc à donner l'illusion complète du vrai » (Maupassant[*], « Le Roman », préface de *Pierre et Jean*, 1888).

Au xxe siècle, si la recherche du vrai apparaît encore dans la tentative de certains auteurs du Nouveau Roman[*] de montrer le réel tel qu'il existe, Aragon[*] affirme avec force, dans *Le Mentir-vrai* (1980), que la prétention de la littérature au vrai ou au vraisemblable est vaine du fait même qu'elle est représentation.

→ **Corneille, naturalisme, réalisme, tragédie, unités (règle des trois)**

Yacine
(Kateb), 1929-1989

ŒUVRES PRINCIPALES
- **Romans**: *Nedjma* (1956), *Le Polygone étoilé* (1966).
- **Théâtre**: *Le Cercle des représailles* (1959), *L'Homme aux sandales de caoutchouc* (1970), *Boucherie de l'espérance* (1986), *L'Œuvre en fragments* (1996).

« Dans la gueule du loup »

À l'image de son auteur et de l'histoire de son pays, l'Algérie, l'œuvre de Kateb Yacine est une **œuvre déchirée**. À sept ans, son père le retire de l'école coranique pour le confier à l'école française. Ébloui par son institutrice, le jeune Kateb ressent très douloureusement les reproches discrets de sa mère qui mesure bien la rupture que cette nouvelle éducation entraîne sur le plan linguistique, culturel et familial. Il vit alors un véritable « **exil intérieur** », avec le sentiment de s'être jeté, en épousant la langue du colonisateur, « dans la gueule du loup ». Les violences de mai 1945 et la maladie de sa mère qui sombre bientôt dans la folie, puis les horreurs de la guerre d'Algérie, ne feront qu'exacerber ce conflit intime.

Un dramaturge engagé

Inaugurée en 1958 avec *Le Cadavre encerclé*, l'**œuvre théâtrale** de Kateb Yacine a d'abord été **écrite en français** dans une **langue poétique** puissamment rythmée. Héritier d'Eschyle et de sa méditation sur la violence, il célèbre l'épopée* du soulèvement anticolonial, ajoutant à la **dimension épique** une **dimension tragique*** : les convulsions de l'Histoire le confrontent à la catastrophe d'un peuple qu'on a coupé de ses racines, au déchaînement incontrôlable de la violence, à la difficulté de reconstruire un pays qui, libéré, est en proie à de nouveaux démons.

D'une exigeante lucidité, Kateb Yacine se veut partisan de la « révolution dans la révolution ». En 1971, il rompt avec la langue du colonisateur pour écrire, dans une veine satirique, des **pièces en arabe dialectal**, dont *Mohammed prend ta valise* (1971) qui remporte un large succès.

Nedjma

Publié en 1956, ce roman reste l'œuvre la plus fascinante de Kateb Yacine. Au cœur de l'intrigue*, l'amour de quatre hommes pour la mystérieuse Nedjma, fille d'une mère française et d'un père algérien, et dont le nom en arabe signifie « étoile pure ». Riche en péripéties* et en digressions, le récit, où l'on perçoit l'influence de Faulkner, multiplie les points de vue* et entrecroise les destins. Hanté par le passé mythique des ancêtres de Nedjma, il déjoue les pièges de la linéarité pour traduire une **perception cyclique du temps**. Le monologue intérieur* permet une plongée, souvent onirique, dans l'univers intime des personnages. Le destin de l'héroïne peut être lu comme une **métaphore de celui de tout un peuple** dont elle incarne l'âme déchirée.

Dans le contexte violent de la décolonisation, ce roman, déjouant les pièges de l'acculturation, concrétise l'**émergence d'une littérature maghrébine** enfin arrivée à maturité et **libérée de tout exotisme colonial**.

• **L'étoile pure**

« Elle nage seule, rêve et lit dans les coins obscurs, amazone de débarras, vierge en retraite, Cendrillon au soulier brodé de fil de fer ; le regard s'enrichit de secrètes nuances ; jeux d'enfant, dessin et mouvement des sourcils, répertoire de pleureuse, d'almée, ou de gamine ? Épargnée par les fièvres, Nedjma se développe rapidement comme toute Méditerranéenne ; le climat marin répand sur sa peau un hâle, combiné à un teint sombre, brillant de reflets d'acier, éblouissant comme un vêtement mordoré d'animal ; la gorge a des blancheurs de fonderie, où le soleil martèle jusqu'au cœur, et le sang, sous les joues duveteuses, parle vite et fort, trahissant les énigmes du regard. »
(*Nedjma*)

REPÈRES BIOGRAPHIQUES

➜ Originaire de Constantine, fils d'un avocat indigène, Kateb Yacine connaît une enfance insouciante dans une Algérie qui vit sans le savoir la fin de l'époque coloniale. D'abord inscrit à l'école coranique, il fréquente bientôt l'école française où seule est admise une minorité indigène privilégiée.

➜ Cette période heureuse prend brutalement fin avec les événements tragiques du 8 mai 1945 à Sétif : alors qu'une foule immense célèbre la victoire, une fusillade éclate, déclenchant une sanglante répression contre les mouvements nationalistes. Lui-même emprisonné, le jeune Kateb Yacine embrasse la cause nationaliste.

➜ Journaliste, grand voyageur, il mène une vie d'errance et bâtit son œuvre littéraire malgré les difficultés matérielles. Après avoir publié de la poésie, des romans et des pièces de théâtre, il décide en 1971 de poursuivre son œuvre théâtrale en arabe dialectal, jusqu'à ce que, en butte à l'hostilité des autorités algériennes qui n'apprécient pas ses prises de position, il mette fin à l'aventure.

➜ Établi en France, il reçoit le Grand Prix national des lettres en 1987 et meurt prématurément en 1989.

➜ engagement, monologue intérieur, théâtre

Yourcenar
(Marguerite), 1903-1987

ŒUVRES PRINCIPALES
• **Poésie** : *Le Jardin des Chimères* (1921), *Les dieux ne sont pas morts* (1922).
• **Romans** : *Alexis ou le Traité du vain combat* (1929), *Denier du rêve* (1934, 2ᵉ version 1959), *Le Coup de grâce* (1939), *Mémoires d'Hadrien* (1951), *L'Œuvre au noir* (prix Fémina 1968).
• **Nouvelles** : *La mort conduit l'attelage* (1935), *Nouvelles orientales* (1938).
• **Essais** : *Sous bénéfice d'inventaire* (1962), *Mishima ou la Vision du vide* (1981), *Le Temps, ce grand sculpteur* (1983).
• **Mémoires** : *Le Labyrinthe du monde* : I. *Souvenirs pieux* (1974), II. *Archives du Nord* (1977), III. *Quoi ? L'Éternité* (posth. 1988).

Des romans historiques, humanistes, moraux
Les *Mémoires d'Hadrien* retracent, à la première personne, la vie et les pensées de l'empereur romain Hadrien (IIᵉ siècle), humaniste épris de justice et de paix, sage acceptant sereinement et cultivant pleinement sa condition d'homme, qui fait le bilan de ce qu'il a accompli durant son règne et médite sur l'exercice du pouvoir.

Prolongement des *Mémoires d'Hadrien*, *L'Œuvre au noir*, autre roman historique dont le titre désigne la première étape du processus alchimique, évoque à la troisième personne le parcours initiatique vers la sagesse qu'effectue le savant Zénon, au XVIᵉ siècle, à travers guerres, épidémies, ou persécutions. À l'âge d'or de l'Antiquité succède la tragédie des temps modernes.

Une constante : l'autobiographie*
Dès l'âge de vingt ans Marguerite Yourcenar conçoit l'idée d'une **vaste fresque autobiographique**, *Le Labyrinthe du monde*, œuvre en trois volets à laquelle elle consacre la fin de sa vie, sans pouvoir en achever le dernier, *Quoi ? L'Éternité*. Les deux premiers volets, *Souvenirs pieux* et *Archives du Nord*, relatent la vie de ses parents et de leurs ascendants.
Dans ces récits, elle fait encore **œuvre d'historienne**, puisqu'elle s'appuie sur des archives. Mais surtout, à travers cette chronique familiale, elle offre une **méditation sur la destinée humaine** et sur l'écriture de soi à la recherche de l'« équilibre humain ».

CITATION

• Sur la méthode yourcenarienne

« Un pied dans l'érudition, l'autre dans la magie, ou plus exactement, et sans métaphore, dans cette *magie sympathique* qui consiste à se transporter en pensée à l'intérieur de quelqu'un. » (*Carnets de notes*, à propos du projet de reconstruction du personnage d'Hadrien)

REPÈRES BIOGRAPHIQUES

→ De son vrai nom Marguerite de Crayencour, Marguerite Yourcenar naît le 8 juin 1903 à Bruxelles. C'est son père qui va s'occuper de son éducation, sa mère étant morte dix jours après sa naissance. Elle passe sa jeunesse dans le Nord de la France, puis elle suit son père en Angleterre et en France, où ils partagent leur temps entre Paris et le Midi. Après un baccalauréat de lettres classiques, elle écrit et voyage, en Italie puis en Suisse où son père se fait soigner. Son premier roman, *Alexis ou le Traité du vain combat*, récit à la française qui se ressent de l'influence de Gide* et qu'elle compose en un an, paraît en 1929, peu après la mort de son père. Durant l'année 1931 elle passe plusieurs mois en Grèce.

→ 1937 est une année importante pour Yourcenar car elle rencontre Grace Frick, une enseignante américaine qui l'invite à la rejoindre aux États-Unis, ce qu'elle fait deux ans plus tard. En 1950, elle achète une maison, « Petite-Plaisance », dans l'île des Monts-Déserts, à l'extrême est des États-Unis. Elle traduit Virginia Woolf, Henry James, Pindare. Ce sont les *Mémoires d'Hadrien* qui la rendent célèbre, notoriété qui ne se dément pas puisque *L'Œuvre au noir* obtient le prix Fémina en 1968.

→ En 1980, elle est la première femme élue à l'Académie française. Curieuse et infatigable, elle reprend ses voyages l'année suivante, tout en se consacrant à la rédaction de chroniques familiales, de textes autobiographiques, de nouvelles, d'essais, de réflexions sur ses voyages.

→ Après un ultime voyage en Europe et en Afrique du Nord, et à la veille de venir assister en France au tournage de *L'Œuvre au noir*, elle meurt dans sa propriété américaine en décembre 1987.

→ **autobiographie, roman**

zeugme

n. m. Du grec *zeugma*, «joug». Mise sur le même plan (sur le même «attelage»), par coordination ou juxtaposition, d'éléments dissemblables sur le plan syntaxique ou sémantique. On parle de **zeugme syntaxique** lorsque les membres reliés n'ont pas la même nature grammaticale. Le **zeugme sémantique** rapproche deux mots pris l'un au sens propre et l'autre au sens figuré, ou un terme concret et un terme abstrait.

Principaux effets

Le **zeugme simple** n'est qu'une ellipse* qui permet d'alléger la phrase d'éventuelles répétitions et d'insister sur la juxtaposition ou la coordination. *Exemple* : « En approchant du bosquet, j'aperçus [...] vos signes d'intelligence, vos sourires mutuels, et le coloris de tes joues prendre un nouvel éclat. » (Rousseau*, *La Nouvelle Héloïse.*)

Le **zeugme syntaxique** tend à donner de l'importance à chacun des membres attelés et une valeur poétique à l'ensemble. *Exemple* : « Ils savent compter l'heure et que la terre est ronde. » (Alfred de Musset*, cité par Morier.)

Le **zeugme sémantique** ménage des effets encore plus riches, allant parfois jusqu'à l'incongruité. Ainsi, dans l'exemple suivant : « Vêtu de probité candide et de lin blanc » (Hugo*, « Booz endormi », *La Légende des siècles*), l'adjectif « vêtu », qui régit l'attelage, est complété par une expression abstraite et une expression concrète.

→ anacoluthe, ellipse

Zola
(Émile), 1840-1902

ŒUVRES PRINCIPALES
• **Premières œuvres** : *Contes à Ninon* (1864), *La Confession de Claude* (1865), *Thérèse Raquin* (1867).
• **Cycle des *Rougon-Macquart*** (1871-1893) : entre autres : *La Fortune des Rougon* (1871), *La Curée* (1872), *Le Ventre de Paris* (1873), *L'Assommoir* (1877), *Nana* (1880), *Au Bonheur des Dames* (1883), *Germinal* (1885), *La Bête humaine* (1890), *L'Argent* (1891), *La Débâcle* (1892), *Le Docteur Pascal* (1893).
• **Derniers écrits** : *Les Trois Villes* (1894-1898), *Les Quatre Évangiles* (1899-1902).
• **Manifestes** : *Le Roman expérimental* (1880), *Les Romanciers naturalistes* (1881).

Histoire naturelle...

Lorsqu'il conçoit le projet des *Rougon-Macquart* en 1868-1869, Zola est influencé par la lecture de travaux contemporains consacrés à la physiologie et à l'**hérédité**. Balzac* avait eu l'idée du personnage reparaissant ; Zola imagine d'écrire plusieurs romans mettant en scène les **représentants d'une seule et même famille**, issue d'Adélaïde Fouque. Du mariage de « tante Dide » avec l'avide Rougon, puis son concubinage avec le contrebandier alcoolique Macquart, naissent deux branches chez lesquelles le romancier prétend observer les manifestations héréditaires de la folie originelle de Dide.

Cette série romanesque est donc fondée sur un arbre généalogique et elle entend montrer comment **se retrouvent ou s'effacent**, selon les milieux sociaux traversés et les lois de **l'hérédité**, les tares originelles des Rougon-Macquart. Le lecteur voit ainsi Aristide Rougon amener sa femme à l'inceste et même à la mort par l'effet de sa propre cupidité et de son immoralité (*La Curée*). Il voit Gervaise Macquart sombrer dans la boisson (*L'Assommoir*). Il voit son fils Jacques Lantier tuer sa maîtresse (*La Bête humaine*), tandis que son frère Étienne, domptant ses instincts de meurtre et l'alcoolisme héréditaire, parviendra à guider les mineurs de *Germinal* vers le rêve d'un avenir meilleur.

Zola décrit son roman comme « **expérimental** », prétendant se contenter de consigner les résultats d'une expérience humaine qui obéit à des lois biologiques et sociales. Cette **imitation des sciences naturelles par la littérature** suppose des **principes esthétiques** que Zola a maintes fois exprimés et qui sont bien résumés dans son essai « Le naturalisme au théâtre » (dans *Le Roman expérimental*) :
1. le roman naturaliste zolien **refuse l'imagination** : « L'œuvre devient un procès-verbal, rien de plus. » ;
2. il est « **impersonnel** », tout comme les romans de Flaubert* : « Le romancier n'est plus qu'un greffier, qui se défend de juger et de conclure. » ;
3. il **refuse l'idéalisme et les conventions morales** : bien loin de chercher l'obscénité, « nous disons tout, nous ne faisons plus un choix », déclare Zola, selon qui « les naturalistes affirment qu'on ne saurait être moral en dehors du vrai ».

... et histoire sociale

L'épopée des *Rougon-Macquart* ressemble à la *Comédie humaine* dans la mesure où la **condition de milieu** requise par l'expérience conduit tout naturellement l'auteur à l'**enquête sociale**. Balzac* a été le romancier de la monarchie de Juillet. Zola veut représenter la société née du coup d'État de Napoléon III en décembre 1851. Le **Second Empire** est intéressant par ses **bouleversements sociaux** : comme l'illustre l'ascension des Rougon (*La Fortune des Rougon, La Curée, Son Excellence Eugène Rougon*), c'est l'époque de la mobilité sociale, voire du mélange des classes (*Nana*). Ce sont aussi dix-huit ans marqués par des mutations économiques considérables (voir le grand magasin dans *Au Bonheur des Dames*, voir la Bourse dans *L'Argent*) et par la fédération de la classe ouvrière face à la bourgeoisie (*Germinal*). C'est enfin un monde qui, avec le désastre de Sedan, meurt d'avoir trop joui (*La*

Débâcle) et sombre dans un désarroi idéologique et intellectuel.

En subordonnant le personnage à une **hérédité qui équivaut** dans le roman **à la fatalité du théâtre antique**, c'est toute la société que Zola soumet à un vaste déterminisme. Dans chaque roman, de multiples digressions évoquent le mouvement d'accompagnement des protagonistes par la multitude, et soulignent leur situation (insertion ou exclusion) dans ce vaste mouvement qu'est la « bousculade des appétits » qui caractérise le règne, « le galop infernal des millions » qui saisit les hommes (*La Curée*) ou encore le « rut » qui souvent les domine. Au fil de ses progrès et de ses crises, ce règne où se mêlent élan démocratique et ploutocratie court à sa perte, l'ultime roman du cycle, *Le Docteur Pascal*, laissant toutefois poindre l'espoir d'un avenir meilleur.

De la rigueur de l'enquête à l'amplification romanesque

Les romans des *Rougon-Macquart* et les suivants obéissent à une **programmation** assez stricte et à une véritable logique d'enquête. Avant d'entamer un volume, **Zola se rend sur le terrain, se documente, et dialogue avec des informateurs**. Ses **carnets d'enquête** (publiés aujourd'hui chez Plon) constituent d'ailleurs un chef-d'œuvre d'anthropologie sociale du XIXe siècle. Lorsqu'il s'attelle à l'écriture, à partir du printemps dans sa propriété de Médan, le romancier commence par esquisser son projet dans une « **ébauche** » de plusieurs dizaines de feuillets et finit par rédiger des **plans détaillés** où s'esquissent des bouts de dialogue et où il fait des renvois à ses notes documentaires.

Cette programmation extrêmement minutieuse de l'écriture, ajoutée aux principes esthétiques a priori très stricts qui caractérisent le « roman expérimental », n'empêche pas que le roman de Zola **amplifie ses sujets et touche au mythe et à l'épopée**. Il élabore en effet de **vastes objets métaphoriques** dignes de Hugo*, sur lesquels convergent les pulsions des protagonistes et dont les descriptions répétées ont une importante fonction rythmique (voir l'alambic de *L'Assommoir*, la locomotive de *La Bête humaine* ou le puits de mine de *Germinal*). Il ménage d'impressionnants effets de foule, comme dans *Germinal*. Enfin, comme le Docteur Pascal lui-même, le roman zolien « aime tout ce qui est par amour de la vie, par admiration des forces vitales » (ébauche du *Docteur Pascal*). « J'agrandis, cela est certain », confesse Zola dans une lettre célèbre à son ami Henry Céard où il prétend **concilier le prin-**

cipe de l'observation naturaliste et l'amplification par l'écriture (22 mars 1885) : « J'ai l'hypertrophie du détail vrai, le saut dans les étoiles sur le tremplin de l'observation exacte. La vérité saute comme un coup d'aile jusqu'au symbole. »

CITATION

• Métaphore et symbole

« L'alambic, avec ses récipients de forme étrange, ses enroulements sans fin de tuyaux, gardait une mine sombre ; pas une fumée ne s'échappait ; à peine entendait-on un souffle intérieur, un ronflement souterrain ; c'était comme une besogne de nuit faite en plein jour, par un travailleur morne, puissant et muet. [...] L'alambic, sourdement, sans une flamme, sans une gaieté dans les reflets éteints de ses cuivres, continuait, laissait couler sa sueur d'alcool, pareil à une source lente et entêtée, qui à la longue devait envahir la salle, se répandre sur les boulevards extérieurs, inonder le trou immense de Paris. » (*L'Assommoir*, chap. 2)

REPÈRES BIOGRAPHIQUES

→ C'est à huit ans, après la mort de son père, qu'Émile Zola doit quitter la ville de son enfance, Aix-en-Provence, future Plassans de la fiction, pour gagner Paris. Les débuts sont difficiles pour ce jeune homme avide d'arriver. Cependant, à vingt-deux ans, un emploi de chef de publicité chez Hachette l'amène progressivement à la littérature.

→ Devenu journaliste, il prend parti contre la peinture académique et met son talent de polémiste au service de ceux qu'on appellera bientôt les « impressionnistes ». Après la publication d'un roman naturaliste, *Thérèse Raquin*, il projette de faire l'« Histoire naturelle et sociale d'une famille sous le Second Empire ». Tel est le sous-titre des *Rougon-Macquart*, dont le chantier s'ouvre en 1870 et durera près de vingt ans, à raison d'un volume environ par an. Au fil de la parution de *L'Assommoir*, de *Nana* ou de *Germinal*, Zola s'impose comme le romancier majeur du dernier quart du XIXᵉ siècle. Le parti pris naturaliste de l'auteur et l'exactitude ethnologique avec laquelle il décrit les mœurs du Second Empire frappent voire choquent les lecteurs.

→ L'œuvre entamée après 1893 relève cependant d'une intention différente : après la quête métaphysique et éthique retracée dans *Les Trois Villes* (*Lourdes, Rome, Paris*), Zola développe dans *Les Quatre Évangiles* (*Fécondité, Travail, Vérité, Justice* – ce dernier restera à l'état d'ébauche) une nouvelle formule romanesque qui relève de l'utopie sociale et prétend donner un pendant optimiste aux *Rougon-Macquart*.

→ Vigoureux défenseur du capitaine Dreyfus, auteur de la fameuse lettre ouverte *J'accuse !* publiée le 13 janvier 1898 dans *L'Aurore*, Zola rejoint les grandes figures d'écrivains engagés et meurt aussi glorieux que Victor Hugo*. Ses cendres seront transférées au Panthéon en 1908.

→ **Balzac, engagement, *Germinal*, Goncourt, Huysmans, Maupassant, naturalisme, réalisme**

Tableau chronologique des principaux

	Repères historiques	Principaux auteurs	Mouvements littéraires
Moyen âge	XIIe siècle XVe siècle **1450 :** *invention de l'imprimerie*	Marie de France (2e moitié du XIIe siècle) Chrétien de Troyes (XIIe siècle) Charles d'Orléans (1394-1465) François Villon (vers 1431-vers 1463)	
XVIe siècle	**1494-1559 :** *guerres d'Italie* *Début de la Renaissance en france* **1568-1592 :** *guerre de Religion* **1589-1610 :** *règne d'Henri IV*	Rabelais (1494-1553) Marot (1496-1544) Poètes de la Pléiade : Du Bellay (1522-1560) Ronsard (1524-1585) Montaigne (1533-1592) Agrippa d'Aubigné (1522-1630)	HUMANISME
XVIIe siècle	**1610-1643 :** *règne de Louis XIII* **1643-1661 :** *régence d'Anne d'Autriche*	Malherbe (1555-1628) Honoré d'Urfé (1567-1625) Théophile de Viau (1590-1626) Saint-Amant (1594-1661) Tristan l'Hermite (1601-1655) Cyrano de Bergerac (1619-1655)	LE BAROQUE
		Descartes (1596-1650) Corneille (1606-1684) La Fontaine (1621-1695) Pascal (1623-1662) Molière (1622-1673) Madame de Sévigné (1626-1696)	DU BAROQUE AU CLASSICISME
		Bossuet (1627-1704) Madame de Lafayette (1643-1693) Boileau (1636-1711) Racine (1639-1699) La Bruyère (1645-1696)	CLASSICISME
XVIIIe siècle	**1715-1723 :** *régence de Philippe d'Orléans* **1723-1774 :** *règne de Louis XV* **1774-1792 :** *règne de Louis XVI* **1789 :** *Révolution française*	Marivaux (1698-1763) Montesquieu (1689-1755) Voltaire (1694-1778) Rousseau (1712-1778) Diderot (1713-1784) Beaumarchais (1732-1799) Sade (1740-1814) Choderlos de Laclos (1741-1803)	LES LUMIÈRES

auteurs et mouvements littéraires

	Repères historiques	Principaux auteurs	Mouvements littéraires
XIXe siècle	**1804-1815 :** *Premier Empire (règne de Napoléon Ier)*	Chateaubriand (1768-1848)	PRÉROMANTISME
	1815-1830 : *Restauration*	Stendhal (1783-1842) Vigny (1797-1863) Balzac (1799-1850) Hugo (1802-1885) Musset (1810-1857)	ROMANTISME
	1830-1848 : *monarchie de Juillet*	Flaubert (1821-1880)	RÉALISME
		Zola (1840-1902) Maupassant (1850-1893)	NATURALISME
	1848-1851 : *révolution de 1848* *IIe République*	Leconte de Lisle (1818-1894)	PARNASSE
	1852-1870 : *Second Empire* **1870-1871 :** *guerre franco-prussienne* *Commune de Paris* *Début de la IIIe République*	Baudelaire (1821-1867) Mallarmé (1842-1898) Verlaine (1844-1896) Rimbaud (1854-1891)	SYMBOLISME
XXe et XXIe siècles	**1914-1918 :** *Première Guerre mondiale*	Claudel (1868-1955) Gide (1869-1951) Proust (1871-1922) Apollinaire (1880-1918) Céline (1894-1961) Malraux (1901-1976)	
	1939-1945 : *Seconde Guerre mondiale* *Début de la IVe République*	Éluard (1895-1952) Breton (1896-1966) Aragon (1897-1982) Ponge (1899-1988) Desnos (1900-1945)	SURRÉALISME
		Sartre (1905-1980) Camus (1913-1960)	EXISTENTIALISME
	1958 : *début de la Ve République*	Beckett (1906-1989) Ionesco (1912-1994)	THÉÂTRE DE L'ABSURDE
		Sarraute (1900-1999) Simon (1913-2005) Robbe-Grillet (1922-2008) Butor (né en 1926)	NOUVEAU ROMAN
	2007 : *Union européenne à 27*	Ernaux (née en 1940) Le Clézio (né en 1940) Ben Jelloun (né en 1944) Modiano (né en 1945)	

Conception de la maquette : Sandra Chamaret

Illustrations : Jean-Roch Binder
Mise en pages : MCP-Jouve
Suivi éditorial : Luce Camus

Achevé d'imprimer par Rotolito à Seggiano di Pioltello – Italie
Dépôt légal - 94734-6/05 – Avril 2015